»Er setzte sich das blumengeschmückte
Stirnband auf«

REISS-MUSEUM DER STADT MANNHEIM

DIE WELT DER MAYA

VERLAG PHILIPP VON ZABERN · MAINZ AM RHEIN

Die Ausstellung wird veranstaltet vom
Reiß-Museum der Stadt Mannheim
vom 16. September 1993 bis 16. Januar 1994

Die Ausstellung steht unter der Schirmherrschaft von
Dr. Richard von Weizsäcker,
Präsident der Bundesrepublik Deutschland, und
Prof. Dr. Federico Mayor,
Generaldirektor der UNESCO

DEUTSCHE UNESCO-KOMMISSION
GERMAN COMMISSION FOR UNESCO · COMMISSION ALLEMANDE POUR L'UNESCO

Projektleitung und Organisation:
Karin v. Welck und Alfried Wieczorek

Öffentlichkeitsarbeit:
Karin v. Welck und Alfried Wieczorek unter Mitarbeit von
Margot Rathenow, Hanowerb

Ausstellungskonzeption:
Eva und Arne Eggebrecht unter fachlicher Beratung von
Nicolai Grube

Ausstellungstexte:
Eva Eggebrecht

Ausstellungsgestaltung:
Rolf Schulte und Alfried Wieczorek

Technische Durchführung:
Bernd Hoffmann mit Erwin Ohnemus, Hans Peter Niers und
Ursula Bernert sowie Jean Christen, Ulrich Debus, Annette
Henrichs, Günter Mössinger, Orazio Petrosino, Dieter Schreiber,
Annette Schrimpf

Restauratorische Betreuung:
Bernd Hoffmann und Dorothea Issel

Ausstellungsbüro:
Heike Griesbaum unter Mitarbeit von Hannelore Schwinn und
Ellen Luisa Reiblich

Verwaltung:
Rainer Hummel, Gabriele Reiser

Transporte:
Fa. Hasenkamp Berlin, Heribert Wuttke

Ausstellungsgrafik:
Vits & Kehrer, Mannheim

Tischlerarbeiten und Montage:
Fa. Karl F. Jacobs, Oftersheim; Fa. Schmalstieg, Burgwedel

KATALOG:
Herausgeber:
Eva und Arne Eggebrecht, Nicolai Grube, Karin v. Welck
Textredaktion:
Eva und Arne Eggebrecht, Matthias Seidel, Christian Hölzl,
Estella Krejci unter Mitarbeit von Elke Wagner und Alfried
Wieczorek
Objektbeschreibungen:

Ursula Dyckerhoff	(U. D.)
Federico Fahsen O.	(F. F.)
William L. Fash und Barbara W. Fash	(W. L. F./B. W. F.)
Nikolai Grube	(N. G.)
George Hasemann	(G. H.)
John S. Henderson	(J. S. H.)
Kenneth Hirth und Susan G. Hirth	(K. H./S. G. H.)
Hasso Hohmann	(H. H.)
Estella Krejci	(E. K.)
Ted J. J. Leyenaar	(T. J. L. L.)
Manuel Roberto López B.	(M. L.)

3. überarbeitete und veränderte Auflage

© 1993 Roemer- und Pelizaeus-Museum, Hildesheim,
Reiß-Museum der Stadt Mannheim
und Verlag Philipp von Zabern, Mainz
Alle Rechte, insbesondere das der Übersetzung in fremde
Sprachen, vorbehalten. Ohne ausdrückliche Genehmigung des
Verlages ist es auch nicht gestattet, dieses Buch oder Teile
daraus auf photomechanischem Wege (Photokopie, Mikro-
kopie) zu vervielfältigen.
ISBN 3-8053-1293-8
ISBN 3-8053-1390-X (Museumsausgabe)
Gesamtherstellung: Verlag Philipp von Zabern, Mainz am Rhein
Printed in Germany/Imprimé en Allemagne
Printed on fade resistant and archival quality paper
(PH 7 neutral)

Katalog-Handbuch: XII, 636 S. mit 405 Farb- und 77 s/w Abb.

Umschlag vorne: Kat.-Nr. 67

Umschlag hinten: Kat.-Nr. 95 (Ausschnitt)

Vortitel: Hieroglyphen-Zeile mit Übersetzung. Die Aussage
bezieht sich bildhaft auf die Inthronisierung eines
Maya-Herrschers.

Frontispiz: Cópan, Stele D und Altar des Herrschers
Waxaklahun Ubah K'awil mit einer Datumsangabe vom
26. Juli 736 n.Chr. (nach einem handkolorierten Stich von
F. Catherwood, London 1844)

STADT
MANNHEIM

Inhaltsverzeichnis

Leihgeber

Belmopan (Belize)	Department of Archaeology
Cambridge	Peabody Museum of Archaeology and Ethnology, Harvard University
Cleveland	The Cleveland Museum of Art, The Norweb Collection
Comayagua	Instituto Hondureño de Antropología e Historia, Museo Regional
Copán	Instituto Hondureño de Antropología e Historia, Museo Regional
Graz	Hasso Hohmann
Guatemala-Stadt	Museo Nacional de Arqueología y Etnología
Guatemala-Stadt	Museo Popol Vuh, Universidad Francisco Marroquín
Köln	Rautenstrauch-Joest-Museum für Völkerkunde
Köln	Museum Ludwig
Leiden	Rijksmuseum voor Volkenkunde
London	The British Museum, Department of Ethnography (Museum of Mankind)
Mexiko-Stadt	Museo Nacional de Antropología
New York	National Museum of the American Indian, Heye Foundation
San Salvador	Museo Nacional »Dr. David J. Guzman«
Tegucigalpa	Museo Nacional de Antropología – Instituto Hondureño de Antropología e Historia
Tikal	Museo Sylvanus G. Morley
Wien	Museum für Völkerkunde
Wien	Hochschule für Angewandte Kunst, Meisterklasse für Architektur, Prof. Hans Hollein
Zürich	Museum Rietberg

Vorwort

Für das Reiß-Museum der Stadt Mannheim ist es ein Glücksfall, daß es dank der engen Zusammenarbeit mit dem Hildesheimer Roemer- und Pelizaeus-Museum vom September 1993 bis Januar 1994 die großartige Ausstellung »Die Welt der Maya« in Mannheim präsentieren kann, die der Leitende Direktor des Hildesheimer Museums, Professor Dr. Arne Eggebrecht, und seine Frau, Dr. Eva Eggebrecht, unter fachlicher Beratung von Dr. Nicolai Grube erarbeitet haben. Ursprünglich stellten die Leihgeber ihre wertvollen Exponate nur für eine deutsche Ausstellungsstation zur Verfügung. Dank dem überwältigenden Erfolg der Präsentation in Hildesheim gelang es, die Schätze aus den Museen in Mittelamerika, den Vereinigten Staaten von Amerika, England, der Schweiz, den Niederlanden, Österreich und Deutschland nach ihrer Ausstellung in Wien nun auch noch für Mannheim zu sichern. Allen Leihgebern, die unserem Wunsch in so großzügiger Weise zustimmten, sei an dieser Stelle sehr gedankt. Nur einige wenige Exponate mußten vorzeitig zurückgegeben werden, weil sie von den leihgebenden Museen bereits für andere Ausstellungen verplant waren; dafür kamen jedoch andere rare Spitzenstücke zum Ausstellungskonvolut hinzu, die wiederum für die Hildesheimer Station noch nicht zur Verfügung standen. So zum Beispiel die weltberühmte sogenannte Leidenplatte aus dem Rijksmuseum voor Volkenkunde in Leiden (Kat. 255), eine mit eingeritzten Hieroglyphen geschmückte Jadeplakette, die 1864 bei Kanalarbeiten in Guatemala gefunden wurde und lange als das älteste datierbare Schriftstück (17. September 320 n. Chr.) aus dem Maya-Tiefland galt.

In Anbetracht der Kostbarkeit der Objekte stellt die Ausstellung ohne Zweifel eine einzigartige und wohl nie wiederkehrende Chance dar, derartig viele herausragende Kunstwerke der Maya aus den großen Sammlungen aus aller Welt im Vergleich studieren zu können. Viele der Exponate wurden erst in den letzten Jahren geborgen. So zum Beispiel das bizarre Feuersteingerät (Kat. 84), das David Stuart 1987 unter einem Altar an der Basis einer Hieroglyphentreppe entdeckte und dessen Herstellung nach Meinung der Experten soviel Erfahrung erfordert, daß heute niemand mehr in der Lage wäre, es nachzuarbeiten. Andere Objekte der Ausstellung zählen schon lange zu den berühmtesten Stücken, die aus der Blütezeit der Mayakultur erhalten geblieben sind. Als ein Beispiel unter vielen anderen sei an dieser Stelle die sogenannte Fenton-Vase genannt, die das Britische Museum in London für unsere Ausstellung zur Verfügung stellte. Dieses Gefäß wurde 1904 im Hochland von Guatemala ausgegraben und gilt seither als eines der schönsten Beispiele der polychromen Gefäßmalerei der Maya.

Nach den Ausstellungen »Gold aus Kuban« im Jahr 1989, »176 Tage W. A. Mozart in Mannheim« (1991/92) und »Suche nach Unsterblichkeit – Ägypten in Mannheim« im Winter 1992/93 setzen wir mit der Maya-Ausstellung die Reihe der großen kulturhistorischen Präsentationen des Reiß-Museums mit erlesenen Exponaten fort. Dank dem im Jahre 1988 eröffneten Neubau für die Völkerkundlichen und Archäologischen Sammlungen unseres Museums sind derartige Ausstellungen nun auch für die Stadt Mannheim realisierbar geworden. Dennoch wäre die Ausstellung im Reiß-Museum nicht zustande gekommen, wenn wir nicht die dafür notwendige Unterstützung der Verwaltungsspitze der Stadt Mannheim gehabt hätten, insbesondere die des Oberbürgermeisters Gerhard Widder, des Kulturbürgermeisters Lothar Mark und des Ersten Bürgermeisters Dr. Norbert Egger mit seinem Kämmereidirektor Peter Schill. Allen vieren sei daher von Herzen gedankt. Unser besonderer Dank gilt zudem Professor Dr. Arne Eggebrecht und Dr. Eva Eggebrecht mit ihren Mitarbeitern Dorothea Issel und Rolf Schulte, die die Ausstellung in Hildesheim erarbeiteten, betreuten, in Szene setzten und uns halfen, manche Schwierigkeit zu überwinden. Dankbar sind wir zudem für die kollegiale Unterstützung, die uns aus dem Kunsthistorischen Museum in Wien durch den Generaldirektor Dr. Wilfried Seipel und den Leiter der Ausstellungsabteilung, Dr. Christian Hölzl, entgegengebracht wurde und die die reibungslose Übergabe des Ausstellungsguts von Wien nach Baden-Württemberg gewährleistete.

In Mannheim hat im Grunde das gesamte Team des Reiß-Museums in der einen oder anderen Form an den Vorbereitungen für die Ausstellung mitgewirkt. Die Projektleitung lag in nun schon bewährter Weise in den Händen von Dr. Alfried Wieczorek, dem Leiter der Ausstellungsabteilung, dem für seine überaus engagierte und präzise Mitarbeit sehr zu danken ist. Zusammen mit unserem Restaurator Bernd Hoffmann meisterte er souverän die Gestaltung und den Aufbau der Ausstellung und alle damit zusammenhängenden Fragen. Dabei wurden die beiden bestens unterstützt durch unsere Restauratoren Erwin Ohnemus, Hans-Peter Niers und Ursula Bernert sowie durch die altamerikanistische Fachkompetenz des Leiters der Völkerkundlichen Sammlungen des Reiß-Museums, Dr. Henning Bischof. In der letzten Phase der Vorbereitungen waren zudem auch Dr. Ursel Dyckerhoff vom Kölner Rautenstrauch-Joest-Museum und nicht zuletzt Heribert Wuttke von der Firma Hasenkamp unentbehrliche Helfer. Ihnen und den zahlreichen weiteren Mitarbeiterinnen und Mitarbeitern an dem Ausstellungsprojekt sei dafür herzlich gedankt. Zusammen mit allen, die ihre Arbeitskraft, Phantasie und Begeisterung für das Projekt »Die Welt der Maya in Mannheim« eingesetzt haben, hoffe ich, daß die Ausstellung im Rhein-Neckar-Dreieck ein großer Erfolg wird und uns hilft, auch in Zukunft im Reiß-Museum der Stadt Mannheim wichtige kulturhistorische Ausstellungen zu veranstalten.

Dr. Karin v. Welck
Leitende Direktorin des Reiß-Museums der Stadt Mannheim

Geleitwort

"Like a mist in the night, the Maya appeared in this land more than three thousand years ago. They built a culture that survived six times as long as the Roman Empire. They lived by a calendar the equal of ours, developed the concept of zero in mathematics, predicted eclipses of sun and moon, and traced the path of Venus with an error of only 14 seconds a year" (W. E. Garrett, Nat. Geogr. Magazine).
These are only a few of the facets of Maya genius which also expressed itself in wondrous temple and pyramid architecture. Highly advanced agriculturalists, the Maya were also admirable painters and sculptors (their bas-reliefs are well-known) and showed they were as gifted in this respect as their most skilful contemporaries elsewhere in the world.

At present over one million Maya still speak their ancestral tongue and perpetuate a rich heritage of cultural traditions – particularly music, cosmology and mythology – and complex rituals rooted in the pre-Colombian past. Today, however, all of these treasures are under threat. People should be made aware of this. The "Maya World" exhibition is therefore most welcome and shows a collection of objects of exceptional value. It comes at a good time, coinciding as it does with the World Decade for Cultural Development – following a decision by the United Nations Organization and UNESCO in 1988 – and the celebration of the fifth centenary of the encounter of two worlds, the old and the new. It also appears hand in hand with the launching by UNESCO of the "El Mundo Maya" project. Its message will help to preserve the land of the Maya which is so rich in history, living tradition and natural beauty. Belize, El Salvador, Guatemala, Honduras and Mexico – all Maya country – have constantly striven to this end and are participating most generously in this exhibition. Their common roots inform their appeal to the international community to preserve this heritage for future generations so that their destiny may be inscribed in the memory of the past and the life of the present.

»Wie ein Nebel in der Nacht erschienen die Maya auf dieser Welt vor mehr als dreitausend Jahren. Sie schufen eine blühende Kultur, die sechsmal länger bestand als das Römische Weltreich, lebten nach einem Kalender, der unserem glich; sie erfanden das mathematische Konzept der Null, verstanden es, die Sonnen- und Mondfinsternisse vorauszusagen, und konnten die Bahn der Venus mit einem Fehleranteil von nur 14 Sekunden im Jahr berechnen.« (W. E. Garrett, Nat. Geogr. Magazine). Dies sind nur einige der Facetten der genialen Kreativität der Maya, die sich auch in der außergewöhnlichen Architektur ihrer Tempel und Pyramiden ausdrückt. Obwohl die Maya auch hervorragende Agronomen waren, sind sie doch vor allem für ihre Malerei und Bildhauerkunst berühmt, insbesondere für ihre Reliefs. Auf diesen Gebieten waren sie den begabtesten Zeitgenossen in anderen Teilen der Erde ebenbürtig. Heute noch sprechen mehr als eine Million Maya die Sprache ihrer Vorfahren und pflegen ein reiches kulturelles Erbe – insbesondere auf den Gebieten der Musik, Kosmologie und Mythologie – und vielfältige Riten, die bis in die präkolumbianische Vergangenheit zurückreichen. Aber die Gesamtheit dieses Schatzes ist heute bedroht, eine Gefahr, der wir uns alle stellen und auf Rettung bedacht sein müssen. Deshalb heiße ich die Ausstellung »Die Welt der Maya« überaus willkommen. Sie präsentiert Objekte von außergewöhnlichem Wert und fügt sich in den Rahmen der »Weltdekade für kulturelle Entwicklung«, die 1988 von der Organisation der Vereinten Nationen und der UNESCO proklamiert worden ist. Darüber hinaus fällt sie auch mit dem Jahr der Feierlichkeiten zum 500. Jahrestag des Zusammentreffens zweier Welten zusammen, der Alten und der Neuen. Überdies ist sie Teil des gerade begonnenen UNESCO-Projektes »El Mundo Maya«, das zur Erhaltung der Maya-Region beitragen soll, die eine so reiche Geschichte, lebendige Traditionen und Naturschönheiten besitzt. Die Maya-Länder Belize, El Salvador, Guatemala, Honduras und Mexiko, die sich um den Erhalt ihres kulturellen Erbes bemühen, sind durch ihre großzügigen Leihgaben besonders aktive Teilnehmer an dieser Ausstellung. Ihre gemeinsamen Wurzeln haben sie zu dem Appell an die internationale Gemeinschaft bewogen, diesen Schatz für zukünftige Generationen zu erhalten, auf daß das Schicksal dieser Länder eingeschrieben sein möge in das Gedächtnis der Vergangenheit und das Leben der Gegenwart.

PROF. DR. FEDERICO MAYOR
Generaldirektor der UNESCO und Schirmherr der Ausstellung

Vorwort

Schon vor der Ausrichtung der großen Azteken-Ausstellung im Jahre 1986, die wie das diesjährige Maya-Projekt von Hildesheim aus konzipiert und organisiert wurde, um danach mit großem Erfolg in sieben Städten Europas und in Übersee gezeigt zu werden, war es meine Absicht, wenige Jahre später auch der »Welt der Maya« eine eigene, umfassende Präsentation zu widmen. Dies vor allem deshalb, weil bislang beide Kulturen in Europa meist nur gemeinsam vorgestellt wurden und dann auch nur unter dem Aspekt »Mexiko«. Da beide Zivilisationen aber erhebliche und in vielem grundsätzliche Unterschiede aufweisen, ihre Bedeutung für das Weltkulturerbe aber bisher viel zu wenig ins Bewußtsein getreten ist, erschien mir eine separate Darstellung beider Kulturkreise als einzig angemessen und sinnvoll.

Glückliche Umstände brachten es mit sich, daß speziell in den letzten zehn Jahren entscheidende Fortschritte im Bereich der Maya-Forschung erzielt werden konnten, und zwar nicht nur auf dem Feld der Archäologie, sondern vor allem auf dem Gebiet der Sprachforschung, insbesondere bei der Entzifferung der Hieroglyphen. Diese Ergebnisse ließen sich durch die Mitarbeit der bekanntesten Maya-Spezialisten, denen hiermit ausdrücklich Dank gesagt sei, in die Hildesheimer Ausstellung einbringen, die damit den gegenwärtigen Forschungsstand reflektiert und so für Europa und seiner Kenntnis von der Welt der Maya neue Maßstäbe setzt.

Dennoch wird manches auch weiterhin geheimnisvoll bleiben, auch wenn wir mittlerweile wissen, wer zum Beispiel Copán im heutigen Honduras erbaute. So fragte der berühmte Forscher und eigentliche Entdecker der Maya-Welt, J. L. Stephens, als er 1839 vor den Ruinen Copáns stand, in seinen »Incidents of Travel in Central America, Chiapas and Yucatan« (1841): ». . . Wer waren diese Menschen, die diese Stadt erbaut haben? In den verfallenen Städten Ägyptens und sogar dem lange untergegangenen Petra weiß der Fremde um die Geschichte des Volkes, dessen Spuren ihn umgeben: Amerika aber – heißt es – war von Wilden besiedelt; aber Wilde können niemals diese Bauten errichtet haben, und Wilde haben auch niemals diese Steine skulptiert . . .«, und er fährt fort: ». . . Alles war geheimnisvoll, dunkel, ein undurchdringliches Mysterium, das sich mit jedem Schritt verdichtete. Während sich in Ägypten die kolossalen Skelette der gigantischen Tempel aus dem Sand der Wüste in nackter Einsamkeit erheben, verbirgt hier ein scheinbar undurchdringlicher Dschungel die Ruinen und entzieht sie den Blicken, . . . so daß das Interesse an ihnen geradezu in Leidenschaft verwandelt wird . . .«

In diesem Zusammenhang halte ich es für einen weiteren glücklichen Umstand, daß dank der Großzügigkeit des Instituto Hondureño de Antropología e Historia (IHAH) und der Regierung von Honduras gerade Copán, dessen großartige Kulturzeugnisse Stephens zu den zitierten Äußerungen veranlaßten, im Rahmen dieser Ausstellung herausragend vertreten ist, insbesondere durch Beispiele der Monumentalarchitektur und -plastik, aber auch durch zwei bemalte Figurengefäße, die zusammen mit fünf weiteren erst kürzlich als Sensationsfund geborgen werden konnten und in Hildesheim erstmals der Weltöffentlichkeit vorgestellt werden. Außerordentlich dankbar bin ich gleichfalls dem IHAH für die temporäre Überlassung der Abgußform von Stele H in Copán, die es uns ermöglicht, das wohl eindrucksvollste Königsbildnis aus dieser so bedeutenden Maya-Stadt wenigstens als Replik im Verbund mit der Ausstellung zeigen zu können. Als Stephens es zu Gesicht bekam, war dies der Anlaß zu folgenden begeisterten Worten: ». . . Der Anblick dieses unerwarteten Monuments bereitete aller Unsicherheit hinsichtlich des Wesens amerikanischer Altertümer ein für allemal ein Ende und gab uns die sichere Überzeugung, daß die Objekte, nach denen wir suchten, für uns nicht nur als die Hinterlassenschaft eines unbekannten Volkes von Interesse waren, sondern als Kunstwerke, die ebenso wie neuentdeckte historische Berichte beweisen, daß die einstigen Bewohner des Kontinents Amerika keine Wilden waren . . .« Zu den Stelen insgesamt fügt er wenig später hinzu: ». . . Alle sind sich vom Typ und Erscheinungsbild her ähnlich, manche in eleganterer Einzelausführung und einige in ihrer künstlerischen Vollendung den besten Denkmälern Ägyptens ebenbürtig . . .«

Nicht zuletzt hat die Hieroglyphenschrift der Maya immer wieder Berührungen mit dem Alten Ägypten evoziert, und so ist es sicher ein reizvoller Zufall, der diese erste bedeutende Maya-Ausstellung in Europa zu Beginn ihrer Tournee mit archäologischen Schätzen aus dem Alten Ägypten hier in Hildesheim unter einem Dach zusammenführt.

Allen, die am Zustandekommen dieser Ausstellung beteiligt

waren, sei hier nachdrücklich Dank gesagt, allen voran den Leihgebern, die so großzügig auf unsere Wünsche eingegangen sind. Erstmals haben sich die fünf Nachfolgestaaten auf dem Territorium der alten Maya-Welt – Belize, die Republik Guatemala, die Republik Honduras, die Vereinigten Mexikanischen Staaten und die Republik El Salvador – mit ihren Altertümerverwaltungen und Museen zu einer gemeinsamen Teilnahme an einer internationalen Ausstellung zusammengefunden.

In adäquater Weise haben auch die nachfolgend genannten Einrichtungen Leihgaben zur Verfügung gestellt und somit die Ausstellung um wichtige Akzente bereichert:

The British Museum, London; The Cleveland Museum of Art, Cleveland; Museum Rietberg, Zürich; National Museum of the American Indian, New York; Peabody Museum of Archaeology and Ethnology, Cambridge; Rautenstrauch-Joest-Museum für Völkerkunde, Köln; Sammlung Ludwig, Köln.

Das gesamte Projekt erfuhr von Beginn an eine substantielle Förderung durch die Regierung der Republik Guatemala. Die große Anzahl der Leihgaben aus diesem Land, zu denen auch das »Leitmotiv« der Ausstellung, die lebensgroße Jade-Maske aus Tikal gehört, geben Gelegenheit, »die Welt der Maya« von den Anfängen bis in die Postklassik hinein beispielhaft darstellen zu können.

Ich danke allen Diplomaten und diplomatischen Einrichtungen, die uns im Verlauf der letzten Jahre bei der Vorbereitung in den verschiedenen Regionen der Welt zur Seite gestanden haben. Meiner Frau, Dr. Eva Eggebrecht, schulde ich Dank, da sie »unser« Projekt von Anfang an und in allen Bereichen vorangetrieben und mitgestaltet hat, sowie Herrn Dr. Nikolai Grube, ohne dessen wissenschaftliches Engagement und den Einsatz seiner fachspezifischen Kontakte der neueste Stand der Forschung nicht hätte berücksichtigt werden können. Für die äußerst verantwortliche restauratorische Gesamtbetreuung der Tournee schon aus den Ursprungsländern danke ich Frau Dorothea Issel. Mein besonderer Dank gilt auch Herrn Heribert Wuttke, Firma Hasenkamp, für seine exzellente logistische Arbeit in Zusammenhang mit den Transporten.

Um die Drucklegung des Kataloges hat sich besonders Herr Dr. Matthias Seidel verdient gemacht, dem ich ebenso wie dem Verleger, Herrn Franz Rutzen, meinen Dank ausspreche.

PROFESSOR DR. ARNE EGGEBRECHT
*Leitender Direktor des
Roemer- und Pelizaeus-Museums, Hildesheim*

Einführung

Im Bewußtsein Europas existiert kaum eine andere Hochkultur der Antike, auf die der Begriff »versunken« so zuzutreffen scheint wie auf die der Maya. Vom Urwald überwucherte vergessene Ruinenstädte, in denen heute nur noch Affen und Jaguare hausen, haben die Phantasie der Europäer seit langer Zeit beflügelt und zu abenteuerlichen Spekulationen über die Natur und Herkunft ihrer Erbauer angeregt. Wer waren diese Menschen, die in dem scheinbar so unwirtlichen Dschungel große Städte erbauten und Kunstwerke schufen, die denen Ägyptens und des Zweistromlandes gleichrangig zur Seite gestellt werden können? Welche Botschaften enthalten die in steinerne Säulen und Altäre gemeißelten Hieroglyphen? Wer wohnte in den Palästen und verehrte die Götter in den aus dem grünen Meer der Bäume herausragenden Tempeltürmen?

Hundertfünfzig Jahre, nachdem die ersten Reisenden von sagenhaften Ruinenstädten berichteten und das Interesse der Wissenschaft auf die Hochkultur der Maya zu lenken vermochten, können wir heute den geheimnisvollen Schleier des Vergessens lüften und viele der brennendsten Fragen beantworten. Archäologen, Philologen, Kunsthistoriker und Völkerkundler haben gemeinsam daran gearbeitet, die Maya-Kultur aus der Vergessenheit zu befreien und die Städte gleichsam wieder mit Leben zu erfüllen. Das hat der Welt der Maya auf der einen Seite zwar viel von der geheimnisvollen Aura genommen, die sie umgab, auf der anderen Seite gewannen wir dadurch aber faszinierende, manchmal atemberaubende Einsichten in eine Welt, die in vielem der unseren ähnlich war. Wir haben in all den Jahren der archäologischen Forschung – vor allem aber im letzten Jahrzehnt – gelernt, die in Hieroglyphen niedergeschriebenen Texte zu lesen und dadurch die Geschichte von Herrscherhäusern, ihren Kriegen, Intrigen und Emotionen, aber auch ihre höfische Rhetorik zu verstehen. Und erst seit wenigen Monaten besitzen wir nähere Kenntnis von den Vorstellungen der Klassischen Maya über Universum und Schöpfung. Während Philologen bemüht sind, die Inschriften wieder zum Sprechen zu bringen, lassen Archäologen und Geographen auch die Welt der einfachen Bevölkerung erneut lebendig werden. Erst seit kurzem wissen wir, wie dicht das Land besiedelt war, in dem heute nur noch Holzfäller und Chicleros leben. Wie war es möglich, eine so zahlreiche Bevölkerung

zu ernähren? In jüngster Zeit konnte der Nachweis erbracht werden, wie geschickt die Maya Terrassen aufzuschütten, Kanäle zu erbauen und Gärten anzulegen verstanden, um die Ernährung der ständig wachsenden Bevölkerung zu sichern. Dennoch, und das wird wohl immer einer der faszinierendsten Aspekte der Maya-Kultur bleiben, wurden die meisten der großen Städte verlassen und danach während der letzten 500 Jahre vor Ankunft der Spanier ganz neue Lebensformen mit veränderten politischen Strukturen erprobt.

Das moderne Bild der Maya ist zwar von dem Eindruck des Geheimnisvollen weit entfernt, doch ihre Anziehungskraft verliert diese Kultur und die mit ihr befaßte Wissenschaft dadurch keineswegs, im Gegenteil: plötzlich sehen wir, daß die Maya vor den gleichen Fragen und Problemen standen wie viele Zivilisationen der Menschheit auch und daß sie in vielen Fällen zu ähnlichen Antworten fanden.

Dennoch steht die wissenschaftliche Erschließung der Maya-Kultur trotz aller Bemühungen erst an ihrem Anfang. So wird es noch Jahrzehnte dauern, bis unser Wissen über die Maya mit dem anderer staatlich organisierter Gesellschaften der Alten Welt vergleichbar sein wird. Doch schon jetzt zeichnet sich ab, daß die großen historischen Gestalten der Maya in den Schulbüchern Mexikos und Guatemalas neben denen der Alten Welt stehen werden. Pakal von Palenque und Hasaw Chan von Tikal werden ihren Platz neben Ramses und Nebukadnezar behaupten. Die Wiederentdeckung der Geschichte der Maya hat aber noch einen anderen Effekt: die über sechs Millionen Nachfahren der Erbauer der im Urwald versunkenen Städte erleben sich nun als die Erben einer 3000jährigen Geschichte und als Träger der Kultur ihrer Vorfahren, die auch durch die spanische Eroberung und die schwierigen Lebensbedingungen der Gegenwart nicht ausgelöscht werden konnte. Mit Stolz blicken die Maya von heute nunmehr auf ihre Vergangenheit zurück. In dem Prozeß der Wiederentdeckung »ihrer« alten Kultur verharren sie jedoch nicht nur als Zuschauer. Immer mehr junge Maya drängen in Universitäten und wissenschaftliche Institute, um die Erforschung ihrer Geschichte selbst in die Hand zu nehmen. Es wäre daher eines der erfreulichsten Resultate der Wiederentdeckung der Maya von einst, wenn sie dazu beitrüge, den heute lebenden Maya ihre historischen Wurzeln und damit das Selbstbewußtsein zurückzugeben.

Die Ausstellung »Die Welt der Maya« wie auch das vorliegende Katalog-Handbuch sollen die Möglichkeit bieten, eine der faszinierendsten Weltkulturen kennenzulernen, die sich absolut unabhängig von den Einflüssen der Alten Welt entwickelte und eine einzigartige, faszinierende Blüte erlebte. Als Autoren wurden ausschließlich Fachleute gewonnen, die wesentlich an der Entstehung des neuen Bildes von den Maya beteiligt sind und die über viele Jahre vor Ort ihren Forschungen nachgegangen sind: Juan Antonio Valdés bezieht seine speziellen Kenntnisse von der Präklassik aus zahlreichen Ausgrabungen, darunter der von Uaxactún. Robert Sharer hat verschiedene große Forschungsprojekte im Hochland der Maya, aber auch im Tiefland geleitet und ist zur Zeit mit Ausgrabungen in Copán beschäftigt. Wolfgang Wurster widmet sich der Architektur und ihrer Konsolidierung vor allem in Topoxte und Yaxhá, während Stephen Houston und David Stuart eine führende Rolle bei der Schriftentzifferung einnehmen, gleichzeitig aber auch die Struktur der Gesellschaft der Maya untersuchen. David Freidel und Linda Schele befassen sich schon seit langer Zeit mit den Problemen von Krieg und Religion und haben sich hierbei vor allem dem Ineinandergreifen beider Bereiche gewidmet. Beiden gelang es übrigens – nur wenige Monate, bevor dieser Katalog in Druck ging –, wesentliche Grunderkenntnisse zum Verständnis der Religion und Kosmologie der Maya zu gewinnen, die hier erstmalig einer größeren Öffentlichkeit vorgestellt werden können. Ted Leyenaar und Gerard van Bussel wiederum gelten als die besten Kenner des mesoamerikanischen Ballspiels und haben sich zu diesem Thema schon in zahlreichen Publikationen geäußert. Herbert Wilhelmy ist den deutschen Lesern als Autor eines der umfassendsten Standardwerke über die Maya-Region bekannt, das unter dem Titel »Welt und Umwelt der Maya – Aufstieg und Untergang einer Hochkultur« in mehreren Ausgaben erschienen ist. Niemand kennt die Siedlungsstruktur und die Landwirtschaft der Maya gründlicher als Nicholas Dunning, der als erster die ökologischen Grundlagen der Maya-Landwirtschaft im Puuc-Gebiet untersucht hat. Patrick Culbert schließlich hat 1973 das erste Buch über den Zusammenbruch der Maya-Kultur herausgegeben, ein Werk, das bis heute Maßstäbe setzt. Diane und Arlen Chase sind seit etwa zwei Jahrzehnten als Archäologen im Tiefland tätig, wo sie die Ausgrabungen in Santa Rita Corozal und Caracol leiten: ihre profunden Kenntnisse der Postklassik beruhen vor allem auf den hierbei gewonnenen Erfahrungen. Der letzte Beitrag stammt aus der Feder von Carolyn Tate, die speziell über Yaxchilán und die Kunst dieser Stadt promoviert hat.

Alle hier genannten Autoren laden Sie ein, mit ihnen gemeinsam auf Entdeckungsreise zu gehen, um den Königen zusammen mit ihrem Hofstaat, den Prinzen, Prinzessinnen und Kriegern, aber auch den Handwerkern, Künstlern und Bauern sowohl in den Palästen als auch in den Strohhütten zu begegnen. Darüber hinaus soll es Ihnen ermöglicht werden, Götter, Schamanen und längst verstorbene Ahnen kennenzulernen, um dadurch ein Bild von den religiösen Vorstellungen zu erhalten. Begleiten Sie die Autoren auf ihrer Reise durch die Welt der Maya, und erfahren Sie das Vermächtnis dieser großartigen Kultur der Neuen Welt erstmals in einem neuen, einem menschlicheren Licht.

DR. NIKOLAI GRUBE
Universität Bonn

Der Lebensraum der Maya

Herbert Wilhelmy

Kernland der Klassischen Tiefland-Maya war der dem zentralamerikanischen Gebirgswall vorgelagerte, mit tropischem Regenwald bedeckte Hügel- und Tieflandstreifen zwischen dem Golf von Mexiko und dem Golf von Honduras. Es ist das unter 800 m Meereshöhe gelegene »heiße Land«, die *tierra caliente* im Sprachgebrauch der Lateinamerikaner. Zu diesem etwa 150 000 km² umfassenden Bereich gehörten Teile von Tabasco, das nördliche Chiapas, die größte und heute am dünnsten besiedelte Provinz Guatemalas, El Petén, das Departamento Izabal und das westliche Grenzgebiet von Honduras nebst Belize. Einschließlich des gesamten nördlich anschließenden Kalktafellandes der Halbinsel Yucatán nahm das historische Maya-Tiefland eine Fläche von rund 250 000 km² ein, entsprach also in seiner Größe etwa dem Areal der alten Bundesländer Deutschlands. Die nordsüdliche Ausdehnung des Siedlungsgebietes betrug rund 900 km, seine maximale Breite 550 km.

Eine Insel – in der Mayasprache *petén* – im Petén Itzá-See gab dem Departamento El Petén seinen heutigen Namen. In dieser Wurzelzone der Halbinsel, zwischen atlantischer Abdachung der zentralamerikanischen Gebirgsketten und Yucatán-Plateau, entstanden die ältesten und bedeutendsten Zeremonialzentren der Maya: Tikal, Uaxactún, El Mirador, Copán, Yaxchilán, Piedras Negras und Palenque – Höhepunkte der vorkolumbischen Zivilisationsentwicklung in der Neuen Welt. Das in der Fußhügelregion des Berglandes von Chiapas gelegene Palenque (Abb. 54, 93) mit dem dunklen Hintergrund des bewaldeten Gebirges und dem freien Blick über die weite, grüne Tieflandebene hatte die großartigste landschaftliche Lage aller Mayazentren.

Den mittleren und nördlichen Teil der Halbinsel nannten die Spanier (aufgrund eines sprachlichen Mißverständnisses) seit Beginn der Konquista »Yucatán«. Das »nördliche Yucatán« umfaßt den gleichnamigen mexikanischen Bundesstaat und den Norden von Quintana Roo; das »mittlere Yucatán« oder »Zentralyucatán« hat Anteil an Campeche und Quintana Roo. Der historische »Petén« entsprach weitgehend dem gegenwärtigen guatemaltekischen Departamento gleichen Namens, griff aber noch in das westliche Belize (ehemals Brit. Honduras) über. Die »Halbinsel Yucatán« umfaßt als geographischer Begriff das Gesamtgebiet von der Nordküste bis zur Wurzelzone am Río Usumacinta.

Während der Klassischen Periode (ca. 300–900 n. Chr.) erstreckte sich der Lebensraum der Maya über volle sieben Breitengrade. Obwohl er auch im nördlichen Yucatán (21° 30 ′ n. Br.) nicht über die innere Tropenzone hinausgriff, stellte er doch keineswegs einen in sich einheitlichen Großraum dar. Von Norden nach Süden sich allmählich vollziehende Veränderungen der klimatischen Bedingungen hatten nicht nur eine dementsprechende Abfolge unterschiedlicher Vegetationsformationen, sondern auch sehr differenzierte Bodenbildungsprozesse und einen Wandel in der Oberflächengestaltung zur Folge. Da ausschließlich Kalke den Untergrund Yucatáns und des Petén aufbauen und diese in hohem Maße der Verkarstung ausgesetzt sind, ist es vor allem das Wasserproblem, das die Lage der Siedlungen und das gesamte wirtschaftliche Geschehen im Mayaland bestimmte.

EIN TROPISCHES KARSTRELIEF

Die Halbinsel Yucatán ist ein in ganz flache Wellen gegliedertes monotones Tafelland, das sich nach Süden hin allmählich auf Höhen von 20–25 m, maximal bis 35 m heraushebt (Abb. 1). In 100–200 km Entfernung von der Nordküste wird es durch die Nordwest-Südost streichende Steilstufe der Sierrita de Ticul begrenzt. Südlich dieser Stufe folgt ein kuppiges Hügelland, das im zentralyukatekischen Plateau Höhen bis über 300 m erreicht. Ost-West verlaufende Bergketten durchziehen den südlich anschließenden Petén. Von zunächst etwa

1

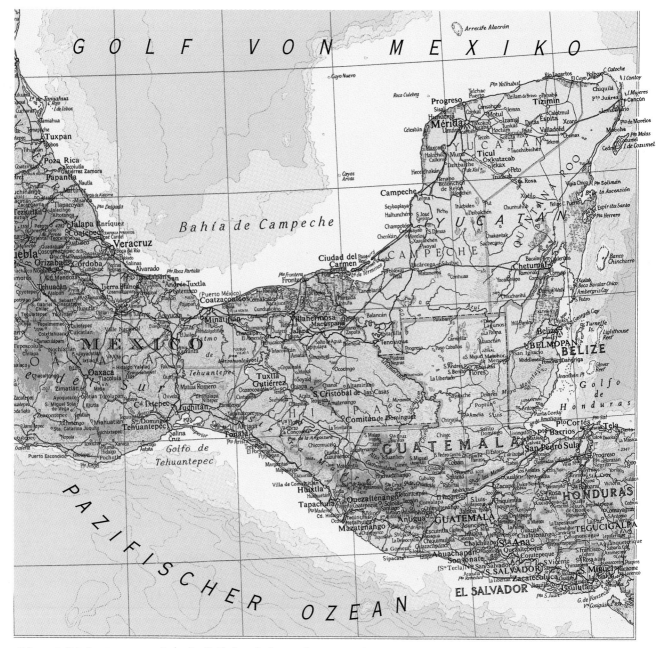

Abb. 1 Politische Grenzen und geophysikalische Gliederung des Maya-Gebietes.

200 m Meereshöhe heben sie sich gegen den Kordillerenrand hin allmählich auf 500 m Höhe heraus. Die gesamte Halbinsel (Abb. 3) einschließlich des Petén ist ein tropisches Karstland mit einem Formenschatz, der in charakteristischer Abfolge von den uns aus dem Mittelmeergebiet wohlvertrauten Erscheinungen des Dolinenkarstes zum »tropischen« Kuppen- und Kegelkarst überleitet.

Den Charakter völliger Ebenheit besitzt nur der sich an der Nordwestküste entlangziehende schmale Streifen, den man auf der von Mérida nach Progreso führenden Straße quert. Wechsellagernde dünne Schichten von Kalk, Kreidekalk, Gips und Mergel bauen das fast horizontal lagernde Schichtpaket auf. Dieser noch im obersten Tertiär (Pliozän) vom Meer überflutet gewesene Küstenstreifen stellt eine erst in jüngster geologischer Vergangenheit durch Hebung landfest gewordene »Uroberfläche« dar, und daraus erklärt sich, daß in ihrem Bereich Karstformen erst in bescheidenen Ansätzen ausgebildet sind, während sie sich im Inneren der Halbinsel schon in fortgeschritteneren Stadien der Entwicklung befinden.

Die hohe Wasserdurchlässigkeit der klüftigen Kalke verhindert die Entstehung eines regulären Entwässerungsnetzes. Durch die zahllosen kleinen und größeren Spalten im Gestein versickert das Niederschlagswasser schnell in den Untergrund, in dem es sich über den undurchlässigen Mergelschichten staut oder durch verzweigte Höhlensysteme abgeführt wird. So fehlen im nördlichen Yucatán an der Oberfläche abfließende Bäche und Flüsse. Die beiden ersten ganzjährig wasserführenden Flüsse, die im mittleren Yucatán den Übergang zum normal entwickelten Entwässerungsnetz des niederschlagsreicheren Südens ankündigen, sind der 30 bis 50 m breite Río Champotón, der südlich der Stadt Campeche in den Golf von Mexiko mündet, und der Río Hondo. Er folgt der nordwestlichen Staatsgrenze von Belize und erreicht bei Chetumal die gleichnamige Bucht.

Eigentliche Leitformen der nördlichen Kalktafel, auf der von Sisalplantagen bedecktes offenes Land mit Waldresten wechselt, sind flache Schüsseldolinen und steilwandige, häufig fast kreisrunde *cenotes* (Maya: *tz'onot* = Brunnen) von 10–30, gelegentlich auch bis 80 m Durchmesser. Der Boden der *cenotes* ist gewöhnlich in voller Breite ganzjährig mit Wasser bedeckt. Der Wasserspiegel liegt maximal bis 20 m unter dem Brunnenrand, die Wassertiefe schwankt zwischen 8 und 54 m. Viele der *cenotes* reichen somit beträchtlich unter den Meeresspiegel hinab. Ganz allgemein nimmt die Tiefe der Karstbrunnen von der Küste landeinwärts zu.

Die von lehmigen Verwitterungsrückständen gefüllten kleineren Schüsseldolinen fallen während der niederschlagslosen Monate trocken, aber während der Regenzeit werden die eingeschwemmten Böden kräftig durchfeuchtet. Sie tragen die ergiebigsten Maisfelder der heutigen Maya-Bevölkerung. Große Schüsseldolinen stellen ganzjährig von Wasser erfüllte Teiche dar, zuweilen von einer Größe, daß man von Dolinenseen sprechen kann, wie etwa von den fünf weitgespannten Hohlformen im Umkreis der Ruinen von Cobá.

Bei den steilwandigen *cenotes* handelt es sich um schachtartige, in der Tiefe seitlich erweiterte »Einsturzdolinen«, d. h. um natürliche Karstbrunnen, die durch Einbruch der Decke über unterirdischen Hohlräumen entstanden sind. Die Existenz solcher dom- oder glockenartigen Hohlräume beruht auf der hohen Wasserlöslichkeit des Kalkes. Während die oberste Deckschicht verhältnismäßig kompakt und widerständig ist, sind die dünneren Lagen im Untergrund schneller Lösung ausgesetzt. Über den sich erweiternden Hohlräumen bricht schließlich die Decke ein. Dicht nebeneinander erfolgende Einbrüche führen zur Entstehung von Doppel- oder Zwilling-*cenotes*.

Der Verkarstungsprozeß in Yucatán ist noch in vollem Gange, die einzelnen *cenotes* haben daher unterschiedliches Alter. Neben den schon in der Maya-Zeit bekannten gibt es solche sehr jungen Datums, und jederzeit können sich (wie es Augenzeugen erlebt haben) neue Deckeneinstürze ereignen. Da zahlreiche Karstbrunnen gleichsinnigen Wasserstandsschwankungen unterliegen und Strömung und Sog in ihnen beobachtet wurden, ist ihre Verbindung untereinander durch Karstwasserhöhlen erwiesen. In *cenotes* gefallene Strohhüte oder beim Wasserschöpfen verlorengegangene Kalabassen kamen in nicht weit entfernt gelegenen Karstbrunnen wieder zum Vorschein.

Die Lage des Wasserspiegels in den *cenotes* entspricht der jeweiligen Tiefe des Grundwasserhorizontes. Er wird nahe der Nordküste nur wenig über dem Meeresspiegel bzw. dicht unter dem Brunnenrand angetroffen. Im »Heiligen *Cenote*« von Chichén Itzá (24 m ü. d. M.) (Abb. 4) erreicht die Differenz zwischen Brunnenrand und Wasserspiegel volle 20 m. Unter dem 12 m tiefen Wasserkörper folgt bis zum anstehenden Kalk eine 10 m mächtige Schlamm- und Moderschicht, woraus sich eine Gesamttiefe der Einsturzdoline von 42 m ergibt. In diesem berühmten *cenote* opferte man den Regen- und Wassergöttern unter anderem Menschen, die vom hohen Brunnenrand herabgestoßen wurden.

Im flußlosen nördlichen Yucatán war die Lage der Maya-Siedlungen durch die Existenz einer genügenden Anzahl von *cenotes* vorbestimmt. Sie dienten der Trinkwasserversorgung der Bevölkerung und gewannen als Brunnenheiligtümer Bedeutung. Über Leitern oder in die Wände gehauene Treppenstufen stiegen die Wasserholer in sie hinab (Abb. 6). In Valladolid erreicht man den glasklaren Teich durch einen höhlenartigen Zugang. Er ist jetzt eine touristische Attraktion dieses Städtchens.

Das Flachrelief des nördlichen Yucatán steigt nach Süden hin ganz allmählich um 1 m je 5 km bis auf 35 m Meereshöhe an und endet an der rund 50 m hohen Steilstufe der Sierrita de Ticul. Der Gebirgsrand erhebt sich bis etwa 170 m Meereshöhe, die Straße quert ihn zwischen Ticul und Tabi in einer 40 m tiefer gelegenen Einsattelung. Der Formenschatz der sich weit nach Süden dehnenden älteren Karstlandschaft trägt wesentlich andere Züge als die Karst»ebene« im Norden Yucatáns.

Die Sierrita de Ticul umschließt ein weites, nach Süden Südosten geöffnetes, von flachen Erhebungen durchsetztes Becken in nur 80–100 m Meereshöhe, das als »Puuc« bezeichnet wird (*puuc* = »Land der niedrigen Hügel«). Vom Gipfel der als »Haus des Wahrsagers« bezeichneten großen Pyramide in Uxmal überblickt man das mit 8–10 m hohem Buschwald bewachsene, unruhig gegliederte Land. Der Horizont wird von den Silhouetten rundlicher Karstkuppen im Zuge der Sierrita begrenzt. Einen ähnlichen Blick hat man von den Ruinen bei Kabáh (Abb. 5) und Sayil. Auf den Buckeln innerhalb des weiten Beckens steht der nackte Kalk an. In den dolinenartigen Mulden zwischen den Kuppen sind rote und rotbraune Verwitterungsböden zusammengeschwemmt. Diese nach Regenfällen noch längere Zeit gut durchfeuchteten Dolinenböden trugen die Maisfelder der bis zum Ende des 10. Jhs. hier lebenden Puuc-Bevölkerung. Die großartige bauliche Entwicklung der Zeremonialzentren in diesem Gebiet wäre jedoch nicht möglich gewesen ohne die gleichzeitige Anlage eines umfangreichen Systems von Zisternen (*chultunes*), in denen die Maya das von den gepflasterten Plätzen, den Haus- und Tempeldächern abfließende Regenwasser sammelten.

Vom Puuc an nach Süden wird die Oberfläche der in 130–200 m Höhe gelegenen Karstlandschaft immer unruhiger. Das zentralyukatekische Plateau steigt im östlichen Campeche bis 350 m und südlich der mexikanisch-guatemaltekischen Landesgrenze im nördlichen Petén bis auf fast 400 m an. Dort mischen sich bereits die Formen des Kuppen- und des Kegelkarstes. Sanftgerundete Kuppen mit flachgeböschten Hängen wechseln mit steilwandigen Kegeln (Abb. 7). Die von den Vollformen umschlossenen Hohlformen sind im Kuppenkarstgebiet flache Wannen (*aguadas*) von zuweilen beträchtlicher Ausdehnung, im Kegelkarst entweder schwer zugängliche tiefe Kessel (*cockpits*) oder weitgespannte flache Depressionen (*bajos*), die den jugoslawischen Poljen entsprechen. Wie dort trocknen sie auch im Mayaland in der niederschlagslosen Zeit teils durch Verdunstung, teils durch Verschwinden des Wassers im Untergrund aus. Die Klüftigkeit der Kalke begünstigt an vielen Stellen die Versickerung (Abb. 9). Größere Klüfte haben sich durch Lösung des Gesteins zu regelrechten Saug- oder Schlucklöchern erweitert (Ponore). Dies ist vorzugsweise an jenen Stellen des *bajo*-Randes der Fall, zu denen hin der Poljeboden geneigt ist und sich selbst bei weitgehender Austrocknung das letzte Wasser der Niederung sammelt. Die Maya haben tiefgelegene Schlucklöcher zum Zwecke längerer Wasserhaltung bewußt mit Holz und Erde verstopft und auf den *bajo*-Böden flache Gruben als Sammelbecken ausgehoben.

Wenn die *bajos* auch nachweislich niemals permanente Seen gewesen sind, so darf man doch annehmen, daß sie in der klassischen Zeit nachhaltiger von Wasser überstaut waren als in der Gegenwart. Von den ausgedehnten Rodungsflächen auf dem umliegenden höheren Land floß damals das Regenwasser schneller ab als heute nach der inzwischen erfolgten Regenerierung des Hochwaldes. Daß sich in den *bajos* einst mehr Wasser sammelte als jetzt, geht vor allem daraus hervor, daß die fast ganzjährig feuchten Karstwannen durch die Anlage von Hochäckern und »Schwimmenden Gärten« für landwirtschaftliche Intensivkulturen nutzbar gemacht werden konnten und daß man sie mit Booten befuhr. Die für den Kanuverkehr angelegten Kanäle in den Niederungen, die Hochäcker und Schwimmenden Gärten sind im Luftbild noch deutlich zu erkennen.

Schmale, langgestreckte *bajos* werden durch Ost-West verlaufende Hügelrücken voneinander getrennt, die in einzelne, bis 200 m hohe Karstkegel aufgelöst sind. Die gleiche Ost-West-Orientierung der *bajos* und Hügelketten hat auch der 36 km lange, maximal nur 4 km breite Petén-Itzá-See (Abb. 173). Große Teile des von kleinen Zuflüssen gespeisten Sees sind flach, andere erreichen eine Wassertiefe von 50 m, so daß der knapp 100 km² große See bisher von einer völligen Verlandung verschont blieb. Auf einer Insel im See lag die Itzá-Hauptstadt Tayasal, die den spanischen Eroberern am längsten Widerstand leistete. Nach der Zerstörung entstand an ihrer Stelle die jetzige Departamenthauptstadt Flores, zu der seit einiger Zeit ein Damm vom Festland hinüberführt.

Abb. 2 Blick von der Hauptpyramide des Ortes Ake über das ▷
flache Kalkstein-Tafelland von Yucatán.

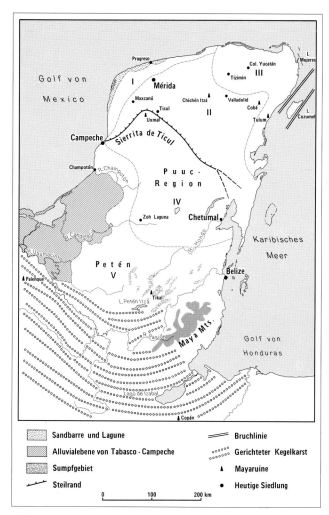

Abb. 3 Die Karsttypen der Halbinsel Yucatán:

I   Nackter Karst der nördlichen »Uroberfläche«
II   Dolinenkarst Nordyucatáns
III Anfangsstadien des Kuppenkarstes im Nordosten
IV   Kuppenkarst der Puuc-Region
V   Kegelkarst der südlichen Regenwaldzone.

Der Río San Pedro Martir ist der wichtigste Fluß des nördlichen, der Río de la Pasión des südlichen Petén. Beide vereinigen sich mit dem großen Río Usumacinta, dessen jährliche Wasserstandsschwankungen 8–11 m erreichen. In südost-nordwestlichem Verlauf entwässert er mit seinen vielen Nebenflüssen das südliche Waldbergland. Jenseits des Usumacinta und des Río de la Pasión beginnt das eigentliche Gebirgsland mit seinen langgestreckten, in unzählige Einzelkegel gegliederten

Rücken, von denen einige eine Meereshöhe von 500 m erreichen. Die reihenweise Anordnung der Karstkegel in westöstlicher Richtung entspricht dem Zuge der in Kordillerennähe zu parallelen Sätteln aufgefalteten kreidezeitlichen Kalke, deren Faltungsintensität nach Norden hin allmählich ausklingt. Als flachlagernde Schichtgesteine setzen sie sich unter der tertiären Kalktafel Yucatáns fort und wurden dort bei vergeblichen Erdölbohrungen noch bis in große Tiefen festgestellt.

Dieses einfache Bild einer nur geringer tektonischer Schrägstellung und Faltung unterworfenen Schichtenfolge ändert sich im äußersten Südosten der Halbinsel, im Grenzgebiet von Guatemala und Belize, dem ehemaligen Brit. Honduras. Dort erheben sich die bis 1023 m hohen, aus Graniten aufgebauten Maya Mountains, auf deren Sockel noch eozäne und kreidezeitliche Kalke übergreifen. In ihnen ist, wie im gesamten mittleren und südlichen Teil von Belize, der extrem steilwandige Typ des Turmkarstes schulbeispielhaft ausgebildet.

Der sich auf einer Strecke von über 800 km vollziehende karstmorphologische Wandel macht deutlich, daß der Lebensraum der Maya von seiner physisch-geographischen Ausstattung her recht unterschiedlich gestaltet war. Im Kegelkarstgebiet des Petén entwickelten sich die Akropolisstädte, auf der Kalkplatte Nordyucatáns und im Puuc-Becken weitläufige Stadtanlagen wie Chichén Itzá (Abb. 71, 167) und Uxmal. Im Süden bestimmten Flußläufe die Lage der Siedlungen, in Nordyucatán die *cenotes*, und im Puuc-Gebiet wurde überhaupt erst durch den Bau zahlreicher Regenwasserzisternen eine dichte Besiedlung möglich. Auch klimatische Einflüsse – andersartige Verwitterungsabläufe im wechselfeuchten und immerfeuchten Klima – spielen eine wichtige Rolle.

DAS KLIMATISCHE JAHR

Yucatán und der Petén liegen voll im tropisch-heißen Tiefland, der *tierra caliente* der Spanier. Der Übergang zur *tierra templada*, dem gemäßigt-warmen Land, erfolgt erst weit im Süden am Kordillerenrand in 800 m Meereshöhe. Auf der gleichen geographischen Breite erstreckt sich quer durch Nordafrika die zentrale Sahara. Daß die ebenfalls im nordhemisphärischen Trockengürtel gelegene Halbinsel Yucatán keine Wüste ist, beruht auf dem tief in die amerikanische Landmasse eingreifenden Golf von Mexiko und dem Karibischen Meer, die ihre Küsten umspülen, die Temperaturen mildern, Inseln und Festlandssäumen Feuchtigkeit spenden.

Klimatische Wesensmerkmale Yucatáns sind stark veränderliche Witterungsabläufe von Jahr zu Jahr und

Monat zu Monat. Bei allem Gleichmaß des Temperaturgangs kommt es gelegentlich zu unangenehmen Temperatursprüngen, vor allem aber sind Dauer und Ergiebigkeit der Regenfälle großen jährlichen Schwankungen unterworfen. Tage- oder gar wochenlange Verschiebungen des Einsatztermins der ersten Regenfälle stellen die um ihre Felderträge besorgten Bauern oft auf harte Geduldsproben. Die klimatische Instabilität wirkt sich im trockenen Norden Yucatáns naturgemäß weit ungünstiger aus als im regenreicheren Petén.

Die Halbinsel wird vom Nordostpassat überweht. Im Spätsommer und Herbst gerät die Ostküste in den Einflußbereich tropischer Hurrikane des Karibischen Meeres. Allein zwischen 1921 und 1927 haben acht Wirbelstürme Teile der Halbinsel verwüstet. Die Hurrikane zerstören nicht nur landwirtschaftliche Kulturen, sondern legen auch kahlschlagähnliche Breschen in den Wald. Im Winter stoßen Kaltluftmassen aus den nordamerikanischen Great Plains als *northers* oder *nortes* nicht selten bis Yucatán vor. In einzelnen Jahren haben sie ein kurzfristiges Absinken der Temperaturen bis auf 4 °C bewirkt. Dem stehen auf der anderen Seite gelegentlich sommerliche Maxima von 40 °C gegenüber. In der Wurzelzone der Halbinsel, im Petén, sind Schwankungen der Extremwerte geringer. Die absoluten Minima (Januar) unterschreiten dort nicht 12–14 °, die Maxima (April/Mai) liegen bei 39–41 °C. Aber diese nur verhältnismäßig selten auftretenden Extreme beeinflussen kaum die in erster Linie durch die Nähe des tropischen Meeres bestimmten Jahresmittel der Temperatur. Sie liegen ziemlich einheitlich zwischen 25 ° und 27 °C.

Im Unterschied zu den gemäßigten Breiten entsprechen diese Jahresmittel weitgehend den während des ganzen Jahres tatsächlich herrschenden Temperaturen, denn auch die einzelnen Monatsmittel weichen nur sehr wenig voneinander ab. Die Differenz zwischen »kältestem« und »wärmstem« Monat schwankt in allen Bereichen des Maya-Landes nur zwischen 4,2 ° (Cozumel) und 5,5 ° (Quiriguá). Hingegen sind die Temperaturschwankungen innerhalb des Tagesverlaufs (Tag/Nacht) beträchtlich und können Werte von 8–15 °C erreichen. Man spricht daher von einem tropischen »Tageszeitenklima« im Gegensatz zum »Jahreszeitenklima« der Außentropen. Das klimatische Jahr wird daher nicht wie in unseren Breiten durch unterschiedliche »Sommer-« und »Wintertemperaturen«, sondern durch den Wechsel von Regen- und Trockenzeit bestimmt.

Hauptregenbringer ist der über See mit Feuchtigkeit aufgeladene Nordostpassat, und dies erklärt, daß die im Luv gelegene Ostküste insgesamt höhere Niederschläge erhält als die der Westküste nahen Gebiete im Lee des Pas-

Abb. 4 Der cenote *von Chichén Itzá: eine Einsturzdoline.*

sats. Auch die sommerlichen Gewittergüsse, auf die ein Großteil der jährlichen Regenmengen entfällt, sind an die allgemein von Nordost nach Südwest gerichtete Luftströmung gebunden und verändern nicht grundsätzlich das Bild der Niederschlagsverteilung. Aber die Niederschlagsmengen sind großen Schwankungen unterworfen. Sie können in manchen Jahren drei- bis viermal so groß sein wie in anderen. An der Ostküste bringen Starkregen gelegentlich innerhalb 24 Stunden 150–250 mm, im Binnenland Yucatáns übersteigen die größten Tagesmengen nicht 50–100 mm.

Die Regenperiode fällt, wie überall in den Tropen, mit der Zeit des sommerlichen Höchststandes der Sonne zu-

Abb. 5 Flache Buschlandschaft mit kleinen Hügelkuppen bei den Ruinen von Kabáh. John L. Stephens beschrieb den Weg dorthin auf seiner Reise durch Yucatán 1841: »Wir erreichten eine steinige Straße, von Bäumen und Büschen flankiert . . . Wir bogen nach links in einen schmalen Pfad ein und befanden uns bald unter . . . einem dichten Blätterdach . . . Durch eine Öffnung in der Ferne sahen wir plötzlich einen aufragenden Berg, stark überwuchert und mit den Ruinen eines hohen Bauwerkes.«

sammen. Die Spitzenwerte werden – den zwei Zenitaldurchgängen entsprechend – im Juni und September gemessen. Die geringsten Regenmengen empfängt mit 475 mm Jahresniederschlag der Nordwesten der Halbinsel. Diesem ausgesprochenen Trockengebiet steht eine sehr feuchte Region im Nordosten gegenüber. Auf der Insel Cozumel fallen 1500 mm, während die Nordostspitze der Halbinsel und die ihr vorgelagerte Insel Mujeres wesentlich trockener sind. Das ganze übrige nördliche und mittlere Yucatán bleibt bei Werten zwischen 1000 und 1500 mm, im Petén steigen sie auf 1500–2000 mm an. In Palenque am Gebirgsrand werden 3000 mm, in den wenig über 1000 m hohen Maya Mountains 3500 und in der sich vom Golf von Honduras

nach Westen erstreckenden Izabal-Niederung sogar Regenmengen über 4000 mm gemessen. Diese Niederschlagswerte steigern sich noch auf 5000 mm in dem westlich davon bis 3500 m Höhe ansteigenden Bergland von Nordost-Guatemala. Über den wahren Klimacharakter des Maya-Landes sagen freilich allein die Regenmengen wenig aus. Sie müssen in Relation zu den herrschenden Temperaturen gewertet werden. 1000 mm Jahresniederschlag können in einem kühlen Klimagebiet einen ausgesprochenen Feuchteüberschuß, in einem heißen Land hingegen Feuchtemangel mit entsprechenden Auswirkungen auf Pflanzenkleid und Bodennutzungsmöglichkeiten bedeuten. Geographen und Klimatologen haben Methoden erarbeitet, um aufgrund empirisch überprüfter Formeln aus dem Verhältnis von Niederschlag und Temperatur ganzjährige und monatliche Feuchtebilanzen zu errechnen. Negative Werte verweisen auf ein Feuchtedefizit, positive auf Feuchteüberschuß. Wo sich Niederschlag und Verdunstung das Gleichgewicht halten, verläuft die klimatische Trockengrenze. Sie trennt den nördlichen jahreszeitlich ariden vom südlichen humiden Bereich.

VON DER DORNBUSCHSAVANNE ZUM REGENWALD

Der Nordwesten Yucatáns ist durch das jährliche Auftreten von nur 2–5 Feuchteüberschußmonaten bzw. 7–10 ausgesprochenen Trockenmonaten charakterisiert. Die lange Dürrezeit erlaubt dort nur die Existenz einer Dornbuschsavanne. Von der mittleren Nordküste bis zur Laguna de Términos erstreckt sich ein 25 bis maximal 100 km breiter Streifen mit 6–7 humiden Monaten und einer somit auch noch rund ein halbes Jahr andauernden Trockenzeit. Diesen Verhältnissen ist ein Trockenwald (Abb. 2) angepaßt, dessen Bäume während der humiden Monate voll belaubt sind, aber – mit einigen Ausnahmen – in der Trockenperiode ihre Blätter abwerfen. Während bei uns die Wälder im Herbst wegen der sinkenden Temperaturen ihr Laub verlieren, tritt im westlichen Yucatán ab November infolge der monatelang unzureichenden Niederschläge das gleiche Ereignis ein. Wenn man von einem der Hochtempel in Chichén Itzá im August oder März das weite bewaldete Land überblickt, bekommt man einen Begriff von dem jahreszeitlichen Habituswechsel dieses regengrünen Trockenwaldes.

Im ganzen Bereich der Dornbuschsavanne und des Trockenwaldes haben die Maya ohne künstliche Bewässerung – wofür wegen des Fehlens von Fluß- oder Bachläufen auch gar keine Möglichkeiten bestanden – mit Erfolg Maisanbau allein unter Ausnutzung der jahreszeitlichen Regenfälle betrieben, obwohl gerade in dieser Zone die Jahresschwankungen der Niederschläge besonders groß sind. Abweichungen um 30% vom »Normalwert« der an sich schon geringen Regenmengen sind nicht selten. Kein Wunder, daß alljährlich der Beginn der Niederschlagsperiode mit Spannung erwartet wurde, daß zu spät einsetzender Regenfall katastrophale Ernteeinbußen bedeutete und daß dem Regengott *Chak* die meisten und aufwendigsten Opfer dargebracht wurden.

Im mittleren Yucatán mit 8–9 humiden Monaten ist regengrüner Feuchtwald der klimatisch bedingte Vegetationstyp. Er setzt an der Tockengrenze ein, stößt in breiter Front bis zur Ostküste vor und geht im Süden, etwa auf der geographischen Breite von Chetumal, in den

Abb. 6 John L. Stephens berichtete über den cenote von Bolonchen: »Die gigantischen Stalaktiten und riesigen Steinblöcke wirkten wie monströse Tiere oder Götter einer unterirdischen Welt ... Eine Leiter führte hinab ... Es war sehr steil, schien gefährlich ... und bestätigte die schlimmsten Beschreibungen, die wir von diesem außerordentlichen Brunnen gehört hatten.«

immergrünen tropischen Regenwald über. Die Bezeichnung »regengrüner Feuchtwald« bedeutet, daß auch in ihm ein Teil der Bäume – wenn auch ein wesentlich kleinerer als im Trockenwald – während der 3–4 ariden Monate sein Laub verliert. Die übrigen Arten sind immergrün. In der niederschlagsreichen Zeit hat dieser von Natur hochwüchsige Wald bereits durchaus den Charakter des immergrünen Regenwaldes.

Beim Auftreten von mehr als 10 humiden Monaten wirken sich die kurzen Trockenperioden auf die Entfaltung des Pflanzenwuchses nicht mehr negativ aus. Die ganze Region ist mit üppigem tropischem Regenwald bedeckt, der jedoch infolge der mit zunehmender Höhe sinkenden Temperaturen seinen Charakter verändert. Ab 800 m be-

Abb. 7 Kegelkarst im nördlichen Petén.

stimmen weitgehend Kiefern und Fichten das Bild der Bergwälder.

Die geschilderte nordsüdliche Aufeinanderfolge der großen pflanzengeographischen Einheiten entspricht dem Vegetationswandel, wie er aufgrund der klimatischen, durch die Zahl der ariden und humiden Monate bestimmten ökologischen Bedingungen in einer vom Menschen ungestörten tropischen Naturlandschaft zu erwarten ist. Viele Jahrhunderte intensiver Siedlungstätigkeit und Landnutzung durch die Maya müssen jedoch ihre Spuren im Landschaftsbild hinterlassen haben, es sei denn, die ursprüngliche Vegetation hätte es seit dem Verfall der Maya-Zivilisation vermocht, ihre alten Verbreitungsareale voll zurückzuerobern. Daß dies in der südlichen Regenwaldzone der Fall war, wissen wir aus den Berichten jener Männer, die – oft durch Zufall – die wieder völlig vom Urwald überwucherten Ruinenstätten entdeckten. Dieser regenerierte tropische Regenwald entspricht nach Bestandsaufbau und sonstigen Merkmalen absolut dem Primärwald, in den die Maya einst rodend eingedrungen sind. Es ist derselbe Regenwald, wie wir ihn aus allen vergleichbaren tropischen Tiefländern, z. B. als Hyläa Amazoniens, kennen.

Auch im mittleren und nördlichen Yucatán hat der Wald von den ehemaligen Zeremonialzentren und ihrem besiedelt gewesenen Umland wieder Besitz ergriffen. Aber dieser »Wald« ist nur ein Busch- und Niederwald (matorral). Außer Mimosen, Acacia-, Cassia- und Caesalpinia-Arten treten in ihm eine Reihe von Euphorbiaceen, Myrtaceen, Bignoniaceen und Rubiaceen auf, ferner die ein leicht zu verarbeitendes Bauholz liefernde Spanische

Zeder (Cedrela mexicana, C. odorata), ein Laubbaum, der bei ungestörtem Wachstum bis 25 m Höhe erreicht. Das mäßig dichte Unterholz ist dornig und erschwert den Menschen das Eindringen in den Wald. Außer sich gelegentlich einmischenden Opuntien und Cereen treten Kakteen im Vergleich zur nordwestlichen Dornbuschsavanne sehr zurück. In den Astwinkeln der Bäume nisten Becherbromeliaceen, und die Zweige sind mit »Spanischem Moos« (Tillandsia) behängt (Abb. 10). Wegen der langen Trockenzeit finden sich Orchideen, Lianen und Philodendren nur in spärlicher Verbreitung. Während die Mehrzahl der Sträucher auch nach dem Ende der Regenzeit belaubt bleibt, werfen fast alle Bäume ihre Blätter ab. Viele Vogelarten ziehen dann in die Regenwaldgebiete des Südens. Die winterliche Kahlheit des Trockenwaldes wird nur da und dort durch die bunten Kronen einiger gerade während der Trockenperiode blühender Baumarten unterbrochen, wie z. B. Bombax ellipticum. Wenige Wochen nach Einsetzen der ersten Regen im Frühjahr vollzieht sich schnell ein eindrucksvoller Wandel: der regengrüne Trockenwald steht dann in der Fülle seiner Entfaltung pflanzlichen Lebens und kaum den Feuchtwaldtypen nach.

Auf Rodungsflächen im Trockenwald wird von der ländlichen Bevölkerung Mais gepflanzt. Gerodet sind vor allem die unzähligen großen Schüsseldolinen, deren Ränder und Böden wegen der stärkeren Durchfeuchtung ein üppigeres Pflanzenkleid tragen als ihre weitere Umgebung. Neben der Tatsache, daß im Umkreis der heute von der agrarischen Nutzung ausgeschlossenen alten Tempelbezirke, in Hausgärten, Parks und auf den öffentlichen Plätzen der Städte und Dörfer Yucatáns hochstämmige Bäume ohne Schwierigkeiten gedeihen, spricht die Identität der heutigen Buschwaldgebiete Nordyucatáns mit dem früheren und gegenwärtigen Lebensraum der Maya dafür, daß Busch- und Niederwald das Ergebnis menschlicher Eingriffe sind. Sie sind Devastierungsformen einst artenreicher echter Hochwälder vom Typus des regengrünen, in der halbjährigen niederschlagsarmen Zeit laubabwerfenden Trockenwaldes. In diesen Wäldern legten die Maya ihre Rodungen an. Weder früher noch unter den heutigen Bedingungen der Maya-Wirtschaft konnten sie sich wegen des seitdem betriebenen Maisanbaues im milpa-System voll regenerieren. Beim Überfliegen Yucatáns bietet sich immer das gleiche Bild: ein Mosaik aus Wald, Sekundärbusch und frisch gerodeten Feldern in den verschiedensten Farbschattierungen. Das ganze Land ist in unregelmäßige Besitzstücke aufgeteilt, nur die großen Sisalpflanzungen im Nordwesten sind als rechteckige oder quadratische Blöcke geradlinig begrenzt. Jedes Stückchen dieses Landes war

Abb. 8   Chichén Itzá, Yucatán: Blick auf das als astronomisches Observatorium gedeutete Caracol.

schon früher einmal unter Kultur. Ständig ungenutztes Land gibt es nur an topographisch ungünstigen Stellen, und dort setzt auch sofort höherer Baumwuchs ein. Infolge der seit Jahrhunderten immer nur durch kurze Verbuschungsphasen unterbrochenen Bebauung ist es auf den brachgefallenen Wirtschaftsflächen nie wieder zur Entstehung eines voll entwickelten Hochwaldes gekommen. Dafür sind selbst im Regenwald des Petén mindestens 25 Jahre erforderlich, eine Zeitdauer, die im *milpa*-System bei den erforderlichen Ruhezeiten des Landes von 8–15 Jahren – solange es besiedelt ist – praktisch nie erreicht wird.

Die wegen ihrer Abgelegenheit lange unbekannt gebliebene Regenwaldinsel im Nordosten von Quintana Roo ist in ihrem Habitus durchaus mit der geschlossenen Regenwaldzone Südyucatáns und des Petén vergleichbar. Als typischer Regenwaldbaum gedeiht z. B. in beiden fast 200 km voneinander entfernt liegenden Gebieten der den Kautschuksaft liefernde *zapote (Manilkora zapota)*, von der einheimischen Bevölkerung als *sapodilla* bezeichnet. Aus dem koagulierenden Milchsaft (Abb. 11) der *zapotes* fertigten die Maya einst die schweren Kautschukkugeln für ihr rituelles Ballspiel, und in jüngerer Zeit ist er zum begehrten Rohstoff *(chicle)* der Kaugummiindustrie geworden. Auch das in den Tempeln von Chichén Itzá verbaute und noch gut erhaltene *zapote*-Holz muß aus dem nordöstlichen Regenwald stammen, denn die im nahen Umkreis von Chichén Itzá fallenden jährlichen

Niederschläge (etwa 1100 mm) liegen unter dem für das Wachstum dieses Baumes erforderlichen Wert. Im *templo de los tableros esculpidos* (»Tempel der skulpierten Tafeln«) in der gleichen Tempelstadt haben die Maya 30 cm starke Mahagonibalken verbaut, die nur die Regenwaldinsel des Nordostens geliefert haben kann. Sie waren noch so gut erhalten, daß man sie im vorigen Jahrhundert als Tragbalken für ein Gebäude der benachbarten Hacienda verwendet hat. Baumringzählungen ergaben, daß die Mahagonibäume *(Swietenia macrophylla)* zum Zeitpunkt, als sie von den Maya gefällt wurden, ein Alter von 400–500 Jahren hatten. Schließlich sind noch zwei andere tpyische Regenwaldbäume zu nennen, die sonst nur in den Wäldern des südlichen Quintana Roo, des Petén und in Belize vorkommen: der wilde Kakao *(Theobroma bicolor)* und der Räucherharzbaum *Protium copal.* Als die Spanier 1528 in das nordöstliche Regenwaldgebiet vordrangen, stießen sie bei Sinsimato noch auf ausgedehnte Bestände von Kopalharzbäumen. Die Bevölkerung des Städtchens betrieb einen lebhaften Handel mit dem begehrten Räucherharz, für dessen Produktion sie im Bereich des nördlichen Yucatán ein Monopol besaß.

In der Trockenwaldzone des nördlichen Yucatán entwickelte sich nach dem Untergang der Maya-Hochkultur ein 3–7 m, in der anschließenden Feuchtwaldzone ein höchstens 8–10 m hoher Busch- und Niederwald. Als einzige größere Bäume überragen *ceibas (Ceiba pentandra, Bombax ceiba)* von 3–5 m Umfang und über 30 m Höhe das allgemeine Kronendach (Abb. 12). Als »heilige Bäume« werden sie wie früher neben einigen anderen Arten von den Maya bei der Rodung verschont. *Ceibas* zieren als breitausladende Schattenbäume alle *plazas* der heutigen Städte und Dörfer. Unter ihnen schlagen die Händler ihre Marktstände auf, finden Volksfeste und Tanzveranstaltungen statt. Ihre Zweige werden an bestimmten Festtagen mit Früchten, Bataten und anderen Feld- und Gartenbauprodukten behängt. Die *ceiba* (Maya: *yaxché*) hat in keiner der alten Maya-Siedlungen gefehlt. Sie galt als kosmisches Symbol, als »erster Raum der Welt« und »Mutterbaum der Menschheit«. Die Bäume, die nach der Vorstellung der Maya die vier »Ecken« der Welt markierten, waren *ceibas.* Aus dem Schoß der Erde weisen ihre Wurzeln dem Menschen bei seiner Geburt den Weg zur Tagwelt, an ihren Ästen stieg er nach seinem Tode zum Himmel empor. Wenn man bei Rodungsarbeiten auf *ceibas* stieß, ließ man sie auf der neuen *milpa* stehen Ähnlichen Schutz genossen die Spanischen Zedern, die man nur bei Bauholzbedarf schlug, und vor allem der *chicozapote,* der den begehrten Kautschuk lieferte.

Geschont wurden alle Bäume, die den Maya eßbare Früchte lieferten: der mit der Kakipflaume verwandte *zapote negro (Diospyros ebenaster),* dessen süße tomatenähnliche Früchte eine willkommene Ergänzung ihrer Maisgerichte bildeten, der Brotnußbaum *(ramón, Brosimum alicastrum),* dessen Fruchtfleisch man roh oder gekocht aß, während die zerriebenen harten schwarzen Kerne dem Maismehl beigemischt wurden. Auch verwilderte, auf ehemaligen *milpas* zufällig ausgesamte oder angepflanzte Papayabäume *(Carica papaya)* ließ man bei erneuter Rodung stehen. Unter besonderem Schutz standen schließlich Räucherharz (Kopal) liefernde Bäume *(Protium copal)* und Medizinalpflanzen. Von den im regengrünen Feuchtwald sehr viel zahlreicher als im Trockenwald auftretenden Palmenarten entgingen diejenigen der Brandrodung, die den Maya ölhaltige Samen oder Fasern lieferten, wie *corozo (Scheelea lundellii),* cocoyol *(Acromia mexicana),* nance *(Brysonomia crassifolia)* und

Abb. 9 Querschnitt durch eine der flachen Depressionen, die bajo oder polje genannt werden, im Kegelkarst des Petén. Der lehmbedeckte Beckenboden besitzt sogenannte Schlucklöcher, in denen das Wasser in den Untergrund verschwindet.

Abb. 10 Chinkultic, Chiapas: Blick auf einen mit Spanischem ▷ Moos (Tillandsia) dicht überwucherten Baum.

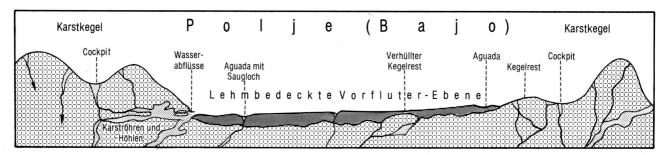

Abb. 11 Kerbschnitte im Stamm eines zapote-Baumes, wodurch der begehrte Kautschuk gewonnen wird.

Wo im Sekundärwald *zapotes* und Brotnußbäume in größerer Zahl auftreten, kann man gewiß sein, sich in der Nähe einer alten Maya-Siedlung zu befinden.

Der im nördlichen und mittleren Yucatán besonders aus der Vogelschau eindrucksvolle bunte »Flickenteppich« von Buschwaldstücken und Maisparzellen wird im niederschlagsreicheren südlichen Quintana Roo von geschlossenem Feuchtwald mit vereinzelten Rodungsflächen entlang der Straßen abgelöst. Auf den Feldern wächst trotz dünner Bodenkrume mannshoher Mais, aber eine viel größere Zahl bereits wieder aufgegebener *milpas* ist mit heranwachsendem Sekundärbusch bedeckt. Für die sich regenerierende Vegetation sind wie auch überall im eigentlichen Regenwaldgebiet bestandsbildende Cecropien charakteristisch. Die Einheimischen nennen sie *guarumos* und Flächen, die sie mit geschlossenen Beständen beherrschen, *guarumales*. In ihren Stämmen legen Ameisen gern ihre Nester an. Die lichthungrigen, schnell aufschießenden Bäume mit ihren an Roßkastanien erinnernden großen zerlappten Blättern verschwinden, sobald das Kronendach der anderen Waldbäume über ihnen so dicht wird, daß nicht mehr genügend Licht bis zu ihnen vordringt.

Außer größeren Palmenbeständen, besonders an nassen Standorten, sind dem regengrünen Feuchtwald einige laubabwerfende Baumarten beigemischt, deren mit gelben, roten und blauen Blüten bedeckte Kronen am Ende der niederschlagsarmen Jahreszeit (März/April) das dunkelgrüne Blattwerk der immergrünen Bäume unterbrechen. Zu den kleineren Bäumen des Hochwaldes gehört der schon erwähnte Kopalharzbaum (*Protium copal*), der auch in Campeche und im nördlichen Petén weit verbreitet ist. Nach dem mehr oder weniger geschlossenen Auftreten von Kautschuk liefernden *zapotes*, Mahagoni (*caoba*), Spanischer Zeder (*cedro*) oder Brotnußbäumen (*ramón*) spricht man dort von *zapotales*, *caobales*, *cedrales* oder *ramonales*. In feuchten Niederungen tritt die *corozo*-Palme mit ihren großen Trauben nährstoffreicher Nüsse bestandsbildend auf (*corozales*). Die Flußufer sind von Bambus gesäumt (*bambonales*).

Unmerklich geht im südlichen Quintana Roo und im nördlichen Petén der regengrüne Feuchtwald in den immergrünen tropischen Regenwald über. Großer Artenreichtum bei gleichzeitig geringer Individuenzahl der einzelnen Spezies zeichnen ihn aus. Auf einem Hektar kommen 40–150 verschiedene Baumarten vor. Einige der Urwaldriesen erreichen Höhen bis zu 50 m. Der dichte Kronenschluß verhindert das Durchdringen des Sonnenlichtes, so daß nur wenig Unterwuchs aufkommt. Das Waldinnere gleicht trotz herabhängender Lianen häufig einer weiten Säulenhalle, die man sogar zu Pferde

huano de sombrero (Sabal mexicana). Sie durchsetzten die jeweils gerade genutzten Anbauflächen und sind ein weiterer Beweis für die grundsätzliche Existenzfähigkeit höheren Baumwuchses im jetzigen Busch- und Niederwaldbereich. Es ist sogar wahrscheinlich, daß alle diese Baumarten gegenüber ihrer ursprünglich relativ bescheidenen Verbreitung im Primärurwald dank der Schonung, die sie durch die Maya erfuhren, im Sekundärwald allmählich immer mehr die Oberhand gewannen und ursprünglich dominante Spezies in den Hintergrund drängten. Das Alter einzelner riesiger *zapotes* im nördlichen Petén wird auf rund 1000 Jahre geschätzt.

Abb. 12   Der ceiba-Baum oder yaxche, *der heilige Baum der Maya, der die Weltenachse verkörpert und dessen Blüten die Königswürde symbolisieren.*

Abb. 13 Aufgrund seines leuchtend roten Gefieders galt der hellrote Ara als Symbol der aufgehenden Sonne (vgl. Kat.-Nr. 107).

Abb. 14 Spinnenaffe: Nach den Erzählungen des Popol Vuh wurden die beiden älteren Brüder der Göttlichen Zwillinge durch eine List in Spinnenaffen verwandelt (vgl. Kat.-Nr. 127).

durchreiten kann. Auf feuchten Standorten wird der Regenwald dichter. Reicher Unterholzbewuchs, Lianen und Epiphyten machen die *selva* zu einem schwer zugänglichen Dschungel. Als kletternde Orchidee kommt gelegentlich Vanille vor. Überdurchschnittliche Höhe erreichende Bäume entwickeln Brettwurzeln, um auf der dünnen Bodenkrume über dem anstehenden Kalk den erforderlichen Halt zu bekommen. Unter den Urwaldriesen des obersten Stockwerks findet sich ein mittleres Stockwerk mit Bäumen geringerer Wuchshöhe und darunter schließlich das untere Stockwerk der niedrigsten Bäume und des Jungwuchses. In ständig feuchten Niederungen gedeiht *Haematoxilum campechianum*, ein hochwüchsiger Baum, der das besonders haltbare Campecheholz liefert. Die Maya haben es in ihren Kultbauten für Fensterstürze verwendet, und heute ist es als *logwood* ein begehrtes Objekt der Holzausbeute.

Charakterbäume des Petén-Regenwaldes auf sumpffreiem hohem Land sind Mahagoni (*Swietenia macrophylla*) und *chicozapote* (*Manilkora zapota*). Der Mahagoni bildet keine geschlossenen größeren Bestände. Auf einem Hektar kommen kaum mehr als ein Dutzend dieser alle anderen überragenden Bäume vor. Im Unterschied dazu gibt es große Waldkomplexe, in denen der

zapote mit 15–50 Exemplaren je Hektar absolut dominiert. Da und dort fand man noch gut erhaltene Tragbalken, Tür- und Fensterstürze aus ihrem rotbraunen, extrem harten und nur schwer faulenden Holz. Hauptgrund für die gute Erhaltung des *zapote*-Holzes ist jedoch außer der Härte sein Termiten abweisender giftiger Saponingehalt. Nach Radiokarbonbestimmungen stammen die in Tikal verbauten Hölzer aus der Zeit um 700 n. Chr. Auf den vom Regenwald überwachsenen Bauwerken selbst hat sich in dem seit Aufgabe der Siedlungen verstrichenen Jahrtausend eine 30–40 cm hohe Humusschicht gebildet. Auf ihr finden die Samen der Urwaldbäume ein ideales Keimbett. In den Fugen setzten sich Würgerfeigen (*Ficus lapathifolium*) fest, die das alte Mauerwerk sprengen und zugleich durch ihre Umklammerung zusammenhalten.

Das Waldtiefland des Péten ist im Unterschied zur Klassischen Maya-Zeit heute weitgehend unbesiedelt. Der seit einem Jahrtausend voll regenerierte tropische Regenwald beherrscht dort das Landschaftsbild. Aber in seinem Bestandsaufbau vollziehen sich jetzt tiefgreifende Änderungen. Durch rücksichtslosen Holzeinschlag und Totzapfen der Kautschukbäume sind Mahagoni und *zapote* in machen Gebieten schon fast verschwunden.

EIN KARSTLAND – UND DOCH NICHT UNFRUCHTBAR

Mit dem Begriff »Karst« pflegen wir in der Regel die Vorstellung zu verbinden, daß dessen Böden wenig ergiebig seien und bei einem sich über Jahrhunderte erstreckenden Anbau schließlich der völligen Erschöpfung unterlägen. Diese Annahme ist jedoch irrig: durch die kontinuierliche Verwitterung der anstehenden Kalke werden ständig aufs neue mineralische Nährstoffe freigesetzt, die sich in den großen und kleinen abflußlosen Hohlformen sammeln und dem dort betriebenen Feldbau zugute kommen. In Abhängigkeit von den jeweiligen klimatischen Bedingungen bilden sich Böden unterschiedlicher Qualität, zwischen denen die Maya bei der Suche nach bebaubarem Land sehr wohl zu unterscheiden wußten.

Nord- und Zentralyucatán sind durch flachgründige Humuskarbonatböden gekennzeichnet. Der Oberhorizont besteht infolge Auswaschung der Karbonate (Kalk) aus von Quarzkörnern durchsetzten Tonmineralen. Durch Abspülung wird vielerorts das nackte Gestein freigelegt. Die Bodenkrume selbst ist von allmählich zerfallenden Gesteinsscherben durchsetzt, und die ausgespülten feinen Tonpartikel lagern sich in den weitverbreiteten Dolinen jeglicher Form und Größe wieder ab. Stärkere Durchfeuchtung der Dolinenböden führt zur Ausfällung der in den Tonmineralen enthaltenen Eisenoxide und zu intensiver Rotfärbung solcher eingeschwemmten Böden. Im Unterschied zu dem im ständig feuchten Tropenklima aus der Verwitterung verschiedenartiger Gesteine hervorgehenden Rotlehm (Latosol) werden die im wechselfeuchten subtropischen Klima auf Kalken entstehenden Roterden, z. B. im Mittelmeergebiet, als *Terra rossa* bezeichnet. Wenn auch das nördliche Yucatán noch voll in der Tropenzone liegt, so entsprechen doch Kalkuntergrund und jahreszeitlicher Wechsel zwischen Regen- und Trockenperiode ungefähr den mediterranen Verhältnissen, so daß man auch im nördlichen Yucatán von einer *Terra rossa*-Füllung der Dolinen sprechen kann. Die Maya nennen diese umgelagerten Roterden *k'an kab*. Sie liefern ihnen die höchsten Maiserträge. Der hohe Kaliumgehalt der Böden erlaubt einen kontinuierlichen, geradezu »ewigen« Maisanbau, da die Kalkverwitterung der Randgebiete ständig für die Zufuhr neuer Nährstoffe sorgt. So ist auch keinerlei Düngung erforderlich, obwohl – mindestens örtlich – ein gewisser Mangel an Phosphor, Mangan und Pottasche besteht. Ein hinreichender Ausgleich erfolgt durch die Einschwemmung dieser Minerale aus der Holzasche nahebei gelegter Rodungsbrände.

In ihrer Mächtigkeit zunehmende humose dunkle Oberböden (Rendzinen) herrschen im südlichen Yucatán und im nördlichen Petén vor. Sie gehen nach Süden hin allmählich in schwarze und braune kalkreiche Lithosole über. Obwohl das Muttergestein gewöhnlich nicht tiefer als 50 cm unter ihnen ansteht und vom Boden unbedeckte Karstvollformen mehr als 15% der Landoberfläche einnehmen, besitzen diese heute weithin wiederbewaldeten Gebiete die ertragreichsten Böden des Petén. Es ist sicherlich kein Zufall, daß dieser Bereich der tiefgründigen Rendzinen und kalkreichen Lithosole identisch mit dem Hauptsiedlungsgebiet der klassischen Maya-Zeit ist.

Die Maya besiedelten sowohl im Süden wie im Norden ein von Hochwald unterschiedlichen Gepräges bedecktes tropisches Tiefland. Sie haben diesen Wald in seiner Totalität genutzt: sein Holz und seine Früchte, sie zapften Gummi und Harze, sammelten Honig und Medizinalpflanzen, gewannen Bast und Fasern von Palmen und Kapokbäumen *(ceibas)*, preßten Öl aus Palmnüssen, jagten Tiere zur Bereicherung ihrer Nahrung, zur Gewinnung von Fellen und Federn oder um sie als Opfer ihren Göttern darzubringen. Wo sie den Wald zur Kulturlandgewinnung rodeten, schonten sie die ihnen nützlichen Bäume. Sie haben dadurch die Artenzusammensetzung des Sekundärwaldes verändert und ihren »heiligen« Bäumen zu einer größeren Verbreitung verholfen, als ihnen einst im Primärurwald zukam.

Das Klima Yucatáns und des Petén hat sich durch die Rodungs- und Siedlungstätigkeit der Maya nicht verändert. Niederschlagsmenge und Niederschlagsvertei-

Abb. 15 Leguan: Der Franziskaner Diego de Landa berichtete, daß die Spanier an Fastentagen das Fleisch der Leguane essen würden und es »für eine ganz ausgezeichnete und gesunde Speise« hielten.

lung, Häufigkeit und Dauer der Regenfälle in der Gegenwart entsprechen völlig denen der Maya-Zeit. Dies wird bestätigt durch die auf klimatischer Langzeitwirkung beruhende Abfolge der Karsterscheinungen, die vegetationskundlichen Zeugnisse, die an *cenotes* und Zisternen gebundenen Siedlungslagen und viele andere Kriterien. Geändert hat sich allein im nördlichen und mittleren Yucatán der Bodenwasserhaushalt, da die mit der Feldwechselwirtschaft verbundene periodische Rodung des Waldes zur Abspülung eines Teils der dünnen Bodenkrume geführt hat. Damit wurde die Speicherfähigkeit der restlichen Bodenbedeckung verringert und das Wiederaufkommen von Waldwuchs erschwert. So ist der landwirtschaftliche Gegensatz zwischen Nord und Süd, nachdem in Yucatán Busch- und Niederwälder den einstigen Hochwald ersetzten, sehr viel schärfer geworden, als er ursprünglich war. Er wird zusätzlich noch dadurch betont, daß die Verkarstungserscheinungen im nördlichen Siedlungsgebiet der Maya erst infolge der sich über Jahrhunderte erstreckenden ackerbaulichen Nutzung in ihrem vollen Umfang sichtbar geworden sind. Nur für die Gegenwart also gilt es, daß sich die bescheidene Regenwaldkolonisation des Südens von der Besiedlung und agrarischen Nutzung der Busch- und Niederwaldgebiete des Nordens unterscheidet: nach landschaftlichem Milieu, Art und Dichte der Besiedlung und nach ihrem physiognomischen Erscheinungsbild.

JAGD UND FISCHFANG

Außer Hunden waren Truthühner – vielleicht auch Kaninchen – die einzigen Haustiere der Maya. Darstellungen von Kaninchen finden sich häufig in der klassischen Maya-Kunst. Ob sie als Haustiere gehalten wurden, ist nicht sicher, aber wahrscheinlich. Da sie sich schnell vermehren, könnten sie für die Maya eine ähnliche Bedeutung gehabt haben wie die Meerschweinchen für die südamerikanischen Hochlandindianer. Als Jungtiere im Wald gefangene Rehe und Nasenbären wurden da und dort auf den Höfen als Spielkameraden für die Kinder großgezogen. Eine nicht bellende Hundeart (*Canis caribaeus*) wurde für die Jagd gezüchtet, ein Teil der männlichen Tiere kastriert und mit Mais gemästet. Sie dienten, wie dies auch in einigen asiatischen Ländern und auf den ursprünglich haustierarmen Südseeinseln üblich war (und zum Teil dort wie auch bei den heutigen Maya noch ist), der Fleischversorgung. Das gleiche galt für die auf den Höfen gehaltenen Puten, während man wilde Truthühner als Opfertiere fing. Gern zog man gerade dem Ei

entschlüpfte wilde Bisamenten auf den Hausplätzen groß. Hauptanreiz für den Fang waren die schönen bunten Federn der ausgewachsenen Tiere. Wildenten und Wildtauben scheinen hingegen nur gelegentlich domestiziert worden zu sein. Schwein, Huhn und Hausente, ebenso Rind, Pferd und Esel wurden erst von den Spaniern in die Neue Welt eingeführt.

So stellte die Jagd die wichtigste Quelle zur Deckung des Fleischbedarfs dar. Sie wurde von den Männern einzeln oder in Gruppen ausgeübt. Auf größeren Jagdzügen schlossen sich einige Dutzend Männer zusammen. Einziges Motiv der Jagd war die Sicherung der Fleischversorgung. Dabei erlegten die Maya kein Tier mehr, als sie wirklich zur Stillung ihres Hungers brauchten. Anderenfalls mußten sie den Zorn des Jagdgottes befürchten, der sie für den begangenen Frevel mit Wildmangel und Hunger bestraft hätte.

Die Trocken- und Feuchtwälder des nördlichen und mittleren Yucatán waren reicher an Wild als die dichten Regenwälder des Petén. Yucatán wurde bezeichnenderweise von den Maya »das Land der Hirsche und Truthühner« genannt. Es gab zwei Hirscharten: eine große graubraune Art mit üppig entwickeltem Geweih (*Odocoileus toltecus*) in Yucatán und eine kleinere rotbraune Art (*Odocoileus truei*) mit gabelförmigem Geweih im südlichen Regenwald und auf der Peténsavanne.

Am erfolgreichsten wurde und wird die Jagd in dem an Unterwuchs reichen Sekundärwald brachgefallener *milpas*, auf frisch gebrannten Rodungsflächen und auf den Feldern betrieben. Die salzhaltige Holzasche zog die Tiere besonders an. Die Bauern nahmen gern den Verlust einiger junger Maispflanzen in Kauf, deren frisches Grün die Tiere lockte. Wenn das Wild im Morgengrauen oder gegen Abend zur Äsung auf die Felder kam, wurde es zur leichten Beute der von ihren Hunden unterstützten Jäger. Sie beobachteten daher sorgfältig die Wildwechsel am Rande der *milpas*, identifizierten die Spuren, stellten Fallen oder erlegten das Wild mit ihren Waffen. So brachten sie regelmäßig von der Feldarbeit auch Wildbret heim, vor allem, wenn die Maisfelder üppig standen. In Trockenjahren blieben die Tiere im Wald. Den Tagesbedarf übersteigende Fleischmengen wurden in Streifen geschnitten und geräuchert. Sie waren dann mehrere Wochen lang haltbar. Das ungegerbte Rehleder wurde für die Anfertigung von Sandalen verwendet. Gefangenen Maulwürfen sengte man die Haare ab, briet sie in einer Umhüllung von grünen Blättern in heißer Asche und aß sie unausgenommen. Unerwünschte Besucher waren Papageien (Abb. 13) und Affen (Abb. 14), die häufig in Schwärmen oder Rudeln die Maisfelder des Petén heimsuchten und vertrieben werden mußten. Die kleinen Brüllaffen und Klammeraffen ließen sich leicht erlegen und galten als Leckerbissen.

Wichtigste Beutetiere waren außer Hirschen, Rehen und Affen die hasenähnlichen Aguti, Wildschweine *(Pecari)*, Tapire, Waschbären, Opossums, Gürteltiere, Truthühner, Fasanen und Wachteln. Im Winter fielen wie noch heute alljährlich Wildenten und andere Wasser- und Strandvögel in riesigen Schwärmen auf den Lagunen, Teichen und Sümpfen ein. Man stellte ihnen des Fleisches wegen nach und sammelte ihre Eier, ebenso die der wilden Truthühner im Walde. Besonders geschätzt war das schmackhafte Fleisch der Leguane (Landechsen) (Abb. 15) und der Landschildkröten, aber ihrer konnte man nur selten habhaft werden.

Die großen Raubkatzen Jaguar, Puma und Ozelot jagten die Maya der wertvollen glänzenden Felle wegen, aus denen die mantelartigen Umhänge der Priesterfürsten und des Adels gefertigt wurden. Tapire versorgten sie mit größeren Mengen Fleisch, die feste Haut brauchten die Maya zur Herstellung von Schilden und Panzern. Der in den Bergwäldern der *tierra templada* lebende »Göttervogel« Quetzal *(Pharomachrus mocinno)* lieferte ihnen die grün-goldenen Schwanzfedern für den Kopfputz und die leuchtend roten Brustfedern als Schmuck für kostbare Gewänder. Einen Großteil der Quetzalfedern erhielten die Maya jedoch durch die Hochlandhändler. Jaguare und Truthühner waren zugleich Opfertiere.

Vögel und kleinere Baumtiere erlegten die Maya mit Blasrohren, aus denen sie kleine Tonkugeln verschossen. Hauptwaffe für die Jagd auf größere Tiere waren Lanzen. Pfeil und Bogen lernten sie erst in der Spätzeit kennen. Allgemein üblich war die Fallenstellerei. Im Codex Tro-Cortesianus (Madrid) gibt es Abbildungen von »Schwippgalgen«, mit denen man Hirsche und Wildschweine fing. Für die Erbeutung von Gürteltieren verwendete man Kastenfallen. Solche Gürteltierfallen, Fallgruben und Schlingen sind ebenfalls im Madrider Codex dargestellt.

Die nichtstechenden Waldbienen versorgten die Maya mit Honig und Wachs. Aus dem Honig, der ihnen zum Süßen der Speisen diente, bereiteten sie auch unter Zusatz der abgeschälten Rinde des »Weinbaumes« *(Lonchocarpus)* ein berauschendes Getränk *(balché)*. Dieser nach unseren Begriffen übelriechende »Met« wurde bei Festlichkeiten in großen Mengen konsumiert. Hohle Baumstämme mit darin angetroffenen Bienenschwärmen wurden in die Nähe der Gehöfte gebracht und begründeten eine reguläre Bienenzucht der Maya, wohl die älteste Form der Imkerei im tropischen Amerika. Als die Spanier 1518 auf die Insel Cozumel kamen, besaßen dort die Maya in Kalebassen, Tontöpfen oder hohlen, an den Enden mit Lehm abgedichteten Baumstammteilen untergebrachte Bienenvölker.

Dem Fischfang gingen die Maya vor allem in den Küstengewässern nach. Sie benutzten dazu mit Paddeln fortbewegte Kanus oder Segelboote. Ein Fischerdorf mit Darstellungen von Meerestieren findet sich auf Wandbildern in Chichén Itzá, Tulúm und Bonampak. Auch in den Codices fehlen entsprechende Bildwiedergaben nicht. Einige der in Küstennähe errichteten Tempel waren den die Fischer beschützenden Gottheiten geweiht. Ein von Wallfahrern aus allen Teilen der Halbinsel viel besuchter Tempel lag auf der Insel Cozumel. Neben der Mondgöttin *Ixchel*, der Herrin der Meeresfluten und Schutzpatronin des weiblichen Kunsthandwerks, wurden dort der Regengott *Chak* und mehrere Fischereigottheiten verehrt.

Die in agrarwirtschaftlich ungünstigen Küstengebieten lebenden Maya, zum Beispiel im trockenen Nordwesten Yucatáns oder am Mangrovensaum der Ostküste, sicherten sich ihren Lebensunterhalt vorwiegend durch den Fischfang, nicht durch den Feldbau. Wenn die Maisvorräte verzehrt sind, ernährt sich die ärmere Küstenbevölkerung noch jetzt zuweilen monatelang nur von Fisch, so zum Beispiel 1940 im Umkreis des Ortes Río Lagartos. Es gibt in den yukatekischen Fischerdörfern zwar keine meterhohen Muschelabfallhaufen (Kjökkenmöddinger) wie in vielen anderen Küstensiedlungen der Erde, nur kleine Ansammlungen von Muschelresten an den Stränden der vor Belize gelegenen Inseln. Aber auf Zeugnisse einer intensiv betriebenen Seefischerei ist man bei den Ausgrabungen im alten Maya-Land allenthalben gestoßen. Mit dem in den Lagunen der Nordküste, an einzelnen Stellen der Westküste und in der Bucht von Chetumal an der Ostküste gewonnenen Salz konnten die Fische für den Transport ins Binnenland haltbar gemacht werden. Auch Räucherfische waren eine wichtige Handelsware.

Die zahlreichen Arten von Seefischen fing man mit Schleppnetz oder Angel, in den flachen Lagunen wurden sie in der Spätzeit auch mit Pfeil und Bogen erlegt. Größte Beutetiere waren Haie, Stachelrochen und Seekühe *(Trichechus manatus)*. Den heute selten gewordenen Seekühen stellten die Maya in Gezeitenprielen und Flachwassergebieten der Westküste nördlich von Campeche nach. Sie jagten sie nach den Schilderungen Bischof Landas[1] mit der Harpune. Das Fleisch der Haie wurde gegessen, die Zähne dienten als Opfergaben. Man fand sie an ungezählten alten Siedlungsplätzen. Rochenstacheln wurden zur kultischen Blutentnahme bei Menschen und Opfertieren benutzt. Der Hai genoß wegen seiner Gefährlichkeit mythische Verehrung und kommt daher in figürlicher Nachbildung häufig unter den Keramikfunden des südlichen Quintana Roo und des nördlichen Belize vor.

Die Flachwassergebiete mit ihrem reichen Seegras-, Schwamm- und Algenbewuchs sind ergiebige Weidegründe für die bis über 200 kg schweren Seeschildkröten. Die heutigen Fanggebiete an der Westküste zwischen der Laguna de Términos und Campeche, im Bereich der Inseln an der Nordostküste und in der Bucht von Chetumal sind die gleichen, wie sie durch Überlieferung und Funde aus der alten Maya-Zeit bekannt sind. Reste von Schildkrötenpanzern, die als Schilde und Resonanzböden von Musikinstrumenten verwendet wurden, dazu Tonfiguren von Schildkröten sind in Mayapán, Chichén Itzá, Copán und anderenorts gefunden worden. Die Codices enthalten Abbildungen von ihnen. Bei besonders ergiebiger Beute konnte man die Riesenschildkröten auch in Gefangenschaft halten, um sie nach Bedarf zu verzehren. Zu diesem Zweck wurden aus Stöcken und Pfählen im Flachwasser kleine quadratische Gehege angelegt, wie man sie in der Bucht von Chetumal für die jetzt kommerziell gefangenen Tiere noch sehen kann. An den Stränden aufgelesene Schildkröteneier waren eine ebenso begehrte Delikatesse wie Octopus und die von Tauchern gefangenen Langusten.

In den Mangrovewäldern wurden Baumaustern gesammelt. Die ergiebigen Austernbänke vor der Mündung des Río Champotón und die in den Lagunen an der Nordküste in Mengen gefangenen Krebse und Muscheln begeisterten die ersten nach Yucatán gekommenen Spanier. Von 125 Molluskenarten, die in den Gewässern um die Insel Cancún vor der Nordostküste festgestellt wurden, finden sich die Schalen schon in den Abfallhaufen der einstigen Insel- und Küstenbewohner, für die die Flachwassergebiete geradezu eine Art »Küchengarten« dargestellt haben. Die Maya-Codices enthalten einige schöne Abbildungen von Mollusken- und Krustentieren. Gebrannte Muschelschalen dienten der Herstellung von Mörtel (Zement), bunte oder geschnitzte als Schmuck, große schneckenartige Gehäuse als Trompeten bei kultischen Handlungen. Eine besondere Blüte erlebte die Muschelschnitzerei auf der Toteninsel Jaina vor der Ostküste Yucatáns: Darstellungen von Wasserlilien bestehen aus kleinen, in die Muschelschalen eingelegten Stücken apfelgrüner Jade. Überraschende Mengen weit über Land beförderter Muscheln oder Muschelschalen wurden bei den Grabungen in Tikal gefunden.

Gesalzene und geräucherte Meeresfische, die als Handelswaren oder Tribute ins Binnenland gelangten, kamen wohl nur der Oberschicht zugute. Die übrige Bevölkerung deckte ihren Bedarf in den an Fischen reichen Flüssen. Eine in Tikal gefundene schöne Knochenschnitzerei aus dem Spätklassikum dokumentiert die übliche Fangmethode: Man warf als Betäubungsmittel eine giftige Leguminose (Lonchocarpus) ins Wasser, ließ die Fische gegen Reisigwehre treiben und griff sie dort mit der Hand. Diese allgemein im tropischen Amerika gebräuchliche Fangmethode sicherte ihnen zwar eine gute Ausbeute, führte aber zugleich auch zur Tötung der Jungfische. Mit Netzen abgefischt wurden die großen Süßwasserseen wie der Chichancanabsee, die Bacalarlagune (Abb. 16) und der Petén-Itzá-See. Flores auf einer Insel im Petén-Itzá-See ist noch heute mehr ein großes Fischerdorf als eine Stadt, und wenn geschätzt wird, daß die Vorsiedlung und einstige Itzá-Hauptstadt Tayasal 10 000 Einwohner hatte, so beruhte die Blüte des Ortes vermutlich auf der besonders günstigen Versorgung der Bevölkerung mit Ackerbauprodukten aus dem Umland und Fischen aus dem See.

Weitere Möglichkeiten für den Fischfang boten die teichartigen Dolinenseen (zum Beispiel bei Cobá), die langgestreckten Niederungsseen und bajos des Petén. Selbst in den cenotes leben Fische, die gefangen wurden und bis zur Gegenwart dort gefangen werden. Ihre Existenz erklärt sich aus von Wasservögeln verschlepptem Laich. Schließlich wurden die in überfeuchten Schwemmlandgebieten und Talauen von den Maya angelegten Entwässerungsgräben, die in der Río-Bec-Region für die Trinkwasserversorgung gebauten Kanäle und die von Wasser erfüllten Furchen zwischen Hochäckern auf überschwemmungsgefährdetem Niederungsland regelmäßig abgefischt. Es ist nicht ausgeschlossen, daß sie zum Beispiel im Río-Candelaria-Gebiet bewußt als 10 m breite Becken angelegt wurden, um sie für die Fischzucht zu nutzten. Zusätzlich erbeutete man in allen diesen stehenden oder fließenden Gewässern Frösche, Lurche, Leguane (iguana) und Krokodile[2].

Abb. 16 Blick auf den Uferbereich der Lagune von Bacalar im ▷ Süden des mexikanischen Bundesstaates Quintano Roo.

Von der ersten Besiedlung bis zur Späten Präklassik

Juan Antonio Valdés

Über viele Jahrhunderte hinweg war Mesoamerika Schauplatz der Entwicklung verschiedener Hochkulturen. Ihr Aufstieg und Untergang spielten sich in unterschiedlichen Ökosystemen ab, die sich prägend auf diese Kulturen auswirkten. Doch bei aller Verschiedenartigkeit des Lebensraumes standen sie in engem Kontakt miteinander. Eine besondere Rolle innerhalb dieses Gebietes fällt den Maya zu, einer der wohl bemerkenswertesten Kulturen der Welt. Ihre geographische Verbreitung über ein Gebiet von rund 324 000 km² umfaßt Teile der heutigen Staaten Belize, El Salvador, Guatemala, Honduras und Mexiko.

Als im 16. Jahrhundert die ersten Europäer mit dem amerikanischen Kontinent in Berührung kamen, konnten sie kaum erahnen, welche kulturellen Errungenschaften sie im weiteren Verlauf der Konquista kennenlernen sollten. Viele geistliche und weltliche Autoren spanischer Herkunft, unter ihnen Diego de Landa, Antonio de Remesal, Andrés de Aveñdaño und Bernal Díaz del Castillo berichteten mit Erstaunen über die eroberten Gebiete, insbesondere aus Neu-Spanien und dem Königreich Guatemala. Zahlreiche Schriften und Dokumente über Geschichte und Kultur Mesoamerikas, die verstärkt im 17. und 18. Jh. veröffentlicht wurden, weckten ab der Mitte des letzten Jahrhunderts das Interesse vieler Reisender und Abenteurer an den Maya. Durch John Lloyd Stephens, Frederick Catherwood, Teobert Maler, Alfred Percival Maudslay und andere Forscher verbreitete sich in Europa und den USA das Wissen über diese Kultur. Sie ebneten somit den Weg für archäologische und ethnographische Forschungsprojekte. Vom anfänglichen bis zum heutigen Bild von der Maya-Kultur ist ein langer, lehrreicher Weg durchschritten worden. Die dabei erzielten wissenschaftlichen Erkenntnisse und Entdeckungen bestätigen und ergänzen die Augenzeugenberichte eines Pedro de Alvarado und Francisco de Montejo etwa, die diese während der Eroberung von Guatemala und Yucatán abfaßten.

Die spanischen Eroberer lernten Völker aus der Postklassischen Periode kennen, die Forscher des letzten Jahrhunderts hingegen entdeckten die Maya-Welt der Klassischen Zeit in den »versunkenen Städten« des Tieflandes, insbesondere in den tropischen Regenwäldern der Provinzen Petén und Chiapas. Erst zu Beginn dieses Jahrhunderts jedoch kamen durch archäologische Ausgrabungen in Holmul und Uaxactún Zeugnisse einer weiter zurückliegenden Epoche ans Licht. Dieser Zeitabschnitt wird deshalb als Präklassik bezeichnet. Die Suche nach diesen älteren Spuren lief fieberhaft an, doch da diese Funde in erheblicher Tiefe liegen, stellten sich nur langsam die gewünschten Ergebnisse ein. So ist die Präklassik dank neuer Ausgrabungsmethoden erst ab den 60er Jahren erschlossen worden. Die Funde belegen, daß die Maya schon Jahrhunderte vor Christi Geburt eine Zivilisation hervorgebracht hatten, die alle Voraussetzungen zur Ausbildung einer Hochkultur barg.

Doch die Präsenz des Menschen in dieser Region reicht weiter zurück. Für ein besseres Verständnis der Maya und ihrer Kultur in Entstehung und Entwicklung sei der Ablauf des Geschehens im folgenden kurz skizziert.

DIE FRÜHZEIT

Die Besiedlung Mesoamerikas wird um 10 000 v. Chr. angesetzt. Sie ereignete sich infolge von Wanderungsbewegungen, als während der letzten Eiszeit der Meeresspiegel wesentlich tiefer lag und eine Landbrücke Asien mit Alaska verband. Ab 70 000 v. Chr. etwa drangen Horden von Jägern und Sammlern von Ostasien her auf den amerikanischen Kontinent vor. Aus der Zeit zwischen 9000 und 7000 v. Chr. sind im Maya-Gebiet vor allem Steingeräte wie Abschläge oder Pfeilspitzen bekannt, die im archäologischen Kontext mit heute ausgestorbenen Tieren gefunden wurden. Beispiele für Fundorte dieser Art sind die Höhle von Santa Marta in Chiapas, die Höhle von

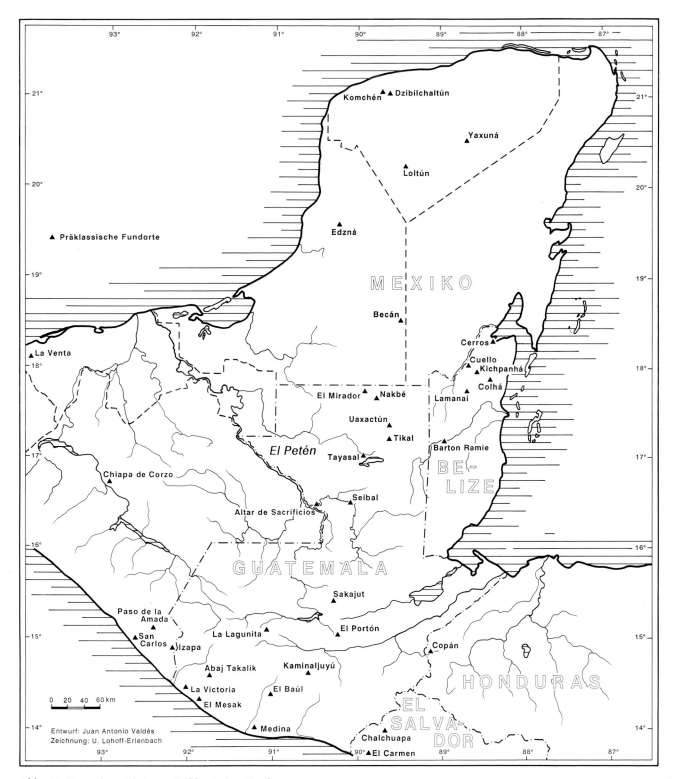

Abb. 17 Karte der wichtigsten Präklassischen Fundorte.

23

Loltún in Yucatán, Punta Ladyville in Belize und Los Tapiales im westlichen Hochland von Guatemala.

Auch im Norden von Belize konnte die Besiedlung von Hügeln und Tälern durch nomadische Kleingruppen in dieser Zeitepoche nachgewiesen werden. Die dort benutzten Steinwerkzeuge waren Abschläge, halbmondförmige Schneidegeräte, Schaber und Pfeilspitzen für die Zubereitung von Kleintieren, die Ähnlichkeit mit denen aus der Höhle von Loltún und solchen aus der Nähe des Madden-Sees in Panama aufweisen. Knochenreste von Tieren, Steinwerkzeuge und andere Gegenstände mit deutlichen Spuren von menschlicher Bearbeitung aus der Zeit zwischen 7000 und 2000 v. Chr. sind in Guatemala gefunden worden. In Zacapa (im Osten des Landes) entdeckte man Knochen von Mammut und Faultieren. Im nordwestlichen Huehuetenango kamen ebenfalls Mammutreste ans Licht. In der Provinz Petén wurde am Río da la Pasión ein versteinerter Faultierknochen mit Einritzungen aufgefunden. In San Rafael, in der Nähe der guatemaltekischen Hauptstadt, kam schließlich eine Pfeilspitze des Clovis-Typs zum Vorschein.

Die Forschungsergebnisse weisen darauf hin, daß es in diesem Zeitraum zu einer Umstrukturierung der Gesellschaft von einer nomadischen zu einer halbnomadischen Wirtschaftsform mit jahreszeitlich unterschiedlichen Aufenthaltsplätzen kam. Die Sommermonate wurden dazu benutzt, neue Gebiete zu erschließen. Im Winter zogen sich die Menschen in die Höhlen zurück, die ihnen Schutz und Wärme boten und so zu einem wichtigen sozialen Bestandteil des Lebens wurden (Abb. 18). Die systematische Erforschung der Höhlen hat zu einer besseren Kenntnis der Lebensweise ihrer Bewohner und ihrer Ernährung beigetragen, und sie hat uns gezeigt, zu welchen tiefgreifenden sozialen Umwälzungen es bereits zu so früher Zeit kam[1].

Die Ernährung der Höhlenbewohner basierte auf der Jagd von Kleintieren, auf der Fischerei und dem Sammeln von Samen und Früchten. Der Beginn der Domestikation von Pflanzen und ihr Anbau setzten etwa zur gleichen Zeit ein. Ein wichtiger Schritt gelang um 5000 v. Chr. mit der erfolgreichen Domestikation des Maises, der zusammen mit Bohnen, Chilipfeffer, Teufelsbirnen, Baumwolle, Flaschenkürbissen und anderen Kürbisarten angebaut werden konnte.

Bevölkerungsgruppen, die an den Meeresküsten siedelten, spezialisierten sich auf den Fang von Muscheln und Schalentieren und anderen Meereserzeugnissen. Die zunehmende Abhängigkeit vom Maisanbau führte zur Bildung dauerhafter Siedlungen. Diese Entwicklung wird für die Maya-Region auf rund 2000 v. Chr. angesetzt. Mit der Seßhaftigkeit ist nicht nur eine feste landwirtschaftliche Tätigkeit, sondern auch die Einführung der Keramik verknüpft. Diese Neuerungen veränderten die Sozialstruktur und somit auch das Leben innerhalb der Stammesgemeinschaft in einem erheblichen Maße und führten zu einer komplexen Kulturstufe innerhalb der allmählichen Entwicklung der Zivilisation.

DIE PRÄKLASSIK

Mit der Einführung dieser neuen kulturellen Errungenschaften wird um 2000 v. Chr. ein neuer Abschnitt der Kulturgeschichte Mesoamerikas eingeleitet. Sie kennzeichnet allgemein den Anfang der Zivilisation und wird von den Archäologen als »Präklassik« oder als »Formative Periode« bezeichnet. Auch für die Bewohner des Maya-Gebietes war dieser Zeitabschnitt von größter Wichtigkeit.

Die Präklassik dauerte über fast zweitausend Jahre an, von ihrem Beginn um 2000 oder 1500 v. Chr. bis zu ihrem Ende um 250 n. Chr. Am Ende dieser Phase tritt ein Wandel in der Landwirtschaft, Töpferei, Steinbearbeitung, Architektur, Skulptur, Religion und in den sozialen Strukturen auf. Wegen ihres großen Zeitumfanges wird die Präklassik in drei Abschnitte untergliedert. Diese richten sich anfangs nach dem Grad der kulturellen Entwicklung in den Dörfern und später nach dem Auftreten von Städten mit monumentaler Architektur und einer aufkommenden elitären Gesellschaftsform (Abb. 17). Die drei Zeitabschnitte werden Frühe Präklassik (2000 bis 900 v. Chr.), Mittlere Präklassik (900 bis 400 v. Chr.) und Späte Präklassik (400 v. Chr. bis 250 n. Chr.) genannt[2].

Frühe Präklassik (2000–900 v. Chr.)

Zwischen 2000 und 900 v. Chr. beginnt man an verschiedenen Orten des Maya-Gebietes mit der Bearbeitung von Ton und der Herstellung von Keramik. Die Frühe Präklassik wird durch dauernd bewohnte Siedlungen, durch Keramikgebrauch und Landwirtschaft charakterisiert. Die Keramikgefäße dieses Zeitabschnittes weisen unterschiedliche Formen auf. Einige sind der Natur nachempfunden, wie zum Beispiel Gefäße in Form von Kürbissen

◁ ◁ *Abb. 18 Eingang zur Höhle von Loltún, Yucatán: Rechts neben dem Eingang befindet sich ein Relief, das einen Präklassischen Fürsten zeigt.*

◁ *Abb. 19 Mangrovensumpf bei Cancún an der Karibikküste Yucatáns.*

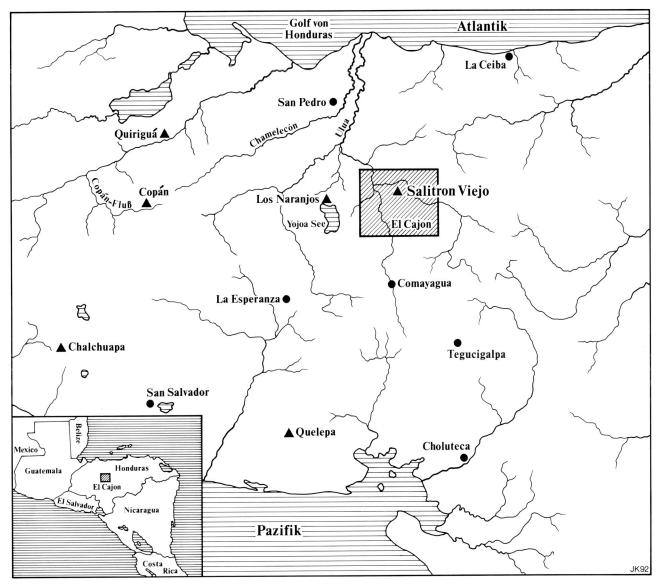

Abb. 20   Karte von Honduras mit den Randgebieten der Maya-Kultur und Orten, zu denen enge Handelskontakte bestanden.

oder kugelförmige Schalen ohne Hals. Die Teller und Schalen haben einen roten, orange-, creme- oder kaffeefarbenen, gebrannten Überzug. Einige weisen einen schwarz bemalten Rand auf, andere sind mit gekreuzten Linien oder mit Einritzungen verziert, andere wiederum gestempelt oder mit Rillenmustern dekoriert. Auch wurden Gefäße mit Spuren von Seil- oder Textilabdrücken gefunden, ein Zeichen für die Verwendung von Baumwolle aus Material für Kleidung.

Vermutlich wurde in der Frühen Präklassik innerhalb der Gemeinschaft besonderes Gewicht auf die Familien- oder Lineagezugehörigkeit gelegt. Die Rolle des Familienoder Lineageoberhauptes als Vorstand der Dorfbevölkerung kristallisierte sich allmählich heraus. Die Dörfer bildeten jeweils selbständige Einheiten, sie waren autonom in der Entscheidungsfindung, wodurch unterschiedliche lokale und regionale wirtschaftliche Spezialisierungen entstanden. An der Pazifikküste entdeckte man Spuren

27

Abb. 21 Tonstatuette und Ohrpflöcke aus Kaminaljuyú, Mittlere Präklassik.

dieser frühen Gesellschaften an verschiedenen Orten zwischen Chiapas und El Salvador. Allen Fundstätten ist gemeinsam, daß sie sich an der Küste oder in der Nähe von Mangrovensümpfen befinden (Abb. 19). Daraus ist zu schließen, daß das Ökosystem der Flußmündungen mit der dort vorkommenden dichten Vegetation eine hervorragende Voraussetzung für die kulturelle Entwicklung bereithielt.

Die Häuser wurden meist direkt auf dem Mutterboden erbaut, konnten jedoch auch auf niedrigen Basisplattformen stehen. Sie erfüllten hauptsächlich eine reine Wohnfunktion. Bei höheren Plattformen ist jedoch eine residentielle und gleichzeitig rituelle Benutzung nicht ausgeschlossen. Ein Beispiel hierfür ist der Fundort Paso de la Amada, wo Spuren von Fußböden und Pfostenlöchern ans Licht kamen, die zu einem Tempel- oder Palastgebäude gehörten. Dort fiel dem Residenzkomplex wegen seiner großen Oberflächenausdehnung von etwa 150 oder 200 Metern eine wichtige Rolle zu (die Maße der Gebäude betragen jeweils 17 x 9 m und 21 x 11 m). Alle Gebäude hatten eine ovale Grundform, und das größere Gebäude wies Reste von Lehmmauern auf[3].

Anzeichen für häusliche Tätigkeit konnten in El Carmen durch den Fund von Vorratslagern mit Spuren von Holzkohle, Knochen- und Muschelfragmenten und Samenkörnern belegt werden. In Medina fand man kürzlich bei archäologischen Grabungen weitere Fußböden mit Pfostenlöchern, Samen, Feuerstellen und Steingegenständen.

Das Vorkommen von Vorratslagern und elitärer Architektur weist auf eine zunehmende Komplexität der sozia-

len Organisation hin. Ab der Frühen Präklassik führt die kulturelle Entwicklung im Zusammenspiel mit der handwerklichen Spezialisierung zu einer Ausprägung sozialer Differenzierung innerhalb der jeweiligen Ortsgemeinschaft. Beispiele für eine ökonomische Spezialisierung sind die Meeressalzgewinnung, das Sammeln von Weich- und Meerestieren, die Anpflanzung von Mais und die Bearbeitung von Obsidian. Wahrscheinlich lagen diese Tätigkeiten in den Händen von Spezialisten, so daß es auch zu einem Austausch von Produkten und Handel gekommen sein muß, der als weiterer Faktor die soziale Differenzierung begünstigte.

Auch in Kaminaljuyú, im Zentrum des Hochlandes von Guatemala, siedelten kleine Gruppen von Maisbauern. Dort fand man keramische Fragmente aus der Frühen Präklassik und mehrere Vorratslager für Nahrungsmittel.

Besiedlungsspuren aus dieser Epoche tauchen ebenfalls in der Verapaz-Region, die weit nördlich von Kaminaljuyú liegt, in den Fundstätten El Portón und Sakajut auf[4]. Dort konnten Archäologen Anzeichen für eine künstliche Bodennivellierung feststellen, auf der mehrere um kleine Plätze gruppierte Gebäudekomplexe errichtet wurden. Bei dem offenen Ballspielplatz von Sakajut handelt es sich um die älteste bis jetzt aus dem Maya-Gebiet bekannte Anlage dieser Art. Die Ergebnisse der archäolo-

Abb. 22 Grabungen in Abaj Takalik, Guatemala: Statuenfragmente.

Abb. 23 Kaminaljuyú, Guatemala: Der antike Ort wird zunehmend durch die Ausläufer von Guatemala-Stadt gefährdet und überbaut.

gischen Untersuchungen in diesem Gebiet weisen darauf hin, daß schon zu Früh-Präklassischer Zeit intensive Beziehungen zwischen den Maya des Hochlandes und des Tieflandes bestanden. Die Verapaz-Region und das Gebiet um den Chixoy-Fluß dienten dabei als Verbindungszone. Diese Annahme wird durch Radiokarbondaten sowie durch Funde von Präklassischer Keramik unterstützt. Vermutlich besiedelten seßhafte Bauern um das Jahr 1000 v. Chr. den Ort Sakajut und die umliegende Gegend und lernten, sich an das Ökosystem des Hochlandes anzupassen.

Im Kernland der Petén-Region sind die ältesten Anzeichen für eine menschliche Besiedlung mit Hilfe der Pollenanalyse im Gebiet der Seen von Kexil und Petenxil nachgewiesen worden. Maisproben des Zea-Typs und Pol-

len verschiedener Baumarten wurden auf rund 2000 v. Chr. datiert. Im Norden der Tiefland-Region sind Siedlungsspuren aus Maní und der Höhle von Loltún in Yucatán bekannt. Die älteste Besiedlung läßt sich jedoch in Cuello im nördlichen Belize nachweisen, wo die von Norman Hammond unternommenen Ausgrabungen zu neuen Erkenntnissen über den Beginn der Töpferei im Tiefland führten. Die Keramik von Cuello datiert in die Zeitspanne von 1100 bis 400 v. Chr., welche als Swasey-Phase bezeichnet wird[5]. Der gleiche Keramiktyp findet sich auch in Colhá, Santa Rita und anderswo im Norden von Belize und im Süden der Halbinsel Yucatán.

Die Häuser in Cuello ruhten auf runden und apsidialen Plattformen von etwa sechs Metern Durchmesser, wie man sie in vergleichbarer Form auch in Paso de la Amada

Abb. 24 Izapa, Chiapas, Stele 5: eine der ältesten bekannten Darstellungen des heiligen Weltenbaumes als Weltenachse.

Abb. 25 Izapa, Chiapas: An diesem Ort findet sich zum ersten Mal die Kombination von Stele und Altar.

fand. Diese Grundstrukturen bildeten die Basis für Häuser mit Holzpfosten, die mit einem Palmenblätterdach gedeckt waren. Die Maya-Architekten des Tieflandes begannen aber auch schon früh, Konstruktionen aus Stein zu errichten. Die ersten Bauten wurden aus Kalkstein gefertigt und waren besonders niedrig, mit der Zeit nahm jedoch die Bauhöhe erheblich zu. Die Steinmauern in Cuello wurden zusätzlich mit aus Kalk gebranntem Stuck bedeckt, ein Baumaterial, mit dem auch offene Plätze überzogen wurden.

Überregionale Beziehungen der Bevölkerungsgruppen des Tieflandes können schon in der Frühen Präklassik durch das Auftauchen von nicht-lokalen Materialien wie Jade, Obsidian und Muschelschalen nachgewiesen werden. Sie entstammen anderen Ökosystemen und belegen die weitreichenden Handelsbeziehungen zwischen den verschiedenen Gruppen der frühen Maya.

Zusammenfassend weisen die bisherigen archäologischen Forschungen darauf hin, daß in der Frühen Präklassik die erste dauernde Besiedlung von Dörfern erfolgte. Im Laufe der Zeit bildete sich unter den seßhaft gewordenen Bauern eine eigene Kultur heraus, die durch überregionale Kontakte und durch den ständigen Austausch von Ideen, Symbolen, Gewohnheiten und Kultur-

gütern stark beeinflußt wurde. Diese neue Kultur führte zur allmählichen Entstehung hierarchisch strukturierter Dorfgemeinschaften, in der die Oberhäupter wichtiger Familien eine maßgebliche politische Entscheidungskompetenz besaßen.

Mittlere Präklassik (900–400 v. Chr.)

Die Mittlere Präklassik ist ein Zeitabschnitt von besonderer Bedeutung, denn man kann davon ausgehen, daß während dieser Epoche das gesamte Maya-Gebiet durchgehend besiedelt wurde. Während der Frühen Präklassischen Periode lagen die meisten Dörfer an den Ufern von Flüssen und Seen. In der Mittleren Präklassik erfolgte jedoch die Nutzung auch solcher Naturräume, die entfernt von den Wasservorkommen lagen. Viele Orte an der Pazifikküste und in der Verapaz-Region, wie auch Kaminaljuyú, nahmen an Größe zu. In der Tieflandregion kristallisierten sich allmählich Zentren heraus, die sich später zu wichtigen Städten entwickeln sollten. Unter anderen sind hierbei Dzibilchaltún, Tikal, Uaxactún, Nakbé, Seibal, Altar de Sacrificios und Barton Ramie zu nennen. Darüber hinaus erblühte der Handel über kurze oder lange Strecken. Handelsprodukte, wie zum Beispiel Jade und Obsidian, die ursprünglich aus dem Kerngebiet Guatemalas stammen, wurden in weit entfernten Orten in Belize und Yucatán gefunden; dies ist ein Indiz für die zunehmende Produktion und die weite Verteilung dieser Waren. Handelsgüter aus dem Küstenbereich wurden bis in das Landesinnere verbracht. In der gleichen Zeit entstanden Tonfigürchen und Zylinderstempel aus Ton sowie Ohrpflöcke in Ringform (Abb. 21). Die Darstellung von Frauen deutet auf einen Fruchtbarkeitskult hin.

Einige Bevölkerungsgruppen des südlichen Küstenbereichs scheinen über Kontakte zu den Olmeken verfügt zu haben, die bereits in staatlich organisierten Gemeinwesen am Golf von Mexiko lebten. Das olmekische Zentrum La Venta breitete seinen Handels- und Einflußbereich sowohl über die Gebiete von Guerrero, Oaxaca und das mexikanische Hochland wie auch über die südlichen Teile Mesoamerikas aus. Mit den Handelskontakten kamen neue Ideen und Vorstellungen zu den Bewohnern der Pazifikküste und führten zu einer komplexen und zunehmend hierarchischen Gesellschaftsform. Beispiele für olmekische Ikonographie finden sich sogar auf mehreren Bestattungsurnen aus Copán in Honduras. Der olmekische Einfluß ist auch in starkem Maße in dem Fundort Abaj Takalik (Abb. 22) offensichtlich.

Die soziale und ökonomische Schichtung der Gesellschaft in der Mittleren Präklassik wird aus architektonischen Details und der Anzahl und der Qualität von Grabbeigaben ersichtlich. Während einfache Gräber keine Grabbeigaben aufweisen, wurden Personen, die innerhalb der Gemeinschaft offensichtlich eine höhere soziale Stellung einnahmen, mit handwerklich sorgfältig gearbeiteten Beigaben, meist Tellern, Schalen oder Bechern aus Keramik, beigesetzt. Zu den Beispielen zählen auch Jadeperlen und Gegenstände aus Obsidian oder anderen Gesteinen. Viele Gräber wurden mit einem roten Farbüberzug aus Zinnober bemalt.

Einige Wissenschaftler vermuten, daß in diesem Zeitabschnitt schamanistische Vorstellungen, wie sie uns in der Ikonographie der Späten Klassik entgegentreten, entstanden. Figuren und Masken, die als Darstellung von Leben und Tod zu verstehen sind und die es bereits in der olmekischen Kultur gab, belegen frühe metaphysische Vorstellungen und weisen auf das wichtige Dualitätsprinzip hin.

Der Fortschritt und die zunehmende Schichtung der Gesellschaft schlägt sich auch in der Architektur nieder. Die Gebäudestrukturen nehmen an Größe zu und werden im Kernbereich der Städte um zentrale Plätze herum gruppiert. Die Maya benutzten dabei unterschiedliche Baumaterialien; im Tiefland entstanden Steinkonstruktionen

Abb. 26 Dickbauchige Männerfigur in La Democracia an der guatemaltekischen Pazifikküste.

mit einem Stucküberzug, im Hochland und an der Pazifikküste baute man mit Ton und Lehmziegeln. Einige Städte gewannen allmählich eine herausragende Stellung und entwickelten sich zu zeremoniellen Zentren, die kleinere Orte beherrschten. Im Kernbereich dieser Stätten wurden die bedeutendsten Gebäude errichtet, die oft als Pyramiden eine Höhe von fünf bis zehn Metern erreichen. Die Bautätigkeit erfolgte nach bestimmten Organisations- und Planungsverfahren. Damit verbunden war ein deutlich definierter Platz, der für öffentliche rituelle Handlungen bestimmt war. Ein solches Ritual wurde zum Beispiel in Cuello vollzogen, wo um das Jahr 400 v. Chr. eine Bestattung von mehr als zwanzig Individuen als Weihopfer bei der Erbauung einer neuen Plattform durchgeführt wurde. Vergleichbare Bestattungen als Bestandteile von Weihopfern zur Einweihung architektonischer Strukturen kamen auch an anderen Fundstätten der Mittleren Präklassik ans Licht. In Kamialjuyú entdeckten Archäologen das Skelett einer Frau aus der Zeit zwischen 400 und 300 v. Chr. und 33 Schädelknochen von enthaupteten Opfern. In Chalchuapa und in Los Mangales in der Verapaz-Region Guatemalas sind ebenfalls zertrümmerte Schädel in Bauwerken gefunden worden.

In dieser Periode verdichteten sich die Handelsbeziehungen im lokalen und im regionalen Bereich. Man kann die Intensivierung der Kontakte anhand der stilistisch immer ähnlicher werdenden Keramiken erkennen. Obwohl es in den verschiedenen Regionen unterschiedliche Töpferwaren gibt, weisen sie oft ähnliche Merkmale in Form, Verzierung und Oberflächengestaltung auf. Die Keramikgefäße der Mittleren Präklassik sind nur spärlich bemalt, die Grundfarbe ist Rot mit einem cremefarbenen Rand. Sie wurden häufig mit eingeritzten Linien geschmückt, die zum Beispiel bei den Tellern am Rand entlang verlaufen. Es kommen auch Verzierungen mit dreieckigen, schräggestellten Mustern vor. Flache Teller, Krüge, Töpfe, Schalen mit runder Basis und Becher mit breiter Öffnung und von geringer Größe wurden in großen Mengen hergestellt. Alle diese Gefäße verfügen über eine glänzende Oberfläche und zeugen von gekonnter Keramikbearbeitung.

Die Obsidianvorkommen in El Chayal und San Martín Jilotepeque in der Nähe von Kaminaljuyú sowie die von Tajumulco wurden ebenfalls schon früh genutzt. Obsidian aus El Chayal und Jilotepeque wurde über unterschiedlich weite Handelswege bis nach Belize, Yucatán, Chiapas und den Isthmus von Tehuantepec exportiert. Auch im Tiefland scheinen sich einige Städte auf den Abbau von Rohstoffen spezialisiert zu haben. In Komchén im Norden der Halbinsel Yucatán verlegte man sich in erster Linie auf die Gewinnung von Salz; in Colhá, Belize, wurden dagegen vornehmlich Steinwerkzeuge hergestellt.

Späte Präklassik (400 v. Chr. – 250 n. Chr.)

Die Späte Präklassik ist mit Sicherheit der wichtigste Teilabschnitt der Präklassik, denn zwischen 400 v. Chr. und 250 n. Chr. wurden aufgrund des starken Bevölkerungswachstums viele neue Städte gegründet. Große Bevölkerungszentren wurden im Auftrag adliger Familien erbaut. Durch ihren Einfluß entwickelten sich Wirtschaft, Architektur, die Hieroglyphenschrift und Kunst. Die Mitglieder der Adelsfamilien verschiedener Städte standen miteinander in Kontakt, so daß sich Neuerungen im Bereich der Religion, der Schrift und der Kunst sehr schnell über das gesamte Tiefland verbreiteten. Dieser Austausch von Informationen führte zu einer Homogenisierung der Kultur.

In der Späten Präklassik beherrschten und regierten die größeren Zentren weite Teile des umliegenden Territoriums. Die Mitglieder von Adelsfamilien wurden mit üppigen Ausstattungen begraben und auf den Stelen von Kaminaljuyú, der Verapaz-Region und anderen Orten des Tieflandes in reichem Ornat dargestellt. Die Bevölkerung respektierte anscheinend die Führungsstellung der Angehörigen der Oberschicht, die den Bau von öffentlichen Gebäuden, die formelle Umgruppierung der Gebäude um Plätze herum, die Vergrößerung der zeremoniellen Zentren und die Erwirtschaftung landwirtschaftlicher Überschüsse und deren Umverteilung koordinierten. Die Städte Abaj Takalik, Kaminaljuyú (Abb. 23), Nakbé, El Mirador, Uaxactún (Abb. 27), Cerros, Becán, Edzná, Dzibilchaltún und viele andere wiesen in der Späten Präklassik eine hohe Bevölkerungsrate auf, wobei die bäuerliche Bevölkerung das umliegende Land besiedelte. Die Mitglieder der adligen Familien bewohnten den zentralen Bereich dieser Städte, der auch das zeremonielle Zentrum darstellte, da dort die für die Bevölkerung wichtigen öffentlichen religiösen Rituale vollzogen wurden. Die wirtschaftliche Basis dieser Orte bildete die letztlich auf dem Maisanbau basierende Landwirtschaft. Darüber hinaus wurden Rohstoffe gewonnen. Waren, die nicht im eigenen Territorium zur Verfügung standen, mußten durch den Handel importiert werden. Das starke Bevölkerungswachstum in der Späten Präklassik zwang die Fürsten dazu, nach neuen Möglichkeiten für eine ertragreichere Ernte zu suchen. Sie führten daraufhin Bewässerungskanäle, Terrassierung und Hochäcker-Wirtschaft ein. Archäologische Belege für hydraulische Aktivitäten mit einem Kanalsystem fanden sich in Edzná, Cerros und kürzlich auch in Kaminaljuyú, wo der südliche Teil der Stadt mit Hilfe eines solchen Systems durch den heute ausgetrockneten Miraflores-See bewässert wurde. In all diesen Orten kamen größere und untergeordnete Kanalkonstruktionen zur Feldbewässerung und zur Weiterverteilung des Wassers ans Licht. Maßnahmen zur Intensivierung des landwirtschaftlichen Ertrags durch Hochäckerkomplexe sind auch in Tikal, Río Azul und anderen Orten im Norden von Belize und im Süden der Halbinsel Yucatán nachgewiesen worden[6]. Die Errichtung und der Erhalt dieser Anlagen setzt nicht nur die Leitung durch eine zentrale Macht, sondern auch einen erheblichen Arbeitsaufwand durch die Bevölkerung voraus. Die Bewässerungssysteme können dabei als Ergänzung zum traditionellen Brandrodungsfeldbau verstanden werden. Zusätzlich wurden zu dieser Zeit vermutlich die Gemüse-

Abb. 27 Uaxactún, Petén: Die auf allen vier Seiten mit großen Stuckmasken dekorierte Pyramide E-VIISub gilt als bekannteste der Späten Präklassik. ▷

gärten der einzelnen Familien auf den Anbau von Knollenfrüchten, wie Süßkartoffel und Yuccawurzel, umgestellt, um die Vielseitigkeit der Nahrung und die Erhöhung der Produktion zu gewährleisten.

Viele Anbauprodukte und die neuen technischen Errungenschaften wurden durch Händler in weiten Teilen des Maya-Gebietes bekannt gemacht und durch Tauschhandel in jeweils lokale Produkte umgesetzt. Weder die Bergketten des Hochlandes noch die unwegsamen Gebiete des Tieflandes bildeten für die Händler ein Hindernis, sie überwanden Bergpässe und Täler und bewegten sich mit Booten auf den Flüssen fort. Aus den Küstenorten brachten sie Muscheln und Schnecken, Salz, Kakao, Tabak und Baumwolle mit. Im Hochland erwarben sie unter anderem Jade, Obsidian, Quetzalfedern, Basaltstein, Keramikgefäße, Tierfelle und Pinienholzbündel zum Feuerentzünden. Die Handelsgüter aus dem Tiefland bestanden hauptsächlich aus Jaguarfellen, bunten Vogelfedern, Tinte auf pflanzlicher Basis, Steinwerkzeug, feiner Keramik und Ritualausstattung[7]. Handelsrouten zwischen den Küstengebieten und dem Landesinneren sind archäologisch belegt. Muscheln, die vermutlich aus Komchén oder Dzibilchaltún an der yukatekischen Küste stammen, wurden in den Präklassischen Vorratslagern von Tikal, El Mirador, Altar de Sacrificios und Seibal gefunden. In Gegenrichtung brachte man Artefakte aus Keramik und Stein in die Küstengebiete.

Die Bautätigkeit und die Planung der Städte wurden zunehmend komplexer, es entstanden monumentale Konstruktionen, die eine architektonische Herausforderung darstellten. In allen Städten errichtete man geschlossene Plätze und gruppierte die Gebäude um Innenhöfe, in denen öffentliche religiöse Rituale stattfanden und Stelen und Altäre die regierenden Fürsten und ihre göttliche Abkunft verewigten.

In den Städten des Tieflandes, insbesondere im Norden des Petén und in Belize, errichteten Maya-Architekten die anspruchsvollsten und monumentalsten Bauten. In diesem Gebiet entstanden Pyramiden von etwa 30 Metern Höhe, wie zum Beispiel in Tikal, Lamanai und Nakbé. In El Mirador erreichten sie sogar eine Höhe von etwa 70 Metern. Die Gebäudemauern fertigten die Maya aus Kalkstein und überzogen sie mit Stuck, um die Unregelmäßigkeit des verwendeten Bruchsteines zu verdecken. Später wurden sie farbenprächtig bemalt, wobei man Rot bevorzugte.

Die Pyramiden bestehen aus großen Stufen, die nach oben hin jeweils ein geringeres Volumen aufweisen. An der Vorderseite führt eine Treppe bis zur oberen Plattform. Diese besitzt entweder einen ebenen Boden oder zeigt Spuren von Pfostenlöchern, die auf eine weitere kleine Konstruktion aus vergänglichem Material hindeuten, welche auf dieser Plattform stand.

Als Folge der Koordinierung der Bautätigkeit durch die Fürstenfamilien entstanden zwei spezifische Arten von Baukomplexen: die astronomischen Komplexe und die Akropolis-Komplexe. Die astronomischen Komplexe, auch E-Gruppe genannt, bestehen aus einer Pyramide mit Treppenkonstruktionen zu beiden Seiten im westlichen Teil, während im östlichen meist drei kleine Tempel auf einer länglichen Plattform errichtet wurden. (Darauf geht auch die Benennung zurück: sie sehen wie ein um 90° gedrehtes E aus). Das älteste bisher bekannte Beispiel dieser Art wurde während der Mittleren Präklassik in Tikal erbaut. Zu Beginn der Späten Präklassik entstand ein solcher Komplex in Uaxactún[8]. Dieser Architekturtyp verbreitete sich rasch und fand auch in weiten Gebieten im Norden der yukatekischen Halbinsel und in Chiapas Anklang. In der Klassischen Periode vergrößerte sich die Anzahl der Orte, die ebenfalls E-Gruppen errichteten, und ihre Ausbreitung umfaßte das gesamte Gebiet zwischen Ixkún und Ixtontón im Süden des Tieflandes und Kabáh im Norden Yucatáns.

Die Verbreitung dieser Strukturen ist wohl darauf zu-

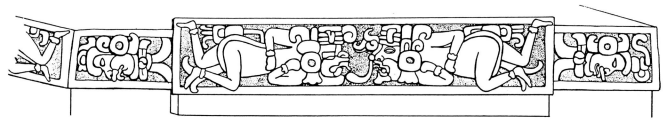

Abb. 28   Uaxactún, Petén: Fries mit frühen Darstellungen der Götter G I und G III aus dem Palast H-Sub 2. Die seitlichen Köpfe stellen vermutlich vergöttlichte Ahnen dar.

Abb. 29   Uaxactún, Petén: Rekonstruktion einer Fassadenmaske der Pyramide H-Sub 3, die die drei Ebenen des Universums symbolisiert. Im Mund der oberen Maske erscheint der Kopf des Herrschers.

rückzuführen, daß sie für die Sonnenbeobachtung, vor allem bei Sonnenfinsternissen und Sonnenwenden, von großer Bedeutung waren. Sie mögen auch zur Bestimmung von Aussaat- und Erntezeit verholfen und somit zur Einhaltung landwirtschaftlicher Zyklen beigetragen haben. Vielleicht aber spielten sie auch bei rituellen Weihungszeremonien zum Ende des Sonnenjahres, wie der Neu-Feuer-Zeremonie, eine Rolle.

Die andere wichtige Form monumentaler Architektur in der Späten Präklassik waren Akropolis-Komplexe. Ihre jeweilige Größe ist in jedem Ort unterschiedlich, denn sie stand im Verhältnis zur Macht der Fürstenfamilien. Anfänglich bestanden diese Baukomplexe aus drei Gebäuden, deshalb auch Dreierkomplexe genannt, die auf einer künstlichen Plattform standen. Die ältesten Beispiele dieser frühen Form stammen aus dem Kerngebiet der Maya-Region, aus Uaxactún, Nakbé, El Mirador und Cerros. Mit der Zeit vergrößerten sich die künstlichen Plattformen, und es wurden bis zu sechs Gebäude auf ihnen errichtet. Bei diesen Bauten handelt es sich entweder um getreppte Strukturen, um Paläste oder um kleine Tempel, die im vorderen Teil mit großen, in die Fassade eingelassenen Masken geschmückt waren. Beispiele dafür sind die Akropolis-Strukturen von Cerros, Tikal und Uaxactún. Sie dienten auch als Bestattungsort für wichtige Persönlichkeiten. Bei den Ausgrabungen in der Nordakropolis von Tikal (Abb. 37) fand man zahlreiche Fürstengräber. Erst in der Frühen Klassik jedoch wurde die Bestattung von Fürsten und Königen in den Akropolis-Komplexen zu einer festen Tradition.

Abb. 30 Uaxactún, Petén: Stuckverzierung am Gebäudekomplex H-Sub 10. Die vollplastische Maske zeigt den Kopf eines Jaguars mit menschlichen Zügen.

Abb. 31 Umzeichnung der Maske von Abb. 30. Der Herrscher wird von einem Mattenmotiv und stilisierten Wolken umschlossen.

Vor nicht langer Zeit gingen wir noch davon aus, daß steinerne Gewölbekonstruktionen erst in der Frühklassischen Periode entstanden sind. Kürzliche Funde belegen jedoch, daß das Maya-Gewölbe schon einige Jahrhunderte zuvor existierte. Von großer Bedeutung waren dabei die Arbeiten einer guatemaltekischen Archäologengruppe, die 1985 in Uaxactún einige hervorragend erhaltene Präklassische Paläste ans Licht brachte, die noch heute die am besten erhaltenen dieser Art in der gesamten Maya-Region sind[9]. Die Paläste von Uaxactún bestehen aus einer oder zwei länglichen Kammern, deren Mauern Lüftungsöffnungen aufweisen, durch die auch Licht in die Innenräume gelangen kann. An der Vorderseite befindet sich eine Tür von geringer Höhe, aber ausreichender Breite, die zu den Räumen führt. Die Außenfassade ist mit roter Farbe bemalt und mit figürlichen Wandmalereien geschmückt. Große Stuckmasken wurden zu beiden Seiten des Treppenaufganges angebracht und mit roter, weißer und schwarzer Farbe bemalt. Die höchsten Palastkonstruktionen erreichen eine Höhe von 5,25 Metern. Im oberen Teil der Vorderfassade waren sie zusätzlich mit einem Fries aus polychromen Stuckfiguren verziert, welche zusammen mit den unteren Masken

komplexe ideologische und religiöse Botschaften vermitteln sollten. Diese Stuckfiguren stellten mythologische Wesen und vergöttlichte Vorfahren dar, die von den herrschenden Adelsfamilien dazu benutzt wurden, die göttliche Herkunft ihrer Abstammungslinie zu legitimieren und zu zeigen, daß sie sich unter dem Schutz der Götter befanden.

Die aus dem olmekischen Kulturkreis der Golfküste Mexikos stammenden Stelen und Altäre wurden als Form monumentaler Skulptur von den Fürsten von Izapa, Abaj Takalik, Bilbao, El Baúl und der Südküste sowie in Kaminaljuyú und Chalchuapa im Hochland übernommen. Die ältesten Stelen und Altäre im Maya-Gebiet sind im Izapa-Stil gehalten, der nach seinem Ursprungsort benannt ist. Diese Steinreliefs verkünden in naturalistischen und abstrakten Szenen mythologische und übernatürliche Inhalte. Aus der Klassischen Maya-Ikonographie bekannte Themen treten bereits auf den Monumenten von Izapa auf, darunter Weltenbäume, Eklipseschlangen, fliegende Götter, Darstellungen von Visionen und von der Verwandlung von Menschen in Götter und Schicksalsdoppelgänger *(way)*. Die Darstellungen auf den Stelen sind meist in drei Abschnitte gegliedert. Diese Einteilung spielt in späterer Zeit bei den Monumenten der Klassik eine besondere Rolle. Der untere Abschnitt bezieht sich auf die Unterwelt, der mittlere kennzeichnet die Menschenwelt, und der obere steht für das Himmelsgewölbe und die dort sichtbaren Phänomene. Stele 5 aus Izapa (Abb. 24) zeigt das erste bekannte Beispiel der Darstellung eines »Lebensbaumes«, welcher mit dem Leben nach dem Tod in Verbindung gebracht wird.

Die Aufstellung von Stele und Altar nebeneinander (Abb. 25) entwickelte sich zu einer gängigen Norm im gesamten Maya-Bereich. Auch in Kaminaljuyú wurde dieses Muster übernommen. Dort stellen die aus hochwertigem Basalt gearbeiteten Stelen und Altäre Götter, mythologische Wesen und Herrscher dar.

Wie zuvor erwähnt gibt es im Tiefland nur wenige Belege für die Errichtung von Stelen in der Späten Präklassik. Die seltenen Beispiele sind in ihrer Ikonographie denen aus dem Hochland sehr ähnlich; sie zeigen hauptsächlich den Herrscher des jeweiligen Ortes in Seitenansicht. Eines der ältesten bis heute aus der Tieflandregion bekannten Steinmonumente ist Stele 1 aus Nakbé. Die von beiden Seiten bearbeitete Stele zeigt zwei Figuren, die sich gegenseitig anschauen. Sie sind mit den für Fürstenfamilien charakteristischen Attributen versehen und heben einen Arm als Zeichen ihrer Macht. Diese Haltung ist typisch für Herrscherdarstellungen auf Monumenten der Späten Präklassik.

Im Laufe der Zeit wurden neben den bildlichen Darstellungen auch hieroglyphische Texte kalendarischen und geschichtlichen Inhalts auf Stelen und Altären festgehalten. Frühe Belege für die Verwendung von Schrift finden sich auf den Stelen 2 und 5 aus Abaj Takalik, auf Stele 1 von El Baúl, auf Altar 10 aus Kaminaljuyú, Stele 2 aus El Mirador, auf der Hauberg-Stele, dem San Diego-Stein sowie in der Höhle von Loltún. Diese Beispiele zeigen eindrucksvoll, wie weit Kunst und Schrift während der Späten Präklassik bereits entwickelt waren. Dabei verdient die Thronbesteigungs-Hieroglyphe auf Monument 1 aus El Portón, die auf das Jahr 400 v. Chr. datiert werden konnte, besondere Erwähnung.

Steinere Altäre wurden in einigen Fällen auch als Thronsitze benutzt. Viele besitzen eine zoomorphe Form, meistens in Gestalt von Kröten, die mit der Unterwelt oder mit dem Erdungeheuer verknüpft werden. Besonders auffällige Skulpturen fanden sich an der Pazifikküste: dort gibt es zahlreiche Darstellungen von Männern mit einem extrem geschwollenen Bauch (Abb. 26). Es handelt sich um anthropomorphe Gestalten, die der Tradition der dickbäuchigen Figuren aus Monte Blanco folgen. Auf der Außenseite mit skulptierten Figuren geschmückte Steinsarkophage bilden eine weitere Ausprägung steinerner Monumente. Sie wurden in dem Fundort La Lagunita entdeckt und kommen ausschließlich in der Quiché-Region des guatemaltekischen Hochlandes vor. Eine Besonderheit innerhalb der Skulpturen stellen schließlich die »Pilzsteine« dar.

Die ersten Anzeichen für eine Verbindung von Skulptur und Architektur kamen mit der Entdeckung der Pyramide E-VIII in Uaxactún (Abb. 27) während der Ausgrabungsarbeiten der Carnegie Institution of Washington in den 20er Jahren ans Licht. Dieses Gebäude ist mit 18 großen Masken geschmückt, die Elemente von Jaguaren und Schlangen beinhalten.

Bei späteren Ausgrabungen fanden Archäologen Monumentalarchitektur mit großen Stuckmasken als Verzierung auch in Copán, Tikal, El Mirador, Nakbé, Cerros, Edzná (Abb. 32) und Lamanai. Diese unterscheiden sich in Form und Größe, zeigen jedoch eine starke Übereinstimmung in ihrer kosmologischen Thematik. Die Götter G I und G II der Göttertrias von Palenque treten in der Präklassik wahrscheinlich als Gründerväter von Herrscherdynastien auf und werden mit den Göttlichen Zwillingen aus dem Popol Vuh in Verbindung gebracht. Sie wurden auf vielen Masken im oberen Teil des Palastfrieses von Uaxactún, wo sie zu schweben scheinen und sich gegenseitig anschauen, dargestellt (Abb. 28). Dies verdeutlicht das Interesse der lokalen Fürsten am Schöpfungsmythos und diente der Bevölkerung wohl als visuelle Hilfe zum Verständnis und der Interpretation der Welt und der Rolle der Herrscher in ihr. Die Identifi-

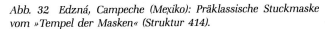

Abb. 32 Edzná, Campeche (Mexiko): Präklassische Stuckmaske vom »Tempel der Masken« (Struktur 414).

kation der Göttlichen Zwillinge in diesen Bildwerken erfolgte aufgrund von typischen Merkmalen in der Darstellung des Gesichts und der Hände. Auch die leichte Kleidung ist ein Kennzeichen. Überdies sind sie als Ballspieler charakterisiert. Nach der Legende bewährten sich die Zwillinge als Ballspieler, bevor sie zu Göttern wurden. Die Köpfe, die den Fries zu beiden Seiten schmücken, könnten als ihre enthaupteten Vorfahren in der Unterwelt gedeutet werden (s. S. 177 ff.).

Die Stuckmasken von Gruppe H in Uaxactún bilden eines der schönsten Beispiele der Monumentalkunst der Späten Präklassik. Es handelt sich um eine komplexe Szene oberhalb einer 2,65 m langen und 5,50 m hohen Maske, welche wie die Stelen aus Izapa in drei Teile gegliedert ist (Abb. 29). Die zentrale Figur mit Raubkatzen- und Sonnenmerkmalen sowie dem *witz*-Zeichen auf dem Kopf zur Kennzeichnung als heiliger Berg stellt mit ihrem offenen Maul den Eingang zur Unterwelt dar, den man sich als Höhle vorstellte. Die Unterwelt wird durch Wasserwesen im unteren Teil der Darstellung charakterisiert. Der mittlere Abschnitt zeigt die Erdoberfläche, die durch sprießende Maisblätter oberhalb des heiligen Berges gekennzeichnet ist. Der obere Abschnitt gibt die Himmelswelt wieder. Die Bildmitte nimmt ein weiteres Ungeheuer ein, aus dessen offenem Maul ein Herrscher, der als Zeichen seiner Macht eine Spiegel-Hieroglyphe in seinem Mund trägt, herausschaut. Eine Visionenschlange mit offenem Schlund und blutiger Zunge, die sich aus dem Monstermaul herauswindet, vervollständigt das Bild. Die gesamte Darstellung verkörpert symbolisch den Maya-Kosmos. Sie führt den Betrachter in die Vorstellungen der Maya vom Universum ein und zeigt dessen Aufteilung in drei Ebenen. Zugleich belegt sie auch die hohe Stellung des Herrschers innerhalb der hierarchischen Gesellschaft, denn er ließ sich im oberen Abschnitt dieser heiligen Weltsicht darstellen.

Der Sternenhimmel und die zyklischen Veränderungen der beweglichen Himmelskörper wurden von den Maya-Astronomen genau registriert. Zentrale Themen der Ikonographie präklassischer Maya-Zentren waren der Lauf der Sonne und ihre tägliche Wiedergeburt aus der Unterwelt, die Darstellung von Venus und Mond und die Parallelen zu den Göttlichen Zwillingen aus dem *Popol Vuh*. Zu diesem ikonographischen Komplex zählte auch die Jaguar-Sonne der Unterwelt, die in den Masken von Uaxactún und El Mirador nachgebildet wurde.

In der Späten Präklassik wurden figürliche Jadeschnitzereien mit Schriftzeichen geschmückt, die zur Identifizierung der dargestellten Götter beitrugen. Das *k'in*-Zeichen, ein Zeichen für »Sonne«, wurde zum Beispiel auf der Wange eines Figürchens aus Uaxactún eingeritzt. Die

Abbildung eines »Narrengott«-Diadems auf einer Maske aus Uaxactún als Zeichen der Königswürde kam ebenfalls auf einer Maske aus Tikal ans Licht.

Herrscher ließen sich nun immer öfter mit göttlichen Attributen darstellen; ihre Privilegierung und Vorrechte vergrößerten sich im Laufe der Zeit. Diese Entwicklung wird in Uaxactún deutlich. Dort entdeckten die Archäologen acht Herrscherbildnisse, welche mit viel Sorgfalt in Stuck modelliert und farbig gefaßt sind. Die Herrscher sind von Voluten umgeben, die für Wolken oder den Himmel stehen, und tragen den königlichen Gürtel mit all seinen zugehörigen Elementen, etwa Jaguarmasken, um ihre Taillen. Knotenschnüre, Scheiben und Federn hängen herab. Sie sind in Seitenansicht dargestellt und halten anscheinend eine Trophäe in die Höhe. Ihr Kopfschmuck besteht in einigen Fällen aus dem Bild einer Schutzgottheit mit langem Rüssel. Diese Herrscherdarstellungen umrahmt ein Mattenmotiv, das von den Mauersteinen angedeutet wird (Abb. 30, 31). Matten galten ebenfalls als Symbol königlicher Autorität. Unter dieser Szene befinden sich skulptierte Masken, die einen Jaguar in Menschengestalt zeigen, welcher Ohrpflöcke und einen Knoten unter dem Gesicht trägt. Der so verzierte, H-Sub 10 genannte Gebäudekomplex liegt am Eingang zur H-Akropolis von Uaxactún. Die Pyramide mit dem *witz*-Monster und der Dreiteilung des Kosmos steht der Akropolis gegenüber. Die reiche und bedeutungsvolle ikonographische Ausgestaltung von H-Sub 10 geht vielleicht darauf zurück, daß man hier vor dem Eintreten in den eigentlichen Akropolis-Bereich Rituale wie Weihrauch- und Blutopfer, Tänze und ekstatische Zeremonien durchführte. Zu diesem Zweck wurde die Struktur nicht überdacht, und die Mauern, die das Gebäude umgeben, sind sehr niedrig gehalten. Man wollte wahrscheinlich einen offenen Raum schaffen, damit Götter und Zuschauer gleichermaßen an den Zeremonien und den Opfern teilhaben konnten.

Die Verbindung von monumentaler Architektur mit Skulptur kann als das zentrale Merkmal von Städten der Späten Präklassik angesehen werden. Anfänglich wurde rote Farbe – wie in Cuello, Cerros, El Mirador, Tikal und Uaxactún – einer polychromen Bemalung vorgezogen. Später verwendete man eine Kombination roter, schwarzer und cremefarbener Töne[10]. Die Bemalung unterstrich die Details der modellierten Stuckarbeiten und vermittelte gleichzeitig eine bestimmte Botschaft. Gegen Ende der Späten Präklassik begannen die Maya grüne, rosafarbene, gelbe, graue und orange Farbtöne einzusetzen, wie das Beispiel der Masken von Cerros zeigt. Ein weiterer Beleg für die polychrome Bemalung dieser Zeit kam in der Nordakropolis von Tikal ans Licht, wo Wandmalereien mit mehreren figürlichen Darstellungen an der Außenwand eines Palastes und dem Innenraum eines Grabes auf das Jahr 50 v. Chr. datiert wurden. Diese Funde weisen darauf hin, daß schon im ersten vorchristlichen Jahrhundert die Kenntnisse über polychrome Bemalung auf Stuck in weiten Teilen des Maya-Gebietes verbreitet waren.

Die monumentalen mehrfarbigen Stuckmasken dokumentierten die religiösen Vorstellungen der Fürstenfamilien und machten sie öffentlich sichtbar. So wurden sie in den verschiedenen Orten einander angeglichen und kodifiziert. Die zielgerichtete Verwendung der religiösen Symbolsysteme lag in den Händen von Spezialisten, wie Priestern und Schamanen, die häufig Angehörige der Herrscherfamilien gewesen sein dürften. Im Fundort La Lagunita fanden die Archäologen das Grab eines Priesters oder Schamanen, das durch die Beigabe eines kompliziert geschliffenen Bergkristalls als Grab eines hohen Würdenträgers ausgewiesen ist. Durchsichtige Kristalle spielten eine besondere Rolle in schamanistischen Ritualen, so wie sie es auch noch heute bei vielen traditionellen Maya-Gruppen tun.

Ausgrabungen im Bereich von Wohnsiedlungen im Umkreis der städtischen Zentren haben auch zum Verständnis der häuslichen Aktivitäten des Großteils der Bevölkerung beigetragen. In Yucatán wurden die Häuser auf ovalen Plattformen erbaut, während im übrigen Maya-Gebiet eine rechteckige Form bevorzugt wurde. Die Häuserwände entstanden aus mit Lehm verschmiertem Rohrgeflecht, aus Adobe oder aus Rundhölzern, die zweiseitig abgeschrägten Walmdächer wurden aus Palmblättern oder aus Stroh hergestellt. Ein Feuer im Innenraum diente der Zubereitung der Nahrung und als Wärmequelle in kalten Nächten. Die einzelnen Häuser wurden um Innenhöfe gruppiert, auf denen gemeinschaftliche Aktivitäten stattfanden.

In diesen Siedlungskomplexen kam eine große Menge an keramischen Fragmenten von Tellern, Schalen und Töpfen zum Vorschein, die mit häuslichen Tätigkeiten in Verbindung stehen. Darüber hinaus fanden die Archäologen Steinartefakte zum Getreidemahlen und Schneidegeräte aus Stein und Obsidian. Zu diesen Steinfunden zählen auch Mörser mit Stößeln, *metates* und Äxte, Messer und Pfeilspitzen, die auf die verschiedenen Tätigkeiten im häuslichen Bereich hinweisen. Die Keramik unterscheidet sich in Form und Verzierung. Es kommen hauptsächlich Teller mit Füßen, zylindrische Gefäße, Töpfe mit Ausguß und Becher und Schalen mit einer roten, orangefarbenen oder schwarzen Engobe vor. Zur Verzierung wurden rote Linien auf einem cremefarbenen Untergrund am Rand des Gefäßes entlanggezogen, oder man

schmückte die Keramik mit Reliefs, Einritzungen, Stempelabdrücken oder mit geometrischen und zoomorphen Motiven. Bei der »Usulután«-Keramik wurde das Wachsausschmelzverfahren angewandt.

Messer und Dolche wurden aus Obsidian hergestellt, der aus El Chayal und aus San Martín Jilotepeque stammte. Der weitreichende und stark kommerzialisierte Obsidianabbau des erstgenannten Fundortes gehörte in den Einflußbereich von Kaminaljuyú und wurde von dieser Stadt kontrolliert. Den Feuerstein aus dem Tiefland verwendete man als Material für verschiedene Steingegenstände, wie zum Beispiel Pfeilspitzen oder Fangnetzgewichte.

Neben Gegenständen für den täglichen Gebrauch fand man bei Ausgrabungen in Wohnbezirken auch Artefakte wie Figuren, Muschelschalen, Schnecken, Musikinstrumente, Schmuck und Ohrpflöcke aus Jade, Werkzeug aus Ton, importierte keramische Waren und Gegenstände aus Grünstein. Der Fund von mehreren Spinnwirteln weist auf eine entwickelte Webkultur hin. Diese Tätigkeit gehörte in den Kreis der Familie, und die Produkte wurden in Form von alltäglicher oder zeremonieller Kleidung von Händlern bis in weit entfernte Gebiete gebracht.

In diesem Beitrag habe ich versucht zu zeigen, daß die Festigung der Maya-Zivilisation und ihres gesellschaftlichen Systems in der Späten Präklassischen Epoche erfolgte. Trotzdem weisen bestimmte Anzeichen darauf hin, daß sich die gesamte Region in dieser Zeit in einer schwierigen Lage befand. Befestigungsanlagen zum Schutz gegen Überfälle fand man in Edzná und Cerros, eine Mauer wurde in El Mirador erbaut, und Gräben umzogen die Zentren von Becán und Balberta an der Pazifikküste. Die politische Organisation wandelte sich gegen Ende der Späten Präklassik offenbar in dramatischer Weise und wirkte sich auf die soziale Struktur aus. Einige Orte, wie El Mirador und Cerros, wurden völlig verlassen. In Seibal, Kaminaljuyú und den Orten der Südküste sank die Bevölkerungsdichte erheblich, und in Uaxactún wurde der »Gebäudekomplex H«, Sitz der führenden Adelsschicht, aufgegeben, wobei man die Gebäude zusammen mit den Masken begrub.

Die Ursachen für den Zusammenbruch der Präklassischen Städte sind noch nicht hinreichend bekannt. Man vermutet jedoch, daß Umwälzungen im politischen Bereich am Ende dieser Zeitperiode das Gleichgewicht der Zentren gestört und zum Hegemonieverlust oder zum völligen Verlassen zahlreicher Städte geführt haben. Diese Krisensituation berührte ebenfalls den Bereich der Kunst. Die Zahl der Darstellungen und Denkmäler nahm erheblich ab. Der Niedergang betraf jedoch nicht alle Städte der Maya-Region in gleichem Maße. Wo man die

Krise zu meistern verstand, gingen die Orte gestärkt aus ihr hervor. Die Schwächeperiode einiger Zentren oder ihr völliges Veröden verhalf anderen zu Entwicklung und Wachstum zu Beginn der Klassik. Einige Städte erreichten so Macht und Kontrolle über ein weites Territorium.

Zu diesen Städten zählt Tikal, das in der Frühen Klassischen Epoche zu einer wichtigen Metropole aufblühte und zusammen mit anderen Städten die Maya-Zivilisation zu einer der bedeutendsten Kulturen Mesoamerikas machte.

Die Welt der Klassischen Maya

Robert J. Sharer

Die Zeit der Klassik (ca. 250–900 n. Chr.) hat man lange als den Höhepunkt der Maya-Kultur betrachtet. Traditionell konzentrierte sich die Forschung fast ausschließlich auf die Tieflandzone, wo sich die bestimmenden Merkmale der Maya-Kultur zur Zeit der Hochblüte in der Mehrzahl finden. Als man in jüngster Zeit jedoch erkannte, wie vielfältig sie sich auch außerhalb des zentralen Tieflandes ausgeprägt hatte, erweiterte sich der Forschungsansatz.

In diesem Beitrag wollen wir dem Rechnung tragen, uns dabei jedoch auf die Tieflandgebiete konzentrieren, die sich während der Klassik am stärksten entwickelt haben. Im Verlaufe der Arbeit werden wir einige der entscheidenden Prozesse betrachten, die für diese Entwicklung ausschlaggebend waren. Es sind dies die wirtschaftlichen, gesellschaftspolitischen und ideologischen Einflußgrößen. Der Schwerpunkt wird jedoch auf der Darstellung der chronologischen Entwicklung der Maya-Kultur liegen, wie sie sich aus der Anwendung der wichtigsten neueren Forschungsmethode ergibt, der kombinierten historisch-archäologischen Analyse nämlich[1].

Bei der Betrachtung der Klassischen Periode halten sich die Archäologen im allgemeinen an ein Zeitschema, das mit der Protoklassik (ca. 100–250 n. Chr.) als Übergangsphase von der voraufgegangenen Zeit der Präklassik beginnt. Ihr folgte die Frühklassik (ca. 250–600 n. Chr.), während der sich besonders im Tiefland die politische Struktur des Staates entwickelte und verbreitete. Die darauf folgende Späte Klassik (ca. 600–800 n. Chr.) erlebte den Aufstieg neuer mächtiger Herrschaftsgebiete und den Höhepunkt demographischer wie kultureller Entwicklung im Tiefland. Die Schlußphase der Klassik schließlich (ca. 800–900 n. Chr.) sah zugleich den Niedergang des südlichen und den Aufstieg des nördlichen Tieflandes von Yucatán.

Die archäologische Forschung hat sich lange und ausgiebig mit der Entstehung der Maya-Kultur befaßt. Das läßt sich an einer Fülle von Theorien ablesen. Zu den bekanntesten Hypothesen zählt die, das Tiefland habe eine isolierte Entwicklung aufzuweisen. Daneben wurde die Auffassung vertreten, die Tiefland-Kultur sei vom Maya-Hochland sozusagen als »kulturelles Transplantat« hervorgebracht worden. Schließlich wäre auf die Vorstellung hinzuweisen, die Präklassischen Olmeken seien die unmittelbaren Vorfahren, eine Art Mutterkultur also, für die Klassische Maya-Kultur gewesen. Heute sind sich die Wissenschaftler in der Mehrzahl darin einig, daß keine dieser monokausalen Theorien die Vielschichtigkeit des Entwicklungsprozesses, der zur Klassischen Maya-Kultur führte, hinlänglich zu erklären vermag. Obwohl die Lösung dieses Problems noch weiterer Forschung bedarf, so ist eines doch jetzt schon klar, dieser Prozeß setzte bereits in der Präklassik, etwa zwischen 2000 v. Chr. und 250 n. Chr., ein. Für unsere Betrachtung spielt das Ende dieser Periode, die Späte Präklassik und die Protoklassik, etwa zwischen 400 v. Chr. und 250 n. Chr., die entscheidende Rolle. Der Entwicklungsprozeß setzte, über das ganze Spektrum von Naturräumen und Kulturregionen verteilt, im Tiefland, dem Herzstück der Maya-Kultur, und an der »Peripherie« gleichzeitig ein. Hier liegt in der Tat eine der wichtigsten Erkenntnisse aus den zurückliegenden Jahrzehnten der Maya-Forschung. Danach spielte die sogenannte Peripherie – darunter sind Yucatán im Norden, der breite Hochlandgürtel und die Küstenzonen von Chiapas bis El Salvador und Honduras im Süden zu verstehen – eine entscheidende Rolle[2] (Abb. 33).

Archäologisch ist eine Reihe fest geprägter Symbole dokumentiert, die die vielschichtige soziale und politische Entwicklung belegen. Sie findet ihren Ausdruck schon vor der Späten Präklassik in der Klein- und Monumentalskulptur, darunter auch den Stücken im sog. olmekischen Stil. In der Späten Präklassik tauchen skulptierte Stelen mit Stilelementen auf, die eindeutig Maya-Charakter tragen. Dazu zählen auch die ersten Beispiele für die Maya-Schrift. Neuere Forschungen haben neben diesen

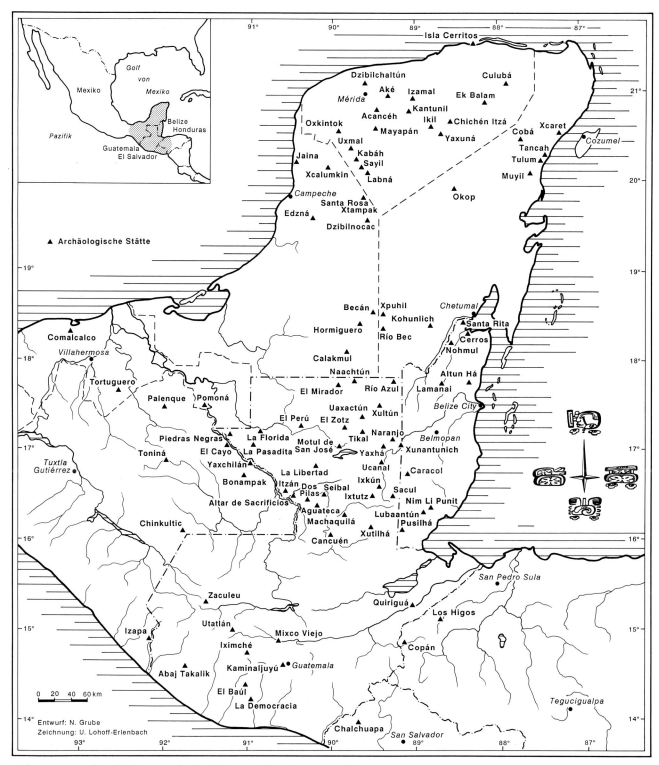

Abb. 33   Karte der wichtigsten archäologischen Fundorte im Maya-Gebiet.

42

noch andere Anzeichen einer ihrer Zeit vorauseilenden Kulturentwicklung in der Präklassik an der »Peripherie«, d. h. an der Pazifikküste, am Fuße des Gebirges und im Hochland Guatemalas selbst, sowie im westlichen El Salvador und in Westhonduras festgestellt. Daran wird erkennbar, daß die wechselseitige Beeinflussung einer Reihe früher komplexer Gesellschaften in der Südregion ursächlich mit der Entstehung der Klassischen Maya-Kultur des Tieflandes in der Präklassik in Verbindung steht.

Neue Erkenntnisse zur Herausbildung der Maya-Kultur kommen in ähnlichem Umfang auch aus dem Kerngebiet des Tieflandes, vor allem durch Ausgrabungen in Cerros, Cuello und Lamanai in Belize. Am meisten beeindrucken jedoch die Ergebnisse der Grabungen in Nakbé und der immensen Anlage von El Mirador, das Nakbé wahrscheinlich als Zentrum der Region nachfolgte. Beide liegen im Herzen des Tieflandes. Die in Nakbé und El Mirador gewonnenen Erkenntnisse belegen Bevölkerungszahlen und eine Differenzierung in der staatlichen Organisation, die frühere Annahmen für die Präklassik bei weitem übersteigen, besonders dann, wenn man sie zusammen mit Daten und zahlreichen anderen Präklassischen Siedlungen betrachtet[3].

Da sich die Kulturentwicklung im Tiefland wie im Hochland etwa in gleichen Bahnen abgespielt hat, war seit langem vermutet worden, daß die wechselseitige Beeinflussung zwischen den verschiedenen ökologischen und ethnischen Teilgebieten des Maya-Raumes eine wichtige Rolle gespielt hat. Schon anhand der ersten Präklassischen Funde von Uaxactún im Tiefland und denen der großen Metropole des Hochlandes, Kaminaljuyú, waren allgemeine Entsprechungen festgestellt worden. Keramik, Kleinplastik und andere Artefakte deuteten wichtige interne Verbindungen an. Schon im Jahre 1940 wies A. V. Kidder auf die Bedeutung der Verapaz-Region im nördlichen Hochland hin. Sie liegt beiderseits der direktesten Nord-Süd-Route und stellt so die vermutliche Verbindungszone für den Handel wie auch für andere Austauschprozesse zwischen Hochland und Tiefland dar[4].

Neuere archäologische Forschungen lassen erkennen, daß eine seßhafte Bevölkerung diese hochbedeutsame Übergangszone des nördlichen Maya-Hochlandes schon während der gesamten Präklassik besiedelt hatte. Die Täler des nördlichen Hochlandes waren jedoch nicht nur Verbindungslinien innerhalb eines ausgedehnteren Handelssystems, sie lieferten auch ihren schöpferischen Beitrag zur Entwicklung der wichtigsten Errungenschaften der alten Maya-Kultur, wozu ihre komplexe Sozialstruktur, das zeremonielle Geschehen sowie Schrift und Bildhauerei gehören. Die Forschungsergebnisse aus dem nördlichen Hochland erhärten daher die Vorstellung von einem mosaikartigen Bild der alten Maya-Welt, in der jede Region mit der anderen eng verknüpft war, aber dennoch eigene Traditionen pflegte, von denen jede auf ihre Art und in unterschiedlicher Intensität zum Wachstum beigetragen hat[5].

So darf man heute mit Sicherheit sagen, daß sich der zwischen 400 v. Chr. und 250 n. Chr. ablaufende kulturelle Prozeß in weiten Bereichen des Maya-Gebietes gleichzeitig abspielte. Ein rasches Ansteigen der Bevölkerung und die Bildung einer geschichteten Gesellschaft sind seine Merkmale, wobei das hervorstechendste natürlich die Entwicklung der Hieroglyphenschrift ist. Wenn die Frage nach der Herkunft der Schrift in Mesoamerika auch noch nicht beantwortet werden kann, so deutet doch manches darauf hin, daß ihre Entstehung zeitlich etwa bei 400 v. Chr. liegt[6]. Da nun die uns bekannten frühesten in Stein gehauenen Texte in einem schon ausgereiften Schriftsystem vorliegen, dürften die Ursprünge, vielleicht Texte auf Rindenbastpapier, noch weiter zurückreichen. Wie dem auch sei, der »harte« Beweis der Steininschriften belegt, daß der Gebrauch der Schrift von den Maya rasch übernommen wurde. Möglicherweise wurden dabei einige »fremde« Glyphen benachbarten Schriftsystemen entlehnt, andere dagegen eigenständig entwickelt. So ergab sich schließlich das ausgefeilteste Schriftsystem der Neuen Welt (s. S. 215 ff.).

DER ÜBERGANG VON DER PRÄKLASSIK ZUR KLASSIK

Archäologen setzen häufig die frühesten Formen einer gegliederten Gesellschaft, wie wir sie zu Beginn der Maya-Kultur in der Späten Präklassik vorfinden, mit den Häuptlingstümern der ethnographischen und ethnohistorischen Quellen gleich. Ihre Kennzeichen sind gesellschaftliche und wirtschaftliche Statusunterschiede, wie etwa eine Rangordnung und zeitweise berufliche Spezialisierung. Wie in den weniger komplexen Stammesgesellschaften beruht auch im Häuptlingstum die organisatorische Struktur im wesentlichen auf Verwandtschaftsbeziehungen. Das bedeutet, daß gesellschaftlicher Rang in der Regel durch Geburt bestimmt wird. Jemand, der von Geburt her einer hochstehenden Adelslinie angehört, hat den Status, der diesem Geburtsrecht angemessen ist. In solchen Strukturen nimmt das Oberhaupt der höchsten Adelslinie normalerweise die Stellung des Häuptlings ein und besitzt damit den höchsten Status und entsprechende Autorität. Die Macht des

Abb. 34 Karte mit der vermutlichen politischen Gliederung des südlichen Tieflandes in verschiedene Kleinstaaten um 790 n. Chr.

44

Häuptlings beruht auf seiner Bestätigung durch übernatürliche Kräfte und seinen wirtschaftlichen Privilegien. Als Oberhaupt der höchsten Adelslinie hat er die Unterstützung durch die übernatürlichen Kräfte der Götter und die seiner berühmten Vorfahren ererbt. Normalerweise erhält der Häuptling den größten Teil der Abgaben in Form von Gütern und Dienstleistungen aus dem Überschuß, den andere erwirtschaftet haben. Doch die Autorität des Häuptlings reicht oft nur so weit, wie es ihm gelingt, sich die Anerkennung der anderen Adelsfamilien zu verschaffen, sei es durch Überzeugungskraft oder durch Gegenleistungen, wie das Ausrichten religiöser Zeremonien und die Verteilung von Gunst und Geschenken, meist aus den Abgaben der Allgemeinheit[7].

Im Maya-Gebiet übten Gegenden mit guten Böden und ausreichend Regen, Orte, an denen man über wichtige Rohstoffe verfügte, und auch die heiligen Stätten, denen man besondere Wirkung zuschrieb, starke Anziehungskraft aus. Es waren diese bevorzugten Gebiete, in denen die ersten kleinen Häuptlingstümer entstanden. Hier entwickelten sich die ersten Zeremonialzentren um die Wohnsitze der Häuptlinge, hier bildete sich auch eine Oberschicht mit starken internen Bindungen heran, die sowohl über religiöses Ansehen wie auch über einen wirtschaftlich gehobenen Status verfügte. Diese Stätten stellten die Machtzentren der Häuptlinge dar und dienten der Ausrichtung religiöser Feste, der Begräbnisfeiern und Märkte, mit denen die Oberschicht die Bauern, Handwerker und Händler der Unterschicht an sich band. Die Macht der Häuptlinge und der Oberschicht beruhte auf einer Art gegenseitigem Abkommen mit den Bewohnern der umliegenden Siedlungen. Die Häuptlinge waren die militärischen Anführer und religiösen Spezialisten. Sie stützten sich auf den Glauben an ihr Bündnis mit übernatürlichen Mächten und heiligen Ahnen. Sie befriedigten die grundlegenden Bedürfnisse des Lebens, vor allem das nach Sicherheit. Als Gegenleistung erhielten sie Abgaben in Form von Arbeitsleistung und Nahrungsmitteln. So sicherten die Kultstätten das existentielle Wohlergehen, die angegliederten Märkte lieferten eine Fülle von Nahrungsmitteln, Gütern und Dienstleistungen aller Art, gegen die man die in den Haushalten erzeugten Produkte eintauschen konnte. Wahrscheinlich war die Kontrolle der Märkte und der Handelsverbindungen in ihrem Einflußbereich die Grundlage für den Wohlstand der Oberschicht. Zum anderen forderte sie aber auch zur Schaffung einer Organisation heraus, die in der Lage war, sowohl die Waren für den täglichen Bedarf wie auch Luxusgüter aus entfernten Gegenden auf wirksame Weise zu beschaffen. Letztlich aber basierte die Macht der aufsteigenden Herrscher und ihrer Familien darauf,

daß sie glaubhaft die Kontrolle der übernatürlichen Kräfte vorzuführen verstanden, die ihrerseits das Universum regierten.

Die archäologischen Funde lassen erkennen, daß in der Späten Präklassik viele der materiellen Charakteristika, die die Lebensgewohnheiten der herrschenden Oberschicht in der Klassik ausdrücken, bereits in der Entstehung begriffen oder schon vorhanden waren. Der Umfang an Planung und Arbeitsleistung, die in die Architektur von El Mirador geflossen sind, weist zweifelsohne auf eine mächtige Oberschicht hin, die die Geschicke der Stadt bestimmte. Gleichzeitig läßt aber auch der Größenunterschied zwischen El Mirador und anderen Orten der Späten Präklassik erkennen, daß es eine differenzierte Organisation in der Gesellschaft des Tieflandes gab. Auch unterschiedliche Machtverhältnisse, die sich aus der Verfügung über menschliche und natürliche Ressourcen ableiteten, werden zwischen den Orten des Maya-Tieflandes deutlich. Anzeichen für eine Rangabfolge unter den Zentren des Tieflandes rein aufgrund ihrer flächenmäßigen Ausdehnung sind deutlich. Die größte bekannte Stadt ihrer Zeit, El Mirador, stand an der Spitze dieser Hierarchie. Deren Struktur können wir zwar noch nicht in Einzelheiten beschreiben, jedoch ist anzunehmen, daß die Beziehungen zwischen diesen Herrschaftsgebilden der Späten Präklassik Vorläufer des Systems kleiner, selbständiger Teilstaaten waren, wie wir es aus der Zeit der Klassik kennen.

Die rasche Entstehung größerer Siedlungszentren, kenntlich an ihrer monumentalen Tempel- und Begräbnisarchitektur, führte schließlich zu offener Rivalität, vielleicht sogar zum Krieg, mit dem Ziel, die Herrschaft über größere Gebiete mit ihrer Bevölkerung und ihren Handelswegen zu erlangen. Manchmal lag der entscheidende Vorteil auf seiten der Orte, die seltene, aber wichtige Rohstoffvorkommen kontrollierten und sich auf die Verarbeitung und Vermarktung der aus diesen Rohstoffen gefertigten Produkte spezialisiert hatten. Kaminaljuyú, das Produkte des Hochlandes wie vor allem Obsidian und Jade unter Kontrolle hatte, entwickelte sich zum beherrschenden Zentrum im Süden. Andere regionale Zentren scheinen sich auf den Transport sowie den Tausch und die Vermarktung von Waren spezialisiert zu haben. Tieflandstädte wie El Mirador haben so wohl schon früh die Ost-West-Achse im Verkehrs- und Handelsnetz unter ihre Kontrolle gebracht. Andere verfügten über örtliche Vorteile besonderer Art, so etwa Colhá (Belize) als größtes Zentrum der Feuersteinverarbeitung. Selbstverständlich haben sich diese Gegebenheiten nicht nur aus der Lage der Orte und ihrer wirtschaftlichen Kontrolle entwickelt. Soziale, politische und religiöse Faktoren waren ebenfalls maßgeblich. Sie lassen sich archäologisch jedoch nur schwer fassen.

Diese wirtschaftliche und politische Landschaft wurde zum Ende der Präklassik hin nachhaltig gestört und verändert. Die alten Zentren erlebten einen unerwarteten Niedergang, wurden gar völlig aufgegeben, und neue Mächte machten ihre Ansprüche geltend. Die Gründe waren vielschichtig. Ganz werden wir sie wahrscheinlich nie zu fassen bekommen. Im Süden des Maya-Raumes sind zumindest einige dieser Veränderungen auf eine recht plötzlich einsetzende Bevölkerungsverschiebung und die Neuorientierung der Handelsverbindungen zurückzuführen. Allem Anschein nach wurden diese Vorgänge durch den Ausbruch des Ilopango-Vulkans und seine verheerenden Folgen für das südöstliche Hochland ausgelöst. Der Verlust des Handels mit dem Süden könnte zu einer Ausweitung der Handelskontakte mit dem Norden geführt haben. Was in einigen Regionen der Auslöser für ihren Aufstieg war, könnte in anderen ihren Niedergang bewirkt haben. Ohne Zweifel spielten aber auch interne Abläufe eine Rolle. So zeigt der verhältnismäßig plötzliche Niedergang von größeren Zentren wie El Mirador, daß es neue gesellschaftliche und politische Ansätze waren, die das Tiefland umformten.

Die Herausbildung von Staaten

Die Forschung ist heute weitgehend der Auffassung, daß sich die Maya im Tiefland in Klassischer Zeit auf der Ebene eines diversifizierten Staates organisiert hatten. Wenn auch von einem plötzlichen Umbruch nicht die Rede sein kann, finden sich die meisten, mitunter auch alle Merkmale, die für die Entwicklung vorindustrieller Staaten kennzeichnend sind, erst in dieser Periode. Dazu zählen ausschließlich auf ihrem Gebiet tätige Spezialisten und eine soziale Schichtung mit einer stark zentralisierten, hierarchischen Herrschaft an der Spitze, die ein Territorium mit festgelegten Grenzen regiert. Häufig läßt sich archäologisch eine Rangabfolge im Siedlungsbild erkennen, die die Herrschaftsstruktur des Staates widerspiegelt. Das zeigt sich an der räumlichen Ausdehnung, der funktionalen Vielgestaltigkeit und dem äußeren Erscheinungsbild der Siedlungen, angefangen bei der »Hauptstadt« bis hinunter zu den zunehmend kleiner werdenden Orten. Neben wirtschaftlichen, gesellschaftlichen und religiösen Befugnissen entwickeln Staaten bekanntlich auch wirklich politische Macht und setzen sie ein. Politische Autorität stützt sich natürlich auf die Mittel zur Durchsetzung von Absichten und Entscheidungen der Regierung, d. h. die selbstverständliche oder ausdrücklich angedrohte Anwendung von Gewalt. Solche Maßnahmen werden stets von einem staatlich organisierten, hierarchisch gegliederten Apparat hauptamtlich tätiger Spezialisten vollzogen. Sie besorgen die Staatsgeschäfte[8]. In vorindustriellen Staaten ist politische Macht in der allerhöchsten sozialen Schicht konzentriert, einer Oberschicht, die sich vom Rest der Gesellschaft durch Geburt, Privilegien und andere Vorzüge abhebt[9]. Die Oberschicht ist normalerweise durch Verwandtschaftsbeziehungen definiert, d. h., man gehört einer besonderen Adelslinie an, deren realer oder mythischer Ursprung außerhalb des Rahmens liegt, der für den Rest der Gesellschaft gilt. Dieser soziale Unterschied wird üblicherweise durch Endogamie, d. h. gruppeninterne Heiratsverbindungen, abgesichert.

Der mächtigste Angehörige der Oberschicht ist der Herrscher oder »König«. Beide Begriffe werden hier benutzt, um die höchste politische Würde zu bezeichnen. Neben ihrem Sozialprestige verfügt diese Person über beträchtliche Macht, die sich aus ihrer Position an der Spitze der staatlichen Hierarchie und ihres Machtapparates herleitet. Ihre Macht stützt sich darüber hinaus auf wirtschaftliche und religiöse Befugnisse, wie das Recht, Abgaben zu erheben, und den Glauben an die übernatürliche Abstammung des Königs und seiner Familie, die ihnen göttliches Recht zur Ausübung ihrer Herrschaft verleiht. Politische Stabilität wird dadurch erreicht, daß eine feststehende Regelung für die Herrschaftsnachfolge besteht, z. B. die Primogenität, das Erstgeburtsrecht, oder andere Verfahren, die im Laufe der Zeit Herrscherdynastien hervorbrachten, wie man sie in den meisten vorindustriellen Staaten findet; im Alten Ägypten etwa, in China, im Europa des Mittelalters und anderenorts.

Bei den Maya lassen sich die Anfänge dieser Entwicklung in der Späten Präklassik feststellen, um sich dann in der Klassik voll zu entfalten. Eine vierstufige Rangabfolge in den Siedlungen, eine kunstvolle Palastarchitektur in den Residenzen der Herrscher und ihrer Familien, die Existenz hauptamtlich tätiger Handwerker und staatlicher Amtsträger lassen sich aus dem archäologischen Befund ableiten. Am meisten beeindruckt jedoch der herausgehobene Status des Königs und der Oberschicht, wie er sich in ihrem Wohlstand, ihren Privilegien und übernatürlichen Verbindungen ausdrückt. Die Maya-Herrscher beanspruchten eine Art göttlichen Herrschafts-

Abb. 35 Quiriguá, Guatemala, Stele K (Rückseite): Darstellung des ▷ jungen Herrschers, umgeben von einem stilisierten Himmelsband, im Jahre 805 n. Chr.

rechts, ganz ähnlich dem übernatürlichen Charakter, den die »Gott-Könige« der vorindustriellen Staaten in der Alten Welt für sich in Anspruch nahmen. Da die Klassischen Maya jedoch nie zu politischer Einheit oder einem einheitlichen Staatswesen gefunden haben, gab es stets eine ganze Anzahl von Maya-Königen, die über unabhängige Territorien (Abb. 34) herrschten und über Macht und Wohlstand in unterschiedlichem Grade verfügten.

Die höchste politische Würde in Klassischer Zeit wurde mit dem Titel *ahaw* bezeichnet, was man mit »Herr« oder »Edler« übersetzen kann. Mit ziemlicher Sicherheit entstand dieser Titel bereits in der Späten Präklassik[10]. So, wie sich das politische System während der Klassik entfaltete und Macht und Autorität zunahmen, weitete sich auch der Gebrauch des Titels *ahaw* aus. Der oberste *ahaw* jedoch, die Person, in der wir den König eines Herrschaftsbereiches sehen, läßt sich in den Inschriften an der häufigen Erwähnung seines Namens und der Kette angehängter Titel erkennen[11]. Der Titel, der die Herrscherwürde am eindeutigsten ausdrückt, ist in der sog. Emblemglyphe enthalten, von Heinrich Berlin als erstem erkannt. Man interpretiert diese Glyphen jetzt im allgemeinen als königliche Titel, die den Herrscher eines bestimmten Territoriums bezeichnen (s. S. 235). Die Emblemglyphe besteht aus einem zentralen hieroglyphischen Ausdruck, der für das betreffende Territorium spezifisch ist, und zwei sog. Affixen. Das erste wird in Hochlandsprachen mit *ah po*, d. h. »Herr der Matte«, und in den Sprachen des Tieflandes mit *ahaw* übersetzt, das zweite als *k'ul*, d. h. »heilig« oder »göttlich«. In einigen Fällen kann man das zentrale Element phonetisch lesen, wie bei Yaxhá, was »klares« oder »blaugrünes Wasser« bedeutet. Aber unabhängig von solchen spezifischen Bedeutungen bezeichnet jedes den Ort, wo der betreffende *k'ul ahaw* residierte. Eine sinnvolle Lesung der Emblemglyphe von Tikal wäre daher *k'ul Tikal ahaw*, d. h. »Göttlicher König von Tikal«. Die Emblemglyphe selbst und ihr fortgesetzter Gebrauch in den politischen und historischen Texten des Tieflandes sind ein Indiz für das Vorhandensein einer staatlichen Organisation. Diese Annahme wird durch Belege aus den Inschriften erhärtet, die der Pionierleistung von T. Proskouriakoff verdankt werden. Sie führte zur teilweisen Entzifferung von Texten, in denen es um die Amtsnachfolge individueller Herrscher in verschiedenen Orten des Tieflandes geht[12].

Spätere Forschungen haben die Listen namentlich bekannter Herrscher beträchtlich erweitert. Die Glyphen für einen speziellen *k'ul ahaw* oder König scheinen sowohl Eigennamen als auch Titel auszudrücken. Bei einigen benutzten die Wissenschaftler Maya-Wörter, wie

z. B. bei dem berühmten Herrscher von Palenque, der nach der phonetischen Lesung seiner Namensglyphe *Pakal*, d. h. »Schild«, getauft wurde. In anderen Fällen wurden einzelne Herrscher auf eine etwas lockere Art mit künstlichen Namen belegt, die das äußere Bild der Glyphen wiedergibt[13].

Die Weitergabe der Herrschaft vom Amtsträger auf den Erben scheint in der Frühen Präklassik eingesetzt zu haben. Datierte Denkmäler aus dieser Zeit bilden häufig zwei Personen ab. Eine plausible Erklärung für diese Darstellungen ist die, daß sie die Errungenschaften der Herrscher und die Machtübergabe an einen Nachfolger festhalten. Die Embleme und jüngste Fortschritte in der Entzifferung hieroglyphischer Texte der Klassik liefern die überzeugendsten Beweise für eine dynastische Herrschaftsregelung im Tiefland. Die Grundregel für die Erbfolge war offenbar das Erstgeburtsrecht. Es gibt aber auch Fälle, in denen die Herrschaft vom älteren auf den jüngeren Bruder überging. Anzeichen für Erbfolgeprobleme und den Übergang von einer männlichen Linie auf eine andere hatten ihren Grund also offensichtlich darin, daß in der angestammten Linie kein männlicher Thronerbe vorhanden war. Unter solchen Umständen übernahmen die Frauen der Königsfamilie häufig die Regentschaft. In einigen wenigen Fällen erwähnen die Inschriften aber auch Frauen, die als wirkliche Herrscherinnen den Thron bestiegen[14].

In einer Reihe von Orten fand sich der Titel eines »Gründers«, der als erster Angehöriger der königlichen Abstammungslinie zu gelten hat[15]. Spätere Könige erwähnten oft die Stelle, die sie in der numerischen Zählung hinter dem Gründer belegen. Hierzu benutzten sie die *tz'ak*-Glyphe, die »Nachfolger in der Dynastie« bedeutet[16]. Ein Herrscher mit dem Titel »16 *tz'ak*« war der 16. Nachfolger des Dynastiegründers. Es gibt epigraphische und ethnohistorische Belege dafür, daß bestimmte Machtbefugnisse an andere Würdenträger mit besonderen Funktionen und Titeln delegiert wurden, wahrscheinlich an Angehörige der herrschenden, aber auch Mitglieder anderer Adelslinien. Einzelheiten in der politischen Organisation veränderten sich im Laufe der Zeit, und auch Unterschiede von Ort zu Ort lassen sich feststellen[17].

Bezüglich der Größe des Territoriums, das einen Herr-

Abb. 36 Copán, Honduras: Blick von den Stufen zum Eingang von Tempel 22 nach Osten in das Tal des Río Copán. Tempel 22 war das wichtigste Gebäude, das König Waxaklahun Ubah errichten ließ. ▷

schaftsbereich ausmachte, ist die Meinung der Wissenschaftler geteilt. Die einen betrachten die Emblemglyphen als kennzeichnendes Merkmal von Souveränität. Danach würden Orte, in denen ein *k'ul ahaw* erwähnt wird, jeweils einen unabhängigen Herrschaftsbereich darstellen[18]. Angesichts der großen Anzahl und Dichte solcher Orte müßte das Maya-Tiefland mindestens in mehrere Dutzend kleiner Herrschaftsbereiche aufgeteilt gewesen sein, und auf dem Höhepunkt der »Balkanisierung« hätte es an die 60 oder mehr solcher »Staaten« gegeben. Die andere Auffassung geht von sehr viel größeren Regionalstaaten aus, in denen die jeweils größten Orte die kleineren beherrschten, darunter auch solche, die von *k'ul ahawob* regiert wurden[19]. Damit kämen wir auf weniger als ein Dutzend unabhängiger Herrschaftsbereiche zur Zeit der Hochblüte. Nun müssen sich die beiden Alternativen gegenseitig nicht ausschließen. Nach Joyce Marcus haben sich wahrscheinlich im Verlaufe der Klassik die räumliche Ausdehnung und die politische Macht einzelner Herrschaftsbereiche erweitert und auch wieder zusammengezogen[20]. So gab es zweifellos Perioden, in denen die politische Landschaft des Tieflandes in Dutzende individueller Herrschaftsbereiche aufgesplittert war, während zu anderen Zeiten ehemals unabhängige Herrschaftsbereiche zu größeren politischen Gebilden zusammengefügt wurden. Man muß auch berücksichtigen, daß politische Unabhängigkeit ein relativer Begriff ist. Zieht man Gegebenheiten wie gegenseitige wirtschaftliche Abhängigkeit, dazu die unterschiedlichen Abstände, Größen und Machtverhältnisse der Orte in Betracht, so verfügten die einzelnen Staaten zweifellos über verschiedene Grade von Souveränität und Unabhängigkeit, besonders dann, wenn kleinere Herrschaftsbereiche unmittelbar an größere Nachbarn angrenzten.

DIE KLASSIK UND IHRE MECHANISMEN

Wenden wir uns nun den Beziehungen dieser Herrschaftsbereiche untereinander zu. Wie standen sie zu ihren näheren und weiteren Nachbarn? Die Formen, die diese Beziehungen annahmen, reichen von gesellschaftlichen und wirtschaftlichen Verbindungen bis zu Rivalität und Krieg. Man sollte sie jedoch nicht als ausschließlich politische oder ökonomische Vorgänge betrachten. Denn wie in den meisten Bereichen der Maya-Kultur waren solche Beziehungen auch von ideologischen Inhalten und Absichten vielschichtig durchsetzt.
Die Herrschaftsbereiche waren auf vielfache Weise gesellschaftlich und wirtschaftlich miteinander verflochten, und zwar auf eine Art, wie es für unabhängige Staaten typisch ist. Dazu gehören offizielle Besuche und Heiratsabsprachen zwischen den Adelslinien, der Austausch von Geschenken und Gunstbeweisen und das Eintreiben von Tributleistungen von Staat zu Staat. Im gesellschaftlichen Bereich können wir vermuten, daß solche Beziehungen, vor allem Besuche und Heiratsvereinbarungen, zwischen Bewohnern desselben Ortes oder von Nachbarorten gepflegt wurden. Mitunter waren jedoch auch weiter entfernte Regionen einbezogen. Aus der Zeit der Eroberung und späteren Kolonialzeit liegen Berichte vor, wonach es wechselseitige Vereinbarungen gab – einige Orte lagen mehrere Tagesmärsche voneinander entfernt –, um sich gegenseitig mit weiblichen Heiratspartnern zu versorgen. Aus den Inschriften der Klassischen Zeit wissen wir, daß Maya-Herrscher in ganz ähnlicher Weise Staatsbesuche veranstalteten und Heiratspartner zwischen den Familien der Oberschicht austauschten, um so die Bündnisse zwischen ihren Herrschaftsgebieten zu festigen (s. S. 142 ff.)[21].
Insbesondere der Fernhandel hatte einen weitreichenden Einfluß auf den Entwicklungsgang der Maya-Kultur. Das Bild vom Wachsen, Blühen und Vergehen spiegelt nicht zuletzt die sich ändernde wirtschaftliche Lage wider, die von der geographischen Situation der Städte im einzelnen und der sie verbindenden Handelswege abhängig war[22]. Offenbar schwenkte der Großteil des Ost-West-Handels zu Beginn der Klassik von den alten Präklassischen Handelsrouten im Küstenstreifen am Pazifik und entlang der yukatekischen Küsten auf völlig andere Wege um. Diese führten nunmehr durch das Hochland und – wichtiger noch – entlang der Flüsse durch das Tiefland. Während der Frühen Klassik beherrschte Teotihuacán von Zentralmexiko aus viele der Fernhandelswege in Mesoamerika. Diese neue Handelsmacht übte ihren Einfluß auf die Maya des Tieflandes aus, und zwar nicht nur in Form wirtschaftlicher Beziehungen, sondern ebensosehr als Quelle fremdartiger Verhaltensweisen und äußerer Symbole, die von den Maya übernommen wurden. Das bemerkenswerteste Beispiel dieses Fremdeinflusses ist in der mächtigen Hochlandmetropole Kaminaljuyú zu sehen, wo ein großer Teil der Stadt nach dem Vorbild des Stils der öffentlichen Bauten von Teotihuacán umgebaut wurde. Produkte aus Teoti-

Abb. 37 Tikal, Petén, Nordakropolis: Hier wurden über mehrere Jahrhunderte hinweg Stelen errichtet, auf denen die Geschichte der Königsdynastie verewigt war. Heute werden sie durch extra errichtete Dächer vor dem Regen geschützt. ▷

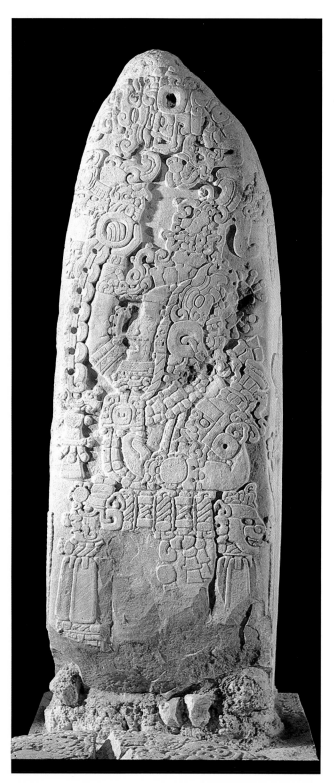

huacán wurden überall im Maya-Gebiet importiert. Keramik und andere Gegenstände aus heimischer Herstellung ahmten den Stil aus Zentralmexiko nach. Der Maya-Raum hinwiederum versorgte Teotihuacán mit verschiedenen begehrten Artikeln, Obsidian und Jade aus dem Hochland, Kakao von der Pazifikküste und aus dem Tiefland sowie zahlreichen anderen Waren, die nah und fern in ganz Mesoamerika gehandelt wurden[23]. Wie bereits erwähnt, lagen einige der ersten großen Maya-Zentren des Tieflandes an den Bootsschleppen zwischen den Flüssen, die ostwärts zur Karibik und westwärts in den Golf von Mexiko fließen. So war es in der Späten Präklassik El Mirador, das die Kontrolle über den Ost-West-Handel, der hier die Halbinsel Yucatán an ihrer Basis durchquerte, an sich ziehen konnte. Wahrscheinlich hatten diese Handelswege durch das Tiefland an Bedeutung gewonnen, als die Verbindungen nach Mittelamerika entlang der Pazifikküste unterbrochen worden waren. Schon bald darauf bildeten sich Herrschaftsgebiete in der Tradition des Tieflandes in Copán (Abb. 36) und Quiriguá (Abb. 35). Hier war es möglich, den Mittelamerikahandel, der die durch den Ausbruch des Vulkans Ilopango zerstörte Region umging, anzuzapfen. Neue Handelsrouten von Mittelamerika bahnten sich ihren Weg nach Norden wohl über Land nach Westhonduras oder auch entlang der Karibikküste. Erzeugnisse aus dieser Region konnten mit Booten die Küste von Belize hinauf und dann auf den Flüssen des Tieflandes weiter nach Westen transportiert werden. Um die gleiche Zeit scheint sich die Ostküste des Tieflandes zu einem wichtigen Kakaoanbaugebiet entwickelt zu haben. Der Markt für diesen Kakao war Zentralmexiko, das über die Wasserwege durch das Tiefland und die Zentren an der Golfküste erreicht wurde.

Nach dem Niedergang von El Mirador stieg Tikal zur dominierenden Macht im Tiefland auf, ebenfalls im Schnittpunkt der Bootsschleppen gelegen[24]. Man ist versucht, daraus abzuleiten, daß El Mirador und Tikal Handelsgegner waren und daß der Niedergang des einen mit dem Aufstieg des anderen in Verbindung stand. Im Augenblick haben wir aber noch zu wenig verläßliche Hinweise aus El Mirador, auf die sich die Diskussion über eine Auseinandersetzung mit Tikal, sei sie wirtschaftlicher oder militärischer Natur gewesen, stützen könnte.

Nur soviel läßt sich feststellen, daß Tikal während der

Abb. 38 Tikal, Petén, Stele 31: Dieses bedeutendste Frühklassische Schriftdokument wurde 435 n. Chr. vom Herrscher »Stürmischer Himmel« in Auftrag gegeben. Die Vorderseite zeigt ihn als Schamanen.

Frühen Klassik rasch zur Vormachtstellung aufstieg und eine ganze Reihe von Zentren sich an Plätzen entwickelten und zu Wohlstand kamen, an denen man die Haupthandelsrouten des Tieflandes überwachen konnte. Einige mögen unter der Herrschaft von Angehörigen der Oberschicht Tikals gestanden haben, andere durch hochrangige Heiratsverbindungen mit Tikal liiert gewesen sein. Das Oberzentrum Calakmul z. B., nördlich von El Mirador, war ohne Zweifel völlig autark und stellte so einen mächtigen Rivalen Tikals dar. Copán und Quiriguá in der Südostregion hatten die Handelsverbindungen nach Mittelamerika fest im Griff. Quiriguá überwachte darüber hinaus den wichtigen Jadehandel auf seiner Route durch das Motaguatal zur Karibik. Yaxchilán am Usumacinta beherrschte einträgliche Handelsverbindungen zwischen dem Hochland und der Golfküste. Die Zentren an den Seeufern spielten im Bootsverkehr eine Rolle. So beherrschte Cobá wahrscheinlich wichtige Ressourcen und überwachte den Handel mit ihnen im Nordosten Yucatáns.

Zur Mitte der Klassik hin erlitt Tikal durch seinen Rivalen, das rasch aufsteigende Caracol in Belize (s. u.), eine vernichtende militärische Niederlage. Dieses Ereignis veränderte die wirtschaftliche und politische Landschaft im Maya-Tiefland von Grund auf. Ehemalige Ableger und Verbündete Tikals scheinen in der Folge ihrerseits zu Wohlstand und Macht gelangt zu sein. Im Südwesten erlangte Palenque eine Spitzenstellung, was ohne Zweifel größtenteils auf seine beherrschende geographische Lage an der Handelsroute zwischen Mexiko und dem Inneren des Tieflandes zurückzuführen ist. Um diese Zeit lief der Mittelamerikahandel auf der pazifischen Küstenroute wieder an, die Südostregion wurde neu besiedelt. Copán scheint diesen Handel zum größeren Teil unter seine Kontrolle bekommen zu haben. Dazu hat es auch wahrscheinlich alle Anstrengungen unternommen, den Handel mit dem Süden, der durch sein Gebiet führte, zu beherrschen. Es trat so in eine Phase größten Wohlstandes und stärkster Machtentfaltung ein. Copáns Untertan Quiriguá überwachte wahrscheinlich noch immer den Jadehandel auf der Montaguaroute. Der Usumacinta wurde weiterhin von Yaxchilán und seinen Verbündeten kontrolliert, während einige unabhängige Mächte am Oberlauf dieses wichtigen Wasserweges hinzukamen. Natürlich waren nicht alle Beziehungen zwischen den

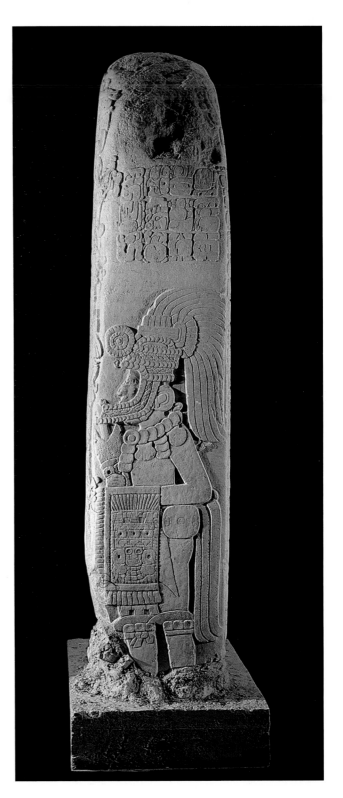

Abb. 39 Tikal, Petén, Stele 31: Die Schmalseiten des Denkmals zeigen neben einem hieroglyphischen Text das Bild eines Kriegers, dessen Kleidung der Kriegstracht von Teotihuacán in Zentralmexiko entspricht.

Herrschaftsbereichen des Tieflandes friedlicher Art. Krieg, die extremste Form von Rivalität, spielte für die Maya eine wichtige Rolle. In ihm entschied sich letztlich, über wieviel Macht und Prestige der jeweilige Herrschaftsbereich verfügte[25].

Lange Zeit waren die kriegerischen Auseinandersetzungen der Maya während der Klassik vom Umfang und von der Zielsetzung her begrenzt. Wie auf den Denkmälern erwähnt, ging es um Gefangene für die Menschenopfer, mit denen man wichtigen Ereignissen, wie der Einsetzung eines Herrschers oder Einweihung eines Tempels, die gebührende Weihe verlieh. Gefangene zu machen und Beute heimzubringen waren für das Prestige des Herrschers wichtig, besonders wenn es darum ging, die Macht neuer Dynastien für die stets wachsende Zahl neuer Herrschaftsbereiche zu begründen. Einige dieser Überfälle wurden wahrscheinlich nachträglich in der siegreichen Stadt noch einmal in Form des rituellen Ballspiels (s. S. 177 ff.) in Szene gesetzt. Die Anführer der Verliererseite, d. h. die Gefangenen, spielten hierbei ihre vorher festgelegte Rolle und wurden anschließend geopfert. Der Zeitpunkt für solche Überfälle und Rituale wurde häufig auf wichtige Jubiläen vergangener Ereignisse oder günstige Planetenpositionen, besonders der Venus, festgelegt. Hier drückt sich der Glaube der Maya an die Vorbestimmung und den zyklischen Ablauf der Zeit aus. Einige Auseinandersetzungen mögen auch durch Handelsstreitigkeiten ausgelöst worden sein. So mag Quiriguá zu Mitteln der Gewalt gegen seine früheren Herren gegriffen haben, um die Kontrolle über den Jadehandel durch das Motaguatal für sich zu behaupten. Befestigungen, wie im Frühklassischen Becán und dem Spätklassischen Petexbatún-Gebiet (siehe unten), belegen eine ernsthafte Bedrohung oder offenen Krieg[26]. Die meisten Maya-Zentren kamen jedoch ohne Befestigungen aus. Es scheint, als ob die gewaltsamen Konflikte zwischen den Maya-Städten auf unterschiedliche Ursachen zurückzuführen seien und verschiedenen Zwecken gedient hätten.

Überwiegend ereigneten sich ritualisierte kriegerische Auseinandersetzungen oder Überfälle aus wirtschaftlichen und politischen Gründen, d. h., es ging stets darum, Reichtum und Macht beim Sieger zu stärken und den Verlierer zu schwächen. Daneben mag der siegreiche Kleinstaat auch die Vergrößerung seines Territoriums im Auge gehabt haben. Territorien wurden umgekehrt auch verkleinert, wenn sich nämlich ein neuer Herrschaftsbereich durch Abspaltung von einem anderen bildete. Die Intensität der Auseinandersetzungen wuchs in dem Maße, wie sich der Streit um Bodenschätze, Prestige und Macht verschärfte. Zur Spätklassik

hin häuften sich die Kämpfe, so daß man um diese Zeit vom Krieg als einer immer wieder ausbrechenden Krankheit sprechen kann.

Nach dem Aufzeigen der Grundmechanismen, die das Zusammenleben der Herrschaftsbereiche oder Staaten im Tiefland kennzeichneten, wenden wir uns nun dem eigentlichen zeitlichen Ablauf zu.

Die Frühe Klassik

Die Frühklassische Periode (ca. 250–550/600 n. Chr.) erlebte den raschen Aufstieg und die Vormachtstellung von Tikal, dem bekanntesten und langlebigsten Staat in der zentralen Tieflandregion. Zwar liegt aus Tikal umfangreicheres Datenmaterial vor als von irgendeiner anderen Stätte, so daß die Auswertung einseitig wirken könnte, doch muß dennoch in Tikal die gesellschaftliche und politische Entwicklung rascher vorangeschritten sein als bei den meisten seiner Zeitgenossen. Tikal scheint bei seinem Aufstieg zur Macht andere Zentren, die vordem herausragende Bedeutung hatten, überrundet zu haben.

Unsere Kenntnis von Tikal (Abb. 42) beruht hauptsächlich auf den Ergebnissen der archäologischen Grabungen und der Entzifferung der Hieroglyphen, die sich gegenseitig ergänzen. Besonders aufschlußreich für unser Verständnis der Frühklassischen Geschichte der Stadt ist die Ausgrabung der Nordakropolis von Tikal (Abb. 37), die eine außergewöhnlich lange und vielschichtige Folge von Bauphasen enthüllte. Tikals Ursprünge als Zentrum eines Herrschaftsbereiches liegen in der Späten Präklassik, als sich eine herrschende Oberschicht hier auf Dauer festsetzte. Das geht aus den frühesten Gräbern und Grabtempeln unter der Nordakropolis und dem Bau der monumentalen Pyramide im Bereich von *Mundo Perdido* (»Verlorene Welt«) hervor. Tikal und andere Zentren wie das nahe gelegene Uaxactún mögen zur Zeit seiner Dominanz El Mirador unterstanden haben. Mit dessen Abstieg am Ende der Präklassik jedoch war die Zeit reif für die Entwicklung Tikals zu einem der größten Herrschaftsbereiche der Klassischen Zeit[27].

Obwohl seine Regierungszeit noch nicht exakt bestimmbar ist und er wohl auch nicht der erste Herrscher war – frühere Gräber unter der Nordakropolis deuten dies an –, erwarb sich *Yax Moch Xok* im nachhinein den Titel des Dynastiegründers von Tikal. Mag sein, daß er ein hervorragender Kriegsführer war oder als erster die politische Unabhängigkeit proklamierte. Da aus der Zeit seiner Herrschaft keine Denkmäler erhalten sind, ist er nur durch wiederholte Erwähnungen seiner Nachfol-

Abb. 40 Caracol, Belize: Die Caana *genannte Hauptpyramide war die Residenz der Könige von Caracol. Die Räume waren reich mit Stuck-dekorationen versehen und wirkten prunkvoll. Noch heute ist das Gebäude das höchste von Belize.*

ger belegt. Seine Regierungszeit dürfte im 3. Jahrhundert, wahrscheinlich irgendwann zwischen 219 und 238 n. Chr., anzusetzen sein.

In der archäologischen Dokumentation weist sich Tikal als unabhängiger Herrschaftsbereich durch die Aufstellung der Stele 29 aus, dem zugleich frühesten historischen Zeugnis aus dem Tiefland überhaupt. Die Stele trägt auf der Rückseite ein fast vollständig erhaltenes Datum in der sog. »Langen Zählung«, nämlich 8.12.14.8.15, was dem Jahre 292 n. Chr. entspricht. (Im folgenden werden wir nur noch Daten unseres Kalenders anführen.) Auf der Vorderseite zeigt sie die Abbildung eines Tikal-*ahaw* mit dem (Kunst-)Namen »Voluten-*Ahaw*-Jaguar«. Er trägt die königlichen Abzeichen eines Herrschers und hält einen doppelköpfigen Schlangenstab, eines der wichtigsten Symbole, das Maya-Könige führen. Über ihm sieht man den Kopf eines herabblickenden Vorfahren, möglicherweise den des Gründers der

Dynastie oder den seines Vaters. Sein Name erscheint auf einem Kopf, den er in der Hand hält, während seinen Gürtel sowie den vorderen Kopf des Schlangenstabes das Tikal-Emblem krönt. Die Darstellung dieses Emblems – ein Symbol, das mehr als sechshundert Jahre lang Bestand haben sollte – ist vielleicht der beste Beweis für die Unabhängigkeit Tikals unter der Regentschaft einer eigenen königlichen Adelslinie. Da eine *tzʼak*-Glyphe fehlt, wissen wir nur, daß »Voluten-*Ahaw*-Jaguar« einer der frühen Nachfolger von *Yax Moch Xok* gewesen sein muß; seine genaue Position in der Herrscherabfolge kennen wir nicht.

Die dynastische Einordnung des folgenden Fürsten »Mond Null Vogel« ist ebenfalls unbekannt. Aber die berühmte Jadeaxt mit seinem Abbild, die Leydener Platte, trägt das Datum seiner Einsetzung zum Herrscher im Jahre 320 n. Chr. In voller Herrschertracht hält er den doppelköpfigen Schlangenstab und steht über einem flach am Boden liegenden Gefangenen, der wahrscheinlich das Weihopfer anläßlich seiner Amtseinführung darstellt. Der erste Herrscher von Tikal, dessen Position in der dynastischen Sequenz festlegt, ist »Große Jaguartatze«. Er wird als neunter Nachfolger von *Yax Moch Xok* genannt. Das Fragment der von ihm errichteten Stele 39 wurde bei den Ausgrabungen in der *Mundo Perdido*-Gruppe, einem der ältesten Teile Tikals, gefunden. Stele 39 bezieht sich auf Feierlichkeiten zum Ende des *k'atun* 17 (376 n. Chr.), die wahrscheinlich an diesem Ort abgehalten wurden. »Große Jaguartatze« steht über einem gefesselten Gefangenen hoher Abkunft, in der Linken eine Axt mit der Fellzeichnung des Jaguars, die zweifellos als Opferinstrument benutzt wurde. Den Palast von »Große Jaguartatze« konnte man anhand eines Weihgefäßes identifizieren. Der Text auf dem Gefäß beschreibt seine Verwendung bei dem Einweihungsritual für das *k'ul na*, das »heilige Haus« von »Große Jaguartatze«.

Um diese Zeit zeichnen sich weitere Herrschaftsbereiche im Tiefland ab. Die nahe Tikal gelegene Stadt Uaxactún verewigte ihre frühe Geschichte in einer Serie von sechs Stelen zwischen 328 und 416 n. Chr. Das früheste Zeugnis, Stele 9, ist stark verwittert, aber die stehende Figur auf der Vorderseite war ohne Zweifel ein Herrscher von Uaxactún. Stele 19 (357 n. Chr.) und die verwitterte Stele 18 sind die frühesten bekannten Denkmäler, die *k'atun*-Enden geweiht wurden. Diese beschließen eine Periode von 20 Jahren und wurden mit Zeremonien großen Stils gefeiert.

Weiter von Tikal entfernt sollte Calakmul, die Hauptstadt eines anderen größeren Staates, der sich in dem von El Mirador hinterlassenen Vakuum entfalten konnte, in Größe und Macht an die Stellung Tikals herankommen. Sicher gelegen auf einer von der Maya Mountains Belizes umsäumten Hochfläche, entwickelte sich im Südosten Caracol zu einer größeren Macht, die in der Späteren Klassik Tikal herausfordern sollte. Zu weiteren aufstrebenden Staaten zählen Yaxchilán am Usumacinta und Copán am Südostrand des Maya-Gebietes.

Die Mehrzahl der Stätten mit den frühesten bekannten Daten in der Langen Zählung ist gleichmäßig über das zentrale Tiefland verteilt. Das legt den Schluß nahe, daß sie zumindest am Anfang voneinander abhängig waren und miteinander rivalisierten. Doch schon bald scheint Tikal auf die nächsten Nachbarn ausgegriffen zu haben. Die Tatsache, daß an den meisten dieser Orte die Reihe der Denkmäler abbricht, mag ein stummes Zeugnis für die Expansion Tikals sein. Wie diese Expansion im einzelnen bewerkstelligt wurde, ist nicht klar. Kriege, in denen die besiegten Herrscher geopfert oder gezwungen wurden, die Oberherrschaft des Königs von Tikal anzuerken-

nen, sind nicht auszuschließen. Die Vorgänge in Uaxactún legen eine solche Vermutung nahe.

Uaxactún hat möglicherweise während der letzten Regierungsjahre von »Große Jaguartatze« seine Unabhängigkeit an Tikal verloren. In diesen Zeitraum fällt ein wichtiges Datum (378 n. Chr.), das in beiden Orten wenigstens zweimal vermerkt ist. Nach eingehenden Untersuchungen von Peter Mathews bezog sich dieses Datum auf ein Blutopferritual, mit dem Tikal die Machtübernahme in Uaxactún besiegelte. Ein Angehöriger der königlichen Familie von Tikal namens »Rauch-Frosch« wurde auf den Thron von Uaxactún gesetzt. Nun kann dies ebensogut durch Heirat auf höchster Ebene wie duch Eroberung geschehen sein. Mathews läßt beide Möglichkeiten offen, während Schele und Freidel in »Rauch-Frosch« den Führer der Streitmacht von Tikal sehen, der Uaxactún eroberte und dann die Herrschaft übernahm. Sie begründen ihre Version mit kriegerischen Motiven auf Stele 5 von Uaxactún und ihrer Interpretation von Texten. Dazu gehört auch eine spätere Erwähnung von »Rauch-Frosch« auf der berühmten Stele 31 (Abb. 38, 39, 143) von Tikal, die ihn als denjenigen bezeichnet, der »die Gebäude von Uaxactún zerstörte und niederriß«. Ergänzend sei erwähnt, daß sich die drohende Auseinandersetzung zwischen diesen Zentren in der Errichtung der Erdwälle ausdrücken mag, die sich an der Nordgrenze Tikals entlangziehen. Sie sind nach Uaxactún ausgerichtet und wurden offenbar in der fraglichen Zeit angelegt.

Die Texte (Uaxactún-Stele 5) bezeichnen »Rauch-Frosch« als einen Tikal-*ahaw*. Nach der Machtübernahme herrschte er vermutlich zumindest am Anfang in Uaxactún unter der Ägide von »Große Jaguartatze«. Aber der König von Tikal muß schon nach zwei Jahren gestorben sein; denn Texte von dort erwähnen mit Datum 379 n. Chr., daß inzwischen der Tikal-Herrscher *Yax Ain* hieß. Eine Rückblende im Text von Tikal-Stele 31 erwähnt *Yax Ain* als denjenigen, der »das königliche Szepter im Lande von Rauch-Frosch aufstellte«. Daraus mußte man also schließen, daß mit dem Tod von »Große Jaguartatze« der Uaxactún-König die Oberhoheit in dem vereinigten Königreich übernommen hatte und der neue Tikal-*ahaw* sein Amt als Untergebener von »Rauch-Frosch« antrat.

Die Bedeutung der Eroberung von Uaxactún wird durch wiederholte Erwähnung dieses Ereignisses auf späteren Monumenten in beiden Städten unterstrichen. So blendet auch der Text eines Spielfeldmarkierers aus Tikal auf »Rauch-Frosch« und die Eroberung von Uaxactún zurück. Der Markierstein wurde in einer Wohnanlage südlich des *Mundo Perdido*-Komplexes gefunden. Sein Text erwähnt den Amtsantritt des vierten *ahaw* einer wenn auch nicht königlichen, so doch hochrangigen Adelslinie.

Abb. 41 Tikal, Petén, Tempel IV: Der Türsturz 3 dieser Anlage zeigt den König Yax K'in beim Kriegstanz auf einer hölzernen Plattform. Er feierte damit seine erfolgreichen Kriegszüge gegen die Orte Yaxhá und El Perú, die am 26. Juli 743 n. Chr., dem Tag einer totalen Sonnen-finsternis, stattgefunden hatten. Der Tempel IV, das höchste Gebäude von Tikal, wurde von Yax K'in nach seinem Triumph errichtet.

57

Wahrscheinlich handelt es sich um das Oberhaupt der Sippe, die den Gebäudekomplex bewohnte. Dieser ungewöhnliche Spielfeldmarkierer folgt in der Form der Tradition des zentralen Mexiko, nicht der des Maya-Tieflandes. Da auch ein Großteil der Architektur in der *Mundo Perdido*-Gruppe nach Vorbildern von Teotihuacán gestaltet ist, scheinen die Einflüsse von dort um diese Zeit in Tikal ihren Höhepunkt erreicht zu haben.

Auch unter *Yax Ain*, dem 10. Herrscher Tikals, und seinem Sohn »Stürmischer Himmel«, dem 11. Herrscher, setzen sich Motive aus Zentralmexiko weiter fort. Auf Stele 4 mit dem Datum 379 n. Chr., das sich anscheinend auf seinen Amtsantritt bezieht, ist *Yax Ain* mit Rangabzeichen, insbesondere seiner Muschelkette, abgebildet, die stark an Vorbilder in Teotihuacán erinnern. Im Gegensatz zum Stil früherer Tikal-Stelen, auf denen die Personen im Profil abgebildet sind, stellt Stele 4 *Yax Ain* in Vorderansicht dar. Das schützende Numen über dem Kopf ist die Maya-Gottheit *K'awil* (Gott K), der Beschützer des Königtums. Im linken Arm hält *Yax Ain* eine Speerschleuder ganz ähnlich wie »Rauch-Frosch« in der früheren Darstellung auf Stele 5 aus Uaxactún. Clemency Coggins meint, daß das Abbild des Beschützergottes K mit der zentralmexikanischen Waffe, der Speerschleuder, kombiniert wurde und so das *Manikin*-Szepter entstand, ein bedeutendes Symbol dynastischer Herrschaft im Maya-Tiefland.

Yax Ain starb ca. 425 n. Chr., nach einer Regierungszeit von rund 47 Jahren. Begräbnis Nr. 10, bei den Ausgrabungen in der Nordakropolis von Tikal entdeckt, ist wahrscheinlich sein Grab. Es enthielt die Skelettreste des Herrschers, wie an einem kleinen geschnitzten Jadekopf erkennbar ist, der offenbar seinen Namen nennt. Daneben fanden sich Beigaben, die Beziehungen in das weit entfernte Kaminaljuyú erkennen lassen, das im übrigen gerade in dieser Epoche engste Bindungen nach Teotihuacán aufweist.

Daraus folgt ganz offensichtlich, daß die Beziehungen zu den südlichen Maya-Gebieten, die seit der Späten Präklassik bestanden hatten, aufrechterhalten oder sogar enger gestaltet wurden.

Diese Tendenz hielt auch noch unter dem Nachfolger an, laut Stele 31 (Abb. 38, 39) »Stürmischer Himmel« und Sohn von *Yax Ain*. Dieses in jeder Weise herausragende Werk der Bildhauerkunst war 435 n. Chr. gestiftet worden und fand sich – rituell bestattet – in einem Tempelbau über seinem Grab. »Stürmischer Himmel«, mit allen Zeichen seiner hohen Würde angetan, hält in der Rechten einen Kopfputz hoch, der seine Namensglyphe trägt. Als himmlischer Beschützer und Vorfahre bestätigt ein Bildnis seines Vaters über ihm die Rechtmäßigkeit des Thronerbes. In die Beuge seines linken Armes schmiegt sich ein Kopf mit Attributen des Sonnen-Jaguars und der Emblemglyphe von Tikal. In seiner Regierungszeit kamen die Traditionen des Tieflandes und der Einfluß wirtschaftlicher und politischer Institutionen aus Teotihuacán – Kaminaljuyú zu einer wirklichen Synthese zusammen. Die Ikonographie der Stele 31 legt davon beredtes Zeugnis ab: »Stürmischer Himmel« läßt sich nach alter Weise im Profil darstellen und trägt die der Überlieferung verpflichteten Insignien des Maya-Herrschers, während sein Vater auf den beiden Schmalseiten in der Rüstung eines Kriegers aus Teotihuacán auftritt. Die Rückseite der Stele enthält einen langen Text.

Obwohl der Sockel zerstört ist und die erhaltenen Teile der Inschrift schwer zu entziffern sind, ist doch klar ersichtlich, daß die aufgeführte Sequenz von Daten und Personen die dynastische Geschichte Tikals wiedergibt. Wir finden den Gründer der Dynastie, *Yax Moch Xok*, »Voluten-*Ahaw*-Jaguar« und »Mond-Null-Vogel« erwähnt, dazu die Hauptakteure des Uaxactún-Dramas, »Große Jaguartatze« und »Rauch-Frosch«. Die geschichtliche Darstellung führt bis in die Zeit von »Stürmischer Himmel« unter Einbeziehung der Herrschaft seines Vaters und des Datums, an dem er offenbar 411 n. Chr. selbst zum Herrscher eingesetzt wurde. Allerdings ist die »Ereignis«-Glyphe mit dem zerstörten Teil des Textes verlorengegangen.

Das Grab Nr. 48 von »Stürmischer Himmel« fand man tief unter dem höchsten Tempel der Nordakropolis. Auch dieses Grab enthielt Beigaben, die es sowohl mit Teotihuacán als auch mit Kaminaljuyú in Verbindung bringen, so z. B. ein Gefäß mit Schmetterlingsmotiv, das seinen festen Platz in der Kunst Zentralmexikos hat. Im Wandputz des Grabes ist in der Langen Zählung das Jahr 456 n. Chr. festgehalten, wahrscheinlich sein Todesjahr oder das seiner feierlichen Beisetzung.

Mit den verfügbaren Daten können wir die weitere Frühklassische Geschichte Tikals zumindest grob umreißen. Auf »Stürmischer Himmel« folgte ein Herrscher, der als »K'an-Eber« bekannt ist. Er wurde als 12. Nachfolger von *Yax Moch Xok* wohl im Jahre 475 n. Chr. in sein Amt eingeführt. In den Darstellungen »K'an-Ebers« auf den Stelen 9 und 13 fehlen die Gefangenen und die kriegerischen Motive, mit denen sich seine Vorfahren abbilden ließen. Über die Nachfolger »K'an-Ebers« wissen wir nur wenig, außer daß ihre Regierungszeiten recht kurz waren, denn nur wenige Denkmäler aus dieser Zeit sind erhalten. Insgesamt folgten 10 Herrscher in der kurzen Zeit von nur 60 Jahren. Eine Ausnahme bildet Stele 23 aus einem Wohnkomplex der Oberschicht am Südostrand Tikals. Die Stele bezieht sich auf die erste Frau, die in der Maya-

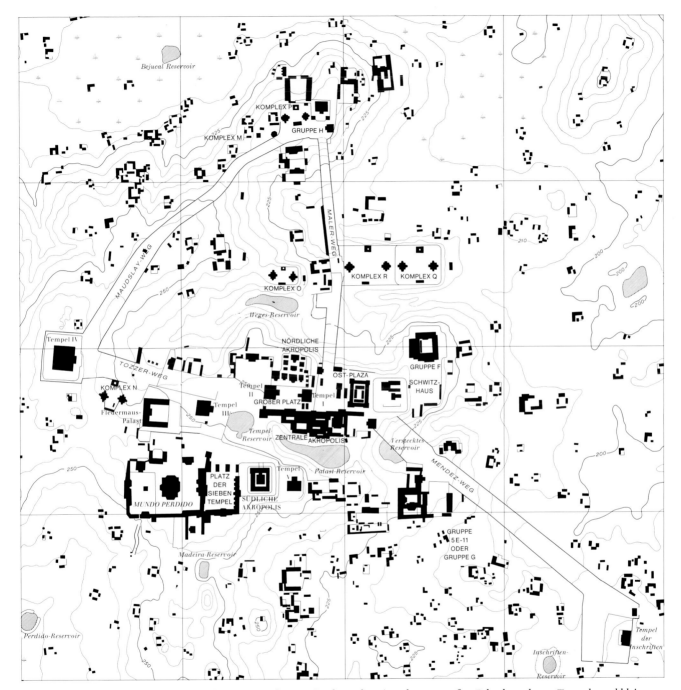

Abb. 42   Ausschnitt aus dem Plan von Tikal, Guatemala: Er zeigt das Nebeneinander von großen Palastkomplexen, Tempeln und kleineren Wohnanlagen am Rande der Stadt.

Geschichte erwähnt wird. Ihren Namen und die Rolle, die sie in der dynastischen Geschichte Tikals spielte, kennen wir nicht. Die archäologischen Daten weisen auf eine Zeit fortgesetzten Wachstums und Wohlstandes für Tikal hin. Neue Gebäude wurden errichtet, angefangen mit dem prächtigen Tempel über dem Grab von »Stürmischer Himmel«. Wie bei anderen Gebäuden des Tieflandes auch, sind die witz-Masken, die den Tempel und seinen Unterbau auf der Vorderseite schmücken, Hinweise darauf, daß es sich hier um einen »heiligen Berg« handelt, den Ort, wo man Xibalba, die Unterwelt, betritt.

Die Einsetzung des 21. Herrschers, »Doppel-Vogel«, im Jahre 573 n. Chr. ist auf Stele 17 dokumentiert. Obwohl stark verwittert, läßt die Inschrift, die seine Abstammung beschreibt, auf die »Frau von Tikal« schließen. Der Name des Vaters war vermutlich »Jaguartatze-Schädel«, den man als 14. Herrscher identifiziert hat. Wenn das so stimmt, läge hierin die Erklärung für die Periode der zahlreichen kurzen Regierungszeiten, in denen die Onkel und Brüder von »Doppel-Vogel« geherrscht hätten. Ganz sicher ist nur, daß Stele 17 und »Doppel-Vogel« das Ende der Frühklassischen Ära in Tikal bezeichnen. In den darauffolgenden anderthalb Jahrhunderten wurde Tikal von Ereignissen überrollt, die man eben erst zu verstehen beginnt.

Der Bruch in der Mittleren Klassik

Tikals Wohlstand und seine politische Führungsrolle aus der Frühklassik erlitten im 6. Jahrhundert einen Rückschlag. Es ist dies die Zeit des sog. »Hiatus« während der Mittleren Klassik, die üblicherweise von etwa 543–593 n. Chr. gerechnet wird, in Tikal bis 692 n. Chr. dauerte. Schon vor vielen Jahren hatte man diesen »Bruch« am völligen Fehlen von Monumenten in Tikal und an anderen Orten des Maya-Tieflandes erkannt. Die Grabbeigaben, selbst bei Angehörigen der herrschenden Oberschicht, machen einen eher ärmlichen Eindruck, verglichen mit der üppigen Ausstattung früherer und späterer Zeiten[28].

Grabungen in Caracol (Abb. 40) haben nun die Erklärung für den Hiatus in Tikal geliefert[29]. Danach zeigt sich, daß die Saat, die Tikal während seiner Expansion gesät hatte, recht bittere Früchte trug. Ein erst jüngst in Caracol entdeckter Text berichtet von der Gefangennahme »Doppel-Vogels« durch den Herrscher von Caracol. Schon seit langem war aufgefallen, daß viele der Frühklassischen Monumente Tikals mit Absicht zertrümmert worden waren. Diese gewaltsame Zerstörung folgte der Niederlage, die Tikal von Caracol zugefügt worden war.

Der plötzliche Umschwung brachte nicht nur die gesamte bestehende Ordnung des Tieflandes durcheinander, sondern läutete eine völlig neue Ära seiner politischen Entwicklung ein. Das entstandene Machtvakuum wurde von einer Reihe rasch expandierender Maya-Städte gefüllt. Unter diesen aufstrebenden Mächten des Tieflandes bahnte sich ein harter Konkurrenzkampf um die vormals von Tikal behauptete Position auf wirtschaftlichem, politischem, militärischem und religiösem Gebiet an.

Die Späte Klassik

Das neue Zeitalter im Maya-Tiefland entspricht in etwa der Spätklassischen Periode, von ca. 550/600–800 n. Chr. eine verhältnismäßig kurze Zeitspanne für eine bis dahin nicht gekannte Entfaltung, die seit langem als der Höhepunkt der Maya-Kultur angesehen wird. Früher hat man diese Veränderungen nur anhand der Keramik definieren können, nun aber kommen sie in Gestalt von Ereignissen zutage, die wir als Ergebnisse intensiver archäologischer Forschungen und der Entzifferung immer größerer Teile der hieroglyphischen Inschriften eben erst zu fassen bekommen[30].

Caracol und Tikal

Caracol liegt im Süden von Zentralbelize auf dem Vaca-Plateau auf 500 m Höhe in der Nähe der Maya Mountains[31]. Seine Lage ermöglichte den unmittelbaren Zugang zu den Bodenschätzen dieses Raumes, hier besonders zu kristallinem Hartgestein für die Reibesteine. Über 40 Denkmäler aus Caracol decken den größten Teil der Klassischen Periode ab, und diese Quellenlage hat die Rekonstruktion eines großen Teiles der dynastischen Abfolge möglich gemacht. Die bedeutsamste Neuentdeckung war Altar 21, der mittlere Markierstein eines Ballspielplatzes. Diese stehen, wie wir schon gesehen haben, in wichtiger Beziehung zu Krieg und Menschenopfer. Der Stein verzeichnet die Geburt des Herrschers, der ihn in Auftrag gab, König *K'an II*, für das Jahr 588 n. Chr. sowie die Amtseinführung seines Vaters, König

Abb. 43 Tikal, Petén: Blick vorbei an Tempel II über den Hauptplatz auf Tempel I, unter dem sich das Grab von Herrscher Hasaw Chan K'awil befand. ▷

Yahaw Te, im Jahre 553 n. Chr. Das Monument berichtet dann von einer Enthauptung, die »im Gebiet des« Herrschers von Tikal im Jahre 556 n. Chr. stattgefunden hat, also kurz vor dem Datum, an dem »Doppel-Vogel« in Tikal die Stele 17 aufstellen ließ. Offenbar schildert der Text aus Caracol, wie jemand aus dieser Stadt von dem Herrscher Tikals gefangengenommen und geopfert wurde. Dieses Ereignis mag das anschließende gewaltsame Vorgehen Caracols gegen Tikal ausgelöst haben. Diesem Datum folgt der Bericht über einen Krieg mit Tikal im Jahre 562 n. Chr., den der Caracol-Herrscher König *Yahaw Te* führte. Größe und Wohlstand Caracols in der Folgezeit und der gleichzeitige Niedergang Tikals lassen auf einen Sieg Caracols über seinen Rivalen schließen, wobei »Doppel-Vogel« gefangengenommen und geopfert wurde und viele Monumente von Herrschern Tikals, die dort auf der Großen *Plaza* öffentlich aufgestellt waren, der Zerstörung anheimfielen. Die alte Dynastie ließ man möglicherweise fortbestehen, wahrscheinlich mit der Auflage von Tributzahlungen an Caracol. Das läßt sich aus dem Umstand schließen, daß in der Nordakropolis mehrere Königsgräber gefunden wurden, die zeitlich in dieses Interregnum einzuordnen sind. Keines ist jedoch so reichhaltig ausgestattet wie die Gräber aus der Zeit vor Tikals Unterwerfung. Den Tikal-Herrschern an Stelle 22 bis 25 in der dynastischen Folge mag es während dieser Zeit überdies verboten gewesen sein, Denkmäler zu errichten. Die reichen Einnahmen Tikals wurden wohl nach Caracol umgeleitet. Die Unterdrückung des Staates hielt die nächsten 150 Jahre an. Von seinem Unglück profitierte jedoch auch eine andere aufsteigende Macht, nämlich der Herrschaftsbereich am Petexbatún. In Tikal jedenfalls stagnierte das Bevölkerungswachstum, und viele Familien aus den Randgebieten zogen, wahrscheinlich aus Gründen der Sicherheit, näher an den Stadtkern heran.

König *Yahaw Te* herrschte in Caracol weitere 37 Jahre. In dieser Zeit leitete er Maßnahmen ein, die ein explosives Wachstum der Stadt zur Folge hatten. Grundlagen bildeten der neugewonnene Reichtum und die frisch eroberte Macht. *Yahaw Te* folgte im Jahre 599 n. Chr. sein Sohn, König *K'an I*, der die Marschrichtung seines Vaters weitere 19 Jahre lang fortsetzte. Ihm folgte sein Bruder, König *K'an II*, im Jahre 618 n. Chr. auf den Thron. Unter seiner Herrschaft erfreute sich Caracol offensichtlich weiter wachsenden Wohlstandes. Seine Amtszeit ist aber auch geprägt von gewaltsamen Aktionen, die jene seines Vaters noch übertrafen. Der Verlauf der späteren Geschichte Caracols bedarf noch eingehender Auswertung der Quellen, doch deutlich ist bereits, daß es auch mit Caracol während der Spätklassik, kenntlich an der Zerstörung seiner Monumente, zunächst abwärtsging. So dürften auch die Nachfolger von *K'an II* die Früchte ihrer Gewaltpolitik geerntet haben. Dann aber erholte sich Caracol militärisch wieder, denn noch einmal spricht eine Inschrift von der Enthauptung eines späten Herrschers von Tikal.

Das Wiedererstarken Tikals

Wie schon angemerkt, haben die unmittelbaren Nachfolger von »Doppel-Vogel« kaum archäologische Spuren hinterlassen. Historische Quellen aus ihrer Regierungszeit existieren praktisch nicht. Diese Herrscher entwickelten nur geringe Bautätigkeit, z. B. in der Nordakropolis und im Osthof. Dazu zählen zwei Gräber, die in den großen Tempel von »Stürmischer Himmel« hineingetunnelt wurden. Eines davon, Begräbnis Nr. 23, mag die sterblichen Überreste des 25. Nachfolgers enthalten haben, des glücklosen »Schild-Schädel«, der von Dos Pilas (siehe unten) gefangengenommen wurde. Bemalte Tonschüs-

Abb. 44   Tikal, Petén, Grab 116: Die »Paddler«-Götter rudern den jugendlichen Maisgott durch die Unterwelt.

Abb. 45   Die Flußschleife des Río Usumacinta mit den Ruinen von Yaxchilán auf dem linken Ufer in der Provinz Chiapas.

seln aus Begräbnis Nr. 24 liefern uns möglicherweise den Namen des Vaters von »Schild-Schädel«, des vermutlichen 24. Herrschers, und den seines Großvaters, offenbar des 23. Herrschers[32].

Tikals Geschicke wendeten sich auf dramatische Weise zum Guten, als der 26. Herrscher, *Hasaw Chan*, im Jahre 682 n. Chr. die Nachfolge antrat und die Stadt mit neuem Lebensmut erfüllte[33]. Die lange Inschrift auf einem der hölzernen Türstürze im Tempel I und die Texte der beschrifteten Knochen aus dem Grab unter diesem Tempel bezeichnen »Schild-Schädel« als Vater von *Hasaw Chan*. Das Datum für seine Amtseinführung wurde möglicherweise so gewählt, daß es exakt auf den Jahrestag 13 *k'atunob* – das sind 256 Jahre – nach der Thronbesteigung von »Stürmischer Himmel« fiel. Gleichzeitig wurden so die Vollendung eines *katun*-Zyklus und der Beginn

einer neuen Ära feierlich begangen. In dem Bemühen, Tikals Macht und Ansehen zu erneuern, hat *Hasaw Chan* während seiner gesamten Regierungszeit bewußt an diesen berühmten Vorfahren und die erste große Epoche in der Geschichte Tikals angeknüpft. Dieses kulturgeschichtliche Phänomen nenne man »Revitalisierung«. Es drückt das Bestreben aus, den gegenwärtigen Tiefstand in der Entwicklung einer Gesellschaft durch die Erinnerung an vergangenen Ruhm zu überwinden.

Das überzeugendste Beispiel seiner Verehrung für »Stürmischer Himmel« lieferte *Hasaw Chan* mit der Errichtung eines neuen Tempels, der das Grabmal seines Ahnen und dessen großartiges Bildwerk, Stele 31, überdeckte und versiegelte. Die Stele wurde sorgfältig in den rückwärtigen Raum des alten Tempels verbracht und mit Opfergaben, die vermutlich der Einweihung des Tempels wie auch dem Monument selbst galten, bedacht. Dieser Tempel stellte eine architektonische Neuheit dar und diente wahrscheinlich als Vorlage für *Hasaw Chans* eigenen Begräbnistempel, Tempel I. Wohl unter dem Termindruck der Einweihung errichtet, war seine Bauqualität jedoch nicht die beste. In der Mitte der Südfront der Nordakropolis versperrte das Bauwerk überdies die früheren Zugänge zu diesem Komplex und beschloß damit die Nutzung dieser alten Nekropole. *Hasaw Chan* ließ offenbar auch die Bruchstücke der zerschlagenen Stele 26 seines Vorfahren »Jaguartatze-Schädel« in einer neuen Steinbank des Begräbnistempels von *Yax Ain* beisetzen.

Zu *Hasaw Chans* Revitalisierungsprogramm gehörte ebenfalls die Wiederaufnahme der traditionellen Zeremonien an den *k'atun*-Enden, wie sie zur Zeit von »Stürmischer Himmel« und der anderen Frühklassischen Herrscher üblich gewesen waren. Das zeigt sich an den Zwillingspyramiden (Abb. 43) mit ihren Zeremonialkomplexen, die er zur Feier der *k'atun*-Enden errichten ließ. Dieses Architekturkonzept gab es auch schon vor *Hasaw Chans* Regierung, aber erst zu seiner Zeit entwickelten sich diese Ensembles zu eindrucksvollen Anlagen für Werke der Bildhauerkunst und öffentliche Rituale zum Ruhme der Dynastie von Tikal. Nachdem er die Dynastie gesichert und ihrer Zukunft durch neue Bauten und Denkmäler sichtbaren Ausdruck verliehen hatte, ging *Hasaw Chan* daran, Macht und Ansehen Tikals auch in einem weiter gesteckten Rahmen neu zu begründen. Nach alter Sitte bedeutete das, einen anderen Herrschaftsbereich anzugreifen und Gefangene zu machen. Hierzu griff er zu einer außergewöhnlich kühnen Maßnahme, die keinen Zweifel daran ließ, daß Tikal auf seine Position an der Spitze der Maya-Welt zurückgekehrt war. Wie die in Holz geschnitzten Texte auf den Türstürzen in Tempel I verzeichnen, überfiel *Hasaw Chan* im Jahre 695 n. Chr. das mächtige Calakmul und nahm dessen Herrscher »Jaguarpranke« gefangen. Das Datum für diesen Angriff war offensichtlich nicht nach himmlischen Vorzeichen festgelegt worden, sondern sollte einen weiteren Beweis für die schicksalhafte Verbindung zwischen *Hasaw Chan* und »Stürmischer Himmel« liefern; denn die Unternehmung gegen Calakmul fällt auf ein Datum, das genau 13 *k'atunob* nach jenem liegt, das als das letzte auf Stele 31 erwähnt wird. Die Türstürze von Tempel I nennen ein Datum 40 Tage nach der Schlacht, das sich wohl auf die Opferung von »Jaguarpranke« bezieht.

Hasaw Chans Begräbnistempel, Tempel I (Abb. 77), erhebt sich über seiner Grabkammer, die üppig mit Jade- und Muschelschmuck, Keramik und anderen kostbaren Beigaben ausgestattet war. Jadeschmuck bedeckte einst seinen Leichnam. Unter den Grabbeigaben fanden sich auch ein erlesenes Gefäß aus Jadeplättchen und eine Sammlung fein ziselierter und geschnitzter Knochen mit einer Bootsszene, die *Hasaw Chan* nach seinem Tode in Begleitung der Götter von *Xibalba* zeigt, wie er in die Gewässer der Unterwelt gerudert wird (Abb. 44). Ein weiterer Knochen aus seinem Grab trägt sein wahrscheinliches Todesdatum eingraviert. Nach einer Regierungszeit von rund 50 Jahren starb *Hasaw Chan* im Jahre 723 n. Chr. Ihm folgte sein Sohn *Yax K'in* im Jahre 734 n. Chr. auf dem Thron. *Yax K'in* setzte die Bemühungen seines Vaters fort, ja übertraf ihn sogar darin, Tikal zu einem der eindrucksvollsten und mächtigsten Zentren der Spätklassischen Maya-Welt zu machen.

Sein Programm begann er mit dem Bau von Tempel I, dem Begräbnistempel und Grab seines Vaters. Damit brach *Yax K'in* mit der Tradition der Nordakropolis als Begräbnisstätte für Tikals Könige. Er war es wahrscheinlich auch, der Tikals größten Tempelbau, Tempel IV, errichten ließ, der die Westgrenze des Stadtkernes markiert. Auch die breiten Dammstraßen, die die größeren Baukomplexe Tikals miteinander verbinden, gehen in diese Zeit zurück. Eine führt zum Tempel der Inschriften, Tempel VI, der während der Amtszeit von *Yax K'in* oder seines wenig bekannten Nachfolgers erbaut wurde. Er markiert Tikals Ostgrenze, und sein Dachkamm trägt eine hieroglyphische Inschrift von gewaltigen Ausmaßen, in der die wichtigsten Ereignisse aus der Geschichte Tikals verzeichnet sind.

Yax K'in starb etwa 768 n. Chr. Sein Grab ist das reich ausgestattete Begräbnis Nr. 196, das unter einem bescheidenen Bauwerk auf der Südseite der Großen *Plaza* gefunden und identifiziert wurde. Ihm folgten der kaum bekannte 28. Herrscher und dann *Chitam*, der 29. Herrscher und letzte bekannte Angehörige der langen und erhabenen Königsdynastie von Tikal. *Chitam* scheint versucht zu haben, die Bauprogramme seiner Vorgänger fortzusetzen. An zwei *k'atun*-Enden ließ er die Zeremonialkomplexe mit Zwillingspyramiden errichten, die fast doppelt so groß sind wie ihre Vorgänger, doch um diese Zeit ging es mit Tikals Wohlstand und Macht schon bergab. Zwei auf *Chitam* folgende Herrscher mögen auf den Stelen 24 (810 n. Chr.) und 11 (869 n. Chr.) dargestellt sein. Zur Zeit des spätesten datierten Denkmals aus Tikal und seiner Umgebung, der Stele 1 von Jimbal (889 n. Chr.), war der alte Herrschaftsbereich von Tikal bereits in meh-

Abb. 46 Luftaufnahme des Hauptplatzes von Yaxchilán, Chiapas. ▷

rere kleinere zerfallen und das Schicksal seiner Herrscherdynastie ins Dunkel der Geschichte hinabgesunken.

Der Aufstieg der Petexbatún-Staaten

Wir wollen uns nun kurz einigen der anderen größeren Herrschaftsgebiete des Tieflandes zuwenden, die in der Folge von Tikals Niederlage in der Mittleren Klassik entstanden. Beginnen wir mit dem Aufstieg eines neuen Königreiches, das tief im Süden, im Regenwald der Petexbatún-Region liegt, benannt nach dem Petexbatún-See und geographisch im Herzen eines Beckens gelegen, das der Río de la Pasión, ein Nebenfluß des Usumacinta, entwässert. Von den etwa 25 alten Siedlungen aus dieser Region führten etwa ein Dutzend Emblemglyphen. Zu ihnen gehören bedeutende Zentren wie Altar de Sacrificios, auf der Trennungslinie zwischen der Pasión- und der Usumacinta-Zone gelegen, und die größte Stadt der Gegend, Seibal, das eine späte Blüte in der Schlußphase der Klassik erlebte (siehe unten)[34]. Auf einer Halbinsel, die aus dem Westufer des Petexbatún-Sees herausspringt, liegt Punta de Chimino, stark befestigt mit einer Reihe gestaffelter Gräben, die man in klassischer Zeit quer über die Halbinsel gezogen hatte. Eine steile Klippe ragt etwa 60–80 m westlich des Seebeckens auf, und dort liegen, von Nord nach Süd, drei Orte: Tamarindito, El Excavado und Aguateca. Die wichtigste Stadt – Dos Pilas – liegt etwa 10 km westlich von Tamarindito.

In dieser Region setzte sich eine Seitenlinie der Königsfamilie von Tikal fest – wahrscheinlich dem von Caracol verursachten Desaster entronnen –, um einen neuen Herrschaftsbereich zu Beginn der Spätklassik zu gründen. Abgeleitet wird dies aus der Tatsache, daß die Petexbatún-Emblemglyphe dasselbe zusammengeschnürte zentrale Zeichen hat wie Tikal. Die neu etablierten Petexbatún-Herrscher profitierten zweifellos vom traditionellen Ansehen Tikals, schlugen aber einen unabhängigen und aggressiven Kurs ein. Sie spielten bald eine aktive Rolle in der Geschichte des Tieflandes, dehnten ihr Reich aus, wobei sie sich mit den älteren, benachbarten Herrschaftsbereichen anlegten. Im Laufe ihrer Entwicklung residierte die Petexbatún-Dynastie in mindestens zwei Hauptstädten, zunächst in Dos Pilas und später in Aguateca[35].

Der Gründer des neuen Staates ist als »Herrscher 1« oder »Feuerstein-Himmel« bekannt. Nachdem er 644 n. Chr. in Dos Pilas in sein Amt eingeführt worden war und sein neues Reich gefestigt hatte, entwickelte sich »Herrscher 1« zu einer der führenden Persönlichkeiten im politischen und militärischen Spiel des Maya-Tieflandes. Heiraten unter Herrschern festigten Bündnisse, und so entsandte »Herrscher 1« eine seiner Töchter in einen Stadtstaat, der schlimme Zeiten erlebt hatte, nach Naranjo, um dort eine neue Dynastie zu gründen. Er selbst heiratete eine Frau aus Itzán, einem Zentrum etwa 25 km nordwestlich von Dos Pilas gelegen. Eine weitere Familienangehörige vergab er nach El Chorro, etwa 35 km nordwestlich von Dos Pilas. In kriegerischen Auseinandersetzungen waren seine Gegenspieler gewöhnlich kleinere Zentren der Petexbatún-Region. Der Text auf einer erst 1990 entdeckten Hieroglyphentreppe vermittelt uns jedoch die zusätzliche überraschende Information, daß Dos Pilas in eine ganze Reihe militärischer Konflikte mit Tikal verwickelt war, und zwar zu einem Zeitpunkt, als dieser alte Herrschaftsbereich sich gerade von der durch Caracol zugefügten Niederlage zu erholen begann. Der offenbare Höhepunkt dieser Tikal-Kriege war die Gefangennahme und Opferung von »Schild-Schädel«, dem 26. Herrscher von Tikal, im Jahre 678 n. Chr. Auf »Herrscher 1« von Dos Pilas folgte sein Sohn, »Herrscher 2«, auch »Schild-Gott K« genannt, im Jahre 698 n. Chr. Im Herrschaftsbereich des Petexbatún wuchsen Wohlstand und Ansehen, wie sich an der raschen Ausdehnung von Dos Pilas selbst ablesen läßt. »Herrscher 3« kam im Jahre 726 n. Chr. an die Macht und setzte sowohl Krieg als auch Heirat als Mittel zur Erweiterung seines Territoriums ein. Im Jahre 735 n. Chr. vermerkt er die Gefangennahme des Herrschers von Seibal. Das entscheidende Bündnis mit Cancuén, das an strategischer Stelle am Oberlauf des Río de la Pasión, etwa 55 km südlich von Dos Pilas und kurz vor dem Anstieg zum Hochland gelegen ist, besiegelte »Herrscher 3« durch seine Heirat mit einer Frau aus der regierenden Familie von Cancuén. Das mag dem Petexbatún-Staat neue Gebiete eingebracht haben. Ohne Zweifel konsolidierte er damit auch seine Kontrolle über den einträglichen Handel mit dem Hochland.

»Herrscher 4« kam 740 n. Chr. auf den Thron, als Petexbatún den Höhepunkt seiner Macht erreicht hatte und über den größten Teil des Gebietes zwischen dem Río de la Pasión und dem Río Chixoy, ein Areal von etwa 4000 km^2, gebot. Aber genau auf seinem Höhepunkt wurde dieses mächtige, expansionistische Staatswesen plötzlich in die Knie gezwungen, denn »Herrscher 4« wurde im Jahre 760 n.Chr. von einem seiner ehemaligen Untergebenen, dem Herrn von Tamarindito, gefangen-

Abb. 47 Bonampak, Chiapas, Akropolis: Das Gebäude mit den berühmten Wandmalereien wird heute von einem modernen Blechdach geschützt. Im Vordergrund Stele 2, die König Chan Muan errichten ließ. ▷

Abb. 48   Bonampak, Chiapas, Wandmalerei in Raum 2 (nach einer Kopie von Antonio Tejeda): Darstellung eines von König Chan Muan angeführten Kriegszuges.

genommen und geopfert. Wie die Grabungen in Dos Pilas zeigen, legte man dort in aller Eile mehrere konzentrische Befestigungsringe mitten über die Wahrzeichen königlicher Macht hinweg an. Mit Steinen, unter anderem aus dem königlichen Palast herausgerissen, verliefen sie direkt über eine Hieroglyphentreppe, die die Geschichte und die Eroberungen der Petexbatún-Dynastie verzeichnete. Im inneren Verteidigungsring fanden die Archäologen Küchenabfälle und Hausreste aus dieser Periode, wahrscheinlich die Hinterlassenschaft der letzten Verteidiger von Dos Pilas. Folgendermaßen läßt sich das rekonstruieren: Nach der überraschenden Gefangennahme und Ausschaltung von »Herrscher 4« erheben sich seine ehemaligen Untertanen auf breiter Front. Dieser Aufstand gipfelt in der Belagerung der königlichen Hauptstadt. Eine Weile mag Dos Pilas sich gegen seine Angreifer behauptet haben, wurde jedoch letztlich überrannt, seine Verteidiger niedergemacht. Das Fehlen von Siedlungsresten aus späterer Zeit belegt, daß Dos Pilas aufgegeben wurde. Nach 760 n. Chr. verlagerte sich das Geschehen auf Aguateca, wo sich Belege einer fortgesetzten, ja verstärkten Besiedlung finden. Obwohl das Gründungsdatum für Aguateca noch nicht ermittelt werden konnte, steht fest, daß es Dos Pilas vor dem Fall von

»Herrscher 4« unterstand. Nach dem Untergang von Dos Pilas stieg es offenbar durch seine für die Verteidigung günstige strategische Lage zur Hauptstadt des Herrschaftsbereiches am Petexbatún auf. Seine späteren Monumente verzeichnen die Einsetzung von »Herrscher 5« und belegen den Fortbestand der Petexbatún-Dynastie auf mindestens weitere 40 Jahre in ihrer neuen Hauptstadt. Anscheinend war aber nach der Niederwerfung von Dos Pilas der ehemalige Stadtstaat am Petexbatún unter mehrere rivalisierende, kriegerische Herrschaftslinien aufgeteilt. Arbeiten in Punta del Chimino ergaben als Datum für den Bau seiner massiven Verteidigungsanlagen aus Gräben und Wällen die Zeit nach 760 n. Chr., als sie mindestens einen Angriff aufzuhalten hatten. Das ergibt sich aus den Funden am Boden des innersten und zugleich tiefsten Grabens: eine große Brandfläche enthielt zerbrochene und heile Speerspitzen aus Feuerstein. Weitere Speerspitzen fand man in dem Wall, der am Rand des Grabens entlanglief. Es ist noch unklar, ob der Angriff Erfolg hatte oder wie lange Punta del Chimino in der Lage war, sich hinter seinen beeindruckenden Verteidigungsanlagen zu halten. Klar ist nur eines: das Petexbatún-Reich ist letztlich in kriegerischen Auseinandersetzungen untergegangen.

Yaxchilán und die Region am Usumacinta

In der Späten Klassik erlebten nicht nur neue Herrschaftsbereiche einen Aufschwung, sondern auch vormals schon mächtige Staaten wie Naranjo. Dort kam – offenbar mit Unterstützung von Petexbatún – eine tatkräftige neue Dynastie an die Macht. Westlich der Petexbatún-Region entwickelte sich eine Kette bedeutender Herrschaftsbereiche zu mächtigen Staaten, die sich während der Spätklassik den Rang streitig machten. Sie liegen am Río Usumacinta, der einen der wichtigsten Handels- und Verkehrswege zwischen dem Maya-Hochland und dem Tiefland darstellte, und seinen Nebenflüssen. Die größte und bedeutendste unter diesen Städten war zweifellos Yaxchilán, das auf dem Südufer des Usumacinta, der hier eine fast geschlossene Schleife bildet, über eine hervorragende Lage verfügte (Abb. 45). Gegen den Zugang von Land durch einen natürlichen Graben geschützt, blieb nur im Süden ein schmaler Zugang offen. Von dieser sicheren Basis aus regierten die Könige von Yaxchilán ihren mächtigen und unabhängigen Staat[36] (Abb. 46, 85).

Wie in vielen anderen Orten des Tieflandes auch, führten spätere Herrscher in ihren Inschriften die Ursprünge der Dynastie auf einen Frühklassischen Gründer namens Yat Balam, d. h. »Jaguar-Penis«, zurück, der offenbar im Jahre 320 n. Chr. in sein Amt eingeführt wurde. Eine Reihe von rund 10 Herrschern folgte ihm im Laufe der nächsten 300 Jahre. Aber wie bei anderen Städten auch, ist Yaxchiláns frühe dynastische Geschichte durch Lücken in den historischen Quellen gekennzeichnet. Es scheint recht wohlhabend gewesen und zur beherrschenden Macht in der Usumacinta-Region aufgestiegen zu sein. Wichtige und dauerhafte Bündnisse wurden mit den Herrscherhäusern seiner Nachbarn geschmiedet, so etwa mit Piedras Negras, Tikal und Bonampak.

Die historischen Berichte aus Yaxchiláns Spätzeit sind bei weitem ausführlicher. Das beginnt bei »Sechs Tun-Yaxun Balam«, der um 630 n. Chr. auf den Thron kam und bis zum Amtsantritt seines Sohnes Itzam Balam im Jahre 681 n. Chr. regierte. In der Regierungszeit dieser beiden Fürsten erreichte Yaxchilán seinen Höhepunkt in Macht und Ansehen. Wie bei anderen Maya-Herrschern auch, beruhte ihr Erfolg auf zwei Umständen: lange Lebensdauer und hartes Vorgehen gegen die Nachbarn. Itzam Balam rühmt sich auf seinen Denkmälern der außerordentlich langen Regierungszeit von 61 Jahren und einer großen Anzahl Kriegsgefangener. Sein Geburtsdatum ist nicht bekannt. Wenn das Jahr 647 n. Chr. – wie Proskouriakoff vermutet – stimmt, würde das bedeuten, daß Itzam Balam 90 Jahre alt war, als er 742 n. Chr. starb.

Zwischen dem Tod von Itzam Balam und der Amtseinführung von Yaxun Balam im Jahre 752 n. Chr. klafft eine Lücke von etwa 10 Jahren. Das läßt sich einer Reihe von Skulpturen und Texten entnehmen, in denen Yaxun Balam seinen Anspruch auf das Herrscheramt geltend macht. Aus diesem unverkennbaren Bemühen Yaxun Balams, die Rechtmäßigkeit seines Anspruches zu begründen, und der Unterbrechung in den Amtszeiten kann man auf einen Machtkampf nach Itzam Balams Tod schließen.

Er heiratete eine hochgestellte Frau aus Yaxchilán namens Chak Kimi, was ihm zweifellos die Unterstützung ihrer adligen Sippe einbrachte. Aus dieser Verbindung ging ein Sohn hervor, der kurz vor seinem Amtsantritt im Jahre 752 n. Chr. zur Welt kam und schließlich sein Nachfolger wurde. Um der Rechtmäßigkeit seines Herrschaftsanspruches Ausdruck zu verleihen, die Amtsnachfolge seines Sohnes zu sichern und die Oberschicht in ihrer Loyalität zu bestärken, setzte Yaxun Balam das ehrgeizigste Bauprogramm in der Geschichte Yaxchiláns in Gang. Er ließ fast den gesamten Stadtkern umbauen, vergrößerte aber auch die Hauptstadt weiter flußaufwärts, wie mehrere neue Tempel dort bezeugen. Yaxun Balam ließ sich auch jenseits der Grenzen sehen. Ein bekanntes, schön gearbeitetes Relief aus Piedras Negras stellt die Feierlichkeiten dar, die »Herrscher Nr. 4« im Jahre 757 n. Chr. in seiner Stadt ausrichtete, um seinen Sohn als Thronerben vorzustellen. Der Yaxchilán-König wurde offenbar nach Piedras Negras eingeladen, um dem wichtigen Zeremoniell ordnungsgemäßer Machtübergabe beizuwohnen und dem Ereignis durch seine Anwesenheit entsprechenden Stellenwert zu verleihen, was wohl auf Gegenseitigkeit unter den Herrschern befreundeter Regionalbereiche beruhte. Die Bemühungen Yaxun Balams waren offensichtlich von Erfolg gekrönt, denn nach seinem Tode übernahm sein Sohn den Thron und fuhr in der Übung seiner Vorgänger fort: er machte Gefangene und vollzog feierliche Rituale. Kurz nach 800 n. Chr. hören wir mit »Tah-Schädel III« vom letzten Herrscher Yaxchiláns. Informationen zu seiner Regierung sind spärlich, und danach brechen die Inschriften ab, stummes Zeugnis für den Untergang des Herrscherhauses von Yaxchilán im frühen 9. Jahrhundert.

Bonampak und Piedras Negras

Bevor wir die Usumacinta-Region verlassen, müssen wir noch auf zwei Städte näher eingehen, die für die wissenschaftliche Betrachtung der Klassischen Maya-Kultur von besonderer Bedeutung sind, Bonampak und Piedras

Abb. 49 Bonampak, Chiapas, Wandmalerei aus Raum 3: König Chan Muan *ruht zusammen mit zwei weiblichen Familienangehörigen und einem Kind auf einem thronartigen Untersatz.*

Negras. Der kleine Ort Bonampak (Abb. 47) liegt im Tal des Río Lacanhá, auf dem Ostufer des Flusses, etwa 30 km südlich von Yaxchilán[37]. Der Ort ist mit Recht berühmt für seine außergewöhnlichen Wandgemälde, wahre Meisterwerke Klassischer Maya-Kunst. Sie bedecken die Wände dreier Räume in einem kleinen Palast und schildern auf lebendige Art die Vorgänge um die Benennung des Thronfolgers, eines der wichtigsten Rituale in den Herrscherfamilien der Maya. Der Erbe ist in diesem Falle der kleine Sohn des Bonampak-Herrschers *Chan Muan*. Die Schilderung des rituellen Geschehens, das sich über zwei Jahre, von 790 bis 792 n. Chr., hinzog. beginnt in Raum 1 mit einem Datum der Langen Zählung und einem hieroglyphischen Text, der wohl schildert, wie der kleine Thronerbe dem versammelten Hofstaat vorgestellt wird. Dieser ersten Szene folgte 336 Tage später eine rituelle Prozession. Raum 2 beherbergt dann die

wirklich einmalige Darstellung einer Schlacht. Die Bewegungsabläufe und der Schrecken des Handgemenges sind brillant eingefangen. Obwohl die Szene leider beschädigt und viele Details nicht mehr erkennbar sind, sieht man, wie Speere geworfen werden und treffen, wie die Stirn eines Kriegers durchbohrt und Gefangene an den Haaren gepackt werden. Zu zweit bisweilen überwältigen die Sieger ihre Gegner. Im Mittelpunkt der Szene (Abb. 48) steht der Anführer, wahrscheinlich *Chan Muan*, und packt den Schopf eines Gefangenen, während er mit der anderen Hand ihm die Lanze entgegenstößt. Das Geschehen setzt sich auf der Nordwand fort. *Chan Muan* mit seiner Jaguarlanze, flankiert von seinen Verbündeten, steht auf dem obersten Absatz einer Plattform und triumphiert über die mißhandelten Gefangenen, deren prominentester ihm zu Füßen hockt. Es sind die Opfer, die man braucht, um dem Thronfolgezeremoniell die gebührende Weihe zu geben. Einer der Besiegten liegt wie tot hingestreckt (Abb. 106) auf zwei Stufen, zu seinen Füßen der abgeschlagene Kopf eines anderen. Den Höhepunkt des Gesamtgeschehens bilden die Wandbilder in Raum 3 (Abb. 49, 50). Zunächst präsentieren sich die königlichen Akteure in überwältigenden Kostümen auf der obersten Plattform einer Stufenpyramide, unter sich eine Aufstellung von Tänzern und Musikanten. Dem folgt eine eher private Szene im Inneren eines Palastes, wo die königliche Familie das Blutopferritual vollzieht und damit das Thronfolgezeremoniell beschließt und besiegelt.

Piedras Negras (Abb. 76) liegt auf dem Nordufer des Usumacinta, etwa 40 km von Yaxchilán entfernt, flußabwärts[38]. Es erfreute sich einer langen Geschichte als unabhängiger Staat. Die fein skulptierten Denkmäler und ihre Inschriften lieferten mit ihrer genauen Schilderung der Geschichte ihrer Herrscher forschungsgeschichtlich die ersten Belege für den historischen Inhalt der Maya-Texte. Zwischen 608 und 810 n. Chr. wurde das Ende eines jeden der insgesamt 22 *hotunob*, das ist jeweils eine Periode von 1800 Tagen, mit der Errichtung eines skulptierten Monumentes feierlich begangen, die alle erhalten sind. Diese lückenlose Serie von Monumenten war die Grundlage für die bahnbrechende Erkenntnis Tatiana Proskouriakoffs[39]. Sie stellte fest, daß sich die Sequenz datierter Stelen in mindestens sechs Gruppen einteilen ließ. Auf der jeweils ersten Stele war eine männliche Person, in einer erhöhten Nische sitzend, abgebildet. Darunter stand meist eine ältere Frau. Zu dieser Szene gehörten ein Datum und eine »Ereignisglyphe«, die man als Thronbesteigung interpretieren konnte: Proskouriakoff schloß daraus, daß szenische Darstellung und Text inhaltlich übereinstimmten und die Inthronisation eines neuen Herrschers verzeichneten. Bei dieser Zeremonie war auch die weibliche Linie vertreten, die die dynastische Nachfolge sicherstellte. Die späteren Stelen waren normalerweise alle 5 *Tun*, das sind ca. 5 Jahre, aufgestellt

Abb. 50 Bonampak, Chiapas, Wandmalerei aus Raum 1: Männliche Mitglieder der königlichen Familie bereiten sich auf das rituelle Blutopfer vor.

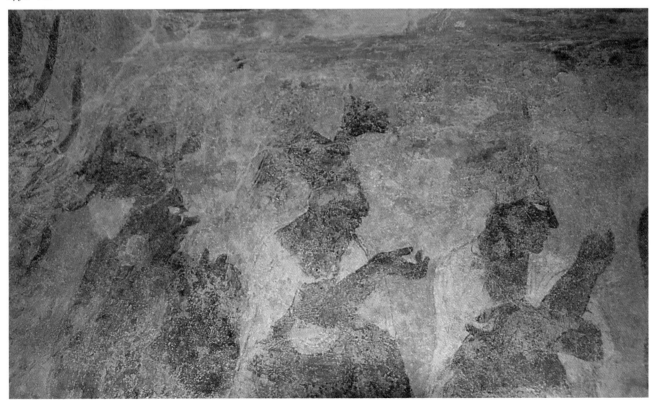

worden und berichteten über die weitere Amtszeit des Herrschers. Proskouriakoff identifizierte noch andere Ereignishieroglyphen in den Inschriften von Piedras Negras, darunter die für Geburt und Tod. Der zeitliche Rahmen einer jeden Gruppe überstieg die normale Lebenserwartung eines Menschen nicht, es ergaben sich jeweils 35, 47, 42, 28, 5 und 17 Regierungsjahre in der dynastischen Reihenfolge.

Palenque und das südwestliche Tiefland

Die Westregion des Maya-Tieflandes war der Raum, in dem sich die Beziehungen zwischen den Maya und anderen Bevölkerungsgruppen abspielten, die die Golfküste und das Hochland von Chiapas bewohnten. Außer in einigen der bekannten Maya-Städte, wie Palenque, Toniná und Comalcalco, ist in dieser Region verhältnismäßig wenig geforscht worden. Klar ist jedoch, daß Palenque d i e Macht im westlichen Tiefland während der Spätklassik war. Von den historischen Berichten Palenques ging in der Tat in den 70er Jahren die Initialzündung für den Durchbruch in der Hieroglyphenentzifferung aus. Daher wissen wir auch, daß diese Berichte den Schöpfungsmythos und die Erbfolgeregelungen ausführlicher behandeln, als das in irgendeiner anderen klassischen Maya-Stadt der Fall ist. So liefert uns Palenque also einen einzigartigen Einblick in die kosmologischen Vorstellungen, und wir erkennen auch, wie sowohl Mythos als auch Geschichte manipuliert wurden[40]. Paradox an der Situation in Palenque ist, daß es hier, ganz im Gegensatz zu Tikal und Copán, so gut wie keine archäologischen Grabungen gegeben hat, auf daß die aus den historischen Quellen gezogenen Schlüsse überprüft werden könnten.

Palenque liegt malerisch im Hang des hier nach Norden rasch abfallenden Hochlandes von Chiapas (Abb. 51, 93), das sich zu den weiten Ebenen an der Golfküste öffnet. Diese Gegend gehört zu den feuchtesten und am üppigsten bewachsenen Gebieten des Maya-Tieflandes. Palenque ist eines der ersten Zentren, die es nach den Umwälzungen und Veränderungen in der Mittleren Klassik zu eigener Geltung brachten. Die Ergebnisse in der bisherigen Entzifferung der Palenque-Texte ergaben eine ungewöhnlich vollständige Herrscherabfolge. Die Könige von Palenque präsentierten sich mit denselben äußeren Machtsymbolen, vollzogen die gleichen Riten, um den Fortbestand der Welt zu sichern, überfielen ihre Nachbarn, machten Gefangene und opferten sie. Sie häuften Prestige und Wohlstand an, die sie zu Lebzeiten über den Rest der Gesellschaft erhoben. In ihren prächtig ausgestatteten Gräbern setzten sich diese Unterschiede auch nach ihrem Tod fort. Obwohl die späteren Herrscher Palenques einen Gründerkönig kannten, benutzten sie doch nicht die übliche tz'ak-Glyphe, um ihre Position in der Erbfolge zu bezeichnen. Dies rührt wahrscheinlich daher, daß die normale Erbfolge zweimal durch neue väterliche Abstammungslinien unterbrochen wurde. In beiden Fällen regierte eine Frau, so daß der Herrschaftsanspruch an einen Erben überging, der einer anderen väterlichen Abstammungslinie angehörte; die gültige patrilineare Erbfolge war also unterbrochen.

Die Angaben zu den frühesten Palenque-Herrschern stellen eine Mischung aus Geschichte und Legende dar. Der erste, namens K'ix Chan, ist sicherlich eine mythische Gründerfigur, denn er soll über 1000 Jahre vor Beginn der Klassischen Zeit Palenques erster König gewesen sein. Die Texte verzeichnen dann eine offenbar historische Person, der man später die Rolle des Dynastiegründers zuwies, einen Mann namens Bahlum K'uk'. Geboren 397 n. Chr., trat er im Jahre 431 n. Chr. sein Amt an. Die folgenden sechs Palenque-Herrscher gehörten der väterlichen Linie Bahlum K'uk's an. Nach dem Tode des letzten männlichen Herrschers dieser Linie im Jahre 583 n. Chr. übernahm seine Tochter Kanal Ik'al das Amt, weil es vermutlich keinen männlichen Erben gab. Kanal Ik'al regierte als erste Frau im Herrscheramt Palenques über 20 Jahre hinweg bis zu ihrem Tod im Jahre 604 n. Chr. Mit der Amtsübernahme durch ihren Sohn Ak K'an im Jahre 605 n. Chr. besetzte eine neue väterliche Linie den Thron. Als nun bei seinem Tode im Jahre 612 n. Chr. wieder kein männlicher Thronerbe zur Verfügung stand, übertrug man die Herrschaft an Ak K'ans Nichte, Sak K'uk'. Aus ihrer Ehe mit Kan Bahlum Mo', von dem wir annehmen können, daß er zwar adliger Abkunft war, jedoch einer anderen vaterrechtlichen Linie ohne Herrschaftsanspruch angehörte, stammte ihr Sohn Pakal, der mit 12 Jahren alt genug war, um den Thron zu besteigen (Abb. 52). Damit öffnete Pakal der Linie seines Vaters Kan Bahlum Mo' den Zugang zur Herrscherwürde, was die zweite Erbfolgeänderung in der Geschichte Palenques darstellte. Nach den inschriftlichen Quellen hat Pakal, als er 683 n. Chr. starb, 67 Jahre lang regiert. Mit ihm werden die archäologischen und historischen Zeugnisse aus Palenque sehr viel greifbarer. Der Grund für den raschen

Abb. 51 Blick auf das Zentrum des antiken Palenque, Chiapas. ▷

Zuwachs an Macht und Ansehen liegt sicherlich nicht zuletzt in der Stabilität begründet, die das Ergebnis der langen Herrschaftszeit *Pakals* war, ähnlich wie wir das für Tikal mit der langen Lebenszeit seines Herrschers *Hasaw Chan* feststellen konnten. Die Ergebnisse aus der Entzifferung der Hieroglyphentexte, die *Pakal* und seine Nachfolger hinterlassen haben, erlauben nicht nur die Rekonstruktion der Herrscherfolge, sie ermöglichen auch einen einzigartigen Einblick in die Jenseitsvorstellungen der Klassischen Maya und die Methoden, mit denen die Könige diese Glaubensvorstellungen zur Erhaltung ihrer Position und Macht nutzten. Mit *Pakal* beginnt eine Periode, in der ausführlichere Angaben zum Schöpfungsmythos und zur Kosmologie gemacht werden. Diese vergleichsweise starke Betonung der religiösen Aspekte hat ihren Grund sicher in der Unterbrechung der patrilinearen Erbfolge. *Pakal* konnte väterlicherseits auf keinen Fall eine Familie mit Herrschaftsanspruch vorweisen, und diese Situation gab er an seinen Sohn und Nachfolger *Chan Bahlum* weiter. Um dessen Herrschaftsanspruch zu rechtfertigen und zu bekräftigen, sind die historischen Texte und Bildzeugnisse, besonders die auf seinem Sarkophag und dem Tempel der Inschriften, außergewöhnlich genau und ausführlich. *Chan Bahlum* führte in seinem großen Bauprojekt, den Tempeln der Sonne, des Kreuzes und des Blattkreuzes (Abb. 54), den Legitimitätsanspruch noch weiter (Abb. 53). *Pakal* und sein Sohn gründeten ihre Ansprüche zunächst auf einen historischen Präzedenzfall, nämlich *Sak K'uk's* Onkel *Ak K'an*, der auch seiner Mutter im Herrscheramt gefolgt war. Daneben aber konstruierten sie einen weit kühneren Ansatz, erhoben sie doch den Anspruch, Wiedergeburten mythologischer Wesen zu sein, die bei der Erschaffung der gegenwärtigen Welt eine Rolle gespielt hatten. In diesem Schöpfungsmythos hatten die drei Schutzgötter der Maya-Herrscher ihre Macht von der Urmutter geerbt, die aus der vorangegangenen Schöpfung stammte, und damit eine neue Ordnung geschaffen, die gegenwärtige Welt. Indem sie nun *Sak K'uk'*, die der vorangegangenen Herrscherlinie entstammte, in den Götterstand erhoben und sie mit der Urmutter identifizierten, erhoben *Pakal* und sein Sohn nicht nur einen göttlichen Anspruch auf das Herrscheramt, sondern sie vollzogen die Schöpfung einer neuen Weltordnung nach.

Auf *Pakal* folgte 132 Tage nach seinem Tod sein 48jähriger Sohn *Chan Bahlum*, der nur wenig mehr als 18 Jahre regierte. In seinen berühmten Bauwerken östlich des väterlichen Begräbnistempels führte *Chan Bahlum* die Argumentation, mit der er seinen von *Pakal* ererbten Herrschaftsanspruch erhärtete, noch weiter aus. Er vergöttlichte seinen Vater, beschrieb darauf die Vorgänge bei der Erschaffung der Welt und zeigte, wie diese durch den Wechsel von einer alten zu einer neuen Erbfolgeregelung in Palenque nachvollzogen wurde. Die Zeremonien, mit denen u. a. seine Einsetzung zum Herrscher und die Einweihung der Tempel selbst feierlich begangen wurden, werden in diesen Inschriften als eine Art Neuauflage der Erschaffung der gegenwärtigen Welt durch die Götter, die seine Vorfahren sind, beschrieben. *Chan Bahlum* starb im Jahre 702 n. Chr., und sein jüngerer Bruder *K'an Xul* wurde 53 Tage später mit schon 57 Jahren neuer Herrscher. Während der Regierung *K'an Xuls* scheint das Reich von Palenque seine größte Ausdehnung erreicht zu haben, erlitt dann aber seinen stärksten Rückschlag. Zu Beginn seiner Regierung ließ *K'an Xul* auf der Nordwestecke des Drei-Tempel-Komplexes seines älteren Bruders einen Tempel errichten. Eine zerbrochene Relieftafel aus diesem Gebäude stellt offenbar die Vergöttlichung *Chan Bahlums* dar. *K'an Xul* begann auch mit dem Bau des Nordtraktes in der prächtigen Herrscherresidenz, dem Großen Palast. Bei Grabungsarbeiten fand man hier eine große Steinplatte mit der Darstellung einer Inthronisation und einem langen hieroglyphischen Text. Dieser beschreibt die Regierungszeiten vergangener Herrscher und stellt offenbar *K'an Xuls* Amtsübernahme im Beisein seiner Mutter dar.

Es gibt zwar in Palenque keine Inschrift, die das nun folgende Ereignis festgehalten hätte, aber offenbar führte *K'an Xul* einen militärischen Schlag gegen die Nachbarstadt Toniná, um die nötigen Opfergefangenen zur Einweihung seines neuen Palastes einzubringen. In Toniná fanden die Archäologen den Beleg dafür, daß sich das Schicksal umkehrte. *K'an Xul* wurde durch den »Herrscher 3« von Toniná gefangengenommen und offensichtlich lange Zeit gefangengehalten, bevor man ihn schließlich opferte. Palenque und seinen Herrschaftsbereich müssen diese Ereignisse vollkommen demoralisiert haben. Die schon erwähnte Steinplatte, die sog. Palasttafel, berichtet, daß das neue Gebäude von einem Mann namens *Xok* vollendet und eingeweiht wurde, der als Platzhalter während des folgenden Interregnums agierte; denn ein neuer König konnte, solange der alte noch lebte, nicht gekürt werden. *K'an Xuls* Gefangennahme wurde in Toniná auf einem Relief festgehalten, das im Stil von den dort üblichen vollplastischen Skulpturen sichtlich abweicht.

Abb. 52 Palenque, Chiapas, Tempel der Inschriften: Sarkophagdeckel des Königs Pakal. Die Szene zeigt den Herrscher, der in den geöffneten Rachen des Unterweltmonsters stürzt. ▷

Es zeigt eine zurückgebeugte Figur, die an den drei Glyphen auf dem rechten Oberschenkel als *K'an Xul*, Palenque-*ahaw*, identifiziert werden kann. Am rechten Rand trägt die Relieftafel eine weitere kurze Inschrift, die das Kriegsereignis mit dem zugehörigen Datum vermerkt, an dem *K'an Xul* gefangengenommen wurde. Linda Schele vermutet aufgrund des Palenque-Stils von Tafel 122, daß hierin eine besondere Tributleistung der unterlegenen Stadt zu sehen ist: ein Steinmetz wurde offenbar nach Toniná (Abb. 56) abgestellt, um ein Siegesmal zu fertigen, das die Niederlage seines eigenen Herrschers verewigte (Abb. 55).

Mit der Opferung von *K'an Xul* konnte Palenque dann seine Geschicke in die Hand eines neuen Königs legen.

Abb. 53 Palenque, Chiapas, Sonnentempel: Umzeichnung des zentralen Reliefs mit den Porträts des verstorbenen Königs Pakal *und seines Sohnes* Chan Bahlum. *Die gekreuzten Speere und der Schild in der Mitte sind Hinweise auf den Sonnengott in seinem kriegerischen Aspekt. Die lange Inschrift beschreibt die Geburt des Gottes G III der Göttertrias von Palenque.*

Abb. 54 Palenque, Chiapas: Blick auf den Sonnentempel und den ▷ *Tempel des Blattkreuzes, im Vordergrund der nach dem Tode des* Chan Bahlum *errichtete Tempel 14.*

Abb. 55 *Toniná, Chiapas, Monument 122: Das Siegesmal zeigt den gefangenen Herrscher* K'an Xul *von Palenque.*

Chakaal wurde im Jahre 721 n. Chr. inthronisiert. Mit 43 Jahren an die Macht gekommen, scheint er nur eben ein Jahr regiert zu haben. Damals stieg einer seiner Gebietsfürsten, ein Mann namens *Chak Sutz',* zu einer einflußreichen Position in der politischen Hierarchie Palenques auf. *Chak Sutz'* ist wahrscheinlich auf der sog. Tafel der Sklaven abgebildet, die man in Gruppe IV fand, einem kleinen Palastkomplex westlich des Stadtkerns, in dem er gewohnt haben mag.

Darin deutet sich der Verfall der zentralen Macht an, eine Entwicklung, die auch anderswo zum Ende der Spätklassik, besonders in Copán (siehe unten), zu beobachten ist. Nach *Chakaal* offenbarte sich die Schwäche von Palenque. Im Jahre 771 n. Chr. erlangte Pomoná, das vormals unter seiner Oberhoheit gestanden hatte, wahrscheinlich seine Unabhängigkeit. Die letzte geschichtliche Person finden wir auf einem Tongefäß erwähnt. Hier wird die Amtseinführung eines Herrschers »6 *Kimi Pakal*« im Jahre 799 n. Chr. genannt, ohne daß Näheres über diesen Mann oder über das endgültige Schicksal der Palenque-Dynastie nach dem Ende des 8. Jahrhunderts bekannt wäre.

Copán und das Tiefland im Südosten

Die Südostregion ist wohl die vielgestaltigste des gesamten Maya-Tieflandes. Sie liegt in einer Übergangszone zwischen Hochland und Tiefland im Grenzgebiet zu Mit-

telamerika. In der Umgebung kommen wertvolle und leicht zugängliche Bodenschätze wie Jade und Obsidian vor. Die Verbindung zu den umliegenden Gebieten ermöglicht den Handel durch natürliche geographische Korridore und über die Karibische See. Ergiebige Regenfälle und fruchtbare Böden vulkanischen Ursprungs oder Schwemmland bieten ideale ökologische Voraussetzungen.

Copán (Abb. 101) ist der südlichste Staat der Klassischen Maya. Zusammen mit Quiriguá, im nahe gelegenen unteren Motaguatal, war es die beherrschende Macht im Grenzgebiet zu Mittelamerika. Während der Klassischen Zeit war Copán eine mächtige Metropole[41]. Obwohl man sie als Tieflandzentrum einstuft, wird ihre Lage von 700 m über NN in einem fruchtbaren Tal, umgeben von Bergen, doch von den ökologischen Bedingungen des Hochlandes geprägt. Copán ist mit Recht berühmt für seine prachtvolle Architektur und seine Skulpturen (Frontispiz, Abb. 103–105), eine auffallende Variante der üblichen Stiltradition des Maya-Tieflandes. Dieser Umstand erklärt sich wohl aus Copáns Lage inmitten fremder Bevölkerungsgruppen; man findet ähnliches häufig in den Grenzbereichen unterschiedlicher Kulturen.

Während der letzten 15 Jahre haben sich die archäologische und die historische Forschung stärker mit Copán beschäftigt als mit irgendeiner anderen Maya-Stadt. Wir wissen, daß das Copán-Tal schon früh in Präklassischer Zeit besiedelt wurde, zunächst auch wuchs und gedieh, sich dann in der Späten Präklassik aber wieder zurückentwickelte. Seine Geschicke nahmen jedoch während der Frühklassik wieder einen günstigen Verlauf. Die datierten Monumente decken den größten Teil der Klassischen Periode ab. Mehrere Texte aus späterer Zeit erwähnen die allerersten Anfänge des Staates von Copán, möglicherweise die Landnahme durch die ersten Maya-Herrscher. So nimmt Stele I Bezug auf die Zeitperiode, die 159 v. Chr. endete, und verzeichnet 208 Tage später ein noch nicht identifiziertes Ereignis. Spätere Herrscher leiten ihre Position in der dynastischen Herrscherabfolge von *Yax K'uk' Mo'* ab, der häufig noch den Titel des Gründers trägt. Obwohl die dynastische Sequenz nach *Yax K'uk' Mo'* bekannt ist, liegen doch die Regierungszeiten einiger Herrscher noch im dunkeln. Der Grund dafür ist, daß spätere Könige mit ihren Projekten die Bausubstanz und die in ihr greifbaren historischen Zusammenhänge aus früherer Zeit stark verändert haben. Der entschei-

Abb. 56 *Toniná, Chiapas: Die Ruinen von Toniná erheben sich* ▷ *hoch über das Tal von Ocosingo.*

Abb. 57 Copán, Honduras, Altar Q: Porträts von vier Herrschern auf ihren Namenshieroglyphen. Diese Könige folgten aufeinander an 3.–6. Stelle innerhalb der Dynastie von Copán.

dende historische Beleg für *Yax K'uk' Mo'* und seine Dynastie findet sich auf Altar Q, den der letzte Herrscher Copáns, *Yax Pak*, anfertigen ließ. Auf seinen vier Seiten sind die 16 Herrscher der Copán-Dynastie in Flachrelief dargestellt. Jeder sitzt auf seiner Namensglyphe wie auf einem Thronkissen (Abb. 57). Die Ahnenreihe beginnt mit *Yax K'uk' Mo'.* Er trägt seinen Namen als Hieroglyphe im Kopfschmuck und sitzt auf einem weiteren Zeichen, das ihn als Herrscher ausweist. *Yax Pak*, der 16. Herrscher, erhält von ihm das Amtsszepter überreicht (Abb. 58). Hinter *Yax K'uk' Mo'* folgt der zweite, und so fort reihen sich je vier Könige auf jeder Seite aneinander. Auf der Oberseite vermerkt Altar Q zwei Ereignisse aus der Regierungszeit von *Yax K'uk' Mo'*, und zwar die Präsenta-

tion seines Herrscherstabes und seine »Ankunft«, vielleicht auch »Gründung«, beides im Jahre 426 n. Chr.

Wie an den meisten anderen Orten ist auch in Copán vom Dynastiegründer selbst nichts erhalten. Stele 63 mit dem Datum 435 n. Chr. wurde 1989 bei Grabungen unter der berühmten Hieroglyphentreppe entdeckt und stellt das früheste Zeugnis dar. Hierbei kamen auch eine Reihe früherer Gebäude ans Licht. Eines davon war während der ersten Bauphase (ca. 400–500 n. Chr.) der Akropolis errichtet worden und barg den ursprünglichen Standort von Stele 63. In ihrem Text wird *Yax K'uk Mo'* mit einem wichtigen Ritual erwähnt, auf dessen Datum und Inhalt mehrere Spätklassische Monumente Bezug nehmen. Man kann daraus schließen, daß diese auf Stele 63 erstmals

Abb. 58   Copán, Honduras, Altar Q: Dieses Denkmal wurde von Yax Pak zur Feier seiner Thronbesteigung im Jahre 763 n. Chr. in Auftrag gegeben und zeigt ihn zusammen mit seinen 15 Vorgängern, auf insgesamt vier Seiten verteilt. Auf der hier abgebildeten Seite des Altars sitzen links der Dynastiegründer Yax K'uk' Mo' und sein Nachfolger, ihm gegenüber Yax Pak rechts zusammen mit dem 15. Herrscher, seinem Vorgänger »Rauch-Muschel«. Mit gekreuzten Beinen hocken sie auf ihren Namensschriftzeichen. Die beiden Hieroglyphen zwischen den Köpfen von Yax Pak und Yax K'uk' Mo' bezeichnen das Datum der Thronbesteigung.

erwähnte Handlung auch noch weit später für bedeutsam gehalten wurde. Die gegenwärtig laufenden Grabungen lassen erkennen, daß die Bautätigkeit auf der Akropolis etwa 400 n. Chr. mit der Errichtung einer Reihe monumentaler Plattformen und Gebäude begann, die zeitlich mit der historisch belegten Gründung der Dynastie durch *Yax K'uk' Mo'* zusammenfallen. Diese frühen Bauwerke auf der Akropolis stellen den ersten Königspalast an diesem Platz dar. Seine Größe und kunstvolle Ausführung sind ein Anzeichen für das Einsetzen zentraler politischer Macht in Copán, und zwar genau in dem

Zeitraum, der nach den Inschriften mit der Dynastiegründung und der Herrschaft der ersten Könige zusammenfiel. Obwohl historisch kaum greifbar, lassen die archäologischen Zeugnisse doch erkennen, daß analog zu späteren Zeiten auch die frühen Könige eine rege Bautätigkeit entfalteten. Zu der fast ununterbrochenen Renovierung und dem Umbau einzelner Gebäude traten mindestens zwei größere Projekte, in deren Verlauf der größere Teil der Akropolis baulich völlig umgestaltet wurde. Zeitlich zwischen 500 und 700 n. Chr. anzusetzen, fallen diese Projekte in die Amtszeiten des 5. und

Abb. 59 Copán, Honduras, Stele C: Eine der vielen Stelen, die König Waxaklahun Ubah *auf dem Hauptplatz errichten ließ. Sie zeigt vermutlich das bärtige Angesicht eines der königlichen Ahnen.*

11. Herrschers. Die Inschrift auf einem wiederverwendeten Stein erwähnt den 7. Herrscher, »Seerose-Jaguar«. Er legte seinen Palast offenbar auf der Südseite der Großen *Plaza* an und nannte ihn das »Haus des *Mah K'ina Yaɣ K'uk' Mo'*«, wie David Stuart die Inschrift auf seiner Türschwelle liest.

Etwas mehr wissen wir über den 10. Herrscher, »Mond Jaguar«, der sein Amt 553 n. Chr. angetreten hat und 578 n. Chr. starb. Bei Grabungen kam ein zugeschüttetes, mit Stuckmasken verziertes Gebäude ans Licht, das offensichtlich während der Amtszeit von *Butz' Chan*, des

11. Herrschers, errichtet worden war. Auch in ihm wurde ein wiederverwendeter Stein entdeckt, dessen Inschrift sich auf »Seerose-Jaguar« bezieht. *Butz' Chan* hatte mit 46 Jahren (578–626 n. Chr.) eine der längsten Regierungszeiten. Unter ihm griff der Staat von Copán über seine früheren Grenzen hinaus, denn der Text auf einem seiner Denkmäler, der Stele P, vermerkt das Emblem von Los Higos, einem kleineren Ort östlich von Copán. Der 12. Herrscher, »Rauch-*Imiɣ*«, *Butz' Chans* Nachfolger, betrieb dessen expansive Politik mit Nachdruck. »Rauch-*Imiɣ*« herrschte länger als irgendein anderer König von Copán, nämlich 67 Jahre (628–695 n. Chr.). Während dieser langen Periode der Stabilität erreichte Copán seinen Höhepunkt an Ausdehnung, Macht und Ansehen. Damals gehörte offenbar auch das 50 km nördlich gelegene Quiriguá, der bedeutendste von Copán abhängige Ort, und damit das untere Motaguatal mit seinem fruchtbaren Ackerland und seiner strategischen Kontrolle über die »Jadestraße« zu diesem Reich. Mit der Reihe von Denkmälern am Ost- und am Westzugang des Copántales steckte »Rauch-*Imiɣ*« im Jahre 652 n. Chr. die äußeren Grenzen seiner Hauptstadt neu ab.

Nach dem Tode von »Rauch-*Imiɣ*« übernahm im Jahre 695 n. Chr. der Herrscher *Waxaklahun Ubah*, in der älteren Literatur meist »18 Kaninchen« genannt, den Thron. Im Unterschied zu seinem Vorgänger wandte er sich mit seinem Bauprogramm dem Stadtkern von Copán zu. Möglicherweise hatte »Rauch-*Imiɣ*« die letzte Ausbaustufe der Akropolis bereits in Angriff genommen; der Großteil der Anlage in der heute sichtbaren Form geht jedoch auf die Herrschaft von *Waxaklahun Ubah* zurück. Dazu gehört Struktur 22, welche den Osthof auf seiner Nordseite überragt und das letzte in einer Reihe ähnlicher Gebäude an dieser Stelle ist, die man als »heilige Berge«, erkennbar an den Eckmasken mit den *witz*-Markierungen, errichtet hatte. Eine Renovierung der Großen *Plaza* nördlich der Akropolis nahm *Waxaklahun Ubah* zum Anlaß, dort seine Stelen aufzustellen (Abb. 59). Es sind dies Copáns beeindruckendste Bildwerke. In fließendem, tiefem Relief geschnitten, stellen diese Monumente den Höhepunkt der Bildhauerkunst in Copán dar (Abb. 60). Stele A verkündet, daß *Waxaklahun Ubahs* Königreich in dieser Zeit vor 731 n. Chr. auf einer Höhe mit nur drei anderen stand: Tikal, Palenque und Calakmul. Damit zählte es zu den vier größten Herrschaftsbereichen der Maya-Welt. Das abschließende Projekt in der Amtszeit von *Waxaklahun Ubah* mag der Endausbau des Großen Ballspielplatzes gewesen sein. In seiner Lage südwestlich der Hieroglyphentreppe befand sich der Ballspielplatz an einer Stelle, wo das öffentlich zugängliche Gelände der Großen *Plaza* im Norden an die »verbotenen« Tempel und

Paläste der Copán-Herrscher auf der Akropolis im Süden der Stadtanlage stieß. Das Datum seiner Einweihung, 738 n. Chr., ist auf dem Ostgebäude verzeichnet. Es liegt nur 113 Tage vor *Waxaklahun Ubahs* Gefangennahme und Hinrichtung durch *Butz' Tiliw* von Quiriguá. Es ist nicht ausgeschlossen, daß der König von Copán die Siedlungen an der Nordgrenze seines Reiches überfiel, um Gefangene für die Einweihung seines neuen Ballspielplatzes zu machen, dabei aber seinem einstigen Untertanen aus Quiriguá in die Hände fiel.

Darin gipfelten Ereignisse, die 13 Jahre zuvor ihren Anfang genommen hatten, als *Waxaklahun Ubah* die Einsetzung eines neuen *ahaw* namens *Butz' Tiliw* in Quiriguá mit seiner Anwesenheit beehrt hatte[42]. Auf späteren Monumenten vermerkt *Butz' Tiliw*, daß diese feierliche Amtseinführung »im Lande von *Waxaklahun Ubah* von Copán« im Jahre 725 n. Chr. stattgefunden habe. Altar L aus Quiriguá erwähnt, daß der Ort zur Zeit von »Rauch-*Imix*« unter der Herrschaft Copáns gestanden habe. Diese Abhängigkeit Quiriguás könnte jedoch noch älter sein. Kurz nach Übernahme des Herrscheramtes von Quiriguá nahm *Butz' Tiliw* ein eigenes Emblem an und beanspruchte damit den Titel eines *k'ul ahaw*. Altar M aus dem Jahre 734 n. Chr. bezieht sich offenbar auf ein noch nicht erkanntes Ereignis, das die Forderung Quiriguás nach Unabhängigkeit von Copán dokumentieren mag. So zielten die ehrgeizigen Pläne *Butz' Tiliws* auf die Kontrolle über den einträglichen Handel, der durch sein Gebiet floß, ab. Das mußte zum Konflikt mit Copán führen. Das Geschehen erreichte 738 n. Chr. seinen Höhepunkt, als *Butz' Tiliw Waxaklahun Ubah* gefangennahm und opferte. Danach war Copáns Führungsrolle in der Südostregion gebrochen, und eine Lücke von 20 Jahren in seinen Inschriften mag den politischen und wirtschaftlichen Tiefstand widerspiegeln. Allein dadurch, daß Quiriguá unabhängig wurde, war Copán entscheidend getroffen, einer wirklichen Eroberung hätte es gar nicht bedurft. In einem großangelegten Bauprogramm gestaltete der Herrscher von Quiriguá während der restlichen Jahre seiner 60jährigen Regierungszeit den Ort völlig um, ein schlagender Beweis für den neuerlangten Wohlstand und das Ansehen, die dem Sieg über Copán folgten. Copán hingegen hatte die Kontrolle über den Handel auf der Motaguaroute verloren, die gleichzeitig die direkteste Verbindung zu den Zentren des Tieflandes war. Wie im Falle anderer Städte auch, deren Herrscher gefangengenommen und geopfert worden waren, bedeutete diese Situation für Copán den Verlust von Prestige und Selbstwertgefühl, denn die Götter hatten ihren Segen für seine weitere Zukunft genommen.

Während Quiriguá aufblühte, ließ sich Copán kaum ver-

Abb. 60 *Copán, Honduras, Stele N: Dieses Denkmal gehört zu den großen Meisterleistungen der Steinmetzkunst. Sie wurde von »Rauch-Muschel«, dem 15. König der Herrscherdynastie von Copán, in Auftrag gegeben.*

nehmen. Das wenige, was wir aus Copán über den Nachfolger von *Waxaklahun Ubah* wissen, stammt aus Hinweisen in späteren Texten, die einen Herrscher namens »Rauch-Affe« erwähnen. Er war 39 Tage nach *Waxaklahun Ubahs* Tod inthronisiert worden. Es wäre allerdings auch möglich, daß *Butz' Tiliw* Copán während dieser Zeit unter seine Herrschaft bekam und »Rauch-Affe« die Rolle des Untergebenen spielte. »Rauch-Affe« erhielt den Status des 14. Herrschers von Copán vielleicht erst im nachhinein, als spätere Herrscher die Schmach der Niederlage zu verdecken suchten. Jedenfalls nutzte *Butz' Tiliw* den Sieg, um zu Hause sein eigenes Ansehen zu mehren. In der Kette von Titeln, die seinem Namen in den Inschriften von Quiriguá folgen, verwendet er häufig den Fledermauskopf aus der Emblemglyphe von Copán.

In den 10 Jahren nach *Waxaklahun Ubahs* Tod zeigt sich der Niedergang Copáns nicht zuletzt in den innenpolitischen Veränderungen nach dem katastrophalen Verlust des Herrschers. Die staatliche Autorität scheint in dieser kritischen Zeit nur durch Teilung der Macht unter die Oberhäupter der höchsten Adelsfamilien in bisher nicht gekanntem Maße aufrechterhalten worden zu sein. Einen Hinweis darauf liefert das einzige aus diesem 10-Jahres-Zeitraum bekannte Gebäude, dessen Bezeichnung *popol na*, d. h. Rathaus, aus den Skulpturen und Glyphen seiner zusammengebrochenen Fassade rekonstruiert werden konnte. Hier trafen sich die Oberhäupter der höchsten Adelsfamilien zu ihren Beratungen, d. h., hier wurden die Staatsgeschäfte von Copán abgewickelt. William Fashs Ausgrabung von Struktur 26 hat Hinweise darauf erbracht, daß dieses bedeutendste Bauwerk Copáns um die gleiche Zeit in Angriff genommen wurde. Copáns Wiedererstarken drückt sich auf eindrucksvolle Weise in der berühmten Hieroglyphentreppe aus, die vom 15. Herrscher »Rauch-Muschel« fertiggestellt und eingeweiht wurde (Abb. 61). Ihre besondere Bedeutung liegt in ihrer Lage unmittelbar über dem ersten Heiligtum des Ortes, dem Kultschrein für den Dynastiegründer *Yax K'uk' Mo'.* Diese Treppe stellt mit ihren 2200 Glyphen die längste in Stein gehauene Maya-Inschrift dar. Geschmückt mit den Figuren der Kriegergötter Copáns schildert sie ihre ruhmreiche Geschichte. Sie wurde von den Nachfolgern *Waxaklahun Uhabs* geschaffen, um die Erniedrigung durch Quiriguá vergessen zu machen und das Ansehen Copáns und seiner alten Herrscherdynastie wiederherzustellen. Die kosmische Ordnung war auf diese Weise mit der Rückkehr Copáns auf seinen angestammten Rang in der Maya-Welt wiederhergestellt. »Rauch-Muschel« ging duch seine Heirat mit einer Frau aus der Königsfamilie von Palenque ein Bündnis mit einer der wichtigsten Spätklassischen Maya-Städte ein. Aus dieser königlichen Verbindung ging der nächste Herrscher von Copán hervor. Doch obgleich Copáns Prestige nach außen hin wiederhergestellt worden war, scheint das Königtum sich nicht wirklich von der Niederlage »18 Kaninchens« erholt zu haben.

Die Texte verzeichnen die Amtseinführung von *Yax Pak* für das Jahr 763 n. Chr. Er sollte der 16. und letzte in der Herrscherfolge Copáns sein. Seine Amtszeit ist von dem Bemühen geprägt, die Zentralgewalt in der geschwächten Form, wie sie von seinen Vorgängern geerbt hatte, wenigstens zu bewahren. Doch der Versuch, den Staat zusammenzuhalten, indem er den Status und den Wohlstand seiner untergebenen Amtsträger anhob, scheint den Adel nur noch gestärkt zu haben. Die Autorität dieser höchsten Repräsentanten des Geburtsadels, die sich vermutlich im *popol na* regelmäßig trafen, drückt sich in Gestalt der reliefverzierten Bänke aus, auf denen sie wie verkleinerte Ausgaben des Herrschers ihren Platz einnahmen. Eine ganze Reihe solcher Bänke ist in den Wohnbezirken der Vorstadt gefunden worden. Die letzten Jahre von *Yax Pak* finden sich nirgends verzeichnet. Das *k'atun*-Ende von 810 n. Chr. wird nicht in Copán, sondern in Quiriguá erwähnt. Danach hat *Yax Pak* dort die Zeremonie zusammen mit dem neuen Quiriguá-Herrscher »Jade-Himmel« begangen. Die Tatsache, daß diese Zeremonie außerhalb der Hauptstadt stattfand, mag bedeuten, daß *Yax Pak* zu dieser Zeit aus seiner Heimatstadt vertrieben worden war. Stele 11 (Abb. 102) von Copán, im Jahre 820 n. Chr. eingeweiht, stellt den alten *Yax Pak* nach seinem Tode dar. Das Ende der dynastischen Herschaft wird auf seinem letzten datierten Monument, Altar L, verzeichnet, einer etwas überzeichneten Version von Altar Q. *Yax Pak* sitzt *U Kit Tok'* gegenüber, der ihm als 17. Herrscher nachzufolgen gedachte. Doch aus der Tatsache, daß Altar L nie fertiggestellt wurde, läßt sich schließen, daß diese Amtsübergabe nicht zustande kam. Die Hieroglyphenblöcke auf der Rückseite wurden nie ausgemeißelt, die Seitenteile blieben leer. Wie Altar L seine Bestimmung, so hatten die Könige von Copán ihre Macht verloren.

Wie aus diesem Überblick deutlich wird, wuchs die Tieflandkultur während der Spätklassik weiter. Sowohl in räumlicher Ausdehnung wie in der Vielfalt des Ausdrucks stellt diese Zeit den Höhepunkt der Entwicklung dar. Wahrscheinlich war es nur eine Frage der Zeit, daß sich mit dem Anwachsen der Bevölkerung und der Anzahl der Erbadelslinien das soziale Bild im Tiefland insgesamt zu wandeln begann. Diese Entwicklung führte dazu, daß sich ältere und alteingesessene Mächte der Herausforderung durch eine wachsende Zahl kleinerer Zentren gegenübersahen, die wiederum untereinander ihre Positionskämpfe austrugen. Einige verbündeten sich mit mächtigeren Herrschaftsbereichen, andere bemühten sich, unabhängig zu bleiben, oder wurden unterwor-

Abb. 61 Copán, Honduras, Bauwerk 26: Die sogenannte Hiero- ▷
glyphentreppe besitzt den längsten bekannten hieroglyphischen Text des Tieflandes. Er beinhaltet eine Zusammenfassung der Geschichte der königlichen Dynastie von Copán.

fen und den Gebieten größerer Zentren einverleibt. Wieder andere machten sich bei der ersten sich bietenden Gelegenheit unabhängig.

Das führte dazu, daß sich die Maya-Welt in der Spätklassik nach außen weiter ausgebreitet, intern aber stark zersplittert hat. Souveränität in wirtschaftlicher und politischer Hinsicht existierte nur auf der Ebene einer Vielzahl ständig an Zahl zunehmender Zentren. Dennoch überrascht die in Spätklassischer Zeit anzutreffende Einheitlichkeit auf vielen Gebieten. Sie ist ein Indiz für häufige Kontakte und selbst Bündnisse zwischen den Zentren. Schon vor Jahren stellte Proskouriakoff fest, daß der stilistischen und ikonographischen Vielfalt, die für viele frühklassische Denkmäler typisch ist, ein weitgehend einheitlicher Kunststil folgt[43]. In der Wissenschaft erkennt man neuerdings aber auch regionale Stilentwicklungen, z. B. die erzählenden Darstellungen in der Usumacinta-Region. Ebenso wird die Kleinkunst, vor allem die künstlerisch aufwendig gestalteten Keramiken, von einem weitgehend einheitlichen Stilhorizont geprägt. Es ist bedeutsam, daß alle diese Kulturschöpfungen Produkte der Oberschicht sind. Ihre Ähnlichkeit ist ein Zeugnis für intensive Kontakte und enge Zusammenarbeit unter den herrschenden Schichten der meisten Tieflandzentren. Die Inschriften mit ihren detaillierten Angaben über den Austausch von Heiratspartnern und selbst militärische Bündnisse erhärten zusätzlich diesen Eindruck einer Atmosphäre der Zusammenarbeit innerhalb der Oberschicht zusätzlich.

Es sollte jedoch noch einmal deutlich gesagt werden, daß es trotz dieser Gemeinsamkeiten keinerlei Hinweise auf einen politischen oder auch nur wirtschaftlichen Überbau für die Maya-Staaten der Späten Klassik gibt. Statt dessen stellt sich die politische Landschaft als ein Bild vieler unabhängiger Kleinstaaten dar. Deren Unabhängigkeit drückt sich vermutlich in der Tatsache aus, daß ihre Herrscher eine Emblemglyphe führten. In ihrer räumlichen Ausdehnung und politischen Macht waren sie jedoch sicherlich recht unterschiedlich. Diese Unterschiede in Macht und Größe waren das Ergebnis eines Wettstreites, der auf vielen Ebenen, angefangen von der wirtschaftlichen bis zur ideologischen, ausgetragen wurde.

Die Vorgänge im einzelnen werden durch die Verbindung archäologischer und geschichtlicher Quellenforschung in wachsendem Maße rekonstruierbar[44]. Der Prozeß von Expansion und Diversifizierung, den wir hier vor uns haben, wurde durch wachsende Rivalität angeheizt. Dabei ging es um die Quellen des Wohlstandes im Tiefland, d. h. um Land, Handel, Menschen, Macht und Ansehen, wovon jeder Herrschaftsbereich soviel wie

möglich unter seine Kontrolle zu bekommen suchte. Gegen Ende der Späten Klassik erreichte der Krieg als der gewaltsamste Ausdruck der Rivalität sowohl von der Häufigkeit wie vom Umfang her eine solche Intensität, daß in einigen Gebieten die überkommene Gesellschaftsordnung ins Wanken geriet oder gar zerfiel. Gleichzeitig brachten das starke Bevölkerungswachstum und die zunehmende Ausbeutung der Umwelt das ökologische Gleichgewicht an seine kritische Grenze. Alle diese Faktoren zusammengenommen bewirkten, daß sich das Tiefland während der folgenden Endphase der Klassik in einigen Aspekten entscheidend verändern sollte.

Die Endphase der Klassik

In weiten Bereichen des Tieflandes läßt sich in dieser Schlußphase der Klassik ein dramatischer Abstieg feststellen. Diese Periode von etwa 790 bis 889 n. Chr.[45] ist daran erkenntlich, daß alle Aktivitäten, die sich im archäologischen Fundbild niederschlagen, zunächst schwächer werden und dann aufhören. Dieser Prozeß läßt sich in weiten Bereichen desselben Raumes verfolgen, der zuvor die größten Errungenschaften der Klassischen Periode gesehen hatte. So war gegen Ende dieses Zeitraumes der Bau größerer Gebäude oder anspruchsvoller Wohn- und Kultbauten in den meisten Tieflandstädten zum Erliegen gekommen. Denkmäler mit dynastischen und kalendarischen Angaben in ihren hieroglyphischen Texten wurden nicht mehr errichtet. Das letzte bekannte Datum in der Langen Zählung ist 10.4.0.0.0 (20.1. 909 n. Chr.) auf Monument 101 von Toniná. Die kunstvoll gefertigten traditionellen Kult- und Prestigeobjekte aus Keramik, Jade, Holz, Knochen und Muscheln verschwanden fast völlig, so daß der Niedergang also auch die herrschende Oberschicht erfaßt hatte (s. S. 239ff.).

Gleichzeitig erreichten im Norden zu dem Zeitpunkt, als die Städte des Südens dahinsiechten, viele Zentren den Höhepunkt ihrer Entwicklung. Doch die aufstrebenden Staaten Yucatáns zeigen schon grundlegende politische Veränderungen[46]. Die lange Zählung z. B., die alle hohen Herrscher der Klassischen Maya-Städte für die

Abb. 62 Sayil, Yucatán: Der Palast ist ein gutes Beispiel für die langen Raumfluchten und Säulenreihen, die für den Puuc-Stil charakteristisch sind. ▷

86

Chroniken ihrer Großtaten benutzt hatten, wurde weder im Norden noch im Süden weiter verwendet. Im gesamten Maya-Gebiet verschwinden die Positionen und Personen, die das höchste Herrscheramt repräsentiert hatten, nach dem 9. Jahrhundert fast völlig aus den Inschriften und Bildwerken. Diese politischen Veränderungen lassen sich am deutlichsten an Malerei und Skulptur ablesen. Die Abbilder individueller Herrscher, mit allen Insignien ihrer überweltlichen und weltlichen Macht vorgestellt, sind typisch für die meisten Stelen der Klassischen Zeit. Bis auf die Gefangenen unter ihren Füßen stehen sie allein und allem Irdischen entrückt da. In der Spätklassik steht der Herrscher schon nicht mehr einsam im Mittelpunkt des Geschehens. Seine Untergebenen, Angehörige der Oberschicht wie er, erscheinen zunehmend auf den Monumenten. Sie tragen ehrenvolle Titel, belegen hohe Ämter, machen Gefangene und wohnen in größeren und anspruchsvolleren Palastbauten. Während der Endphase der Klassik verschwinden die Abbilder von Herrschern fast völlig. Statt dessen zeigen Reliefs oder Wandbilder mehrere Personen offensichtlich gleich hohen Ranges.

Neuere Forschungsergebnisse aus Copán gewähren hier interessante Einblicke. Dort erlitt die Institution der zentralen Herrschergewalt im 8. Jahrhundert einen entscheidenden Rückschlag. Die Ursachen für den Niedergang ihrer Autorität lagen nicht so sehr in einem besonderen Vorfall – hier dem Verlust eines einzelnen mächtigen Herrschers, *Waxaklahun Ubah* –, sondern entwickelten sich aus der Machtteilhabe, die seine Nachfolger in dem Bemühen einführten, sich vom erlittenen Rückschlag zu erholen. Diese Entwicklung setzte sich fort, steigerte sich sogar mit der Regelung, Macht und Titel zu teilen. Der Druck, unter dem Copáns letzte Herrscher standen, ist Ausdruck eines allgemeinen Problems, dem sich die herrschende Schicht auch in anderen Maya-Zentren gegenübersah. In ihrer Gesamtheit führten diese Prozesse zum Zerfall der Amtsautorität des höchsten Herrschers. Obwohl spezielle Anlässe von Region zu Region unterschiedliches Gewicht und unterschiedliche Folgen gehabt haben mögen, scheinen die Auflösungsprozesse, die zum Ende der Klassischen Maya-Kultur führten, in weiten Bereichen des Tieflandes ähnlich und miteinander verknüpft gewesen zu sein. In vielen Gebieten war diese Entwicklung von einem allmählichen Schwund der Bevölkerung begleitet. Dieser demographische Abwärtstrend trat in den Jahrhunderten nach dem politischen Zusammenbruch auf, als die Bevölkerung in den gescheiterten und durch Kriege verwüsteten Staaten langsam absank und sich dann umverteilte, angezogen von den neuerstandenen, aufblühenden Zentren, die sich in der Mehrzahl nicht im traditionellen Kern, son-

dern außerhalb des Maya-Tieflandes finden. Betrachtet man das Maya-Gebiet in seiner Gesamtheit, stellt man eine lange Entwicklung fest, die sich über mehrere Jahrhunderte hinzog. So stellt sich der Zusammenbruch der Klassischen Maya-Kultur eher als eine evolutionäre Entwicklung denn als plötzliche Katastrophe dar.

Yucatán, oder besser der Norden des Maya-Tieflandes, verzeichnet infolge dieser Vorgänge in der Endphase der Klassik den größten Zuwachs, sowohl an Bevölkerung als auch an Wohlstand. Einige der älteren Herrschaftsbereiche in Yucatán, wie Cobá, konnten die Veränderungen dieser Ära nicht nur unbeschadet überstehen, sondern erfuhren vermutlich sogar noch eine Bereicherung durch die nach Norden abwandernde Bevölkerung des Südens. Das Gebiet, in dem sich das Wachstum in der Endphase der Klassik am eindrucksvollsten manifestiert, ist die Puuc-Region[47]. Einige der schönsten und eindrucksvollsten Maya-Bauwerke überhaupt sind in dem unverkennbaren Baustil des Puuc ausgeführt (s. S. 133ff.).

Für eine Reihe von Puuc-Städten, darunter Uxmal, Kabáh, Sayil (Abb. 62), Labná (Abb. 82–84) und andere spielte sich dieser Prozeß von Gründung, Wachstum und Blüte in dem verhältnismäßig kurzen Zeitraum der Endklassik zwischen 800 und 1000 n. Chr. ab. Es scheint, daß die Besiedlung des Puuc durch die Bevölkerungsverschiebungen und andere Veränderungen, die infolge des Niederganges der Klassischen Tieflandstädte auftraten, ausgelöst worden ist. Es kann kaum ein Zweifel daran bestehen, daß diese neuen Städte das unmittelbare Ergebnis der Zuwanderung aus dem Süden sind. Diese spielte sich jedoch nicht als eine Massenauswanderung, sondern in Form einer allmählichen Umverteilung der Bevölkerung ab, die sich über ein Jahrhundert oder mehr hinzog. In der Zeit vor der Endphase der Klassik war der Puuc nur spärlich besiedelt, wahrscheinlich weil es hier Trinkwasser weder an der Oberfläche noch in *cenotes* gab. So war es schwierig, die Wasserversorgung während der langen Trockenzeit sicherzustellen. Die Böden dieser Hügelregion gehören jedoch zu den besten in Yucatán. Als man, mit entsprechendem Aufwand an Motivation und Energie, künstliche Wasserspeicher oder Zisternen anlegte, wurde der Puuc in der Endphase der Klassik zu einem dicht besiedelten Gebiet.

Die hohe Siedlungsdichte und – damit verbunden – die

Abb. 63 Chichén Itzá, Yucatán: Blick vom Kriegertempel zum ▷ Castillo.

ungewöhnlich geringen Entfernungen zwischen den Puuc-Städten könnten vermuten lassen, daß die gesellschaftliche Atmosphäre spannungsgeladen war. Widersprüchlich sind die Indizien: Uxmal hat zwar eine Umfassungsmauer, sie dürfte sich jedoch für Verteidigungszwecke kaum geeignet haben, weil sie zu niedrig ist. Die wenigen erhaltenen Skulpturen, wie in Kabáh, bilden Krieger mit ihren Gefangenen ab.

Vergleicht man die Situation mit dem südlichen Tiefland, wo sich in immer kürzeren Abständen die kriegerischen Auseinandersetzungen häuften, so gewinnt man den Eindruck, daß im Norden eine politische Ordnung gefunden wurde, in der es weniger auf Macht und Ansehen des einzelnen ankam und wo auch das im Kampf gewonnene Prestige nicht eine so große Rolle spielte. Die geringe Anzahl hieroglyphischer Texte und die wenigen Abbildungen von Angehörigen der herrschenden Oberschicht sind der Grund, warum wir immer noch verhältnismäßig wenig von der politischen Organisation dieser Städte wissen. Vielleicht wurden sie von Adelsfamilien regiert, die durch Heiratsverbindungen oder auch politische Allianzen eine wirksame und dauerhafte Zusammenarbeit entwickelt hatten. Es ist auch möglich, daß eine Stadt die Herrschaft über die gesamte Region an sich gebracht hatte und so verhältnismäßig friedliche Verhältnisse während des größeren Teiles der Endphase der Klassik durchsetzen konnte. Für die Rolle einer solchen »Supermacht« der Puuc-Region käme am ehesten die größte Stadt, Uxmal, in Frage.

Das Paradebeispiel für eine solche regionale Machtposition im Zeichen der neuen politischen Ordnung ist Chichén Itzá (Abb. 63, 164–167), das größte und mächtigste Zentrum, das fast genau im Herzen des nördlichen Tieflandes liegt[48]. Mehrere Faktoren kamen zusammen, um Chichén Itzá in seine beherrschende Position zu bringen. Seine zentrale Lage wurde bereits erwähnt, dazu kam, wie bei anderen erfolgreichen Staaten auch, eine dominierende Rolle im Handel. Hier hatte Chichén Itzá über seinen »Seehafen« Isla Cerritos vor der Nordküste Yucatáns eine günstige Verbindung zu dem sich rasch entwickelnden Küstenhandel.

Militärische Schlagkraft war mit Sicherheit ebenfalls ein bedeutsamer Faktor. Das läßt sich an der Vielzahl der Darstellungen von Kriegen, Gefangenen und Menschenopfern ablesen. Aber auch ideologische Faktoren treten hinzu; denn Chichén Itzá war mit seinen Tempeln, besonders aber dem Heiligen *Cenote*, ein bedeutendes religiöses Kultzentrum, das seine Funktion als Wallfahrtsort mit besonderer Anziehungskraft auch dann noch behielt, als die Stadt selbst längst verlassen worden war. Schließlich können wir zu diesen Faktoren noch die

stabile und zugleich anpassungsfähige Regierungsform zählen, die sich zur Verwaltung eines Eroberungsstaates als bei weitem geeigneter erwies als die traditionelle politische Organisation der Maya.

Unsere Anhaltspunkte für die politische Organisation des Staatswesens, das Chichén Itzá darstellte, lassen sich nicht so unmittelbar aus den Quellen ableiten, wie das bei den Herrschaftsbereichen des Tieflandes in der Klassik möglich ist. Eines der kennzeichnenden Merkmale der neuen politischen Ordnung Yucatáns ist das Fehlen historischer Texte, von Daten in der Langen Zählung und Darstellungen eines *ahaw* oder obersten Herrschers. Wandbilder und Skulpturen in Chichén Itzá bilden eine Vielzahl von Personen gehobenen Standes in den unterschiedlichsten Funktionen ab. Dazu gehören Krieger, Priester und Ballspieler. Wie David Kelley vermutete und Ruth Krochock und andere bestätigen, verzeichnen die beschrifteten Türstürze die Einweihung der Gebäude, nicht jedoch die Großtaten der Herrscher. Die spärlichen Texte benennen nach bisherigem Forschungsstand acht herausragende Persönlichkeiten, und zwar drei Frauen und fünf Männer. Sie werden jedoch nicht mit Hieroglyphen verbunden, die ihre Abstammung innerhalb einer Herrscherfamilie beschreiben, wie das in den meisten Texten der Klassischen Periode der Fall ist.

Vielmehr findet man in den Inschriften von Chichén Itzá die hieroglyphische Bezeichnung für »leiblicher Bruder« als Ausdruck der Beziehung männlicher Personen untereinander. Mindestens drei der Männer werden als »Brüder« bezeichnet.

Insgesamt weisen also die Belege darauf hin, daß die politische Macht in Chichén Itzá nicht in der Person eines einzelnen Menschen konzentriert war, sondern bei einer Gruppe gelegen hat, die vielleicht wirklich aus Brüdern bestand. Wahrscheinlicher ist allerdings, daß der Begriff »Brüder« hier im Sinne von Oberhäuptern verwandter oder verbündeter Adelslinien zu verstehen ist. Das wäre dann die Regierung durch eine Art »Obersten Rat« gewesen, dessen Mitglieder jeweils ein spezifisches Amt bekleidet und dazu – oder auch in getrennter Verantwortung – einen Teil des Staatsterritoriums verwaltet hätten. Der bekannte Ethnohistoriker Ralph Roys hat diese Regierungsform für die späteren yukatekischen Staatsgebilde nachgewiesen. In einigen war sie noch zur Zeit der Eroberung im 16. Jahrhundert üblich und wurde *multepal*, d. h. »Regierung durch eine Gruppe«, genannt. In dieser späten Periode war auch noch eine besondere Gebäudeart weit verbreitet, die für den völlig andersartigen neuen Baustil von Chichén Itzá charakteristisch ist: die Säulenhallen. Sie dienten als Versammlungsräume für öffentliche, unter anderem auch rituelle

Zwecke und nahmen die regierende Ratsversammlung auf.

Natürlich ist diese Art politischer Organisation nicht vollkommen neu. Der Trend zur Aufteilung der Macht unter den Oberhäuptern der Adelslinien ließ sich schon in der Spätklassik für einige größere Orte, darunter Copán, feststellen. Das *multepal*-System stellt daher keine überraschende Neuentwicklung, sondern den Höhepunkt eines langen evolutionären Prozesses in der politischen Organisation dar. Es mag sogar eine sehr alte Form der Regierung sein, die der individualbetonten Herrschaftsform der Klassik voranging und deren Ursprünge möglicherweise in der Präklassik liegen. In Chichén Itzá jedenfalls hat dieses System klar umrissene Formen angenommen und diesen Staat damit in die Lage versetzt, sich in der stark von Rivalitäten geprägten Endphase der Klassik durchzusetzen. Das *multepal*-System konnte sich auch in der Postklassik noch weiterentwickeln und war die Regierungsform mehrerer der letzten unabhängigen Maya-Staaten vor der spanischen Eroberung. Auf dieses Kontinuum hinzuweisen ist insofern wichtig, als die *multepal*-Verwaltung früher als typisch Postklassisches Phänomen angesehen wurde. Hier, wie in allen anderen Aspekten unseres Verständnisses von der Klassischen Maya-Kultur auch, bescheren uns die stetig wachsenden Erkenntnisse der archäologischen und historischen Forschung ein weit ausgewogeneres Bild von der Entwicklung der Maya-Kultur über rund 2000 Jahre hinweg.

Umwelt, Siedlungsweise, Ernährung und Lebensunterhalt im Maya-Tiefland während der Klassik (250–900 n. Chr.)

Nicholas P. Dunning

Aus der Zeit vor der Ankunft der Spanier im 16. Jahrhundert haben uns die Maya ein Kulturerbe hinterlassen, von dem die verschachtelten Paläste und hochragenden Tempel künden. Häufig sind sie mit verschlungenen Ornamenten und geheimnisvollen hieroglyphischen Inschriften geschmückt. All das war aufgegeben, den Naturkräften des tropischen Regenwaldes und damit dem Zerfall überlassen worden.

Die Faszination, die von diesen Relikten ausgeht, hat die fremden Besucher, die sich in die verschiedenen Gegenden des Maya-Tieflandes vorwagten, seit eh und je in ihren Bann geschlagen. Als Folge dieser einseitigen Beschränkung auf die Monumentalbauten in den Maya-Zentren blieben die recht bescheidenen Überreste der einfachen Wohnbauten, in denen der überwiegende Teil der Bevölkerung gelebt hatte, weitgehend unbeachtet. Von den einstigen Behausungen, aus längst vermodertem organischem Material errichtet, waren nur flache Hügel übriggeblieben: die Sockel, auf denen sie gestanden hatten. Zwischen den Ruinen der dichtgedrängten Monumentalbauten konnte man sie leicht übersehen[1]. Noch geringeres Interesse fanden die häufig nur kurzfristig sichtbaren Reste ehemaliger Felder und Gärten.

Bis in die 60er Jahre unseres Jahrhunderts war die Auffassung verbreitet, die alten Maya hätten mit dem tropischen Regenwald des Tieflandes ein Gebiet bewohnt, das ihre Feldbaumethoden stark eingeschränkt habe. Daher sei auch die Bevölkerungszahl nur begrenzt gewesen. Als typischer Vertreter dieser Auffassung (Abb. 64, 65) sei Sylvanus Morley zitiert:

»Die Methode, wie die modernen Maya ihren Mais anbauen, ist dieselbe wie in den vergangenen dreitausend Jahren und davor. Es ist ein denkbar einfacher Vorgang. Der Wald wird gerodet, man läßt die Bäume trocknen, verbrennt sie dann mit dem Unterholz, sät und wählt dann nach einigen Jahren eine neue Stelle für sein Maisfeld. Diese Feldbaumethode wird praktisch überall in den Feuchtklimaten des tropischen Amerika bis auf den heutigen Tag angewendet. Es ist in der Tat aber auch die einzige Art und Weise, die diesen primitiven Menschen in ihrem dichtbewaldeten, steinigen Lebensraum mit seiner dünnen Bodenkrume offensteht. Im Norden der Halbinsel Yucatán ist der Pflug untauglich, und Zugtiere sind nicht zu bekommen. Dieses System wird allgemein als *milpa*-Feldbau bezeichnet«[2].

Aus dieser Vorstellung beschränkter Feldbaumöglichkeiten folgerte man, daß die Ruinenstädte der alten Maya größtenteils unbewohnte Zeremonialzentren gewesen seien, Residenzen einiger weniger Priesterfürsten, die von der Wanderfeldbau *(milpa)* betreibenden bäuerlichen Landbevölkerung aus ihren verstreuten Siedlungen unterhalten wurden. Diese Auffassung wurde dadurch bestärkt, daß es systematische Untersuchungen, die über den inneren Kern der Ruinenstädte hinausgehend deren Vor- und Umfeld erfaßt hätten, nicht gab.

Nach dem Zweiten Weltkrieg wurde die Zielsetzung in der Feldforschung allmählich erweitert. Sie zeigte nicht nur Interesse am Leben der Herrscher, sondern ebenso an den Lebensumständen der einfachen Bevölkerung. Die Ergebnisse waren zunächst verwirrend, legten sie doch den Schluß nahe, daß die alten »Zeremonialzentren« wirklich städtische Siedlungen gewesen sein konnten und daß zudem die Dichte der bäuerlichen Bevölkerung überraschend hoch gewesen sein mochte[3]. Um diese unerwartet hohe Bevölkerungsdichte zu erklären, bedurfte es einer veränderten Betrachtungsweise der Feldbaumethoden. Als man in den feuchten Talauen einiger der träge fließenden Flüsse Mexikos und Belizes in den frühen 70er Jahren Dränagekanäle und Hinweise auf Hochäcker feststellte, war das der entscheidende Durchbruch. Die lange gehegte Auffassung, das Anbausystem der alten Maya sei im Grunde reiner Wanderfeldbau gewesen, mußte revidiert werden. Die Maya hatten über eine ganze Palette von Anbaumethoden verfügt[4]. Dazu gehörten ganz offensichtlich auch Intensivkultu-

Abb. 64 Brandrodung im Urwald: Bis vor einigen Jahren hielt man die Brandrodung für die einzige von den Maya betriebene Feldbaumethode.

ren auf Hochäckern in Feuchtauen, auf Terrassen in Hügellandschaften sowie Plantagenwirtschaft und intensiver Gartenbau. Die »Tragfähigkeit« des Bodens, d. h. die Produktionskapazität des Feldbaus in Abhängigkeit von Methode und Umwelt, und die aus der Siedlungsforschung gewonnenen hohen Bevölkerungszahlen für den städtischen und ländlichen Raum ließen sich nun in Übereinstimmung bringen. Allmählich entstand ein ganz neues Bild des Maya-Tieflandes in der Späten Klassik: eine Landschaft, übersät mit großen Städten, zahlreichen kleineren Städten und Ortschaften, dazu eine dichte Besiedlung der ländlichen Räume, in denen buchstäblich jeder verfügbare Quadratmeter nutzbarer Fläche bebaut war, um eine ständig wachsende Bevölkerung zu ernähren.

Doch auch diese Vorstellung ist zu sehr vereinfacht. In Wirklichkeit war der Lebensraum der Klassischen Maya ein vielgestaltiges Mosaik von Kulturlandschaften, in denen sich die unterschiedlichsten Umweltbedingungen ausgeprägt hatten. Erst zusammengenommen fügen sie sich zu der Region, die wir als Maya-Tiefland bezeichnen (s. S. 1 ff.). Die Maya hatten ihren Feldbau, ihr Wirtschaftssystem und ihre Siedlungsform diesen unterschiedlichen Umweltbedingungen angepaßt. Sie konnten so alle Möglichkeiten nutzen, die ihnen ihre geographische Lage insgesamt bot.

Im folgenden möchte ich den aktuellen Kenntnisstand zu diesem Thema darlegen und danach anhand zweier Regionen – für das Gebiet am Río de la Pasión und das Puuc-Gebiet – etwas eingehender untersuchen. In diesen zwei Tieflandregionen war ich während der letzten sechs Jahre hauptsächlich tätig.

DIE KLASSISCHE MAYA-GESELLSCHAFT UND IHR SIEDLUNGSGEBIET

Das vorrangige Ziel der Siedlungsforschung besteht darin, die Organisation einer Gesellschaft und ihrer internen Abläufe zu verstehen. Für das Maya-Tiefland besteht Siedlungsforschung aus einer vergleichenden Analyse. In ihr werden der eigentliche archäologische Befund und ethnohistorische wie auch ethnographische Schilderungen der Maya-Gesellschaft aus der Zeit nach der Eroberung miteinander verknüpft[5]. Die nun folgende Erörterung konzentriert sich auf die archäologischen Erkenntnisse und zieht den ethnographischen Vergleich nur da heran, wo es unbedingt angebracht ist.

Die kleinste, archäologisch nachweisbare Einheit besteht in der »Wohneinheit«. Sie besteht im allgemeinen aus einer einzigen niedrigen Plattform aus Erde und Steinfüllwerk in unterschiedlicher Zusammensetzung und darauf errichteten Oberbauten aus Stein und vergänglichen Materialien. Solche Wohneinheiten enthielten einen oder mehrere Räume und umschlossen einen offenen Hof, der in der Puuc-Region und anderen Gebieten des trockeneren nördlichen Tieflandes angeschrägt und verputzt war, um Regenwasser abzuführen und in den sog. *chultunes* (Zisternen im Erdboden) zu sammeln (Abb. 66). Ob die Archäologen bei Begehungen solche Wohneinheiten erkennen oder nicht, hängt nicht zuletzt von der Menge der Steine ab, die für Plattform und Bauten verwendet wurden. Bei den Oberbauten sind grundsätzlich eine rechteckige und eine langgestreckte Form festzustellen, wobei im Puuc-Gebiet die Rechtecke überwiegen. Sofern mehrere auf einer Plattform angelegt wurden, waren sie in Form der Buchstaben L oder C arrangiert. Die Oberbauten bestanden aus mehreren Steinlagen als Grundmauern, auf denen sich dann Wände und Dächer aus vergänglichen Materialien erhoben, so wie man sie heute noch in Yucatán antrifft. Archäologisch faßbar sind sie freilich nur mit ihren Grundmauern.

Man nimmt allgemein an, daß eine Wohneinheit mit der Kleinfamilie gleichzusetzen ist. Die meisten Räume dürften mindestens teilweise Wohnräume gewesen sein, wohingegen andere vorrangig als Lagerräume oder Küchen genutzt wurden. Reibsteine zur Maiszubereitung, Feuerstellen, zahlreiche Keramikscherben, einige Steinwerkzeuge und bisweilen auch Feuerstein- und Obsidiansplitter aus der Werkzeugherstellung finden sich häufig über die ganze Wohneinheit verstreut. Gräber unter dem Fußboden, meist in Verbindung mit baulichen Veränderungen, deuten darauf hin, daß die Wohneinheiten mehreren Generationen als Unterkunft dienten.

Meist bilden zwei bis acht, gelegentlich auch mehr Wohneinheiten eine Hofgruppe. Zeitgenössische und historische Beschreibungen der Maya-Familie in Yucatán legen den Schluß nahe, daß diese Hofgruppen mit Großfamilien oder Verwandtschaftsgruppen gleichzusetzen sind, die mindestens zum Teil mehrere Generationen umfaßten. Hin und wieder finden sich solche Hofgruppen in Verbindung mit Werkstätten zur Herstellung von Steinwerkzeugen, Bausteinen oder Töpferwaren, ein Hinweis auf entsprechende familiengebundene handwerkliche Spezialisierung. Solche Ensemble-Funde sind, auf das gesamte Maya-Tiefland bezogen, jedoch eine Seltenheit. Allgemein herrscht die Auffassung vor, daß der überwiegende Teil der ländlichen wie auch der städtischen Bevölkerung ganz oder zum Teil in der Agrarwirtschaft tätig war.

Mitunter kann man feststellen, daß Wohneinheiten und Hofgruppen Teile größerer Siedlungsgebilde sind, die als »Cluster« (Menge, Haufen) bezeichnet werden. Cluster sind oft auf eine Gruppe schmuckvollerer Gebäude ausgerichtet, in deren Mitte sich ein kleiner Innenhof befindet. Unter diesen Gebäuden finden sich Tempelpyramiden und »Paläste«. Diese sorgfältiger ausgeführten, langgestreckten Steinbauten lassen auf höheren Wohlstand oder höheren sozialen Status ihrer Bewohner schließen. Möglicherweise dienten sie aber auch gar nicht als Wohnbauten. Cluster sind mitunter als Hinweise auf die Existenz größerer Verwandtschaftsgruppen gedeutet worden, wie sie in Gestalt der Namenssippen in Yucatán zur Zeit der Eroberung von Bedeutung waren[6]. Unter diesem Aspekt wären die schmuckvolleren Gebäude Wohnsitz des Familienältesten oder die zentralen Orte des Sippengeschehens.

Cluster sind auch als Ausdruck einer im Grunde »feudalen« Gesellschaftsordnung betrachtet worden. Dann würden die sorgfältiger ausgeführten Bauwerke den »Adelssitz« und die umliegenden Wohneinheiten und Hofgruppen die Behausungen der »Untertanen« darstellen[7].

Auf der Ebene oberhalb dieser reinen Wohnsiedlungen wird das Bild der größeren Orte durch Pyramiden, Paläste, Plattformen, Hofplätze, mitunter auch Ballspielplätze, *sakbeob* (aufgeschüttete Steinwege) sowie unbearbeitete und reliefgeschmückte Stelen und Altäre geprägt. Diese Zentren oder Kerne dürften vielfachen Zwecken gedient haben, so z.B. für öffentliche und private Kulthandlungen – je nach Teilnehmerkreis –, die öffentliche Verwaltung sowie den Handel mit oder die Verteilung von Waren und Gütern. Im Ortskern liegen normalerweise auch die anspruchsvollsten Wohngebäude der größeren Siedlungen. Von diesen konnte man eine ganze

Reihe den alteingesessenen Herrscherfamilien namentlich zuordnen. Darüber hinaus stellte man fest, daß viele Tempel, Stelen und Altäre in den Ortskernen den vergöttlichten Ahnen geweiht waren, die diese Herrscher feierten bzw. verehrten. In diesem Sinne kann man die Ortskerne der größeren Klassischen Maya-Siedlungen als Wohncluster gehobenen Stils ansehen. So sind denn die Siedlungen der alten Maya vielleicht am besten als die Wohnsitze von Familien mit vielschichtig abgestuftem Status zu begreifen.

Verwandtschaftsbeziehungen bildeten zweifellos den organisatorischen Rahmen für die Gesellschaft. Funktionen und Aufgaben im Interesse des Gemeinwohls sind jedoch zumindest z.T. über diesen Rahmen hinausgegangen.

In weiten Bereichen des Maya-Tieflandes sind die Grenzen zwischen städtischen und ländlichen Siedlungsräumen verwischt. Die Bevölkerungsdichte in städtischen Gebieten reichte von 300–400 bis zu 2000 Einwohnern/km², während sie auf dem Lande zwischen 100 und 200 Einwohnern/km² betrug. In den meisten Fällen sank die Bevölkerungsdichte einfach mit zunehmendem Abstand von den Ortskernen. Das Puuc-Gebiet macht eine bemerkenswerte Ausnahme von dieser Regel. In weiten Bereichen des Tieflandes betrug die Siedlungsdichte in ländlichen Räumen offenbar jedoch nur ein Viertel bis die Hälfte der städtischen Werte[8]. Agrarisch genutztes Land in verhältnismäßig dicht besiedelten ländlichen Gebieten war mitunter durch ein Netz von Feldgrenzen in klar umrissene Parzellen aufgeteilt. Deren niedrige Mauern waren häufig auf Hofgruppen oder Ackerbauterrassen ausgerichtet[9].

In ihrer Größe wie auch in der äußeren Form wiesen die Maya-Städte beträchtliche Unterschiede auf. Die kleinsten Zentren erstreckten sich über weniger als einen Quadratkilometer, während Tikal als die größte bekannte Stadt ein Gebiet von etwa 123 Quadratkilometern bedeckte. Die Größe der Städte, der Umfang der Architektur im Stadtkern, die Anzahl der Gebäudegruppen mit Innenhof und die Zahl der dynastischen Denkmäler sind mit unterschiedlichem Erfolg für den Versuch herangezogen worden, im regionalen Rahmen eine Rangabfolge aufzustellen. Trotz mangelnder eindeutiger Ergebnisse läßt sich wohl behaupten, daß bestimmte Maya-Städte andere beherrscht haben.

Die Vorstellung von einer regionalen politischen Rangfolge hat in den zurückliegenden zwei Jahren beträchtlichen Auftrieb erhalten, denn die historischen Inhalte der entzifferten Inschriften versetzen uns in die Lage, Kriege, Eroberungen und Heiratsallianzen dokumentarisch nachzuweisen, die den politischen Zielen der verschiedenen Zentren dienten (s. S. 158 ff.)[10].

Abb. 65 Die Aussaat der Maiskörner geschieht bis auf den heutigen Tag mit dem traditionellen Pflanzstock.

So kann man ganz allgemein sagen, daß die territoriale Gliederung während der Klassischen Zeit als ein Konglomerat von Kleinstaaten (Abb. 134) aufzufassen ist. Diese dehnten sich gelegentlich durch militärische Eroberungen, Bündnisse oder Heiratsallianzen rasch aus, waren jedoch nie in der Lage, ihre politische oder wirtschaftliche Macht auf Dauer hinlänglich zu festigen; sie währte meist nicht länger als eine oder zwei Generationen. Folgende Kennzeichen einer derartigen Struktur von Adels- oder Teilstaaten ließen sich herausarbeiten: eingeschränkte Möglichkeiten der Auseinandersetzung, d.h. gewissermaßen ein Gleichgewicht der Kräfte; ein gleich-

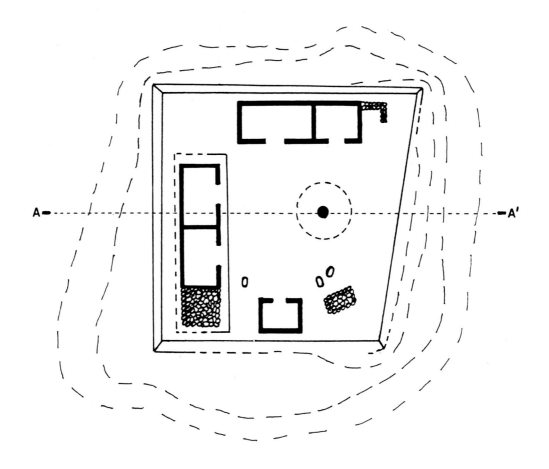

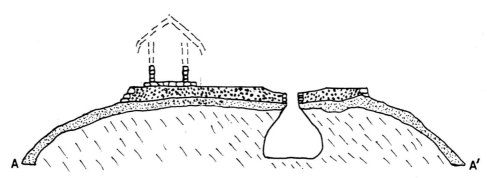

Abb. 66   Typische Wohneinheit des Puuc in Grundriß und Querschnitt.

gearteter Staatsaufbau mit gleichen Funktionen und eine kosmologisch begründete Ideologie, auf die sich die Autorität stützte und die zugleich integrierend wirkte. Systeme mit solch lockerem Gefüge sind von sich aus zerbrechlich.

DIE ERNÄHRUNGSBASIS UND DER LEBENSUNTERHALT

Die archäologische Siedlungsforschung im Maya-Tiefland hat auch versucht, die Zusammenhänge zwischen den Erfordernissen einer ausreichenden Ernährung und der Bevölkerungsverteilung zu ergründen. Man nimmt an, daß die Siedlungen des Tieflandes so angelegt waren, daß ihre Trinkwasserversorgung gesichert war und Böden mit natürlicher oder steigerungsfähiger Fruchtbarkeit zur Verfügung standen. Das sind die Grundbedingungen, unter denen eine im wesentlichen von der Agrarwirtschaft abhängige Bevölkerung existieren kann.

Die von den Maya geprägte Kulturlandschaft des Tieflandes umfaßt die Halbinsel Yucatán und die tiefgelegenen Gebiete des angrenzenden Zentralamerika. Der größte Teil dieses Gebietes liegt auf einer Kalktafel. Nach Süden zu steigern sich die Regenfälle sowohl der Menge als auch der Dauer nach. Kalke als Muttergestein und die klimatischen Gegebenheiten bestimmen im wesentlichen die Bodenarten.

Im Norden sind die Böden flachgründig, porös, lehmig und kalkig, im Süden dagegen in der Regel tiefgründiger, weniger porös, lehmig und kalkig. In den verschiedenen Teilregionen des Tieflandes, wo Klima und Muttergestein weitgehend einheitlich sind, wird die geologische Oberflächenstruktur als wichtigster Umweltfaktor für das Vorkommen der verschiedenen Bodenarten bestimmend. Je nachdem, ob sich die Kalktafel gesenkt, gehoben hat oder eingebrochen ist, hat der damit verbundene unterschiedliche Grad der Auswaschung der Karbonate, d. h. die Zersetzung des Kalkgesteins durch das säurehaltige Grundwasser, zu einer Landschaft geführt, in der Wasserabfluß und Oberflächengestalt vollkommen verschieden sein können.

So ist es also die geologische Oberflächenstruktur, die im wesentlichen dafür verantwortlich ist, wo sich welche Bodenart ausgebildet hat. Im zentralen Petén beispielsweise finden sich, grob gesehen, vier Landschaftstypen: 1. Plateauartige Oberflächen, die zu verklüftetem Gelände mit sehr steil geböschten, zuckerhutartigen Hügeln, dem Kegelkarst, erodieren. Dort sind die Böden flachgründig und steinig. 2. Verhältnismäßig gleichför-

mige, leicht gewellte höher gelegene Gebiete mit guten Abflußmöglichkeiten. Hier bildeten sich fruchtbare, aber nur mäßig tiefe Rendzinaböden. 3. Flache Senken, aus denen das Wasser nur langsam abläuft. Hier entstanden tiefe, aber nur wenig fruchtbare Lateritböden. 4. Tiefgelegene, versumpfte Niederungen, die sich zur Regenzeit in Überschwemmungszonen (Abb. 9, 67) verwandeln, die sog. *bajos*, die sich außerordentlich langsam entwässern. Hier haben sich tiefe, zähe und feuchte Lehmböden gebildet.

Die geologische Struktur bestimmt auch den Zugang zum Wasser. Im Norden, wo sich Flüsse auf der erdgeschichtlich jungen Kalkplatte noch nicht entwickeln konnten, bildeten sich die natürlichen Karstbrunnen, die sog. *cenotes*, und die regenzeitlichen Quellen, die in den Einbrüchen der Kalktafel entstanden. Im Süden formten sich in den Brüchen und Senken Flüsse, Seen und Sumpfgebiete. Die geologische Struktur hat also sowohl die Entstehung der Böden wie die der Gewässer maßgeblich bestimmt. Man kann daher sagen, daß sie d i e E i n f l u ß - g r ö ß e war, die die Lage der alten Maya-Siedlungen am nachhaltigsten beeinflußt hat.

In überwiegender Zahl liegen sie in unmittelbarer Nähe agrarisch ertragreicher Böden. Hoch im Norden waren das die flachen Senken, in denen sich tiefere Böden gebildet hatten, oder Gebiete mit eingestürzten Karstbrunnen, in denen Sonderkulturen, z. B. Kakaopflanzungen, angelegt werden konnten[11].

Im Zentralgebiet der Halbinsel waren das die leicht welligen, höher gelegenen Zonen mit ihren fruchtbaren Rendzinaböden, aber auch einige Sumpfniederungen, in denen man durch verbesserte Abflußmöglichkeiten, wie Kanäle, die Ertragslage auf sonst schwer zu bewirtschaftenden Böden beträchtlich steigern konnte[12]. Im südlichen Tiefland waren das im Grunde auch die welligen, höher gelegenen Flächen, aber ebenso zusätzlich die Talauen einiger Flüsse und angrenzende Sumpfgebiete, in denen man Hochäcker anlegen konnte.

Das Gebiet, in dem die agrarische Umgestaltung von Feuchtgebieten durch die alten Maya von der Forschung am gründlichsten untersucht wurde, ist Nordbelize[13]. Das Ausmaß der angelegten Hochäckerkomplexe ist noch strittig. Immerhin waren große Mengen Schlammaushub zu bewältigen, um die Anbaufläche einen Meter oder mehr über das Niveau der Überschwemmung anzuheben. Fest steht dagegen, daß viele überflutungsgefährdete Feuchtgebiete durch das Ausheben kleiner Kanäle so umgestaltet wurden, daß gestautes Wasser ablaufen konnte. Mit dem Aushub konnte wiederum die Anbaufläche leicht erhöht werden. Die Kanäle könnten dann zur Fischzucht genutzt worden sein.

Der Zweck solcher Dränage- und Hochäckeranlagen bestand zum einen darin, die Bodenqualität im Wurzelbereich der Nutzpflanzen zu verbessern, zum anderen, den örtlichen Grundwasserspiegel auf gleichbleibendem Niveau zu halten. Für die Gegenden, in denen Feuchtlandwirtschaft nachgewiesen werden konnte, sind zwei hydrographische Merkmale kennzeichnend: von Karstquellen gespeiste Flüsse und Sumpfgebiete mit nur geringen jahreszeitlichen Schwankungen des Grundwasserspiegels. Diese Gegebenheiten kommen in Nordbelize und den angrenzenden Gebieten recht häufig vor. Im weiteren Bereich des Maya-Tieflandes treten sie jedoch verhältnismäßig selten auf. Dort schwankt der Wasserspiegel häufig sehr stark[14]. Einige Autoren vermuten, daß die meisten Feuchtgebiete des Maya-Tieflandes agrarisch genutzt worden sein müssen[15]. Der Nachweis für eine so umfassende agrarische Nutzung der Feuchtgebiete beruht jedoch noch weitgehend auf Zufällen. Im zentralen Petén zum Beispiel liegen viele Siedlungen am Rande großer *bajos*. Daraus könnte man schließen, daß diese Sümpfe zur Nahrungsversorgung der nahe gelegenen städtischen Gebiete gedient haben. Genausogut könnten die Maya aber auch die natürliche Neigung des Geländes in diesen Gebieten genutzt haben, um Regenwasser aufzufangen und in die *bajos* zu leiten. Diese hätten dann als Wasserreservoire gedient. Solche Reservoire sind in vielen Gebieten des Petén erforderlich, um die Trockenzeit überstehen zu können[16]. Mit anderen Worten: der Umfang der von den alten Maya betriebenen Feuchtlandbewirtschaftung ist noch immer eine offene Frage.

Während sich die alten Städte im zentralen Petén häufig am Rande der sumpfigen *bajos* finden, liegen sie oftmals ebenso nahe an verhältnismäßig großen Gebieten des welligen, höher gelegenen Landes. Nördlich des Petén, in der Río Bec-Region, wurden weite Gebiete mit Ackerbauterrassen und Trockensteinmauern entdeckt[17]. Diese Terrassen und Mauern stammen größtenteils aus der Zeit der Spätklassik. Sie belegen eine mit wachsender Bevölkerung immer intensiver betriebene Bewirtschaftung der guten, höher gelegenen Rendzinaböden. Die am häufigsten anzutreffende Terrassierung wurde durch den Bau von Trockensteinmauern mit Steinauffüllungen erreicht, die man hangparallel angelegt hatte. So war mit der sich dort ansammelnden abgespülten Erde eine ebene und verhältnismäßig breite Anbaufläche entstanden (Abb. 68).

Mittels eines anderen Terrassentyps, häufig als Leitdamm oder Regenschlammfalle bezeichnet, wurde das Wasser mit dem abgespülten Erdreich aus seiner natürlichen Ablaufrinne umgeleitet und über größere Gebiete verteilt. So erhielt man neue, verbesserte Anbauflächen.

Man nimmt an, daß der Boden dieser terrassierten und ummauerten Anbauflächen durch Zugabe von Mulch und organischem Dünger, durch Zwischen- und Ergänzungskulturen sowie gezielte Fruchtfolge gepflegt und verbessert wurde. Als sich während der Spätklassik der Bevölkerungsdruck verstärkte, wurde in diesen intensiv bewirtschafteten, höher gelegenen Gebieten wahrscheinlich Dauerfeldbau betrieben. Seltsamerweise sind Spuren von Terrassen und Trockensteinmauern als Anzeichen intensiver Agrarbewirtschaftung im zentralen Petén immer noch eine Seltenheit. Das mag jedoch einfach daran liegen, daß in dieser Richtung noch zu wenig geforscht wurde. Intensiv bebaute Küchengärten in Form kleiner, durchgehend bearbeiteter Flächen in der unmittelbaren Umgebung der Behausungen und Plantagenbau ergänzten offenbar die Ernährungsgrundlage. In alter Zeit dienten die Küchengärten, wie auch heute noch, zum Anbau einer ganzen Reihe von Gewürz- und Heilkräutern und anderen eßbaren und nichteßbaren Nutzpflanzen für die Herstellung von Farbstoffen und für viele andere Zwecke. Auch kleine, gemischte Bestände von Obst- und Nußbäumen in der Nähe der Siedlungen bestimmen weiter das Bild der traditionellen Maya-Landwirtschaft. Aus den dichten Beständen von Ramónbäumen mit ihren nahrhaften Nüssen in der Nähe von Maya-Ruinen hat man sogar den Schluß gezogen, daß Ramónnüsse ein wichtiger Bestandteil des alten Ernährungssystems gewesen seien. Genausogut läßt sich die Häufigkeit der Ramónbäume jedoch dadurch erklären, daß sie in dem Boden, der sich auf den verlassenen Städten gebildet hatte, besonders gut gediehen. Bis jetzt deuten die meisten paläoökologischen Funde, z. B. fossile Pollen, und die archäologischen und ethnohistorischen Daten darauf hin, daß sich die alten Maya vorwiegend von dem mesoamerikanischen »Dreigestirn«, d. h. von verschiedenen Mais-, Bohnen- und Kürbisarten, ernährt haben.

Die Lage der alten Maya-Städte wurde allerdings nicht nur von der Verfügbarkeit von Trinkwasser und fruchtbaren Böden bestimmt, sondern es spielten auch andere ökologische Vorteile eine Rolle, so zum Beispiel die Nähe zu interregionalen Handelswegen. Im südlichen Tiefland liegen solche Städte entlang der großen Flüsse oder auf den Wasserscheiden zwischen größeren Becken. Im Nor-

Abb. 67 Überschwemmte Niederung (bajo) *im Tiefland des Petén.* ▷

den spielte sich der Fernhandel in konzentrierter Form entlang der Küste ab, erstreckte sich in ganzer Länge von der mexikanischen Golfküste bis zur Karibik. Viele Orte an der Nordküste Yucatáns mögen entstanden sein, um die wirtschaftlich wichtigen Salzlager ausbeuten zu können[18]. Andere Orte betrieben den Abbau von Mineralien, z. B. Feuerstein, der weithin für die Herstellung von Werkzeugen und Waffen benutzt wurde. Die Stadt, für die die umfassendsten Daten als Zentrum der Feuersteinverarbeitung vorliegen, ist Colhá in Nordbelize.

LANDNUTZUNG IM GEBIET DES RÍO DE LA PASIÓN

Die fortschreitende Kartierung des Siedlungsgebildes in Verbindung mit den Bodenanalysen und paläoökologischen Untersuchungen des Petexbatún Regional Archaeological Program läßt ein komplexes agrarisches System erkennen, das den unterschiedlichen Umweltbedingungen in dem höher gelegenen zerklüfteten Terrain dieser Region, wo sich die Siedlungen und Anbauflächen konzentrieren, eng angepaßt ist[19]. Unser Verständnis vom Charakter der Kulturlandschaft, die die alten Maya in der Pasión-Region geprägt haben, gründete bislang auf Kenntnis der Lage meist größerer Siedlungen sowie ortsspezifischer Forschungen an Stätten wie Altar de Sacrificios, Seibal, Dos Pilas und Aguateca. Sowohl die Siedlungsformen außerhalb der städtischen Gebiete als auch die prägenden Umweltfaktoren waren praktisch unerforscht. Die Gegend am Río de la Pasión ist eine sehr zerklüftete Kegelkarstlandschaft mit steil aufragenden Horsten und tiefliegenden Gräben, in denen sich Sümpfe und Flußläufe bildeten.

Gestützt auf die Auswertung von Radarbildern, die mit Dauerstrichradar aufgenommen worden waren, hatte man Anfang der 80er Jahre vermutet[20], daß die ausgedehnten Feuchtgebiete der Region in einem weitverzweigten Netz von Hochäckeranlagen – ihrerseits durch Kanäle verbunden – genutzt worden waren. Die Ergebnisse eigener Forschungen legen jedoch den Schluß nahe, daß die Feuchtraumbewirtschaftung in dieser Region nur untergeordnete Bedeutung gehabt hat. Der Grund hierfür liegt in dem stark schwankenden Grundwasserspiegel, der Feldarbeiten außerordentlich erschwert hätte. Zwar ließen sich Siedlungen und agrarisch genutzte Flächen in den tiefliegenden Gebieten nachweisen, jedoch nur in räumlich stark eingeschränktem Umfang.

Im allgemeinen sind Siedlungen und bebaute Flächen auf den in der Region nur begrenzt verfügbaren höher gelegenen Zonen anzutreffen. Dieser Umstand spielte offen-

bar eine entscheidende Rolle für die intensivere agrarische Nutzung der ertragreichen Gebiete und war zugleich maßgebend für die Entstehung militärischer Konflikte in diesem Raum. In der höher gelegenen Zone finden sich Reste von Ackerbauterrassen und Trockensteinmauern in großer Fülle. Sie belegen die gründliche Nutzung des Bodens. Wir haben es aber auch mit einer stark militärisch überformten Landschaft zu tun. Umfangreiche Befestigungen an verschiedenen Orten belegen deutlich die zahlreichen kriegerischen Auseinandersetzungen, die in den Inschriften von Dos Pilas, Aguateca und Tamarindito dokumentiert sind.

Mindestens drei verschiedene Arten von Ackerbauterrassen kannten die Maya im Gebiet des Río de la Pasión. Das sind die häufig anzutreffenden breitflächigen Anhäufungen (Abb. 68) und, allerdings seltener, Leitdämme, wie sie schon für die Río Bec-Gegend beschrieben wurden. Daneben wurden Terrassen auch auf den Talböden an stark geneigten Hängen errichtet, um das vom Regen herabgespülte Erdreich aufzufangen. Viele Terrassensysteme sind von Trockensteinmauern eingegrenzt, die sie mit Wohneinheiten verbinden, in denen wahrscheinlich die Familie lebte, die die Felder bearbeitete.

Bei der Kartierung von Siedlungsrelikten und Nutzflächen sowie der systematischen Untersuchung ihres Phosphatgehaltes treten weitere differenzierende Merkmale der alten Agrarlandschaft zutage. Von allen Mineralien, deren Gehalt im Boden durch vorindustrielle Landwirtschaft verändert wird, liefern Phosphate die wohl beständigsten Werte für eine archäologische Auswertung. Mit der Kartierung des Gesamtwertes an Bodenphosphat hat man zunächst die Möglichkeit, räumliche Unterschiede in der früheren Landnutzung festzustellen. Anschließende Laboruntersuchungen auf Anteile bestimmter Phosphatverbindungen können zur Unterscheidung agrarisch genutzter und nicht genutzter Böden führen.

So ließen sich für die kleine Siedlung Quim Chi Hilán (»Mach mal Pause«), hoch oben am Rande des senkrecht abfallenden Petexbatún-Steilhanges gelegen, zwei deutlich verschiedene Phosphatsignaturen feststellen:

1. Flächen intensiven Gartenbaus mit organischer Düngung und leichter Terrassierung. Die Gärten gehörten zu einem kleinen Dorf, das unmittelbar außerhalb einer großen Mauer lag, die möglicherweise die Nordgrenze des von Aguateca direkt kontrollierten Landes markierte. Aguateca, als große Siedlung, lag etwa zwei Kilometer weiter südlich am Steilhang.
2. Eine Fläche innerhalb dieser Mauer, wo die Bodenbestellung auf Dauer die Phosphate und vermutlich auch andere Nährstoffe entzogen hatte (Abb. 69).

Abb. 68 Ackerbauterrasse bei Tamarindito, Guatemala: Jede der abgebildeten Personen steht auf einem unterschiedlichen Terrassenniveau. Die flachen Hügel auf der Kuppe sind Reste einstiger Behausungen.

Hier wird deutlich, daß das Verfügungsrecht über den Boden nachhaltige Konsequenzen für die Art der Nutzung hatte.

Die höher gelegenen Zonen des Pasión-Gebietes sind von zahlreichen trockenliegenden Karstlöchern zernarbt, sog. *rejolladas*. Diese Becken stellen mit ihren tiefen, geschützten Humusböden einzigartige Anbauflächen dar, die in der Region offenbar große landwirtschaftliche Bedeutung hatten. Sie sind häufig mit Trockensteinmauern umhegt, ein Anzeichen für Eigentumsregelung. Die *rejolladas* können einmal zur Bewirtschaftung während der Trockenzeit genutzt worden sein, so wie es die dort eingewanderten *Kekchí*-Maya heute ebenfalls tun. Es wäre aber auch denkbar, daß dort wertvolle Kakaopflanzungen bestanden. Das läßt sich nicht nur aus dem Vorkommen wilden Kakaos in vielen dieser Karstlöcher schließen, sondern auch aus historischen Berichten über Kakaoproduktion im Pasión-Gebiet.

Jüngste Forschungsergebnisse deuten darauf hin, daß die Maya die Gegend am Río de la Pasión während der Mittleren Präklassik, d. h. bereits um 1000 v. Chr., besiedelt haben. Die geringe Bevölkerungsdichte zu dieser Zeit erlaubte noch überwiegend den *milpa*-Feldbau, doch das ökologische Gleichgewicht wurde dadurch recht gründlich gestört. Eine erste Analyse von Sedimenten aus dem Petexbatún- und Tamarindito-See sowie einem kleinen regenzeitlichen Teich hat ergeben, daß die Rodung des Primärwaldes zu einer massiven Abspülung der örtlichen Bodenkrume ab Beginn der Mittleren Präklassik führte, ein Prozeß, der sich bis in die Späte Präklassik

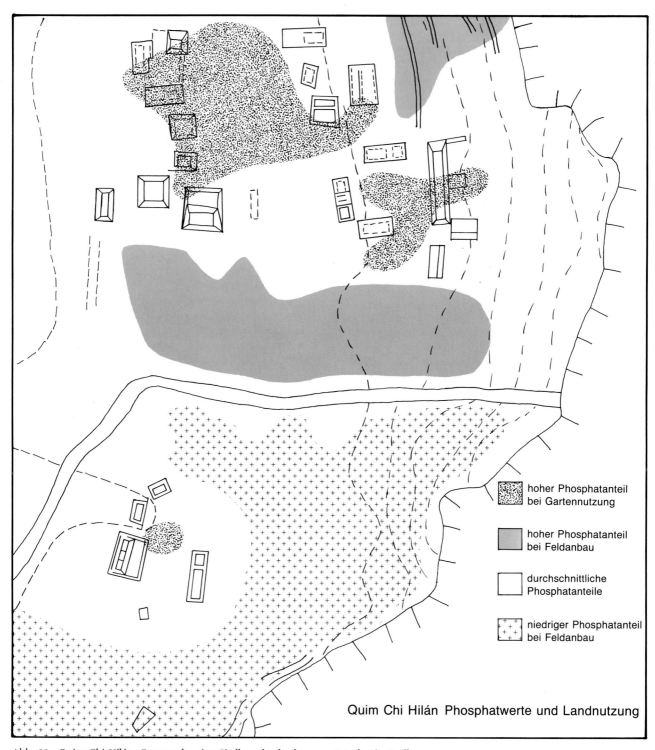

hoher Phosphatanteil
bei Gartennutzung

hoher Phosphatanteil
bei Feldanbau

durchschnittliche
Phosphatanteile

niedriger Phosphatanteil
bei Feldanbau

Quim Chi Hilán Phosphatwerte und Landnutzung

Abb. 69   Quim Chi Hilán, Guatemala, eine Siedlung hoch oben am Petexbatún-Steilhang.

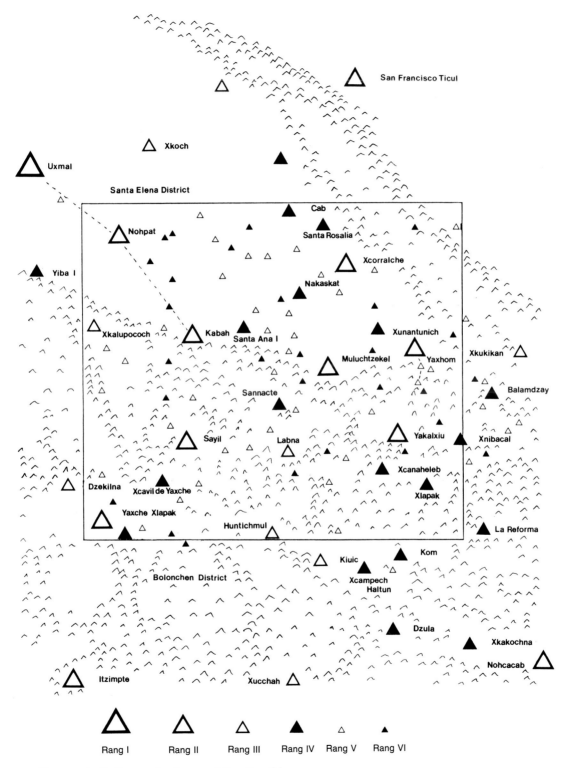

San Francisco Ticul

Xkoch

Uxmal

Santa Elena District

Cab

Nohpat

Santa Rosalia

Xcorralche

Yiba I

Nakaskat

Xkalupococh

Kabah

Santa Ana I

Xunantunich

Xkukikan

Muluchtzekel

Yaxhom

Balamdzay

Sannacte

Sayil

Labna

Yakalxiu

Xnibacal

Dzekilna

Xcavil de Yaxche

Xcanaheleb

Yaxche Xlapak

Xlapak

Huntichmul

La Reforma

Kiuic

Kom

Bolonchen District

Xcampech
Haltun

Dzula

Xkakochna

Nohcacab

Itzimpte

Xucchah

Rang I   Rang II   Rang III   Rang IV   Rang V   Rang VI

Abb. 70 Die Siedlungen des Puuc und ihre Rangfolge.

103

hinein fortsetzte[21]. Die Bevölkerung hat offenbar bis in die Späte Klassik hinein weiter zugenommen, jedoch mit einer möglichen Verlangsamung des Wachstums in der Frühen Klassik. Im Verlaufe dieser steigenden Wachstumskurve sind verschiedene Zentren zur zeitweisen Vorherrschaft gelangt, wie z. B. Seibal während der Späten Präklassik, Altar der Sacrificios während der Frühklassik und Dos Pilas in Spätklassischer Zeit. Dieses Bild umschichtiger, steigender und fallender politischer Macht, typisch für die soziale Struktur der Maya mit ihrem System von Teilstaaten, haben wir bereits beschrieben. Als schließlich die Bevölkerung in weiten Bereichen der Region zurückging und allerorten die Zentren verlassen wurden, übernahm die Stadt Seibal während der Endphase der Klassik als stärkste Macht die Führung. Diese Vormachtstellung war jedoch von kurzer Dauer, und alsbald fiel auch Seibal der Vergessenheit anheim.

SIEDLUNGSGESCHICHTE UND AGRARWIRTSCHAFT IN DER PUUC-REGION

Auch die Puuc-Region des nördlichen Tieflandes zeigt eine ebenso dramatische, wenn auch kürzere Entwicklungsgeschichte von raschem Anstieg und Absinken der Bevölkerungszahlen[22]. Der Puuc, zu deutsch Hügelland, ist berühmt als Ursprungsgebiet eines auffälligen Stiles von Furnierarchitektur, der später auch auf andere Teile des Tieflandes übergriff. Die Kulturregion des Puuc erstreckt sich über mehrere klar voneinander abgegrenzte Naturräume, die sich auf den unterschiedlich gehobenen und verwitterten Kalksteinflächen ausgebildet haben. Brüche in diesen Flächen waren bestimmend für die Ausbildung dolinenartiger Mulden. Dort finden sich tiefere Böden, aber nur selten Wasser. Dieser Umstand hatte nachhaltigen Einfluß auf das alte Siedlungsbild. Die Böden des Puuc erwiesen sich als in mehrfacher Hinsicht ideal: sie sind tiefer und fruchtbarer als viele Böden weiter nördlich und poröser als solche weiter südlich.

Mit der Bodenerforschung im Puuc müssen die Maya begonnen haben, als sie sich entschlossen, in diesem Gebiet zu siedeln. Jahrhunderte agrarwirtschaftlicher Anpassung an die naturräumlichen Gegebenheiten haben differenzierte Begriffe für die verschiedenen Bodenarten entstehen lassen, die sich im Wortschatz des yukatekischen Maya bis heute erhalten haben. Heutige Maya-Bauern im Puuc können die örtlich sehr verschiedenen Bodenarten und ihre Eignung für den Feldbau genau unterscheiden und kennen fast 40 Benennungen.

Auf den steilen Kegelkarsthügeln, die die Landschaft in einigen Teilen der Region prägen, findet sich nur eine dünne Bodenkrume. Am Fuße solcher Hügel wie auch auf den Hängen der sanft gebösten Kämme in weniger zerklüfteten Gebieten kommen jedoch die besten Böden der Gegend vor. Eine solche Bodenart ist *pus luum*, »weiche Erde«. *Pus luum*, ein zusammengeschwemmter Rendzina, ist praktisch die natürlich vorkommende Version der Böden, die man in anderen Gegenden durch Terrassenbau künstlich erzeugte. Das natürliche Vorkommen solcher Böden in weiten Teilen des Puuc, dazu die steilen Kuppen, auf denen häufig der nackte Kalk ansteht, liefern zumindest eine teilweise Erklärung dafür, daß Ackerbauterrassen in der Puuc-Region fehlen. Diese höchst ergiebigen Böden an den Rändern der Karstmulden werden für den *milpa*- und Gartenbau von den heutigen Maya außerordentlich geschätzt. Die Küchengärten des Puuc bringen arbeitsintensive Gewächse wie Gemüse und Gewürze hervor, bisweilen decken sie auch bis zu einem Viertel des Maisbedarfs einer Familie. Die Ergebnisse der Boden- und Siedlungsforschung an mehreren Orten im Puuc zeigen, daß die vorspanischen Bewohner der Gegend diese Böden wahrscheinlich auf ganz ähnliche Weise genutzt haben. In einer typischen alten Puuc-Stadt blieben 75–85% der Fläche frei von Gebäuden. Wenn man heutige Siedlungen zum Vergleich heranzieht, wird jedoch klar, daß solche Leerräume kaum Ödland gewesen sein können. Sie wurden vielmehr in mannigfacher Weise zur Erzeugung und Verarbeitung von Nahrungsmitteln genutzt. Zusammengenommen haben Siedlungs- und Bodenforschung, vor allem die Phosphatanalyse der Böden, ergeben, daß in einer Reihe von Puuc-Städten agrarisch genutzte Zonen auf vielfache Weise in die Bebauung eingebettet waren. So kann man die alten Puuc-Städte am treffendsten als Gartenstädte bezeichnen.

Die intensive Bewirtschaftung der Küchengärten in den Stadtgebieten und Pflanzungen auf den großen Freiflächen spielten eine wichtige Rolle in der landwirtschaftlichen Produktion. Zur Dauerbewirtschaftung wurden solche Gärten organisch gedüngt, was sich an dem außerordentlich hohen Phosphatgehalt ihrer Böden heute noch ablesen läßt. Sie wurden zudem wahrscheinlich fleißig gejätet und gegossen. Die Intensität der Anbaumethoden nahm mit wachsendem Abstand vom Zentrum der Stadt ab, abhängig allerdings vom Bodenwert. Die außengelegenen Felder in der näheren Umgebung lassen sich chemisch am erschöpften Phosphatgehalt der Böden und archäologisch an kleinen Gruppen meist bescheidener Behausungen erkennen. Das nahezu vollständige Fehlen von *chultunes* in diesen peripheren Gruppen legt die Vermutung nahe, daß sie nur zu bestimmten Jahreszeiten bewohnt waren; denn da hier natürliches

Abb. 71 Uxmal, das größte städtische Zentrum der Puuc-Region: Blick auf das Nonnenviereck und die »Pyramide des Zauberers«.

Trinkwasser selten vorkommt und die winterliche Trokkenzeit lang und drückend ist, konnte nur dort ganzjährig gesiedelt werden, wo während der feuchten Jahreszeit Regenwasser in großem Umfang aufgefangen und in den *chultunes* gespeichert worden war.

Anhand einer »Wertskala« aus der Siedlungsfläche, dem Umfang der Monumentalarchitektur im Stadtkern und dem Auftreten oder Fehlen von möglichen Herrschaftszeichen wurde eine Rangfolge für die Puuc-Siedlungen entwickelt (Abb. 70). In dieser Rangfolge rangieren die nur jahreszeitlich bewohnten Weiler auf »Rang 7«. In der Mehrzahl sind sie mit der Landbevölkerung oder, besser gesagt, der offensichtlich fehlenden Landbevölkerung des Puuc gleichzusetzen. Das steht ganz im Gegensatz zu anderen Regionen des Tieflandes. Umgekehrt liegt aber auch die Dichte der städtischen Bevölkerung im Puuc über den Werten der meisten anderen Regionen. Die Grenze zwischen Stadt und Land ist hier stark ausgeprägt und zumindest an einigen Orten durch besondere Grenzpyramiden regelrecht markiert. Rang 5 und 6 bezeichnen Orte mit weniger als 1 km² Siedlungsfläche, kleinerem Kernumfang und höchstens e i n e m Machtsymbol geringerer Bedeutung. Die Orte auf Rang 4 bedecken einen oder mehrere Quadratkilometer, besitzen ansehnliche Architektur im Kern sowie mehrere Machtsymbole. Die wenigen Rang-3-Orte liegen in der Ausdehnung dicht an denen auf Rang 4, besitzen jedoch ausnahmslos zwei bedeutende Machtsymbole, die in den niedriger eingestuften Orten vergleichbarer Größe nicht anzutreffen sind, nämlich Stelen und Ballspielplätze. Sie gelten als bedeutsame Hinweise auf das Vorhandensein einer erblichen Herrschaft. Diese Städte enthalten auch einen oder mehrere große Palastkomplexe, die als königliche Herrschaftssitze gedient haben mögen. Stelen und Ballspielplätze finden sich auch in den zahlreicheren Städten auf Rang 2, sie verfügen aber mit einer Siedlungsfläche von 4–6 km² sowohl von der Fläche als auch vom Umfang ihrer Monumentalarchitektur her über größere Bedeutung. Rang 1 belegen in dieser Region nur zwei Städte: Uxmal und Oxkintok.

Nimmt man die räumliche Verteilung aller alten Siedlungen im Nordwesten der Puuc-Region insgesamt, so lassen sich keine statistisch verwertbaren Schlüsse ziehen. Diese Tatsache erklärt sich topographisch aus der zerklüfteten Karstlandschaft. Betrachtet man jedoch die Orte auf Rang 1, 2 und 3 im Verbund, zeigt sich eine statistisch regelmäßige Verteilung. Daraus läßt sich ableiten, daß jedes größere Zentrum (Rang 1, 2 oder 3) die Hauptstadt eines kleinen politischen Herrschaftsgebildes von 50 bis 100 km² Ausdehnung war. Entsprechend ihrer geringeren Größe herrschten dabei die Zentren auf Rang 3 über deutlich kleinere Gebiete. Die rekonstruierten Bevölkerungszahlen für jedes dieser Herrschaftsgebilde entspricht erstaunlich genau der Tragfähigkeit ihrer Anbauflächen. Diese Rekonstruktionen belegen auch, daß die Bevölkerung in den Hauptstädten für ihre Ernährung auf Erträge von den Nutzflächen der umliegenden kleineren Zentren angewiesen war. Ganz gleich, mit welchen Mitteln die größeren Zentren ihre Macht über die kleineren ausübten, die Auflage von Nahrungsmittelabgaben gehörte sicherlich dazu. Auch wird deutlich, daß die Bevölkerung, kurz bevor sie zwischen 900 und 950 n. Chr. aus der Puuc-Region abwanderte, gefährlich nahe an deren landwirtschaftliche Tragfähigkeit herangekommen war[23].

Uxmal (Abb. 71), die einzige Stadt auf Rang 1, erfreute sich dieser gehobenen Position offenbar nur für kurze Zeit. Viele der größten, zugleich auch jüngsten Bauwerke in dem massiven Siedlungskern dieser Stadt stammen aus der Regierungszeit eines einzigen Herrschers, der in der Tat auch ihr letzter war. Hier zeigt sich noch einmal das Bild zeitweise aufsteigender und wieder fallender regionaler Hauptstädte im Teilstaatensystem der Maya während der Epoche der Klassik.

AUFSTIEG UND FALL ANHAND DER AGRAR- UND SIEDLUNGSGESCHICHTE

Vor etwa 2500 Jahren waren die Gebiete des Maya-Tieflandes von Bauern besiedelt, die im Laufe der Zeit Keramik und andere Artefakte ihrer Kultur hinterließen, die wir üblicherweise den alten Maya zuschreiben. Sie lebten in kleinen Gemeinschaften von wenigen hundert Menschen. Die paläoökologischen Funde, wie z. B. fossile Pollen, und die Streusiedlung als übliche Siedlungsform legen den Schluß nahe, daß diese Menschen überwiegend vom Wanderfeldbau (milpa) lebten und daher viel Land benötigten. Etwa gegen 300 n. Chr. hatte die stetige Bevölkerungszunahme eine Lage geschaffen, in der die Höchstzahl an Menschen erreicht war, die durch reinen Brandrodungsfeldbau zu ernähren ist. Das gilt auf jeden Fall für den Petén und einige benachbarte Regionen. Zu diesem Zeitpunkt, so nimmt man allgemein an, gingen die Maya dazu über, ihre Landwirtschaft intensiver zu betreiben. Gleichzeitig wuchs die größtenteils nicht feldbautreibende städtische Bevölkerung. Zumindest an einigen Stellen in Nordbelize geht jedoch nach jetzt üblicher Ansicht die intensivere Bewirtschaftung von Feuchtgebieten schon auf die Zeit vor dem Anstieg des Bevölkerungsdrucks in der Späten Präklassik zurück. Daraus läßt sich schließen, daß die Maya in einigen Fällen ihr Feldbausystem optimierten, d. h. die Vorteile nutzten, die ihnen das Produktionspotential ihres natürlichen Lebensraumes bot, noch bevor sie gezwungen waren, ihre landwirtschaftliche Produktion zur Ernährung einer wachsenden Zahl von Menschen zu steigern.

Ob von Anbeginn optimiert oder durch Druck nur erzwungen, jedenfalls erreichte die Intensivierung deutlich ihren Höhepunkt in der Späten Klassik, als die absoluten Bevölkerungszahlen und die Bevölkerungsdichte in weiten Bereichen um 800 n. Chr. ihren Höchststand erreichten. Wie viele andere Kulturen auch, hatten die Maya ihrem natürlichen Lebensraum im Laufe der Zeit immer mehr abverlangt, um ihre Bedürfnisse an Nahrungsmitteln, Wasser, Unterkunft und Brennmaterial zu befriedigen. Die paläoökologischen Daten lassen erkennen, daß weite Flächen des Petén und der angrenzenden Gebiete zur Späten Klassik hin des größten Teils ihrer Walddecke beraubt waren. So muß die Menge an der Oberfläche rasch abfließenden Regenwassers angestiegen sein, während die vom Boden aufgenommene Menge sank. Als die Anbauflächen schließlich durchgehend bewirtschaftet wurden, muß die Bodenkrume ihre organischen Bestandteile und damit ihre Struktur verloren haben, so daß sie verklebte. Damit ging die Fähigkeit, Feuchtigkeit zu absorbieren und zu speichern, verloren. Gleichzeitig muß in der Atmosphäre die Verdunstungsfeuchtigkeit abgenommen haben, worauf die örtliche Regenmenge wahrscheinlich sank. Obgleich das Feldbausystem der alten Maya das stürmische Wachstum in demographischer und kultureller Hinsicht mehr als zwei Jahrtausende lang verkraftet hatte, mag es letztlich dann doch an seine Grenzen gestoßen sein. In welchem Umfang die Ernteerträge in der Spät- und Endphase der Klassik zurückgingen und so den Zusammenbruch der Maya-Kultur ausgelöst haben mögen, bleibt noch festzustellen. Der Bevölkerungsrückgang jedoch, der mit dem Zusammenbruch der Klassik einherging, läßt nach Umfang und Ablauf vermuten, daß die Maya nicht mehr in der Lage waren, sich zu ernähren, und ihr Fortbestand auf diese Weise ernsthaft gefährdet war (s. S. 239 ff.).

Die Architektur der Maya

Wolfgang W. Wurster

FRÜHE EUROPÄISCHE BERICHTE

». . . denn gerade die Bauwerke und ihre Vielzahl sind das Bedeutsamste, was man bis heute in den Indias entdeckt hat, weil sie so zahlreich sind, sich an so vielen Orten befinden und in ihrer besonderen Art so gut aus Quadersteinen errichtet wurden, daß es in Erstaunen setzt . . .«, so beschreibt der Franziskanermönch Diego de Landa in seinem »Bericht aus Yucatán« 1566 die Maya-Architektur der Halbinsel (Abb. 72).

Die ersten Begegnungen von Europäern mit der späten Baukunst der Maya an der Küste der Halbinsel Yucatán und auf den Inseln Isla Mujeres und Cozumel fanden noch vor der Eroberung Mexikos durch Hernán Cortéz in der Zeit zwischen 1511 und 1518 statt. 1511 kam eine Gruppe von schiffbrüchigen Spaniern an die Küste, von denen nur zwei überlebten. 1517 erkundete Francisco Hernández de Córdoba, 1518 Juan de Grijalva mit Segelschiffen von Kuba aus die Küstengewässer; sie fanden auf den vorgelagerten Inseln noch bewohnte Maya-Städte mit weißleuchtenden Gebäuden (Abb. 73) und hochragenden Tempeln. Ausführliche Beschreibungen aus eigener Anschauung über die Baukunst, die Tempel und Städte gibt dann Diego de Landa in seinem oben erwähnten Bericht. Landa hat insgesamt 30 Jahre in Yucatán gelebt (Abb. 74). Der Großteil der Maya-Städte in Yucatán und im Petén war jedoch zur Zeit der Ankunft der Spanier schon unbewohnt und im Ruinenzustand.

Faszination, aber auch Verständnisschwierigkeiten aus europäischer Sicht

Auf Europäer hat die Maya-Architektur seit der Wiederentdeckung dieses rätselhaften Volkes durch Reisende und Abenteurer im 18. und 19. Jahrhundert mit ihrer anschließenden systematischen Erforschung und Aufnahme durch Archäologen eine ganz besondere Faszina-

tion ausgeübt, handelt es sich doch ganz überwiegend um große steinerne Bauwerke, die nicht wie anderswo an vorspanischen Ruinenstätten in Lateinamerika zerstört wurden, zugeschüttet sind, als Steinbruch mißbraucht oder von späteren Kulturen überlagert oder überbaut wurden; nein, die großen Maya-Stätten im Urwald des Petén oder in der Dornbuschsavanne des nördlichen Yucatán wurden einfach aufgegeben und verödeten, die tropische Vegetation verschlang sie wieder.

Trotz dieser romantischen Faszination geheimnisvoller, lianenüberwachsener Relieftrümmer und Tempelpaläste vor dem Hintergrund des immergrünen Regenwaldes haben wir Europäer besonders große Schwierigkeiten, zu einem wirklichen Verständnis der Baukunst der Maya vorzustoßen; denn diese Architektur verwirklicht eine Raumkonzeption, die unseren altweltlichen Vorstellungen diametral entgegengesetzt ist. In Europa ist das räumliche Empfinden in der Architektur seit den Bauten der Römerzeit überwiegend auf die Gestalt eines umbauten Raumes, eines hohlen Gebildes konzentriert. Das liegt sicher vor allem auch an den klimatischen Umständen der gemäßigten Zonen Europas.

Ganz anders die Raumauffassung in den vorspanischen Hochkulturen. Dort gibt es zwar Innenräume, aber der architektonische Raum als begeh- und erlebbarer Hohlkörper war nicht das entscheidende Thema der Baukunst. Wichtig war vielmehr der Außenraum, als sorgfältig terrassierter Platz oder Hof, eingefaßt von massiven Bauten aus Erde oder Steinmörtelwerk, deren Bedeutung weniger in ihren relativ winzigen Innenräumen, sondern vielmehr in der Masse der Anhäufung von Material, in ihren Proportionen und ihrer äußeren Gestaltung und Gliederung lag. Solche Außenräume, in der Maya-Architektur kombiniert mit hochragenden Pyramidenbauten von betonter Vertikalität, ruhen nicht in sich selbst, sondern waren mit grandiosen orthogonalen Achsbezügen, oft auch astronomischen Ausrichtungen und Platzfolgen, miteinander verknüpft und zur Landschaft hin komponiert. So war die architektonische Raumordnung auf diese Weise eingebunden in das allumfassende Ordnungssystem der Natur, in dem überirdische gute und böse Mächte walteten.

Architektur im Dienst der Religion und als Selbstdarstellung einer gesellschaftlichen Führungselite

Diese bisher skizzierte, auf Baukörper, Volumina und Plätze bezogene Architektur des äußeren Raumes folgt jedoch keineswegs nur ästhetischen Prinzipien; sie ist vielmehr konkretes Ergebnis und unmittelbare Schöpfung der religiösen Vorstellungen der Maya. Die oberste Sinngebung einer solchen Baukunst ist die Besänftigung natürlicher und übernatürlicher Kräfte, personifiziert in einem unglaublich komplizierten Götterhimmel zahlreicher hochspezialisierter Gottheiten, die das menschliche Dasein in allen seinen Einzelheiten beschützen, aber auch bedrohen können.

Gleichzeitig war diese Baukunst von Tempeln, Pyramiden und Palästen der steingewordene Herrschaftsanspruch einer gottähnlichen Elite von Hohenpriestern und adligen Fürsten, die sich durch die monumentale Sakralarchitektur und ihre Benutzung als unentbehrliche Mittler zwischen dem einfachen Volk und den alle Lebensbereiche beherrschenden überirdischen Kräften inszenierte und sich dabei der figürlichen und plastischen Gestaltung in der Baukunst, zum Beispiel mit überdimensionalen Reliefmasken von Götter- und Monstermasken, als Element der Einschüchterung und Abschreckung bediente und damit ihren Machterhalt absicherte. Durch Grabstätten von Herrschern, über die dann die Tempelpyramiden aufgetürmt waren, waren diese Bauten Ausdruck nicht nur des Götterglaubens, sondern auch gottgleicher Verehrung der Maya-Könige.

Trotz regionaler Abgrenzung Austausch architektonischer Anregungen mit dem restlichen Mesoamerika

Trotz der isolierten Lage der Maya-Region gab es auf dem Land- und auf dem Seeweg eine Fülle von Querverbindungen, von Handelsbeziehungen und von kulturellem Austausch mit den angrenzenden Regionen, die sich auch in der Architektur der Maya niedergeschlagen haben. Ganz in der Frühzeit kamen aus dem Bereich der Olmeken – auf Umwegen über die Pazifikküste und das Hochland – die Idee zum Aufstellen steinerner Stelen, die Anregung zur Schaffung von Großplastik aus Stein, das Anhäufen massiver Erdbauwerke, die Grundform des

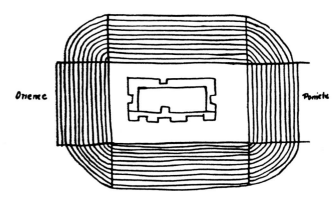

Abb. 72 Zeichnung des Franziskanermönches Diego de Landa von der »Pyramide des Zauberers« in Uxmal aus dem Jahre 1566 n. Chr.

Ballspielplatzes. Im Mittleren Klassikum des 6. Jahrhunderts n. Chr. lassen sich architektonische Gestaltungselemente aus der Kultur von Teotihuacán nachweisen – zum Beispiel die Gliederung der vertikalen Außenfassade von Pyramidenstufen in abwechselnde schräge Ebenen und vorkragende senkrechte Rahmenfelder *(taludtablero)*. In der Nachklassischen Periode erscheinen in Yucatán wiederum Konstruktionen aus dem Hochland Zentralmexikos (horizontale Holzbalkendächer mit einer Deckschicht aus Kalkmörtel) und Raumausbildungen der Hochlandkulturen (der Bautyp der weitläufigen Säulenhallen).

EIGENSTÄNDIGKEIT DER MAYA-ARCHITEKTUR

Wenn trotz dieser mannigfachen Anregungen und Befruchtungen aus dem übrigen Mesoamerika eine auffällige und kontinuierliche Eigenständigkeit in der Baukunst der Maya zu beobachten ist, so liegt das wohl eher an drei Konstanten:

Erstens der Einheitlichkeit der im Bereich der Maya benutzten Baumaterialien Stein und Mörtel.

Die zweite Konstante ist die aus diesen Materialien abgeleitete Einheitlichkeit der Konstruktionsweise; ein an den Kalkbeton der Römer erinnerndes Mauerwerk von Steinbrocken in Mörtelfügung oder geschüttetem Kalkmörtelmauerwerk zwischen einer dünnen steinernen Außenschale. Diese Mörtelbauweise war Voraussetzung für die Konstruktion des »falschen Gewölbes«, das nur im Maya-Gebiet vorkommt und sich wie ein roter Faden durch die Monumentalarchitektur der Maya zieht und alle Bauten prägt.

Die dritte Konstante der Architektur dieses Volkes ist ihre räumliche Konzeption, die auf dem Wechselspiel von großen Massen und umgrenzten Plätzen auf unterschiedlichen Niveaus beruht und mit strenger Rechtwinkligkeit, mehrfacher Symmetrie und unendlich langen Achsen aufeinander bezogen ist. In der architektonischen Gliederung der Baukörper der massiven Pyramiden und Tempelgebäude hat sich dann ein sehr subtiler Formenkanon ausgebildet, der sich zwar zeitlich und regional abwandelt, aber gewisse Grundprinzipien wie das der horizontalen Gliederung in unterschiedliche Schattenzonen, der Abstufung und der strengen Achsensymmetrie beibehält. Diese spezielle Raumordnung auf der Basis von extremer Orthogonalität und Symmetrie stellt das unverwechselbare Markenzeichen der Maya-Architekten und Städtebauer dar.

Zyklische Überbauungen der Monumentalarchitektur als allgemeine Regel

Wir haben im vorigen gesehen, daß das Aufhäufen großer Massen, das Erbauen von riesigen massiven Baukörpern aus Erde, Lehm, Steinpackungen oder Kalkmörtelwerk mit Zuschlagstoffen, vor allem unbearbeiteten Feldsteinen, eines der Grundprinzipien der vorspanischen Architektur Mesoamerikas war. Meistens dienten diese massiven, pyramidenartigen Baukörper, die hoch aufragend errichtet wurden, lediglich als Unterbau eines im Vergleich recht kleinen Tempelgebäudes auf der obersten Plattform.

Abb. 73 Überreste der späten Baukunst der Maya auf Isla Mujeres, einer der Inseln vor der Küste von Yucatán.

Abb. 74 Izamal, Yucatán: Das Franziskanerkloster, in dem Diego de Landa gelebt hat, wurde auf den Mauern des antiken Izamal errichtet.

Solche Monumentalbauten, bestehend aus Pyramidenplattform und Tempelhaus, wurden in wiederkehrenden Zyklen in bestimmten Zeitabständen oder aus besonderem Anlaß, etwa der Inthronisation eines neuen Herrschers, vollständig überbaut, das heißt, über dem alten Bauwerk, das zugeschüttet und ummantelt wurde, errichtete man eine neue und entsprechend größere Anlage. Man muß sich das vorstellen wie den Aufbau einer Zwiebel: Eine Schale umhüllt die andere, und immer so weiter. Dieses Prinzip der zyklischen Überbauungen hatte den großen Vorteil, daß für einen neuen Bauherrn schon ein beträchtliches Bauvolumen, sozusagen als Grundstock, bereits bestand, auf dem er dann seinen eigenen, größeren und höheren Bau aufziehen konnte. Tempelgebäude und architektonische Skulpturenausstattung wurden bei diesen Überbauungen nicht etwa abgetragen oder als Baumaterial wiederverwendet, sondern meist sorgfältig, geradezu pietätvoll, verfüllt und blieben unter den schützenden späteren Überbauungen ohne großen Schaden erhalten. Ein geradezu idealer Zustand für die Archäologen, wenn sie so, wie bei einem Satz russischer Holzpuppen, beim Ausgraben unter der jüngeren Pyramide immer eine ältere Anlage antreffen.

Abb. 75   Wohnhaus in Yucatán.

Allerdings hat das Zwiebelschalenprinzip, das stets zum Ausgraben auch des ältesten, meist am besten erhaltenen Bauwerks verlockt, für die Erhaltung der Gebäude auch gravierende Nachteile: der Archäologe, der die »innere Puppe« sucht, zerstört dabei unweigerlich »äußere Puppen«, selbst wenn er dabei, wie es meist geschieht im Bereich der Architektur, mit in die massiven Bauten vorgetriebenen Tunnelgängen ans Ziel zu kommen sucht.

Die hier als Einleitung zusammengefaßte Darstellung von Besonderheiten der vorspanischen Architektur in Iberoamerika war notwendig, um uns, die wir an europäische Baukunst und ihr Erleben gewöhnt sind, den Zugang zum Verständnis der so andersartigen Architektur der Maya ein wenig zu erleichtern. Wenden wir uns nun den Einzelheiten der Maya-Architektur zu[1].

Das Wohnhaus aus vergänglichem Material mit Walmdach als Prototyp und »Urhütte«

Die einfachen Maisbauern der Maya-Bevölkerung lebten in einräumigen Hütten aus vergänglichem Material (Abb. 75). Es waren Behausungen über langgestrecktem Rechteckgrundriß, die Schmalseiten meist in der Form von Apsiden abgerundet. Eine hölzerne Pfostenkonstruktion trug das Dach, das als Walmdach ausgebildet und über einem Flechtwerk von dünnen Hölzern mit Palmblättern gedeckt war. Als Walmdach bezeichnen die Architekten ein auf beiden Schmalseiten des Gebäudes abgeschrägtes (»abgewalmtes«) Satteldach. Die Wände zwischen den tragenden vertikalen Hauspfosten waren mit einer leichten Füllkonstruktion geschlossen, meist

Flechtwerk mit beiderseitigem Lehmbewurf, senkrechte dünne Holzpfosten oder dünnes Feldsteinmauerwerk mit Lehmverputz. Ein solches Haus als Wohn- und Schlafstätte einer Familie hatte keine Fenster, sondern nur Türöffnungen an einer oder beiden Langseiten. Das Haus stand zum Schutz gegen tropische Regenfälle oder Bodenfeuchtigkeit stets auf einer niedrigen, künstlich angeschütteten Plattform. Für den Feldarchäologen sind diese niedrigen Hausplattformen, aus Stein und Erde aufgeschüttet und befestigt, meist der einzige Indikator für ländliche Siedlungen.

Ein solches hohes und luftiges Walmdachhaus war sicher ein dem tropischen Klima sowohl in der regenreichen Urwaldzone des Petén als auch in den glutheißen Savannen des nördlichen Yucatán besonders gut angepaßtes Bauwerk mit hohem Wohnwert. Ein Großteil der täglichen Aktivitäten fand ja im Freien statt; außerhalb des Hauses, eventuell unter einem luftigen Schutzdach, wurde meist auch gekocht.

Gruppen solcher Häuser, verteilt im Urwald als lockere Streusiedlungen im Bereich der landwirtschaftlich genutzten Flächen, waren denn auch die weitverbreitete

Abb. 76   Piedras Negras, Petén, Akropolis: Rekonstruktionszeichnung von Tatiana Proskouriakoff.

Siedlungsform der Maya-Bevölkerung. Die Hausgruppen, mit ihren Plattformen um rechteckige Plätze lose gruppiert, aber meist in orthogonaler Anordnung, bildeten Gehöfte für jeweils eine Großfamilie, mehrere solcher Gehöfte wiederum kleine Weiler. Bei größerer Hausanzahl formierten sie sich auch zu regelrechten Siedlungen einzelner Familienklans mit bis zu hundert Häusern; dabei gruppierten sich um einen Platz im Zentrum einer verdichteten Siedlung die Wohnhäuser des Klanchefs und seiner Familie. Nach dem gleichen urbanistischen Ordnungsprinzip sind auch die großen Maya-Städte organisiert: ihre Zentren sind durch Monumentalarchitektur noch stärker herausgehoben und besonders verdichtet angelegt, zur Peripherie wird die Bebauung lockerer. Stets jedoch bilden der hier beschriebene Wohnhaustyp und seine orthogonale Anordnung um Hofanlagen das planerische Grundelement, den Modulus, aus dem kleine und große Siedlungen in fortschreitender städtebaulicher Konzentration zusammengesetzt sind.

Baumaterialien und Bautechnik

Bevor wir uns der steinernen Monumentalarchitektur zuwenden, noch ein Blick auf die Materialien und die technischen Grundlagen, die Voraussetzung waren für die gewaltigen Bauten der Maya. Der im ganzen Maya-Gebiet anstehende sedimentäre Kalk als Baumaterial wurde bereits erwähnt. Die Maya-Steinmetzen bauten den Stein in offenen Steinbrüchen ab; als Werkzeuge dienten ausschließlich Steingeräte. Wir dürfen uns diese Steinbearbeitung und Quaderzurichtung ganz ohne die Verwendung von Eisenwerkzeugen nicht allzu schwierig vorstellen; der bruchfrische, noch feuchte Kalkstein war weich und ließ sich verhältnismäßig leicht bearbeiten. Ungeheure Mengen von gebranntem Kalk benötigten die Maya-Baumeister für die massiven, in Kalkbeton ausgeführten Baukörper, für die Mörtelmauern und Gewölbe und vor allem für den Kalkstucküberzug aller Bauten und den Stuckfußboden der riesigen Platzanlagen (Abb. 76). Dieser Brandkalk wurde aus Kalkgestein gewonnen, indem man über dem gehäuften Brennmaterial aus Holz und Reisig das in handliche Kalkbrocken zerkleinerte Brenngut als dichte Schicht ausbreitete und von unten erhitzte. Es ist kaum vorstellbar, welche Mengen an Holz für diese Kalkproduktion der Maya in Rauch aufgingen. Der gebrannte und anschließend mit Wasser gelöschte Kalk ließ sich dann mit Sand und Steinsplitt zu einer feuchten, plastisch formbaren Masse vermischen, die wie Mörtel mit Steinen verarbeitet wurde und beim Aushärten an der Luft zu einer betonartigen festen Masse erstarrte[2].

Ein weiterer Baustoff war das Holz; nicht nur für die Leichtbauweise der Pfostenhäuser wurde es verwendet, sondern auch im monumentalen Steinbau. Bei steinernen Bauten wurden nämlich nur sehr kleine Türöffnungen mit Steinbalken überdeckt; die Mehrzahl aller Öffnungen, die Eingänge der Hochtempel ebenso wie die Türöffnungen zwischen einzelnen Räumen, waren von hölzernen Türstürzen überspannt. Dazu verwendeten die Maya harte Tropenhölzer, zum Beispiel das Holz des sehr dauerhaften *zapote*-Baums, die sie als Rundhölzer oder als riesige Balken mit Rechteck-Querschnitt über die Maueröffnungen legten. Auch zur Aussteifung der Gewölbekonstruktionen während des Bauvorgangs wurden horizontale Rundhölzer im Gewölbebereich eingebaut. Wir kommen im Zusammenhang der Maya-Gewölbe noch darauf zurück.

Die Tragfestigkeit der Holzbalken war den steinernen Türstürzen weit überlegen, obgleich die Bearbeitung des Hartholzes aufwendiger war als die Steinmetzarbeit. Im allgemeinen bilden jedoch gerade die hölzernen Baugliedern einen konstruktiven Schwachpunkt der Maya-Bauten, weil sie durch Verwitterung und Termitenfraß am ehesten geschädigt werden und dadurch das Mauerwerk oder die Gewölbe darüber ebenfalls Schaden nehmen.

Zu den größten organisatorischen Leistungen einer Maya-Großbaustelle in Klassischer Zeit gehörte ohne Zweifel neben der Steingewinnung und der Kalkproduktion der Transport der ungeheuren Mengen von Baumaterial. Wir staunen über die technischen Fertigkeiten der damaligen Bauführer, wenn wir uns die Herstellung, den Transport und das Aufstellen der mitunter riesigen steinernen Stelen vorstellen. In Quiriguá, im südlichen Bereich des Petén-Tieflandes, gibt es Stelen von 11 m Länge und einem Gesamtgewicht von 65 Tonnen. Ein solches steinernes Monstrum sicher und unbeschädigt aus dem Steinbruch zu gewinnen, auf Rundhölzern über weite Strecken zum Bauplatz im Zeremonialzentrum der Stadt zu schaffen und dort mit Hilfe von Erdanschüttungen und hölzernen Hebeln und Gerüsten in eine senkrechte Position zu bringen, war eine Ingenieurleistung ersten Ranges (Abb. 35).

Abb. 77 Tikal, Petén: Blick von Tempel II auf Tempel I; links im Bild der Aufgang zur Nordakropolis. ▷

Den größten Aufwand bedeuteten jedoch die umfangreichen Materialaufschüttungen aus Erde, Lehm, Steinen und Mörtelmasse. Es waren gigantische Sockelplattformen, oft weit über das umgebende Gelände aufgehöht, auf denen dann erst die eigentlichen Randbauten, Pyramiden und Hochtempel errichtet wurden. Ein solches massives Unterbauwerk kann leicht einen Rauminhalt von mehr als einer Million Kubikmeter Füllung enthalten, und diese ganze Füllung wurde nur mit Menschenkraft, ohne Zugtiere, Wagen oder sonstige Hilfsmittel, Korb für Korb und Netz für Netz auf die Baustelle und an ihren Ort transportiert. Sicher war ebenso aufwendig beim Bau der Pyramiden, die Höhen von über 50 Meter erreichten, die Anlage von kunstvollen Holzgerüsten, die den nach oben wachsenden Bau begleiteten und umgaben. Erst wenn wir uns gerade auch diese bautechnischen Aspekte der Maya-Architektur vorzustellen versuchen, wird deutlich, wieviel Baumaterial, wieviel menschliche Arbeitskraft, aber auch welch große Planungs- und Organisationsfähigkeit nötig waren, um diese monumentalen Zentren zu errichten[3].

HOCHTEMPEL, PYRAMIDEN UND SOCKELZONE – EIN DREIKLANG

Es ist ein naheliegender Gedanke, die Entstehung der Tempelpyramide aus dem bereits beschriebenen Wohnhaus mit Walmdach auf seiner niedrigen massiven Plattform abzuleiten. Und tatsächlich gab es in der Frühen Klassischen Zeit der Entwicklung der Maya-Baukunst Tempel, die noch genauso aussahen wie die Wohnhütte über langrechteckigem Grundriß mit Apsiden an den Schmalseiten, jedoch auf einem betont hohen massiven Unterbau plaziert waren. Ausgrabungen in den älteren Bauphasen von Uaxactún ergaben einen solchen Befund. Bei der Transformation von hölzerner Wohnhütte auf ihrer Hausplattform zum Tempelgebäude auf seinem pyramidenartigen Unterbau kommt jedoch noch ein drittes Bauelement zu Hochtempel und Pyramide hinzu: eine sorgfältig planierte, aus der natürlichen Umgebung herausgehobene Sockelzone als Podest, oft selbst von beträchtlicher Höhe und Massivität, auf der die Monumentalbauten gewissermaßen wie auf einem Tablett angeordnet werden und aus der ungeordneten alltäglichen Topographie der umgebenden Landschaft durch geometrische Abstraktion herausgetrennt sind. Erst durch einen solchen gigantischen Sockel bekommt das darüber entwickelte Arrangement von massiven Bauten, großen Plätzen und Hochtempeln seinen gänzlich der

Alltagssphäre entrückten sakralen und elitären Charakter und wird geradezu zum abstrakten Spiel der wohlproportionierten Baumassen. Im Vergleich mit anderen vorspanischen Hochkulturen Mittel- und Südamerikas hat hier gerade die Baukunst der Maya in der künstlichen Abhebung ihrer monumentalen Zentren den höchsten Grad an Abstraktion erreicht.

Das Bauprinzip einer Pyramide

In den meisten Hochkulturen unserer Erde gibt es so etwas wie eine Tendenz zum Pyramidenbau, wenn wir darunter das Aufhäufen von Füllmaterial verstehen, um einen massiven Unterbau für ein Bauwerk zu schaffen, das aus der Alltagssphäre herausgehoben sein soll. Die Tempel-Zikkurate des alten Mesopotamien sind ein klassisches Beispiel für eine solche Bauidee; auch der »Turmbau« zu Babel gehört zu dieser Kategorie von Architektur. Dabei stellen sich, je nach dem verwendeten Füllmaterial – Erde, Sand, Lehm, Geröllsteine – technisch-konstruktive Probleme ein, die gelöst werden müssen. Das Grundprinzip solcher Bauten ist, daß ihre Böschungen möglichst steiler sein sollen als der natürliche Schüttwinkel des Füllmaterials, sonst wirken sie ja wie natürliche Hügel. Dieses Bauziel verlangt, daß die Materialanhäufung, aus der die Pyramide besteht, so konstruiert wird, daß sie bei aller Steilheit dem Druck des angehäuften Materials standhält, also nach außen in den Böschungen nicht nachgibt.

Bei den frühen Pyramiden der Maya im Tiefland des Petén – Tikal und Uaxactún (Abb. 27) sind bisher die Plätze, an denen diese frühe Architektur am gründlichsten erforscht wurde – schlugen die Erbauer einen anderen konstruktiven Weg ein. Sie wählten eine sehr steile, fast senkrechte Neigung der Außenseiten des massiven Pyramidenbaus und führten sie aus Mörtelmauerwerk aus, während die Füllung im Inneren aus Stein- und Mörtelpackungen aufgehäuft wurde. Der Kunstgriff war, den Pyramidenkörper in einzelne, meist gleich hohe Schichten zu unterteilen, die von einer Schicht zur nächsten auf den Außenseiten zur Pyramidenmitte zurückspringen: die Stufenpyramide war erfunden. Sie hat den Vorteil, daß extrem steile Ausführungen der Böschungsaußensei-

Abb. 78 Kohunlich, Quintana Roo: Stuckmaske an der Stirnseite ▷ der Haupt-Pyramide.

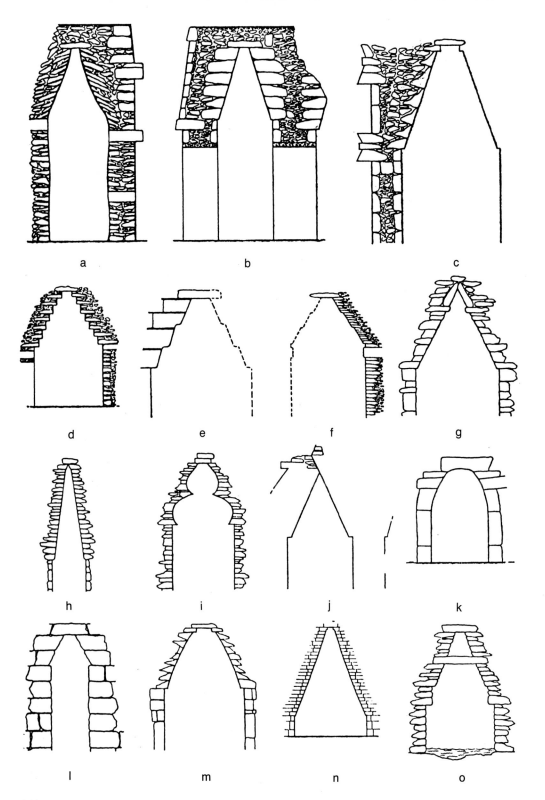

Abb. 79 Verschiedene
Typen des
Maya-Gewölbes:
Uaxactún: a, b, d
Uxmal: c, n
Tikal: e, l
Palenque: g, h, k, f, i, o
Chichén Itzá: g, h, k
Comalcalco: j
Labná: m.

ten bis hin zu senkrechten Mauern gebaut werden können und so die angestrebte Steilheit bis hin zur Vertikalität erreicht wird. Die schichtweisen Rücksprünge bei zunehmender Höhe sind dabei die statische Voraussetzung dafür, daß das ganze aufgetürmte Gebilde als Baumasse noch zusammenhält und nicht durch den Seitenschub des Gewichts der Füllungsmasse auseinandergetrieben wird.

Platz, Stele, Altar, Pyramide, Hochtempel: eine präzise datierbare dynastische Einheit

Im Zusammenhang mit der Errichtung früher Pyramiden als Unterbau für Hochtempel steht auch die Aufstellung von steinernen Stelen auf dem von dem aufgeschütteten Sockelpodest gebildeten ebenen Platz. Die früheste datierte Stele, die Stele 29 in Tikal, stammt aus dem Jahr 292 n. Chr. Eine solche pfeilerartige Stele steht meist in Verbindung mit einem monolithischen, oftmals runden Altarblock (Abb. 77) vor der Stufenpyramide und bezieht sich auf das Pyramidenbauwerk. Dabei waren die Stelen wohl die jüngste Errungenschaft im architektonischen Repertoire der Monumentalarchitektur.
Im Jahre 1952 entdeckte der mexikanische Archäologe Ruz Lhuillier tief unter der Pyramide des Tempels der Inschriften in Palenque eine über eine zugeschüttete Treppe zugängliche, reich ausgestattete Grabkammer mit der Bestattung eines Maya-Herrschers aus dem 7. Jahrhundert n. Chr. Damals wurde erstmals deutlich, daß die Pyramiden in ihrer Verbindung mit der jeweils herrschenden Dynastie auch als Begräbnisplatz dienten. Seither sind im Inneren vieler Maya-Pyramiden Königsgräber ergraben worden: in Uaxactún, in Tikal, in Copán und jüngst auch in Dos Pilas. Die spektakuläre Entdeckung von Palenque war also kein Einzelfall. Durch die Grabfunde wird die durch die Stelen schon vorher belegte Verknüpfung mit faßbarer Geschichte, mit dem Herrschertum und damit einzelnen historischen Königen, noch deutlicher. Die Verknüpfung eines Bauwerks mit einem historisch-dynastischen Ereignis, das dann sogar noch auf den Tag genau zeitlich fixiert werden kann, ist absolut einmalig in der Architekturgeschichte des vorspanischen Amerika. Sie bedeutet einen Schritt aus der Anonymität ins klare Licht der faßbaren Vergangenheit. Die Stelendatierung und ihr unmittelbarer Bezug zur Monumentalbaukunst geben der archäologischen Forschung einen ganz gewaltigen Wissensvorsprung im Vergleich zur Interpretation und geschichtlichen Einordnung von Monumentalbauten in den übrigen Kulturen Mesoamerikas: Wir wissen bei vielen Maya-

Abb. 80   Tikal, Petén: Gewölbe in der Südakropolis mit gut erhaltenen hölzernen Querbalken.

Pyramiden also ganz genau, wann, warum und von wem solch ein Bauwerk errichtet wurde.

Die gestalterischen Elemente der Stufenpyramiden

Die architektonische Verbindung zwischen einem Zeremonialplatz auf der Sockelplattform und der obersten Stufe einer Pyramide schwingt sich als große Freitreppe von der Ebene der Menschen bis zur Ebene der Götter am Eingang des Hochtempels und spannt so den Bogen von der Datumsstele unten bis zur Tempeltür ganz oben.

Abb. 81 Labná, Yucatán: Maya-Gewölbe im Puuc-Stil; hierbei wird im allgemeinen die vertikale Außenschale bis zur Höhe des Gewölbescheitels fortgesetzt.

Abb. 82 Labná, Yucatán: »Triumphbogen« im Puuc-Stil. ▷

In dieser Funktion kommen Freitreppen in ganz unterschiedlicher Ausführung an allen Maya-Pryamiden vor und symbolisieren Bewegung, das Hinaufsteigen in eine andere Sphäre (Abb. 77). Treppen liegen stets in der Mittelachse einer Pyramide, sie können einfach oder paarweise auf gegenüberliegender Seite vorkommen, auch Pyramiden mit zwei Seitentreppen und einer Mitteltreppe gibt es.

Das gestalterische Problem einer Treppenanlage zur obersten Plattform eines geböschten und gestuften Pyramidenbaus liegt darin, in welcher Form der Architekt die Neigung des Pyramidenkörpers mit der meist anderen Neigung der Treppe kombiniert. Ganz selten haben beide die gleiche Neigung, meist ist die Treppe weniger steil, muß also an den Baukörper angeschoben werden und setzt im untersten Bereich vor der Außenflucht der Pyra-

mide an. Bei gestuften Pyramiden kann sie die Gesamtneigung der jeweils zurückspringenden Außenkanten der einzelnen Stufen annehmen, das heißt, sie verläuft dann von der Vorderkante einer unteren Stufe bis zur Vorderkante der nächsthöheren, indem sie den horizontalen Rücksprung zwischen beiden Stufen überwindet. Auch eine Aufgliederung von Freitreppen durch einzelne Podestabsätze gibt es; die Podeste stehen dann meist im Einklang mit den horizontalen Rücksprüngen der Pyramidenstufenabschnitte. Bei Pyramiden der Nachklassischen Periode im Hochland von Guatemala in Iximché und Utatlán kommen auch Treppenläufe vor, die in den sehr steil geböschten Pyramidenkörper mit einer geringeren Neigung eingeschnitten sind.

Die seitliche Begrenzung der großen angeschobenen Freitreppen kann entweder eine einfache vertikale Flä-

che sein oder als breites, die Treppe auf beiden Seiten als Wange einrahmendes geneigtes Band gestaltet werden. Auch horizontal gestufte Treppenwangen kommen vor. Vielfach werden dann gerade die breiten Treppenwangen und ihr Anfang am unteren Ende als Bildträger plastischen Bauschmucks benutzt. Auch Hieroglypheninschriften werden in Zusammenhang mit einer Freitreppe als plastischer Schmuck verwendet. Das beste Beispiel dafür ist die grandiose Hieroglyphentreppe an der Akropolis von Copán (Abb. 61). Für den heutigen Benutzer sind die Pyramidentreppen recht unbequem: Entgegen unseren Planungsregeln ist die Stufenhöhe meist größer als die Stufenbreite; auf die Trittstufen paßt nicht einmal ein ganzer heutiger Fuß.

Die als möglichst steile äußere Stützmauern vor der inneren Pyramidenfüllung ausgeführten Stirnflächen der Stufenabschnitte einer Pyramide bieten sich ganz besonders an für eine architektonische Aufgliederung durch Gesimse und versetzte vertikale Flächen. Im harten Tropenlicht erscheinen durch vor- und zurückversetzte Wandfelder erzielte langgestreckte horizontale Bänder mit kräftiger Schattengliederung. Die Maya-Architekten haben gerade bei dieser Gestaltungsaufgabe mit einer Vielzahl von Profilen experimentiert, so daß ein ganzes Repertoire von ästhetisch attraktiven, regional unterschiedlichen Fassadenlösungen entstanden ist. Besonders typisch war dabei eine Gliederung der Stirnseite einer Pyramidenstufe in eine obere schräge Zone mit einer darunterliegenden, zurückversetzten vertikalen Zone. Ein solches Profil wird im englischen Fachausdruck »apron moulding« genannt, weil es wie ein überhängender Schurz gesehen werden kann. Es war besonders im zentralen Petén, in Tikal und Uaxactún geläufig und besticht durch seine horizontale Schattenwirkung, die den ganzen Stufenbau der Pyramide in eine Abfolge von rhythmisch wechselnden waagrechten Gesimsen aufteilt.

Ähnlich wie die Stirnseiten der einzelnen Pyramidenstufen wurden die Pyramidenecken in der Maya-Architektur mit ganz besonderer Sorgfalt nach ästhetischen Gesichtspunkten gestaltet; die Ecken als Nahtstelle, wo sich aus der Diagonalen die Ansicht auf zwei senkrecht aufeinanderstoßende Pyramidenseiten ergibt, sind ja gestalterisch der besonders empfindliche Punkt der Verschneidung dieses komplizierten räumlichen Gebildes. Die Maya-Baumeister haben die Ecken im allgemeinen abgerundet (Abb. 77) als Viertelkreis ausgeführt und die Eckzone durch Zurückversetzen der Stirnprofile sozusagen nach innen verkröpft und eingezogen. Dadurch wurde sie als Scharnierelement am Bauwerk betont. Besonders in der frühen Zeit der Pyramidenbaukunst,

im Präklassikum bis ca. 300 n. Chr., sind die Stirnseiten der Pyramidenstufen auch mit gewaltigen Stuckreliefs, meist gigantische Monster- und Göttermasken, geschmückt worden. An vorkragenden Steinzapfen der Stützmauern fand die plastische Masse des Kalkstucks einen dauerhaften Halt; die als Hochrelief gearbeiteten Bildwerke waren frei aus der Mörtelmasse modelliert und farbig bemalt. Wo sich solche frühen Maskenelemente unter späteren Überbauungen erhalten haben – im ältesten Bau der Hauptpyramide von Copán, in Cuello, in Kohunlich (Abb. 78), in Lamanai, in El Mirador –, gehören sie zu den besonders eindrucksvollen Schöpfungen der Baukunst der Maya. In einer von der Carnegie Institution in den zwanziger Jahren in Uaxactún freigelegten Stufenpyramide (E-VII-sub) fand man Pfostenlöcher auf der Pyramidenplattform; sie deuten darauf hin, daß dort nur ein hölzernes Tempelhaus – als Walmdachhütte – stand. Die einzelnen Stufenabschnitte des Pyramidenkörpers E-VII-sub (Abb. 27) sind durch ganz grob stuckierte horizontale Bänder gegliedert, die Treppen auf den vier Seiten des nahezu quadratischen Baukörpers werden von sehr breiten, gestuften Podesten eingerahmt, auf denen riesige Schlangenköpfe und Monstermasken modelliert sind[4].

DAS MAYA-GEWÖLBE

Wie keine andere Konstruktionsweise hat das Gewölbe die gesamte Architektur dieses Volkes über einen Zeitraum von mehr als 500 Jahren beeinflußt und geprägt und ist wohl vor allem anderen der Hauptgrund für die so deutlich markierte Sonderrolle der Baukunst der Maya im Konzert der vorspanischen Architekturschöpfungen. Außerhalb des Maya-Gebietes und auch im Hochland hat das Gewölbe keine Verbreitung erfahren, und doch war diese seltsame, geradezu eigenbrötlerische Konstruktionsmethode mit dem Entstehen einer besonders kunstvollen und ausdrucksstarken Monumentalarchitektur verknüpft.

Seinen Ursprung hat das Maya-Gewölbe im zentralen Petén, im Kernland des zur Hochkultur aufsteigenden Volkes im Bereich von Uaxactún und Tikal etwa um die Mitte des 4. Jahrhunderts n. Chr. Dort kommen Gewölbe

Abb. 83 Labná, Yucatán: Rückseite des »Triumphbogens« mit steinernem Relieffries. ▷

120

aus Stein und Kalkmörtel in Gräbern vor; in Uaxactún sind es zuerst nur vorkragende Steinkonsolen, die eine flache steinerne Deckplatte als Grababschluß tragen. Dann gibt es von beiden Langseiten eines Grabes schräg zur Mitte gegeneinandergelehnte Steinplatten als Grabdecke und schließlich – 1962 in der Nordakropolis von Tikal ausgegraben – ein reich ausgestattetes Grab mit einem steinernen Kraggewölbe in Mörtelbettung. In der aufgehenden Architektur kommt die Bauweise Ende des 4. Jahrhunderts n. Chr. erstmals in Uaxactún an einem Tempelgebäude mit Rechteckgrundriß über einem massiven Unterbau vor, anschließend in Tikal. Vom zentralen Petén verbreitet sich das Gewölbe sehr rasch über die ganze Maya-Region, mit Ausnahme des Hochlandes von Guatemala.

Die Konstruktionsweise des Kraggewölbes ist generell an das Vorkommen von geeignetem Kalkstein und an die Verwendung von Kalkmörtel gebunden. Wo diese Baustoffe nicht oder nur in ungenügender Menge vorkommen, in Quiriguá und Copán im Südosten der Maya-Region, wurden Kragsteingewölbe ganz mit einer Bettung aus Lehm errichtet, ebenso wie die massiven Pyramidenfüllungen in Copán aus einer dichten Mischung von Lehm und Feldsteinen ohne Mörtelzusatz bestehen; dort ist lediglich der äußere Stuckverputz der Bauwerke mit Kalkmörtel hergestellt. Eine weitere Ausnahme bildet Comalcalco, im Westen der Maya-Region, an der Golfküste im heutigen mexikanischen Staat Tabasco; dort wurden aus Mangel an brauchbarem Steinmaterial die Gewölbe aus rechteckigen, gebrannten Lehmziegeln errichtet.

Wie sieht nun so ein Maya-Gewölbe aus? Als räumliche Definition könnte man anführen, daß das Gewölbe die Überbrückung eines zwischen zwei Mauern liegenden Raumes ist, die dadurch zustande kommt, daß die raumbegrenzenden inneren Wandteile ab einer gewissen Mauerhöhe durch Vorkragen der Mauersteine immer weiter nach innen geneigt werden, bis sie sich im oberen Bereich fast berühren und durch einen horizontalen Deckstein überdeckt werden. Das Gewölbe sieht also im Querschnitt aus wie ein auf dem Kopf stehendes großes V.

Im allgemeinen ist der Querschnitt eines solchen Gewölbes stets symmetrisch zu einer Mittelachse. Die von beiden Außenwänden nach innen geneigte Schräge des zu überdeckenden Raumes kann in jeder beliebigen Raumhöhe ansetzen; bei manchen Gewölben beginnt sie bereits am Fußboden, meist jedoch liegt der Gewölbeansatz etwa auf halber Raumhöhe oder etwas darüber und beginnt mit einem aus dem unteren Wandbereich vorkragenden Konsolstein. Dann verjüngt sich der Raumquer-

schnitt nach oben immer mehr bis zum abschließenden Deckstein. Die Raumhöhe eines solchen Gewölberaumes entspricht im allgemeinen der doppelten bis dreifachen Raumbreite.

Außer der schon erwähnten Ausnahme von lehmgebundenen Steingewölben in Copán sind sämtliche Maya-Gewölbe in Kalkmörtel ausgeführt. Die Gewölbeschrägen wurden dabei mit plattenartigen Bruchsteinen schichtweise horizontal oder in leicht geneigten Lagen so aufgemauert, daß nach oben eine Schicht immer weiter nach innen vorragt als die nächstuntere. Dieses Gewölbe ist also nach seiner statischen Wirkung kein echtes Gewölbe, denn in keinem Fall sind die Wölbungssteine keilförmig und die Fuge der Wölbungssteine kontinuierlich zentrisch zum Gewölbebogenquerschnitt gerichtet. Sie bilden vielmehr einen amorphen, massiven Deckel, der duch die Kohäsion des Kalkmörtels wie ein monolithisches Gebilde zusammengehalten wird und wie eine Platte wirkt, bei der lediglich vertikale Kräfte auf die raumbegrenzenden Längsmauern abgeleitet werden. Aus dieser statischen Funktion resultiert eine starke Begrenzung der konstruktiv möglichen Spannweiten: Die frühen Gewölbe erreichen kaum lichte Raumweiten bis zu 1 m und überschreiten auch später 2,0 bis 2,5 m recht selten.

Von der statischen Wirkung gesehen ist also der Begriff »Gewölbe« für die Maya-Konstruktion denkbar irreführend; aber auch die Bezeichnung Kraggewölbe – in der englischsprachigen Fachliteratur »corbeled vault« – ist unbefriedigend, denn es handelt sich eben nicht um plattenartig geschichtetes Trockenmauerwerk von konzentrisch oder oval sich verengenden Steinschichten. Trotzdem hat sich die Bezeichnung »Maya-Gewölbe« allgemein durchgesetzt.

Bei der Ausführung der Gewölbekonstruktion gibt es regionale Unterschiede (Abb. 79). Während im Petén die Gewölbe aus durchgehenden, in der ganzen Tiefe der Konstruktion aufgewandten Steinplatten mit relativ dünnen Mörtelfugen gemauert sind, kommen in Nordyucatán vor allem in der Architektur-Region des Puuc Gewölbe vor, bei denen steinmetzmäßig vorgefertigte, unregelmäßig-dreiecksförmige Steine mit horizontalen Lagerfugen an der Gewölbeschräge eine innere Mauerschale bilden, während der ganze innere Kern des Gewölbes aus einer betonartigen Mörtelschüttung mit Stein-

Abb. 84 Labná, Yucatán: Der Tempel El Mirador mit einer soge- ▷
nannten Cresteria, einem Scheinstockwerk über der Hauptfassade.

122

zuschlag besteht, ähnlich der schon erwähnten Mauerkonstruktion mit dünner äußerer Steinschale um einen Mörtelkern.

Den Arbeitsablauf bei der Errichtung eines solchen Maya-Gewölbes müssen wir uns etappenweise vorstellen: Zuerst mauern die Bauleute die dicken, massiven Außenwände. Wenn diese ausgehärtet sind, das heißt, ihr Kalkmörtel abgebunden hat, beginnt man die schräg nach innen geneigten Gewölbeseiten aufzuschichten und zu vermörteln. Dabei kann eine instabile Situation entstehen, wenn bei fortschreitender Auskragung der Schwerpunkt des Kragteils zu weit nach innen verlagert wird, bevor der Mörtel richtig abgebunden hat. Als Hilfsmittel, diese instabile Situation während des Bauvorgangs abzumildern, werden horizontale Holzbalken gedeutet, die als 10 bis 20 cm dicke Rundhölzer in den meisten Maya-Gewölben bei unterschiedlicher, rhythmischer Anordnung vorkommen. Diese Querhölzer haben sich in vielen Maya-Gewölben bis zum heutigen Tag erhalten (Abb. 80) oder lassen sich an ihren in die Gewölbeschrägen eingelassenen Löchern nachweisen.

Der Übergang vom Holzbau zur monumentalen Steinarchitektur mit Mörtelmauerwerk und steilen Gewölbekonstruktionen hat sich im späten 4. Jahrhundert n. Chr. in den Maya-Städten des zentralen Petén vollzogen. Der Gedanke liegt nahe, beim Übergang zur Steinarchitektur und zum Gewölbebau könne es sich um eine »Versteinerung« des ursprünglichen Maya-Hauses, um eine Umsetzung des durch den Holzbau definierten Raumgebildes handeln. In der Tat entspricht der vom Maya-Gewölbe eingeschlossene Innenraum in seinen Proportionen ganz auffallend dem stereometrischen Raumgebilde einer solchen »Urhütte«, ist gewissermaßen ihr negativer Abguß. Freilich wird man wohl kaum bei diesem »Versteinerungsprozeß« alle Einzelheiten des neuen Raumgebildes als getreue Abbilder des hölzernen Urbaus herleiten können.

Die Konstruktionsform des Maya-Gewölbes hat sich nach ihrer ersten Ausformung an Tempelgebäuden im zentralen Petén in verhältnismäßig kurzer Zeit über das gesamte Maya-Gebiet verbreitet und die Baukunst der Maya besonders nachhaltig geprägt. Dabei beschränkte sich das Gewölbe nicht mehr nur auf Tempelgebäude, sondern wurde in der gesamten Steinarchitektur zum Überdecken von Rechteckräumen angewandt, trat also auch an Bauten mit anderer als religiöser Funktion auf, so zum Beispiel in der Palastarchitektur.

Aus der Konstruktionsart der Gewölbe entwickelten sich dann auch stereotype Formen der äußeren Gestaltung der überwölbten Bauten, die zwar regional abgewandelt wurden, aber doch bestimmte einheitliche Grundregeln einhielten. Aus dem Aufbau der Innenräume ergab sich bereits im Inneren eine deutliche horizontale Zweiteilung in eine untere vertikale Wandzone und die darüberliegende, durch ein vorkragendes Konsolgesims abgesetzte schräge Gewölbezone. Die gleiche Zweiteilung bestimmt auch die Fassaden. Stets ist die untere Wandzone von der oberen Gewölbezone abgesetzt, entweder durch das Vorkragen der oberen Zone vor die untere Wandfläche, wie in Tikal, oder durch kräftige vielteilig gegliederte Horizontalgesimse, wie sie vor allem in der Nordregion vorkommen. Die obere Zone, der Dachbereich in der Höhe des Gewölbes, wird im zentralen Petén leicht nach innen geneigt. In den Maya-Städten im Gebiet der großen Flüsse, vor allem in Palenque, ist die Außenhaut dieser Gewölbezonen stärker nach innen geneigt und wiederholt etwa die Neigung der inneren Gewölbeschräge, so daß in der Fassade der Eindruck eines Mansarddaches entsteht. Im nördlichen Yucatán, besonders in der Region des Puuc, wird im allgemeinen die vertikale Außenschale bis zur Höhe des Gewölbescheitels fortgesetzt und durch ein oberes, vorkragendes Horizontalgesims begrenzt (Abb. 81).

Meist sind die unteren Wandzonen nur durch die Abfolge der Türöffnungen gegliedert, die Fassadenzonen der Gewölbe hingegen werden hauptsächliche Träger des reichen Baudekors. Im Petén ist die Dekoration dreidimensional mit großen Stuckreliefs ausgeführt, im Puuc wird sie als aus vorgefertigten einheitlichen Reliefsteinen zusammengesetztes Wandmosaik erbaut. In der Chenés-Region jedoch, mit ihrer überbordenden Fassadendekoration, ist auch die anderswo glatte untere Wandfläche ganz mit Steinreliefs überzogen und vom Dekor eingesponnen.

Über die eigentlichen Gewölbezonen errichteten die Maya-Baumeister noch zusätzliche, unterschiedlich ausgeführte und hohe Dachaufbauten. Diese haben überhaupt keinen praktischen, der Konstruktion dienenden Sinn, sie fügen lediglich dem Bauwerk eine weitere Fassadenzone hinzu, machen es »größer« und »überhöhen« es dadurch buchstäblich (Abb. 86). *Crestería*, das spanische Fachwort, bedeutet eigentlich »Hahnenkamm«, dann auch als Dachkamm geläufig, und wie ein Hahnenkamm ist dieser Dachkamm vor allem schmückendes Symbol, ein Rangabzeichen der Architektur. Auch die

Abb. 85 Plan der Gebäude von Yaxchilán, Chiapas: Die Bauten liegen an einem Hang in einer Fußschleife hoch über dem Río Usumacinta. ▷

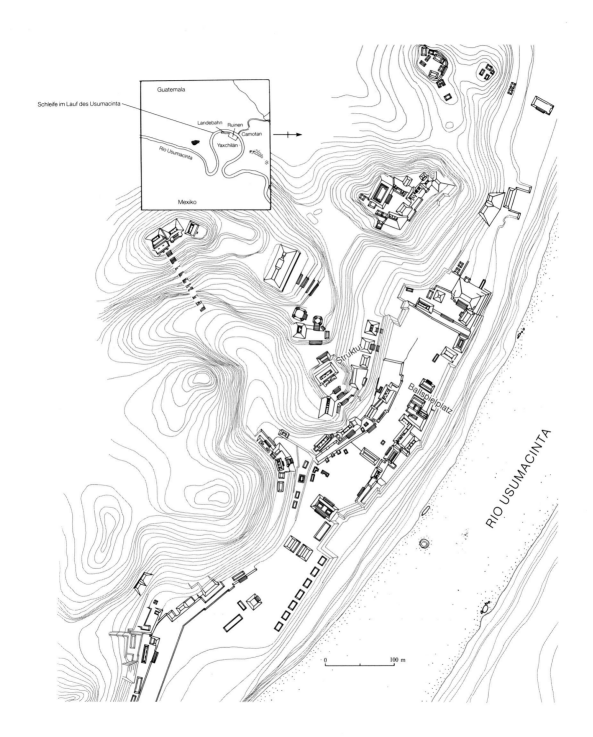

Guatemala

Schleife im Lauf des Usumacinta

Landebahn

Ruinen

Camotan

Yaxchilán

Rio Usumacinta

Mexiko

Struktur

Ballspielplatz

RIO USUMACINTA

0   100 m

Ausführung der Dachaufbauten ist regional verschieden: Im Petén sind es geschlossene Dachkämme mit steiler Schräge; sie ragen über der Gebäudemitte oder ganz auf der Rückseite eines Gebäudes auf und erreichen beträchtliche Höhen. In Tikal gibt es solche Dachkämme von über 15 m Höhe, die in ihrem Inneren zur Gewichtsersparnis aus mehreren übereinandergelegten Gewölberäumen zusammengefügt wurden, welche hermetisch versiegelt sind und niemals betreten wurden. Einen so hohen, ganz massiven Dachaufbau würde der Tempelbau darunter aus statischen Gründen nicht tragen können. Die Dachkämme mit ihrer geschlossenen Außenhaut sind Träger reicher Stuckdekoration und bilden mit ihrer Betonung der Vertikalität die feierliche Überhöhung einer Tempelpyramide. In Palenque dagegen sind die Dachaufbauten auch als räumliche Gebilde ausgeführt, jedoch filigran durchbrochen und nicht geschlossen. In der Puuc-Region sind es kunstvoll als durchbrochenes Steinmosaik aufgebaute vertikale Mauern. Dort gibt es auch Dachaufbauten, die nicht zurückgesetzt sind, sondern vertikal an der Gebäudevorderkante aufragen (Abb. 84), die sogenannten *»flying façades«*, »fliegende Fassaden«, die über der Wand- und der Gewölbezone eine dritte Zone in der gleichen Ebene bilden und so ein weiteres Stockwerk vortäuschen.

Alle Außenfassaden horizontaler Dachbereiche und Dachaufbauten waren mit Kalkstuck überzogen und dadurch wasserdicht. Es fällt auf, daß in der horizontalen Gliederung stets die Fassaden die innere Struktur der Gewölberäume widerspiegeln, ansonsten jedoch in ihrer Dekoration auch bei den Dachaufbauten ganz frei gestaltet werden und eine große Fassadenvielfalt ergeben. Im Gegensatz dazu waren die Möglichkeiten der Grundrißgestaltung durch die Limitationen der Gewölbekonstruktion, vor allem die nicht zu überschreitende maximale lichte Raumbreite, wesentlich beschränkter.

Funktionen von Gewölbebauten

In der Architektur der Maya sind Gebäudefunktionen in der äußeren Erscheinungsform eines Bauwerks nicht deutlich differenziert; im allgemeinen handelt es sich auch bei ganz unterschiedlichen Bauaufgaben um nahezu identische Bauformen. Wie schon gesagt, kommt dabei das Maya-Gewölbe nahezu ausschließlich in Zusammenhang mit der elitären und religiösen Architektur vor.

Auch bei ganz unterschiedlicher Nutzung handelt es sich bei den Maya-Bauten also vor allem um die Kombination gleichartiger und ähnlich großer Einzelräume, die je-

weils von einem Gewölbe überdeckt werden. Das Ausgangsgebilde, ein extrem schmaler Raum über langrechteckigem Grundriß, bleibt dabei immer gleich. Bei den Tempeln werden zwei oder mehr solcher Gewölberäume parallel hintereinandergelegt, durch Türöffnungen miteinander verbunden und in einem Baukörper von rechteckigem Grundriß zusammengefaßt. Auch Tempel mit einem einzigen Gewölberaum kommen vor. Dabei stehen die geradezu winzigen Innenräume von mitunter kaum 10 qm Grundfläche im krassen Gegensatz zum gewaltigen Materialaufwand der massiven Bauteile mit ihren meterdicken Wänden.

Der Übergang vom Tempelgebäude zum Palastgebäude ist fließend: in Uaxactún wurden über einer massiven Plattform Gewölbebauten als freistehende Baukörper ausgegraben, die offensichtlich sakrale Funktionen hatten. Durch eine lange Sequenz von Überbauungen und Umbauten wurde diese Tempelgruppe zu einer viel größeren geschlossenen Gebäudeeinheit umgeformt, die die rechteckige Plattformfläche als Innenhof auf allen Seiten einfaßte; zahlreiche Gewölberäume waren von diesem Hof aus erschlossen, der von außen nur noch einen kontrollierten Zugang hatte. Vermutlich diente die ganze Anlage als Wohnquartier einer elitären Bevölkerungsgruppe und als administratives Zentrum der Stadt. Der ursprüngliche Tempelbereich war zum Palast geworden.

In einem solchen Palast gab es zwei denkbare Raumkombinationen. Bei der einen werden die einzelnen Gewölberäume additiv nebeneinander kombiniert, wobei jeweils ein äußerer Raum einen Zugang von außen hat und durch eine weitere Öffnung der dahinterliegende zweite Raum erschlossen wird; man nennt das Kammerpalast. Beim Gangpalast werden die einzelnen Gewölberäume extrem in die Länge gezogen und weisen dann schlauchartige Korridore mit zahlreichen Türöffnungen von außen auf. In beiden Fällen präsentieren sich die Palastbauten als lange, horizontal betonte Baukörper im Gegensatz zu den vertikal überhöhten Tempeln.

Palastbauten können auf erhöhter Plattform um einen oder mehrere Höhe gruppiert sein. Haupterschließungsform ist in solchen Fällen der innere Freiraum, von dem aus die einzelnen Räume eines Gang- oder Kammerpalastes betreten werden. Das Palastquartier in Palenque ist ein besonders gutes Beispiel für diese Bauweise. Bei den

Abb. 86 Yaxchilán, Chiapas, Gebäude 33: Der Bau wurde hoch ▷ über dem Hauptplatz von Yaxun Balam zur Feier seiner Thronbesteigung im Jahre 752 n. Chr. errichtet. Der Dachkamm war einst mit reichen Stuckdekorationen versehen.

großen Rechteckhöfen in Uxmal in der Puuc-Region sind die hofumschließenden Bauten nicht übereck miteinander verbunden, sondern stehen einzeln auf unterschiedlichen Niveaus. Der Zugang zum gemeinsamen Hofraum öffnet sich durch ein Portal in der Mittelachse des Baukomplexes. Beide Male sind jedoch die einzelnen Räume nach innen orientiert. Eine andersartige Orientierung, nach außen hin, zeigen Palastanlagen, die in mehrfacher Höhenstufung über einem massiven aufgeschütteten Kern errichtet sind. Diese in mehrere Geschosse abgetreppte Bauart wirkt wie eine Hügelhausanlage; der Zugang zu den Räumen bietet sich über Treppen und vorgelagerte Terrassen vor dem Gebäudekomplex.

Im allgemeinen sind die Maya-Bauten einstöckig. Gelegentlich kommt, vor allem bei den Palastbauten, eine zwei- oder sogar mehrstöckige Bauweise vor. Statisch war das nicht gerade unproblematisch, denn die Druckfestigkeit im Maya-Gewölbe, sowohl beim Steinmörtelmauerwerk wie auch beim Gußmörtelmauerwerk, war nicht besonders hoch. Die Maya-Baumeister bemühten sich deshalb, bei übereinanderliegenden Stockwerken die dicken Wandscheiben der oberen Räume möglichst genau über den darunterliegenden Wandscheiben zu plazieren; auf diese Weise gab es selbst im Gewölbebau ausschließlich vertikal einwirkende Kräfte, deren Übertragung in den Untergrund problemlos war. Im allgemeinen sind jedoch die auf den ersten Blick vielstöckig erscheinenden Gebäude – es gibt ein »fünfstöckiges« in Tikal und eines in Edzná (Abb. 89) – mit ihrer reizvollen Höhenstaffelung eher gestufte Hanghäuser mit höchstens drei übereinanderliegenden Stockwerken. Auch ein dreistöckiger Palast in Sayil (Abb. 62) im Puuc zeigt die erwähnte Stufung über einem massiven Kernbau. Die von außen großartig wirkende Komposition enthält jedoch als Innenräume nur kleine Kammern und läßt die Weiträumigkeit der Außenfassade weit hinter sich zurück.

Die von Maya-Gewölben überdachten Räume wurden ausschließlich über die Türöffnungen belichtet. Entsprechend verschattet war dann auch die hohe Gewölbezone im Inneren. Alle Räume muß man sich mit einem Verputz aus feinem Kalkstuck vorstellen. An einigen wenigen Ruinenplätzen läßt sich auch nachweisen, daß die verputzten Innenwände mit farbigen Fresken verziert waren; das beste Beispiel dieser Innenraumdekoration sind die Wandgemälde im Tempel von Bonampak (Abb. 48–50, 106). Zur Ausstattung im Inneren gehörte auch geschnitzte Reliefdekoration an den Gewölbequerbalken und an den hölzernen Türstürzen. Als einzige Überreste des Mobiliars finden sich in den meisten Ruinen gemauerte und mit Stuck überzogene bankartige Sockel als Teil der Inneneinrichtung. Diese dienten als Schlafpodeste, Sitzplatz oder gliederten Wohnbereiche in unterschiedliche Höhenstufen.

In der älteren Maya-Forschung wurde die Bewohnbarkeit der überwölbten Maya-Innenräume bezweifelt; sie seien dunkel, feucht, schlecht belüftet. Inzwischen wird jedoch die dauerhafte Benutzung der Palastbauten durch ständige Bewohner nicht mehr in Frage gestellt. Gerade in einem tropischen Klima können die Räume, die durch die enormen Wandstärken kühl bleiben, zusammen mit den davorliegenden Höfen und Terrassen mit dem Spiel von Licht und Schatten durchaus eine angenehme Wohnlichkeit gehabt haben.

Sonderformen der Gewölbebauten

Neben der hier dargestellten Standard-Bauform des Kragsteingewölbes über einem schmalen Raum mit Rechteckgrundriß gibt es in einigen Fällen auch Sonderformen des Gewölbebaus. Ein einziges Beispiel eines Gewölbes über einem gekurvten Innenraum kommt im älteren Bereich von Chichén Itzá vor. Dort zeigt der mehrfach umgebaute Rundbau des Caracol, eines wohl der astronomischen Beobachtung dienenden Turmes, zwei ringförmig, konzentrisch um einen massiven inneren Kern angelegte Innenräume. Hier kommen auch – einmalig in der Maya-Baukunst – im Gewölbebereich dreiecksförmige ausgemauerte Queraussteifungen vor, die freischwebend auf horizontale Doppelbalken aufgelegt sind – schwebende Mauerzwickel sozusagen.

In Palenque gibt es auch das Beispiel einer ganz profanen, ingenieursmäßigen Anwendung des Gewölbebaus. Ein kleiner Fluß wird dort durch einen gemauerten und überwölbten Kanal geleitet. Die Queraussteifungen in diesem Kanalgewölbe bestehen dort ausnahmsweise aus monolithischen Steinbalken. Am gleichen Ort gibt es im Inneren der Pyramide des Tempels der Inschriften eine riesige Treppenanlage, die zum unterirdischen Grab des Maya-Fürsten *Pakal* führt. Die zwei geneigten Treppenläufe sind mit horizontalen, stufenweise in der Höhe versetzten Gewölben überdeckt; am oberen Treppenlauf sind es sieben, am unteren drei gestaffelte Gewölbe. In der Grabkammer selbst durchdringen sich mehrere je-

*Abb. 87 Xpuhil, Yucatán, Gebäude I: Ein Beispiel für den Stil von ▷
Río Bec im südlichen Binnenland der Halbinsel Yucatán mit typischen Scheintürmen, deren Treppen viel zu steil angelegt sind, um wirklich bestiegen werden zu können.*

weils um 90° gedrehte Gewölbe. Die Treppen und Grab-gewölbe dieses Baues stellen eine besondere Meister-leistung der Maya-Baumeister bei der souveränen Kombi-nation einzelner Gewölbe miteinander dar.

Gelegentlich kommt das Maya-Gewölbe in einer anders-artigen Verwendung im Bauzusammenhang vor, gewis-sermaßen um 90° um seine vertikale Achse gedreht, so daß es sich nicht parallel zur äußeren Fassade hinter einer geschlossenen Mauer versteckt, sondern sich nach außen in seiner ganzen Höhe im Querschnitt darbietet und weit in die obere Fassadenzone einschneidet.

Solche von außen sichtbaren Gewölbe lassen sich in Tikal und Copán nachweisen. Beidemal wirkt das Gewölbe ohne besonders große Spannweite als optischer Akzent in der Mittelachse eines Sakralbereiches. In der Architek-tur des Puuc gelangt dann das Bogenportal zu seiner höchsten Vollendung: in Uxmal bilden Gewölbeportale in der Mittelachse den Zugang zu dem von Baukörpern um-grenzten Palasthof; am »Gouverneurspalast« werden drei mit Abstand nebeneinandergereihte Baukörper durch zwei zurückgesetzte riesige Gewölbedreiecke zu einer Baueinheit verbunden.

Auch freistehende Bogenkonstruktionen in der Art von Triumphbögen sind im Puuc in Labná (Abb. 82, 83) und Kabáh erhalten; sie grenzen dort Platzanlagen voneinan-der ab und bilden den monumentalen Endpunkt einer gepflasterten Allee im Stadtbereich.

UNTERSCHIEDLICHE TYPEN VON BAUTEN

Wir haben gesehen, daß die Bauten der Maya auch bei unterschiedlicher Nutzung wenig differenziert und kaum als unterschiedliche Bautypen erkennbar waren. Massive Auffüllungen und ihre rhythmische Gliederung durch Horizontalprofile als Unterbau sowie die aufge-henden Gewölbebauten mit ihren nach festen Regeln ge-stalteten Fassaden, Dachzonen und Dachaufbauten als Oberbau prägen in ihrer in rechtwinkligen Achsen voll-zogenen Anordnung um Freiräume das Bild eines monu-mentalen Maya-Zentrums. Trotzdem gibt es einige archi-tektonische Sonderformen. Dazu gehören zuallererst die Ballspielplätze.

Eine weitere Sonderform stellen hochragende Türme dar. Im Palastbereich von Palenque gibt es einen solchen Turm über rechteckigem Grundriß. Er ist in drei begeh-bare Stockwerke gegliedert, die über eine sehr enge Treppe in einem massiven Kern erschlossen werden. Seine Plattformen zeigen große Rechtecköffnungen auf allen vier Seiten und mögen für astronomische Beobach-tungen gedient haben. Ein ebenfalls wohl astronomi-schen Zwecken dienender Rundbau, der Caracol in Chichén Itzá, mit zwei konzentrischen Gewölben über ringförmigem Grundriß wurde bereits erwähnt. Er hat ebenfalls durch enge Treppen im massiven Zentrum Zugangsmöglichkeiten auf eine obere Ebene und ähnelt dadurch den Turmkonstruktionen. Weitere völlig frei-stehende Türme über rechteckigem Grundriß kennen wir aus der Region von Chenés im mexikanischen Bun-desstaat Quintana Roo; sie sind massiv ausgeführt, ihre Außenseiten sind durch horizontale Gesimse gegliedert und teilweise durch skulptierte Maskendarstellungen verziert. Ihre Herleitung aus der Pyramidenarchitektur wird angenommen, ihre praktische Funktion ist unklar. Über die Turmanlagen in Verbindung mit Palastbauten der Río Bec-Region im südlichen Yucatán wird noch unter den Regionalstilen berichtet werden.

Ein weiterer Bautyp, der überall in den Maya-Zentren vorkommt, sind unterirdische Zisternen und Vorrats-behälter, *chultún* genannt. Sie sind im Grundriß meist kreisrund, im Boden oder in massive Anschüttungen eingetieft und mit Mörtelmauerwerk ausgemauert. Ihr Hohlraum hat Flaschenform mit einer Verjüngung nach oben bis zu einer kleinen Öffnung, die mit einer Stein-platte abgedeckt werden konnte. Ebenfalls sehr speziali-sierte Funktion erfüllten die Schwitzbäder. Sie weisen über rundem oder rechteckigem Grundriß ein konti-nuierlich sich verengendes Kragsteingewölbe auf. Auf im Feuer erhitzte Steine goß man Wasser und vollzog so in den meist sehr kleinen Räumen rituelle Reinigungs-zeremonien mit Wasserdampf.

Ein mehr ingenieursmäßiger Bautyp waren künstlich an-gelegte, mit Mörtelmauerwerk und Kalkstuck ausgeklei-dete offene Staubecken. In ihnen sammelte sich das auf den riesigen stuckierten Platzflächen und Monumental-plattformen anfallende Regenwasser über kunstvoll ge-mauerte Rinnen und Ableitungssysteme. Solche Wasser-reservoirs von teilweise gigantischer Größe versorg-ten in der Trockenzeit die dichtbewohnten Siedlungen mit Trinkwasser. In Tikal sind mehrere dieser Becken in schluchtartigen Geländevertiefungen zwischen den Monumentalbauten verteilt.

Eine wie die großen Wasserspeicher ebenfalls in den Bereich des Tiefbaus gehörende Baukategorie der Maya-Ingenieure waren breite, planierte Alleen. *Sacbe*, »weißer

Abb. 88 Chicanna, Campeche: Die Frontfassade des Maskentem-pels ist als geöffneter Schlangenrachen gestaltet. ▷

Weg«, wird eine solche Esplanade genannt, die aus einer massiven, von Steinen und Füllmaterial gebildeten Aufschüttung von 8 bis 20 m Breite bestehen konnte und eben und erhöht über das umgebende unregelmäßige Gelände geführt wurde. Die Ränder einer solchen Straße waren im allgemeinen mit niedrigen Brüstungsmauern begrenzt, ihre Oberfläche mit hellem Kalksplitt verdichtet und mit Kalkstuck überzogen. Solche erhöht angelegten breiten Dammstraßen verbanden in den Maya-Städten strahlenförmig die einzelnen voneinander entfernten, um Plätze arrangierten monumentalen Bereiche, wie zum Beispiel in Tikal oder Yaxhá im zentralen Petén; im nördlichen Yucatán bildeten sie sogar viele Kilometer weit schnurgerade durch die Landschaft geführte Verbindungen zwischen einzelnen sakralen Zentren. Der *sacbe* zwischen Cobá und Yaxuná im nördlichen Yucatán hat bei bis zu 10 m Breite eine Gesamtlänge von über 100 km. Natürlich waren diese mit ungeheurem Materialaufwand gebauten Dammstraßen keine normalen Verkehrs- oder Handelswege. In einer Zivilisation, die weder Tragtiere kannte noch Fahrzeuge, wären schmale Pfade völlig ausreichend gewesen. Mit diesen Wegen, die wohl auch als Prozessionsstraßen errichtet waren, haben die Maya weit in die Landschaft ausgegriffen und die ganze Topographie miteinbezogen. Ihre Unterhaltung war aufwendig: riesige tonnenschwere Steinzylinder dienten dazu, ihre Schotterauffüllungen kontinuierlich festzuwalzen.

REGIONALE ARCHITEKTURSTILE, IHRE
VERBREITUNG UND IHRE BESONDERHEITEN

Bei den Gewölberäumen wurden bereits einzelne regionale Besonderheiten an den Fassaden und Dachaufbauten abgehandelt. Hier noch einmal eine zusammenfassende Aufzählung der regionalen Stilgruppen:
Im zentralen Petén entwickelten sich Stufenpyramide und von Maya-Gewölbe überdachtes Tempelhaus als Hochtempel zu einer dauerhaften Baueinheit. Solche Bauwerke wurden auf massiven Plattformen zu regelrechten Akropolen arrangiert. In der Spätklassik beharrt die Petén-Baukunst auf ihren Charakteristika: schräges Fassadenprofil mit zurücktretendem unterem Vertikalprofil *(apron moulding)*, eingezogene Ecken, massive Dachaufbauten mit plastischem Schmuck aus Stuck. Monolithische Stelen in Zusammenhang mit Pyramide und Hochtempel bilden das architektonische Leitmotiv dieser Zentralgegend mit der höchsten Blüte im 7. und 8. Jahrhundert n. Chr.

Das Gebiet der großen Flüsse Río de la Pasión und Usumacinta hat abweichende Bauformen. Besonders in Palenque werden Gewölbezonen nach außen als mansarddachartige Gebilde schräger geneigt als im Zentralpetén. Extrem feine Stuckreliefs verzieren die Palastwände außen; die Dachaufbauten werden leichter und sind dreidimensional durchbrochen, ebenso werden die Wandstärken der Gebäudemauern weniger massiv ausgeführt. Die Kunst der Gewölbekonstruktionen erreicht eine maximale Blüte.

In der Region Río Bec, ganz im südlichen Binnenland von Yucatán, wirken sich in der Architektur noch Einflüsse des zentralen Petén aus. Hier entsteht eine eigentümliche Kombination von hohen massiven Tempeltürmen, die paarweise eine niedrige Palastanlage flankieren. Die Türme zeigen an der Frontseite Treppen mit Treppenstufen zwischen Treppenwangen, die lediglich als Attrappe wirken; sie sind viel zu steil für ein wirkliches Besteigen (Abb. 87). Auch die Tempelgebäude auf der obersten Plattform dieser Türme sind mit ihren geschlossenen Türnischen lediglich Scheinarchitektur, Kulisse ohne wirkliche Räume. Diese Tempeltürme werden meist als Symboldarstellung der großen Hochpyramiden des Zentralpetén in abstrahierter und reduzierter Form interpretiert, als »Emblem-Türme«; sie formieren sich jedoch in Verbindung mit Palastanlagen zu einer besonderen baulichen Einheit. Im Inneren zeigen die Türme enge verwickelte Gangsysteme und steile Treppen, sie führen zu oberen Öffnungen, stellenweise als Mäuler von großen Masken ausgebildet, welche Bühnen für Zeremonien darstellten. An der Fassadengestaltung fällt besonders das Thema des Raubtierrachens auf: Türöffnungen werden mit äußerst kunstvollem steinernem Reliefdekor so gestaltet, daß sie wie ein geöffnetes Maul eines Schlangendämonen wirken.

Im mittleren Yucatán entfaltete sich der Chenés-Stil als regionale Variante im 8. und 9. Jahrhundert n. Chr. In der Fassadengestaltung taucht ebenfalls – wohl aus der Río Bec-Zone übernommen – das Motiv des Raubtierrachens als Türöffnung auf (Abb. 88). Das Maul der Himmelsschlange dient als Tempeltor. Die Dekoration der Fassaden beschränkt sich hier nicht mehr nur auf die obere Zone, sondern bedeckt die gesamte Wandfläche bis zum Gebäudesockel mit Steinreliefs, bei denen vor allem *Chac*-Masken, frontal dargestellte Gesichter mit Rundaugen und einer rüsselartigen Nase, sich wiederholen. Selbst Gebäudeecken werden überdeckt mit den ragenden Rüsseln des Regengottes. Eine weitere Eigenart der Architektur der Chenés-Region sind breite Türöffnungen mit eingestellten steinernen Säulen. Rundsäulen treten auch als Betonung von Gebäudeecken auf, und dicht an dicht gereihte Rundsäulen, wie eine Bambuspalisade sorgfältig aus Stein gemeißelt, formieren sich zur Dekoration der unteren Wandfelder.

Dagegen ist der Fassadenstil (Abb. 71, 90, 91, 117) des Puuc, der Hügellandschaft im nördlichen Yucatán, strenger, weniger dekorativ übersponnen, klar und geradezu kristallin. Einzelne Bauwerke gruppieren sich, ohne übereck zusammenzustoßen, um Rechteckhöfe. Die Fassaden zeigen die uns nun schon vertraute Teilung in eine untere Wandzone, im Puuc glatt, geschlossen, ohne Baudekor, nur gegliedert durch den Rhythmus der Türöffnungen, und darüber, von kräftigen Horizontalprofilen gerahmt, die Frieszone in der Höhe der inneren Gewölbe als Träger der steinernen Reliefdekoration, die sich als Abfolge von stark ins Geometrische abstrahierten Masken, als Schlangenbänder oder als geometrische Schachbrettmuster abwechselnd vertiefter Rechteckfelder darstellen. Auch die Dekoration von nebeneinanderliegenden vertikalen Säulen taucht hier wieder auf. Die Portalzone über den Türen wird dabei im oberen Fries jeweils besonders betont.

Diese ganze aus vorgefertigten gleich großen Steinelementen wie ein riesiges Mosaik zusammengesetzte Fassadendekoration der Puuc-Region ist eine dünne Schale, hinter der die Gußmörtelmauern aus Schüttbeton die tragende Funktion haben, ebenso wie in den Gewölben die gleichförmigen Hakensteine lediglich die verlorene Schalung bilden, während der innere, tragende Kern des Gewölbes ganz aus amorphem Kalkmörtel mit Steinzuschlag gebildet ist. »Veneer masonry«, Furnierbauweise ist der englische Terminus für diese Bauweise der vorgefertigten Steinschalen. In den Bauten der Stadt Uxmal zeigt sich der Puuc-Stil in seiner Klarheit und Harmonie in einer besonders ausgereiften und wohlproportionierten Art. Allerdings war die Schönheit des Steinschnitts, die wir heute so bewundern, in der Blütezeit dieses Maya-Zentrums verborgen unter einer dünn-glatten, farbig bemalten Stuckschicht, die das Mauerwerk gänzlich bedeckte[6].

Die Hochblüte der Architektur im Puuc mit den großartigen Stadtanlagen wie Uxmal und Chichén findet in der Endklassik ihren Abschluß. Chichén Itzá (Abb. 164–167) war zum Ende der Klassischen Periode zu einem Handels- und Pilgerzentrum geworden, in dem mehr als in anderen Maya-Städten mexikanische Einflüsse des Hochlands in die Architektur eingingen.

Wichtigste dieser aus dem Hochland übernommenen Bauideen war die Einführung von Säulen oder Pfeilern als Stützen in Innenräumen, mit denen große weite Räume geschaffen werden konnten, deren flache Dächer auf diesen Stützen ruhten. Hohe, aus einzelnen Steintrommeln zusammengesetzte Säulen mit einer quadratischen Kapitellplatte tauchen nun an den Bauten von Chichén Itzá auf und verbinden sich mit Gewölben zu großen luftigen Hallen. Selbst im Tempelbau werden Säulen eingesetzt; sie tragen auf gewaltigen hölzernen Gebälken die Last der darüber aufgemauerten Kraggewölbe. Die Innenräume weiten sich, die engen Tempelkammern werden zu mehrschiffigen Pfeilerhallen. An einem Beispiel, dem »mercado«(»Markt«)-Gebäude, erreicht die lichte, von einem Gewölbe überspannte Raumweite die absolute Rekordhöhe von 4,25 m. Stufenpyramiden werden mit axialen Treppenläufen auf allen vier Seiten errichtet und tragen Hochtempel, die durch Pfeiler gegliederte Zentralräume mit äußeren Umgängen kombinieren. Selbst der vertraute Bautyp des Ballspielplatzes verändert sich, wird riesig groß und erhält vertikale Begrenzungsbauten an den Langseiten. Neuartige Bautypen treten auf: kreuzförmige Altarplattformen und steinerne Schädelgerüste zur Aufbewahrung der Kopftrophäen der Menschenopfer.

Im nördlichen und östlichen Yucatán, nicht nur in Chichén Itzá, kommen in der Spätzeit der Maya-Kultur immer noch steinerne Gewölbe-Konstruktionen vor, so in der Zeit der Liga von Mayapán ab 1007 n. Chr., im Hauptsitz der Cocom-Dynastie, der ummauerten, dicht besiedelten Stadt Mayapán, und ebenfalls an der östlichen Karibikküste im Bereich von Tulum, im heutigen mexikanischen Bundesstaat Quintana Roo. Es sind meist schlecht ausgeführte Konstruktionen, ohne die technische Präzision der vorausgehenden Bauepochen. Nach der Jahrtausendwende setzt sich jedoch neben diesen späten Gewölben immer mehr die im Hochland seit langem übliche Konstruktionsweise von horizontalen Flachdächern durch. Über den gemauerten Hauswänden wird eine Lage von Rundhölzern dicht nebeneinander verlegt, die darüber mit einer dicken Schicht von Kalkmörtel abgedichtet und geglättet wird. Wegen der im Vergleich zu den steinernen Maya-Gewölben weniger dauerhaften Erhaltungsbedingungen der Nachklassischen Flachdachhäuser sind sie archäologisch weit seltener nachweisbar als die dauerhafteren Gewölbebauten.

In der Späten Nachklassischen Architektur der Maya im Tiefland des Petén und in den Siedlungen des guatemaltekischen Hochlandes kommen dann bis ins 16. Jahrhundert n. Chr. sakrale Bauten auf massivem Pyramidenunterbau vor, die mörtelbedeckte hölzerne Flachdächer haben. Die Gebäude, zu denen diese Dachkonstruktionen gehören, zeigen meist vom Hochland inspirierte horizontale Gesimse und einen Wechsel von vorspringenden und zurückgesetzten vertikalen Flächen. Besonders häufig ist bei dieser späten Architektur des

Maya-Gebiets eine Art von niedrigen, mörtelgemauerten Podesten, welche sich zu Bänken von L- und U-förmigem Grundriß formieren; sie stellen eine Weiterführung der niedrigen gemauerten Podeste der Klassischen Zeit dar und sind offensichtlich nicht nur als bettartige Schlafbänke, sondern vor allem als Podeste im Zusammenhang von kultischen Ritualen zu denken. In der Architektur der Nachklassischen Maya kommen diese L-Podeste häufig auch auf Gebäudesockeln vor, die nur vergängliche Baureste tragen, also in Verbindung mit Holzhäusern[7].

DIE GRUNDPRINZIPIEN DES STÄDTEBAUS DER MAYA

Die Raumordnung der Maya-Städte (Abb. 42, 85, 101, 164) vollzog sich vor allem in großen linearen Achsenbezügen, durch die Ensembles von Gebäuden und Plätzen miteinander in Verbindung standen. Dabei spielten bei der Orientierung solcher großen Achsen vor allem auch astronomische Gesichtspunkte eine Rolle, die mit der Horizontbeobachtung von Gestirnen zusammenhingen. Die dichtbebauten Zentren im Mittelpunkt einer Siedlung mit ihren Tempeln und Palastanlagen waren jeweils stärker geometrisiert und durch ein orthogonales Koordinatensystem von Achsen und Symmetrien aufeinander bezogen. In den riesigen weißen Dammstraßen manifestierten sich diese Bezüge auch als begehbare Verkehrssysteme. Im Städtebau drückt sich nicht nur die kosmologische Weltsicht der Maya-Religion aus, sondern auch die streng hierarchische Gliederung einer durch krasse Unterschiede gekennzeichneten Gesellschaft. Die Bauten vom Zentrum zur Peripherie mit einer nach außen immer lockerer werdenden Siedlungsdichte und immer mehr abnehmender Höhenstufung spiegeln die unterschiedlichen Bevölkerungsklassen auch in ihrer Architektur wider; deren Grundeinheit war das am Anfang vorgestellte hölzerne Walmdachhaus auf einem Sockel in seinem Arrangement um rechteckige Plätze. Die ältere Forschung interpretierte die monumentalen Zentren der Maya als Sonntagsstädte; lediglich eine kleine Gruppe von Hohenpriestern und Würdenträgern hätte hier mit ihrer Dienerschaft dauerhaft gewohnt, während die große Masse der auf Brandrodungsflächen im Urwald weit verstreuten Maisbauern nur zu hohen religiösen Festen, »sonntags«, sich in den Kultzentren versammelte. Dieses falsche Bild hat sich, gestützt vor allem auf die Publikationen der frühen Großmeister der Maya-Forschung, Sylvanus G. Morley und J. Eric S. Thompson, über viele Jahrzehnte gehalten, vor allem auch in der populären Literatur, und kommt jetzt erst, nach neueren Forschungen seit den siebziger Jahren, vollends ins Wanken. Nach der heutigen Einschätzung der Forschung haben die Maya-Zentren ohne weiteres Einwohnerzahlen von 10 bis 20 000 ständigen Bewohnern gehabt; die ganz großen Zentren, wie Tikal, El Mirador, Caracol, waren noch weit größer. Die Kultzentren waren also Städte, von Menschen wimmelnd, in denen neben religiösen Aktivitäten und dem höfischen Leben der herrschenden Klasse in ihren Palästen vor allem die Verwaltung, die Produktion von Luxusgütern, der Handel und die Vorratshaltung ihren Platz hatten, ganz zu schweigen von den kontinuierlichen Bauaktivitäten der Maya-Herrscher, für die ungeheure Menschenmassen von Handwerkern und Bauleuten aufgeboten werden mußten.

Bei den Maya-Städten unterschiedlicher Größe und Einwohnerzahl läßt sich eine hierarchische Gliederung in Zentren unterschiedlicher Bedeutung ablesen, die abhängt vom jeweiligen von einer Siedlung beherrschten Umland und von der räumlichen Distanz zu Nachbarsiedlungen. Oberzentren, Mittelzentren und kleinere Unterzentren waren so in gegenseitiger Abhängigkeit über das Maya-Gebiet verteilt, wobei die jeweils kleineren abhängigen Siedlungen wie Satelliten im Umkreis des nächstgrößeren Zentrums arrangiert waren und von dort mit übergeordneten Diensten wie die Anbindung an eine Herrscherfamilie oder die in der Hierarchie höhere Tempeleinheit mitversorgt wurden. Auf diese Weise stand das gesamte besiedelte und agrarisch genutzte Territorium in einer zivilisatorischen Balance, die damals immerhin einer Einwohnerzahl von mehreren Millionen ein dauerhaftes Dasein ermöglichte[8].

Befestigte Städte der Klassischen Periode

Zu den inzwischen überholten Annahmen der älteren Forschung gehört auch die Theorie, die Maya seien ein besonders friedliches Volk gewesen, das sich in harmonischer Ruhe einem kontemplativen Dasein, wissenschaftlichen Studien, dem Kalenderwesen und der Astronomie widmete. Ganz das Gegenteil war der Fall: die Maya waren keineswegs besonders friedlich, sondern verbrachten einen großen Teil ihrer Zeit damit, feindliche Stadtstaaten zu erobern, Nachbarsiedlungen zu über-

Abb. 89 Edzná, Campeche: Blick über den Hauptplatz auf den »Tempel der fünf Stockwerke«. ▷

134

Abb. 90 **Kabáh**, Codz Poop: *Die Vorderseite des Gebäudes ist teppichartig mit den Rüsselmasken des Gottes* Chak *dekoriert.*

fallen, Gefangene wegzuschleppen und zu opfern und zu Lande und zu Wasser in allen möglichen Formen Krieg zu führen. Diese besonders kriegerische Einstellung zeigt sich nicht nur in der bildenden Kunst, in der Darstellung von Kampf und Streit auf Wandfresken und Vasenmalereien, sondern auch in der Architektur ihrer Städte, von denen einige in der Klassischen Zeit schon mit Wall und Graben befestigt waren.

Solche künstlich angelegten, mit beträchtlichen Erdbewegungen verbundenen Befestigungen gibt es an der Peripherie des Oberzentrums Tikal in Richtung des Nachbarstaates Uaxactún, etwa 4,6 km vom Stadtkern entfernt, als 10 km langer Erdwall mit Graben. Die frühe Siedlung Edzná im Staat Campeche besaß Erdwälle und Wassergräben, ebenso Becán in der Río Bec-Region mit einem bis zu 9 m tiefen, von hölzernen Brücken überspannten Graben. Auch in den Spätklassischen Siedlun-

gen der Region von Petexbatún, wo nach Auskunft der Inschriftenstelen eine besonders kriegslüsterne Gruppe von Königen ihre benachbarten Stadtstaaten befehdete, wurden in jüngsten Untersuchungen in Dos Pilas und in Punta Chimino Verteidigungsbauten nachgewiesen. Die auf einer Halbinsel im See gelegene Siedlung Punta Chimino war gegen das Festland durch riesige Grabenanlagen geschützt. Auf einem der dazugehörigen Wälle konnte unlängst ein Palisadenzaun durch Pfostenlöcher nachgewiesen werden.

Der Städtebau der Nachklassischen Zeit

Die Stadt Mayapán, die nach dem Niedergang von Chichén Itzá als Zentrum des nördlichen Yucatán und Sitz der nach ihr benannten Stammesliga bis ins 15. Jahrhun-

Abb. 91 Uxmal: Nonnenviereck mit teilweise vollplastischem Fassadendekor im Puuc-Stil.

dert n. Chr. weiterexistierte, ist ebenfalls ummauert mit einer in freien Konturen verlaufenden Stadtmauer. Der bebaute innere Siedlungskern zeigt nur wenige Monumentalbauten, die jedoch weiterhin die alte Verbindung von Tempel und Totenkult durch die Begräbnisse Privilegierter dokumentieren. In der städtebaulichen Ordnung dieser besonders dicht organisierten Siedlung von etwa 15 000 bis 20 000 Einwohnern gibt es keine großen Achsen mehr; wie willkürlich verteilt drängen sich die Wohnhäuser im ummauerten Bereich, jedes Baugrundstück nochmals umgrenzt von niedrigen Einfriedungsmäuerchen mit einer unregelmäßigen Erschließung durch schmale Pfade.

Tulum (Abb. 169) an der Ostküste, die Stadt, die vom 12. bis zum 16. Jahrhundert florierte und 1518 die bei der Grijalva-Expedition vorbeisegelnden Spanier zu einem Vergleich mit dem weißleuchtenden Sevilla inspirierte,

ist ebenfalls ummauert: Die Stadtmauer bildet ein langgezogenes Rechteck, und durch Tore geführte Haupterschließungsstraßen gliedern den inneren Siedlungsraum. Zwar gibt es noch monumentale Sakralbauten, aber der Anteil der Wohngebäude in der Ummauerung und in Randsiedlungen außerhalb überwiegt bei weitem. So bietet sich im Stadtgebiet der späten Städte der Hinweis auf gesellschaftliche Veränderungen, bei der nicht mehr die elitäre Schicht der Herrschenden in ihren Palästen, sondern eine Art von Mittelstand aus Handwerkern, Gewerbetreibenden, Kaufleuten den Hauptanteil der Siedler darstellte[9].

In der Späten Nachklassischen Zeit bis zur Ankunft der spanischen Eroberer verstärkte sich das Schutzbedürfnis der kriegerischen Maya-Stämme immer mehr. Zur Wohnplatzsicherung nahmen sie auch extrem unbequeme topographische Situationen in Kauf, wenn ihre

Siedlungen dadurch gut verteidigt werden konnten. Wie Adlerhorste wirken die Hauptstädte Iximché (Abb. 170), Utatlán und Mixco Viejo im guatemaltekischen Hochland, eng zusammengedrängt gruppieren sich Palast- und Zeremonialgebäude auf ebenen Bergplattformen um offene Plätze, geschützt durch senkrechte Steilabfälle auf allen Seiten und zusätzlich gesichert durch Wallanlagen im Zugangsbereich. Auch das weniger unzugängliche Zaculeu war wehrhaft befestigt. Die monumentale Architektur dieser Bergzitadellen zeigt Pfeilerstellung in den Türöffnungen, horizontale Gesimse in der Tradition des mexikanischen Hochlands und an den Pyramidenkörpern überwiegend eingeschnittene Treppen; in der Palastarchitektur gruppieren sich rechteckige Räume um einen Hof. Diese Bergstädte hatten jeweils nur eine kurze Lebensdauer; den Spaniern leisteten ihre Bewohner im 16. Jahrhundert erbitterten Widerstand, bis die Siedlungen zerstört wurden.

Die Maya-Stadt, welche sich am längsten gegen die Eroberer gehalten hat, war Tayasal als letzter Rückzugsort der von Yucatán ins Tiefland des Petén geflüchteten Itzá-Stämme. Sie wurde schon 1525 von Hernán Cortéz auf seinem Expeditionszug nach Honduras besucht, aber endgültig erst im Jahre 1697 erobert und vollständig zerstört. Augenzeugen berichten von den in Insellage dicht gedrängten Bauten, von weißleuchtenden Tempeln und zahlreichen Altären. Eine ähnliche Siedlung in gut zu verteidigender Insellage war Topoxté im See von Yaxhá, das bis ins 15. Jahrhundert bewohnt wurde und neuerdings freigelegt und erforscht wird. Nach außen ist das Inselplateau von Topoxté durch hohe steile Böschungen geschützt; der ganze Innenbereich ist künstlich terrassiert und dicht bebaut. Es überwiegen Gebäude auf Plattformen mit großen gemauerten Podesten und Pfeilerstellungen. Am Haupttempel kommen Säulen im Eingangsbereich und flache Balken- und Mörteldächer vor.

ALLGEMEINE ZÜGE DER ARCHITEKTUR DER MAYA; ENTWICKLUNGSTENDENZEN UND RAUMWIRKUNG

Die Maya-Architektur gehört ohne Zweifel zu den am höchsten entwickelten Zeugnissen der Baukunst des vorspanischen Amerika. Sie zeigt über viele Jahrhunderte ein erstaunliches, geradezu unwandelbares Beharrungsvermögen, zum Beispiel in der Anwendung und Gliederung großer Baumassen und in der stereotyp konservativen Benutzung des Kraggewölbes, das dadurch zu ihrem Markenzeichen geworden ist.

Einige gestalterische Grundprinzipien ziehen sich durch alle Zeiten dieser Baukunst, so das der Überbauung und damit ständigen Überhöhung von Baukörpern und der kontinuierlichen Verdichtung von Baugruppen. Bei anderen Zügen lassen sich in einer großen Überschau aber doch allgemeine Entwicklungstendenzen ablesen: die Entwicklung von der massiven Stein-Mörtel-Mauerkonstruktion zur Schalenbauweise mit Schüttbeton; die Tendenz von besonders engen Gewölberäumen mit extrem dicken Mauern zu weiteren Innenräumen mit dünneren Wänden; die fortschreitende Differenzierung von Fassaden in räumlicher und chronologischer Ausbreitung von einfacher zu komplizierter Gestaltung. Beim allmählich sich vollziehenden Wandel der Schwerpunkte vom pyramidalen Hochtempel zu Palastarealen und zu den dicht bebauten säkularen Siedlungsgebilden der Spätzeit spiegelt sich in der Architektur der entsprechende gesellschaftliche Wandel.

Bei einer vergleichenden Betrachtung der Maya-Bauten fällt auf, daß sich eine Reihe von konstruktiven Schwächen über die gesamte Zeitdauer dieser Kultur fortgesetzt hat. Das sind zum Beispiel ein schlechter Fugenverband im Mörtelmauerwerk; die nicht ausgeführte konstruktive Einbindung von Querwänden, die ohne Verzahnung nur stumpf aneinanderstoßen; die schlampig ausgeführte Schalenbauweise ohne dauerhafte Verbindung mit dem inneren Mörtelkern. Eine Erklärung für diese sorglose Art der technischen Bauausführung mag darin liegen, daß in der Maya-Architektur bauliche Einzelheiten nebensächlich waren; ihre Erbauer konzentrierten sich vor allem auf die Gesamtwirkung des Massenbaus.

Welchen Eindruck die noch benutzte und bewohnte Maya-Architektur vor mehr als 1000 Jahren wirklich machte, können wir uns heute, trotz aller baugeschichtlichen Analysen und archäologischen Grabungsergebnisse, nur sehr schwer vorstellen. Nur wer einmal eine ganz frisch aus späteren Überbauungen freigelegte Tempelfassade mit ihren in leuchtenden Farben bemalten Dämonenmasken und Tierornamenten in glühenden Rottönen, grellem Weiß und tiefem Schwarz tatsächlich erlebt hat, wird einen kleinen Abglanz der schöpferischen Kraft spüren, mit der die Maya ihre großartigen Bauwerke schufen.

Probleme der Konservierung von Maya-Ruinen

Oscar Quintana

Die Rettung und Erhaltung archäologischer Stätten hängt von verschiedenen Bedingungen ab: 1) dem Alter, den Baumethoden und den Konstruktionsmaterialien; 2) vom Klima und den Vegetationseinflüssen; 3) von der Einwirkung des Menschen. Im folgenden sollen die Gefahren für Maya-Ruinen und die möglichen Methoden zu deren Erhaltung dargestellt werden.

ALTER, KONSTRUKTIONSMETHODEN UND BAUMATERIALIEN

Die vorspanische Besiedlung der Maya-Region umfaßt einen Zeitabschnitt von mehr als 2000 Jahren und endet im Jahre 1697 mit der Zerstörung der letzten Maya-Stadt Tayasal, die im Kernbereich des Tieflandes im Petén liegt. Die Maya erbauten ihre Monumentalarchitektur hauptsächlich aus Stein mit einem Stuck- und Farbenüberzug. Dieser Überzug diente als wetterfeste Schutzschicht für den Stein und als glatte Oberfläche der Gebäude, Innenhöfe oder Plätze, an der Wandmalerei, Farbe oder Schrift angebracht werden konnten.
Durch die Aufgabe der Zentren verwandelten sich Städte voller Aktivität in verlassene Orte und verfielen zu Ruinen. Einige Materialien, vor allem Hölzer an Türstürzen, als Tragbalken oder an Dächern, verrotteten durch Feuchtigkeit oder Insektenfraß und verloren ihre statische Tragkraft, so daß Decken und Gewölbe einstürzten. Weitere Schäden entstanden durch eine lose Konstruktion der Mauerwerkskerne ohne Bindemittel, nur mit Lehmbindung, oder durch Schalenbauweise, bei der die steinerne äußere Schale und die innere Mauerfüllung keine Verbindung mehr haben.

UMWELTEINFLÜSSE

Die traditionelle Bauweise von Pyramiden in Stufenform führte im tropischen Regenwald dazu, daß Vegetation auf den horizontalen Flächen zu wachsen begann; sogar Bäume in einer Größe von bis zu 30 Metern gedeihen dort. Ihr Gewicht und der Druck der Wurzeln gegen das Mauerwerk verursachen oft den Einsturz der Gebäude. Die Maya-Bauten verwandeln sich dann in einen von Pflanzen bewachsenen Steinhaufen, der von der Vegetation weiter aufgelöst wird. Ein stürzender Baum nimmt stets Teile des Gebäudes mit, das er mit den Wurzeln eingeschlossen hat. Freistehende Gebäude sind darüber hinaus der Feuchtigkeit, dem Regen und dem Temperaturwechsel ausgesetzt. Diese Faktoren beschleunigen in Verbindung mit der wuchernden Vegetation und dem Einfluß von Mikroorganismen (Flechten, Pilze, Moose) und Tieren (Insekten, Vögel, Säugetiere) den Verfallsprozeß.

EINWIRKUNG DES MENSCHEN

Mehrere Schadensfaktoren sind hier zu nennen: Vandalismus, archäologische Ausgrabungen, Plünderungen und Zerstörung durch Schatzräuber, Verwahrlosung der Stätten, schädliche Folgen des Tourismus und Restaurierungsarbeiten. Während der spanischen Konquista und Besiedlung waren die Eroberer darauf bedacht, alle kulturellen Reste der Vergangenheit zu zerstören. Sie überbauten die alten Städte mit kolonialer Architektur oder benutzten sie als Steinbrüche. Erst seit dem 19. Jahrhundert suchten Abenteurer und Sammler nach exotischen Schätzen und widmeten sich auch dem Gebiet der Maya. Sie hatten unterschiedliche Methoden, um in den Ruinen nach Schätzen für ihre Kuriositätenkabinette zu graben. Einige verwendeten Sprengstoff, andere entnahmen tragende Balken aus Gebäuden, bohrten große Löcher in Wände, Gewölbe, Fußböden und Dächer, transportierten Stelen und Altäre weg, um Museen in Europa und Nordamerika zu schmücken. Ihre Berichte trugen zu einem wachsenden Interesse an den Maya und zum Beginn systematischer wissenschaftlicher Forschung bei.

Seit 1891 organisieren und finanzieren ausländische Institutionen und Museen die weitere Erforschung und Dokumentation von Gebäuden der Maya-Region in Zeichnung und Photographie. Die Zielsetzung dieser Expeditionen war unterschiedlich. Einige verfolgten nur wissenschaftliche Fragen, andere bemühten sich auch um die Rekonstruktion von Architektur, wie etwa das 1924 in Chichén Itzá initiierte Ausgrabungsprojekt. Ein Beispiel für eine rein wissenschaftliche Zielsetzung ohne Rücksicht auf die Erhaltung der Ruinen ist das Projekt der Carnegie Institution in Uaxactún (1925–1937), das den untersuchten Ort wie ein Schlachtfeld hinterließ, mit breiten Suchgräben, die mitten durch die Gebäude verliefen, mit offengelassenen Sondierungsschächten und Plätzen, an denen das ausgegrabene Erdmaterial sich häufte. Mit der Aufwertung der vorspanischen Kunstgegenstände als Sammlerstücke von besonderer Qualität entstand die systematische Grabräuberei. Diese illegalen Grabungen sind Plünderungen und dienen nur zur Versorgung des lokalen und internationalen Kunstmarktes. Etwa ab 1950 nahmen die Plünderungen zu und verursachten große Schäden.

Der Verlust an kultureller Information kann nie wieder ersetzt werden. Noch heute zerstören organisierte Plündererbanden die archäologischen Stätten der Maya mit raffinierten Methoden. Dabei ist der Schaden, den ihre Raubgräberei an den Bauwerken verursacht, noch weit schlimmer als der Verlust einzelner Kunstwerke. Die Grabräuberei wird durch die große Anzahl von Fundorten, durch die Weiträumigkeit des tropischen Urwaldgebietes und durch die politischen Grenzen, die diese Region durchziehen, nahezu unkontrollierbar. Trotz einer strengeren Gesetzgebung und internationaler Konventionen ist der Kampf der Länder Mittelamerikas zum Schutz ihres Kulturgutes bis heute wenig erfolgreich geblieben. Es bedarf einer größeren politischen, technischen, finanziellen und erzieherischen Unterstützung, um der fortschreitenden Zerstörung Einhalt zu gebieten.

Das Fehlen finanzieller Ressourcen verhindert einen adäquaten Schutz und eine sachgerechte Verwaltung des Kulturgutes durch die staatlichen Behörden. Zusätzlich führt die planlose Konzentration der geringen finanziellen und technischen Mittel auf wenige Großprojekte an den immer gleichen Fundorten dazu, daß weite Teile der Region dem kontinuierlichen Verfall überlassen bleiben. Die archäologischen Arbeiten konzentrieren sich vor allem auf Orte, die von einer großen Anzahl von Touristen besucht werden. Die Besucher jedoch tragen ihrerseits wiederum zur weiteren Zerstörung der Ruinen bei. Schäden durch den Massentourismus entstehen durch Überbelastung der Originalfußböden, durch Bekritzeln und Einritzungen der stucküberzogenen Wände, die oft mit wertvollen Maya-Zeichnungen geschmückt sind; als Folge des Tourismus sammelt sich Abfall in den Ruinen. Außerdem werden Klang- und Lichtschauen durchgeführt, ja sogar Hotels entstehen innerhalb der archäologischen Zonen, große Service-Zentren und Zufahrtsstraßen werden angelegt, die oft mitten über vorspanische Gebäude verlaufen. So trägt ein unkontrollierter und zu intensiver Tourismus weiter zur Zerstörung des archäologischen Erbes bei.

CHRONOLOGIE DER RESTAURIERUNGSMASSNAHMEN

Erste Restaurierungsarbeiten fanden 1910 in Quiriguá statt. Das bedeutendste Restaurierungs-Projekt wurde zwischen 1924 und 1945 in Chichén Itzá unter der Leitung von Sylvanus G. Morley durchgeführt, der eine Überblicksdarstellung der Maya-Zivilisation schaffen wollte. Die dort angewandte Methode wurde für die gesamte Maya-Region zum Vorbild. Erstmalig richtete man in der Maya-Welt eine archäologische Stätte bewußt für die touristische Nutzung her. Zwischen den 40er und 60er Jahren gab es dann umfangreiche Restaurierungsarbeiten im gesamten Maya-Gebiet: im guatemaltekischen Hochland in Zaculen 1946–49, finanziert durch die berüchtigte United Fruit Company, in Mixco Viejo in den Jahren 1954, 1967 und 1971 und in Iximché 1956–63. In Tikal begann man 1959 mit den ersten Arbeiten im Regenwald des Petén. Es folgten:
1964–68 Seibal, 1984–90 Uaxactún, ab 1934–36 Copán, ab 1949 Palenque und 1973 Yaxchilán. Yucatán wäre mit den Stätten Tulum (1938 und 1974), Dzibichaltún (1956 bis 1965) und Uxmal (ab 1958) zu nennen. Weiterhin setzte sich das mexikanische Centro Regional del Sureste als regionale archäologische Behörde für folgende Projekte ein: Becán 1974, Chicanná 1972, Xpujil 1977, Cobá 1974, Tulum 1974–75, Chichén Itzá, Uxmal, Labná und Kabáh. In Belize nahm man sich folgende Orte vor: Xunantunich 1968 und 1971–76, Altun Há 1971–76 und 1978, Cerros 1973–79 und Caracol ab 1985.

Die Eingriffe der Archäologen und Restauratoren waren sehr unterschiedlich. In einigen Fällen rekonstruierte man vor allem solche Gebäude, die von Touristen bewundert werden sollten. In Tikal wurden Gebäude und Plattformen zerstört, um die Anfahrt mit dem Auto zu ermöglichen. In Uaxactún trug man ein Gebäude völlig ab, um die darunterliegende ältere Pyramide (E-VIII-Sub) mit Masken offenzulegen. Dies geschah auch in Lamanai in Belize (N9–56). Schwerste Schäden wurden also auch durch die Forschungsneugier von Archäologen angerichtet, die jüngere Bauten wegrissen, um ältere, darunterliegende freizulegen.

In anderen Fällen verwendete man ungeeignete moderne Konstruktionsmaterialien wie Beton, um Rekonstruktionen schnell und kostensparend hochzuziehen. Die zubetonierten Ruinen von Zaculeu im Hochland von Guatemala legen davon beredtes Zeugnis ab. An vielen restaurierten Fundstätten wird nicht deutlich markiert, welche der Gebäudeteile alt und original sind und welche rekonstruiert wurden. Diese Rekonstruktionsmethoden widersprechen den internationalen Regeln, weil sie Originale und rekonstruierte Teile nicht deutlich trennen. Trotzdem werden die so hergerichteten Zentren jährlich von Millionen von Besuchern bewundert.

DER AUGENBLICKLICHE ZUSTAND DER RUINEN UND EIN AUSBLICK ZU IHRER ERHALTUNG

Heute zeigen die Maya-Stätten im allgemeinen die folgenden Schäden an Gebäuden: den Verlust der Überdachung oder der Deckenkonstruktion durch Wasserinfiltrierung, Feuchtigkeit, Zerstörung durch Mikroorganismen; den Verfall von Mauern; die Veränderung der Gebäudeoberfläche und das Wegfallen der Schutzschicht (Stuck oder Farbe) und Rissebildung; den Einsturz, das Abspalten oder Abfallen von Gebäudefragmenten. Die meisten archäologischen Fundorte bleiben ungeschützt und unbewacht und sind in einem katastrophalen Zustand, dem nur mit massiven Hilfsprogrammen beizukommen ist.

Da es ganz unmöglich ist, sich um alle archäologischen Stätten zu kümmern, muß bei der Konservierung ein Kompromiß gefunden werden, um für zukünftige Generationen die größtmögliche Anzahl an Maya-Zentren zu erhalten. Die Schutzmaßnahmen müssen durch regionale Notgrabungsprojekte intensiviert, ein archäologisches Ortsregister in Form eines Ruinenkatasters so bald wie möglich vervollständigt werden. Besondes wichtig wäre eine erfolgreiche kurz-, mittel- und langfristige Gesamtplanung aller Restaurierungsmaßnahmen, die sich nach den wirklichen Prioritäten richten sollte. Die jeweiligen Projekte sollten didaktische Aufarbeitung, Restaurierungsarbeiten und den Schutz und die Präsentation der Fundorte für Besucher mit neuen Erkenntnissen aus der Materialforschung verbinden.

Um diese Zielsetzung zu erreichen, sind intensive Untersuchungen notwendig, die langfristig nicht durch die finanziellen Mittel des Staates getragen werden können. Deshalb sollte die Stärkung und Restrukturierung der staatlichen Institutionen, die für den Erhalt und den Schutz des kulturellen Erbes verantwortlich sind, im Vordergrund stehen. Dazu ist die finanzielle und technische Unterstützung des Auslandes notwendig. Die ungezügelte Ausbeutung natürlicher Ressourcen, die unkontrollierte Besiedlung der Urwaldgebiete sowie schlecht geplante Entwicklungsprojekte (Massentourismus, große Staudämme zur Stromgewinnung, intensive Landwirtschaft) stellen zusätzliche Bedrohungen für die Zukunft der Umwelt und Kultur der Maya dar. Als Alternative dazu bietet sich die Errichtung geschützter Areale (Nationalparks und archäologische Parkzonen) als neue Form der Administration und der dauerhaften Erhaltung archäologischer Stätten an. In solche Nationalparks könnten sowohl die archäologischen Stätten als auch die Ökologie des tropischen Regenwaldes einbezogen werden. Die Bewohner der Maya-Region müssen lernen zu erkennen, wie wichtig die Erhaltung des kulturellen Erbes der Maya in seinem natürlichen Ökosystem für die Menschheitsgeschichte und für uns alle ist.

Der Hofstaat der Maya in der Klassik

Stephen D. Houston und David Stuart

In den letzten Jahren des 17. Jahrhunderts begegneten sich an den Ufern des heutigen Petén Itzá-Sees (Abb. 173) in Guatemala die Kulturen der Maya und der Spanier. Eine kleine Schar christlicher Priester war von Osten her gekommen, um die Bewohner des letzten Maya-Bollwerks in Tayasal und deren Herrscher *Kan Ek'* zu bekehren. Der folgende Auszug aus einem Augenzeugenbericht dieses Treffens ruft nachhaltig die erste Begegnung von Hernán Cortés mit dem Aztekenkaiser Moteuczomah zwei Jahrhunderte zuvor ins Gedächtnis:

»Und als wir unsere Augen hoben, sahen wir, daß aus der Richtung der aufgehenden Sonne eine große keilförmige Formation von Kanus kam, alle geschmückt mit zahlreichen Blumen, und sie spielten viel Musik mit Schlegeln und mit Trommeln und mit hölzernen Flöten. Und in einem, das größer als alle anderen war, saß der König der Itzaes, welcher ist der Herr *Can Ek*, was bedeutet ›Der Stern Zwanzig Schlange‹. Und all die, die in der Stadt Chacan sind, gingen zum Ufer des Sees.

König *Can Ek's* goldener Kopf war sehr schön geschmückt, mit einer großen Krone aus purem Gold auf einer Haube aus Gold, und er trug seine Ohren bedeckt mit Goldscheiben. Und die Scheiben haben herabbaumelnde Anhänger, die sich bewegen und über die Schultern fallen wie Fetzen. Und desgleichen trägt er an seinen Armen Ringe aus purem Gold. Und an den Fingern seiner Hände trägt er ebenfalls Ringe aus reinem Gold.

Und er ist bekleidet mit einer Tunika von makellos weißer Farbe, die vollständig mit blauen Stickereien verziert ist. Und der Umhang, der sie bedeckt, welcher sehr rein weiß ist, trägt blaue Tupfen. Und der Saum des Umhangs ist ganz in Blau bestickt. Und er umgürtet seine Taille mit einer breiten Schärpe wie ein Gürtel, aber diese ist schwarz und bedeutet, daß *Can Ek* auch Priester der Itzá ist. Und die Sandalen sind sehr feine Sandalen, denn sie sind gemacht aus blauem Garn mit vielen Goldglöckchen. Und der Umhang trägt ein großes Emblem seines Namens in Maya-Schrift. Und er bedeutet ›Der Stern Zwanzig Schlange‹ . . .

Als *Can Ek* am Ufer des Sees anlegte, legten sie eine lange Matte nieder, damit er darauf gehen konnte. Und so kam er auf der Matte geschritten und blieb an ihrem Ende stehen. Und all die Maya-Soldaten, die aus den Kanus gestiegen waren, kamen und stellten sich entlang ihres Randes auf.

Aber sie ließen gar nicht ab davon, Musik zu machen mit den hölzernen Flöten und den Schlegeln. Und die Trommeln hörten nicht auf zu schlagen, bis *Can Ek* seine Hand erhob mit dem steinernen Stab, den er in seiner Rechten hält und welcher viele Federverzierungen trägt. Und die Priester der Chacans gingen auf ihn zu, alle in Schwarz gekleidet. Und sie alle zeigten sehr große Ehrfurcht.

Und so wünschte *Can Ek* von unserer Ankunft zu erfahren, und er lobte uns, damit wir vor ihn treten sollten. Und wir gingen dorthin, wo der König *Can Ek* war.

Er ging keinen Schritt weiter, als die Matte, auf der er stand, reichte, noch betrat er die Stadt Chacan, obwohl die Maya-Priester aus Chacan ihn einluden von [wo?] er sie sah. Und er wünschte überhaupt nicht, von dort fortzugehen, wo er war.

Und also, als er uns sah, hob er seinen Kopf in der Art einer sehr würdevollen Begrüßung. Und er sagte, wir sollten mit ihm kommen, um zu der Stadt Tayasal zu gehen. Und *Can Ek* drehte sich sehr stolz um und zeigte keinerlei Ehrerbietung gegenüber irgend jemandem und stieg in das Kanu[1].«

Die lebendige Schilderung des Mönches von *Kan Ek's* »Hofhaltung« am Seeufer liegt zeitlich weit entfernt von den Klassischen Maya, doch kann man sich Szenen ähnlichen Pomps unschwer im Tikal oder Palenque des 7. Jahrhunderts vorstellen. Für Archäologen ist es schwierig, solche Bildausschnitte inmitten der verfallenen und überwucherten »Paläste« im Maya-Tiefland zu rekonstruieren. Die Überreste der Südakropolis von Tikal oder des Palastes von Palenque haben wenig gemein mit den pulsierenden Bildern höfischen Lebens, wie sie auf bemalten Töpferwaren dargestellt sind und Höflinge, Diener, Speisen, Unterhaltungskünstler und Musiker zei-

Abb. 92   Abrollung eines polychrom bemalten Gefäßes: Szene am Hofe eines Herrschers von Motul de San José. Musikanten, Hofnarren und Zwerge unterhalten den König vor oder bei einer Selbstkasteiungszeremonie.

gen (Abb. 92). Die Herausforderung für den Archäologen liegt darin festzustellen, wer solche Gebäude bewohnte, wie sie vor ihrer Vereinnahmung durch den Dschungel aussahen und was wirklich vor tausend Jahren in den Maya-Palästen vorging.

Die nächstliegende Antwort wäre wohl: »die Maya-Elite«. Aber diese Antwort birgt nur mehr Fragen: Wer war die Elite? Wie definieren wir sie in Beziehung zu anderen Gruppen und Klassen, die die Städte der Maya bewohnten? Nur zu häufig ist man versucht, die Struktur der Maya-Gesellschaft als ganzes zu sehr zu vereinfachen, indem man die Tausende von Einwohnern in Angehörige der Oberschicht und des Gemeinvolkes teilt. In der Wirklichkeit erweisen sich solch simple Aufteilungen als immer weniger brauchbar, je mehr neue Entdeckungen über die Gesellschaft der alten Maya hinzukommen. Das nun entstehende Bild der Maya-Gesellschaft ist wesentlich komplexer. Natürlich spiegelt das, was die alten Maya

auswählten, um in ihren Geschichtsschreibungen und ihrer Bildkunst festgehalten zu werden, nur das Tun eines kleinen Teiles der Gesellschaft, namentlich der Nobilität und des Königshauses. Sogar Kriegsgefangene oder »Sklaven«, die in den Bildern porträtiert und in den Texten behandelt werden, sind Angehörige der Oberschicht, die vor ihrer Gefangennahme einen gehobenen Status besaßen. Obwohl also nicht das volle Spektrum der Gesellschaft repräsentiert ist – Aufzeichnungen einfacher Bürger fehlen leider völlig –, schält sich doch allmählich eine gewisse Gliederung wenigstens dieser Oberschicht heraus, deren Rollenspiel faßbar wird. Dieser Essay bietet einen Überblick über den heutigen Wissensstand. Die alte Ansicht von den Wohlhabenden als einer einheitlichen Klasse, die sich von Ort zu Ort und durch die Zeit kaum verändert habe, muß modifiziert werden.

Die Quellen, die ein Licht auf den Hofstaat der Maya werfen, sind vielfältiger und komplexer Art. Zunächst können historische Dokumente aus der Zeit der Eroberung hier besonders hilfreich sein, wie die Schilderung von *Kan Ek's* blumengeschmückten Kanus, seiner Musiker und seiner Kleidung illustriert. Jedoch existieren wesentlich detailliertere Informationen für die Azteken in spanischen Chroniken eines Hernán Cortés oder Bernal Díaz del Castillo etwa. Des letzteren Schilderung von Moteuczomahs privatem Garten mag ein Ansporn sein, nach den Spuren ähnlicher Merkmale in den Palästen der Maya zu suchen:

»Wir dürfen nicht die Gärten mit Blumen und süß duftenden Bäumen vergessen, und die vielen Arten, die es von ihnen gab, und ihre Anordnung und die Spazierwege und die Quellen und Becken mit frischem Wasser, in denen das Wasser an einem Ende hineinfloß und am anderen heraus; und die Bäder, die er dort hatte, und die Vielzahl der kleinen Vögel, die in den Zweigen nisteten, und die medizinischen und nützlichen Kräuter, die in den Gärten wuchsen. Es war wie ein Wunder anzusehen, und es gab viele Gärtner, die sich darum kümmerten. Alles war aus Mauerwerk gemacht und gut verputzt, Bäder und Promenaden und kleine Kabinette und Wohnungen gleich Sommerhäusern, wo sie tanzten und sangen. Es gab viel zu sehen in diesen Gärten, wie auch alles andere, und wir wurden nicht müde darin, seine große Macht zu erleben. Infolge so vieler Kunstfertigkeiten, die unter ihnen ausgeübt wurden, war eine große Zahl geschickter Indianer dort beschäftigt[2].«

Die Maya-Adligen mögen ebenfalls Gärten und »Sommerhäuser« gehabt haben, wenn auch von wesentlich geringerer Größe als die, die der aztekische Kaiser besaß. Damit soll jedoch nicht gesagt sein, daß historische Quellen über die Hofstaaten der Maya beinahe nicht existierten. In seiner »Relación de las cosas de Yucatán« überliefert uns Diego de Landa, der erste Bischof von Yucatán, zahlreiche Informationen über die soziale und politische Struktur der Maya-Gesellschaft zur Zeit der Eroberung[3]. Auch gibt es vielfältiges Material über die verschiedenen Ämter und Rangpositionen der adligen *Quiché*-, *Cakchiquel*- und *Pokomam*-Maya des heutigen Hochlands von Guatemala. Aus diesen Dokumenten wird ersichtlich, daß beträchtliche Unterschiede zwischen den Maya-Völkern existierten, und dies besonders hinsichtlich ihrer politischen und sozialen Institutionen. Ohne Zweifel veränderten sich diese Gesellschaften während der Jahrhunderte seit der Klassik in hohem Maße. Doch sei daran erinnert, daß, ergänzend zu den historischen Berichten und Chroniken, die nach der Eroberung geschrieben wurden, vorspanische Texte in Form von Hieroglypeninschriften uns Einblicke in die Welt der Maya-Elite während der Klassik eröffnet haben, die man sich noch vor wenigen Jahren nicht vorstellen konnte.

Bei der Untersuchung des höfischen Lebens der Maya anhand der verschiedenen Quellen läuft man Gefahr, bezüglich der Formen und der Struktur dieser Höfe zu sehr zu verallgemeinern. Die verschiedenen Typen von Palästen und ihre Darstellungen in der Kunst spiegeln die große Variationsbreite wider, die von Ort zu Ort existiert haben muß. Tatsächlich hatte wahrscheinlich jeder Stadtstaat der Maya seine charakteristische Eigenart, und nur durch breitangelegte Vergleiche sind Generalisierungen möglich.

DER SCHAUPLATZ HÖFISCHEN LEBENS

Das Konzept eines königlichen Hofstaates impliziert, daß ein bestimmter Platz, eine Anzahl von Räumen und Hofbereichen dort vorhanden waren, wo die Mitglieder der Oberschicht lebten, ihre rituellen Pflichten ausführten, in politische Intrigen verwickelt waren und Kontakte zu ihren Untertanen pflegten. Die Klassischen Maya hatten vielleicht nicht ihren Escorial oder ihr Versailles, aber sie konstruierten und nutzten kunstvoll ausgeführte Bauten, die als Paläste fungierten. An den meisten Orten sind sie schwer zu identifizieren – die einzige Besonderheit, die sie von anderen Wohnplätzen unterscheidet, ist ihre Größe, die Feinheit der Steinbearbeitung und ihre Höhe, denn viele von ihnen ragen über die Umgebung hinaus. Paläste lagen an den »*plazas*«, im Zentrum von Maya-Städten und in der Nähe spezieller Einrichtungen wie Ballspielplätzen, wo die Adligen ein rituelles Ballspiel durchführten (s. S. 177 ff.). Im Palast von Palenque (Abb. 93) geben hieroglyphische Texte und stuckierte Skulpturen Auskunft über die genaue Funktion und die Terminologie, die mit höfischen Gebäuden assoziiert waren.

Die frühesten Paläste datieren wahrscheinlich in das Ende der Mittleren Präklassik. Archäologen wie Richard Hansen haben im Norden Guatemalas die Existenz immenser »triadischer« Strukturen dokumentiert, um deren Basis strohgedeckte Häuser von ausreichender Größe standen, um Elite-Familien zu beherbergen. Später wurden die »triadischen« Plattformen selbst zu Palästen; in Caracol (Belize) trug ein solcher Bau lange Gale-

Abb. 93 Palenque, Chiapas, Palast: Die Inschriften und Skulpturen ▷ vermitteln die Funktion der einzelnen Gebäude und Räume.

rien von Räumen, was vermuten läßt, daß er während der Spätklassik als bedeutende Residenz diente. Im Alltagsleben konzentrierten die Hofstaaten ihre Aktivitäten wahrscheinlich auf niedrige, längliche Bauwerke, die von Maya-Archäologen »Reihen«-Strukturen genannt werden. Zweierlei läßt sich über alle Phasen der Geschichte hinweg konstatieren: (1) die Ähnlichkeiten zwischen Wohnstätten der Nicht-Elite, den »Haushalten«, die von Bauern, Handwerkern und anderen bewohnt waren, und königlichen Residenzen, in denen Herrscher und ihre engeren Familien lebten, und (2) die Vervielfachung von »palastartigen« Wohngebäuden während der Klassischen Periode.

Plazuelas und Paläste

Es scheint also grundlegende strukturelle Ähnlichkeiten in der Haushaltsorganisation der Maya gegeben zu haben. Auf der untersten Ebene bestehen Wohnstätten typischerweise aus mindestens zwei Gebäuden, die einen kleinen offenen Raum begrenzen. Aufgrund von Analogien zu afrikanischen Haushalten argumentieren manche Archäologen, daß das Anwachsen solcher Baukomplexe einfach die Vergrößerung einer Familie über mehrere Generationen widerspiegelt. Demgemäß entsprächen die größten Hofplätze – im Jargon der Maya-Forscher als »plazuelas« bezeichnet – den ursprünglichen Zentren der Familien und nicht notwendigerweise den Wohnstätten der wohlhabendsten Mitglieder der Gesellschaft.

Dem ist entgegenzuhalten, daß einige plazuelas recht spät datieren, eine zeitlich begrenzte Konstruktionsgeschichte besitzen und dazu ihr Mauerwerk und ihre Bildhauerarbeiten eine herausragende Qualität aufweisen, allesamt Hinweise auf eine Elite-Behausung. Die strukturelle Anordnung der Gebäude, von denen einige Wohnstätten waren, andere als Familienheiligtümer dienten, wieder andere für besondere Aufgabenbereiche genutzt wurden, wiederholt sich im Siedlungsbild aller Ebenen der Maya-Gesellschaft. Eine gewaltige plaza, umgeben von Denkmälern, die Mitgliedern eines königlichen Geschlechts gewidmet sind und mit erhabenen »Reihen«-Strukturen an einer Seite, ist im Grunde nicht anderes als die Steigerung des »plazuela«-Musters. Die Parallele ergibt sich nicht allein daraus, daß beide in der gleichen Kultur wurzeln, sondern daß dieses Baumuster der Grundeinheit der Gesellschaft – der erweiterten Familie – entspricht. Status-, Besitz- und Tätigkeitsunterschiede tangieren dabei das Grundschema nicht.

Der strukturelle Vergleich zwischen Palästen und pla-zuelas erweist sich als noch fruchtbarer, wenn wir Erving Goffmans Konzept von »hinteren« und »vorderen« Bereichen in einfachen Haushalten heranziehen. Das »hintere« Areal wäre demnach dem privaten Aspekt des Familienlebens vorbehalten gewesen, während das »vordere« Areal der öffentlichen Zurschaustellung und dem formalen Austausch mit der Umwelt gedient hätte. Die »plazuela« läßt diese Einteilung zu: der »rückwärtige Bereich« wäre das Wohngebäude selbst, wo Essen, Schlafen und das Zeugen von Nachwuchs stattfanden, während der »vordere Bereich« in Gestalt des Hofplatzes dem Empfang von Besuchern gewidmet gewesen wäre, die in den »hinteren Bereich« weitergeleitet wurden; zum »vorderen Bereich« mögen auch Anlagen gehört haben, die für familiäre Zeremonien genutzt wurden. Die zentralen Plattformen der späteren Periode in Seibal oder die erhöhten Bauten auf der Ostseite vieler plazuelas im nördlichen Guatemala[4] dürften diesen Zwecken gedient haben.

Das kann man auch auf einen königlichen Palast (Abb. 94) übertragen. Das »hintere Areal« würde die engen Räume mit Schlafbänken oder die kleinen Gebäude, die zum Kochen benutzt wurden, einschließen, das »vordere Areal«, könnte dementsprechend die plaza sein, die von Begräbnisstätten, Ballspielplätzen oder Plattformen für die Vorführung von Gefangenen umgeben ist; in einem Zwischenbereich mögen Hofräume innerhalb des Palastes für privatere, aber immer noch formelle Feierlichkeiten dagewesen sein: Empfänge für Besucher, königliche Blutopfer und bestimmte Tänze. Die Tatsache, daß bei diesen Ereignissen relativ wenige Menschen zugegen waren, bedeutet nicht, daß sie weniger »öffentlich« gewesen sind; schließlich erinnern dynastische Texte auf kleinen Tafeln, Türstürzen und polychromen Gefäßen an viele solcher Handlungen. Man darf sie als exklusivere Vorgänge verstehen, die vor Mitgliedern des Adels stattfanden.

Bisher weitgehend unerforscht ist die Definition von »rückwärtigen« und »vorderen« Tätigkeiten aus der Sicht der Elite selbst; denn Begriffe wie »öffentlich« und »privat« sind in jeder Kultur anders bestimmt. Eine einfache Handlung wie das Essen konnte eine spezielle Bedeutung bekommen, wenn sie von einem Herrscher in öffentlichem Kontext durchgeführt wurde. Keramikgefäße zeigen, wie Adlige Speisen oder anderen Waren vor dem Herrscher darbringen, wobei Kleidung und Haltung ihren Status markieren. Durch Vergleiche mit den Mexica-Azteken können wir uns vorstellen, wie geheimnisumwittert, wie überfeinert es dabei zuging: »Moteuczomah saß auf einem niederen, sehr geschmackvollen gepolsterten Sitz und hatte einen weißgedeckten Tisch vor sich.

Abb. 94   Tikal, Petén. Blick auf die Zentralakropolis der Stadt. Der gewaltige Bautenkomplex, der eine Fläche von ca. 1,5 ha bedeckt, liegt südlich des Großen Platzes. Dabei sind die einzelnen Gebäude um sechs Höfe gruppiert und auf verschiedenen, terrassenartigen Ebenen angelegt. Die notwendigen Verbindungswege werden über zahlreiche Treppenaufgänge und Flure geregelt. Fast alle Gebäude besitzen einen langrechteckigen Grundriß und stehen auf einer niedrigen Plattform. Obwohl ihre Funktion letztlich unbekannt ist, werden sie gemeinhin als Verwaltungsgebäude oder Priesterwohnungen bezeichnet.

Vier ausgesucht hübsche Frauen bedienten den Herrscher beim Händewaschen. Sie brachten das Wasser in kürbisförmigen Gießkannen . . . gossen es ihm über die Hände und fingen es in anderen Gefäßen wieder auf. Ehe Moteuczomah zu essen begann, wurde eine große, stark vergoldete hölzerne Wand vor ihn hingestellt, damit man ihn nicht essen sehen konnte . . . Vier ältere, sehr vornehme Männer traten dann herzu und aßen im Stehen, ohne dem Herrscher ins Gesicht zu schauen . . . Während der Monarch aß, mußten sich alle Anwesenden, aber auch die Leute in den benachbarten Sälen ganz und gar ruhig verhalten[5].«

Es gibt Anlaß zu der Vermutung, daß sich die Bestimmung von »hinteren« und »vorderen« Räumen und wahrscheinlich auch die Ereignisse, die sich dort zutrugen, während des Verlaufs der Klassischen Periode veränderten. Ein bekanntes Beispiel hierfür ist die fortschreitende bauliche Abschließung eines Elite-Komplexes in Uaxactún. Nachdem zunächst alle Bereiche dem Blick offenstanden, schlossen später hinzugefügte Gebäude Räume ab und begrenzten Areale, die immer schwieriger zugänglich wurden. Änderte sich die Funktion des Gebäudes, oder begann die Oberschicht, zusätzliche Abstufungen von »öffentlichem Raum« zu entwickeln? Wir vermuten, daß im Laufe der Zeit das staatliche Zeremoniell immer elaborierter wurde und dynastische Rituale zunahmen und zugleich die Teilnahme einer größer werdenden Oberschicht erforderten. Als Ergebnis dieser Entwicklung erhielten höfische Gebäude unterschiedlichere Arten von »vorderen« Arealen, und die Paläste unterschieden sich dann von »*plazuelas*« nicht mehr nur der Größe, sondern ihrer Natur nach.

Zu viele Paläste?

An manchen Orten, einschließlich der kleinen Städte des südlichen Petén, bilden nur ein oder zwei Hofkomplexe eindeutig den Mittelpunkt des höfischen Lebens, alle übrigen Gebäude erfüllen die Erfordernisse einer königlichen Residenz nicht. Doch zeigt ein Blick auf die Stadtpläne von Calakmul oder Tikal, daß Dutzende möglicher Wohnstätten der Elite oder der königlichen Familie existierten. Was können wir daraus ableiten?
Einem von den Azteken oder auch den Inka hergeleiteten Modell folgend, könnten mehrere Paläste an einem Ort auf Residenzen einander folgender Herrscher schließen lassen. Sowohl um seinen neuerlangten Status zu bekräftigen, als auch deshalb, weil der alte Palast von den Nachkommen des verstorbenen Herrschers bewohnt wurde, hätte jeder Fürst einen neuen Palast erbaut. Nur die größten Städte hätten sich eine solche Extravaganz erlauben können; in den kleineren Orten hätte der alte Palast seine Funktion beibehalten. Es gibt jedoch Zentren von beträchtlicher Größe, wie Palenque und Piedras Negras, deren königliche Residenzen sich in e i n e m Bereich der Stadt konzentrierten. Der Palast von Palenque ist bekannt für die Komplexität und Zeittiefe seiner Architektur. Mindestens zehn Herrscher ließen daran bauen. Und Piedras Negras besitzt einen riesigen Palast mit Charakteristika, die andernorts räumlich getrennt sind: königlicher Begräbnisplatz und Wohnstätte, zusammengefaßt in einer einzigen Akropolis. Sogar die »hintere« Tätigkeit des Badens und der Selbstreinigung wurde in einer Reihe kunstvoll ausgeführter Schwitzbäder an der Rückseite der »vorderen« Zonen, einschließlich einiger Hofräume, durchgeführt. Vermutlich hatten in manchen Fällen solche Plätze eine spezielle rituelle Bedeutung, so daß, auch wenn Herrscher woanders wohnten, die wichtigsten staatlichen Handlungen dort durchgeführt wurden. Eine andere Möglichkeit ist natürlich, daß in einer hügeligen,

zerklüfteten Landschaft wie der von Piedras Negras nur ein oder zwei Plätze in Frage kamen, die für eine ausladende Residenz geeignet waren. Ein besonders kompliziertes Modell charakterisiert die Wohnpaläste von Aguateca und Dos Pilas. Beide Paläste scheinen von der gleichen Dynastie bewohnt gewesen zu sein, möglicherweise zur gleichen Zeit. Da wir nur wissen, daß Aztekenherrscher »Sommer«-Residenzen hatten, könnte das gleiche für manche Könige der Klassischen Maya gegolten haben.
Eine alternative Erklärung wäre, daß viele beeindruckende Residenzen von allerdings nicht übermäßiger Größe und auch nicht unbedingt zentraler Lage nicht von Mitgliedern der königlichen Familie, sondern von Adligen bewohnt waren. Es gibt Hinweise, daß diese Gruppen – Königshaus und Nobilität – einander nicht völlig ausgeschlossen haben: Eine mäßige Zuwachsrate in einer wohlgenährten, relativ gesunden königlichen Familie mußte bald eine große Zahl von Nachkommen zur Folge haben, so daß innerhalb weniger Generationen aus dieser Familie die gesamte Oberschicht eines Gemeinwesens hervorgegangen wäre.
Zunächst kann die Elitebevölkerung nicht ungezügelt wachsen. Wahrscheinlich wurden im Interesse der Aufrechterhaltung der »Reinheit« des Elitestatus Heiraten zwischen nahen Verwandten arrangiert, was auch bei den Mixteken von Zentralmexiko der Fall gewesen zu sein scheint. Eine gelinde Art von Inzest hätte die Wachstumsrate der adligen Schicht vermindert. Darüber hinaus führten Kriege dazu, daß einige Mitglieder der Nobilität umkamen, bevor sie viele Nachkommen zeugen konnten. (Vielleicht benutzten die Herrscher den Krieg sogar für ihre dynastischen administrativen Zwecke: mit Kriegführung beschäftigte Adlige hatten schließlich keine Zeit für Aufruhr und Intrigen. Mit anderen Worten: Krieg verringerte die Zahl potentieller Konkurrenten im Wettstreit um begrenzte Ressourcen.) Wenn man jedoch das Gesamtbild betrachtet, wurde die Elitebevölkerung größer und größer. Wir wissen aus den Aufzeichnung der Königsfamilien, daß Heiraten zwischen Angehörigen des Adels verschiedener Orte stattfanden; wahrscheinlich galt dasselbe für die Oberschicht, wodurch die Folgen endogamer Verbindungen vermindert wurden. Was aber Kriegführung betrifft, so vermuten einige Wissenschaftler, daß militärische Auseinandersetzungen sich nur unwesentlich auf die Gesellschaft der Klassik auswirkten, d. h., Scharmützel und Schlachten besaßen nur begrenzten Einfluß auf die Langlebigkeit des Adels. Weitere Residenzen wären also notwendig geworden, um diese Gruppe ihrem Status entsprechend zu beherbergen. Wir nehmen an, daß allein dieser Vorgang in den

Abb. 95   Abrollung eines polychrom bemalten Gefäßes: Ein junger Fürst sitzt auf einer mit Fell und Kissen gepolsterten Bank. Vor ihm kniend eine junge Frau aus dem Königsgeschlecht von Tikal.

größten Städten möglicherweise zu der hohen Zahl von heute sichtbaren Palästen geführt hat.

Zwei königliche Paläste

Anhand zweier Beispiele lassen sich sowohl die Vielfalt königlicher Residenzen aufzeigen wie auch die Metho-

den und Probleme darstellen, sie zu interpretieren. Der Palast von Tikal, die sogenannte »Zentralakropolis«[6], weist mit seinen Räumen und Korridoren mit mutmaßlichen Schlafpodesten und einigen Stucksculpturen auf seine Funktion als königlicher Hauptpalast von Tikal hin. Jeder Besucher ist zunächst beeindruckt von der Dichte und dem vertikalen Schub des Gebäudes, von der Vielzahl der Räume und der Gliederung der Hofbereiche.

149

Der Wohnkomfort scheint relativ niedrig gewesen zu sein: Schlechte Belüftung, Feuchtigkeit und wenig persönlicher Stauraum (dies allerdings fraglich) stellten während der Klassischen Periode wahrscheinlich Probleme dar, obwohl es zweifelhaft ist, daß die Maya-Adligen die Fledermäuse toleriert hätten, die heute die Hauptbewohner ihres Palastes sind! Eine Schwierigkeit hier wie in anderen Bereichen Tikals ist, daß Texte und Ikonographie kaum Informationen über die Funktion bestimmter Räume bieten. Vielleicht wurden manche Hofräume für die Folterung und Zurschaustellung von Gefangenen benutzt, wie zumindest eine Bilddarstellung vermuten läßt. Insgesamt betrachtet bietet uns Tikal, anders als die Orte im westlichen Bereich des Tieflands, jedoch nur spärliche Aufschlüsse über das höfische Leben.

Anders dagegen in Palenque. Im Gegensatz zu Tikal zeichnen die bildlichen und textlichen Informationen aus seinem Palast ein ungewöhnlich detailliertes Porträt des Lebens am Hof, berichten über Ereignisse in bestimmten Räumen und überliefern sogar die Namen einzelner Gebäude[7]. In einem der Hofbereiche fand man zwei Thronsitze für Inthronisationsfeierlichkeiten, deren einer, mit exquisiten Reliefs geschmückt, im Hof selbst lag, während der andere in einem angrenzenden Gebäude stand. Dieser Bau, von den Archäologen »Haus E« genannt, ist mit Blumenmustern verziert, die die Botanik widerzuspiegeln scheinen, wie sie die Maya verstanden. Offensichtlich war dies eines der »Häuser der Blumen«, die in ganz Mesoamerika mit herrschaftlichen Riten assoziiert waren. Ein anderer Hofkomplex nordöstlich von Haus E war, nach den vielen Skulpturen in den angrenzenden Bereichen zu urteilen, ein Ort, an dem Besucher dem Hofstaat vorgestellt und Personen, die man *ahal* nannte, geehrt wurden. Sogar die Korridore und »Flügel« des Palastes hatten hieroglyphische Namen, die von einem speziellen Ausdruck für den nördlichen Korridor bis zu einem anderen für das Gebäude im Westen reichten. Ein solch hochentwickeltes Benennungssystem läßt vermuten, daß andere Paläste ebenfalls genaue Bezeichnungen besaßen, auch wenn diese Namen nicht erhalten sind.

DIE MITGLIEDER DES HOFES

Rekonstruktionen der sozialen und politischen Struktur der alten Maya gehen gewöhnlich von zwei oder höchstens drei streng geschichteten »Klassen« der Gesellschaft aus: dem gemeinen Volk, einer mittleren Klasse von Handwerkern und Beamten und dem Adel. Damit wäre zu fragen, ob Durchlässigkeit zwischen diesen Klas-

sen herrschte. Wie weit konnte man die soziale Leiter hinauf- oder hinunterklettern? Aus den Hieroglyphenaufzeichnungen, kolonialzeitlichen Berichten und Vergleichen mit anderen mesoamerikanischen Völkern wissen wir, daß der adlige Status zum größten Teil ererbt war. Inwieweit einfache Bürger oder Mitglieder der Oberschicht hohe Ränge erringen konnten, bleibt offen. Bei den Azteken war militärische Tüchtigkeit ein sicherer Weg zur Nobilität. Bei den Maya hielt man die Zahl der Gefangenen, die im Kampf genommen wurden, genau fest, und Titel wie »Er der zwanzig Gefangenen« lassen ein ähnliches System vermuten[8]. So scheint die Annahme berechtigt, daß die Elite eine mehr oder weniger abgeschlossene soziale Klasse war, bei der Aufwärts-Mobilität nur unter sehr speziellen Umständen vorkam.

An höchster Stelle waren Rolle und Status eng definiert. Verständlicherweise ist der Maya-Herrscher selbst das Mitglied des Hofes, über das wir die detailliertesten Informationen besitzen, denn er war der Mittelpunkt der meisten Geschehnisse im Palast, und nahezu alle historischen Texte der Klassischen Periode handeln von Königen und ihren Taten. Der oberste Herrscher wurde *k'ul ahaw* oder »Heiliger König« genannt, wahrscheinlich in bezug auf seinen Status als göttliches Wesen. Im Postklassischen Yucatán trug der Herrscher den Namen *halach winik* oder »Wahrer Mann«, und seine Aufgaben waren gleichzeitig religiöser, administrativer und militärischer Art. Ähnlich dürfte es in der Klassischen Periode gewesen sein: höfische Zeremonien wie beispielsweise Blutopfer durchzuführen, die Einnahme von Tributen und möglicherweise auch die Wiederverteilung von Waren zu überwachen sowie militärische Operationen gegen benachbarte Stadtstaaten zu unternehmen waren seine Aufgaben.

Das Amt des Herrschers wurde in der väterlichen Linie weitergegeben, wie fast überall in Mesoamerika. Gewöhnlich beinhaltete dies die Übernahme des Amtes durch den erstgeborenen Sohn der nächsten Generation und so fort. Manchmal jedoch folgten Brüder einander, wie im Fall der beiden Söhne des berühmten Königs von Palenque, *K'inch Hanab Pakal*, *Chan Bahlum* und seines jüngeren Bruders *K'an Xul*. Da keiner der Brüder Erben hatte, stammte der ihnen nachfolgende Herrscher von Eltern ab, die nicht zum königlichen Geschlecht gehörten. Ähnliche Brüche in der Thronfolge sind ziemlich häufig, und in einigen Orten gibt es indirekte Belege für Konflikte zwischen Adligen, die um den Thron wetteiferten. In Yaxchilán zum Beispiel gab es nach dem Tod von *Itzam Balam* ein Interregnum von 10 Jahren – oder sollte tatsächlich ein Regent existiert haben, wurden alle seine

Abb. 96   Abrollung eines polychrom bemalten Gefäßes: Frauen und Hofangestellte helfen dem Fürsten beim Ankleiden für einen bevorstehenden Tanz.

Aufzeichnungen sorgfältig zerstört. Bei einer so anfälligen Thronfolgeregelung überrascht es kaum, daß die meisten Adligen großen Wert auf die Rechtfertigung ihrer Stellung durch die Aufzeichnung ihrer Abkunft legten.

In solchen Schilderungen der Abstammung finden wir gewöhnlich Berichte über wichtige Frauen im höfischen Leben der Maya. Dem Herrscher am nächsten standen seine Gemahlinnen, die selbst bedeutende Persönlichkeiten waren. In Palastszenen auf bemalten Gefäßen stehen oder sitzen Frauen aus der Königsfamilie häufig neben dem thronenden Herrscher, halten Trinkgefäße oder betrachten die Ereignisse bei Hofe, die oft auch religiöser Natur waren. Die bekannten Wandmalereien von Bonampak zeigen die Frau und die Mutter des Herrschers *Yahaw Chan Muwan* hinter ihm stehend, während er eine Gruppe von Gefangenen aburteilt, die zu seinen Füßen bluten. Tatiana Proskouriakoff verdanken wir mehrere wichtige Studien über Frauen in der Maya-Kunst und -Schrift. Sie zeigte auf, daß die Frauen wichtige politische Ämter, in Einzelfällen vielleicht sogar die von Herrscherinnen oder *k'ul ahawob*, innehatten. Interessanterweise stammten die Maya-Königinnen oft aus weit entfernten Orten und heirateten in Dynastien ein, um politische Allianzen zu forcieren (Abb. 95). In Copán zum Beispiel war der angestammte Fürst der Sohn einer »Dame von Palenque«. Die meisten inschriftlich festgehaltenen Heiraten fanden jedoch zwischen Personen statt, die nicht so weit voneinander entfernt wohnten. In Dos Pilas legten jüngste Ausgrabungen ein Gebäude frei, das wohl Wohn- und Aufenthaltsort einer königlichen Gattin aus einem Ort namens Cancuén war. Die »Dame von Cancuén« war mit einem Herrscher von Dos Pilas verheiratet, dessen Tante nach Naranjo verheiratet wurde. Solche aus den alten historischen Aufzeichnungen zusammengetragenen Informationen vermitteln den Eindruck, daß ein dichtes Netzwerk politischer und familiärer Verbindungen zwischen vielen der Höfe im südlichen Maya-Tiefland existiert haben muß. Die Reliefs und Inschriften von Yaxchilán zeigen überdies, daß die Könige zumindest in einigen Fällen polygam waren, wobei jedoch die Mütter der direkten Thronerben von größerer Bedeutung gewesen zu sein scheinen als andere.

Wenn vom Hofstaat der Maya die Rede ist, müssen natür-

Abb. 97 Türsturz aus der Gegend von Yaxchilán, Chiapas: Der König Yaxun Balam und ein Höfling mit dem Titel Ah K'ul Na vollführen den Schlangentanz.

plizierten Zeremonien und Tänzen gemeinsam mit den Königen beteiligt, und in Darstellungen werden beide als von mehr oder weniger gleichem sozialem Rang gezeigt (Abb. 96, 97). Die *sahalob* waren in manchen Fällen Mitglieder der königlichen Familie, kamen allerdings nicht aus der Linie der möglichen Thronerben. In anderen Fällen jedoch waren sie wahrscheinlich Mitglieder entfernter Blutslinien, die in die örtliche Königsfamilie eingeheiratet hatten. Interessanterweise gab es eine interne Rangfolge unter ihnen; die wichtigsten wurden *ba sahal* oder »Erster *sahal*« genannt.

Ein anderer wichtiger Adelstitel lautete *ah k'ul na*, was nach unterschiedlicher Deutung sowohl mit »Er vom Tempel« wie auch »Höfling« übersetzt werden kann. Diese Adligen waren zahlreicher als die *sahalob* und möglicherweise nicht so eng mit den Herrschern verwandt. In Copán beaufsichtigte ein *ah k'ul na* kleine rituelle und residentielle Einheiten in der Nachbarschaft der Hauptakropolis und bestätigte ihre Ergebenheit und Zugehörigkeit zum *k'ul ahaw*. Als Beispiel für solch ein Bauwerk sei das »Haus der *Bacabs*« (Abb. 98) genannt. Zweifelhaft bleibt, ob der dort residierende Adlige wirklich ein Schreiber war, wie andere Wissenschaftler vermuten. Eine geräumige Bank im Innern des Gebäudes ist ein wesentlicher archäologischer Beleg für gleichartige Bänke, die wir in Hofszenen auf bemalten Gefäßen dargestellt finden. Der *ah k'ul na*, ein Adliger von hohem Rang, scheint demgemäß seinen eigenen Hofstaat gehabt zu haben. Offensichtlich waren Bänke und Ereignisse zeremonieller Präsentation nicht die alleinige Domäne des *k'ul ahaw*.

Einige Mitglieder sowohl der Klassischen wie der Postklassischen Hofstaaten wurden durch funktionale Titel bezeichnet. *Ah tz'ib* oder »Schreiber«, »Maler« findet man manchmal in Hieroglyphentexten auf bemalten Keramikgefäßen. Quellen aus der Eroberungszeit berichten, daß Schreiber auf die Eliteklasse beschränkt waren, und Belege aus der Klassischen Periode lassen das gleiche vermuten. Mehrere bemalte Trinkgefäße tragen die Signaturen ihrer Maler, und in einem Fall teilt der Künstler oder *itz'at* die Namen seiner Eltern mit (Abb. 99). Sein Vater war der *k'ul ahaw* von Naranjo und seine Mutter die Königin, eingeheiratet aus dem Nachbarort Yaxhá. So waren einige Maler von höchstem sozialen Rang. Interessanterweise stellen historische Quellen über die Azteken ausdrücklich fest, daß Prinzen, die nicht die Herrschaft erbten bzw. politische oder priesterliche Pflichten eingingen, häufig den Beruf des Malers, Edelsteinschneiders oder Dichters wählten, wenn ihre Begabung ausreichte. Die Könige selbst waren zweifellos in diesen Künsten ausgebildet und konnten wohl Aufgaben in die-

lich neben den *k'ul ahawob* und ihren Gattinnen auch die zahlreichen Personen genannt werden, die mannigfaltige Aufgaben, von administrativen und religiösen Pflichten bis hin zu den täglichen Hausarbeiten im Palast, erfüllten. Die meisten Palastbeamten dürften ebenfalls von Adel gewesen sein und waren möglicherweise nahe Verwandte der Herrscherdynastie.

Den Hieroglyphentexten zufolge bekleidete der *sahal* ein hohes Amt. Der Titel bedeutet vielleicht »Der Ängstliche«[9]. *Sahalob* nahmen in der politischen Hierarchie den Platz direkt unterhalb des *k'ul ahaw* ein und fungierten als Provinzstatthalter, die kleinere Orte in den Grenzgebieten der Stadtstaaten beaufsichtigten. In dieser Stellung spielten *sahalob* wahrscheinlich auch eine wichtige militärische Rolle; mehrere Inschriften stellen ihre kriegerischen Aktivitäten heraus, sogar in Palenque, in dessen Texten Krieg selten, wenn überhaupt, behandelt wurde. »Der Ängstliche« mag ein angemessener Titel gewesen sein für solche Offiziere. Oft waren sie an kom-

sen Bereichen übernehmen. Auch Bildhauer signierten ihre Arbeiten in vielen Fällen, wobei sich die erhaltenen Signaturen in den Orten Piedras Negras und Yaxchilán, entlang des Usumacinta und in manchen Orten im nördlichen Yucatán häufen. Die meisten Stelen von Piedras Negras wurden jedoch von mehreren Bildhauern angefertigt, von denen manchmal alle ihren eigenen Namen in den Hintergrund des Herrscherporträts meißelten. Auf diese Art lassen sich unterschiedliche »Handschriften« von Künstlern erkennen, und gleichzeitig beweist es, daß sie, wie die meisten Adligen, lesen und schreiben konnten. Tatsächlich waren zahlreiche Bildhauer wie die Schreiber von hoher Abkunft und hohem Rang, denn einige benutzen den Titel *ahaw*, »Herr«, »Adliger«.

Neben den Hinweisen auf Beamte, Höflinge, Künstler und Handwerker, die dem obersten Herrscher im Maya-Hofstaat zur Seite standen, gibt es deutliche Belege dafür, daß Könige sich mit deformierten Individuen wie Buckligen und Zwergen (Abb. 153) umgaben, auch hier wieder eine Parallele zum aztekischen Kaiserhof. Wahrscheinlich waren sie mehr als reine Spaßmacher. Besonders Zwerge werden in der Kunst der Maya beinahe als zugehörig zur Königsfamilie oder als Symbole der Macht dargestellt. Menschen mit ungewöhnlichen oder verformten physischen Eigenheiten mögen als heilige Wesen betrachtet worden sein, die der König in seiner Rolle als göttlicher Herrscher um sich scharte.

Abb. 98 *Copán, Honduras, Las Sepulturas: das »Haus der Bacab«.*

Das Leben am Hofe

Kommen wir noch einmal auf den Vergleich der einfachen »plazuela«-Behausungen mit den aufwendigen Palastbauten zurück. Beide mußten offensichtlich folgenden Funktionen gerecht werden: (1) Zeugung, Geburt und Aufzucht neuer Generationen; (2) die Transmission oder Weitergabe von Wissen; (3) die Projektion, d. h. die Übertragung bestimmter Rechte und Privilegien entsprechend klarer Prinzipien der Beschlußfassung; (4) die Produktion, d. h. die Herstellung von Waren, Schaffung von Dienstleistungen sowie die Planung derselben auf effiziente und kulturell angemessene Art, und (5) die Distribution oder Verteilung von Lebensmitteln und anderen Gütern zum Wohlergehen des Haushaltes.

In erster Linie war der Hof ein Ort, wo Kinder geboren wurden und zu Erwachsenen heranwuchsen, um schließlich die nächste Generation von Herrschern zu werden. Leider sind Kinder in der Kunst der Maya selten dargestellt. Die Wandmalereien von Bonampak und eine Stele aus Piedras Negras zeigen Kinder, die neben ihren Müttern (?) auf einem Thron sitzen. Wie königliche Kin-

der in Europa und anderswo haben auch diese wahrscheinlich keine sorgenfreie Kindheit genossen – zweifellos war ihr Leben auf die Ausbildung für die Erfordernisse der Herrschaft, rituelle Handlungen, Kriege und Heiraten von politischem Nutzen ausgerichtet. Einen Einblick gibt Relief 19 von Dos Pilas, 1990 von Archäologen der Vanderbilt University gefunden. Das Bild zeigt ein Kind oder einen Jugendlichen von hohem Status, der durch seine reiche Kleidung und den Titel »ch'ok Dos Pilas *ahaw*«, »Junger Herr von Dos Pilas«, bekräftigt wird. Wiedergegeben ist offenbar ein Blutopfer des Kindes, vielleicht sein erstes. Umgeben von seinen mutmaßlichen Eltern, »Herrscher 3« von Dos Pilas und der »Dame von Cancuén«, scheint ein hochrangiger Höfling bei der schmerzlichen Zeremonie Hilfe zu leisten, indem er vor dem Kind kniet und den Rochenstachel in einer Hand hält. Die beiden einfacher gekleideten Männer daneben sind die »Wächter des Jungen«, Mitglieder der Nobilität, die dem Kind möglicherweise als Lehrer zugeordnet waren.

Wo lebten die königlichen »Ehefrauen«? Die »Dame von Cancuén« zum Beispiel wohnte offensichtlich nicht im Palast von Dos Pilas. Ihr Grab befindet sich unter einer hieroglyphengeschmückten Bank in einer *plazuela*-Gruppe, woher wahrscheinlich Relief 19 stammte, bevor es am Ort einer kleinen *plazuela* hundert Meter weiter vergraben wurde. Diese Skulpturen eröffnen neue Möglichkeiten für Hypothesen: Könnten einige der »adligen«

plazuelas die Residenzen von Mitgliedern der königlichen Familie gewesen sein, so daß eine bevorzugte Gattin eine eigene Wohnstatt besaß und das Kind von Relief 19 vielleicht eine andere?

Eng verbunden mit dem Aufziehen von Kindern ist die Weitergabe von Wissen. Direkte Beweise für Schulen des Maya-Adels, wie sie für die Mexica-Azteken dokumentiert sind, gibt es vorläufig nicht, dagegen aber viele Anhaltspunkte für eine Art »Pagen-System«, in dem Jugendliche aus königlichen Familien zu angesehenen, fremden Höfen reisten, um dort höfische Sitten kennenzulernen und in den verschiedensten Künsten ausgebildet zu werden. Türsturz 2 aus Piedras Negras (Abb. 107) zeigt eine Versammlung als Krieger gekleideter, kniender Jugendlicher vor dem Herrscher von Piedras Negras. Sie scheinen aus der Gegend von Bonampak oder Lacanhá gekommen zu sein. Ob sie sich allerdings freiwillig in Piedras Negras aufhielten, läßt sich nicht mit Sicherheit feststellen; in vielen Gesellschaften ist ein Page eine Art Geisel, dessen Anwesenheit am fremden Hof das geneigte Verhalten seiner Familie bewirkt.

Ein weiterer Aspekt des höfischen Lebens ist die Bestätigung von Rechten, Privilegien und Prinzipien der Autorität. Nirgendwo ist das besser bezeugt als in den zahlreichen Inschriften. Auswärtige Adlige nahmen an Zeremonien teil und verliehen mit ihrer Anwesenheit wichtigen Entscheidungen oder rituellen Handlungen der örtlichen Herrscher besondere Gültigkeit. Ausdrücke wie »sehen« oder »Zeuge sein« beziehen sich auf Besuche hochrangiger Personen während dynastischer Schlüsselrituale. Bisweilen mag es sich um Verbündete gehandelt haben.

Zur Aufgabe königlicher wie nicht-königlicher Haushalte gehörte die Herstellung von Büchern, Kleidung, Keramiken und anderen Sachgütern. Es gibt zahlreiche Belege für die scharfe Kontrolle, die das Königshaus über manche Bereiche der Produktion, besonders von feinen Tongefäßen, ausübte. Joseph Balal nimmt an, daß die Hersteller solcher Keramiken zu »Palastschulen« gehörten, in denen Arbeiten von überragender Qualität hergestellt wurden[10]. Einige Gefäße zeigen Szenen, in denen Keramiken in einer palastähnlich anmutenden Umgebung bemalt werden, und wie oben bereits erwähnt gibt ein Gefäß Auskunft darüber, daß der Maler Mitglied einer königlichen Familie war.

Das Königshaus überwachte auch die Herstellung vieler Skulpturen. Die überlieferten Namen von Bildhauern sind entweder auf einen Ort oder auf Orte unter der Kontrolle eines einzigen Herrschers beschränkt. Bildhauerarbeiten dürften als Belohnung für verläßliche und ergebene Beamte vergeben worden sein und steigerten zweifellos das Ansehen der Familie, während Gehorsams-

verweigerung die Vorenthaltung solcher Begünstigungen bedeutete. Die Ausbildung von Bildhauern veranschaulichen einige Skulpturen von Piedras Negras, deren rohe Ausführung und falsche Proportionen erstaunlich den Schuljungen-Übungen von Schreibern aus dem alten Ägypten oder Mesopotamien ähneln. Bildhauer unter der Aufsicht des Palastes zu haben besaß den Vorzug, daß der Herrscher die königliche Ikonographie überwachen und dafür sorgen konnte, daß ein einheitliches Bild seiner Herrschaft weitergegeben wurde. Jedoch entstanden Skulpturen in der Klassik, anders als Keramiken, mit ziemlicher Sicherheit auch außerhalb der Paläste; denn sie zeigen Spuren der Fertigstellung in situ, d. h. nachdem der roh behauene Block an seinem endgültigen Platz aufgestellt worden war. Eine Stele aus Machaquilá wurde sogar mehrere Wochen nach der Aufstellung enthüllt, weil in der Zwischenzeit notwendige Details zur Ausführung kamen.

Gleich vielen anderen Haushalten dienten Königshöfe als Stätten, an denen Waren verteilt wurden. Viele Gefäße aus der Klassischen Periode stellen Palastszenen dar, in denen Speisen und Keramikgefäße eine zentrale Rolle spielen. Im Postklassischen Yucatán bildete der Austausch von Speisen und anderen Geschenken einen wichtigen Teil festlicher Zeremonien und Besuche durch fremde Abgesandte. Der Grund dafür lag wohl nicht so sehr in einem System der Wiederverteilung – obwohl dies ein gemeinsamer Zug von Häuptlingstümern ist –, sondern stellte die Bestätigung der Beziehungen zwischen Gastgeber und Gast dar. Jüngste Untersuchungen polychromer Keramiken lassen vermuten, daß sie mit Namen von Würdenträgern, die zu Besuch kamen, gekennzeichnet sind. Namentlich »Luxus«-Güter – Jadeschnitzereien, feine Keramik, Kakaobohnen, feine Gewänder – wanderten eher als Geschenke von Ort zu Ort, als daß sie Waren in einem konventionellen Marktsystem entsprochen hätten. Der Hof war also das Zentrum solcher Aktivitäten, hier stapelten sich Prestigegüter, die als Geschenke verteilt wurden.

Wie unterschied sich der königliche Haushalt von anderen?

Wenn zuvor die funktionale Ähnlichkeit zwischen dem königlichen Hof und einfacheren Haushalten betont wurde, so kann dieser Vergleich nur so weit getrieben werden, als Grundbedürfnisse in Frage kommen; denn als politisches Zentrum hatte der königliche Hof viele weitere Dimensionen, die in sonstigen Haushalten nicht existiert haben können. Das betrifft z. B. ein Ritual in der Behandlung von Gefangenen. In zeremonieller Abfolge reichte es vom Entkleiden über Folter und Präsentation vor der Öffentlichkeit bis zur Verschönerung des Gefan-

Abb. 99 Abrollung einer polychrom bemalten Vase: Der Fürst K'awil Chan sitzt auf einer Bank und empfängt zwei Würdenträger, von denen der erste durch den Pinsel im Kopfschmuck als Schreiber ausgewiesen ist. Auf dem Boden stehen drei Gefäße mit Opfergaben oder Tributen.

genen aus Anlaß seiner Opferung. Das mythische Vorbild für das Schmücken findet sich im *Popol Vuh*, dem Epos der *Quiché*, in dem geschildert wird, wie eine Schlüsselfigur bei der Vorbereitung für das Opfer eingekleidet wird[11]. Auf diese und andere Art muß sich das Leben am königlichen Hofe grundlegend unterschieden haben von der täglichen Routine der Untergebenen.
Zahlreiche Szenen auf Keramikgefäßen der Klassischen Periode zeigen übernatürliche Wesen, darunter Götter wie »Gott D« oder »Gott L« im Zusammenhang mit palastartigen oder halbwegs palastähnlichen Schauplätzen. Der Erklärung von Karl Taube zufolge sind diese Szenen stilisierte Repräsentationen des höfischen Lebens, die entweder die ideale Form des königlichen Betragens oder sein genaues Gegenteil widerspiegeln, nämlich dann, wenn diese übernatürlichen Wesen sich vulgär gebärden. Mit solchen Darstellungen zeigen die Maya uns nicht, was wirklich am Hof geschah, sondern weisen darauf hin, wie das Palastleben sein sollte, wobei das nega-

tive Bild dem Zweck dient, das positive Ideal königlichen Verhaltens vor Augen zu führen.

Vignette zu einer Szene bei Hofe

Zum Schluß soll an einem einzigen Beispiel noch einmal die Vielschichtigkeit des Hoflebens der Maya veranschaulicht und zugleich vorgeführt werden, wie schwierig sich noch immer eine zuverlässige Deutung gestaltet. Eine der berühmtesten und lebendigsten Darstellungen ist der Türsturz 3 aus Piedras Negras (Abb. 100). Obwohl als Türsturz bezeichnet, ist das Stück, wie auch das schon beschriebene Relief 2, eigentlich viel zu klein, um als solcher gedient zu haben; wahrscheinlich handelt es sich um eine Tafel, die in eine Wand oder Treppenstufe eingelassen war. Der Stein wurde während der Begräbniszeremonie für den vierten Herrscher von Piedras Negras geweiht und war vielleicht ursprünglich vor sei-

Abb. 100 Piedras Negras, Petén: Das Relief 3 zeigt den thronenden Herrscher bei der Audienz.

nem Grab angebracht. In der Inschrift wird seines zwanzigjährigen Thronjubiläums gedacht; ob es sich bei der dargestellten Szene um dieses Ereignis handelt, wird noch festzustellen sein.

Das Relief zeigt eine Gruppe von Menschen während eines Empfangs durch einen thronenden Herrscher. Die meisten der Figuren sind, wohl durch eine absichtliche Zerstörung der Gesichter, stark beschädigt, aber die allgemeine Anordnung der Szene und die Haltungen der Dargestellten bleiben gut erkennbar. Unterhalb des Throns sitzen, in zwei Reihen angeordnet, Höflinge, die zum König aufschauen. Die darstellerischen Konventionen der Maya-Kunst haben die beiden Reihen zu einer einzigen »verflacht«, so daß die Personen nicht hintereinander, sondern in zwei Gruppen einander gegenübersitzen. Ein Keramikgefäß nimmt den zentralen Platz zwischen den beiden vorderen Herren ein. Es könnte sich um ein Ritualgefäß für Schokoladengetränke handeln, denn die Hauptinschrift enthält den Ausdruck *ti (i)kal kakaw*, »für den mit Chili gewürzten Kakao«. Die zweite Figur der rechten Reihe hält ebenfalls ein Trinkgefäß.

Diese Getränke waren wohl Gaben für den Herrscher, denn Schokolade ist nach wie vor ein wichtiges Geschenk unter mesoamerikanischen Völkern. Die in den unteren Rand des Steins gemeißelte Glyphenreihe benennt die sitzenden Figuren. Demnach heißt die erste Person der linken Reihe *Tz'ununte K'annikte* mit dem Titel *ba sahal* oder »Erster *sahal*«. Die übrigen scheinen von geringerem Rang zu sein; doch sind zwei von ihnen ebenfalls *sahalob*, möglicherweise aus einem Ort in der Nachbarschaft von Bonampak. Die letzte Person auf der rechten Seite trägt den Titel *ah nab*, dessen Bedeutung bisher unbekannt ist. Von den vier Personen zur Linken des Throns werden zwei als *ch'ok*, »Kind«, bezeichnet. Eines der Kinder scheint eine bedeutende Persönlichkeit zu sein, die auf späteren Denkmälern aus Piedras Negras als Erwachsener dargestellt ist – vielleicht ein Statthalter des Herrschers. Hinter den Jungen und einer dritten, nicht näher identifizierbaren Person steht ein Mann namens *Hasaw Chan K'awil*, was auch der Name eines Herrschers von Tikal ist, mit dem Titel *ah k'ul na*.
Auf der anderen Seite des Throns ist eine Gruppe von

drei stehenden Erwachsenen mit gekreuzten Armen dargestellt. Einer von ihnen wird *ch'ok ahaw* oder »Junger Herr« von Yaxchilán genannt. Diese Bezugnahme zu dem fremden Besucher ist insofern von Bedeutung, als eine Inschrift von einiger Länge neben diesen Figuren die feierliche Amtseinsetzung eines Herrschers von Yaxchilán, der möglicherweise den Namen »Vogel-Jaguar« trägt, erwähnt, die unter Anwesenheit des vierten Herrschers von Piedras Negras nur siebzehn Tage vor dessen Tod stattfand. Wer aber ist der thronende Herrscher? Der König von Yaxchilán oder der von Piedras Negras? Dies bleibt vorläufig ein Geheimnis, doch könnten die Amtsübernahme und damit zusammenhängende diplomatische Vorgänge das aktuelle Ereignis gewesen sein, das in der Szene dargestellt ist. Die enge Verbindung zwischen den beiden Orten vorwegnehmend, hatte laut Haupttext des Reliefs ein Höfling aus Yaxchilán bei den Antrittsfeierlichkeiten des Herrschers von Piedras Negras acht Jahre zuvor teilgenommen.

ZUSAMMENFASSUNG

Ein Mosaik aus Hieroglyphentexten, der Ikonographie, späteren historischen Quellen, Informationen von den kaiserlichen Höfen Zentralmexikos und archäologischen Funden vermittelt viele Details vom höfischen Leben der Maya während der Klassischen Periode. Wir können erschließen, wo die Hofanlagen sich befanden und wer in ihnen lebte. Die Übertragung von Modellen aus der Anthropologie dient ebenfalls als Hilfsmittel zur Interpretation des Hofstaates als einer Funktionseinheit, wobei strukturelle Ähnlichkeiten zwischen den einfachsten Haushalten und dem gehobenen Palastleben der Maya-Dynastien aufzuzeigen sind. Wir haben die besonderen Eigenarten der Klassischen Hofstaaten erörtert, die vor allem in ihrer politischen Natur und den militärischen »Obertönen« liegen, die alles Tun in den Hofbereichen und den engen Räumen der Maya-Paläste überschatteten. Vieles bleibt noch zu entdecken. Zu wenig weiß man zum Beispiel über die Beziehungen zwischen den Palästen und den sie umgebenden Gebäuden einfacherer Bauart; die Vorgänge der Herstellung und Verteilung von Gütern müssen durch weitere Ausgrabungen nachgewiesen werden. Nicht anhand von Grabmälern und Tempeln, sondern aus Abfallhaufen werden sich die nicht schriftlich festgehaltenen Vorgänge des höfischen Lebens erschließen lassen. Ursprünge, Wachstum und Untergang des Klassischen Palastlebens gilt es anhand ausgeklügelter demographischer Modelle zu skizzieren, so daß unser umfangreiches, aber immer noch begrenztes Wissen schließlich ersetzt wird durch ein breiter angelegtes Verständnis der Welt der Maya-Elite.

Krieg – Mythos und Realität

David A. Freidel

In Copán (Abb. 101) stand einst in der Nähe von Tempel 18 eine kleine, ungewöhnliche Stele (Abb. 102). Archäologisch beziffert mit 11, stellt dieser flach reliefierte Stein eher eine verzierte Säule dar, als daß er in der großartigen Tradition von mehr als lebensgroßen Porträts stünde, die noch heute das Bild dieser friedvollen Parklandschaft bestimmen (Abb. 103–105). Das Außergewöhnliche der Stele 11 liegt darin, daß sie König *Yax Pak*, den letzten großen Herrscher von Copán, zeigt, wie er am 6. Mai 820 die Vollendung des halben *k'atun* 9.19.10.0.0 zelebrierte. Zu diesem Zeitpunkt hatte er diese Welt schon verlassen, um in die Andere einzugehen. Der alte, bärtige Herrscher steht auf einer Hieroglyphe mit der Bedeutung »Schwarzer Verwandler«, gleichbedeutend mit dem Portal zwischen dieser Welt und dem Reich der Ahnen und der Götter. In der Mitte des Zeichens ist ein weiteres zu erkennen, das möglicherweise *ki*, »Herz«, zu lesen ist; d. h., *Yax Pak* stünde auf dem eigentlichen Herzen dieser Dunkelheit[1], und dunkel war in der Tat die Zeit für ihn und sein Volk. Sein Nachfolger *U Kit Tok'* bestieg den Thron am 6. Februar 822; aber der Bildhauer, der an seinem einzigen Denkmal meißelte, hörte mitten in der Arbeit auf. Mit *U Kit Tok'* erlosch die Reihe der Könige von Copán. Als *Yax Pak* in den Schwarzen Verwandler einging, nahm er das dynastische Königtum, wie es die Maya von Copán vier Jahrhunderte lang praktiziert hatten, mit sich[2].

Dem Text von Stele 11 ist zu entnehmen: »es ist beendet (vernichtet, zerstört), das *Ch'ok Te Na*, das Knospen-Baum-Haus«. Dieser Baum stellt bei den Tiefland-Maya der Klassischen Periode die vorherrschende Metapher für ein königliches Herrscherhaus dar. Von König *Yax K'uk' Mo'* ungefähr zwei Jahrhunderte, nachdem die erste uns bekannte Dynastie in Tikal in Erscheinung getreten war, nach Copán gebracht, kehrte das Herrschergeschlecht von Copán mit *Yax Pak*, dem sechzehnten Fürsten in Folge, in die Schwärze des Vergessens zurück. In der nur teilweise entzifferten folgenden Passage des Textes erscheinen die Worte »es geschah, Obsidian, es geschah, Feuerstein« und dann der Name des schrecklichen Kriegsgottes, *Waxaklahun Ubah Chan*, der »18 Kaninchen-Schlange«. Danach fährt der Text fort, daß »es war das Austilgen von *Yax K'uk' Mo'* (durch?) *Yax Pak*, Himmels-Penis, Zwei-*k'atun*-Herr von Copán«[3]. Wo, auf welche Weise und wann genau *Yax Pak* sein Schicksal ereilte, bleibt unbekannt; ebensowenig ist geklärt, worin die Handlung der 18 Kaninchen-Schlange bestand. Sicher scheint mir jedoch, daß der Text die Rolle des Krieges in Zusammenhang mit diesem Tod offenbart. Über das Ende eines Königs oder auch einer Dynastie hinaus bezeichnet Stele 11 das Ende einer Ära, jener Phase sich bekriegender Staaten in der Geschichte der Maya. Am 16. Januar 378 eroberte Tikal die mächtige Nachbarstadt Uaxactún im zentralen südlichen Tiefland unter der Ägide der 18 Kaninchen-Schlange, eines Kriegsgottes, den Tikal vom fernen Teotihuacán im Hochland von Mexiko übernommen hatte[4]. 442 Jahre Eroberungskriege, Intrigen und große Bündnisse in den weiten Gebieten des Maya-Tieflandes kennzeichnen die Laufbahn dieses Schlachten-Ungeheuers – bis hin zur Zerstörung des Königshauses von Copán.

Auf beredte Weise (s. S. 239 ff.) wird an anderer Stelle die Bedeutung kriegerischer Auseinandersetzungen der Maya in der Zeit des Zusammenbruchs im 9. Jahrhundert dargestellt, als die Verwüstung eine aus dem Gleichgewicht geratene Gesellschaft hinwegraffte. In dieser Krise führte der Krieg nicht zu Unterhandlungen zwischen rivalisierenden Mächten, sondern riß alles mit sich, was auf seinem Weg lag. Zu viele Menschen und infolgedessen die Anwendung alle Reserven erschöpfender Methoden, deren Lebensunterhalt zu gewährleisten,

Abb. 101 Plan der Ruinen von Copán, Honduras. ▷

158

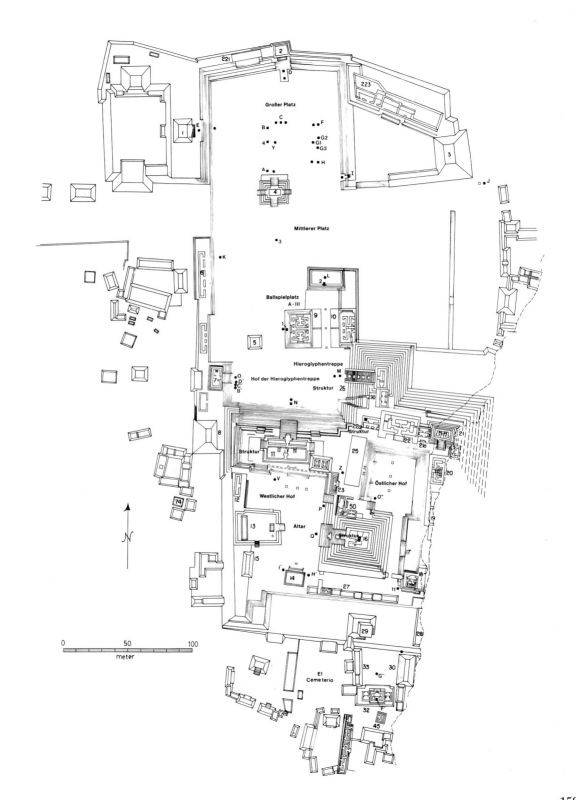

Großer Platz

C
B ∎ ∎ ∎ ● F
4 ∎ ∎ ● G2
Y ● G1
● G3
A ∎ ● ∎ H
4

Mittlerer Platz

● 3

● K

● L
2 ∎

Ballspielplatz
A - III
9
10
5

Hieroglyphentreppe
M
Hof der Hieroglyphentreppe
Struktur 26
230

● N

Struktur
223
Struktur 22 21
210
11
25
20
Struktur
Z
V
23 Östlicher Hof
Westlicher Hof O¨
12 P 50
13 Altar 19
Q Struktur 16
17
I´ H¨ 18
14 11¨
27
29 28

El
Cemeterio 33 30
G¨
32
45

N

0   50   100
meter

159

sowie zuviel Hochmut und maßlose Forderungen der Elite beanspruchten die Umwelt schließlich derart, daß ein erbarmungsloser Kampf ums Überleben ausbrach. Wir aus dem 20. Jahrhundert erleben fast täglich, was dies bedeutet, wenn uns die gequälten Gesichter hungriger und gepeinigter Flüchtlinge von den Bildschirmen her anstarren.

Was die Maya zur Kriegsgeschichte beizutragen haben, welche Erfahrungen sie mit dem Krieg machten und wie ihre eigene Erklärung aussah, sei im folgenden dargestellt. Die Kriege im 9. Jahrhundert bedeuteten nicht die Heraufbeschwörung einer zeitlich begrenzten Krise, sondern bildeten den Höhepunkt eines langen, gleichermaßen schöpferischen und zerstörerischen Prozesses der Auseinandersetzung mit dem Phänomen der Gewalt. Weder begann noch endete dieser Prozeß mit dem Zusammenbruch. Das Thema ›Krieg‹ in der Maya-Kultur sollte, wenn überhaupt etwas dazu geeignet ist, für uns eine Quelle von Erklärung und Einsicht sein. Wann die Maya sich in ihren zahlreichen Texten und Bildern – einer reichen Quelle präkolumbianischer Zeugnisse – dem Sujet ›Krieg‹ widmeten, können wir allerdings nur erkennen, wenn wir ihre Vorstellung davon verstehen.

Was die rein faktischen Geschehnisse auf dem Schlachtfeld angeht, so bieten sich die detaillierten Wandmalereien im Oberen Tempel des Jaguars von Chichén Itzá sowie die spektakulären Wandgemälde in einem Tempel der Klassischen Periode von Bonampak[5] als Anschauungsmaterial an (Abb. 48, 106). Danach und anhand von Schilderungen aus der Zeit der spanischen Eroberung läßt sich zusammenfassen[6]: Zunächst unterhielten die Maya keine stehenden Heere. Aus körperlich geeigneten erwachsenen Männern und Jugendlichen bildeten sie Milizen, die aus zentralen, in öffentlichen Gebäuden befindlichen Arsenalen bewaffnet wurden. Die Ausrüstung bestand aus Stoßwaffen wie kurzen Speeren und hölzernen Äxten mit scharfen Steinklingen sowie Schußwaffen wie Wurfhölzern und Wurfspießen, Schlingen und, in der spätesten Periode, Bögen und Pfeilen. Maya-Soldaten trugen im allgemeinen lange, flexible Schilde aus Häuten oder solche aus steifem Material, die kleiner und von runder Form waren.

Die Milizen bestimmter Städte oder Provinzen, oder vielleicht auch solche, die durch Adlige rekrutiert waren, folgten Kampfstandarten aus langen Speeren, an deren Spitzen große eckige oder runde Schilde angebracht waren. Diese Schilde, kenntlich gemacht durch verschiedenen Dekor, waren gewöhnlich mit schönen Federarbeiten eingefaßt (Abb. 107). Die Standarten ermöglichten nicht nur eine effektive Koordination der Manöver auf dem Schlachtfeld, sondern galten zugleich als machtvolle heilige Objekte, die furchteinflößende übernatürliche Wesen beherbergten oder bei sich versammelten.

Die Offiziere (Abb. 110) waren Mitglieder der Herrscherhäuser, des Stadtadels und der niederen Nobilität verbündeter Provinzen und Städte. Sie staffierten sich mit prächtigem, übernatürliche Geschöpfe darstellendem Putz aus. In voller Montur standen sie draußen auf dem Schlachtfeld und konnten wirkungsvoll Kommandos weitergeben und die Aufmerksamkeit ihrer Gegenspieler in den feindlichen Reihen auf sich ziehen. Kriegsveteranen trugen häufig einfachere Panzer, bestehend aus kurzen, mit Steinsalz gefütterten Baumwolljacken und festen Binden aus Leder oder Stoff an Unterarmen und Beinen. Baumwollpanzer erwiesen sich als so viel wirksamer als irgendein anderer Schutz, daß die spanischen Eroberer sie schnell bei ihren Kampagnen gegen die yukatekischen Maya übernahmen. Auf dem Schlachtfeld trugen alle eine leuchtend bunte Kriegsbemalung, und man darf annehmen, daß mancher erprobte Soldat Gesicht und Körper über und über tätowiert hatte.

Soweit wir feststellen können, gab es keine ausgeklügelten Schlachtformationen. Bildlich dargestellte Kämpfe zeigen, daß hohe Adlige und einfache Krieger einander in heroischen Duellen herausforderten. Die Wandgemälde von Bonampak vermitteln den Eindruck, daß bedeutende Persönlichkeiten in Begleitung eines oder mehrerer nahestehender Gefährten kämpften, die ihnen Rücken- und Seitendeckung boten. Zweifellos gab es ein allgemeines Gemetzel auf den Kampfstätten, doch das klare Ziel war in jedem Falle die Gefangennahme lebender Feinde für spätere Opferrituale.

Strategisch endeten die Kämpfe in der Klassischen Zeit offensichtlich nicht einfach dann, wenn der Feind aus dem Feld geschlagen war, sondern wenn der König oder andere wichtige Personen durch ihre Gegner gefangengenommen worden waren. Das Kampfgetümmel war begleitet vom Lärm hölzerner Trommeln, Trompeten, Muschelhörner, Pfeifen und wildem Geschrei.

Den Berichten der Spanier zufolge und anhand der verhältnismäßig wenigen Darstellungen in der Bildkunst darf man schließen, daß die Heere während wirklich wichtiger Kampagnen sehr groß waren und nach Tausenden zählten[7]. Allerdings bestanden sie eben nicht über lange Zeitperioden hinweg und wurden als Milizen logistisch durch das Requirieren von Nahrungsmitteln und anderen Dingen unterhalten, die die jeweils betroffene bäuerliche Dorfbevölkerung zur Verfügung zu stellen hatte. Im vielleicht eindrucksvollsten Feldzug der Maya in ihrer gesamten Geschichte schlugen die Rebellen von Chan Santa Cruz im 19. Jahrhundert die Armeen des

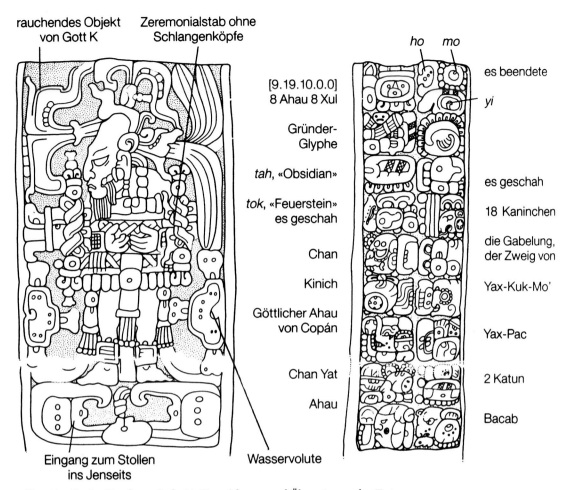

rauchendes Objekt von Gott K

Zeremonialstab ohne Schlangenköpfe

ho   mo

es beendete

yi

[9.19.10.0.0]
8 Ahau 8 Xul

Gründer-Glyphe

tah, «Obsidian»

tok, «Feuerstein»
es geschah

Chan

Kinich

Göttlicher Ahau
von Copán

Chan Yat

Ahau

es geschah

18 Kaninchen

die Gabelung,
der Zweig von

Yax-Kuk-Mo'

Yax-Pac

2 Katun

Bacab

Eingang zum Stollen
ins Jenseits

Wasservolute

Abb. 102   Copán, Honduras, Stele 11: Umzeichnung und Übersetzung des Textes.

modernen Mexiko bis an die Tore der yukatekischen Hauptstadt Mérida zurück. Ihre Generäle konnten jedoch die Belagerung nicht durchhalten, weil die Truppen zu den Feldern zurückkehren mußten, um ihre Feldfrüchte anzupflanzen. Aller Wahrscheinlichkeit nach sahen sich militärische Führer der alten Maya in ihren Strategien ähnlichen Zwängen unterworfen.

Insgesamt bestanden die Kriege der Maya wahrscheinlich aus einer Folge kurzer, entscheidender Begegnungen, die in der Gefangennahme wichtiger Anführer, ihrer Einkerkerung und schließlichen Opferung gipfelten.

Eine weitere Form des Sieges dürfte die Einnahme und

Zerstörung strategisch gelegener Grenzstädte gewesen sein, so daß der Unterlegene die Kontrolle über größere Grenzregionen hinnehmen mußte. Angesichts der außerordentlich dicht, aber weit zerstreut siedelnden bäuerlichen Bevölkerung der Klassischen Periode brachten Kriege am Rande auch direkte Angriffe auf Dorfbewohner, die Zerstörung von Ernten oder andere Schäden für die Bauern mit sich, von denen alle letztendlich in ihrem Wohlergehen abhängig waren. Zum Lohn des Siegers gehörten in manchen Fällen die Gelegenheit, Stelenporträts und Tempel des Feindes in seinen Zentren zu verwüsten, und – Schilderungen der Zeit der spanischen Eroberung zufolge – das Recht, erniedrigenden

Abb. 103 Copán, Honduras, Stele I: Zeichnung von Frederick Catherwood.

Abb. 104 Copán, Honduras, Stele A: Zeichnung von Frederick Catherwood.

Tribut zu fordern. Auf dem Höhepunkt der Klassik boten Eroberungskriege bisweilen die Möglichkeit, zeitlich begrenzte, wohlhabende und mächtige, wenngleich territorial kleine imperialistische Hegemonien aufzubauen[8].

Die Maya verstanden Kampf nicht allein als einen Zusammenprall (Abb. 108) von Menschen und Waffen, sondern als eine komplexe Konfrontation spiritueller und materieller Kräfte. Als zum Beispiel der Eroberer von Guatemala, Pedro de Alvarado, 1523 gegen die Armeen des Kulturheros der *Quiché, Tecún Umán*, kämpfte, flogen einheimischen Berichten zufolge der Maya-Fürst und seine

Gefährten in der Verkleidung von Adlern und Blitzen auf ihn herab, um letztlich durch die überlegenen geistigen Kräfte der Spanier in Form von »fußlosen Vögeln«, heiligen Geistern und eines »schwebenden Mädchens« (damit ist die Jungfrau Maria gemeint) geschlagen zu werden[9]. In Yucatán, am nördlichen Ende des Maya-Landes, findet sich ein weiteres Beispiel eines solchen Kampfes. Im Tempel des Jaguars in Chichén Itzá, wahrscheinlich im späten 9. oder frühen 10. Jahrhundert erbaut, stellten die besten Maler der Stadt seinerzeit Kampfszenen dar, die den Aufstieg der *Itzá* zur Macht feierten. Neben ganz realisti-

Abb. 105a,b   Tikal, Petén: Der sogenannte »Mann von Tikal« ist eines der wenigen Rundbilder der Frühklassik. Die Statue stellt wahrscheinlich einen Fürsten dar, der mit König »Große Jaguartatze« und seinem Bruder »Rauch-Frosch« verwandt war. Der Text auf dem Rücken der Figur wurde unmittelbar nach dem Krieg Tikals gegen Uaxactún geschrieben. Die Plastik wurde »enthauptet« in einer Grabkammer im Frühklassischen Palastkomplex von Tikal gefunden.

schen und detaillierten Schilderungen von Belagerungskriegen, Mann-gegen-Mann-Kämpfen in Städten, der Gefangennahme von Kriegern und der Flucht von Zivilisten ist auch eine Schlacht wiedergegeben, in der hohe Herren im Himmel, auf gefiederten und schuppigen Kriegsschlangen stehend, vor strahlend roten und blauen Toren, ihren Portalen zur Anderen Welt, kämpfen. Ohne Zweifel barg diese Szene für die Maya nur einen weiteren Aspekt der Wirklichkeit eines Gefechts.

Die Herren von Chichén Itzá standen damit in einer uralten Tradition. Schon die Könige von Tikal trugen den Titel *ch'ul way ahaw*, »Heiliger Verwandler-Herr«, der sicherlich ihre Fähigkeit pries, sich zuzeiten in Wesen der Anderen Welt zu verwandeln. Die Götter waren mit den Anführern und ihren Armeen[10]. Ein wirklich großer Herrscher von Tikal, von den Archäologen prosaisch als »Herrscher A« bezeichnet, nannte sich selbst *Hasaw Chan K'awil*, d. h. »geistige Verkörperung der Kampfstandarte«. Damit beanspruchte er faktisch für sich, die Inkarnation des Krieges zu sein. Auf zwei wunderschön gearbeiteten Türstürzen über den Eingängen seines Grabtempels, Tempel 1 von Tikal, ließ sich *Hasaw Chan K'awil* majestä-

tisch auf reich verzierten Sänften sitzend porträtieren. Hinter ihm ragt auf einer der Sänften eine 18 Kaninchen-Schlange auf, ein mit Armen und Krallen bewehrtes Ungeheuer, mit Mosaikplättchen bedeckt. Es lehnt sich über ihn, um nach der Schlachtenstandarte zu greifen, die an der Vorderseite der Sänfte angebracht ist. Auf der zweiten Sänfte steht ein riesiger Jaguar, *Nu Balam Chak* (»Todbringender Freund – Großer Jaguar[?]«), drohend in der gleichen Pose, um über den Kopf des Königs hinweg die Standarte zu halten.

Diese Kultobjekte, obwohl ganz stofflich, waren zweifellos von göttlichem Wesen erfüllt. Zahlreiche in die Palastwände von Tikal geritzte Graffiti zeigen Adlige, welche in Sänften mit diesen riesigen Götterbildern getragen werden, und wir können sicher sein, daß Maya-Heere diese Sänften in die Schlacht trugen. König »Feuerstein-Himmel-Gott K« aus Dos Pilas südlich von Tikal frohlockte in einem seiner Siegestexte, daß er den Vorgänger *Hasaw Chan K'awils*, König »Schild-Schädel« von Tikal, gefangennahm. Sein Nachfolger »Schild-Himmel-Gott K« erklärte sich selbst stolz zum Wächter des *K'in Balam*, des Sonnenjaguars, von Tikal[11], jenes Kriegsgottes, welcher »Schild-

Schädel« offensichtlich auf seiner Sänfte in die für ihn katastrophal endende Auseinandersetzung begleitete. So verwundert es nicht, daß *Hasaw Chan K'awil* die Schaffung und Belebung neuer Sinnbilder des Krieges für seine Stadt feierlich begehen ließ. Sie müssen Tikal gut gedient haben, denn *Hasaw Chan K'awils* Nachfolger ließ sich später auf der erbeuteten Sonnenjaguar-Sänfte eines Feindes aus Naranjo darstellen.

Die mit Krieg verbundene Sprache und Symbolik der Maya legt seine geistigen und übernatürlichen Dimensionen auf immer umfassendere Weise offen. Umgekehrt erkennen wir zunehmend die zentrale und alles durchdringende Rolle des Krieges im politischen Leben der Maya. Rituale, die einst dem rein Religiösen oder dem zivilen Bereich verpflichtet schienen, waren in Wirklichkeit Siegesfeiern. Wie alle wichtigen rituellen Handlungen bezog der Kampf Götter wie Menschen mit ein. Aber die Maya teilten nicht einfach das Pantheon in verschiedene einzelne, rivalisierende Gottheiten auf, etwa als loyale Schutzpatrone bestimmter Staaten. Die gleichen Götter und Kriegsungeheuer verteidigten und attackierten beide Seiten, verkörpert in unterschiedlichen und wetteifernden menschlichen und künstlichen Manifestationen. Die offenkundige Macht von Götterbildern, Standarten und Masken, die in den Kampf getragen wurden, hing ebensosehr von der rituellen Tüchtigkeit der Antagonisten ab wie von solch praktischen Voraussetzungen wie Kriegsstärke, Taktik und Bewaffnung. Zumindest für die Herrscher war der Krieg die Feuerprobe für ihr auf übernatürliche Weise erhaltenes Charisma, und Charisma bildete die Grundlage ihrer politischen Macht zu Hause wie auswärts. Nachdem wir damit den Versuch unternommen haben, die kulturspezifische Begriffsbestimmung von Krieg in großen Zügen zu umreißen, wenden wir uns nun dem Aspekt des Militärischen im historischen Rückblick zu.

Im Augenblick verengt sich durch die Forschung die Spanne zwischen der Zeit, als um 1000 v. Chr. die ersten Maya-Bauern in den Wäldern des Tieflandes siedelten, und der Epoche um etwa 600 v. Chr., als sie begannen, Tempel und *plazas* mit rituellen Bauwerken zu errichten, immer mehr. Als immer wahrscheinlicher schält sich die Feststellung heraus, daß diese Pioniere bei ihrer Ankunft bereits mit den hierarchischen Institutionen einer komplexen Gesellschaft vertraut waren, wie sie in politischen Systemen der Mittleren Präklassik an der Golfküste von Mexiko, den pazifischen Abdachungen Mexikos und Guatemalas und dem Hochland von Guatemala, die in diese Zeitperiode datieren, Ausdruck fanden. Diese Situation beeinflußt natürlich auch unsere Ansichten über die Kriegführung der Maya; denn so wie die ersten

Siedler wesentliche Auffassungen ziviler Ordnung und übernatürlicher Macht mitgebracht haben mögen, dürften sie auch einige in ihrer späteren Geschichte mit diesen verknüpfte Vorstellungen von Krieg mitgebracht haben. Bis auf den Nachweis großer Zentren im nordwestlichen Petén gibt es derzeit jedoch keine Indizien für kriegerische Auseinandersetzungen[12]. Das will nicht heißen, daß die Maya im Tiefland zu Anfang friedlich waren. Wir besitzen lediglich, abgesehen von der berechtigten Vermutung, daß einige große Steinklingen und zweischneidige Werkzeuge als Waffen gedient haben könnten, nicht viele Beweise für die Ausübung von Gewalt zu dieser Zeit.

Für die Späte Präklassik (etwa 400 v. Chr. – 200 n. Chr.) verbessert sich unser Bild der öffentlich zur Schau gestellten Ausprägung der Kultur durch die kompliziert modellierten und polychrom bemalten Stuckverzierungen, die Maya-Herrscher für ihre Gebäude in Auftrag gaben. In Cerros in Belize weist Struktur 5C-2 jaguarähnliche, die Zähne fletschende Göttermasken auf, die eine *k'in*-Hieroglyphe auf ihren Wangen tragen. An die Ohrschmuck-Assemblagen dieser Masken angehängt sind Hieroglyphen, die *yax* gelesen werden. Aller Wahrscheinlichkeit nach stellen die Masken den jüngeren der als Ahnen verehrten Göttlichen Zwillinge der Maya, *Yax Balam*, dar. Diese Zwillingsgottheiten nehmen einen zentralen Platz in der Mythologie ein, die den Ursprung der Welt und die Erschaffung der Menschheit erklärt. Jedoch kennzeichnen die Sonnenglyphen auf den Wangen die Masken von Cerros ebenso als eine verwandte Gottheit, *Ahaw K'in*, »Herr der Sonne«, den Zweitgeborenen der Triadengötter, die in der berühmten Gruppe des Kreuzes in Palenque verehrt werden. »Herr Sonne« spielt eine zentrale Rolle in der Legitimierung der Königsherrschaft. »Großes Sonnengesicht« ist ein in der Klassik weitverbreiteter königlicher Titel. Bilddarstellungen des Klassischen Sonnengottes, *Ahaw K'in*, überlappen sich bezeichnenderweise mit dem Sonnenjaguar, einschließlich der Darstellung von *k'in*-Glyphen auf den Wangen, wie sie auf den Masken von Cerros gefunden wurden. Einige Wissenschaftler glauben, daß der Sonnenjaguar die Sonne in der Unterwelt während der Nacht darstelle. Nun, da wir wissen, daß der *K'in Balam* eine der wichtigsten Kriegsgottheiten der Klassischen Periode war, vermute ich, daß diese Masken von Cerros sowohl Anspielungen auf den Kriegsgott wie auf die Götter, die die königliche Macht legitimierten, enthalten[13].

Auf Präklassischen Gebäuden in Cerros und Tikal kommt eine weitere jaguarähnliche Bilddarstellung vor, in der die Maske ohne Unterkiefer oder mit einem skelettierten Kieferknochen erscheint, welcher offensteht, um einen

Abb. 106   Bonampak, Chiapas, Wandmalerei aus Raum 2 (Kopie von Antonio Tejeda): König Chan Muan feiert seinen erfolgreichen Kriegs-
zug. Die mitgebrachten Gefangenen liegen mit blutenden Fingern vor ihm auf der Treppe. Das Datum dieser Szene, der 2. August 792
n. Chr., fiel mit dem ersten Aufgang der Venus als Morgenstern zusammen, einem günstigen Vorzeichen für die Opferung von Gefangenen.

großen, dreigeteilten Schnörkel sichtbar werden zu lassen. In Darstellungen dieses kieferlosen, abgetrennten Jaguarkopfes aus der Klassischen Periode ist deutlich zu sehen, daß sein Kiefer abgerissen wurde und Blut aus dem Maul oder Hals herausrinnt. Dieser geopferte Jaguar steht in enger Verbindung mit Krieg und den sich aus Kriegen ergebenden Opfern.

Die Darstellung des abgetrennten Jaguarkopfes der Späten Präklassischen Periode setzt sich in der Klassik in Form des Hauptes einer bestimmten Jaguar-Gottheit, genannt der »Wasserlilien-Jaguar« oder *Nu Balam Chak*, fort. Sein Kopf ist im Tempel der Sonne von Palenque zu sehen, unter gekreuzten Speeren und einem Kriegsschild mit dem Gesicht *K'in Balams*, des Sonnenjaguars, als Wappen, auf einen Knochenthron gespießt. Es besteht kein Zweifel, daß König *Chan Bahlum* von Palenque im Tempel der Sonne besonders seine kriegerischen Kräfte interessieren. *Nu Balam Chak*, der Wasserlilien-Jaguar, mit seinem wieder aufgesetzten Haupt ist es auch, dessen Bild über König *Hasaw Chan K'awil* auf einer seiner Lintel in Tikal schwebt.

Zusammengefaßt betrachtet, treten also zwei der Jaguar-Gottheiten, die eng mit der Kriegführung der Klassischen Maya verbunden sind, erstmals in der Späten Präklassik in Erscheinung.

»Herr Sonne« wird ganz besonders in der Gruppe des Kreuzes von Palenque verehrt. Tatsächlich setzen die Texte im zu dieser Gruppe gehörenden Tempel der Sonne seine Geburt und darauf folgend den Antritt des königlichen Erben, *Chan Bahlum*, mit dem Status der Sonne in Beziehung. Die beiden älteren Triadengötter, *Hun Ahaw* und *Mah K'inah Ahaw*, treten häufig paarweise auf wie die Heldenzwillinge, *Hun Ahaw* und *Yax Balam*. Beide Gruppen von Göttern spielen eine wichtige Rolle in Zusammenhang mit dem Königtum der Maya. Wie sich jedoch genau die Kriegsgewalt der Jaguargötter mit königlicher Autorität, das heißt amtlichem Charisma, deckte, bleibt noch zu erforschen. Auf der Grundlage der Übersetzung von *Chan Bahlums* Texten und späterer Schilderungen magischer Kämpfe vermute ich, daß Maya-Könige sich wirklich in der Verkleidung dieser Jaguare und anderer furchterregender Wesen als Kriegsgötter oder Inkarnationen des Krieges offenbarten. Wie auch immer, die kriegerische Macht der Könige war mit Sicherheit auch mit diesen Jaguar-Gottheiten verknüpft.

Könige der Späten Präklassik und ihre Krieger haben uns darüber hinaus beträchtlich umfangreichere archäologische Beweise für Kampf und Verteidigung gegen Angriffe hinterlassen. In Becán wurden damals ein gewaltiger Graben und ein Schutzwall um das Zeremonialzentrum angelegt[14]. Im Umkreis von Cerros konstruierten die

Einwohner eine Anzahl von Wasserreservoirs, die ebensogut eine Verteidigungsfunktion gegen Überraschungsangriffe von der Landseite dieser Küstengemeinde her besessen haben könnten[15]. Auch in El Mirador schlossen Mauern strategisch wichtige Bereiche des Zeremonialzentrums ein[16]. So gibt es mehrfache Hinweise, die vermuten lassen, daß Kriege mit dem Ziel des Angriffs von Zeremonialzentren die Herrscher einiger Stadtstaaten beunruhigten.

Seit der Mittleren Präklassik und in größerer Häufigkeit in der Späten Präklassik finden wir Beispiele großer, angespitzter Steinklingen mit Griffzapfen, die zur Befestigung an Speeren oder Messergriffen geeignet sind. Obwohl diese Artefakte auch als Messer gedient haben könnten, weist die Art, wie zahlreiche Exemplare am Zapfen oder weit oben an der Klinge gebrochen sind, auf ihre Benutzung als Speerspitzen hin. Die Tradition großer, mit Abschlagtechnik bearbeiteter und angespitzter Steinklingen setzt sich während der Klassischen Periode fort; lediglich eine technologische Veränderung von der einschneidigen Klinge zur zweiseitig bearbeiteten ist feststellbar. Den eindeutigen Beweis ihrer Verwendung als Kriegswaffen gibt es jedoch nicht. In Zentren der Steingeräteherstellung im nördlichen Belize produzierten die Maya der Späten Präklassik außerdem Millionen von steinernen Klingen für Äxte und Breitbeile[17]. Wir wissen, daß die Klasssischen Maya Steinäxte bei Enthauptungsopfern benutzten, und nichts liegt näher als die Annahme, daß diese ebenfalls schon in der Zeit zuvor im Kampf eingesetzt wurden.

Die Maya der Späten Präklassik besaßen ihre Motive für Kriege – den Ruhm der Herrscher und ihres Elitegefolges wie auch greifbare Belohnungen in Form von Beute, Tribut und der Kontrolle über produktives Land (Abb. 109). Sie besaßen außerdem die Mittel einer wirkungsvollen Bewaffnung und in einzelnen Fällen die Verteidigungsanlagen, um Einnahme und Zerstörung strategisch bedeutender Zentren zu verhindern. Welches waren nun die höheren politischen Ziele von Kriegen während dieser frühen Periode? Auseinandersetzungen um Land[18] scheiden meines Erachtens aus. Wenn während der Präklassik in den großen inneren Waldgebieten Mangel herrschte, dann allenfalls an Wasser während der Trockenzeit, wenn, ironischerweise, trotz der Bezeichnung »Regenwald« die Zugänglichkeit von Oberflächenvorräten an Trinkwasser ein ernstes Problem darstellte[19].

Es gab Spät-Präklassische Stadtstaaten in den Dschungeln des Petén von Guatemala, die für eine ungeheure politische Macht eines Gemeinwesens über andere sprechen, und zwar die Art von Macht, die sich mit erfolgreicher Militärkraft einstellt und durch sie aufrechterhalten

Abb. 107 Piedras Negras, Petén, Türsturz 2: Versammlung von als Kriegern gekleideten Jugendlichen aus Bonampak und Lacanha vor dem zweiten Herrscher von Piedras Negras.

wird[20]. El Mirador ist bisher nur teilweise kartiert worden, aber das Ausmaß seiner zentralen öffentlichen Architektur liegt weit jenseits all dessen, was *Hasaw Chan K'awil* von Tikal oder seine Zeitgenossen während der Klassischen Blütezeit der Maya-Zivilisation aufzuweisen hatten. Zahlreiche andere, sehr große Präklassische Stätten in der Nähe von El Mirador bieten an sich beeindruckende Konzentrationen von Tempeln und *plazas* auf, schrumpfen aber neben El Mirador zu Zwerggröße und dürften diesem Zentrum untergeordnet gewesen sein. Einfacher gesagt: die Siedlungsmuster im Bereich von El Mirador rufen in der Zeit der Späten Präklassik das Erscheinungsbild großer Satellitengemeinden um eine dominante Hauptstadt hervor. Aber wenn El Mirador tatsächlich eine Art Ur-Hegemonialstaat darstellte, war es die Ausnahme und nicht die Regel. In der späteren Klassischen Geschichte der Maya mag es als schwach in der Erinnerung haftender, glorreicher Vorläufer für die imperialistischen Ambitionen von Tikal und anderen Städten des Petén gedient haben; es brachte die Maya-Gesellschaft jedoch nicht von ihrer hauptsächlichen Staatsform, der relativ kleinen politischen Einheit, die durch eine einzige königliche Hauptstadt beherrscht wurde, ab.

Außer im Falle von El Mirador lassen sich kriegerische Auseinandersetzungen in der Späten Präklassik als ein Instrument expansiver Eroberung und dauerhafter Dominierung eines Zentrums durch ein anderes kaum nachweisen. Andererseits besteht angesichts der engen Beziehung zwischen Königen und Kriegsgottheiten eine hohe Wahrscheinlichkeit, daß Krieg ein integraler Bestandteil der öffentlichen königlichen Zurschaustellung war. Welche Art militärischer Aktivitäten erlaubt es aber der Mehrheit der Bevölkerung, in offenen, weithin zerstreuten und unbefestigten bäuerlichen Gemeinden zu leben? Meiner Meinung nach ging es damals um eine Art ritualisierten Kampfes, bei dem sich die politischen Führer, ihr adliges Gefolge und eine beträchtliche Miliz aus Angehörigen des gemeinen Volkes einander auf bekannten Schlachtfeldern und zu bekannten und geplanten Gelegenheiten gegenüberstanden. Das heißt, daß während dieser frühen Phase bestimmte klare Regeln der Durchführung von Kriegen existierten.

Das soll jedoch nicht bedeuten, daß die Einsätze niedrig waren oder daß Krieg nur mehr als ritterliches Spiel betrachtet wurde. Die Tatsache, daß eine imperialistische Machtkonsolidierung offensichtlich eine Seltenheit gewesen ist, heißt nicht, daß die Zerstörung eines Zen-

Abb. 108   Abrollung eines polychrom bemalten Gefäßes, das in der gleichen Werkstatt dekoriert wurde wie die berühmte »Fenton-Vase« (Kat.-Nr. 171) und eine höchst realistische Kriegsszene zeigt: Die Kämpfer sind reich geschmückt, um die Feinde einzuschüchtern, ihre Oberkörper mit baumwollener Schutzkleidung oder Jaguarfellen bedeckt. Der Text am oberen Rand muß als Weihinschrift verstanden werden.

168

169

Abb. 109 Abrollung eines polychrom bemalten Gefäßes: Die Bemalung entstand in der gleichen Werkstatt wie die Gefäße Kat.-Nr. 108 und 171. Gezeigt wird hier die Ablieferung von Tributen, vielleicht als Folge eines Kriegszuges.

trums durch ein anderes unüblich war. Bei meinen Grabungen im Spät-Präklassischen Cerros kamen klare Beweise dafür zutage, daß die Stadt als politisches Zentrum überstürzt und unter dramatischen Umständen aufgegeben worden war[21]. Freudenfeuer der Sieger hatten die geheiligte Macht der Tempelberge gebrochen, und Haufen zerschlagener Keramikgefäße und anderer Dinge zeugten von mutwilliger Zerstörung. Man hatte Teile der Masken von den Mauern gerissen und weggeschleppt. Früher war ich der Meinung, daß Cerros von seinen Bewohnern, die die Pyramiden erbaut und in ihrer Umgebung gelebt hatten, rituell aufgelassen worden war; denn die Einwohner von Cerros hatten tatsächlich zuvor in ihrer Geschichte Gebäude auf diese Weise sozusagen »verschlossen« und danach überbaut. Inzwischen jedoch häufen sich die Belege für zeremonielle Entheiligungen

von Monumenten durch siegreiche Feinde in den Zentren der Unterlegenen während der Klassischen Periode. Ich vermute stark, daß das gleiche in Cerros schon in der Späten Präklassik geschah, daß die bewußte Zerstörung aller Pyramiden, Ballspielplätze und anderer wichtiger Gebäude zur Zeit ihrer Aufgabe der Beweis für eine Siegesfeier von Feinden ist. Bezeichnenderweise begleiteten »Beendigungszeremonien« offensichtlich auch die Aufgabe von Tempeln in El Mirador, das ebenfalls als Hauptstadt in der Späten Präklassik zusammenbrach.

Diese Art ritueller Aufgabe von Gebäuden wird sich vielleicht noch einmal als bester Beweis für kriegerische Ereignisse unter den Maya herausstellen. Denn anders als Graben- und Wallbefestigungen, die bis zu einem späten Zeitpunkt in der Geschichte recht selten bleiben, könnten Überreste an den Außenseiten von Ruinengebäuden,

die ihre vorsätzliche Zerstörung oder Aufgabe anzeigen, viel häufiger sein, als Archäologen bisher zur Kenntnis genommen haben. Da wir andererseits jedoch wissen, daß die Maya in manchen Fällen routinemäßig Gebäude rituell beendeten, bevor sie sie überbauten, dürfte es schwierig sein, den Unterschied archäologisch festzustellen. Dennoch halte ich es für wahrscheinlich, daß die Aufgabe so vieler Bauten wie in Cerros eine militärische Niederlage des Zentrums und seine Ausschaltung als politischer, wirtschaftlicher und militärischer Rivale anzeigen könnte.

Stellen wir also fest, daß die Maya der Späten Präklassik Kriege führten, gegenseitig ihre Metropolen angriffen, sie manchmal auch mit dauerhaften Befestigungen verteidigten und gelegentlich die Hauptstädte ihrer Gegner erfolgreich zerstörten. El Mirador könnte sogar die Eroberung und Vereinnahmung ausgedehnter Territorien und damit den formellen Eroberungskrieg als strategisches Resultat eingeführt haben. Aber wenn die imperialistische Expansion ein Ziel nachfolgender Maya-Herrscher der Frühklassik war, so bedurfte es doch des Genies einer bestimmten königlichen Familie, dieses Streben so zu kanalisieren, daß alle übrigen Fürsten es akzeptieren konnten. Bei Eroberungskriegen besteht im allgemeinen das Problem darin, ihr Ergebnis, d. h. die Übernahme und dauerhafte Eingliederung von Land und Menschen des Feindes in das Reich des Siegers, politisch zu rechtfertigen. Das Königshaus von Tikal vermochte dieses politische Ziel im Kielwasser eines endgültigen Sieges über das benachbarte Uaxactún im Jahre 378 zu erreichen.

Diesen siegreichen König von Tikal nennen wir »Große

Jaguartatze«. Durch einen Zufall der Geschichte fand die Gründung von Tikal und Uaxactún in unmittelbarer Nachbarschaft zueinander statt; offensichtlich zu eng, um sich ertragen zu können, weil beide zu wichtigen politischen Zentren und letztlich zu Rivalen heranwuchsen. Schon während der Frühklassik errichtete Tikal einen ausgedehnten Verteidigungsgraben und -wall entlang seiner nördlichen Grenze, um vermutlich Uaxactún von Überfällen abzuhalten; an seinen östlichen und westlichen Flanken schützten es breite Sumpfgebiete. Stelen in Tikal wie in Uaxactún zeigen Herrscher, die drohend über knienden Gefangenen stehen, gleichsam das Ergebnis von Konflikten vorwegnehmend, lange vor dem entscheidenen Krieg im Jahre 378. Den endgültigen Eroberungskrieg begann Tikal, als König »Große Jaguartatze« zusammen mit seinem Bruder »Rauch-Frosch« den Feind angriff. Nach der Niederlage von Uaxactún bestieg »Rauch-Frosch« den Thron der eroberten Stadt. In Verbindung mit der Überbauung einer strategisch wichtigen Pyramide in Uaxactún ließ er eine Stele zum Gedenken an seinen Sieg errichten.

Im Zuge der Wiedererrichtung dieser Pyramide legte man eine besondere Grabkammer, in der zwei Frauen bestattet wurden, an. Neben einer der Frauen lag ein kleines Kind; die andere war schwanger. Linda Schele und ich vermuten nun, daß die Herrscher von Tikal das königliche Geschlecht von Uaxactún auszulöschen versuchten und daß diese einzigartige Bestattung die direkten Familienmitglieder des unterlegenen Königs von Uaxactún enthält. Jedenfalls beherrschten »Rauch-Frosch« von Tikal und seine Nachkommen Uaxactún über viele Generationen hinweg als zweites Hauptzentrum eines imperialistischen Staates.

Besonders interessant an diesem Konflikt zwischen Tikal und Uaxactún ist sein Ergebnis: die erfolgreiche Vereinnahmung des Feindes. »Große Jaguartatze« und »Rauch-Frosch« führten eine Reihe von Neuerungen in diesem Krieg ein, die dazu dienten, seine Folgen zu rechtfertigen. Sie stellten ihren Angriff unter den Schutz eines fremden, aus der Stadt Teotihuacán in Mexiko übernommenen Gottes mit der Bezeichnung »18 Kaninchen-Schlange«. Erwiesen ist, daß Botschafter, Händler und Militärexperten aus Teotihuacán schon seit Generationen vor diesem Krieg in Tikal gelebt hatten. Teotihuacán stellte eine ansehnliche Handelsmacht dar, die wertvolle Steine wie Obsidian und viele andere Produkte in der ganzen mesoamerikanischen Welt umschlug. Tikal sicherte sich Wohlstand durch dieses Bündnis, denn das Tiefland brachte zahlreiche landwirtschaftliche Produkte, darunter Schokolade, und Fertigwaren wie Baumwollkleidung für den Austausch mit geschätzten Mate-rialien aus entfernten Regionen hervor. Doch schützte Teotihuacán zweifellos seine Handelsbeziehungen und Allianzen mit militärischen Mitteln. Krieger aus der mexikanischen Stadt benutzten das Wurfholz und den Wurfspieß als bevorzugte Waffen, und sie kämpften in Namen des »Mosaikenschlangen-Ungeheuers«, der »18 Kaninchen-Schlange«, wie die Maya die Gottheit nannten. Der Herrscher von Tikal übernahm diese Gottheit und diese Waffen in seinem Krieg gegen Uaxactún. Zwar muß dahingestellt bleiben, ob Krieger aus Teotihuacán zusammen mit der Armee von Tikal in diesem Krieg fochten, doch die Könige des Hegemonialstaates Tikal ehrten weiterhin ihre Verbündeten und übernahmen sogar Teile der militärischen Rüstung von Teotihuacán (Abb. 39). Auf irgendeine Weise bewirkte der fremde Gott, daß Eroberung und Vereinnahmung annehmbar wurden. Logischerweise muß die teotihuakanische Kriegstaktik die Eroberung vorgesehen haben, was sich jedoch schwerlich beweisen läßt, da aus Teotihuacán Texte, wie wir sie von den Herren Tikals und anderer Maya-Städte besitzen, fehlen.

Wir behelfen uns bei der Benennung dieser Art der Kriegführung mit der Bezeichnung »*Tlaloc*-Venus-Krieg«, weil zusammen mit der »18 Kaninchen-Schlange« der glubschäugige Gott *Tlaloc* aus Teotihuacán eine prominente Rolle in dieser Symbolik einnimmt[22]. Als andere Maya-Könige diese Form des Krieges übernahmen, begannen sie ihre Angriffe zeitlich mit den Bewegungen der Venus am Nachthimmel abzustimmen. Sie nahmen die »18 Kaninchen-Schlange« enthusiastisch in ihr Repertoire von Schlacht-Ungeheuern und Kriegsgöttern auf. Die Ursachen für diese schnelle Verbreitung des Eroberungskrieges sind unschwer zu ergründen. Wie groß Tikal tatsächlich wurde, als es seine Vorherrschaft nach dem Krieg gegen Uaxactún ausdehnte, muß noch erforscht werden. Patrick Culbert z. B. meint, daß der Staat von Tikal auf dem Höhepunkt seiner Macht über mehr als 400 000 Menschen gebot. Die direkten und längere Zeit aufrechterhaltenen Folgen der Verwegenheit von »Große Jaguartatze« bedeuteten Wohlstand und Prestige für seine Könige, Adligen und Stadtbewohner. Das konnten alle verstehen, bewundern und begehrlich betrachten.

Zur gleichen Zeit besaßen zahlreiche Opfer Tikals wahrscheinlich Verbündete, Freunde und Heiratsverbindungen unter anderen Königshäusern. Auch diejenigen, die nicht in den Kreis königlicher Blutsfehden, die sich durch erfolgreiche Expansion, Gefangennahme und Opferung bedeutender Krieger noch verschärften, eingeschlossen waren, mußten diesen imperialistischen Staat fürchten. Zumindest im Herzland des Petén und den angrenzenden Regionen im Osten und Westen scheint der Erfolg des Krieges von Tikal eine wachsende Spirale der Gewalt inmitten komplizierter Allianzen größerer und kleinerer Stadtstaaten entfesselt zu haben. Die Mittlere und Späte Klassik, zwischen 400 und 850 n. Chr., ist die Zeitspanne, für die wir die vollständigste Dokumentation in Hieroglyphentexten besitzen. Obwohl einige Schriftexperten noch immer annehmen, der Krieg habe eine relativ untergeordnete Rolle gespielt, stehe ich auf der Seite derjenigen, die im fortschreitenden Entzifferungsprozeß zunehmende Informationen über die zentrale Rolle von Krieg, Eroberung und Militärbündnissen feststellen.

Es ist schwierig, die wahren politischen Vorgänge zwischen den Spätklassischen Königtümern einsichtsvoll darzustellen, weil jede Saison archäologischer Feldforschung neue Texte ans Licht bringt, die vorherige Interpretationen auf den Kopf stellen. Im folgenden sei anhand einiger wichtiger Entwicklungen die Komplexität der Beziehungen aufgezeigt. Tikal gelang es offenbar, ernsthafte Bedrohungen seiner Sicherheit im zentralen Petén für mehr als anderthalb Jahrhunderte nach dem Krieg gegen Uaxactún fernzuhalten. So lange dauerte es, bis sich seine Feinde formiert hatten. Das Signal für eine ernsthafte Bedrohung kam mit der Initiative eines Stadtstaates, den die Archäologen Caracol nennen, im heutigen Belize südöstlich von Tikal gelegen. Den Texten auf einem Ballspielplatz-Markierstein in Caracol zufolge führte am 11. April des Jahres 556 König *Yahaw Te* von Caracol einen Angriff gegen Tikal. Am 1. Mai 562 frohlockt der König von Caracol über einen »Sternenkrieg« (*Tlaloc*-Venus-Krieg) gegen Tikal. Der Herrscher von Tikal, »Doppel-Vogel«, verschwindet am 17. September 557 aus den historischen Texten, und dieser Katastrophe folgt eine Periode von etwa 130 Jahren, während der die Schriftquellen in Tikal schweigen. Nahm der König von Caracol seinen Rivalen aus Tikal gefangen, um ihn zu opfern? Wahrscheinlich war es so. Doch einige Archäologen zweifeln diese Schlußfolgerung an und sind überdies der Meinung, daß Caracol der politischen Ordnung von Tikal keinen ernsthaften Schaden zufügte. Was ich zu erkennen vermag, ist ein eklatanter Rückgang der sonst zu erwartenden königlichen Bautätigkeit und der rituellen Widmung von Stelen mit Hieroglyphentexten in Tikal. Weiterhin haben in dieser Zeitspanne der Reichtum und die Qualität der Grabausstattungen in Gräbern von Personen mit hohem Status erheblich nachgelassen. Schließlich sind auch eine Abnahme der Stadtbevölkerung und ihre Konzentration in größerer Nähe zum Zentrum dokumentiert.

Arlen und Diane Chase, die in Caracol arbeiten, stellen dort die Folgen des Sieges fest[23]. Dabei erweitern neue Texte in jeder Forschungssaison unser Geschichtsbild von dieser Dynastie, und systematisch erforschte Bereiche der Stadt belegen, daß sich die Einwohnerzahl während des Jahrhunderts nach dem Sieg mehr als verdoppelte[24]. Die Menschen, die nach Caracol kamen, belegen seinen Reichtum und sein Ansehen in Form einer kaum glaublichen Anzahl von Gräbern, die nicht nur in zentralen Stadtgebieten liegen, wie es in Tikal zu seiner Glanzzeit der Fall war, sondern sich über Wohngruppen zumindest im ganzen südlichen Bereich der Stadt erstrecken. Der Vergleich der Textaussagen mit der archäologischen Hinterlassenschaft birgt Risiken; denn natürlich vermitteln politische Führer ihre eigene Sichtweise jeder wichtigen Auseinandersetzung, und nur durch den Vergleich vieler Texte aus zahlreichen Städten können wir hoffen, den wirklichen Geschehnissen näherzukommen. Dennoch häufen sich die Nachweise dafür, daß in den Kriegen der Klassischen Maya Siege einträglich und Niederlagen schmählich waren.

Caracol agierte nicht allein, als es versuchte, Tikal herauszufordern und seine eigene Vorherrschaft zu installieren. Eine bedeutende politische Macht, unter den Epigraphikern als »*Site Q*« bekannt, muß ein anderer großer Rivale Tikals gewesen sein. Ich akzeptiere die vorläufige Annahme, daß »*Site Q*« mit dem gewaltigen Ruinenort gleichzusetzen ist, der Calakmul genannt wird und in dem hügeligen Land liegt, das sich dem zentralen Tiefland nördlich des Petén im mexikanischen Bundesstaat Campeche anschließt. Obwohl Archäologen in Calakmul arbeiten, besitzen wir nicht genügend Informationen über seine Hieroglyphendenkmäler, um die Frage nach der Identität von »*Site Q*« endgültig entscheiden zu können. Dennoch kommt Calakmul mit seiner ausgedehnten monumentalen Architektur und seinen großen Residenzzonen mit Sicherheit als passender Kandidat für eine wichtige konkurrierende Macht in Frage.

Derzeit sieht es so aus, daß, obwohl Calakmul und Caracol von verwandten Dynastien beherrscht wurden[25], sie während der Periode von Caracols Aufstieg zur Macht im 6. und 7. Jahrhundert nicht die besten Beziehungen zueinander unterhielten. Zum einen hatten beide Dynastien Interesse an einer Stadt, die geographisch zwischen ihnen lag und heute Naranjo genannt wird. Calakmul war möglicherweise in die Einsetzung des Spätklassischen Herrscherhauses von Naranjo involviert, und Caracol griff diesen Ort in einer Serie von Kampagnen zwischen 619 und 642 an, die mit der Errichtung eines erniedrigenden Siegesmonumentes, einer Hieroglyphentreppe im Herzen von Naranjo, endeten.

Während dieser sich lange hinziehenden Serie von Kriegen scheint Calakmul wohl größtenteils als Verbündeter von Caracol agiert zu haben. Am 27. Dezember 631 zum Beispiel erduldete ein Gefangener aus Naranjo nach einem Krieg mit Caracol gräßliche Opferriten im Beisein eines Adligen aus Calakmul, und tatsächlich wurde die »18 Kaninchen-Schlangengottheit« von Naranjo durch diese Verbündeten erobert. Als Caracol zur Bestätigung seiner Oberherrschaft Tikal erneut im Jahre 637 angriff, antworteten die Herren von Calakmul auf diesen Schritt indirekt und in raffinierter Weise. Unter den zahlreichen Allianzen, die die königliche Familie über weite Distanzen pflegte, erwies sich besonders jene als fruchtbar, die einen außergewöhnlichen und tatkräftigen Gründerkönig einer neuen Hauptstadt im Süden von Tikal betraf: »Feuerstein-Himmel-Gott K« oder, in Maya, *Tok' Chan K'awil* von Dos Pilas, der 645 an die Macht kam. *Tok' Chan K'awil* besaß alle Qualitäten eines ehrgeizigen und erfolgreichen Fürsten. Planvoll heiratete er in benachbarte Königshäuser ein und griff andere an oder schüchterte sie ein, damit sie seiner Führung folgten. So blendend stellte sich sein Aufstieg dar, daß wir erst kürzlich feststellten, daß er in Wahrheit ein vom Haus von Calakmul abhängiger König war. Dabei beanspruchte er, ein sakrosankter Adelsherr von gleichem Ansehen und Rang wie der Herrscher von Tikal zu sein. Ob er dies aus Unverfrorenheit behauptete oder weil er ein legitimer Anwärter auf diesen Titel war, kann nur zukünftige Forschung herausfinden. Immerhin fügt ein solches Detail der an sich schon erstaunlichen Geschichte von Intrigen und Betrug eine gewisse Pikanterie hinzu. Nach mehreren Jahrzehnten der Festigung seiner Machtposition forderte *Tok' Chan K'awil* 682 Caracol heraus, indem er seine Tochter *Wak Chanil Ahaw* durch die Kampfzone zwischen Tikal und Caracol hindurch zur besiegten Stadt Naranjo sandte. Hier weihte die Dame die zeremonielle Mitte der Stadt erneut ein, heiratete einen ungenannten Adligen des Hauses von Naranjo und gebar kurz darauf einen Sohn, der der Held der Widerstandskriege gegen Caracol werden sollte – wobei seine frühesten Unternehmungen natürlich von seiner Mutter geleitet wurden, weil der kindliche König erst ein Bübchen von fünf Jahren war.

Tok' Chan K'awil konnte seine Tochter nur deshalb über die weite Entfernung durch die Waldgebiete des Petén an Tikal und Caracol vorbei nach Naranjo bringen, weil er am 3. Mai 679 König »Schild-Schädel« von Tikal eine Niederlage zugefügt und ihn mit seiner *K'in Balam*-Sänfte gefangengenommen hatte. So hatte der Herrscher von Dos Pilas in einer Serie von Kriegszügen auf der einen Seite Tikals Rückkehr an die Macht vereitelt, andererseits einen langwierigen und schließlich erfolgreichen Krieg gegen Caracol eröffnet. Hinter diesen erfolgreichen Be-

mühungen vermute ich die unsichtbare Hand der Herrscher von Calakmul, die in kluger Weise Bündnisse und Armeen zu ihrem Vorteil beeinflußten. Bezeichnend ist dafür, daß *Hasaw Chan K'awil*, als er 682 in Tikal an die Macht kam, weder seine Aufmerksamkeit nach Süden zu *Tok' Chan K'awil* in Dos Pilas noch nach Caracol richtete, sondern statt dessen nordwärts auf die wahre Quelle der Gefahr in Calakmul. *Hasaw Chan K'awil* benötigte viele Jahre, um Calakmul endlich erfolgreich herausfordern zu können; aber 695 nahm er den König dieses mächtigen Reiches namens »Jaguarpranke« gefangen und weihte mit diesem Sieg das Zentrum von Tikal neu ein.

Dies ist nur ein Teilausschnitt aus der Verflechtung von Kriegen, Intrigen und Allianzen, die die Königtümer der Späten Klassik im Maya-Tiefland in Atem hielten. Die Schriftgeschichte der Maya enthält alle zu erwartenden komplexen Mechanismen eines Gesellschaftssystems, in dem zahlreiche mächtige Hierarchien miteinander wetteiferten – unter anderen Regionen bieten das feudalistische Europa, das mittelalterliche Japan und der alte Orient angemessene Vergleiche. Auch wenn sich Einzelheiten der Kriegsgeschichte mit neuen Texten und bedeutenden Durchbrüchen in der Entzifferung verändern, lassen sich doch bereits Verallgemeinerungen anbieten, die, so glaube ich, für eine Weile ihre Gültigkeit behalten werden. Zunächst verhinderten die Kriege der Spätklassik, so vernichtend sie für einige Teile der Bevölkerung gewesen sein mögen, nicht die Hochblüte der geistigen Bildung, die exquisiteste Bild- und Handwerkskunst, die ambitioniertesten Würfe und weitere Manifestationen einer enormen Schaffenskraft und Wohlstands. Einige Maya-Forscher nehmen an, daß die blühenden Spätklassischen Zentren nur die Hoffnungslosigkeit schwindender landwirtschaftlicher Produktivität oder des Bevölkerungsdrucks auf die zugänglichen Nahrungsmittelvorräte verdeckten und dies der Antrieb für Überlebenskriege gewesen sein könnte. Ich hingegen glaube nicht, daß die Fürsten ihre Untergebenen angesichts tatsächlicher und ständiger Entbehrungen zu immer größeren Leistungen in ihren Zeremonialzentren hätten zwingen können. Genau die Art verstreuter Siedlungsweise, die von Patrick Culbert in seinem Kapitel über den Zusammenbruch beschrieben wird, verlangt nach effektiver freiwilliger Zusammenarbeit zwischen den Einwohnern der Zentren und denen des Hinterlandes. Das erste,

Abb. 110 Tonstatuette eines Kriegers im Jaina-Stil. Der Mann ist ▷ *mit einem Baumwollschutz bekleidet und trägt einen Helm aus Stoffballen, an dem Quetzalfedern befestigt sind.*

was die spanischen Eroberer im 16. Jahrhundert in Angriff nahmen, um die größtmögliche Menge an Waren und anderen Leistungen zu gewinnen, war die Konzentration der bäuerlichen Maya-Bevölkerung in leichter zu verwaltenden Siedlungszentren. So ist der Widerspruch, den ich sehe, der, daß sich Krieg und Wohlstand während der Spätklassischen Periode über einige Jahrhunderte gleichzeitig steigerten. Am Ende dann wurden in der Tat die kriegerischen Auseinandersetzungen zum verzweifelten Mittel, um zu überleben; dies geschah aber wahrscheinlich erst nach dem Zusammenbruch der königlichen Herrschaftsbereiche.

Weiter bin ich der Auffassung, daß im Verlauf der Spätklassik Krieg zunehmend zu einem Mittel wurde, um ausgedehnte königliche Herrschaftsbereiche zu etablieren und Vorherrschaften von König über König zu errichten mit dem Ziel, Tribut in Form von Waren und Arbeitsleistungen besiegter und untergeordneter Feinde zu beziehen. Hegemonien können eine organisatorische Verbesserung gegenüber kleineren politischen Einheiten sein, indem sie produktive Dinge wie den Handel koordinieren, un- oder kaum bewohnte Grenzgebiete in Nutzung bringen oder die interne Sicherheit über größere Regionen hinweg aufrechterhalten. Die Maya der Späten Klassik besaßen zweifellos viele Abnehmer für ihre landwirtschaftlichen Produkte, vor allem Baumwollbekleidung und Kakao, in anderen Teilen Mesoamerikas. Die hegemonialen Staaten mögen durchaus ihre Handelsexporte und ihre heimischen Märkte erweitert haben. Politisch jedoch waren sie letztendlich instabil und anfällig für interne Aufstände oder koordinierte Angriffe von Gegnern. Obwohl unter dem Schutz der 18 Kaninchen-Schlange und anderer alter Kriegsgötter ausgefochten, erwiesen sich die Eroberungskriege für die Spätklassischen Könige nie als verläßliches Instrument ihrer Staatswesen.

Der große Zusammenbruch im südlichen Tiefland wird in fesselndem Detail von Culbert beschrieben, und so will ich dieses Thema übergehen, um herauszustellen, daß ein Teil der Maya tatsächlich einen Weg fand, den Eroberungskrieg mit Staatskunst zu verbinden, um eine imperialistische Organisation zusammenzuschmieden,

die sich zu halten versprach. Dies waren die Herren von Chichén Itzá im weit entfernten nördlichen Tiefland. Mit aller Wahrscheinlichkeit auf alten und traditionellen Vorstellungen von der Macht patriarchalischer Räte in den Regierungen des nördlichen Tieflandes aufbauend, setzten die *Itzá* eine Regierung ein, die von Vereinigungen mächtiger Männer, »Brüdern«, eher als dynastischen heiligen Königen beherrscht wurde[26]. Offensichtlich konnten sie in ihren Eroberungskriegen besiegte Herrscher in solche Räte miteinbeziehen, anstatt sie abzusetzen und ihre Positionen einzunehmen. Obwohl Chichén Itzá schließlich ebenfalls die Macht verlor, hielt sich das Prinzip einer zentralen und alles umspannenden Hauptstadt im Norden aufrecht und wurde bewußt in der Stadt Mayapán wiederbelebt, die die nördlichen Regionen mehrere Jahrhunderte lang beherrschte, bevor sie wenige Generationen vor der spanischen Eroberung zusammenbrach. Das Muster von Chichén Itzá und Mayapán besitzt die Kennzeichen einer zyklisch wiederkehrenden Zentralisierung, wie sie sich aus einer erfolgreichen Übergangszeit nach einer Zivilisationsphase der »kämpfenden Reiche« zu entwickeln imstande ist[27].

Mit der Ankunft der Spanier hörten die Maya nicht auf, Kriege zu führen. Mehrere Generationen lang kämpften sie tapfer gegen die Europäer und erhoben sich später immer wieder in Aufständen[28].

Wir haben noch viel über das Funktionieren militärischer Institutionen in der alten Zeit dieser Zivilisation und über die Rolle gesellschaftlicher Gewalt sowohl im Erfolg wie im Scheitern zu lernen. Vom Mythos, daß die Maya ein friedliches Volk gewesen seien[29], müssen wir Abschied nehmen. Doch die neue Realität sollte in keinster Weise enttäuschen; denn jetzt sind die Maya nicht nur Projektionen unseres Wunschdenkens, unserer eigenen utopischen Träume von einer friedlichen Welt. Nun sind sie Menschen mit all ihren Ambitionen, ihrer schöpferischen Inspiration und den tragischen Fehlern aller wirklich Mächtigen. Wie wir, so haben die Maya mit dem Krieg gelebt, und aus dem Vorteil ihrer Erfahrung heraus können wir miteinander die verführerischen Möglichkeiten und katastrophalen Konsequenzen dieser Kunst betrachten.

Das Ballspiel der Maya

Ted J. J. Leyenaar und Gerard W. van Bussel

Die Maya-Kultur war Teil der großen Kulturregion, die als Mesoamerika bezeichnet wird. Zu den vielfältigen Merkmalen auf materiellen und geistigem Gebiet, die die Region zwischen dem Nordwesten des modernen Mexiko bis nach Nicaragua oder gar Costa Rica zu einem Kulturraum zusammenschließen, gehört auch ein Spiel mit einem Gummiball.

Zur Zeit der Ankunft der Spanier bestand der Ballspielplatz aus einem rechteckigen Feld mit Erweiterungen an den Schmalseiten, so daß es die Form einer römischen Eins (I) erhielt. Eine dicke, in den meisten Fällen das gesamte Feld umfassende Mauer war an den beiden Schmalseiten durchgehend niedriger (Abb. 111, 112). Ein niedriger Bordstein bzw. eine Bank umsäumte den schmalen Gang des Platzes, und in der Mitte der Langseiten befand sich hoch an der Mauer in senkrechter Position je ein steinerner Ring. Größenunterschiede der Öffnungen dieser Zielringe – von 50 cm bis 10 cm – deuten darauf hin, daß die Größe des Gummiballes variabel war und das Spiel auf mehr als eine Art gespielt wurde. Aller Wahrscheinlichkeit nach fand es ursprünglich auf einem ebenen Feld ohne Abgrenzung durch Mauern oder Erdbänke und also auch ohne die Ringe statt. Die ältesten architektonischen Ballspielplätze tauchen zwischen 900 und 500 v. Chr. an drei Fundorten am rechten Ufer des Grijalva-Flusses in Chiapas auf[1]. Drei Haupttypen von Ballspielplätzen lassen sich in chronologischer Abfolge herausstellen:

1. Ballspielplätze mit offenen Schmalseiten (ohne Mauern) ohne erweiterte Enden oder auch mit erweiterten Enden in Form einer römischen Eins, aber mit abgeschrägten Mauern oder Böschungen, die aus den die Spielstraße säumenden Bänken hervortraten (Abb. 113).
2. der Typ *Palangana*, d. h. rechteckig und von einer Mauer umgeben (Abb. 114).
3. umschlossene Ballspielplätze, d. h. umgeben von Mauern und in der Form einer römischen Eins (Abb. 111, 112)[2].

Bis in die 20er Jahre unseres Jahrhunderts waren architektonische Ballspielplätze der Maya nur im nördlichen Teil von Yucatán, in Uxmal (Abb. 117) und Chichén Itzá angetroffen worden. Man stellte eine Verbindung zwischen den Ballspielplätzen von Nord-Yucatán und der vermuteten toltekisch-mexikanischen Präsenz in diesem Gebiet während der Zeit der Postklassik her. Der toltekisch-mexikanische Einfluß habe sich, so meinte man, in der Betonung alles Kriegerischen und im Ballspiel gezeigt – gemeinsam mit den dazugehörigen Menschenopfern, wie sie auf den Reliefs des Großen Ballspielplatzes von Chichén Itzá dargestellt sind (Abb. 115). Deshalb wurde im 19. und frühen 20. Jahrhundert die Möglichkeit gar nicht in Erwägung gezogen, daß es das Ballspiel in den Maya-Zentren des südlichen Tieflandes in Klassischer Zeit schon gegeben haben könnte.

In den 20er Jahren unseres Jahrhunderts erkannte man dann gemauerte Spielplätze in Maya-Städten der Klassischen Periode. Bemerkenswert ist, daß die Ringe, die als notwendig für das Ballspiel angesehen wurden, in den Klassischen Ballspielplätzen des südlichen Tieflandes fehlen. Später vermutete man, daß die runden oder rechtwinkligen Steine, die man Markiersteine nannte und die manchmal in die Spielfläche der Ballspielplätze eingelassen waren, zum Punktezählen dienten.

Frans Blom, dem die erste Zusammenstellung dieser Denkmälergruppe verdankt wird, ließ sich auch auf einen Vergleich der Sprachen der Region ein, indem er Übereinstimmungen von Maya-Wörtern und solchen der *Nahua*-Sprache bewertete. *Wol* heißt in der Maya-Sprache »Ball« – genauer gesagt: ein Ball zum Ballspielen –, und die *Nahua*-Wörter *ollama* bzw. *ullama* bedeuten »das Ballspiel spielen«; *olli* bzw. *ulli* (Gummi) ist mit großer Wahrscheinlichkeit mit *wol* verwandt[3]. Blom meinte, Gummibälle seien, zusammen mit sprachlich ähnlichen Wörtern, durch Kaufleute nach Zentralmexiko gelangt. Folglich hielt er die Maya-Region für das Ursprungsland des rituellen Ballspiels, zumal sich Gummibäume nicht in Zentralmexiko, sondern in den tropischen Regenwäldern des Maya-Landes finden.

Bloms Arbeit gab den Anstoß zur Entdeckung und Feststellung vieler Ballspielplätze. Es wurde klar, daß die meisten großen Zentren des südlichen Tieflandes wenigstens einen gehabt hatten, einige sogar zwei: z. B. Cerros, Caracol, Copán, Seibal, Yaxchilán und Piedras Negras. Tikal mit der größten Anzahl von Plätzen kommt auf fünf, wovon drei nebeneinanderliegen. Bis heute sind im südlichen Tiefland einige hundert gemauerte Ballspielplätze entdeckt worden[4].

Der Nachweis in der Architektur ist jedoch nicht der einzige Hinweis auf das Vorhandensein des Ballspiels in der Maya-Kultur, wenn auch im Gegensatz zum vorhandenen Quellenmaterial für mexikanische Regionen bis heute für das Ballspiel der Maya keine Augenzeugenberichte vorliegen, abgesehen von einem kurzen Hinweis im Werk Diego de Landas[5]. Darüber hinaus gilt es deshalb, auf Reliefs, die Darstellungen von Ballspielen oder Elemente des Ballspielkomplexes zeigen, auf bemalte Gefäße, Keramikfiguren, Hieroglyphentexte, die Maya-Sprachen, kolonialzeitliche Wörterbücher und das *Popol Vuh* zurückzugreifen. Die Ikonographie der Ausstattung der Ballspieler kann ebenfalls Informationen liefern: sog. *yugos*, steinerne Nachbildungen von Gürteln in Form eines Jochs oder steinere Model für diese Schutzgürtel[6]; *hachas*, Objekte in Form einer Axt, die an den Gürteln getragen wurden, Bezug zu Menschenopfern haben und daher oft als feine Kopftrophäen dargestellt sind; *palmas*, Objekte in Form von Palmwedeln, die auch an den *yugos* getragen wurden und wahrscheinlich Fruchtbarkeitssymbole darstellen, wenngleich man diese nur gelegentlich in der Maya-Region findet.

DAS HOCHLAND

Soweit wir wissen, datieren die ersten Ballspielplätze von Kaminaljuyú aus der Mittelklassischen Periode (400–700 n. Chr.). Diese Stadt verfügte über mindestens zwölf gemauerte Plätze, die alle aus dieser Zeit stammen, als die Stadt unter dem Einfluß Teotihuacáns stand. Kaminaljuyú besteht mehr oder weniger aus Ansammlungen von Gebäuden, an die Ballspielplätze angefügt waren. Während die vier ältesten eine ungefähre Nord-Süd-Ausrichtung und offene Schmalseiten besitzen und im Stadtzentrum lagen, legte man seit 600 n. Chr. wenigstens acht weitere in Ost-West-Ausrichtung an. Zudem lagen diese eingefaßten Plätze am Stadtrand. Sie alle wiesen auf

den Einfluß von Teotihuacán zurückgehenden, horizontal angebrachten Markiersteine auf, die wahrscheinlich zum Punktezählen im Spiel benutzt wurden[7]. Eine 1,70 m hohe Skulptur, wahrscheinlich ein Markierstein, ist in Kaminaljuyú gefunden worden. Sie besteht aus einem Dreieck und einem Ring mit einem Durchmesser von 58 cm und erinnert den Betrachter an die La Ventilla-Stele aus Teotihuacán. Vergleichbare Markiersteine – die möglicherweise beweglich waren – kamen auch in Westmexiko zutage und kürzlich auch in Tikal, auf 416 n. Chr. datiert[8]. Eine Glyphe aus Chichén Itzá zeigt möglicherweise einen Markierstein dieser Art am Fuße einer Treppe (Abb. 116).

Die Tradition von Kaminaljuyú, Ballspielplätze am Stadtrand anzulegen, wurde im Hochland von Guatemala in Postklassischer Zeit fortgesetzt. Durch die Anlage der Ballspielplätze an der territorialen Peripherie des Gemeinwesens – sozusagen an der Grenze – waren sie als der Ort bestimmt, an dem Konflikte zwischen den Gemeinden kanalisiert, kontrolliert und beigelegt wurden. Die Abschnitte über das Ballspiel im *Popol Vuh* könnten dies widerspiegeln, wenn man die *Quiché* mit den Göttlichen Zwillingen *Hunahpu* und *Xbalanke* gleichsetzt und die Bewohner der Grenzgegenden mit den Fürsten der Unterwelt. Theodore Stern schreibt, im *Popol Vuh* habe das Ballspiel sowohl eine sportliche Funktion – ausgetragen von Blutsverwandten – als auch die, verschiedene Gemeinden im Spiel zusammenbringen[9].

Kaminaljuyús Rolle wurde ab 800 n. Chr. von vielen kleineren Zentren im Tal von Guatemala eingenommen, von denen die meisten Ballspielplätze hatten. Auch dadurch bestätigt sich möglicherweise der Gedanke, daß der Ballspielplatz beim Streben nach Prestige und im gegenseitigen Wettstreit eine Rolle spielte.

Im Hochland von Chiapas und Guatemala mit annährend 300 Plätzen datieren 85 Prozent in die Spätklassische Periode. In der Postklassik dann entstanden Siedlungen samt Ballspielplätzen in strategischer Lage auf Hügeln oder Berggipfeln. Beispiele solcher Städte sind Iximché und Gumarcaaj oder Utatlán, wo die Hauptstraße durch den Ballspielplatz über Treppenaufgänge an den Schmalseiten zum zentralen Platz führte. Jedenfalls steht fest, daß der gesamte Ballspielkomplex in Mittelklassischer Zeit weit verbreitet war, an Bedeutung zunahm und den

Abb. 111 Chichén Itzá, Yucatán: Seitenmauer des großen Ballspiel-▷ platzes.

Höhepunkt seines Aufschwungs in Spätklassischer Zeit erreichte. Die meisten der Ballspielplätze im südlichen Tiefland und im Hochland datieren aus dieser Zeit[10].

DAS TIEFLAND

Nur sehr wenige frühe Ballspielplätze sind im Maya-Tiefland bisher entdeckt worden, obwohl die von David Freidel in Cerros durchgeführten Ausgrabungen zwei Spät-Präklassische gemauerte Plätze ans Licht brachten. Die Nord-Süd-Ausrichtung und offene Schmalseiten sind ihr Kennzeichen. Der Platz von Toniná-Nord datiert aus derselben Zeit. Zukünftige archäologische Untersuchungen könnten durchaus weitere so alte Plätze zutage fördern. In Teotihuacán ist ein ähnlicher Mangel an Überresten von Ballspielplätzen festzustellen. Möglich wäre auch, daß das Ballspiel in früheren Zeiten außerhalb gemauerter Plätze gespielt wurde, z. B. auf ebenem Grund, auf *plazas* oder auf Straßen. Offene Flächen zu Füßen der Pyramiden hätten sich für die rituellen Ballspiele angeboten. Gemauerte Plätze sollten erst in späterer Zeit entstehen, als der gesamte Ballspielkomplex in eine weltliche Staatsideologie integriert wurde. Abgesehen von Mittelklassischen Plätzen in Copán und frühen Plätzen der Klassik in Tikal und Palenque[11] datieren diese Anlagen in die Späte Klassik, als die Maya-Zentren den Höhepunkt ihrer Entwicklung erreicht hatten.

In dieser Zeit ist auch eine deutliche Zunahme des Ansehens der Maya-Herrscher und ihrer zentralen Position sowohl im politischen Leben als auch im Ritual der Staatsämter zu verzeichnen. Die Beziehung der Herrscher zum Ballspiel wird in Hieroglyphentexten deutlich, in denen der König eng mit dem Ballspiel assoziiert wird. Möglicherweise kam den Ballspielplätzen eine zunehmend größere Rolle bei der Konsolidierung religiöser und politischer Macht des Herrschers und seiner Elite zu. Die Ballspielplätze könnten sozusagen als Rangabzeichen der Zentren gegolten und – wie für das Hochland schon angemerkt – als Austragungsstätten von Konflikten gedient haben[12].

Die Länge der Maya-Ballspielplätze reicht von wenigen Metern bis zu beinahe 150 Metern im Falle des Großen Ballspielplatzes von Chichén Itzá. Der Durchschnitt jedoch liegt bei 20 bis 30 Metern, wobei sie im südlichen Tiefland eine Nord-Süd-Ausrichtung und offene Schmalseiten aufweisen. Sie nehmen in den verschiedenen Städten inmitten von Tempel- und Palastkomplexen eine zentrale Stellung ein[13]. Trotz der relativ einfachen Konstruktion der Ballspielplätze findet man sie nur in großen Städten. Das könnte bedeuten, daß die großen Zentren den Bau von Plätzen in jeder beliebigen Stadt untersagt hatten; denn sie bestimmten die zeremoniellen Aktivitäten in den Gebieten, die sie kontrollierten, und sie versuchten zu verhindern, daß zentrifugale Kräfte die Oberhand gewannen. Das Ballspiel mag diesem Ziel gedient haben.

Die Grundstruktur des Platzes bestand aus zwei parallellaufenden, länglich gemauerten Bauwerken, zwischen denen sich die Spielstraße befand. Konstruktionsmethoden und die Profile der seitlichen Mauern konnten variieren. An den Seiten der Spielstraße befanden sich oft Bänke. Die Bereiche an den jeweiligen Enden der Spielstraße waren gewöhnlich offen, so daß sie in das Spiel miteinbezogen werden konnten. Bei den geschlossenen Ballspielplätzen wurden gelegentlich Stufen in die die Endzonen abschließenden Mauern eingelassen, was die durch die Ummauerung des Platzes suggerierte Tiefenwirkung verstärkte. Bemerkenswert ist die Tatsache, daß die Parallelstrukturen der Plätze nicht immer von gleicher Länge waren. So erhebt sich die Frage, ob diese Verlängerungen aus einer Zeit stammen, da der Ballspielplatz nicht mehr als Spielfeld benutzt wurde. Vielleicht bezog man die Endzonen nicht immer ins Ballspiel ein[14]. Weder die Endbereiche noch die parallelen Bauten waren immer rechtwinklig angelegt und stehen auch nicht immer wirklich parallel zueinander.

Im allgemeinen finden sich auf den Klassischen Maya-Ballspielplätzen Markiersteine auf der Spielstraße und/oder auf den Bänken. Diese Markiersteine können durch Zapfen in die seitlichen Wände eingelassene Menschen- oder Tierköpfe sein oder auch quadratische, meist allerdings runde Scheiben, von denen jeweils drei auf jeder Seite in gleichem Abstand im Mittelteil des Platzes an den Längsachsen der Spielstraßen befestigt sind. Berühmte Scheiben sind z. B. die des zweiten Platzes von Copán und die von Chinkultic. Im nördlichen Yucatán waren Ringe in den Plätzen angebracht, so z. B. in Cobá, Uxmal und Chichén Itzá (Abb. 112).

Nördlich der Linie Campeche – Chetumal wurden zwischen 600 und 1000 n. Chr. Ballspielplätze nur in sehr wenigen Städten gebaut. Soweit wir bis heute wissen, liegen von den in der Region ausgemachten 21 Plätzen 13 allein in Chichén Itzá, so daß Chichén Itzá mit El Tajin (11 Plätze) und Kaminaljuyú (12 Plätze) in der Bedeutung gleichgestellt werden muß.

Zwischen dem südlichen Tiefland mit seiner dichten Konzentration von Ballspielplätzen und Nord-Yucatán mit seiner geringen Anzahl liegt ein Gebiet, das von Calakmul und Becán dominiert wurde. Acht Plätze sind in dieser Region inzwischen nachgewiesen[15].

Abb. 112   Chichén Itzá, Yucatán: Steinerner Ring des Ballspielplatzes mit dem Bild zweier ineinandergewundener Schlangen.

ASPEKTE DES BALLSPIELS

Eine der ersten Darstellungen des Ballspiels auf Keramik stammt aus der Zeit um 600 n. Chr.[16] und fällt mit dem Beginn der Blütezeit der südlichen Tiefland-Zentren zusammen, mit der Errichtung der meisten der Ballspielplätze in dieser Region sowie mit der wahrscheinlichen Einführung eines für das südliche Tiefland typischen Ballspiel-Ausrüstungsgegenstandes, des Brustschutzes (Abb. 118). Malereien und Reliefdarstellungen geben Auskunft über den Ablauf des Spiels: Die Spieler konnten verschiedene Stellungen einnehmen, wobei einer gewöhnlich athletisch dem Ball entgegenhechtete. Unklar bleibt aber, ob dieser Spieler den Ball fing oder ihn gerade fortgeschleudet hatte. Bei stehender, kniender oder halbliegender Haltung wurde oft ein Arm nach hinten gestreckt, der andere gebeugt oder zum Abstützen des Körpergewichts benutzt. Da das mesoamerikanische Ballspiel in der Regel mit schweren, massiven Gummibällen gespielt wurde, mußte man sowohl die Körperteile schützen, mittels deren der Ball geschlagen bzw. geschleudert wurde, als auch diejenigen, die aufgrund der Fluggeschwindigkeit und der schnellen Bewegungen, die das Spiel erforderte, mit dem Boden in Berührung kamen. Geschützt wurden überdies Knie, Hände, Unterarme und Ellenbogen, manchmal auch die Füße. Die charakteristischen Teile der Ausrüstung sind *yugo* und Reifen, den die Maya um die Taille trugen, daneben auch der Balldeflektor oder Brustschutz. Aus Lubaantún stammen Keramikmodelle von Ballspielerfiguren mit Kopfschutz.

Ballspieler auf den Stirnseiten der Stufen der Hieroglyphentreppe 2 von Yaxchilán tragen außerdem anscheinend noch Masken[17].

Im 7. Jahrhundert n. Chr. ging der Einfluß Teotihuacáns in Kaminaljuyú zurück und schwand schließlich völlig. Zur Zeit des Hervortretens von Teotihuacán im östlichen Mesoamerika begann die Entwicklung der Kultur von Cotzumalhuapa an der Pazifikküste. Obgleich die Präsenz der Maya in der Hochlandregion Cotzumalhuapa wahrscheinlich daran hinderte, sehr weit ins Hochland vorzudringen, ist gerade Ballspielgerät aus diesem Kulturkomplex in Städten wie Kaminaljuyú, Copán und Quiriguá entdeckt worden[18]. Das Ballspielzubehör aus *yugos*, *hachas* und *palmas* wurde in der Maya-Region selten gefunden. Darstellungen von Spielern dagegen, die *yugos* tragen, begegnet man häufig[19].

Einige wenige *hachas* sind in Palenque und Copán ausgegraben worden, eine weitere in Seibal[20]. *Hachas* wurden allerdings zusammen mit *yugos* gelegentlich auf Gefäßen abgebildet, aber auch auf Steinskulpturen. Der typische Balldeflektor der Maya – ein Brustschutz, der den Aufprall des Balles mildern sollte – ist zusammen mit dem ursprünglich eher als mexikanisch anzusehenden Joch auf dem Markierstein aus Copán dargestellt – so, als seien diese beiden Ausrüstungsgegenstände und die unterschiedlichen Spielmethoden einander im Wettkampf gegenübergestellt worden.

Palmas sind nie auf Malereien oder Steinreliefs des südlichen Tieflandes wiedergegeben, wenngleich solche aus dem Petén kürzlich aufgetaucht zu sein scheinen[21]. Umstritten ist, ob die Spieler auf den Reliefs des Großen Ballspielplatzes von Chichén Itzá *palmas* tragen[22] (Abb. 115). Ein weiteres steinernes Objekt ist die *manopla*, ein Handstein, der vielleicht zum Schlagen des Balles benutzt wurde; die Darstellung einer solchen Aktion ist anscheinend auf dem zentralen Markierstein von Copán zu sehen. Ähnliche Objekte tragen die Ballspieler auf den Reliefs des Großen Ballspielplatzes von Chichén Itzá; es kann sich dabei aber auch um tragbare Markiersteine handeln.

Die Körpermitte des Spielers (Abb. 118) war durch einen hufeisenförmigen Reifen geschützt. Ein Objekt dieser Art ist in dem Spätklassischen Grab Nr. 195 in Tikal entdeckt worden[23]. Der Abstand zwischen den offenen Enden beträgt 55 cm. Der aus Holz gearbeitete Reifen ist auf der Außenfläche gerippt; Joch, Reifen und Balldeflektor der Maya zeigen oft horizontale Rippung.

Das charakteristischste Ausrüstungsstück bestand aus einem großen Brustschutz[24]. Auf der Vorderseite scheint ein Stück Stoff, vielleicht Leder, über diesen Balldeflektor gefaltet zu sein. Seine Bedeutung ist unklar, obwohl er ein zusätzliches Polster zur Abwehr von Treffern sein könnte. Verschiedene Ballspieler tragen ein vierblättriges Symbol auf der Kleidung, das auch auf Szenen zu sehen ist, die nichts mit dem Ballspiel zu tun haben. Das Emblem ist als symbolischer Zugang zur Unterwelt gedeutet worden[25]; es findet sich auf den Markiersteinen der Ballspielplätze von Copán und anderen Reliefs. Eine Variante eines vierteiligen Elements läßt sich auf der Kleidung der Spielerdarstellungen auf verschiedenen Gefäßen nachweisen (Abb. 119).

Noch immer ist die Frage einer möglichen Unterscheidung der Mannschaften nicht beantwortet. Die Malereien zeigen keine erkennbaren Unterschiede in den Farben der Ausrüstung. Vielleicht war diese Unterscheidung auch nicht notwendig, da die Mannschaften auf zwei getrennten Feldern des Platzes agierten. In Copán wurde in der Mitte der beiden seitlichen Mauern je eine Glyphenkolumne angebracht, die offenbar eine Mittellinie anzeigt. Blieben die Spieler nun jeweils auf ihrer Seite, wäre unterschiedliche Kleidung überflüssig gewesen[26]. Bis vor kurzem waren ja deutliche Unterschiede in der Kleidung gegnerischer Tennisspieler auch nicht gebräuchlich!

Geschlagen wurde der Ball mit dem Deflektor; im Unterschied zu *yugo* und Reifen hat man bisher kein Exemplar eines solchen Deflektors bei archäologischen Ausgrabungen gefunden. Andererseits könnte der erwähnte Reifen auch als Balldeflektor interpretiert werden. In dieser Spielvariante wurde fast immer ein besonders großer Ball benutzt; jedenfalls war er größer als sonst in Mesoamerika üblich. Diese Kombination – Balldeflektor und besonders großer Ball – gilt als geradezu typisch für das Maya-Ballspiel, doch liegt hier ein Mißverständnis vor. Diese Art ist vielmehr nur für das südliche Tiefland während der Spätklassischen Zeit zutreffend. Von anderen Spielorten wird weiter unten die Rede sein.

Die Ballspielregeln

Aus kolonialzeitlichen mexikanischen Quellen erhalten wir die Information, daß es als Fehlerpunkt angerechnet wurde, den Ball mit dem falschen Körperteil zu berühren; außerdem mußte der Ball über die Mittellinie der Spielstraße geschlagen werden, wie ethnographische Studien aus dem nordwestlichen Mexiko belegen[27]. In einigen Versionen des Spiels wurde ein Punkt angerechnet, wenn der Ball durch den Ring hoch oben an den Mauern geschlagen wurde – entweder auf der einen oder der anderen Seite – oder wenn der Ball innerhalb der gegnerischen Endzone den Boden berührte. Wenn die Spieler bei dem Versuch, den Ball abzuwehren, zu Boden gingen, ist es nicht unwahrscheinlich, daß in einer oder mehreren Maya-Versionen des Spiels der Ball unter keinen Umständen den Boden berühren durfte. Er mußte wohl in der Luft gehalten und von einem Spieler zum andern befördert werden, entweder direkt oder über Anschlag gegen die seitlichen Mauern. Bei den Ballspielplätzen ohne Ringe erfolgte das Punktezählen wahrscheinlich mit Hilfe der Markiersteine, die an den Vorsprüngen der Bänke befestigt waren oder sich auf den Spielstraßen befanden. Die reliefierten Markiersteine waren in regelmäßigen Abständen auf den Spielstraßen plaziert und sind ein Kennzeichen für das südliche Tiefland. Vertiefungen in den Spät-Präklassischen Ballspielplätzen von Cerros lassen die Vermutung aufkommen, daß Markiersteine dieser Art zu jener Zeit bereits in Gebrauch waren. Neben den drei Exemplaren in der Spielstraße gab es manchmal auch zusätzliche Markiersteine, die an den seitlichen Mauern befestigt waren. Es handelt sich dabei entweder um den gleichen Typus oder um Skulpturen, die später mit Zapfen in die Mauern eingelassen worden waren. In Copán z. B. sind sechs vertikal eingezapfte Papageien-Köpfe – ein Vogel, den die Maya mit der Sonne in Verbindung brachten – eingelassen (Abb. 113).

Als Akteure des Ballspiels sind nur Männer auszumachen, und Landa erwähnt ausdrücklich, daß das Spiel bei jungen Männern sehr beliebt gewesen sei. Auch im *Popol Vuh* finden wir nur männliche Spieler. Schele und Miller bezweifeln, daß Frauen überhaupt jemals an Ballspielen teilnahmen. Frauen wurden nur in Yaxchilán mit dem Ballspiel in Verbindung gebracht: Von dreizehn dort entdeckten Stirnseiten eines Treppenaufgangs bilden elf Ballspielszenen ab, wovon zwei wiederum eine Frau zeigen. Auf zwei weiteren erkennt man Frauen, die zwar am Spiel teilnehmen, aber dennoch Bestandteil der gesamten Ballspielkomposition sind. Sollte die Annahme berechtigt sein, daß dem Ballspiel in seiner Gesamtheit eine Rolle im Leben des Herrschers zukam – das immerhin alle politischen und religiösen Funktionen des Staates einschloß – und ebenso in der Beziehung zu den Ahnen, dann hatten Frauen als Herrscherinnen sicher auch Verpflichtungen auf diesem Gebiet[28]. Obwohl Frauen demnach nicht am Spiel selbst teilnahmen, scheint es möglich, daß sie eine Rolle bei den Ballspielzeremonien übernahmen. Darauf deutet eine kleine Tonfigur in Denver hin[29]. In Kriegszeiten gehörte es zur Hauptaufgabe des Maya-Herrschers, die Fürsten anderer Zentren gefangenzunehmen – möglicherweise, um sie später im Verlauf einer Ballspielzeremonie zu opfern. Es ist nicht klar, in welchem Umfang weibliche Herrscher an Kampfhand-

lungen teilnahmen, und folglich gibt es keine Gewißheit über ihre letztendliche Verbindung zum Ballspiel.

Die Mannschaften konnten aus einer unterschiedlichen Anzahl von Spielern bestehen. Zwei Spieler konnten sich miteinander messen, wie wir es zum Beispiel im *Popol Vuh* sehen; aber es gab auch Mannschaften mit sieben Spielern, wie es die Reliefs des Großen Ballspielplatzes von Chichén Itzá zeigen. Auffallenderweise bestehen gegnerische Mannschaften manchmal aus einer ungleichen Anzahl von Spielern. Auf mehreren Gefäßen ist ein Spieler zu sehen, der gerade mit dem Ball beschäftigt ist und dabei hinter sich zwei Personen stehen hat, während die gegnerische Mannschaft überhaupt nur aus zwei Spielern besteht. Eine weitere Ausnahme bildet die Szene auf dem Leidener Gefäß; eine der fünf dargestellten Personen trägt keine Spielerausrüstung. In Dos Pilas stehen fünf nur vier Spielern gegenüber. Eine mögliche Erklärung für die ungleiche Anzahl der Spieler ist die Anwesenheit eines Schiedsrichters, wie sie uns aus heute noch ausgeübten Ballspielen im nordwestlichen Mexiko bekannt ist; oder es handelt sich um einen zusätzlichen Spieler, der den Aufschlag vorgibt[30]. Oft ist allerdings die zusätzliche Person als Ballspieler gekleidet. Folgen wir dem *Popol Vuh*, so bietet sich eine andere Lösung an: Während einer Prüfung in der Unterwelt verliert einer der Göttlichen Zwillinge namens *Hunahpu* seinen Kopf, aber sein Bruder formt einen neuen aus einem Kürbis. *Hunahpu* ist beim anschließenden Ballspiel anwesend, er überläßt das Spielen aber seinem Bruder. Wenn wir die Vorführungen des Ballspiels als eine symbolische Inszenierung des *Popol Vuh* betrachten, könnte *Hunahpus* passive Teilnahme am Ballspiel eine Erklärung für die ungleiche Anzahl von Spielern bieten, wie wir sie in der Maya-Kunst sehen[31].

Die Spielvarianten

Ikonographische und epigraphische Studien zeigen, daß in Mesoamerika und der Maya-Region mehrere Ballspiele bekannt waren. Auf dem Markierstein des Großen Ballspielplatzes, den berühmten Reliefs von Chichén Itzá, und auf Szenen auf Ohrschmuckscheiben, die im *cenote* dieser Stadt gefunden wurden, sind Ballspieler zu sehen, die möglicherweise einen Hüftschutz und *palmas* tragen[32]. Das Hüftballspiel, das sich auf die Interpretation von Gürteln als *yugos* stützt, war allerdings im nördlichen Yucatán und auch in anderen Regionen recht gut bekannt. Stern hat eine Anzahl von Begriffen aus den Maya-Sprachen präsentiert, die sich aufs Ballspiel bezie-

Abb. 113 *Copán, Honduras: Ballspielplatz, dessen letzte Bauphase unter* Waxaklahun Ubah *(8. Jh. n. Chr.) fertiggestellt wurde.*

hen, und daraus wird klar, daß die Sprache der *Tzeltal*-Maya Wörter für Ballspiele enthält, bei deren Bildung die Begriffe »Hüfte« und »Gesäß« (span. *nalgas*), »Füße« und »Hände« benutzt werden. Ein yukatekisches Wort für das Ballspiel – *pitz* – ist wohl aus dem Wort *pi'* abgeleitet, das »Gesäß« bedeutet[33]. Auch hier ist man geneigt, zuerst an das Hüftspiel zu denken. Im südlichen Tiefland wissen wir von Hüftballspielern aus Piedras Negras und Copán. Die Ballspieler von Chichén Itzá tragen allesamt an einem Fuß einen Schutz, so daß man an eine Art Fußball gedacht hat[34], obwohl am selben Bein auch ein Knieschützer befestigt ist. Da mehrere Spieler des Brustspiels den Fuß desselben Beines geschützt haben, das auch den Knieschützer trägt, muß vorläufig offenbleiben, ob sich die Fußball-Variante als richtig erweist.

Auch an die Möglichkeit eines Handballspiels ist zu denken. Darauf deuten sogar mehrere Quellen hin. Das yukatekische Wort *kamalpok* bezeichnet nach Blom wahrscheinlich ein Handballspiel. Im 16. Jahrhundert schreibt Durán, daß die Spieler während des Spiels den Ball nicht mit den Händen berühren durften, aber er bezog sich damit auf Spieler des Hüftspiels. In Dainzú, Oaxaca, sind Reliefs gefunden worden, die Handballspieler zeigen. Stelen der Cotzumalhuapa-Kultur zeigen ebenfalls Figuren, die möglicherweise Handball spielen[35]. Spieler auf verschiedenen Reliefs scheinen den Ball mit den Händen zu führen, z. B. auf dem Markierstein von Copán. Die Ballspieler auf der sog. ›Giftflasche‹ von Leiden berühren ein Tier, möglicherweise ein Kaninchen oder ein Aguti, das den Ball repräsentiert. Eine der

Abb. 114   Zaculeu, Hochland von Guatemala: von einer Mauer umgebener Ballspielplatz.

Frauen auf den Treppenstufen von Yaxchilán berührt den Ball ebenfalls mit der Hand; sie ist allerdings nicht in Ballspielerausrüstung gekleidet. Ein weiterer möglicher Beweis für die Existenz eines Maya-Handballspiels ist das Bild auf einem Maya-Gefäß der Pearlman-Sammlung[36], auf dem zwei Männer, die beide einen Ball halten, einander mit expressiven Gesten gegenüberstehen. Ein Relief des Ballspielplatzes von Piedras Negras zeigt zwei Männer, von denen jeder ein rundes Objekt hält: den Ball, eine Fledermaus oder eine Rassel. Allerdings liefert keines dieser Beispiele den absoluten Beweis für die Existenz des Handballspiels. Immerhin tragen die Ballspieler von Piedras Negras einen Hüftschutz, aber keinen für die Hände. Die beiden männlichen Figuren auf dem Pearlman-Gefäß tragen weder an Hüften noch an Hän-

den einen Schutz, dagegen Handgelenk- bzw. Unterarmschützer. Das läßt eher auf das Armspiel, wie es heute im nordwestlichen Mexiko gespielt wird, schließen[37]. Im *Popol Vuh* präsentieren beide Mannschaften vor Spielbeginn ihren Ball und streiten sich erst einmal darüber, welcher Ball benutzt werden soll. Der Ball war also persönlicher Besitz wie auch die übrige Ballspielausrüstung. Ein in der Hand gehaltener Ball bedeutet demnach nicht unbedingt die Darstellung eines Handballspiels! Eine entsprechende Szene könnte die Aktion vor dem eigentlichen Spiel einfangen. Die Hand, vielleicht auch der Handschutz, sind möglicherweise nur zu Beginn des Spiels benutzt worden, sozusagen um den Ball ins Spiel zu bringen[38]. Die Darstellung einer solchen Situation könnte auf dem Markierstein aus Copán zu sehen sein.

Hat aber nicht Durán von der Art und Weise geschrieben, wie die Spieler ihren Körper mit den Händen am Boden abstützen? Auf Weiditz' Zeichnung von Ballspielern (1529), die er während einer Demonstration des Hüftballspiels vor dem spanischen Hof machte, ist eine kurze Notiz hinzugefügt, die uns berichtet, wie sie spielten und wie sie gekleidet waren; wörtlich schrieb er: ». . . haben auch solich ledern hentschuh an«[39]. Das könnte jeglichen Handschutz erklären, genauso wie das Knie beim Abstützen des Körpergewichts vor Verletzungen am Boden geschützt wurde. Weder ein in der Hand gehaltener Ball noch ein Handschutz liefern also ausdrücklich Beweise für die Ausführung eines Handballspiels, was wiederum nicht heißen soll, daß es ein solches Spiel bei den Maya nicht gegeben hätte.

Die Bälle

Die Bälle nehmen selbstverständlich einen herausragenden Platz in der Ballspiel-Ikonographie ein. Die Malereien der Keramik-Gefäße geben sie gewöhnlich schwarz, entsprechend der Farbe des Gummis, wieder. Größenmäßig reichen sie von ziemlich kleinen, leicht in der Hand zu haltenden Exemplaren über die mittelgroßen, die den aus der Ethnographie bekannten mexikanischen Bällen ähneln, bis hin zu den sehr großen, die man im Maya-Brustballspiel vorfindet. Diese großen Bälle scheinen nirgendwo sonst in Mesoamerika benutzt worden zu sein – es sei denn, die auf Keramiken dargestellten Ballspielszenen von Nayarit mit ihren großen Bällen enthalten eine realistische Wiedergabe des Ballspiels im westlichen Mexiko. Es herrscht allgemein die Vorstellung, daß die im mesoamerikanischen Ballspiel benutzten Bälle aus massivem Gummi bestanden, der die Pralleigenschaft des Balles und die Gangart des Spiels, aber natürlich auch das Gewicht erheblich erhöhte. Nach Blom hätten die Maya-Wörter für »Gummi« und »Bewegung« in die Nahuatl-Sprachen Eingang gefunden, und somit sei ein Hinweis auf die Gangart des Spiels mit dem Vollgummiball in diesen Begriffen verborgen[40]. Die »Sprungkraft« des Gummiballs mag der Grund gewesen sein, warum der Ball im Popol Vuh durch ein Kaninchen oder Aguti ersetzt wird; beide Tiere sind schnell und behende und wohlbekannt für ihre Sprungfähigkeit. Diese körperlichen Eigenschaften und namentlich die Größe des Aguti lassen diese Tiere als perfekten Ersatz für einen Gummiball erscheinen[41].

Allerdings steht keineswegs fest, daß die Bälle der Maya tatsächlich massiv waren, und auch die Größe der Bälle auf den Abbildungen muß nicht der Realität entspre-

chen. Die Maya waren durchaus imstande, in ihren Darstellungen des Ballspiels auch kleine Bälle zu zeigen. Andererseits lassen sich manche Argumente für recht voluminöse Bälle anführen; so z. B. stehen die großen Öffnungen der Ringe von Chichén Itzá (50 cm) im Verhältnis zur Größe des Balles auf den dortigen Reliefs. Sollten die Bälle aus Vollgummi bestanden haben, so müßten sie äußerst schwer gewesen sein, doch das ist keineswegs zwingend. Ein yukatekisches Wort für »Ball« – wol – und seine Ableitungen[42] bezeichnen auch die Verben »einwickeln, umwickeln, rund (machen), umgeben, umschließen«, als ob – so die vage Hypothese – etwas im Zentrum des Balles durch den Gummi verborgen sei. Miller schließt daraus, daß ein Schädel das Zentrum eines Balles dieser Art bildete[43]. Sie stützt sich dabei u. a. auf Ballspielszenen des Großen Ballspielplatzes von Chichén Itzá, wo Schädel tatsächlich im Innern der Bälle dargestellt sind. Das würde den Schilderungen des Popol Vuh entsprechen, denn die Fürsten der Unterwelt wollen zuerst mit einem Totenkopf spielen, und später kommt tatsächlich ein Kopf zum Einsatz. Ball und menschlicher Kopf/Schädel scheinen einander als Metaphern zu entsprechen, und ein Schädel im Innern eines Balles hätte womöglich dessen Gewicht erheblich reduziert und somit das Spielen erleichtert. Überdies hat man auch an hohle Bälle gedacht, wie sie vom Maya-Hochland her bekannt sind[44].

In den Darstellungen der Maya-Ballspiele tragen die Bälle selbst oft Hieroglyphen, die gewöhnlich als na ab – »Wasserlilie« oder »See«[45] – gelesen werden. Damit könnte die Unterwelt Xibalba analog dem Popol Vuh gemeint sein. Alle Szenen auf den drei Markiersteinen aus Copán sind von einer vierblättrigen Rahmung umschlossen, die symbolisch als Eingang zur Unterwelt interpretiert wird und somit ebenfalls den Gedanken an eine Verbindung zwischen Ballspiel und Unterwelt nahelegt. Eine Verbindung zwischen Ballspielplatz und Unterwelt gab es auch in Mexiko, wo die Azteken der Legende zufolge einen Platz um ein Wasserloch herum anlegten[46], das als Bindeglied zur Unterwelt verstanden wurde. Es ist noch nicht vollkommen geklärt, welcher Art die Beziehung zwischen den dargestellten Spielern und der Unterwelt war. Findet das abgebildete Spiel in Xibalba statt? Oder hat der Ball als solcher und in seiner Bewegung einen besonderen Bezug zur Unterwelt? Eine mögliche Erklärung könnte die sekundäre Bedeutung des yukatekischen Wortes für »Ball« bieten: »Öffnung« oder »Loch«. Die Bewegung des Balls und das Ballspiel selbst könnten als Mittel zur Schaffung einer Öffnung angesehen werden und das, was geöffnet wird, beispielsweise die Unterwelt sein. Hier stellt sich wiederum die Analogie zu den Geschehnissen im Popol

Abb. 115 Chichén Itzá, Yucatán: Relief auf den seitlichen Bänken des Ballspielplatzes. Der Ball wird hier als Totenkopf dargestellt zusammen mit dem Körper des Enthaupteten, aus dessen Rumpf das Blut in Gestalt von Schlangen hervorschießt.

Vuh her, wo zwei Brüderpaare in die Unterwelt befohlen werden, nachdem sie auf Erden ein Ballspiel gespielt hatten. Sie erreichen mit dem Ballspiel den Eintritt in die Unterwelt. Die Aussage des *Popol Vuh*, daß die Brüder während ihres Daseins in dieser Welt auf einem Ballspielplatz bzw. »auf der Straße nach *Xibalba*« spielten, könnte die oben dargelegte Argumentation stützen. Ob die »Straße nach *Xibalba*« den Ballspielplatz bezeichnet oder nicht – im wesentlichen liegt die Bedeutung der offensichtlich durchgeführten Aktivitäten, d. h. des Ballspiels, im Erreichen des endgültigen Zieles – *Xibalba*[47].

Die Bedeutung der Zahlen auf den Bällen ist noch nicht klar herausgearbeitet worden. Die Hieroglyphen-Darstellungen von Bällen beinhalten nach herkömmlicher Meinung nur die Zahlen 9, 12, 13, und 14. Aber ein Relief aus Ichmul zeigt einen Ball mit einer Glyphe und der Zahl 7! Um den Punktestand des dargestellten Ballspiels kann es sich kaum handeln, denn dann müßte man zwei Zahlen erwarten dürfen. Eine andere Möglichkeit ist die, daß die Zahl die Anzahl der zu opfernden Gefangenen darstellt; beweisen läßt sich dies jedoch nicht. Offensichtlich

stellt man sich vor, daß eine Zahl sich auf die folgende Glyphe bezieht; wo diese aber mit »Unterwelt« zu übersetzen ist, verliert die Bedeutung einer solchen Kombination an Klarheit nach allem, was wir bis jetzt darüber wissen. Entweder wurde die Glyphe falsch übersetzt, und die Zahlen haben Wert und Bedeutung eigens für sich, oder vielleicht sollen Titel oder Name einer Gestalt genannt werden, die durch das Ballspiel angerufen wurde.

TREPPE UND BALLSPIEL

In Copán findet sich ein architektonisches Detail – eine gestufte Konstruktion mit der Darstellung von Muschelgehäusen an der Oberkante –, dem man die Bezeichnung »*Reviewing Stand*« im Sinne von »Aussichtsplattform« gegeben hat. Hier mögen sich die Maya vorgestellt haben, daß alles, was sich auf der Treppe und unterhalb der Muschelgehäuse abspielte, sozusagen symbolisch unter

Wasser geschah. Am Fuße des *Reviewing Stand* finden sich drei rechtwinklige Steine, die den Markiersteinen der Maya-Ballspielplätze ähneln. Bei weitergehender Interpretation liegen diese Steine gewissermaßen unter Wasser; in diesem Falle fänden Handlungen an diesen Markiersteinen – z. B. Zeremonien mit Ballspielsymbolik – in der Unterwelt statt, die ja als unter Wasser liegend angesehen wurde. Eindeutig ist auf dem *Reviewing Stand Chak Xib Chak* wiedergegeben, eine gelegentlich tanzend dargestellte Gottheit, die man mit Enthauptungen assoziierte, einer Praxis, die wiederum eng mit dem Ballspiel verbunden war. Diese Treppe – und vielleicht Treppen im allgemeinen – wird als Schauplatz von Opferungen und besonders von Enthauptungen[48] gedeutet. Die – imitierten – Markiersteine vor dem *Reviewing Stand* bilden eine aus dem Blattwerk einer Maispflanze herauskommende Gottheit ab. Nach überzeugender Interpretation[49] setzten die Maya einen Maiskolben mit einem abgeschlagenen Kopf gleich. Wie auch im Falle der Enthauptungs-Reliefs von Chichén-Itzá, wo das aus dem Nacken fließende Blut in Gestalt von Schlangen und

Pflanzen zum Symbol der Fruchtbarkeit wird (Abb. 115), scheint auch die Ikonographie des *Reviewing Stand* eine Beziehung zwischen Ballspiel-Enthauptungen und Fruchtbarkeit herzustellen. Im *Popol Vuh* findet sich eine vergleichbare Thematik, wenn nämlich vor ihrem Abstieg in die Unterwelt die Göttlichen Zwillinge *Hunahpu* und *Xbalanke* Maispflanzen auf der Erde zurücklassen. Tod und Wiedergeburt der Brüder entsprechen dem Absterben und neuen Wachstum der Maispflanze auf Erden. Was nach ihrem freiwilligen Opfertod mit ihren Knochen geschieht, bleibt ebenfalls noch in dieser mythischen Vorstellung: die Knochen werden auf dieselbe Art und Weise gemahlen wie der Mais.

Eine dem *Reviewing Stand* vergleichbare Symbolik findet sich auch bei der sog. »Jaguartreppe« von Copán[50]. Treppen als Standorte von Zeremonien erfüllten eine wichtige Funktion in der Maya-Kultur. Aus der Ikonographie des *Reviewing Stand* und der Jaguartreppe ist ersichtlich, daß dieser wichtige Teilaspekt der Architektur auch mit dem Ballspielkomplex in Verbindung gebracht wurde. Dieser Gedanke wird verstärkt durch Ballspiel-

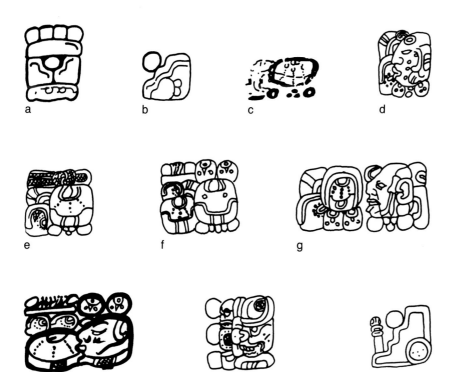

Abb. 116 Schriftzeichen, die sich auf das Ballspiel beziehen.

Hieroglyphen für den Ballspielplatz: a, b pitzel, »mit dem Ball spielen«: c, d, e ah pitzlawal, »der Ballspieler« (ein besonders in Palenque verwendeter Titel): f, g, h
ox ahal »drei Siege« (ein metaphorischer Name von Ballspielplätzen, der sich auf Namen aus der Vorzeit beruft): i
»Ballspielplatz« (deutlich ist hier der Ball auf der Treppe zu erkennen): j.

Abb. 117 Uxmal: Blick auf den Ballspielplatz und das Nonnenviereck vor den Restaurierungsarbeiten.

reliefs aus anderen Städten wie Seibal und La Amelia, wo reliefierte Paneele mit Ballspieldarstellungen zu beiden Seiten einer Treppe angebracht sind. Die Spieler auf den Stelen 5 und 7 in Seibal sind einander so zugekehrt, als würden sie über die Treppe hinweg miteinander mit einem Ball spielen, der allerdings nicht gezeigt wird. Bei den Ritualen könnte entweder tatsächlich ein Ball benutzt worden sein oder aber auch ein zu opfernder Gefangener, wie es auf den Reliefs von Yaxchilán zu erkennen ist: in Nachahmung eines Balles stürzen die Opfer die Stufen hinab (Abb. 120)[51].

Die Entzifferung einer bestimmten Hieroglyphe mit Bezug auf Treppen und Ballspiel durch L. Schele und N. Grube unterstützt diese Aussage. Dieses Zeichen mit

der Lesung *wak ebnal*, »Platz der 6 Stufen«, nimmt Bezug auf den Ort, an dem Ballspielzeremonien einschließlich Opferungen durch Könige durchgeführt wurden. Interessant ist nun, daß der *Reviewing Stand* von Copán, sozusagen ein ritueller Ballspielplatz, tatsächlich sechs Stufen aufweist, und die gleiche Anzahl findet sich in Yaxchilán wieder[52]. Außer den Treppen in Seibal und La Amelia sind zwei weitere in Itzán entdeckt worden, und zwar in Verbindung mit Ballspielreliefs.

Der Bezug zwischen Ballspielkomplex und Treppen wird untermauert durch die tatsächliche bildliche Darstellung von Treppen in Ballspielszenen und durch den Brauch, Ballspielreliefs an den Stirnseiten von Stufen anzubringen. Beispiele der ersten Art finden wir im Tiefland auf

der Keramik von Chocholá und in Yaxchilán (Abb. 120), Dos Pilas, Uxul, Edzná etc. Unter den Höhlenmalereien von Naj Tunich gibt es vier Ballspielszenen, die sich vor Treppenaufgängen abspielen[53]. Es muß hier angemerkt werden, daß in einem beträchtlichen Teil der Maya-Ballspiel-Ikonographie die bildliche Darstellung des Ballspiels außerhalb des für den Ballspielkomplex so typischen Platzes angesiedelt ist. Die dargestellte Architektur besteht eher aus gestuften Strukturen oder Treppen als aus gemauerten Ballspielplätzen.

Ballspielszenen auf den Steigungen der Treppenstufen sind uns bekannt aus »Site Q« – einer noch unentdeckten, offenbar sehr wichtigen archäologischen Stätte –, Dos Pilas, Yaxchilán und vielleicht aus Uxul und Cobá. Ein Paneel aus Dos Pilas zeigt, wie ein Ballspiel rund um eine Treppe herum ausgetragen wird[54].

Die berühmtesten Darstellungen dieser Art wurden 1975 in Yaxchilán entdeckt[55]. Die dreizehn Paneele gehörten zu den obersten Stufen einer Treppe an der Fassade von Struktur 33 (Abb. 86). Sie wird heute als »Hieroglyphentreppe 2« geführt. Der Baukomplex 33 ist *Yaxun Balam*, dem wichtigsten Herrscher der Stadt, gewidmet. Ohne Zweifel erzählen sowohl die Gesamtkomposition als auch die Ikonographie der einzelnen Stufenreliefs – z. B. die dargestellten Persönlichkeiten und die Richtung, in die sie schauen – eine komplexe, symbolträchtige Geschichte. Die Stirnreihenreliefs 1 und 11 zeigen sitzende Figuren – und zwar Frauen – mit einem Ball; wenigstens eine von ihnen berührt diesen Ball. Bei den Reliefs 2 und 3 sitzen Frauen mit einer Schlange im Arm. Der Kopf des Gottes K, Sinnbild des Blutes, erscheint im Maul der Schlange – ein in der Maya-Kunst wohlbekanntes Thema. Die Frauen sitzen vor dem aufgerissenen Maul eines zoomorphen Wesens, das – wie im Beispiel der Höhle – als Bildnis des Eingangs zur Unterwelt angesehen wird[56]. Die übrigen Paneele zeigen Szenen, in denen immer ein Mann vor einer Treppe spielt, während die drei mittleren Bälle eingeschlossene nackte Gefangene – besiegte feindliche Herrscher – wiedergeben; sie werden im Verlauf der Ballspielzeremonien geopfert. Wenn im *Popol Vuh* von einem Platz für Ballspielopfer berichtet wird, so könnte damit ein Ballspielplatz gemeint sein, vielleicht aber auch eine spezielle Ballspiel-Opferstätte, ein Treppenkomplex zum Beispiel. Das alte *Quiché*-Wort für »Ballspielplatz« – *hom* – bezeichnet heute jedenfalls einen Begräbnisplatz[57].

Das Relief mit *Yaxun Balam* beim Ballspiel nimmt den zentralen Platz auf der Treppe ein (Abb. 120). Die reiche Kleidung des Fürsten betont den zeremoniellen Charakter der Komposition. Zwei Zwerge stehen hinter ihm, auf ihren Körpern Symbole eines Sterns, vielleicht der Venus. Zwerge sind mehrfach Tänzern und Ballspielern zugesellt[58]. Ein Bezug zwischen Tanz und Ballspiel ist oben bereits angedeutet worden – könnte also das Ballspiel nicht eine Form des Tanzes gewesen sein? Nicht nur in der Maya-Mythologie, sondern auch hier gab es eine Beziehung zwischen der Erde, Zwergen und der Unterwelt; denn diese Wesen lebten unterirdisch. Man glaubte, daß sie die Sonne auf ihrer nächtlichen Reise durch die Unterwelt begleiteten[59]. Eine Anspielung auf diese Assoziation mag in dem Figürchen eines Zwerges zu sehen sein, das in einem Grab in Palenque entdeckt wurde[60], und auch die meisten der menschlich gebildeten Jadefiguren aus dem *cenote* von Chichén Itzá stellen Zwerge dar. Gräber und *cenotes* hatten einen ganz speziellen Bezug zur Unterwelt, und Zwerge galten geradezu als »Fürsten der Erde« bei der Reise durch die Unterwelt[61]. Um nun auf *Yaxun Balam* und die Zwerge zurückzukommen, so könnte die Szene bedeuten, daß sie in der Unterwelt oder vor dem Eingang zur Unterwelt spielt[62].

Alle die Beziehungen legen die Vermutung nahe, daß die Maya im Ballspiel mehr sahen als den bloßen Sport. Nach Schele und Miller spielten sich die Treppenszenen außerhalb der Ballspielplätze ab, nämlich direkt auf den oben beschriebenen Hieroglyphentreppen. Sie waren also dem Krieg verschrieben und als Stätten der Opferung Gefangener gekennzeichnet. Außerdem werden auf den Trittstufen der Hieroglyphentreppen tatsächlich Kriege und Gefangennahmen erwähnt[63]. Letztlich wäre in diesem Zusammenhang noch an die berühmten Malereien von Bonampak zu erinnern, wo Treppen als geeignete Stätten zur Durchführung von Ritualen belegt sind.

BALLSPIEL-HIEROGLYPHEN, OPFER UND FRUCHTBARKEIT

Auch die schriftliche Überlieferung belegt Zusammenhänge zwischen Treppen und Ballspiel. Mehrere erst vor wenigen Jahren entzifferte Hieroglyphen beziehen sich auf Ballspielplätze, Treppen und das Ballspiel selbst. Zu-

◁ *Abb. 118 Abrollung eines polychrom bemalten Gefäßes: Darstellung von zwei Personen vor einer Treppe beim Ballspiel. Der große, schwarze Kautschukball befindet sich noch auf der obersten Stufe.*

192

nächst sei auf ein Zeichen hingewiesen, das einen Ballspielplatz im Querschnitt wiedergibt, auf dem der Ball
sich zwischen den Vorsprüngen der Bänke befindet
(Abb. 116 a). Diese Hieroglyphe taucht fast immer in Ball-
spielplatztexten auf. Das zweite Zeichen (Abb. 116 b)
zeigt eine Treppe mit einem Ball darauf, was auf Ball-
spielaktivitäten hindeutet.

David Stuart hat eine Hieroglyphe für das Ballspiel selbst
identifiziert (Abb. 116 c,d). Phonetische Untersuchungen
über das Auftauchen einer bestimmten Hieroglyphe auf
mehreren Ballspieldarstellungen ergaben, daß der betreffende Block das Wort *pitz* – »Ball spielen« – bildete.
Dieses Zeichen wurde auch in Titel einbezogen und
ebenfalls jenes, dessen Hauptelement ein Schädel ist: Als
Ganzes repräsentiert der Glyphenblock einen Titel, der
mit dem Ballspiel assoziiert ist[64]. Bedenkt man den
Brauch der Enthauptung, scheint die Verwendung einer
Schädeldarstellung in diesem Schriftzeichen bedeutsam.
Ein Titel mit Bezug aufs Ballspiel kommt zum Beispiel im
klassischen Palenque vor (Abb. 116 e–i), findet sich aber
auch im *Popol Vuh*, wo der achte der neun Fürsten »der
Ratsherr des Ballspielplatzes« genannt wird[65].

Im *Popol Vuh* beinhalten die Ballspielpassagen mehrere
Opferungen. Die zwei Brüder der ersten Generation
waren von den Fürsten der Unterwelt besiegt, getötet
und auf dem Ballspiel-Opferplatz begraben worden,
wobei der Kopf des einen in einen Baum gehängt wurde,
der darauf Früchte zu tragen begann. Beim jüngeren
Brüderpaar verlor *Hunahpu* während einer Prüfung in
Xibalba seinen Kopf, der dann als Ball diente. Nun ist zwar
nachgewiesen, daß Szenen aus dem *Popol Vuh* auf Klassischen Maya-Gefäßen dargestellt sind, somit also die kolonialzeitlichen Mythen sehr alt sind[66], doch gerade Opfe-
rungsszenen mit Bezug aufs Ballspiel sind bisher auf bemalten Klassischen Keramiken nie aufgetaucht. Wenn
Darstellungen enthaupteter Ballspieler bisher im südlichen Tiefland nie gefunden wurden, vor allem nicht mit
dem Bezug zur Fruchtbarkeit wie in Chichén Itzá, so
scheint doch auch hier der Gedanke an die Ballspiel-Ent-
hauptung belegbar, etwa wenn ein Ballspieler auf einem
Relief, das ursprünglich aus »Site Q« gekommen sein mag,
den Kopf der Unterweltsgottheit *Chak Xib Chak* als
Kopfschmuck trägt und *Chak Xib Chak* gleichzeitig als
Ballspieler dargestellt wird[67].

Für den Zusammenhang von Tod bzw. Opfertod und
Fruchtbarkeit sei noch einmal auf das *Popol Vuh* verwiesen. Die Mutter der Zwillingsbrüder *Hunahpu* und
Xbalanke gewinnt aus einem einzigen Maiskolben ein ganzes Netz voll Mais[68], weil der Kolben sich auf wundersame Weise vervielfältigt. Auch der Schädel von *Hun
Hunahpu* bringt Fruchtbarkeit hervor und sichert die

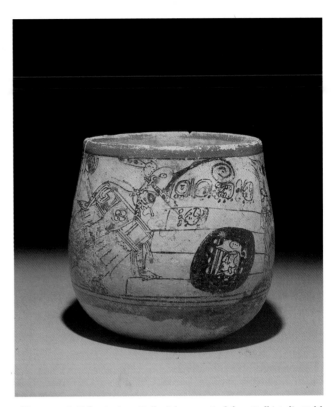

*Abb. 119 Gefäß mit einer Ballspielszene: Auf dem Ball ist die Zahl
14 mit der Hieroglyphe* naab, *»Handfläche«, zu sehen.*

Fortpflanzung durch seinen eigenen Speichel. Anspielungen dieser Art liegen offenbar vor, wenn Ballspieler Mais-
symbole in ihrem Kopfschmuck tragen. Sieht man den
Maiskolben als Metapher für den Kopf an, dann bedeutet
das Maispflücken ein Köpfen, und andersherum ist die
Enthauptung als Ernte zu betrachten. Die Fruchtbarkeit
der Maisernte steht analog zur Fruchtbarkeitssymbolik
der Blutströme, die als Schlangen und Pflanzen dargestellt sind. Noch heute läßt sich unter den Maya der
Brauch beobachten, zur Aussaat bestimmte Maiskolben
in Bäume zu legen – als tatsächliche oder symbolische
Handlung; das erinnert zwingend daran, daß *Hun
Hunahpus* Kopf auch als Spende von Fruchtbarkeit in
einen Baum gehängt wurde[69]. Das Ziel des Ballspiels im
Popol Vuh – gespielt von den Fürsten der Unterwelt und
den Zwillingen, die den Tod bzw. das Leben repräsentieren – ist es, einander zu besiegen. Die Fürsten der Unterwelt sind überwunden, als *Xbalanke* sie überlistet, indem
er auf seines Bruders Rumpf den abgeschlagenen Kopf
durch einen Kürbis ersetzt: Der Sieg ist in dem Augen-

blick gesichert, als der Kürbis seine Samenkörner auf den Ballspielplatz fallen läßt; so besiegt die Fruchtbarkeit den Tod[70].

Der Ballspielplatz als Stätte der Fruchtbarkeit muß der Ansicht mancher Wissenschaftler, daß er der Eingang zur Unterwelt sei, nicht widersprechen[71]. Auch die Zwillingsbrüder auf ihrer Reise nach *Xibalba* steigen hinab, sie reisen durch Hohlwege und Klüfte, und in der Form ähnelt der Ballspielplatz einem Tal oder einem Hohlweg.

Wir haben bereits darauf hingewiesen, daß Höhlen mit der Unterwelt in Verbindung gebracht wurden wie auch mit dem Zyklus von Tod und (Wieder-)Geburt. Die Ballspielzeichnungen in der Höhle von Naj Tunich befinden sich im westlichen Teil eines Systems von unterirdischen Durchgängen; Westen war die Himmelsrichtung des Todes, der Unterwelt. In Höhlen hielt man aber auch Rituale ab, bei denen die Götter um Wasser für die Ernte angefleht wurden. Ferner nehmen die Daten von Naj Tunich offenbar auf die Monate Mai – Juni und Dezember – Januar Bezug, Zeiten also, die im landwirtschaftlichen Zyklus wichtig für die Fruchtbarkeit waren; denn im Mai und Juni wurden Rituale abgehalten, um die Gunst der Regengötter zu erflehen[72].

Wenn also im *Popol Vuh* der abgeschlagene Kopf des *Hun Hunahpu* ein Mädchen mit seinem Speichel (als Sperma) schwängert und der Ersatzkopf *Hunahpus* als Kürbis Samen preisgibt, so darf man folgern, daß Enthauptungen das Merkmal der Fruchtbarkeit in sich tragen, die auch bei den Schlangen – Wesen der Fruchtbarkeit – und den Pflanzen, die aus den Hälsen der geköpften Ballspieler wachsen, evident wird. Die Schädelbälle der Reliefs von Chichén Itzá (Abb. 115) zeigen Voluten, die meistens als Zeichen für Sprache oder Gesang interpretiert werden. In solchen Fällen ist jedoch die Volute vor dem Mund dargestellt. Im Falle der Schädelballvoluten von Chichén Itzá sehen wir, daß sie im Mund schon beginnen; wir haben es also wohl weniger mit einer Sprechvolute als vielmehr mit der ›Speichel/Sperma-Szene‹ des *Popol Vuh* zu tun. Mit anderen Worten: Enthauptung/Blut/Schädel künden Fruchtbarkeit an, symbolisiert durch Schlangen/Pflanzen/Speichel.

Die für die Gunst der Götter geopferten Menschen konnten auch Kriegsgefangene sein. Das Ballspiel ist sogar als Kriegsersatz angesehen worden. Verschiedene Ballspielreliefs aus Toniná zeigen Gefangene, während Paneele aus Yaxchilán und Cobá Gefangene ebenfalls mit dem Ballspiel in Verbindung bringen. Hieroglyphen, die das Ballspiel betreffen, kommen in Texten vor, die sich mit Krieg befassen[73]. Zudem weist die Kleidung und Ausrüstung der Ballspieler gewisse Attribute auf, wie sie für den mexikanischen Regengott *Tlaloc* typisch sind, der mit Krieg assoziiert wurde. Das Monument 122 aus Toniná zeigt den Herrscher *K'an Xul* von Palenque als Gefangenen (Abb. 55); er wurde vermutlich in Toniná geopfert. Weil hier die Arme der Gestalt sozusagen ›in Ballspielerhaltung‹ gezeigt werden, ist man versucht anzunehmen, daß *K'an Xul* den Tod während einer Ballspiel-Zeremonie erlitt[74].

Wenn im Voraufgehenden die Ballspiel-Ikonographie im Rahmen der Maya-Kultur behandelt wurde, so darf nicht übersehen werden, daß der Kontext dieser Kultur Mesoamerika ist. Die Völker dieser Kulturregion teilen den Glauben an verschiedenen Normen und Werte. Informationen aus Mesoamerika können ein besseres Verständnis der Maya-Kultur liefern und uns zu einer profunderen Interpretation eines Aspektes dieser Kultur führen, nämlich des Ballspiel-Komplexes.

Gelehrte wie Eduard Seler, Konrad Preuß und Walter Krickeberg hielten den Gedanken eines Kampfes zwischen den Mächten von Licht und Finsternis für den Ausgangspunkt zur Interpretation des Ballspielkomplexes. Sie nahmen im Ballspiel die Inkraftsetzung von Tod und Wiedergeburt der Sonne, der Venus und anderer Himmelskörper wahr[75]. Das *Popol Vuh* berichtet von einem ähnlichen Kräftemessen. Das Leben geht aus dieser Konfrontation als Sieger hervor. Die Maya-Könige gingen sozusagen mittels des Ballspiels in die Schlacht und wurden als Sieger dieser Konfrontation angesehen. Der Begriff der Fruchtbarkeit war verbunden mit dem kosmischen Zyklus von Tod und Wiedergeburt der Himmelskörper; denn die Fruchtbarkeit der Erde ist jahreszeitlich bedingt und wird bestimmt und erklärt aus der Bahn der Himmelskörper. Ballspieler können also als Repräsentanten von Tod, Wiedergeburt und Fruchtbarkeit angesehen werden[76].

Mesoamerikanische Herrscher identifizierten sich mit der Sonne, und die Maya verglichen den Tod eines Königs mit ihrem Untergang. So wie die wiedergeborene Sonne im Osten aufgeht, bestieg des Königs Nachfolger den Thron. Die Göttlichen Zwillinge überwanden die Fürsten des Todes, um schließlich als Sonne, Mond oder Venus zum Himmel aufzusteigen.

Aus dem *Popol Vuh*, den Ballspieltreppen von Yaxchilán und auch der Präsenz des Opfergottes *Chak Xib Chak* ist zu ersehen, daß für die Maya wie die anderen Völker Mesoamerikas die Opferung von Menschen und besonders deren Enthauptung Teil des Ballspiel-Gesamtkomplexes bildeten, wobei der Tod durch Enthauptung nicht den tatsächlichen Tod bedeutete. Die Menschen opferten, ernteten und töteten, um den Fortgang des Lebens zu sichern.

Abb. 120   Yaxchilán, Chiapas, Detail von der Hieroglyphentreppe 2 vor Gebäude 33: König Yaxun Balam *beim Ballspiel, wobei ein herab-*stürzender Gefangener als Ball fungiert.

Die Maya-Herrscher sind in Spätklassischer Zeit oft abgebildet, als wollten sie ihre zentrale Rolle im politischen und religiösen Wirken des Staates betonen. Der zunehmende Druck auf die Stellung des höchsten Amtsinhabers war gekoppelt mit der Errichtung einer großen Anzahl von Ballspielplätzen in Klassischen Zentren des südlichen Tieflandes. Der Ballspielkomplex hatte möglicherweise eine Rolle bei der offensichtlichen Zurschaustellung wachsender Herrschermacht zu übernehmen. Geht man von dieser Voraussetzung aus, so fällt auf, wie viele Darstellungen des Ballspiels außerhalb der gemauerten Plätze anzutreffen sind. Jedenfalls war der rituelle Aspekt

dieses Komplexes teilweise aus den Ballspielplätzen herausgenommen und in beträchtlichem Ausmaß in Treppenbauwerke verpflanzt worden.

Der rituelle Zusammenhang des Ballspiels konnte variieren. Es wird angenommen, daß das Ballspielritual in die Opferung Kriegsgefangener eingebunden war. Nach unserer Darlegung könnte man auch schließen, daß das Ballspiel im Ritual der Königsnachfolge Bedeutung gewonnen hatte. Wenn der tote oder sterbende König mit der untergehenden Sonne gleichzusetzen war, so mochte er befreit und dem Leben zurückgegeben werden durch den ballspielenden/tanzenden neuen Herrscher, der aufstieg wie die wiedergeborene Sonne aus der Unterwelt und den Thron bestieg.

Die Lage eines kleinen Ballspielplatzes in Tikal scheint in diesem Zusammenhang beziehungsreich, befindet er sich doch zwischen einem Begräbnismonument, dem Tempel I, und einem möglichen Wohnkomplex, der Zentralakropolis, d. h. an einem Ort zwischen Tod uns Leben. Es scheint so, als habe das Ballspiel eine Öffnung geschaffen. Vielleicht war es die Unterwelt, die geöffnet wurde, wie sich aus den Hieroglyphen auf Balldarstellungen und dem *Popol Vuh* ableiten läßt. Mit anderen Worten: Die Gräber als Wohnplätze der Vorfahren wurden symbolisch geöffnet, um Kontakt mit den Toten herzustellen.

Die Funktion von Treppen im Kontext des Ballspiels paßt zu dieser Vorstellung, denn Treppen steigt man hinauf oder hinab; man erklimmt eine Pyramide oder steigt in ein Grab – in die Unterwelt – hinab.

Das Ergebnis des Ballspiels hing von den Bewegungsbahnen eines Gummiballes ab. Das yukatekische Wort für ›Gummi‹ – *k'ik'* – bedeutet »Blut«, nach Schele und Miller das Bindemittel in allen Lebensbereichen der Maya. So wie das Blut der Lebenssaft des menschlichen Daseins ist, ist Gummi der Lebenssaft des Baumes, ein Gedanke, der sich auch auf Speichel, *k'ik'el*, d. h. Sperma[77], anwenden läßt; der Speichel aus *Hun Hunahpus* Schädel bringt seine Nachkommenschaft hervor, die den auf der Erde zurückgelassenen Ball, den »Familienball«, mit nach *Xibalba* nimmt und den Tod bezwingt[78]. Der Ball stellte die Lebenskraft dar, das Blut der Ahnen, und das Ballspiel galt als Mittler zwischen Leben und Tod.

Religion und Weltsicht

Linda Schele

Aus der Sicht der Maya war die Welt ein magischer Ort, bevölkert von Lebewesen aller Art und erfüllt von göttlicher Energie, die irdische und göttliche Welt miteinander verband. Das Gefühl für das Religiöse war nicht abgehoben und aus dem Leben verbannt, sondern stets bereit, sich in rituellen Darbietungen zu manifestieren. Menschen konnten sich in solchen Ritualen in vielfältiger Weise in Götter und übernatürliche Wesen verwandeln, die diese göttliche Energie versinnbildlichten. Nicht nur das, was wir als lebendig betrachten, war angefüllt mit solcher Energie, sondern auch Dinge, die wir als leblos ansehen, wie die umgebende Landschaft, Felsen, Gebäude, heilige Objekte oder Kleidung. Dies alles war ebenso beseelt und durchdrungen von dieser Kraft, die durch von Menschen durchgeführte Rituale umgewandelt und nutzbar gemacht werden konnte.

Der berühmte Ethnograph Johannes Wilbert, der speziell das Dasein der Warao in Venezuela erkundete und die Mythologien der Jäger- und Sammlervölker Südamerikas dokumentierte[1], nimmt an, daß die Vorstellung einer allgegenwärtigen göttlichen Kraft für die religiöse Geisteshaltung aller eingeborenen Völker charakteristisch ist, und dies schließt sicherlich auch die Maya ein.

Nach Vorstellung der Maya wurde die Welt schon mehrere Male, bevor die gegenwärtige zu existieren begann, erschaffen. Dem *Popol Vuh*, einer Version der Maya-Mythologie aus dem 17. Jahrhundert, zufolge leben wir nun im Zeitalter der vierten Schöpfung, während die Azteken in Zentralmexiko die Gegenwart als die schon fünfte Schöpfung ansahen. Wir wissen nicht, wie viele Welterschaffungen die Maya zählten. Zumindest gab es jedoch eine Schöpfung vor der gegenwärtigen. Unsere Welt wurde den Inschriften aus der Zeit der Klassik zufolge am Tag *4 Ahaw 8 Kumk'u* erschaffen, als alle Zeitzyklen oberhalb 20 Jahren – also 400, 8000, 160 000, 32 000 000 Jahre und so weiter bis hin zu 20 Stellen (20^{20} x 360 Tage-Jahre) – jeweils 13 Durchläufe vollendet

hatten. Nach unserem Kalender fällt jener Tag auf den 13. August 3114 v. Chr. (oder den 20. September 3113 v. Chr. im Julianischen Kalender).

Wir wissen kaum etwas über die zuvor existierende Welt, lediglich, daß es auch dort schon Orte und Lebewesen verschiedener Art gab. In späterer Zeit verbanden die Könige der Maya regelmäßig bestimmte historische Ereignisse und religiöse Zeremonien mit ähnlichen aus der Zeit mythischer Helden vor der gegenwärtigen Schöpfung. Während wir insgesamt leider nur wenig detaillierte Informationen über diese frühere Schöpfung und die in ihr lebenden Wesen haben, überlieferten uns jedoch die Schreiber von Palenque und Quiriguá, wie sie sich ereignete[2].

Der »Erste Vater«, ein Gott namens *Hun Nal Yeh*, »Eins-Mais-???«[3], auch bekannt als Gott I der Göttertrias von Palenque, und die »Erste Mutter«, eine Göttin, deren Name vermutlich *Na Sak K'uk' Hemnal* (»Frau-Weißer-Quetzal-Tal«) lautete, wurden 8 Jahre bzw. 6 Jahre (8.5.0 und 6.14.0 nach der Maya-Zeitrechnung) vor dem Anbruch der letzten Schöpfung geboren. Die Erste Mutter war die Mondgöttin und Erster Vater der Maisgott. Beide werden mit weitmaschigen Gewändern und einem mit einer Spondylus-Muschel und einem Haifisch-Monster-Kopf verzierten Gürtel dargestellt (Abb. 121a, b). Als Erster Vater das Alter von 8 Jahren und 100 Tagen erreicht hatte, endete der dreizehnte 400-Jahre-Zyklus und damit auch alle früheren, und eine neue Ära begann. Die Welt war erschaffen.

Die Inschrift auf Stele C in Quiriguá berichtet, was sich am Tag der Schöpfung ereignete und wo dies geschah. Den eigentlichen Anfang machte eine Weissagung der Schöpfer, durch deren Formulierung die neue Schöpfung existent wurde. Auch die Schöpfungsgeschichte des *Popol Vuh* betont die Macht des Wortes als Instrument der Schöpfung. »Und dann entstand die Erde durch sie, es war einfach ihr Wort, das sie entstehen ließ. Um die Erde zu erschaffen, sagten sie ›Erde‹«[4]. Die klassische Version dieser Geschichte spielt sich an einem Ort namens *Ch'a Chan* (»Darniederliegender Himmel«) ab und beginnt mit der Aufstellung von drei Steinen (auf Maya: *u tz'apwa*). Die sogenannten »Paddler«, zwei Götter, die ein das Leben symbolisierendes Kanu über jenes Wasser steuern, das die irdische Welt von der Unterwelt trennt, errichteten danach einen Jaguar-Thron in *Na Ho Chan*, »Erster-Fünf-Himmel«, wiedergegeben auf dem sog. »Sieben-Götter-Gefäß« (Abb. 122). Ein bisher noch nicht identifizierter schwarzer Gott stellte einen Schlangen-Thron auf der Erde auf, und schließlich schuf *Itzamna*, der »Erste Zauberer«, einen Krokodil-Thron im Urmeer. Sechs Gottheiten hatten sich an einem Ort *Ek' U Tan* (»Schwarz ist die Mitte«) versammelt, als der Himmel noch flach auf der Erde lag und noch nicht von Licht erhellt war. Diesen sechs Gottheiten gesellte sich eine weitere hinzu, von der Forschung auch als »Gott L« bezeichnet. Die genannte Darstellung zeigt ihn sitzend neben einem heiligen Bündel auf einem Jaguar-Thron in einem Haus namens »Liegender-Himmel-Ort«.

Die genannten drei Throne entsprechen den drei Herdsteinen, die schon seit dreitausend Jahren Mittelpunkt eines jeden Maya-Hauses sind. So wie die Herdsteine das Kochfeuer umgeben, so bilden die drei zu Beginn der Schöpfung aufgestellten Steine das Zentrum des Kosmos, und erst die ermöglichten es, daß der Himmel aus dem Urmeer gehoben werden konnte. Dieses Aufrichten des Himmels erfolgte an einem Tag *13 Ik'* Ende des Monats *Mol*, ein Jahr, drei Monate und zwei Tage (542 Tage), nachdem die drei Steine am Tag der Schöpfung aufgestellt worden waren. Den Akt des Aufrichtens des Himmels beschreiben die Inschriften von Palenque in drei Abschnitten, dessen erster mit dem Eintritt von *Munal Yeh* in den Himmel (*och ta chan*) beginnt. Dieses Ereignis schildert ein im sog. »Codex-Stil« bemaltes »Blasrohrschützen-Gefäß« (Abb. 123), dessen Bilder zeigen, wie sich ein heiliger Vogel namens *Itzam Yeh* (»Verzaubert«) auf einem Baum niederläßt und ein Blasrohrschütze auf ihn zielt[5]. Bis auf den heutigen Tag wird die Beseelung von Dingen und Lebewesen durch die Metapher »sich niederlassen« bezeichnet.

Die Inschrift im Kreuz-Tempel von Palenque berichtet, daß obiges Ereignis mit der Einweihung eines Hauses, *Wakah Chanal Waxak Na Tzuk* (»Erhobener-Himmel-Acht-Haus-Abschnitt«), endete. Dieses Haus wird zudem als *Yotot Xaman* oder »Haus des Nordens« beschrieben. Es war in acht Abschnitte unterteilt, die den vier Haupt- und den vier Zwischenhimmelsrichtungen entsprachen. Um den »Aufgerichteter-Himmel-Ort« zu errichten, hob *Hunal Yeh* den Himmel empor und stützte ihn mit einem Baum, *Wakah Chan*, im Zentrum des Universums

(Abb. 124), eben jenem Baum, der auf dem genannten »Blasrohrschützen-Gefäß« abgebildet ist. Zuletzt berichten die Inschriften, daß »Eins-Mais-???« den Gegenstand *Wak Chan Ki*, »Aufgerichteter-Himmel-Herz«, in Drehung versetzte.

Dies alles zusammengenommen, ergibt sich folgendes Bild: Zunächst wurde der Himmel aus dem Urmeer erhoben und dann ein Baum als die zentrale Weltenachse als Stütze aufgestellt. Das Haus der Acht Abschnitte befand sich am Nordhimmel, so daß die Spitze des Weltenbaumes durch den Polarstern und seine Basis durch das Sternbild Skorpion verlief. So zeigt das »Blasrohrschützen-Gefäß« einen Skorpion, der am Fuß des Baumes das gleichnamige Sternbild verkörpert[6]. Mit der Drehbewegung ist die Wanderung der Sternbilder um den Polarstern gemeint[7]. In der Vorstellung der Maya durchdrang die Weltenachse also nicht senkrecht die Welt vom Nadir zum Zenith, sondern verlief statt dessen wie der Dachbalken eines Hauses quer über den Himmel. Die Welt, die durch diesen Schöpfungsakt erschaffen wurde, bestand aus einer irdischen Ebene in der Mitte des Urmeeres. Diese stellten die Maya häufig als den Rücken einer Schildkröte oder auch als Krokodil dar[8]. Die acht Abschnitte des Hauses beinhalten die vier Haupthimmelsrichtungen und die Sonnenwendpunkte, jene Stellen am Horizont, wo die Sonne zur Zeit der Sommer- und Wintersonnenwende auf- und untergeht.

In diesem Weltbild ist der Osten mit der Sonne und dem Tag verbunden, der Westen dagegen mit der Dunkelheit und der Nacht, der Süden mit der Venus und der Norden mit dem Mond. Die hieroglyphischen Bezeichnungen für die Sonnenwendpunkte sind derzeit allerdings noch nicht vollständig verständlich. Aber eine von ihnen ist *Wak Nabnal*, »Aufgerichtete-See-Ort«, dem Aufgang der Sonne zum Zeitpunkt der Wintersonnenwende entsprechend. So finden wir in verschiedenen Zusammenhängen die Begriffe »Darniederliegender Himmel« und »Aufgerichteter Himmel« sowie »Darniederliegende See« und »Aufgerichtete See«[9]. Aus dieser Kombination von Gegensätzen erfahren wir, daß die Maya eine Vorstellung von der Zeit vor der Schöpfung hatten, als Zeit und Raum sich noch in einem Zustand des »Darniederliegens« befanden, während nach der Schöpfung alles »aufgerichtet« war.

Jeder der Himmelsrichtungen waren bestimmte Bäume, Vögel, Pflanzen, Tiere, Götter und Farben zugeordnet. So war der Osten rot, der Norden weiß, der Westen schwarz und der Süden gelb. Die Mitte nahm *Wakah Chan*, der große Weltenbaum, ein, der ein Jahr nach der Schöpfung aufgestellt wurde. Er entsprach vermutlich der Milchstraße, hatte aber wahrscheinlich auch einen vertikalen

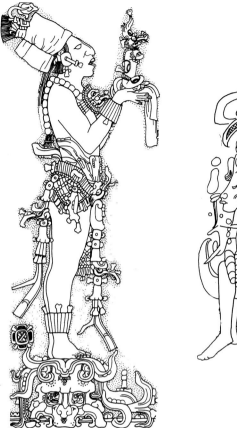

Abb. 121a König Chan Bahlum *von Palenque steht hier in der Tracht des »Ersten Vaters« (des Mais- und Urgottes) auf dem* yaxhal witznal, *dem »Ersten-Wahren-Berg«.*

Abb. 121b Die »Erste Mutter« (die Mond- und Urgöttin) sitzt mit einem Kaninchen auf dem Arm im Mond.

Aspekt, der die drei Ebenen des Universums, die mittlere irdische Welt, den Himmel darüber und das unter ihr liegende Urmeer, miteinander verband.

Auch die religiöse und politische Welt der Maya war analog in Abschnitte, sog. *tzuk*, unterteilt, wiedergegeben durch das Zeichen eines Spiegels oder eines affengesichtigen Kopfes. Jede Himmelsrichtung, die Zwischenhimmelsrichtungen und die Gebiete innerhalb eines Königtums entsprachen einem dieser *tzuk*. Die genannten *tzuk*-Glyphen markierten Objekte, die mit diesen Regionen zusammenhängen, wie z.B. den Himmel, die Erde, die Götter, Berge und Bäume, aber auch die Beine von Thronen. Sowohl Zeit als Raum bewegten sich durch diese Abschnitte, und zwar im Uhrzeigersinn, während sich der Kalender in Abschnitten zu je 819 Tagen dem Uhrzeigerlauf entgegengesetzt bewegte. Zu Beginn eines

jeden dieser 819-Tage-Zeitabschnitte wurde ein Baum-Gott namens *K'awilnal*, »Nahrung« oder »Ort der Verkörperung«, in der dem jeweiligen Zeitabschnitt entsprechenden Himmelrichtung aufgestellt. Die daraus resultierenden vier *K'awilnalob* hatten dann auch den vier Himmelsrichtungen entsprechende Farben.

Auch die Maya-Gesellschaft war von ihrer kleinsten Ausprägung als Gehöft oder Weiler bis hin zu den großen städtischen Zentren nach den gleichen Prinzipien organisiert. Bestimmte für das rituelle Leben einer Stadt verantwortliche Ämter und Funktionen wechselten mit den 819-Tage-Abschnitten, mithin war innerhalb der Gemeinschaft eine Rotation von Macht und Prestige sowie des Aufwands an Vermögen und Zeit von einer Gruppe zur anderen sichergestellt[10]. Heute wird diese Art der Rotation von Ämtern als »*cargo*-System« bezeichnet. Viele

Herrscher ließen den 819-Tage-Abschnitt, in dem sie geboren oder inthronisiert worden waren, in ihren Inschriften festhalten. Vielleicht fühlten sie sich auch mit anderen Amtsinhabern und sogar einfachen Leuten besonders verbunden, wenn diese demselben Zeitabschnitt angehörten. Der erste 819-Tage-Abschnitt der gegenwärtigen Schöpfung begann den Inschriften in Palenque zufolge mit der Aufstellung des gelben K'awilnal im Süden, zwanzig Tage bevor Erste Mutter geboren wurde.

Die »Hölle« der Maya und auch der Aufenthaltsort der menschlichen Seelen nach dem Tod trug den Namen Xibalba oder »Ort der Angst«, der jedoch nicht immer in der Unterwelt lokalisiert wurde. So wird noch heute der Weg nach Xibalba von verschiedenen Maya-Völkern mit der Milchstraße gleichgesetzt, eine Vorstellung, die noch aus Klassischer Zeit stammt. Wohl möglich, daß die alten Maya die Milchstraße als den großen Weltenbaum ansahen, an dessen Stamm die Seelen und Geister von einer Welt in die andere gelangen konnten. So wie innerhalb der »Blasrohrschützen-Darstellung« der Skorpion an der Basis des Baumes hockt, befindet sich das Sternbild Skorpion am südlichen Ende der Milchstraße, während sich diese selbst nordwärts über den Himmel erstreckt[11]. So erreicht auch Xibalba und mit ihm alle dort lebenden Kreaturen während der Nacht entlang dieses Baumes die irdische Welt. Für die Maya war der Himmel seit alters ein lebendiger Kosmos, innerhalb dessen sich die Taten göttlicher Wesen und verstorbener Ahnen in den Bewegungen von Planeten und Sternen offenbaren. Diese göttlichen Wesen steuern die ewigen Kreisläufe, die den Ablauf von Zeit und Geschichte der Menschheit regulieren und systematisieren.

Der Kosmos ist von zwei göttlichen Kräften erfüllt, in Maya ch'ulel und itz. Itz ist im Yukatekischen, den Chol-Sprachen und anderen Zweigen der Maya-Sprachfamilie das Wort für Sekretionen wie Blumennektar, Tau, Schweiß, Samen, Milch, Tränen oder auch fließendes Baumharz. Während der ch'a chak-Zeremonie im heutigen Yucatán sind es die yitz ka'an, die göttlichen Sekretionen des Himmels, die der Schamane, h men, im Zentrum des Altars aus einem Tor u hol gloriah, der »Öffnung des Himmels«, hervorbringt. In der Zeit der Klassik wird itz im Bild durch eine Blume mit herunterhängendem Stempel und von einer Perlenreihe umgeben symbolisiert, eine Anspielung auf itz als Blütennektar. Itz ist aber auch das Wort für »zaubern« oder »verzaubern«, und somit bezeichnet ah itz einen Zauberer. Entsprechend trägt Itzamna, ein alter Gott (Abb. 125), der in der alphabetischen Nomenklatur der Maya-Götter auch als »Gott D« bezeichnet wird, als »Erster Zauberer« die itz-Blüte in seinem Kopfschmuck, um seinen Namen und seine Funk-

tion deutlich zu machen. In Tierform zeigt er sich als der große göttliche Vogel auf der Spitze des Weltenbaumes, genannt Itzam Yeh, dessen Landung auf dem Wipfel den Transfer magischer Kraft aus dem Jenseits ins Diesseits manifestiert. Itzamna, der in seiner anthropomorphen Form oftmals auf seinem Thron im Jenseits dargestellt wird, stellte man sich gern als Reiter auf Wildschweinen (Pekaris) vor, der die Schamanen lehrt, seine Zaubermacht durch Schreiben und Zahlenmagie weiterzugeben. Auch Schlangen werden von ihm als Reittiere benutzt, die von der Baumspitze herab Visionen aus dem Jenseits auf die Erde herabbringen.

Ch'ulel, die zweite der genannten göttlichen Kräfte, beschreibt eine göttliche Energie oder Seele, die nicht nur allen Lebewesen wie Menschen, Tieren und Pflanzen eigen ist, sondern sich ebenso in magischen Objekten findet, wie z. B. Szeptern, aber auch in Darstellungen göttlicher Wesen, in »heiligen« Gebäuden, Quellen, Bergen oder Höhlen lokalisiert ist. Auch im Blut ist sie als unzerstörbarer Bestandteil enthalten, um, wenn ein Mensch stirbt, zur Ursubstanz zurückzukehren und von dort aus in einem Nachgeborenen wiederzuerscheinen.

Laut Evon Vogt[12], der die Glaubensvorstellungen der heutigen Tzotzil von Zinacantán im mexikanischen Bundesstaat von Chiapas untersuchte, gibt es deren Meinung nach keine Verbindung direkt von Mensch zu Mensch oder zwischen Menschen und irgendwelchen Objekten, sondern ausschließlich zwischen deren ch'ulel. Wir haben guten Grund anzunehmen, daß die Maya der Klassischen Periode ähnlich dachten. Bildlich wird ch'ulel durch einen Strom magischer Punkte, Darstellungen von Muscheln, Obsidian oder Jadeschmuck, durch die Farben Rot, Blau und Gelb, aber auch durch Blumen, Knochen und andere Objekte wiedergegeben.

So wie noch heute die Zinacantecos, glaubten auch die vorspanischen Maya, daß jeder Mensch zwei Seelen besitzt: einmal ist es die unzerstörbare ch'ulel, zum anderen die way[13], in Zinacantán chanul genannte Seele, ein Tier oder ein Schutzgeist, der die individuelle ch'ulel-Seele mit seinem menschlichen Gegenüber teilte (Abb. 126). Alles, was dem Menschen widerfuhr, mußte auch dieser way erleiden, wie umgekehrt. So konnten sich spirituell begabte Menschen, insbesondere Schamanen und Zauberer, in ihren way verwandeln und in Form eines Tieres oder Geistes auf der Erde bewegen. Die Verwandlung selbst wurde durch Blutopferrituale und Trance-Tänze zu erreichen versucht, die beide im rituellen Leben der Maya eine bedeutende Rolle spielten. Zeremonien, bei denen auch Trommeln Verwendung fanden, dienten dem Kontakt zwischen den ch'ulel der Teilnehmer und denen der dabei benutzten Objekte und des Ortes; zu-

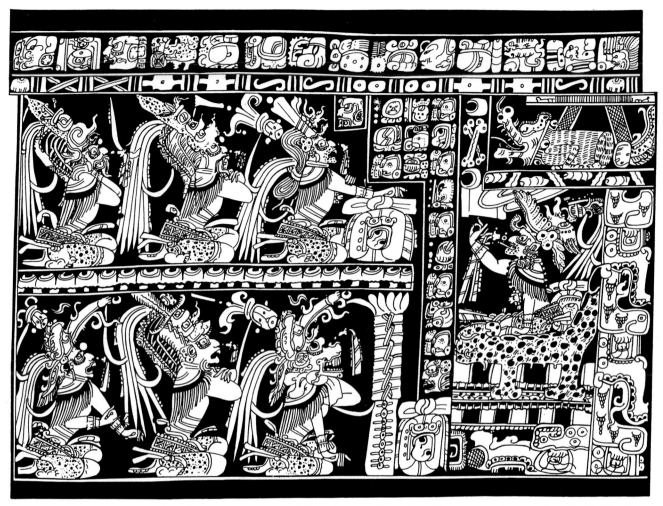

Abb. 122 Zeichnerische Abrollung des »Sieben-Götter«-Gefäßes mit Darstellung einer Götterversammlung an dem Ort Na Ho Chan, *»Erster-Fünf-Himmel«, unmittelbar vor der Erschaffung des Kosmos.*

gleich war es aber auch eine Darbietung der in ihre *wayob* verwandelten Menschen, Vorfahren und Götter. Krieg, Tänze, öffentliche Zeremonien, auch das Ballspiel und die Mehrheit der spirituellen und politischen Tätigkeiten wurden von Menschen in Gestalt ihrer *wayob* oder in Begleitung von *wayob* durchgeführt, die durch rituelle Tänze aus dem Jenseits herbeigeholt wurden. Vor allem die Inschriften von Palenque legen den Schluß nahe, daß die Maya in den Sternen und Planeten die Schutzgeister von Göttern und anderen göttlichen Wesen sahen[14]. So sind wohl auch viele der auf den Keramikgefäßen dargestellten tanzenden Personen nicht, wie früher angenom-

men, Götter, sondern *wayob* von Menschen. Die bei Tanz und Ritual getragene Maskierung spiegelte die Verwandlung wider und sollte sie intensivieren, ja man zog auch in Gestalt des *way* so verkleidet in den Krieg. Heute noch glaubt man, daß Nachttiere als in ihre *wayob* verwandelte Zauberer erscheinen, und viele Geschichten berichten von Kontakten zwischen Menschen und ihren Schutzgeistern. (Im heutigen guatemaltekischen Hochland ist *ah itz* die Entsprechung zum yukatekischen *way*.) Wie bereits angedeutet, glaubten die Maya, daß sie Götter, *wayob* und auch ihre Ahnen durch Blutopferrituale und Trance-Tänze beschwören konnten. Trance wurde vor allem

Abb. 123 Abrollung des sogenannten »Blasrohrschützen«-Gefäßes: Ein Schütze zielt mit einem Blasrohr auf den heiligen Vogel Itzam Yeh, der sich auf dem heiligen Weltenbaum niedergelassen hat.

durch Tänze erreicht, aber auch durch den Genuß von Drogen wie Tabak, der in seiner Wirkung weitaus stärker war als der uns bekannte, das Sekret der *Bufo marinus*-Kröte und andere. Als Hieroglyphe für den Akt des Beschwörens wurde eine Hand, die einen Fisch hält, verwendet; *tzak* gelesen, bedeutet sie »beschwören«, »bannen«, auch »Wolken beschwören« (Abb. 127)[15]. So zeigen Darstellungen von Ritualen, in denen der König seine *ch'ulel* oder verschiedene Arten *itz* darbringt, wie über den Köpfen der von ihm angerufenen Wesen S-förmige Wolken schweben[16].

Aus Beischriften zu derartigen Szenen geht hervor, daß dreierlei Dinge auf diese Weise beschworen wurden: *ch'u* (»Gott«), *k'awil* (»Verkörperung«) und *way* vielerlei Form. Götter werden als Wesen phantastischer Gestalt wiedergegeben, in deren Äußerem Merkmale von Tieren, Menschen, aber auch groteske Formen miteinander kombiniert erscheinen. Das Wort *k'awil* bedeutet im Yukatekischen »Nahrung« oder »Verkörperung«; das entsprechende *q'abwil* im Hochland in *Pokomam*, *Cakchiquel* und *Quiché* bezeichnet ebenfalls einen Gott. *K'awil*, die Verkörperung des allen Bildwerken innewohnenden Geistes, wurde in Klassischer Zeit durch ein schlangenfüßiges Wesen mit einer rauchenden, in seiner Stirn steckenden Axtklinge dargestellt. Wahrscheinlich war er auch die Verkörperung der Schlange, die den Verbindungsweg zum Jenseits symbolisierte. *K'awil* war außerdem der lebende Geist, der in Statuen und andere Objekte gebannt wurde.

Manchmal wurde eine sog. Visionsschlange als *way* des

k'awil angerufen. Mittlerweile kennen wir die Namen verschiedener Gattungen derartiger Visionsschlangen, die als doppelköpfiger Schlangenstab in der Hand des Herrschers erscheinen, aber auch als eine sich windende Schlange oder als Bein des *k'awil*, der sich in eine solche verwandelt. Statuen und Gegenstände, die in szenischen Darstellungen gezeigt wurden, waren keine leblosen Objekte, sondern waren erfüllt von der Seele und spirituellen Kraft der Götter, der *wayob* und der Ahnen. Die Visionsschlangen wie auch die S-förmigen Beschwörungswolken trugen die angerufenen Wesen in ihren Mäulern. Die Maya der Klassik pflegten besonders gern die »Paddler-Götter« zu beschwören, die während der Schöpfung den Jaguar-Thron aufgestellt hatten, wie auch den Maisgott, der als Manifestation des Königs über die Wasser des Lebens ins Jenseits übersetzte. Der Gott *K'awil* repräsentierte die Statuen und anderen Objekten innewohnende göttliche Energie, Ahnen aller Art, insbesondere die der Begründer von Herrschergeschlechtern, aber auch Krieger, die die Speerschleudern und Speere des Venus-Krieges trugen.

Häufig wurden derartige Visionsschlangen dargestellt, wie sie sich aus großen Opferschalen emporheben, die die Inschriften der Klassik als *lak* bezeichnen (Abb. 38). Wie die *k'u lakob* (»Götterschalen«) der heutigen Lakandonen sind diese nicht als Götter, sondern eher als Tore zu betrachten, die es der *k'awil* in Form von Opfergaben und Weihrauch erlaubten, zwischen den beiden Welten hin und her zu fließen. Das Portal im Innern der Schale, das man sich schon seit olmekischer Zeit als vierpaßförmige

Öffnung vorstellte, wurde *owal*[17] genannt. Wiedergegeben findet es sich auch auf dem Rücken der Schildkröte, dem Symbol der Erde, doch – und das verdient besonders hervorgehoben zu werden – existieren ebenfalls Darstellungen, die einen Blick von der irdischen Seite des Tores aus ins Jenseits erlauben, aber auch solche mit Blick vom Jenseits in unsere Welt. Durch Rituale wurde dieses Tor geöffnet, so daß durch Beschwörung, Zauberei und Verwandlung die angerufenen Wesen von einer Seite der Realität zur anderen gelangen konnten.

Die Identifizierung der *wayob* oder Seelenbegleiter macht es nicht gerade leicht, zwischen Darstellungen von ihnen in bezug auf ihren Kontakt zu Lebenden, Ahnen oder solchen Wesen, die wir »Götter« nennen, zu unterscheiden. Daß es Götter gab, Wesen, die die Maya je nach Zugehörigkeit ihrer Sprache zur *Chol*- oder Yukatekischen Sprachfamilie als *ch'u* oder *k'u* bezeichneten, ist aus den Inschriften bekannt. Wir wissen aber auch, daß viele der auf Monumenten oder Keramikgefäßen abgebildeten Gestalten *wayob* oder Seelen sind, welche man aus dem Jenseits heraufbeschwor, um an der Welt der Lebenden teilhaben zu können. Wie sich einst die Maya das Kommen ihrer Ahnen durch das *ol*-Tor buchstäblich »ertanzten«, glauben die Hochland-Maya noch heute, daß, durch Tänze aufgefordert, die Seelen ihrer Ahnen ihre Gräber verlassen und sich für eine bestimmte Zeit zwischen ihren lebenden Nachfahren bewegen können.

Zusammenfassend sei folgendes Untersuchungsergebnis deutlich gemacht: Die bisher vertretene Ansicht eines Maya-Pantheons läßt sich nicht länger aufrechterhalten; denn neben Göttern existierten eine Fülle übernatürlicher Wesen, einschließlich der Menschen, die sich in ihre Seelenbegleiter verwandeln konnten. Sie alle bevölkerten die Welt der Maya während der Klassischen Zeit – aber auch heute noch.

ARCHITEKTUR UND STADT

Die Architektur der Maya-Stadt spiegelte diese oben beschriebene magische Welt in besonderer Weise wider. In der Architektur reflektierten Raum und Form die Elemente des Kosmos mit dem Zweck, einen heiligen Bezirk zu schaffen, in dem Volk, König und Adel Zugang zu den furchterregenden Mächten des Jenseits hatten. Auch die Rituale, die die maisanbauenden Bauern vollzogen, fanden ihren Widerhall in größerem Maßstab in ihr und dem zeremoniellen Handeln der Elite. So hatte der schon dem einfachen Haus zugrundeliegende Symbolismus seine Entsprechung in den Tempeln und Palästen der

Könige. Insbesondere die Stadt verkörperte direkt die Elemente des Kosmos, bedeutete doch u. a. das Wort für »Platz«, *nab*, »Ozean«, »See«, »Sumpf« oder auch »Fluß«. Über diesem symbolischen Meer erhoben sich die *witzob*, »Berge«, von denen einige ikonographisch als *Yax-Hal-Witznal*, »Erster-Wahrer-Berg«, aus der Schöpfungsgeschichte identifiziert werden konnten, während andere Berge lokalen, regionalen und überregionalen Besonderheiten entsprachen. Auf den Plätzen standen Stelen, die den Herrscher während bedeutender Ereignisse seiner politischen Laufbahn zeigten, so während seines Amtsantritts, seiner Kommunikation mit dem Jenseits, während er Krieg führte, Gefangene machte und diese

Abb. 124 Der Weltenbaum Wakah Chan *bildet das Zentrum des Universums und ist wahrscheinlich mit der Milchstraße gleichzusetzen.*

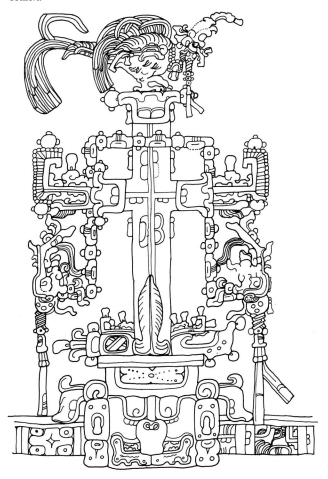

Abb. 125 Abrollung eines polychrom bemalten Gefäßes: Itzamna *(der »erste Zauberer«) reitet auf einem Pekari. Dieses Sternbild ist möglicherweise mit dem der Zwillinge gleichzusetzen.*

opferte oder die göttlichen Mächte beschwor, die bereits in der Architektur der Stadt deutlichst anwesend waren.

Derartige Stelen hießen *te' tun* oder »Baumstein«, und sie symbolisierten den Wald, der sich zwischen dem Meer und den Bergen ausbreitete. Auf den Bergen standen die Tempel wie die Häuser eines Dorfes. Im Zentrum dieser Gebäude befanden sich die Tore zum Jenseits, mittels deren die Könige und andere Teilnehmer rituell die Visionsschlange, Ahnen, die *wayob* der Götter und Wesen des Jenseits beschworen. Auch Ballspielplätze sind als Tore dieser Spezies zu verstehen, rief doch das Ballspiel Raum und Zeit der Schöpfung in irdische Dimensionen zurück, wie sich u. a. ikonographisch deutlich am Ballspielplatz von Copán belegen läßt.

Umfangreiche Einweihungsriten gaben diesen Gebäuden, Bergen, Ozeanen und Bäumen Leben ein, indem sie mit *ch'ulel* beseelt wurden, Zeremonien, die sich als grandiose öffentliche Darbietungen und Rituale vollzogen, wie sie u. a. das untere Register der Wandmalereien von Bonampak oder die Reliefs von Struktur 18 in Copán zeigen. Neben dem Tanz, in besonderem Maße zur Aktivierung göttlicher Energie geeignet, umfaßten sie auch Blutopfer, meist von Kriegsgefangenen, und die Anrufung der Visionsschlange im Jenseits. Bei Gründung neuer hei-

liger Gebäude pflegten die Teilnehmer an diesen Ritualen große steilwandige Schalen in Opferdepots unterhalb des Bodens zu vergraben, welche Seetiere, Feuerstein- und Obsidianklingen, Jade, Muscheln, aber auch Zinnober, Hämatit und andere Objekte enthielten, durch die in der Hieroglyphenschrift der Begriff *ch'ulel* ausgedrückt wurde. Später, wenn ein Objekt oder ein Gebäude nicht mehr länger benutzt wurde, mußte diese lebendige Seelenkraft entlassen werden, denn sie wurde mit der Zeit immer stärker, so daß die Membran zwischen menschlicher Welt einerseits und dem Jenseits im heiligen Bereich des jeweiligen Gebäudes andererseits immer dünner wurde. Dies ist der Hauptgrund, warum die Maya von Zeit zu Zeit ein und dieselbe Stelle überbauten. Wenn sie die Ahnen durch das Tor anriefen, so befanden sich diese buchstäblich unter ihren Füßen, wurden doch ihre Gräber im Inneren der älteren Gebäude innerhalb der stetig wachsenden Pyramiden-Berge angelegt.

Derartige architektonische Abfolgen spiegelten die grundlegende Ordnung des Kosmos wider, regenerierten Zeit und Raum der Schöpfung und stellten die Bühne für prunkvolle Tänze und Zeremonien dar, die besondere Höhepunkte im Leben der Maya bildeten. So wie auch bei den heutigen Maya, verbanden solche Veranstaltungen die Gemeinschaft. Geschichte und Mythologie wurden in

Tanzspielen wieder lebendig und zeigten die großen historischen Augenblicke des einzelnen Königtums ebenso wie die Mythen, die jeder politischen Tat die entsprechende Sanktion der göttlichen Welt gaben. So wie der »Tanz der Eroberung« (»*Baile de la Conquista*«) und der Karneval heute die tragischen Ereignisse der spanischen Eroberung und der ihr folgenden Jahrhunderte nachspielen, so vollzogen auch die vorspanischen Maya die Verbindungen und Beziehungen zwischen Götterwelt, Mythen und Geschichte in Tanzspielen nach. Für sie waren Mythen, Legenden und Geschichte eben nicht nur eine Sache stiller Betrachtung und Kontemplation, sondern sie wurden auch unter Einbeziehung der gesamten Gemeinschaft im Kult wieder lebendig.

DAS BILD DES KOSMOS

Zwei besonders anschauliche Darstellungen aus der Klassischen Epoche schildern die Vorstellungen der Maya von der Welt. Die erste (Abb. 128) findet sich auf einer dreifüßigen Opferschale, von den Maya als *hawante* bezeichnet, und hier verweist die Beischrift auf ein Datum des Venus-Aufgangs als Abendstern, wie es auch auf den Venustafeln des Dresdener Codex verzeichnet ist. Die mit diesem Datum verbundenen Ereignisse sind folgendermaßen zu lesen: »Es geschah an der Heiligen Gespaltenen Erde, er trat ein, es geschah am Schwarzen Loch, am Schwarzen-Wasser-Ort, am Fünf-Blumen-Ort«. Hauptakteur ist *Chak Xib Chak*, als *Roter Chak* des Ostens eine der mit den vier Himmelsrichtungen verbundenen Gottheiten. Die Wiedergabe zeigt ihn hüfttief im »Schwarzen Wasser«, das oberhalb des Urmeeres liegt und durch Seerosen bezeichnet wird, die aus dem in der Mitte gezeigten, Göttlichkeit symbolisierenden Kopf herauswachsen. Seerosenblätter sprießen darüber hinaus auch aus *tzuk*-Köpfen, die das Gewässer als »Abschnitt« bezeichnen.

Beide Wasser entspringen dem weit aufgerissenen Rachen eines Ungeheuers, genannt *Sak Bak Kan*, »Weiße Knochen-Schlange«, dem Eingang zum Jenseits. Bewohner der anderen Welt, vielleicht verstorbene Vorfahren oder *wayob*, die dazu ansetzen, vom »Schwarzen Loch« in die Welt der Lebenden heraufzugelangen, irren im Bereich zwischen den beiden Wasserebenen umher. Der Himmel wird durch ein gleichsam um den Schalenrand gelegtes großes krokodilähnliches Ungeheuer verkörpert, dessen beide Köpfe mit Venus-Hieroglyphen geschmückt sind. Auf seinem hinteren Kopf trägt dieses Wesen eine personifizierte Opferschale mit Rochenstachel, wie er für das

Blutopfer benutzt wurde, flankiert von einer Spondylus-Muschel, die die *ch'ulel* des Opfers symbolisiert, und einem Teil des Halsbandes, das von Schutzgeistern getragen wurde. Speziell an dieser Stelle bezeichnet letzteres das Wort *way* in seiner verbalen Form, also »träumen«, »schlafen«, »verwandeln«. Mit dem Zeichen für »Sonne«, *k'in*, auf der Seite, gibt es keinen Zweifel, daß diese Schale als das Tor zu verstehen ist, das bei Verwandlungs- und Opferritualen geöffnet wurde. Dabei stellt das Himmelsungeheuer zum einen den Weg von Venus und Sonne über den Himmel dar, also den Weg dieser Gestirne entlang der Ekliptik[18], andererseits symbolisiert es den Kosmos. Als dessen zentrale Achse hebt sich der Weltenbaum, *Wakah Chan*, aus dem Kopf *Chak Xib Chaks* heraus, um als Haupt einer großen Visionsschlange zu enden und damit zu verdeutlichen, daß er sowohl der Weltenbaum als auch die Schlange ist und beide wieder Abbild der Milchstraße, auf der die Reise ins Jenseits erfolgt.

Ein Jaguar, Zwillingsbruder der Venus, lauert oben in diesem Baum einem großen Vogel auf, um ihn zu verschlingen. Dieser Vogel ist *Itzam Yeh*, der den von ihm berührten Gegenständen nicht nur *itz*, Zauber, verleiht, sondern auch als Sinnbild der aus ihrer Ordnung geratenen Natur zu verstehen ist, die durch die Taten der Göttlichen Zwillinge oder ihres Stellvertreters, des Königs, wiederhergestellt werden muß. Die Inschrift der Schale besagt also, daß die Malerei den Aufgang der Venus aus dem Meer schildert, und zwar an dem Tag, an dem sie erstmals nach längerer Nichtsichtbarkeit in oberer Konjunktion erscheint, d. h., wenn sich der Planet, bezogen zur Erde, hinter der Sonne bewegt. Daraus wird deutlich, wie die Maya den Kosmos, in dem diese Ereignisse stattfanden, auffaßten, darüber hinaus aber auch, wie sehr das Denken der Maya und der übrigen Völker Mesoamerikas von dem der Europäer abweicht. Wurde bei dem zuletzt genannten Beispiel der Abendstern mit *Chak Xib Chak* gleichgesetzt, so kann Venus auch noch in vielen anderen Aspekten erscheinen. Identifizieren die Inschriften von Palenque u. a. die Planeten als die *wayob* von Göttern, so lassen sich auch genügend Belege dafür anführen, daß jeder Planet sogar mehr als nur einen *way* haben und umgekehrt ein *way* mit mehr als nur einem Planeten assoziiert sein kann: analog dazu läßt sich dergleichen auch für menschliche Wesen vermuten.

Eine Reihe von Darstellungen zeigen Könige und einige ihrer höheren Würdenträger, verwandelt in Gestalten verschiedener Götter. Ein Beispiel für derartige Porträts sind die Stelen auf dem Großen Platz von Copán, wo sich der König *Waxaklahun Ubah K'awil* über einen Zeitraum von 25 Jahren hinweg siebenmal porträtieren ließ, und zwar

Abb. 126   Abrollung eines polychrom bemalten Gefäßes: Acht tanzende, in Trance befindliche, Opfer bringende Way-Figuren. Diese Way können sowohl in menschlicher als auch in tierischer Gestalt, manchmal sogar als Mischwesen auftreten. Die kurzen Beischriften bezeich-

bei der Beschwörung sieben verschiedener Göttergruppen, die in Form ihrer *wayob* erscheinen. Größere Reste einer weiteren Darstellung der Welt haben sich auf der gewaltigen Stuckfassade eines Tempels in der Stadt Uaxactún aus dem 1. Jahrhundert v. Chr. erhalten (s. S. 38). Über 8 Meter hoch, zeigt diese ebenso wie ihr Gegenstück auf der anderen Seite des Tempels den Kosmos der Maya während der Schöpfungsphase, aber gleichzeitig auch als ein Sinnbild der Stadt. Neben Fischen in den Wellen des Urmeeres gibt der untere Fries ein zoomorphes Ungeheuer wieder, das sich aus dem Wasser erhebt. Auch als

Berg zu verstehen, sprießen aus beiden Schläfen seitlich Maispflanzen (Abb. 29).

In Palenque trägt dieses Berg-Ungeheuer den Namen *Yax Hal Witznal*, »Erster-Wahrer-Berg-Ort«, in seinen Augen, und Mais wächst aus seinem gestuften Haupt. Auf der Basis von Stele 1 von Bonampak kommt der Maisgott aus der Fontanelle dieses Ungeheuers hervor, und auf Türsturz 3 von Tempel IV in Tikal schließlich blickt der Maisgott aus dessen Augen heraus. Das Relief in Palenque zeigt drei von vier Berghäuptern – das vierte befindet sich auf der nicht sichtbaren Seite –, während die Bei-

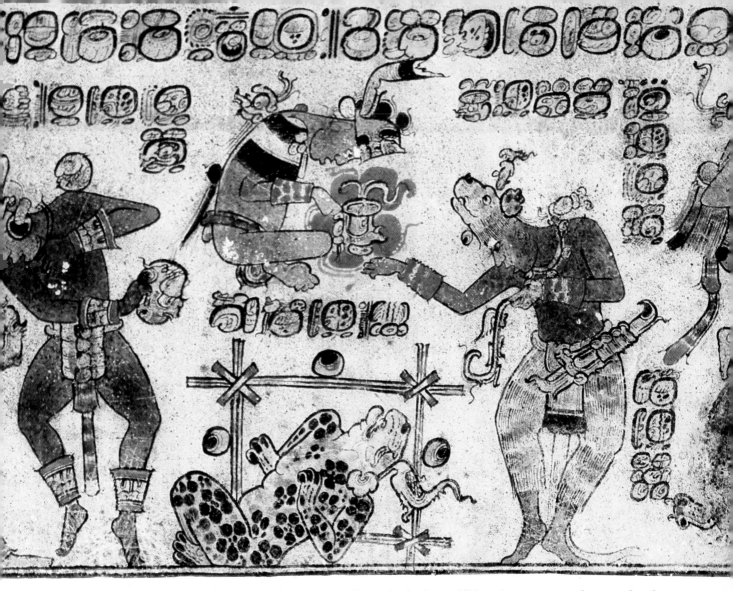

nen ihre Namen sowie die Opfer, mit denen sie jeweils assoziiert sind. Vier der fünf menschlichen Figuren tragen an ihrem Lendenschurz ein mit Knoten geschmücktes Perforationsinstrument für das Blutopfer.

spiele aus Bonampak und Tikal *tzuk*-Symbole in ihrem Rachen tragen. Diese Berge erhoben sich aus dem Urmeer, um die verschiedenen Abschnitte der Welt zu schaffen.

Das Stuckrelief von Uaxactún bildet vermutlich den Berg im Zentrum des Kosmos ab; aber ob er nun tatsächlich das Zentrum bildete oder nicht, erscheint weniger bedeutsam als die Tatsache, daß dies hier auf jeden Fall der Berg ist, der der Welt Ordnung und Ausrichtung gab, so daß Zeit und Raum existieren konnten. Es ist dies auch der mythische Berg, der die Saat gelben und weißen Mai-

ses enthielt, aus dem das Fleisch der Menschen während der letzten Schöpfung geformt wurde. Oberhalb davon befindet sich ein weiterer Berg, und diesmal ist er analog der von Menschen erbauten Städte und Pyramiden als von Menschenhand geschaffene Entsprechung zu *Yax Hal Witznal* zu interpretieren. Die in seinem Rachen erscheinende personifizierte Form der *tzuk*-Hieroglyphe beschreibt darüber hinaus den Pyramidenberg als die Markierung eines Weltabschnitts. Schließlich rundet eine Visionsschlange die Komposition ab; sie, die Verkörperung des Kommunikationsweges zwischen der irdischen Welt und dem Jenseits, durchdringt den Berg stellvertretend für die göttliche Kraft, die vom König an dieser Stätte manifestiert wurde, von einer Seite zur anderen. Diese grandiose architektonische Anordnung erfüllt den von ihr eingenommenen Ort mit magischer Kraft, so daß die Rituale, die auf der Spitze dieses »Berges«, vor seiner Fassade oder auf der *plaza* unten vollzogen wurden, in Zeit und Raum des Jenseits hinüberwechseln und die dort stattfindenden Schauspiele und Zeremonien beleben konnten.

Im Mittelpunkt dieser Kulisse stand der König. Und da es nicht nur e i n derartiges Zentrum in der Welt der Maya gab, sondern deren viele, stand jeder König im Zentrum seines jeweiligen Königtums wie der Patriarch im Zentrum seiner Geschlechterfolge und das Oberhaupt der Familie im Mittelpunkt seines Haushalts. Mehr noch, wenn die Ausdehnung eines Raumes und eines Zentrums durch ein Ritual definiert werden konnte, so konnte der heilige Bezirk von Zentrum und Peripherie jederzeit und von jedem, der ihn gerade benötigte, festgelegt werden. Die Welt der Maya kannte keine Einteilung, wo der Adel auf der einen und das Volk diesem gegenüber auf der anderen Seite stand. Statt dessen wiederholten Ritual und Religion die Aufteilung der geheiligten Stätte in Zentrum und Peripherie sowohl für das bescheidenste als auch das erhabenste Mitglied der Gesellschaft. Damit aber wurde ein enger Konnex zwischen den Handlungen des Herrschers und des Adels mit denen der Bauern und Dorfbewohner geschaffen. Sogar heute noch wiederholen bis in Glaubensdetails Objekte wie Zweige, ein Tisch, Maispflanzen, Opfergaben, Gebete und Ritualhandlungen yukatekischer Schamanen die schon zwölfhundert Jahre früher von *Waxaklahun Ubah K'awil* von Copán erstellte Kosmologie. So hat auch der Fahnenlauf zu Ehren des Sonnen-Christus in San Juán Chamula im Hochland von Chiapas, Mexiko, in der lange zurückliegenden Epoche der Klassik seine Wurzeln. Die Kontinuität dieser Art des Weltverständnisses bis zu unseren Tagen läßt sich nur so erklären, daß zur Zeit der spanischen Eroberung auch die einfache Bevölkerung Anteil an der Weltsicht der Herrscher und Adligen hatte. Denn als die Spanier die Stimmen der Herrschenden zum Verstummen brachten, waren es die einfachen Leute, Dörfler und Städter, Bauern und Fischer, die diese Weltsicht beibehielten und in die heutige Welt hinüberretten konnten.

DER KÖNIG

Die Könige der Maya wurden *ch'ul ahaw* oder *k'ul ahaw*, »Göttlicher Herr«, genannt. Die Symbole, die in großer Zahl in unterschiedlichen Gewändern und Trachten bei Darstellungen der Herrscher erscheinen, sind komplex und vielfältig. Das älteste, aber immer wiederkehrende Bildnisschema zeigt den König in der Kleidung des *Wakah Chan*-Weltenbaumes (Abb. 129), mit dem *tzuk*-Haupt vom Stamm dieses Baumes auf der Mitte seines Lendenschurzes, flankiert von den Schlangenästen, die sich über seine Schenkel erstrecken. Er trägt doppelköpfige Schlangenstäbe als Szepter, mit dem jeweils angerufenen Gott oder *way*, die aus den beiden Schlangenmäulern hervortreten.

Schließlich verkörpert der gefiederte Kopfschmuck den Vogel *Itzam Yeh* oben auf dem Haupt des Königs wie sonst auf der Spitze des Weltenbaumes. Da dieses Motiv bei Königsporträts häufig wiederkehrt, ist anzunehmen, daß die Maya ihren Herrscher als die Verkörperung der zentralen Weltenachse betrachteten. Wo er sich bewegte, da war der Mittelpunkt der Welt, und durch seine Rituale öffnete er das Tor an seiner Basis für sich und sein Volk. Frühe Darstellungen bilden den König während bestimmter kritischer Momente ab, so in dem Augenblick, wo er während des Rituals die Visionsschlange aus dem Jenseits herauskommend beschwört. Darstellungen speziell dieser Zeremonie finden sich schon in den frühesten Beispielen öffentlicher Kunst aus der Späten Präklassik (400 v. Chr. – 150 n. Chr.). Die Ikonographie von Gebäudefassaden aus dieser Zeit konzentrierte sich jedoch darauf, einen heiligen Bezirk zu schaffen, wo die großen Zeremonien stattfinden konnten; die Rituale selbst stellten die Maya zu dieser Zeit noch nicht in ihrer Kunst dar.

Die Klassischen Bildwerke taten dagegen genau dies, d. h., sie zeigten praktisch den Höhepunkt des jeweiligen Rituals und seinen göttlichen Kontext. Erklärend berichten die Beitexte außer über den jeweils historischen und religiösen Hintergrund auch darüber, wer wann was durchführte. Der König selbst ließ sich in verschiedenen Rollen abbilden, von denen zwei ganz besonders dominierten: Der Herrscher als Opfernder und als Schamane, der ins Jenseits reist und Wesen von dort in die diesseitige Welt herabbeschwört. In dieser Rolle als Reisender zwischen Diesseits und Jenseits hält er den doppelköpfigen Schlangenstab und tritt mit den Symbolen des Weltenbaumes (*Wakah Chan*) auf. Die Schutzgeister und andere göttliche Wesen zeigten sich selbst in Masken, Kopfschmuck-Elementen, Symbolen an der Kleidung und als Kleinfiguren, die aus beiden Mäulern der Schlangenstäbe hervorkommen. So konnten der König und die anderen Ritualteilnehmer die aus dem Jenseits herbeigerufenen Geister verkörpern.

Die Verwandlung der Menschen in ihre *wayob* geschah

vor allem durch Tanz und Blutopferrituale, und so nahmen sie ganz offensichtlich auch in Gestalt ihres *way* an vielen der Zeremonien und Kulthandlungen teil. Dies scheinen auch Berichte der Maya über die Schlachten der spanischen Eroberer gegen die *Quiché* des Hochlandes von Guatemala zu belegen, die erwähnen, daß letztere in der magischen Form ihrer *wayob* kämpften. Auch daraus läßt sich schließen, daß die alten Maya wohl eher als *wayob* denn als Menschen gegeneinander in den Kampf zogen.

Die Fähigkeit, sich verwandeln und die furchteinflößenden Wesen des Jenseits bannen zu können, spielte eine zentrale Rolle im Denken der Maya und deren Verständnis von Macht und Wohlergehen. Wie auch hier immer wieder betont, geschah dies durch öffentliche Zeremonien und Tänze, die sich nicht nur auf die oberen Gesellschaftsschichten beschränkten, sondern, wie auch bei den heutigen Maya, die gesamte Gemeinschaft miteinbezogen und wesentlich dazu beitrugen, ihren Zusammenhalt zu fördern und zu unterstützen. Von den Tänzen verschiedenster Art erfahren wir genaueres aus den zahlreichen bildlichen Wiedergaben, und von vielen der dargestellten Transformationen und Figuren wissen wir näheres aus einem Mythenzyklus, wie er im *Popol Vuh* oder »Buch des Rates« überliefert ist.

Eine der häufigsten Rollen des Königs war die des Maisgottes *Hun Nal* oder *Hun Nal Yeh* aus dem Schöpfungsmythos. Dieser ist, wie erwähnt, nicht nur der Erste Vater und Errichter des Weltenbaumes, sondern auch der Prototyp des Tänzers in der Maya-Mythologie, als Symbol der Schöpfung, des Todes und der Erneuerung. Der Mythos um den Maisgott und seinen Zwillingsbruder sowie deren Nachfahren, die Göttlichen Zwillinge, ist im genannten *Popol Vuh* – gleichsam der »Bibel« der *Quiché*-Maya – festgehalten, das kurz nach der spanischen Eroberung von *Quiché*-Schreibern in lateinischer Schrift niedergeschrieben wurde. Erstmals im 17. Jahrhundert erfuhr man von seiner Existenz durch den spanischen Mönch Ximénez, dem man das Original zeigte, das dann von diesem auch kopiert und übersetzt wurde. Das Original ging später verloren, aber die Kopie blieb erhalten und wurde 1864 erstmals von Bischof Brasseur de Bourbourg veröffentlicht.

Jahrzehntelang wurde das *Popol Vuh* von der Maya-Forschung vernachlässigt und für eine christianisierte Geschichte aus der Zeit nach der Eroberung ohne Bezug zur Religion der Maya-Klassik gehalten. Michael Coe hat in seinem bedeutenden Werk »The Maya Scribe and his World«[19] diese Annahme für immer widerlegt und demonstriert, daß die Mythen des *Popol Vuh* einer Tradition entstammen, die zumindest in die Klassische Periode

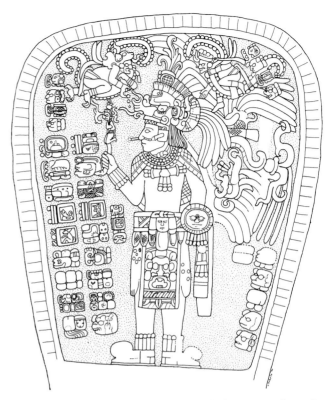

Abb. 127 *Jimbal, Petén, Stele 1 (9. Jh. n. Chr.): Ein Herrscher steht unter den zwei von Blutvoluten umgebenen »Paddler«-Göttern, die mit Alterszügen versehen den elementaren Gegensatz von Tag und Nacht symbolisieren.*

zurückreicht. Seitdem wissen wir, daß Szenen auf den Monumenten von Izapa[20] an der Pazifikküste Südmexikos und Darstellungen auf den Stuckfassaden früher Tempel im Maya-Tiefland nach uns aus dem *Popol Vuh* bekannten Mythen schon um 300 v. Chr. modelliert wurden. Heute ist uns bekannt, daß die Überlieferungen des *Popol Vuh* für das Verständnis des religiösen und politischen Denkens der Maya während ihrer gesamten Geschichte von zentraler Bedeutung sind.

So erzählt auch das »Buch des Rates« die Geschichte der Göttlichen Zwillinge, ohne die keine Beschreibung der Klassischen Maya-Religion auch nur annähernd umrissen wäre. Das *Popol Vuh* überliefert die Geschichte von »Eins *Hunahpu*« und »Sieben *Hunahpu*«, den Zwillingen, die großartige Ballspieler waren. Eines Tages störten sie mit ihrem Spiel auf dem Ballspielplatz die Herren der Unterwelt, die direkt unterhalb des Spielfeldes lebten. Sie befahlen die Zwillinge zu sich nach *Xibalba* und unterzogen sie einer Reihe von Prüfungen, die diese jedoch nicht bestanden. Zur Strafe wurden sie von den Herren enthauptet und unter dem Boden des Ballspielplatzes bestattet. *Hunahpus* Kopf aber hängten sie zur Warnung an einen in der Nähe stehenden Kalebassenbaum: jedem, der die Herren der Unterwelt störe, würde gleiches geschehen. Eines Tages kam eine junge Frau namens »Blut« an besagtem Baum vorbei und sprach mit dem Schädel, der sie aufforderte, ihre Hand aufzuhalten. Nachdem er darauf gespuckt hatte, wurde sie davon auf wundersame Weise schwanger. Ihr Vater, schwer erzürnt über diese illegitime Schwangerschaft, rief die Eulen-Opferer an, um seine Tochter töten zu lassen, aber sie hatten Mitleid mit ihr und ließen sie unbehelligt. Dann aber bildeten sie aus Gummi einen Ball und brachten diesen anstelle ihres Herzens zu ihrem Vater, und es gelang ihnen mit dieser List, den Vater vom Tod seiner Tochter zu überzeugen. »Blut« hingegen entkam in die Oberwelt und fand die Großmutter ihrer noch ungeborenen Kinder, die sie auch sofort erkannte und das schwangere Mädchen zu sich nahm. Bei ihr lebte bereits ein weiteres Zwillingspaar, beide übrigens auch Söhne von *Hunahpu*. Diese älteren Zwillinge, »Eins *Chuwen*« und »Eins *Batz'*«, taten sich als großartige Musiker und Künstler hervor und wurden somit Patrone und Ahnherren der Künstler, Kunsthandwerker und Schreiber der Klassischen Zeit.

Bald darauf gebar »Blut« ein weiteres Zwillingspaar, *Hunahpu* und *Xbalanke*, über deren Kindheit, ihre Rivalitäten mit ihren älteren Brüdern und ihre Abenteuer, die sie in der Welt erlebten, das *Popol Vuh* ausführlich informiert: Die geschilderten Episoden erklären, wie die Welt zu dem wurde, was sie heute ist. Eines Tages, nachdem die Zwillinge zu jungen Männern herangewachsen waren, trafen sie eine Ratte, die ihnen die Ballspielausrüstung zeigte, die ihr Vater und ihr Onkel im Haus ihrer Großmutter hinterlassen hatten. Sie zogen die Ausrüstung an und begannen zu spielen, bis auch sie, wie schon ihre Vorväter, die Wut der Herren von *Xibalba* auf sich zogen. Und zum Entsetzen ihrer Großmutter wurden auch sie zu den Herren des Todes gerufen. Doch bevor sie dorthin aufbrachen, säten sie Maiskörner in den Boden ihres Hauses und sagten ihrer Großmutter, daß das Wachstum und der Zustand des Maises ihrem jeweiligen Zustand entsprechen würde. Werde dieser trocken und braun, so werde sie wissen, daß sie tot seien.

So brachen sie denn zu ihrer Reise auf, nach *Xibalba*. Dort angekommen, mußten die Herren des Todes jedoch schnell feststellen, daß sie es diesmal mit einem anderen Gegner als seinerzeit mit deren Vater und Onkel zu tun hatten; jedesmals verstanden es die Zwillinge, sie durch deren eigene, gegen sie gewendete Tricks zu überlisten.

Jeden Tag spielten die Zwillinge ein torloses und damit unentschiedenes Spiel auf dem Spielfeld, unter dem ihr Vater und ihr Onkel begraben lagen, gegen die Herren von *Xibalba*, »Eins-Tod« und »Sieben-Tod«. Und jeden Tag nach dem Spiel wurden die Zwillinge in ein Haus gebracht, in dem sie eine ihnen von den Herren *Xibalbas* auferlegte Prüfung zu absolvieren hatten, und jedesmal kamen sie diesen zuvor, bis sie zuletzt in das Haus der Todesfledermaus gebracht wurden. Die Zwillinge versteckten sich vor den schrecklichen Fledermäusen, indem sie in ihre Blasrohre krochen. Um Mitternacht jedoch hielt *Hunahpu* ein Licht, das durch das eine Ende seines Blasrohrs eindrang, fälschlich für das Morgenlicht und steckte seinen Kopf hinaus, um zu sehen, ob nun alles sicher wäre. Da jedoch biß eine Fledermaus zu, trennte seinen Kopf ab und flog mit diesem davon, um ihn alsbald am Ballspielplatz aufzuhängen. Und am darauffolgenden Tag wurde er im Spiel als Ball benutzt.

In seiner Verzweiflung bat der überlebende *Xbalanke* alle Tiere, ihm ihr Futter zu bringen. Aus diesem wählte er einen Kürbis aus, schnitt ihn zu einem Kopf zurecht und befestigte diesen am Körper seines Bruders. Am nächsten Morgen traten beide gegen die Herren von *Xibalba* in einem weiteren Ballspiel an, und diesmal mit *Hunahpus* Kopf (Abb. 130) als Ball. Wiederum gelang es *Xbalanke*, mit Hilfe eines Kaninchens die Herren des Todes zu überlisten, denn er schoß den Ball in das hohe Gras zu seiten des Spielfeldes, worauf das Kaninchen sich selbst als Ball zur Verfügung stellte und, verfolgt von den Herren von *Xibalba*, in weiten Sprüngen davonjagte. Während diese es weiter verfolgten, fand *Xbalanke* den Kopf seines Bruders und setzte ihn wieder auf dessen Körper. Anschließend warf er den Kürbis auf das Spielfeld und rief, daß der Ball nun wieder zur Verfügung stehe. Als die Herren der Unterwelt zurückkehrten, schossen sie diesen gegen die Mauer des Spielfeldes, er zerbarst aber in tausend Teile. Äußerst erbost, daß sie sich ein weiteres Mal von den unverschämten Zwillingen hatten überlisten lassen, beschlossen Sie, diese beiden nun endgültig zu töten.

Hunahpu und *Xbalanke* wußten, daß sie diesmal dem Tode nicht entgehen würden. Um dennoch eine Chance der Wiederkehr zu erhalten, baten sie den örtlichen

Schamanen, sich von den Herren »Eins-Tod« und »Sieben-Tod« berichten zu lassen, welche Todesart für sie zur Anwendung käme. Am nächsten Tag wurden sie zu einem großen Feuer gerufen und sprangen freiwillig in die Flammen. Nachdem sie verbrannt waren, wurden ihre Knochen zu Pulver zermahlen und dieses in den nahe liegenden Fluß gestreut. Aber schon fünf Tage später tauchten die Zwillinge wieder auf, diesmal in der Gestalt von Fischmenschen, und schworen den grausamen Herren Rache.

Als vagabundierende Tänzer verkleidet, begannen sie einzigartige Wunder zu vollbringen und vollführten Tänze von bezaubernder Anmut und Schönheit: so zündeten sie Häuser an, die nicht abbrannten, oder verstümmelten und opferten Tiere und Menschen, die aber nicht starben. Als »Eins-Tod« und »Sieben-Tod« von diesen Wundertaten hörten, befahlen sie die Zwillinge zu sich, um sich auch davon eine Probe vorführen zu lassen.

Tiefe Ergebenheit vortäuschend, ließen sich die Zwillinge von den Herren *Xibalbas* dazu überreden, verschiedene Tänze vorzuführen. So tanzten sie den Tanz der Nachtschwalbe, des Wiesels, des Gürteltiers, der verschluckten Speere und der Stelzengänger. »Opfert meinen Hund!« befahlen »Eins-Tod« und »Sieben-Tod«, woraufhin die Zwillinge den Hund zerstückelten und ihn anschließend wieder zum Leben erweckten.

»Brennt unser Haus ab!« forderten sie weiter, und die Zwillinge brannten es nieder mitsamt seinen Bewohnern, ohne daß einer von ihnen noch das Haus selbst Schaden nahm. Äußert erstaunt verlangten die Herren schließlich: »Jetzt müßt ihr einen Menschen töten. Opfert jemanden, aber ohne ihn zu töten!« Da wählten die Zwillinge einen Mann unter den Zuschauern aus, opferten ihn und präsentierten den Herren dessen Herz. Nachdem »Eins-Tod« und »Sieben-Tod« dieses begutachtet hatten, brachten sie den Mann wieder ins Leben zurück.

»Nun opfert euch gegenseitig!« befahlen die Herren noch mehr verwundert, und *Xbalanke* spreizte daraufhin *Hunahpus* Arme und Beine auseinander und riß ihm das Herz heraus. Dann wickelte er es in ein Blatt und tanzte damit vor den Herren *Xibalbas*, die darüber außer sich vor Begeisterung gerieten.

»Steh auf!« rief *Xbalanke,* und *Hunahpu* sprang auf und tanzte mit seinem Bruder.

»Eins-Tod« und »Sieben-Tod«, die von dieser Darbietung eines Opfers, ohne daß dabei jemand zu Tode kam, über-

Abb. 129 Quiriguá, Guatemala, Südseite der Stele F: König Butz' Tiliw *(29.12.724–25.7.785 n. Chr.) als Weltenbaum.*

Abb. 130 Markierstein eines Ballspielplatzes vom Gelände der Finca La Esperanza bei Chinkultic, Chiapas: Dargestellt ist das Ballspiel mit dem abgeschlagenen Kopf von Hunahpu, *einem der Göttlichen Zwillinge.*

Hindus ein weiteres überzeugendes Beispiel, wie die Schöpfung und die Taten legendärer Wesen und Helden mit der Geschichte eines Clans oder Stammes mythisch verbunden wurden.

Die Geschichte der Maisgötter, ihr Tod, ihre Rückkehr und Erneuerung durch ihre Kinder war die zentrale Metapher für die Erneuerung des Lebens und den Triumph über den Tod (Abb. 131). Mais, die Hauptkulturpflanze aller mesoamerikanischen Völker, war die Grundlage für diesen Mythos von Leben, Tod und Wiedergeburt und die Beziehung zwischen Menschen und göttlichen Wesen. Mais in seiner kultivierten Form wurde einst als eine Grasart gezüchtet. Die Hüllblätter, die den Maiskolben während seines Wachstums schützen, erlauben es allerdings diesen Pflanzen nicht, sich selbst ohne das Dazutun des Menschen auszusäen und zu vermehren. So muß der Pflanzer diese Hüllblätter entfernen, um die Körner freizugeben. Die Körner werden dann in Gruppen zu drei oder fünf in ein mit dem Pflanzstock in den Boden gegrabenes Loch gesät. So sind auf der einen Seite die Menschen vom Mais als Lebensmittel abhängig, zum anderen kann sich der Mais nicht ohne menschliches Dazutun vermehren. Diese Tatsache ist für die Maya und auch das übrige Mesoamerika die Grund-

wältigt waren, forderten nun, als nächste selbst geopfert zu werden. Nur zu gern erfüllten ihnen die Zwillinge diesen Wunsch, sie schnitten ihnen die Herzen heraus, brachten sie dann aber nicht wieder zum Leben. Als die Einwohner von *Xibalba* sahen, daß ihre Herren tot waren, flohen sie aus Angst, von den Zwillingen in eine ähnliche Falle gelockt zu werden. Die Zwillinge aber erzählten ihnen, daß diese und ihre Nachkommen nur von Sündern und Verbrechern verehrt würden und insgesamt auf Erden nur in Gestalt von Krankheit und Übel bekannt seien.

In der Oberwelt, wo die trauernde Großmutter der Zwillinge die Maispflanzen hatte verdorren sehen, sah sie, wie diese plötzlich wieder zu treiben begannen und zu neuem Leben erwachten. Währenddessen aber begaben sich ihre Enkel zum Ballspielplatz und gruben die Gebeine ihres Vaters und ihres Onkels aus, fügten sie zusammen und brachten sie wieder zum Leben. Dann ließen sie die beiden am Ort des Ballspielopfers zurück, wo sie auf immer die Verehrung und Gebete der Menschen empfangen konnten, um selbst zum Himmel emporzusteigen und als Sonne und Mond ihre Bahn zu ziehen.

Diese Legende bietet wie die Bibel oder die Mythen der

Abb. 131 Umzeichnung der bemalten Innenseite eines Tellers: Der Maisgott »bricht« aus der Erde hervor, die als Schildkröte dargestellt ist.

lage der Vorstellung von Realität. Der Mensch, sein Werk und seine Gemeinschaft können nicht ohne die Hilfe und Unterstützung der Götter existieren, doch sind umgekehrt auch die Götter und die übernatürliche Welt auf die Opfer und Gaben der Menschen angewiesen. Ein großer Teil des rituellen Lebens der Maya, aber auch der mit dem König verbundene Symbolismus fußen klar auf der Vorstellung, daß das eine nicht ohne das andere existieren kann.

Aber auch über andere Aspekte der Geisteswelt der Maya berichtet das *Popol Vuh*: So wurde der Konflikt zwischen den Zwillingen und den Herren von *Xibalba* auf dem Ballspielplatz ausgetragen, und das Medium dieser Konfrontation war das Ballspiel. Somit war das Ballspiel die Metapher für das Leben und kombinierte das vorhersehbare Schicksal in Form der großen kosmischen Zyklen mit dem nicht vorhersehbaren Ausgang dieser Konfrontation, bei der sowohl Sieg als auch Niederlage möglich waren. Die Unvorhersehbarkeit bezieht sich dabei auf den linearen Ablauf der Geschichte, ein Prozeß, der nie unter der vollständigen Kontrolle der daran beteiligten Menschen abläuft. Ein möglicher Sieg konnte allerdings durch freiwillige Opfer erfolgen, eine Auffassung von sicher zentraler Bedeutung für das Verständnis der Maya von Erleben und Schicksal: So sind die Kinder im Geschehen der Auferstehungslegende das Instrument für die Wiedergeburt ihres Vaters und ihres Onkels. Und sie sind Beleg dafür, daß das Leben nur durch Opferbereitschaft entstehen kann, daß die Eltern durch ihre Kinder wiedergeboren und daß die Gegensätze von Chance und Schicksal im Ballspiel kombiniert werden.

Diese Glaubensvorstellungen und großen Mysterien der Maya spiegelten sich aber nicht nur in Mythen. So hatte jede größere Maya-Stadt einen Ballspielplatz, wo das göttliche Ballspiel nachgespielt und ein Tor geöffnet wurde, durch das man die geopferten Gefangenen ins Jenseits sandte, und wo auch Zeit und Raum der Schöpfung wieder erstanden. Das königliche Ritual erneuerte diese göttlichen Grundelemente so immer aufs neue, und dies war der Hintergrund, vor dem sich das politische und wirtschaftliche Leben abspielte. Die Geschichte des Ballspiels, der Helden und ihrer Abenteuer hatte die gleiche Funktion wie die Odyssee und die Ilias bei den alten Griechen. Mit seiner Hilfe wurden der Charakter von Helden, die Verpflichtungen und Werke der Könige, die Problematik von Recht und Unrecht, die Mysterien des Todes und des Lebens danach wie auch die Hoffnung auf Wie-

dergeburt und Vergöttlichung als göttliche Ahnen definiert.

Nach Überzeugung der Maya verließen die Toten diese Welt nicht, war doch deren Schicksal dem der Göttlichen Zwillinge prinzipiell gleich. In der Rolle des Maisgottes gelangten sie zunächst in die Unterwelt *Xibalbas*, um noch einmal durch die Hand der Herren »Eins-Tod« und »Sieben-Tod« zu sterben und am Ort des Ballspielopfers bestattet zu werden, um danach die Ankunft ihrer Nachkommen und ihre Auferstehung zu erwarten. Kinder, und hier besonders die Königssöhne, benutzten Zeremonien und Rituale, um nach *Xibalba* zu gelangen, die Herren des Todes zu überwinden und die Seelen ihrer Väter zu retten, und heute noch glauben die Maya, die Toten durch Tänze und öffentlich abgehaltene Rituale beleben zu können.

Menschen der modernen Welt, insbesondere diejenigen, die der europäischen Gedankenwelt verbunden sind, mögen die Religion der Maya für eine exotische Mischung aus Mythen und Aberglauben halten. Wir, die wir an die »Wissenschaft« glauben, mißverstehen schnell die Realitätsauffassung anderer Völker, die in anderen Traditionen leben. Ebenso mag man die Glaubensvorstellungen der heutigen Maya für eine leere Hülle aus einer verlorenen, längst vergangenen Zeit halten oder als das Erbe einer seelenlosen Hybrid-Kultur, die diesen Opfern von den europäischen Eroberern aufgezwungen wurde, abtun. Doch weder das eine noch das andere trifft zu. Die modernen Maya sind die Erben einer noch lebendigen Tradition, die schon 2500 Jahre zurückreichte, als die Spanier kamen, und sich als bemerkenswert dauerhaft erwies. Sie überstand den dramatischsten Zusammenprall zweier Kulturen, den die Menschheit jemals erlebte, und sie hat sich als bemerkenswert flexibel erwiesen.

Als Manifestation einer bestimmten Weltsicht, die speziell den Bedürfnissen der Maya-Gesellschaft entsprach und dieser angepaßt war, hat sie sich als außerordentlich widerstandsfähig erwiesen und wesentlich dazu beigetragen, daß die Maya die andauernde kulturelle und politische Unterdrückung überlebt haben. Die noch heute existente Religion der Maya ist mit ihrer Beständigkeit als ein besonders großartiger Beitrag zum Kulturerbe der Menschheit zu werten, dem auch die Kunst, die Architektur, die Literatur und die Geschichte eines Volkes, das noch immer in dieser Tradition lebt, zuzuordnen sind.

Schrift und Sprachen der Maya

Nikolai Grube

Die Entzifferung einer fremden Schrift aus fernen, längst zurückliegenden Menschheitstagen ist wie das Auffinden eines Schlüssels, mit dem sich die Tür zur Vergangenheit öffnen läßt, einer Tür, hinter der sich Schätze verbergen, die nicht aus Gold und Juwelen bestehen, sondern aus den Lebensdaten von Königen, höfischen Intrigen, Kriegszügen und Gefangennahmen, der Gründung und dem Verfall von Städten, kurz: aus Parzellen menschlicher Geschichte. Viele Völker in vielen Teilen der Welt haben Schriftsysteme erfunden, um damit Fakten festzuhalten, die sie für so wichtig hielten, daß sie in Stein gemeißelt oder in Bücher niedergeschrieben dem Vergessen trotzen sollten. Für Archäologen ist die Entdeckung und Entzifferung solcher Zeugnisse der Vergangenheit zumeist ein bedeutenderer Fund als alle Kostbarkeiten eines Grabes, lassen sich doch so Einblicke in historische Geschehnisse und soziale Prozesse gewinnen, die kein anderes Objekt archäologischer Forschung bieten kann. Die Entzifferung alter Schriften, deren Verfasser vor Hunderten oder Tausenden von Jahren lebten, gilt deshalb noch immer als eine faszinierende Leistung, die stets von der Aura des Geheimnisvollen umgeben ist. Von den vielen Schriften, die die Menschheit verwendet hat, sind die meisten in den letzten zweihundert Jahren entschlüsselt worden. Zu den wenigen großen Schriftsystemen, deren Entzifferung erst vor wenigen Jahren – wenn auch bislang noch nicht vollständig – gelang, gehört die Schrift der Maya, das am weitesten entwickelte Schriftsystem im vorspanischen Amerika. Die Maya-Schrift und die mit ihr verwandten, weitaus weniger verbreiteten Schriftsysteme im Süden Mexikos sind eine eigenständige Erfindung, wie sie sich z. B. auch bei den Sumerern im Zweistromland oder in Ägypten ereignete. Diese eigenständige Entwicklung, aber auch die Tatsache, daß sie einzigartige authentische Einblicke in Denken und Vorstellungwelt einer vorspanischen Hochkultur ermöglicht, macht die Maya-Schrift zu einem Forschungsobjekt von höchstem Interesse.

Seit wenigen Jahren befindet sich die Erforschung der Maya-Schrift in einer Phase geradezu revolutionärer Durchbrüche. Die Entzifferung der Maya-Schrift geschieht mit einer solchen Geschwindigkeit, daß es noch keine aktuellen Darstellungen des gegenwärtigen Forschungsstandes gibt, und jede Übersicht über die Schriftentzifferung ist in dem Moment ihrer Drucklegung bereits überholt. Neue Entzifferungen werden häufig im Abstand von nur wenigen Tagen gemacht und kursieren dann in Form von Kurzmitteilungen und Briefen im kleinen Kreis der Fachleute. Die Geschwindigkeit, mit der heute eine Entzifferung der anderen folgt, läßt den wenigen Fachwissenschaftlern kaum Zeit, ihre neuen Einsichten in das Schriftsystem zu publizieren. Es gibt wohl kein Gebiet in der Erforschung der vorspanischen Maya-Kultur, dessen Paradigmen sich in den vergangenen Jahren so dramatisch verändert haben wie die Epigraphie, die wissenschaftliche Erforschung ihrer Schrift.

DER BEGINN DER ERFORSCHUNG DER MAYA-SCHRIFT

Das aber ist nicht immer so gewesen. Die Geschichte der Erforschung der Maya-Schrift ist die Geschichte eines mühsamen Prozesses und vieler Rückschläge. Als die ersten spanischen Eroberer das Land der Maya betraten, hat es dort noch Schreiber gegeben, die die Maya-Schrift verwendeten und lasen. Die Spanier, verblendet von christlicher Intoleranz und der Suche nach Gold und Geld, brachten der Schrift der Maya kein Interesse entgegen, sieht man von wenigen knappen und häufig auf Mißverständnissen beruhenden Bemerkungen in Briefen und Berichten ab. Da sich die Verwendung der »heidnischen« Schrift nicht mit dem christlichen Glauben vertrug, wurden die Bücher der Maya verbrannt, und die schriftkundigen Mitglieder des Adels wurden umerzo-

Abb. 132 Das »Landa«-Alphabet der »Relación de las cosas de Yucatán« in einer Abschrift aus dem 19. Jahrhundert. Es hat wesentlich zur Entzifferung der Maya-Schrift beigetragen.

gen. Mit der Christianisierung der Maya verschwand innerhalb von nur wenigen Jahren auch die Kenntnis der Hieroglyphenschrift, denn die Schreiber gebrauchten von nun an nur noch lateinische Buchstaben. Die Verwendung der Maya-Schrift verlosch aber nicht in allen Gebieten gleichzeitig. In den Urwäldern des südlichen Teils der Halbinsel Yucatán konnten sich die *Itzá*-Maya bis 1697 gegen die Unterwerfung durch die Spanier behaupten. Spanische Mönche und Krieger, denen es gelang, noch vor der Eroberung die Hauptstadt Tayasal zu betreten, berichteten erstaunt über die große Bedeutung, die schriftlich formulierten Texten im öffentlichen Leben Tayasals zukam.

Den weitaus detailliertesten Bericht über die Schrift der Maya hat uns Diego de Landa (Abb. 132) hinterlassen. Landa mußte sich gegenüber der spanischen Krone wegen Übergriffen gegen indianische Adlige verteidigen und verfaßte im Jahr 1566 einen ausführlichen »Bericht über die Angelegenheiten Yucatáns«[1], mit dem er sich entlasten wollte. Dieser Bericht ist nicht nur eine für die damalige Zeit hervorragende Ethnographie des Lebens der Maya zur Zeit der Eroberung, sondern enthält auch ein Hieroglyphenalphabet, das später als einer der Schlüssel zur Entzifferung der Schrift erkannt wurde. Landas Manuskript verschwand kurz nach seiner Entstehung in spanischen Archiven, und es dauerte über dreihundert Jahre, ehe es wiederentdeckt werden sollte.

Nur vier Maya-Handschriften (Abb. 133, 134) überlebten die spanischen Bücherverbrennungen. Drei der Handschriften sind wohl noch zur Zeit der Eroberung nach Europa gelangt und fanden dort, wie so viele Kunstobjekte des vorspanischen Amerika, Eingang in die höfischen Kuriositätenkabinette. Schon 1520 schickte Hernán Cortés ein Schiff mit Geschenken, aber auch mit vier gefangenen indianischen jungen Männern und zwei Frauen nach Sevilla, wo sie von Karl V. als Steuern einbehalten und vom päpstlichen Nuntius Giovanni Ruffo da Forli beschrieben wurden. Unter den Objekten, die Karl V. erhielt, waren offensichtlich auch Handschriften, die mit Hieroglyphentexten beschrieben waren[2]. Die von den Spaniern nach Europa gebrachten Handschriften teilten zunächst ihr Schicksal mit dem Manuskript von Diego de Landa: sie verschwanden in Archiven oder Kunstkammern und blieben weitestgehend unbeachtet.

Im Jahr 1739 erwarb Johann Christian Götze, Hofbibliothekar der Königlich Sächsischen Bibliothek in Dresden, eine der Handschriften für seine Bibliothek[3] (Abb. 133), aber es sollte noch siebzig Jahre dauern, bis Alexander von Humboldt das erste wissenschaftliche Interesse an dem Dresdener Codex bekundete und 1810 fünf Seiten daraus in seiner »Vues des Cordillères« in einer Umzeichnung reproduzieren ließ. Zu Humboldts Zeiten hielt man alle Kunstwerke, und so auch den Dresdener Codex, für mexikanische, also aztekische Werke, denn im öffentlichen Bewußtsein waren die Azteken natürlich viel präsenter als die Maya. Erst 1827 verglich der exzentrische Publizist und Altertumsforscher Constantine Rafinesque die Hieroglyphen der von Humboldt abgebildeten Seiten des Dresdener Codex mit den ersten Zeichnungen von steinernen Inschriften aus Palenque und stellte fest, daß es sich um die gleiche Schrift handeln müsse. In zahlreichen Zeitungsartikeln setzte sich Rafinesque mit der »Schrift von Otolum«, wie er sie nannte, auseinander und stellte fest, daß die Kreise und Balken wohl Zahlzeichen sein müßten und daß es sich bei den anderen Zeichen um Silben einer Sprache handeln könne. Obgleich Rafinesques Entdeckungen in eine Zeit fielen, in der man begann, lebhaftes Interesse an amerikanischen Altertümern zu bekunden, haben seine Publikationen keine weiteren Forschungsarbeiten nach sich gezogen.[4]

Das Interesse an den Ruinen im Süden Mexikos und Guatemalas wurde vor allem durch die bekannten Reise-

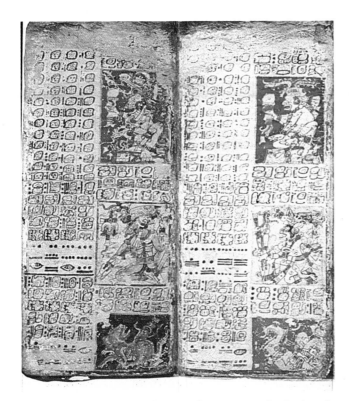

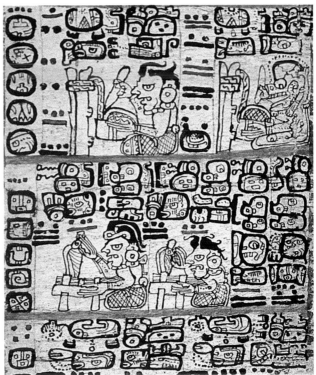

Abb. 133   Zwei Seiten aus dem Dresdener Maya-Codex (13./14. Jh. n. Chr.). Derartige Codices bestanden aus Baumrindenbast oder Leder mit einer Grundierung aus Stuck. Die Blätter wurden aneinandergeklebt, um leporelloartig gefaltet werden zu können.

Abb. 134   Ausschnitt aus dem Maya-Codex Madrid (14. Jh. n. Chr.). Neben dem berühmten Codex in Dresden zählt diese Handschrift zu den seltenen Beispielen der »Buchkunst« der Maya.

beschreibungen von John Lloyd Stephens und seinem Zeichner Frederick Catherwood angeregt. Catherwoods Zeichnungen sind so detailgetreu, daß man auf ihnen fast alle Hieroglyphen lesen kann.

Das neuerwachte Interesse an den Maya brachte jedoch keine Erfolge in der Entzifferung ihrer geheimnisumwitterten Schrift mit sich. Zu wenig Inschriften waren bekannt, und noch weniger als die Inschriften kannte man die Sprachen der Maya, die einer Entzifferung natürlich zugrunde liegen müssen. In der zweiten Hälfte des neunzehnten Jahrhunderts kamen jedoch verschiedene Entdeckungen zusammen, die die Kenntnis über die Maya erheblich verbesserten. Der französische Geistliche Charles Etienne Brasseur de Bourbourg stieß bei der Durchsicht alter Archive in Guatemala und Europa zunächst auf das vergessene Manuskript von Diego de Landa. Dann fand er das Motul-Wörterbuch, das älteste Maya-Spanische Wörterbuch, eine Abschrift des *Popol Vuh*, des Schöpfungsmythos der *Quiché*-Maya, und schließlich den Madrider Codex, die zweite der vier Maya-Handschriften. Eine dritte Handschrift, der Pariser

Codex, wurde nur wenige Zeit später in den Beständen der Pariser Nationalbibliothek entdeckt. Brasseur verwandte viel Sorgfalt und Geld darauf, seine Entdeckungen zu publizieren, und gab damit den frühen Schriftforschern wichtiges Arbeitsmaterial an die Hand.

Etwa zur gleichen Zeit gelang es Ernst Förstemann, Bibliothekar an der Königlich Sächsischen Bibliothek in Dresden, anhand des in der Bibliothek aufbewarten Codex fast den gesamten Kalender der Maya zu entschlüsseln. Er entdeckte, daß das Zahlensystem auf Vigesimalbasis operierte und daß die Maya eine »Lange Zählung« hatten, bei der alle Tage gezählt wurden, die seit dem Nullpunkt des Kalenders im vierten Jahrtausend vor Beginn unserer Zeitrechnung verflossen waren. Außerdem fand er heraus, daß die Maya bereits den Stellenwert und das Prinzip der »Null« kannten, und zeigte als erster, daß die Maya bestimmte Zeichen entweder als abstraktes Zeichen oder als Kopf eines Gottes oder Tieres schreiben konnten. Während Förstemanns Studien sich, was ganz naheliegend war, in erster Linie auf die drei damals bekannten Handschriften stützten, begannen andere For-

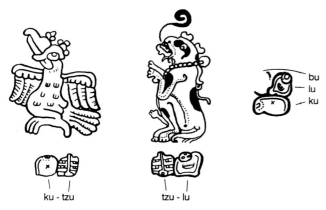

Abb. 135 Die syllabischen Schreibungen der Wörter kutz, *»Truthahn«,* tzul, *»Hund«, und* buluk, *»elf«, in den Maya-Handschriften.*

scher, wie Cyrus Thomas, sich mit den älteren Steininschriften zu befassen. Im Vergleich mit den Handschriften konnte Thomas nicht nur zeigen, daß es sich
dabei um das gleiche Schriftsystem handelte, sondern
auch, daß die Inschriften wie die Texte in den Handschriften in Doppelkolumnen zu lesen waren, d. h., daß
man mit der obersten linken Hieroglyphe zu beginnen
hatte, dann die Hieroglyphe rechts daneben las, um dann
eine Zeile tiefer mit der linken Hieroglyphe fortzufahren
und wieder zur Hieroglyphe rechts daneben überzu-
gehen.

Die Erforschung der Steininschriften konnte so lange
keine wesentlichen Erfolge erzielen, wie nur wenige bekannt waren. Die Notwendigkeit, eine bessere Daten-
grundlage für weitere Entzifferungen zu schaffen, ver-
anlaßte den britischen Forscher Alfred Maudslay wie
auch den deutsch-österreichischen Photographen Teobert Maler, in den Jahrzehnten vor und nach der Jahrhundertwende in mühsamen Streifzügen durch die Urwälder Südmexikos und des nördlichen Mittelamerika
Maya-Ruinen zu suchen und viele Inschriften in hervorragenden Photographien zu dokumentieren. In den
zwanzig Jahren, während deren Teobert Maler und
Alfred Maudslay forschten, wurden Hundert von Ruinenorten entdeckt, darunter so wichtige Städte wie Yaxchilán, Piedras Negras, Seibal, Naranjo und Yaxhá. Die auf
den Reisen entstandenen Photographien von Inschriften
sind von so hoher Qualität, daß sie bis heute Maßstäbe
setzen und immer wieder, auch in modernen Publikationen, reproduziert werden. Nachdem die ersten Bände
mit Zeichnungen von Photos von Inschriften aus Palenque, Copán und Quiriguá gedruckt vorlagen, gelang es
dem Zeitungsverleger Joseph Goodman, das »Nulldatum«

des Maya-Kalenders mit dem Nulldatum unseres Kalenders zu korrelieren, so daß es erstmals möglich wurde,
Maya-Daten taggenau in unseren Kalender umzurech-
nen. Obgleich verschiedene spätere Forscher Zweifel
an der von Goodman vorgeschlagenen Korrelationskon-
stante anmeldeten, wird sie mit geringer Modifikation
auch heute noch angewandt, denn sie kann mittlerweile
durch verschiedene astronomische Berechnungen gestützt werden.

Kurz nach der Jahrhundertwende verwandelte sich die
Maya-Forschung von einer Angelegenheit, mit der sich
Laien in ihrer Freizeit beschäftigten, in einen etablierten Forschungszweig an Universitätsinstituten. Dieses Ergebnis ist zu einem großen Teil dem amerikanischen Archäologen Sylvanus Morley zu verdanken, der langfristige
Forschungsprojekte und die ersten systematischen Ausgrabungen im Maya-Gebiet ins Leben rief. Morley war
fasziniert von den wenige Jahre zuvor geleisteten Durchbrüchen im Verständnis des Kalenders und organisierte
mehrere Expeditionen durch die Urwälder des südlichen
Tieflandes, um weitere Inschriften zu finden. Dabei gelang ihm die Entdeckung großer Maya-Städte, wie Uaxactún und Naachtún, und Hunderter von Inschriften. Seine
Begeisterung für die kalendarischen Teile der Inschriften
war so groß, daß er in seinen Büchern häufig nur die von
ihm als Kalendertexte erkannten Teile abbildete und alle
anderen, nicht lesbaren Passagen der Inschriften igno-
rierte. Ein großer Schüler Morleys war John Eric Sid-
ney Thompson, eine der wichtigsten Gestalten in der
Maya-Forschung überhaupt. Ein bedeutsamer Teil seines
Schaffens galt der Entzifferung der Maya-Schrift. 1950
schrieb Thompson die große und bis heute richtungwei-
sende Monographie »Maya Hieroglyphic Writing«, ein
Buch, das sich weniger mit der Schrift als mit dem Kalender auseinandersetzt[5]. Bald darauf erarbeitete er, angeregt durch den Hamburger Altamerikanisten Günter
Zimmermann, der einige Jahre zuvor bereits einen Katalog aller Schriftzeichen der drei Handschriften verfaßt
hatte, einen weiteren Katalog sämtlicher Schriftzeichen
auf den damals bekannten Steinmonumenten, Handschriften und Kunstobjekten[6]. Sein letzter großer Beitrag zur Hieroglyphenforschung war schließlich ein
umfangreicher Kommentar zum Dresdener Maya-Codex.
Thompson ging davon aus, daß die Schreiber der Maya
im Dienste von Priestern standen, die, von der Vergäng-
lichkeit und dem Voranschreiten der Zeit fasziniert, ihre
philosophischen Überlegungen und mathematisch-astro-
nomischen Berechnungen in den steinernen Inschriften
festgehalten hatten.

Alles, was sich damals aus der Maya-Schrift deuten ließ,
waren die kalendarischen Passagen der Inschriften und

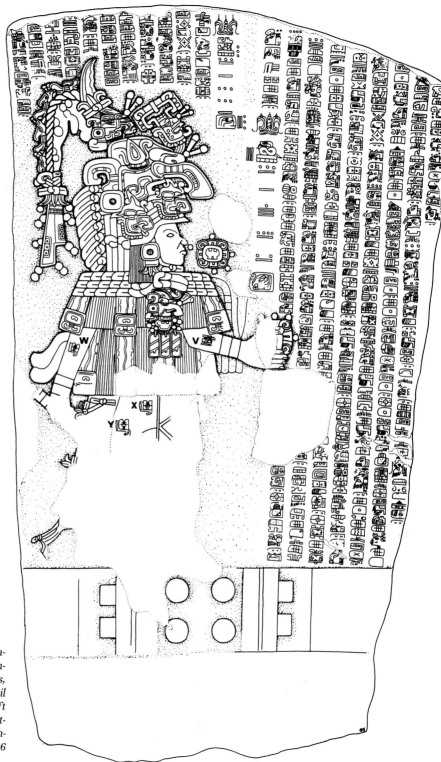

Abb. 136 Die Stele von La Mojarra, Veracruz, ein bedeutsames Zeugnis eines eigenständigen hochentwickelten Schriftsystems, ist erst 1986 entdeckt worden. Ein Großteil der in Proto-Zoque geschriebenen Inschrift konnte in den vergangenen zwei Jahren entziffert werden. Der Text berichtet von wichtigen Ereignissen im Leben eines um 156 n. Chr. inthronisierten Fürsten.

Abb. 137 Kaminaljuyú, Guatemala, Stele 10: Eine Mayainschrift der Protoklassik.

die astronomischen Berechnungen der Codices. So mußte für Thompson und seine Zeitgenossen der Eindruck entstehen, der Kalender der Maya habe keinen anderen Zweck erfüllt als den, die ewige Wiederkehr verschiedener Zeitzyklen festzuhalten.

Obwohl Thompson mehr zum Verständnis des Kalenders als zur Entzifferung der Schrift beigetragen hat, versuchte er dennoch, verschiedene Schriftzeichen mit Hilfe der Rebusmethode zu lesen. Ein von ihm als Darstellung eines Haifischkopfes interpretiertes Schriftzeichen las er mit dem Maya-Wort χok, das in verschiedenen Maya-Sprachen »Haifisch« bedeutet. Nun taucht dieses Schriftzeichen in einer Hieroglyphe auf, die offenbar der Addition oder Subtraktion einer bestimmten Anzahl von Tagen vorausgeht. Hier nahm Thompson an, daß das Zeichen das gleichlautende Wort χok für »zählen« bedeutet. Die große Anzahl homophoner Wörter in den Maya-Sprachen sei besonders günstig für die Rebusmethode gewesen. Kategorisch bestritt Thompson die Existenz von Schriftzeichen, die nur Silben, also keine Wörter oder Ideen bezeichnen können, und sein Einfluß auf die Maya-Forschung war so groß und seine Ablehnung der Idee von syllabischen Schreibungen so polemisch, daß über mehrere Jahrzehnte hinweg kein Forscher seiner Lehrmeinung widersprach.

Im Jahre 1960 erschien in einer amerikanischen Fachzeitschrift ein Artikel, der die gesamte Fachwelt in Aufruhr versetzte[7]. Die russisch-amerikanische Kunsthistorikerin Tatiana Proskouriakoff machte die Beobachtung, daß bestimmte Hieroglyphen auf Stelen aus dem Ort Piedras Negras im Abstand von einer Generation wieder erscheinen. Sie fand eine Hieroglyphe für »Geburt«, eine andere, die stets mit einem etwa 20 Jahre späteren Datum erscheint, und deutete sie als Hieroglyphe für »Thronbesteigung«; die letzte Hieroglyphe innerhalb einer Serie von Daten identifizierte sie als Hieroglyphe für »Tod«. Die diesen folgenden Zeichen deutete sie als die Namenshieroglyphen historischer Personen. Mit dieser Entdeckung gelang ihr der klare und eindeutige Nachweis, daß die Maya-Inschriften keine esoterischen Hymnen an die Zeit waren, sondern daß die vielen Kalenderdaten geschichtliche Ereignisse im Leben weltlicher Füsten dokumentierten. Eine ähnliche Vermutung hatte kurz zuvor schon der deutsch-mexikanische Archäologe Heinrich Berlin geäußert. Dieser hatte bestimmte Hieroglyphen entdeckt, deren Grundbestandteile immer gleich waren, die aber über ein variables Element verfügten, das je nach Ort verschieden war. In diesen Hieroglyphen erkannte er sogenannte »Emblem-Hieroglyphen«, Hieroglyphen, die ähnlich wie die Wappen in Europa auf Städte oder bestimmte Familien hinweisen.

Die Entdeckung des historischen Charakters der Maya-Inschriften bedeutete einen Paradigmenwechsel in der Maya-Forschung, der bereits in den folgenden Jahren zu zahlreichen weiteren Publikationen über die Geschichte der Herrscherdynastien verschiedener Städte des südlichen Tieflandes führte. Heute sind die Arbeiten, die sich mit der Geschichte von Städten oder der Biographie einzelner Herrscher befassen, Legion, und die bahnbrechende Entdeckung von Tatiana Proskouriakoff wird nicht mehr bezweifelt[8].

Trotz dieses Durchbruchs war man aber immer noch nicht in der Lage, die Maya-Schrift nun auch richtig zu lesen. Um dieses Ziel zu erreichen, hätte man zunächst ihren Aufbau verstehen und die Zeichen so auszusprechen lernen müssen, wie es die Maya zur Klassischen Zeit taten. Aber war die Maya-Schrift überhaupt eine Schrift, die aus Silbenzeichen bestand und die man richtig lesen konnte, oder war sie eine reine Wort- und Begriffsschrift, in der ein Zeichen allein für ein Wort stand, so daß, ähnlich wie heute auf Flughäfen oder Bahnhöfen, verwandte Zeichen von jedem verstanden werden konnten, gleich welche Sprache er sprach? Die Hypothese, daß die Maya-Schrift eine reine Wortschrift fast ohne phonetische Elemente sei, hatte sich zur Jahrhundertmitte nicht zuletzt durch den prägenden Einfluß Thompsons fest etabliert.

witz "Berg"

wi - tz(i) ahaw
witz ahaw "Herr des Berges"

(wi)-witz "Berg"

tzak "beschwören"

tza-k(u) "beschwören"

tzak-(k)a-hi "er beschwor"

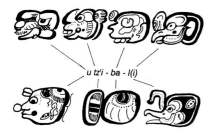

u   tz'i
           be

u tz'i - ba - l(i)

u   tz'i
           bi

u tz'ibal "seine Schrift"

Abb. 138 Phonetische und logographische Schreibvarianten für die Worte witz, *»Berg«,* tzak, *»beschwören«, und* tz'ib, *»Schrift«.*

Im Jahre 1952 schließlich erschien in einer russischen Zeitschrift ein Artikel des jungen Leningrader Ägyptologen Yurii Knorozov, der nachzuweisen suchte, daß die Maya-Schrift, ähnlich wie viele frühe Schriftsysteme des Zweistromlandes oder die ägyptische Hieroglyphenschrift, sowohl Wortzeichen wie auch Zeichen für einzelne Laute kannte[9]. Er glaubte, daß man das vieldiskutierte Landa-Alphabet mißverstanden habe und daß es sich nicht um ein Alphabet, sondern um ein Syllabar aus Kombinationen von Konsonanten und Vokalen handle. Er nahm an, daß Landa das Prinzip syllabischer Schreibungen nicht verstanden und nur deshalb das Silbenzeichen *be* als Alphabetzeichen *b* aufgefaßt hatte (Abb. 135). Den Nachweis für die Richtigkeit seiner Methode trat Knorozov mit den Codices an, wo die meisten Texte von Bildern begleitet werden und eine Zuordnung von Bildern zu Hieroglyphen sehr offensichtlich ist. Nun nahm er das bei Landa mit *ku* beschriebene Zeichen und fand es in einer Hieroglyphe wieder, die immer dann auftritt, wenn das dazugehörige Bild einen Truthahn zeigt. Das Wort für Truthahn auf Maya lautet *kutz*. Das *ku*-Zeichen ist das erste Zeichen in der Hieroglyphe. Das zweite Zeichen war also möglicherweise das Zeichen für die Silbe *tzu*. Nun fand er das *tzu*-Zeichen als erstes von zwei Zeichen in der Hieroglyphe für Hund, der auf Maya *tzul* lautet. Schließlich fand er in einer Reihe von Zahlen, daß an der Stelle, wo die Zahl »elf« zu erwarten war, ein verwittertes Zeichen und darunter die von ihm als *lu* und *ku* entzifferten Zeichen standen. Das Maya-Wort für elf lautet *buluk*. Damit war ein weiterer wichtiger Beleg für seine Entzifferungen und den Fortgang der syllabischen Lesungen gewonnen. Die syllabische Schreibweise eignete sich hervorragend zur Schreibung des Maya, da in den Maya-Sprachen fast alle Wörter die Struktur Konsonant – Vokal – Konsonant haben. Ein solches Wort war also einfach durch zwei Konsonant-Vokal-Silbenzeichen zu schreiben, wobei in der Regel der synharmonische Vokal der zweiten Silbe wegfiel.

So logisch Knorozovs Überlegungen auch schienen und so beweiskräftig seine Entzifferungen auch waren, stießen seine Vorschläge dennoch anfangs auf eine Front der Ablehnung. Neben der marxistisch-leninistischen Rhetorik, die viele seiner Aufsätze einkleidete, waren es auch zahlreiche Fehler im Detail, die seine Hypothesen zu leicht angreifbar machten. Erst in den sechziger Jahren bezogen einzelne amerikanische Forscher wie Floyd Lounsbury, David Kelley und Michael Coe für Knorozov Stellung und demonstrierten an weiteren Entzifferungen, daß die Maya-Schrift tatsächlich als ein sogenanntes logosyllabisches System einzustufen ist, also eine Schrift, die sowohl Wort- wie Silbenzeichen kennt.[10]

Eine neue und besonders produktive Phase in der Entzifferung der Maya-Schrift begann mit einer Serie von Kon-

a   b

c   d

Abb. 139 Determinative werden häufig zu anderen Zeichen hinzugefügt. Der Dopplungspunkt kann z. B. im Wort für »Kakao«, kakaw, *die Silbe* ka *verdoppeln, so daß sie nur einmal geschrieben werden muß (a, b). Ein anderes Determinativ ist die Tageszeichenkartusche, die auch inhaltliche Veränderungen bewirken kann. So wandelt sie z. B. das Wort für »Blume« in das Tageszeichen* Ahaw *(c, d).*

Dies ist die Einweihung der Schrift   auf dem Trinkgefäß   für frischen (?)   Kakao

Abb. 140   Übersetzung einer Primären Standardsequenz.

ferenzen, die in dem Ort Palenque, nahe den gleichnamigen Maya-Ruinen, und in Dumbarton Oaks, einem Forschungszentrum in Washington, abgehalten wurden. An diesen Konferenzen nahmen vor allem junge Wissenschaftler teil, die offen waren sowohl für die historische Deutung der Inschriften wie für Knorozovs logosyllabischen Ansatz. Die dort versammelten Forscher versuchten vor allem, die Inschriften von Palenque zu übersetzen. Als wichtigste Entdeckung gelang ihnen dabei der Nachweis, daß die Inschriften die gleiche Syntax wie noch heute gesprochene Maya-Sprachen aufwiesen. Die erste Hieroglyphe in einem Satz war das Verb, dem ein Objekt und dann das Subjekt folgten. Unter Zugrundelegung dieser Überlegung konnte man nun die Inschriften in ihre Satzbestandteile zerlegen, erste Beobachtungen zur Grammatik anstellen und auch in solchen Fällen eine Hieroglyphe einer bestimmten Wortart zuordnen, wenn man sie noch nicht lesen konnte[11].

Die Verbindung dieser verschiedenen Ansätze, die Auffindung immer neuer Inschriften und die verbesserten Kenntnisse der Maya-Sprachen haben schließlich dazu geführt, daß wir heute einen beträchtlichen Teil der Inschriften wirklich lesen können.

DIE VERBREITUNG DER MAYA-SCHRIFT

Die über sechs Millionen Maya, die heute in Guatemala, Mexiko und Belize leben, sprechen 31 unterschiedliche Maya-Sprachen, die untereinander etwa so verwandt sind wie z. B. Deutsch, Englisch und Norwegisch. Alle Maya-Sprachen gehen auf die gleiche Wurzel zurück, ein Proto-Maya, das vor etwa 4000 Jahren im Hochland von Guatemala entstand. Nicht alle Unterfamilien der Sprachen waren gleichermaßen an der Entwicklung der Maya-Kultur beteiligt. Die Maya der Klassischen Zeit ver-

wendeten Sprachen, die mit den heute noch gesprochenen *Chol*-Sprachen und yukatekischen Sprachen verwandt sind[12].

Obgleich die großartigen Zeugnisse der Hieroglyphenschrift in Maya-Sprachen verfaßt sind, entstand die Schrift nicht in einem Maya-sprachigen Umfeld. Die ältesten Anzeichen für Schrift im vorspanischen Amerika finden sich auf Steinmonumenten der Monte-Albán-Kultur in Oaxaca. Hier werden etwa um 700 v. Chr. die ersten kalendarischen Zeichen – meist Hieroglyphen für Tage aus dem 260tägigen Kalender – in Stein gehauen. Die ersten echten Texte erscheinen, zusammen mit einem ausgeprägten Kalender, der schon die sogenannte Lange Zählung kennt, an verschiedenen archäologischen Fundstätten südlich des Isthmus von Tehuantepec und an der Pazifikküste von Guatemala. Monumente dieser Fundstätten datieren etwa in die Zeitspanne zwischen 50 v. Chr. und 200 n. Chr.

Noch bevor die Maya-Schrift entstand, bildeten sich in der Region des Isthmus von Tehuantepec und an der mexikanischen Golfküste zum Teil hochkomplexe Schriftsysteme. Vor wenigen Jahren wurde in einem Fluß nahe der archäologischen Zone von La Mojarra ein aufsehenerregender Fund gemacht: eine Stele, die mit über 400 Schriftzeichen (Abb. 136) beschrieben ist[13] und ein Datum aus dem Jahr 156 n. Chr. trägt. Die Schriftzeichen haben Ähnlichkeit mit der späteren Maya-Schrift, stellen aber ein eigenes hochentwickeltes und wahrscheinlich bereits mit Silbenzeichen operierendes System dar. Die Entzifferung dieser frühen und vor wenigen Jahren noch gar nicht bekannten Schrift steht erst in den Anfängen. Die Schreiber der La Mojarra-Stele sprachen wahrscheinlich eine andere Sprache als die Schreiber an den Orten der Pazifikküste von Chiapas und Guatemala.

In Abaj Takalik, Kaminaljuyú und El Baúl gibt es Hinweise, daß die Inschriften Maya-Wörter (Abb. 137) enthalten. Unklar bleibt, welche der Maya-Sprachen in die-

errichtet wurde Yax Bolon   Chak Bolon K'awil ist der Name der Stele

Abb. 141 Übersetzung des Weihtextes der Stele D aus Copán.

sen Orten gesprochen wurden, wenn sie überhaupt Maya-sprachig waren. Es scheint jedoch sicher zu sein, daß die Maya-Schrift in einem multikulturellen und mehrsprachigen Kontext entstand und daß dieses Umfeld zur Phonetisierung der Schrift beitrug. Die ikonographischen Motive, die vielen der Schriftzeichen zugrunde liegen, sind zum Teil viel älter und gehen auf die Bildersprache der Olmeken zurück.

In den Urwäldern von Nordguatemala, Belize und der Halbinsel Yucatán entstanden in der Späten Präklassik, wenn nicht sogar noch früher, die ersten großen Stadtanlagen mit zentralen Bauwerken und hohen Pyramiden, die häufig mit gigantischen, farbig bemalten Stuckmasken verziert waren. In dieser Zeit kannten die Maya des Tieflandes noch keine Hieroglyphenschrift. Die Stuckmasken, die man bei Ausgrabungen in El Mirador, Uaxactún, Nakbé, Cerros und anderen Städten fand, basieren jedoch auf einer komplexen Ikonographie, in der bereits Elemente erscheinen, die später als Schriftzeichen in die Hieroglyphenschrift Eingang finden. Es ist, als ob die Stuckmasken der Späten Präklassik die Schrift geradezu ersetzen, denn sie haben, wie Juan Antonio Valdés in seinem Beitrag zeigt, die gleiche Funktion wie die beschrifteten Stelen und Türstürze der Klassischen Zeit, nämlich die Darstellung des Königs als Bindeglied zwischen Göttern, Kosmos und Menschenwelt.

Das Erscheinen der ersten echten Schriftzeugnisse im Tiefland geht einher mit dem Verlassen der großen Prä-

Abb. 142 Übersetzung einer Weihinschrift für ein Bauwerk.

Und dann geschah es am Tag 5 Men   8 Wo

Rauch trat ein in das Haus von   K'ak' Balamna

dieses wurde beobachtet von   ??, dem König von Chan

223

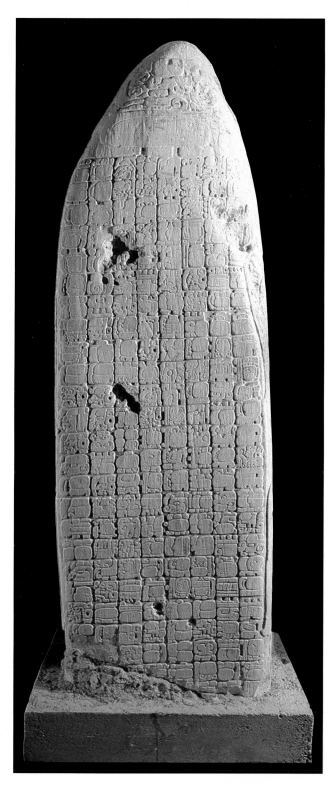

klassischen Städte und dem Aufblühen neuer Metropolen. Die Stele mit der frühesten Langen Zählung im Maya-Tiefland ist Stele 29 aus Tikal. Eine andere Stele, von Plünderern geraubt und daher ohne genaue Herkunft, trägt ein Datum, das noch älter ist, den 18. März 197 n. Chr. Diese Stelen markieren jedoch nicht den Beginn der Hieroglyphenschrift im Kerngebiet der Maya. Verschiedene kleine Gegenstände wie Knochen, Jadeschmuck und Keramiken sind von Archäologen in stratigraphischen Kontexten gefunden worden, die eindeutig früher, in das erste Jahrhundert unserer Zeitrechnung, datieren. Es scheint also, als sei die Entstehung der Maya-Schrift durch Inschriften von der Pazifikküste, aber auch durch die Ikonographie der Stuckmasken angeregt worden.

Mit dem Beginn der Frühen Klassik breitet sich die Schriftkultur über das gesamte Maya-Gebiet aus. Nun werden Texte auf jedes erdenkliche Medium geschrieben. Die meisten Schrifttexte finden sich in Stein gemeißelt auf Stelen, Altären, Türstürzen (Linteln), Treppen, Säulen, Markiersteinen von Ballspielplätzen, aber auch direkt in das Gemäuer von Gebäuden skulpiert. Paläste und Tempel waren oft mit Hieroglyphentexten aus Stuck verziert oder wiesen in den Innenräumen polychrome Wandmalereien mit eingestreuten Hieroglyphentexten auf. Mitglieder des Königshauses und angesehene Adlige trugen reichen, mit ihren Namen versehenen Schmuck aus Jade, Knochen, Holz oder Muschel. Die vielleicht schönsten, weil elegantesten Texte sind mit dem Pinsel auf Keramikgefäße gemalt worden. Auch Holz wurde von den Schreibern verwendet, wie uns die berühmten Türstürze aus Tikal zeigen, die sich heute u. a. im Baseler Museum für Völkerkunde (Abb. 41) befinden. Was wir heute an Inschriften aus der Klassischen Zeit kennen, ist allerdings nur ein Bruchteil der Literatur, die es gegeben hat. Die meisten Texte waren nämlich in Faltbüchern wie dem bereits erwähnten Dresdener Codex (Abb. 133) niedergeschrieben worden. Wie viele von ihnen von Spaniern verbrannt worden sind, läßt sich nicht einmal erahnen. Nur vier hieroglyphische Faltbücher haben – wie bereits eingangs berichtet – die Bücherverbrennung der Eroberer und den Zerfall im Urwaldklima überlebt. Drei davon sind nach ihren jetzigen Aufbewahrungsorten benannt: der Dresdener Codex, die wohl schönste der

Abb. 143 Tikal, Petén, Stele 31: Sie besitzt die längste erhaltene Inschrift der Frühen Klassik. Der Bericht beschreibt den Krieg Tikals gegen Uaxactún im Jahre 378 n. Chr., als König »Große Jaguartatze« gemeinsam mit seinem Bruder »Rauch-Frosch« gegen den Feind zog.

Handschriften, der Madrider Codex, der zugleich längste, und der Pariser Codex, der von geringerem Umfang und nur schlecht erhalten ist. Ein vierter Codex tauchte 1971 in einer amerikanischen Privatsammlung auf und befindet sich nun in Mexiko-Stadt. Reste weiterer Codices sind als Grabbeigaben bei verschiedenen archäologischen Grabungen gefunden worden, jedoch so schlecht erhalten, daß von Malerei kaum noch Spuren erkennbar sind. Wie wichtig Handschriften in der Klassischen Zeit waren, zeigen die zahlreichen Darstellungen von Schreibern, die vor aufgeschlagenen Codices sitzen und aus diesen vorlesen oder etwas aufschreiben. Als gutes Beispiel muß in diesem Zusammenhang auf das berühmte »Fenton-Gefäß« mit der Darstellung eines offensichtlich Waren registrierenden Schreibers verwiesen werden.

Anzahl und Umfang der uns verbliebenen Schrifttexte lassen sich schwer abschätzen. Archäologen kennen heute etwa 300 Fundorte, an denen Hieroglyphentexte entdeckt wurden. Manche von geringer Ausdehnung weisen nur eine Stele auf, an anderen, wie Copán, wurden mehrere hundert beschriftete Steinmonumente aufgefunden.

Die literarische Produktion geht gegen Ende der Klassischen Maya-Kultur deutlich zurück, und nach 790 n. Chr. werden immer weniger Monumente mit Inschriften errichtet. Die letzte im Tiefland datierte Stele wird 909 n. Chr. in der Stadt Toniná im äußersten Südwesten des Maya-Gebietes aufgestellt. Aus der nachfolgenden Zeit gibt es nur wenig Schriftzeugnisse. Abgesehen von einigen Stelen, die nun Götter und keine Herrscher mehr darstellen, verlagern sich literarische Aktivitäten wahrscheinlich ganz auf das Medium der Handschriften: so sämtliche der vier uns erhaltenen Codices aus der Zeit nach dem Ende der Klassischen Maya-Kultur. Ebenfalls aus der Postklassik, in der der Verzicht auf das Medium Stein eine Folge von veränderten politischen Strukturen zu sein scheint, sind uns Wandmalereien mit kurzen Hieroglyphentexten erhalten. Neue Formen kollektiver Herrschaft stellten Gruppen von Personen und nicht mehr nur den einzelnen König in den Mittelpunkt, so daß die Funktion von Stelen und Türstürzen als Instrumente der Legitimation königlicher Autorität überflüssig wurde.

In ihrer 1500jährigen Geschichte hat sich die Maya-

Abb. 144 Quiriguá, Guatemala, Stele C: Bericht von der Erschaffung des Universums im Jahre 3113 v. Chr.

Schrift immer wieder verändert[14] und sich den wechselnden Bedürfnissen ihrer Verfasser und Auftraggeber angepaßt. Immer wieder wurden neue Zeichen erfunden, alte nicht weiter verwendet, und manche veränderten ihre Lesung. Dennoch hat sich die Maya-Schrift nie zu einer rein syllabischen Schrift entwickelt. Der Anteil der Wortzeichen blieb immer beachtlich groß, und dies wohl deshalb, weil viele der Wortzeichen auf Bildern beruhten, die auch ein schriftunkundiger Maya leicht erkennen konnte. So war es auch einem des Lesens unkundigen Bauern, der in die Stadt kam und eine Inschrift sah, möglich, die Namenshieroglyphe des gegenwärtigen Herrschers zu identifizieren. Aus diesem Grund scheinen syllabische Schreibungen in esoterischen und sehr speziellen Texten häufiger gewesen zu sein als auf öffentlichen Monumenten.

Trotz interner Wandlungen blieb die Struktur der Maya-Schrift stets so homogen, daß ein Schreiber, der z. B. im 8. Jahrhundert lebte, einen Text aus dem 5. Jahrhundert noch durchaus lesen konnte. Auch sprachliche Unterschiede scheinen die Verständlichkeit der Texte nicht eingeschränkt zu haben. Obgleich wahrscheinlich der gesamte südliche Bereich des Tieflandes *Chol*-sprachig war und im Norden des Tieflandes eine frühe Form des yukatekischen Maya gesprochen wurde, muß Zweisprachigkeit weit verbreitet gewesen sein. So findet man *Chol*-Wörter in Gegenden, wo sicher yukatekisch gesprochen wurde, und yukatekische Formen in Städten wie Copán, die eine *Chol*-Sprache verwendeten. Zwischen dem yukatekischen Norden und dem *Chol*-sprachigen Süden gab es wohl eine breite zweisprachige Zone. Lexikalisch sind sich die beiden Sprachgruppen ohnehin so ähnlich, daß es kaum Unterschiede gibt. So macht vor allem die Schrift das Gebiet der Maya zu einem in sich geschlossenen Kulturraum.

STRUKTUR UND AUFBAU DER MAYA-SCHRIFT

Auf den unvoreingenommenen Betrachter wirkt die Maya-Schrift zunächst ausgesprochen barock, verspielt und undurchschaubar. Die Vielzahl verschiedener Formen, das Nebeneinander von abstrakten und Porträtzeichen unterschiedlicher Größe lassen bei oberflächlicher Betrachtung keine Struktur erkennen, die jener uns bekannter Schriftsysteme ähnelt. Dieser erste Eindruck ist jedoch nur bedingt richtig. Tatsächlich hat die Maya-Schrift mit altorientalischen Schriftsystemen viele Parallelen.

Die Maya-Schrift ist eine logosyllabische Schrift, die nur zwei Arten von Schriftzeichen kennt, nämlich solche, die für ganze Wörter, und solche, die für Silben stehen. Von den insgesamt etwa 700 Zeichen der Maya-Schrift bilden ungefähr die Hälfte Wortzeichen, in der Fachsprache »Logogramme«. Viele wichtige Wörter, so auch Namen und vor allem Zahlen, wurden mit Logogrammen geschrieben. Die Logogramme für die Zahlen – eine Punkt für eine Eins und ein Balken für eine Fünf – sind auch für den ungeübten Betrachter (Abb. 151) schnell zu erkennen. Andere Logogramme sind die Namen von Göttern, Bezeichnungen von Objekten, wie *otot*, »Haus«, *eb*, »Treppe«, *tun*, »Stein«, oder auch Verben, wie *chok*, »werfen, verspritzen«. Auch abstrakte Begriffe, wie *way*, »Zauberer«, und *k'aba*, »Name«, wurden mit Logogrammen wiedergegeben. Viele dieser Logogramme waren einfach Abbilder der Gegenstände, die sie bezeichneten. Häufig scheinen Zeichen aber keinen konkreten Gegenstand darzustellen. Das ist besonders dann der Fall, wenn abstrakte Begriffe wie das Wort für »Name« als Logogramm geschrieben wurden. Zeichen, die ein bestimmtes Wort ausdrücken, können aber auch, und das macht den besonderen Reiz der Maya-Schrift aus, für einen gleichlautenden, aber etwas völlig anderes bezeichnenden Begriff stehen. Da das Maya-Wort für Schlange, *chan*, mit dem Wort für Himmel gleichlautet, konnte man den Kopf einer Schlange malen, wenn man »Himmel« schreiben wollte, und ebenso umgekehrt konnte dort das Himmelszeichen stehen, wo von einer Schlange die Rede war. Da ein weiteres Wort, nämlich die Zahl »vier«, ebenfalls homophon mit den Wörtern für Schlange und Himmel lautete, schrieben Maya-Schreiber die sonst durch vier Punkte geschriebene Zahl »vier« gelegentlich auch mit dem Zeichen für Himmel oder dem Kopf einer Schlange. Das gleiche Wort, das man als Logogramm schreiben konnte, ließ sich auch durch eine Kombination von Silbenzeichen ausdrücken. Die Silbenzeichen in der Schrift der Maya haben stets die gleiche Struktur, sie bestehen aus jeweils einem Konsonanten und einem Vokal. Für jede mögliche Verbindung aus Konsonant und Vokal gab es mindestens ein Zeichen. Da Cholan und Yukatekisch fünf Vokale und 21 Konsonanten[15] aufweisen, ergibt sich daraus, daß es mindestens 105 Silbenzeichen gegeben haben muß. Daneben existierten eine Reihe reiner Vokalzeichen[16]. Unter Verwendung der Silbenzeichen konnten die Maya nun jedes beliebige Wort schreiben: So konnte das Wort »Berg« mit einem Logogramm für das Maya-Wort *witz* geschrieben werden, ebenso aber auch durch die Silbenzeichen *wi* und *tzi*, wobei der Vokal des zweiten Zeichens wegfällt (Abb. 138).

Da die meisten Maya-Wörter aus der Kombination Konso-

Abb. 145 Detail einer Inschrift auf einer Stele aus Quiriguá, Guatemala, wo die Schreiber eine große Anzahl von Porträthieroglyphen verwendeten.

nant–Vokal–Konsonant bestehen, erscheinen viele Silbenschreibungen aus zwei Zeichen zusammengesetzt. Der Vokal des zweiten ist in der Regel synharmonisch mit dem Vokal des ersten Zeichens. Es gibt nur wenige Fälle, wo der Vokal des zweiten Zeichens mitgelesen werden soll; ist dies aber der Fall, dann wird dies durch zusätzlich angehängte Zeichen markiert und dient zur Fixierung grammatikalischer Suffixe.

Syllabische Zeichen kommen besonders häufig in Verbindung mit Logogrammen vor. Sie haben hier die Funktion von Lesehilfen, die immer, wenn die Lesung eines Logogramms nicht eindeutig ist, seine Aussprache andeuten. Wenn Silbenzeichen den Lautwert eines Logogrammes wiederholen, werden sie »phonetische Komplemente« genannt. Das Wort für »Berg« kann daher als Logogramm *witz* mit einem vorangestellten phonetischen Komplement *wi* geschrieben werden. Für die Forscher sind phonetische Komplemente häufig ein Schlüssel zur Entzifferung von ansonsten unlesbaren Logogrammen.

Neben Logogrammen und syllabischen Zeichen kennt die Maya-Schrift einige wenige Zeichen, die die Lesung und Interpretation der Zeichen verändern, mit denen sie kombiniert werden, die aber selber nicht mitgelesen werden. Solche Zeichen werden Determinative (Abb. 139) oder »Deutzeichen« genannt. Die Existenz dieser Zeichenklasse ist erst seit kurzer Zeit bekannt. Ein häufig auftretendes Determinativ ist die sog. »Tageszeichen-Kartusche«. Sie zeigt an, daß ein bestimmtes Zeichen zum Namen eines der zwanzig Tageszeichen des 260tägigen Kalenders wird. Tritt das gleiche Zeichen ohne die Kartusche auf, hat es in der Regel eine ganz andere Lesung und Bedeutung. Das Gesicht, das, wenn es in der Tageszeichenkartusche erscheint, den Namen des 20. Tageszeichens, *Ahaw*, notiert, wird, wenn es nicht mit der Kartusche kombiniert wird, als Logogramm *nik*, »Blume«, gelesen. Es scheint, daß sämtliche der 20 Tageszeichen außerhalb der Kartuschen eine andere Lesung besitzen als im kalendarischen Kontext.

Ein anderes Determinativ (Abb. 139) sind die sog. »Dopplungspunkte«[17]. Sie kommen immer dann vor, wenn in einer syllabischen Schreibung eine bestimmte Silbe zu wiederholen war. Für das Wort *kakaw* (eines der wenigen Maya-Wörter, das unverändert in europäische Sprachen übergenommen wurde) gab es die normale syllabische Schreibung, indem man drei Silbenzeichen für die Silben *ka-ka-wa* miteinander kombinierte. Es gab aber auch eine Alternative, bei der man nur ein *ka*-Zeichen und ein *wa*-Zeichen schrieb und vor das *ka*-Zeichen zwei kleine Punkte setzte. So war klar, daß man da *ka*-Zeichen doppelt zu lesen hatte.

Die Komplexität der Maya-Schrift wird dadurch erhöht, daß es ein paar Dutzend Zeichen gibt, die polyvalent und je nach Kontext unterschiedlich zu lesen sind. Zu diesen Zeichen gehört zum Beispiel ein Zeichen, das, sobald es in der Tageszeichenkartusche erscheint, den Namen des 19. Tages, *Kawak*, bezeichnet. Als Silbenzeichen hat es die Lesung *ku*. Folgt ihm jedoch das Silbenzeichen *ni*, so repräsentiert es das Wort *tun*, »Stein«.

Im Gegensatz dazu konnten die meisten Silben durch mehrere Zeichen wiedergegeben werden. So gab es mindestens vier verschiedene Zeichen für die Silbe *ba*, zwei verschiedene für *cha* und ebenso viele für die Silbe *ta*. In der Klassischen Zeit kannten die Schreiber wohl für jede Silbe mindestens zwei verschiedene Zeichen. Auf diese Weise war es ihnen möglich, Texte kalligraphisch anspruchsvoll und ohne die Wiederholung von Zeichen zu schreiben. Die kalligraphische Komplexität und Schönheit der Texte wurde dadurch erhöht, daß man Logogramme und Silbenzeichen als Porträtvarianten schrieb oder gar als vielfigurige Zeichen.

Mit Hilfe der Hieroglyphenschrift schrieben die Maya lange Texte, die aus mehreren Abschnitten und Sätzen bestehen. Die Texte sind in der Regel in Doppelkolumnen gegliedert, die von oben nach unten gelesen werden. Die meisten Sätze beginnen mit einer Zeitangabe, die genau festlegt, an welchem Tag ein Ereignis stattfand. Der Zeitangabe folgen das Verb, dann gegebenenfalls das Objekt und zuletzt das Subjekt des Satzes. Wenn das Subjekt der Name eines Herrschers oder eines hohen Angehörigen der Herrscherfamilie ist, folgen dem Namen meist zahlreiche Titel. Verschiedene Sätze wurden zu langen Texten zusammengefügt, denen bestimmte literarische Konventionen zugrunde liegen, die auch heute noch in der mündlichen Überlieferung der Maya Geltung besitzen.

DIE HIEROGLYPHISCHE LITERATUR

Durch die fortschreitende Entzifferung der Maya-Schrift gewinnen wir Einblicke in eine uralte vorspanische Literatur, die sich völlig unbeeinflußt von Vorstellungen der Alten Welt zu höchster Blüte entwickelte. Das tropische Klima und die Zerstörungswut der Spanier haben einen großen, vielleicht sogar entscheidenden Teil der vorspanischen literarischen Erzeugnisse vernichtet. Erhalten blieb uns nur ein Ausschnitt jener Literatur, die es einmal gegeben haben muß. Obwohl die auf uns gekommenen Texte auf Medien festgehalten sind, die nicht der Aufzeichnung poetischer Werke, sondern der Glorifizierung von Herrschern und ihren Angehörigen dienten, können wir sicher sein, daß es auch eine in Hieroglyphenschrift niedergelegte Poesie gab, denn in der frühen Kolonialzeit wurden in lateinischer Schrift Gedichte aufgezeichnet, die sicher vorspanischen Ursprungs sind (s. Anhang)[18].

Die uns erhaltene hieroglyphenschriftliche Literatur umfaßt verschiedene Genres. So gibt es religiöse Almanache, zu denen die vier Codices gehören, Texte, die den Besitz bestimmter Objekte anzeigen, Texte, die Weihformeln und Berichte über Einweihungszeremonien enthalten, und schließlich narrative Texte, die in Begleitung von bildlichen Szenen auf Steinmonumenten oder Keramiken Ereignisse aus dem Leben historischer Personen oder der Götter aufzeichnen.

Die meisten Hieroglyphentexte in den Codices sind kurze Beischriften zu Bildern, die das Wirken von Göttern in bestimmten Zusammenhängen, vor allem in Verbindung mit verschiedenen Tagen und Kalenderzyklen, erläutern. Mit Hilfe dieser Wahrsagebücher konnten Priester Prophezeiungen verschiedenster Art durchführen und Termine für bestimmte Zeremonien, wie für Opfergaben, Taufen oder Aussaat, festlegen. Sie enthalten auch genaue Beschreibungen derartiger Zeremonien und der dabei zu verwendenden Paraphernalia, wie sie z. B. anläßlich des Jahreswechsels stattfanden. Während der Pariser Codex als Almanach für *Kʼatun*-Prophezeiungen dazu diente, das Schicksal der alle zwanzig Jahre wechselnden *Kʼatun*-Perioden vorherzusagen, enthält der Madrider Codex als Besonderheit ein langes Kapitel, das der Bienenzucht gewidmet ist und den Zeremonien, die ein speziell dafür verantwortlicher Imker durchzuführen hatte, um die Bienen vor Krankheiten und der Mißgunst der Götter zu schützen. Der Dresdener Codex schließlich enthält zahlreiche astrologische Tafeln, von denen fünf einen Venuskalender enthalten, ein einmaliges Dokument indianischen Geisteslebens und intellektueller Leistung[19].

Eigentumsvermerke und Weihinschriften

Zu den einfachsten und kürzesten Texten der Klassischen Zeit gehören sicherlich die Eigentumsvermerke. Oft handelt es sich dabei nur um zwei Hieroglyphen, die den Namen des Objektes, davor das Possessivpronomen und dahinter den Namen des Besitzers festhalten. Auf Ohrringen steht zum Beispiel häufig *u tup*, »dies ist der Ohrring von«, und dahinter folgt der Name des Besitzers. Solche kurzen Eigentumsvermerke kennen wir mittlerweile von einer Vielzahl von Schmuckobjekten, Kulturgegenständen, Keramikgefäßen und sogar von Bauwerken. Sie zeigen die hohe Wertschätzung der Besitzer für das jeweilige Objekt.

Etwas erweiterte Eigentumsvermerke betonen den besonderen Wert eines Objektes, indem sie seine Anfertigung und Einweihung beschreiben, so wie die »Primäre Standardsequenz« genannte Weihformel (Abb. 140, 141, 142). Sie beginnt meistens mit einer Eröffnungshieroglyphe, die zwar noch nicht gelesen werden kann, die man aber als ein allgemeines einleitendes Verb deutet. Auf die Eröffnung können verschiedene Verben folgen, die ebenfalls noch nicht zufriedenstellend entziffert sind, aber wohl die feierliche Einweihung oder »Beseelung« vor allem von Keramikgefäßen beschreiben. Zu den wichtigsten Bestandteilen der Primären Standardsequenz gehört die Hieroglyphenfolge *u tzʼibnah y uchʼib*, »die Schrift auf dem Trinkgefäß von . . .«. Sie zeigt wohl, daß der Akt der Beschriftung des Gefäßes besonders wichtig war und vielleicht sogar den eigentlichen Höhepunkt in der Beseelung des Gefäßes darstellte. Aber nicht jede Keramik mit einer Primären Standardsequenz ist ein Trinkgefäß. Stephen Houston und Karl Taube entdeckten 1986, daß jeder Objekttyp mit einer eigenen Hieroglyphe benannt wurde. Wenn die Primäre Standardsequenz auf Tellern geschrieben wurde, ersetzte man die Hieroglyphe für Trinkgefäß durch die Hieroglyphe *lak*, die »Teller« heißt. Dreifüßige Schalen wurden von den Maya von Tellern unterschieden, ebenso wie kleine Tonflaschen, die *yotot*, »Haus«, genannt wurden. Wir sind – und das ist ein einmaliger Fall in ganz Amerika – in der Situation, daß wir für alle wichtigen Gefäßformen die Maya-Bezeichnungen kennen, also ein kulturimmanentes Klassifikationssystem für eine Klasse wichtiger archäologischer Objekte besitzen[20]. Der Objektbezeichnung folgen zwar nicht immer, aber doch sehr häufig, Hinweise auf den Gebrauch der Keramik. So wissen wir, daß die meisten Trinkgefäße Kakao enthielten, das wertvollste Getränk, das man bei fürstlichen Gelagen zu sich nahm. Andere Gefäße wurden speziell für *atole* gemacht, ein Getränk aus mit Wasser verrührter Maismasse; hier unterscheiden die Hieroglyphen sogar zwischen verschiedenen Arten. Wieder andere Schalen enthielten mit Honig angerührte Getränke.

War der Verwendungszweck des Gefäßes beschrieben, so durfte zum Abschluß der Name des Besitzers nicht fehlen; je eitler er war, desto mehr Titel ließ er seiner Namenshieroglyphe folgen.

Früher glaubte man, Weihinschriften im Stil der Primären Standardsequenz fänden sich nur auf Keramiken. Heute wissen wir aber, daß es Weihinschriften für fast alle Medien gibt, die die Maya zum Schreiben benutzten. So gibt es z. B. spezielle Weihinschriften für Bauwerke,

Abb. 146   Abrollung eines polychrom bemalten Gefäßes: Die Szene zeigt ein orgiastisches Fest mit derart intensivem Alkoholgenuß, daß einer der Teilnehmer von zwei Begleitern gestützt werden muß. Zwei der Tonkrüge sind mit der Hieroglyphe chi, »Agavenwein«, beschriftet. Die Hieroglyphen zwischen den Personen geben zum Teil wörtliche Rede wieder, über der Szene befindet sich dagegen eine Primäre Standardsequenz.

die meist mit einem Verb beginnen, das *ochi butz',* »Der Rauch trat herein«, lautet[21]. Diese Aussage bezieht sich wohl auf eine Zeremonie, bei der zum ersten Mal Weihrauch in dem Bauwerk verbrannt wurde. Andere Weihinschriften an Bauwerken sind etwas lakonischer gehalten und besagen lediglich, daß ein Teil des Gebäudes errichtet oder vollendet wurde. Auch die verschiedenen Typen von Bauwerken werden in den Hieroglyphentexten klar unterschieden. So kennen wir heute die Hieroglyphen für Haus, Ballspielplatz, Grab, Schwitzbad, Treppe und viele andere Gebäudeteile.

Neben Bauwerken finden sich Weihinschriften auch auf Stelen und Türstürzen. Die Einweihung von Stelen wird meistens etwas lakonisch mit dem Verb *u tz'apwa,* »es wird in die Erde eingepflanzt«, beschrieben. Für die Maya waren Stelen keine bloßen Steinobjekte, sondern steinerne Verkörperungen von Bäumen. Die Hieroglyphe für »Stele« zeigt das Zeichen für »Stein«, *tun,* in Verbindung mit dem Zeichen für »Baum«, *te.* Somit war es absolut folgerichtig, daß die Aufstellung solcher »Baum-Steine« als »einpflanzen« gedeutet wurde[22]. Die Einweihung steinerner Türstürze wurde wahrscheinlich mit dem Satz »Hochgehoben wurde der skulptierte Türsturz« beschrieben. Ein Großteil der Hieroglyphentexte von Chichén Itzá und anderen Orten in Yucatán behandelt Einweihungszeremonien. Orte wie Xcalumkin im nördlichen Puuc-Gebiet verzeichneten fast nur Weihzeremonien und hielten biographische oder geschichtliche Daten nicht für wichtig genug, um aufgezeichnet zu werden.

David Stuart und Nikolai Grube machten 1987 die Entdeckung, daß materielle Güter, seien es Häuser, Stelen oder kostbare Artefakte, individuelle Namen besaßen. Häufig folgen auf die Gattungsbezeichnung des eingeweihten Objektes eine weitere, oft einen Götterkopf zeigende Hieroglyphe und eine weitere, die als *u k'aba,* ». . . ist der Name«, entziffert wurde. Diese Formel ist ein weiteres Indiz dafür, daß keine scharfe Abgrenzung von belebter und unbelebter Welt existierte. Wenn eine Stele einen Fürsten in der Gestalt eines Gottes zeigte, so wurde die Stele zu einer Verkörperung dieses Gottes und erhielt seine spirituelle Kraft. Es ergibt sich daraus, daß alle so belebten Objekte nicht einfach aufgegeben werden konnten, wenn man sie nicht mehr brauchte. Sie wurden statt dessen rituell bestattet, oder man nahm ihnen ihre spirituelle Kraft, indem man sie rituell tötete.

Die verschiedenen Formen der Weihinschriften sind vor allem für Archäologen von Bedeutung, bieten sie doch genaue Anhaltspunkte für die Datierung von Gebäuden und Monumenten, aber häufig auch Informationen über Namen oder Verwendung derartiger Objekte[23].

Abb. 147 *Die zwanzig Tageszeichen.*

Narrative Texte

Für den Historiker von größerem Interesse sind die narrativen Texte (Abb. 143–146), die man grundsätzlich in zwei Kategorien unterteilen kann: einmal sind dies Texte, die wie auf Keramikgefäßen oder Türstürzen szenische Darstellungen kommentieren, also eine Ergänzung zu Bildern darstellen, und solche, die für sich allein und ohne Bilder stehen. Beide Arten berichten jedoch im wesentlichen über die gleichen Ereignisse. Für die Entzifferung sind Beischriften zu Bildern ein wichtiges Hilfsmittel, um Verb-Hieroglyphen, Namen und Ereignisse zu deuten. Zu den ersten richtig entzifferten Verb-Hieroglyphen gehört die Hieroglyphe *chukah,* »er nahm gefangen«. Es war Yurii Knorozov, der als erster erkannte, daß sie sowohl in den Handschriften als auch auf den Türstürzen von Yaxchilán mit Szenen des Gefangennehmens

Pop	Wo	Sip	Sotz'	Sek
Xul	Yaxk'in	Mol	Ch'en	Yax
Sak	Keh	Mak	K'ank'in	Muan
Pax	K'ayab	Kumk'u	Wayeb	

Abb. 148 Die Hieroglyphen der Monate des 365tägigen Jahres.

einhergeht. Der systematische Vergleich von Bildern mit bestimmten Verb-Hieroglyphen hat dazu geführt, daß wir bereits heute relativ gut über die meisten Aktivitäten der Könige und ihrer Verwandten informiert sind. So können wir die wichtigsten Stationen im Leben eines Fürsten aus den Hieroglyphen erschließen, gibt es doch Hieroglyphen z. B. für Geburt, Inthronisation oder Tod. In einigen Fällen kennen wir zwar die Bedeutung der Hieroglyphe, können sie aber noch nicht lesen oder ihre Metaphorik verstehen. Für »sterben« waren unterschiedliche Hieroglyphen in Gebrauch, die entweder einfach »er starb« bedeuten oder aber eine komplexe Metapher enthalten, wie »der weiße Blütenwind flog davon«, vielleicht eine Metapher für das Entschwinden der Seele. Auch die Thronbesteigung konnte durch verschiedene Hieroglyphen beschrieben werden. Der einfachste Ausdruck für Thronbesteigung lautet »er wurde in die

Königswürde eingesetzt«. Weitaus schwieriger zu verstehen sind aber Hieroglyphen, die einen Satz wiedergeben wie z. B. »er setzte sich sein blumengeschmücktes Stirnband mit der Narrengottfigur auf«. Daraus wird deutlich, daß es nicht ausreicht, sich ausschließlich mit den Hieroglyphen selbst zu befassen, wenn man sie lesen will; als Schriftforscher muß man darüber hinaus auch die Ikonographie und die Metaphorik der Schreiber verstehen lernen.

Neben grundlegenden biographischen Informationen erfahren wir aber aus den Inschriften auch Nachrichten über andere Aktivitäten der Könige und ihrer Angehörigen, doch bleiben all diese Informationen allerdings im Bereich höfischer Propaganda. Dieser Sachverhalt hat verschiedene Fachleute veranlaßt, Aussagen, die in Hieroglyphentexten gemacht werden, häufig nicht ernst zu nehmen oder sie als reine Propaganda ohne jegliche Relevanz für die Sozialgeschichte des größten Teils der Bevölkerung abzutun. Jüngste Forschungen bestärken jedoch die historische Genauigkeit und Korrektheit der Aufzeichnungen. Ausgrabungen in Tikal, Caracol und Dos Pilas zeigen z. B., daß in den Inschriften verzeichnete Kriege tatsächlich stattfanden und eine verheerende Wirkung auf einen Großteil der Bevölkerung des unterlegenen Staates hatten.

Zu den in den Inschriften festgehaltenen königlichen Aktivitäten gehört eine Vielzahl von Zeremonien und Opferhandlungen, von denen das königliche Blutopfer sicherlich eines der wichtigsten Rituale darstellte, das zu allen politisch bedeutsamen Anlässen durchgeführt wurde. In diesem Zusammenhang berichten die Inschriften allerdings nicht nur von verschiedenen Formen des Blutopfers, sondern auch von den zahlreichen unterschiedlichen Visionsschlangen, die man durch diese Riten herbeizurufen suchte. Die zentrale Bedeutung des Blutopfers für den Erhalt der königlichen Macht war allerdings schon viele Jahre, bevor man die Inschriften neben den Blutopferszenen entziffern konnte, grundsätzlich bekannt. Heute erlaubt ihre Lesung ein sehr viel genaueres Verständnis dieser Szenen. Und so wissen wir nun, daß die Visionsschlangen die *wayob* oder »Schicksalsdoppelgänger« bestimmter Götter verkörperten; denn Götter und unter diesen besonders Gott *K'awil* konnten sich in andere Gestalt verwandeln.

Eine andere Aktivität des Königs von besonderer Bedeutung, die auch erst durch die Entzifferung der entsprechenden Hieroglyphe identifiziert werden konnte, ist der Tanz. Zwar hatte man schon vordem immer wieder einzelne Darstellungen von Fürsten als Tanzhaltungen erkannt, aber wie wichtig der Tanz als öffentliches Ritual und Schauspiel wirklich war, wurde erst durch die Ent-

 zifferung einer Hieroglyphe offenbar, die man bis dahin als ein Hilfsverb ohne eigentliche Bedeutung interpretiert hatte[24]. Dabei stellte es sich heraus, daß diese spezielle Hieroglyphe eines der am häufigsten gebrauchten Verben der Inschriften bildet und daß sich ein Großteil der Maya-Herrscher in Tanzposition abbilden ließ. Eine zentrale Rolle spielen bei diesen Tänzen die in der Hand getragene Tanzobjekte. Auch sie können anhand der Hieroglyphen, die dem Tanzverb folgen, identifiziert werden. Als Beispiel für viele sei hier auf einige der Türstürze von Yaxchilán verwiesen, die den König *Yaxun Balam* im Tanz mit seinem Vater, mit *sahalob*, mit seinem Sohn oder mit einer seiner Frauen abbilden. Die Funktion der Tänze war vielfältig, hauptsächlich aber dienten sie sowohl der Festigung von sozialen Bindungen als auch als Mittel, um in Trance zu geraten und so in Kontakt mit Vorfahren und Schicksalsdoppelgängern zu treten.

Auch das Ballspiel war eine wichtige Aktivität der Herrscher. Zahlreiche Hieroglyphen sind als Namen von Ballspielplätzen gedeutet worden, andere beschreiben die Aktivität des Spielens selbst, oder sie adressieren Fürsten als *ah pitz*, »Ballspieler«. Auf diese Hieroglyphen soll hier nicht näher eingegangen werden, da an anderer Stelle dieser Gesichtspunkt ausführlich behandelt wird (s. S. 193).

Da Inschriften ein politisches Instrument zum Machterhalt waren, spielen Titel eine besonders wichtige Rolle. So verweisen die Fürsten z. B. mit ihnen auf ihre militärischen Erfolge oder ihre göttliche Abkunft. Die Tragweite des Erfolgs bei der Erforschung von Titelhieroglyphen in Maya-Texten wird mehrfach deutlich herausgestellt (s. S. 41 ff., 142 ff.); insbesondere erfahren wir viel über die hierarchische Gliederung des Maya-Adels.

Die Könige, die über ein Staatsgebilde herrschten, trugen einen Titel, den wir als Emblemglyphe (Abb. 150) bezeichnen. Sie besteht aus einem festen Kern, der in der Übersetzung »Göttlicher Herrscher von . . .« bedeutet. Diese Sequenz wird ergänzt durch ein Zeichen, das den Namen des Staates nennt, über den der betreffende

Abb. 149 Initialserie der Stele 3 von Piedras Negras, Guatemala: Der Text gibt das Datum 9.12.2.0.16 wieder, das auf den Tag 5 Kib im 260tägigen Kalender und den Tag 14 Yaxk'in im 365tägigen Kalender fällt. Es entspricht unserem 4. Juli 674 n. Chr. Die folgenden Hieroglyphen machen Angaben über einen Gott aus einer Serie von neun Göttern, die gegenwärtige Position des Mondes und den Namen der entsprechenden Mondphase.

Abb. 150   Emblemhieroglyphen wichtiger Kleinstaaten: Yaxchilán (a), Tikal (b), Piedras Negras (c), Bonampak (d), Caracol (e), Seibal (f), Yaxhá (g), utiy ti…l, »es geschah in Tamarindito« (h).

König regierte. Als Heinrich Berlin 1958 die Emblem-glyphen entdeckte, war er sich nicht sicher, ob das variable Zeichen der Name der Königsdynastie, der eines Gottes oder der eines Ortes war. Aus Vorsicht vor vor-schnellen Deutungen gab er der Hieroglyphe deshalb den Namen »Emblemglyphe«. Jüngste Untersuchungen von Peter Mathews, David Stuart und Stephen Houston haben jedoch den Nachweis erbracht, daß die Haupt-zeichen in den Emblemen Toponyme sind[25]. In einem Fall, nämlich der Emblemglyphe für den Ort Yaxhá (yax »grün«, ha' »Wasser«) stellte sich sogar heraus, daß der alte Name des Ortes mit seinem noch heute verwendeten Namen übereinstimmt! Aber nicht nur die Hauptstädte und die von ihnen kontrollierten Territorien sind in den Hieroglyphen benannt, auch verschiedene kleinere Orte innerhalb dieser Gebiete werden namentlich festgehal-ten. Manche dieser Ortsnamen beziehen sich dabei auf natürliche Merkmale wie Berge, Seen und Flüsse, andere auf Gebäudekomplexe, Plätze und sogar einzelne Pyrami-den und Räume in Palästen. Die Identifizierung der Orts-namen vermittelt uns häufig die genaue Kenntnis dar-über, wo eine bestimmte Handlung, ein Tanz, ein Opfer oder auch ein Krieg stattfand, Angaben, aus denen sich wichtige Schlüsse zur territorialen Organisation der

Maya, aber auch über ihre Wahrnehmung des Raumes ableiten lassen.

Als besonders wesentliche Aspekte stellen die Inschriften die verwandtschaftlichen Beziehungen zwischen Vätern, Söhnen und Geschwistern heraus, war doch die genaue Darstellung der legitimen Abkunft von größter Bedeu-tung im ständigen Kampf um den Erhalt der Macht. So war es wichtig, in den Inschriften die Namen des Vaters und der Mutter anzugeben. Die Hieroglyphe, die die Be-ziehung »Kind von Vater« anzeigt, gibt die auch von mo-dernen Maya verwandte Metapher »seine Blüte« wieder, der Sohn wird also als Blüte des Vaters beschrieben. Eine Hieroglyphe, die zwischen dem Namen des Kindes und dem der Mutter erscheint, heißt u huntan, »es wird um-sorgt von . . .«. Der Aspekt der mütterlichen Sorge um das Kind wird hier in den Vordergrund gestellt. Auch den Geschwistern des Königs kam besondere Bedeutung zu: So unterscheiden die Hieroglyphen eindeutig zwischen älteren und jüngeren Brüdern. Hatte ein Herrscher keine Söhne, so ging die Thronfolge häufig auf den jüngeren Bruder über. Ähnlich wie im Europa der frühen Neuzeit wurde an den Königshöfen die Heirat als ein Mittel der Politik eingesetzt: Frauen aus angesehenen Herrscher-familien, vielleicht sogar die Schwestern des Königs, wurden in andere Herrscherfamilien verheiratet, um auf diese Weise einflußreiche Familien aneinander zu binden, und es gibt viele Inschriften, in denen Frauen als *yatan*, »Ehefrau« des Königs, ausdrücklich genannt werden. In seltenen Fällen, wenn es keine geeigneten männlichen Thronfolger gab, konnten Frauen sogar die Herrschaft über einen Staat übernehmen. Die Namenshieroglyphen von Frauen sind in den Inschriften leicht an den vorangestellten weiblichen Profilköpfen zu erkennen, und aus den Titeln, die weiblichen Namen folgen, geht in vielen Fällen ihre Herkunft aus anderen Orten hervor. Speziell dieser Sachverhalt ermöglicht es uns heute, das komplizierte Netz von Heiratsbeziehungen zwischen den Maya-Staaten zu rekonstruieren. Dabei stellt sich heraus, daß die Herrscherfamilien der meisten großen Städte in der einen oder anderen Weise miteinander verwandt waren[26]. Neben Verwandtschaft gibt es auch andere Arten zwischenmenschlicher Beziehungen, die in den Hieroglyphen festgehalten werden. So heißt eine der am weitesten verbreiteten Beziehungshieroglyphen *yitah*, »der Freund von . . .«, und tritt nicht nur zwischen den Namen von Herrschern, sondern auch zwischen zwei Götternamen, wie etwa denen der »Paddler«-Götter, auf[27]. Jeder Titel, den ein Adliger trug, konnte durch ein vorangestelltes Possessivpronomen zu einer Hieroglyphe gemacht werden, die eine bestimmte Form eines Abhängigkeitsverhältnisses markiert. Der Titel *ah k'una*, »Höfling«, konnte durch ein präfigiertes Possessivpronomen *y* zu *yah k'una*, »sein Höfling«, gemacht werden, eine Konstruktion, die anzeigt, daß der Höfling im »Besitz« einer sozial höhergestellten Person war.

Der Großteil der Steinmonumente hat, wie schon zuvor festgestellt, den Charakter von öffentlichen Verlautbarungen aus den Königshäusern. Ihre Funktion besteht darin, die königliche Macht zu legitimieren und als gottgegeben darzustellen. Neben diesen eher statisch wirkenden Hofberichten gibt es aber auch andere, lebendiger wirkende Texte, die nicht die Aktivitäten des Herrscherhauses, sondern das Wirken von Göttern in den verschiedenen Regionen des Kosmos beschreiben. Diese Texte gehen auf Mythen zurück, die uns nicht vollständig überliefert sind und von denen wir nur bestimmte Ausschnitte – meist die Höhepunkte oder Schlüsselszenen – kennen. Das Medium, auf dem sich solche mythologischen Szenen wie in einem Film, den man an einer bestimmten Stelle anhält, abgebildet finden, sind polychrome Keramiken und Kleingegenstände wie Knochen- oder Muschelschnitzereien. Der nur begrenzt zur Verfügung stehende Platz auf diesen Medien bringt es mit sich, daß von einem komplexen Geschehen nur ein minimaler Ausschnitt mitgeteilt wird. Die Besitzer und Auf-

traggeber der Stücke kannten die beteiligten Personen und den Hintergrund einer jeden Szene; wir aber müssen aus den vorhandenen Bruchstücken, oft unter Zuhilfenahme heterogener Quellen, die zu ganz anderen Zeiten entstanden – wie etwa das erst in der Kolonialzeit aufgeschriebene *Popol Vuh* –, versuchen, die zentralen Mythen der Maya zu rekonstruieren. Hervorzuheben ist die große Lebendigkeit dieser Szenen, in denen, wie erst kürzlich entdeckt, sogar wörtliche Reden wiedergegeben sind. Als solche kenntlich, »fliegen« die Hieroglyphenreihen vor den Köpfen der gemalten Personen und sind – genau wie bei einem Comic-Strip unserer Tage – durch eine Linie mit dem Mund des Sprechers verbunden. Sind die königlichen Verlautbarungen auf Steinmonumenten durchweg in der dritten Person gehalten, so haben wir hier auf den Keramiken auch Beispiele für Texte, die in der »Ich-Form« gesprochen werden, für Befehlssätze und sogar für Fragen[28].

Jede dieser neuen Entdeckungen zeigt uns immer wieder auf eindrucksvolle Weise, wie vielfältig und reich die Literatur der Maya in der vorspanischen Zeit gewesen ist.

DIE ZEITVORSTELLUNGEN UND DER KALENDER

Das Anliegen der Könige, ihre Erfolge und biographischen Daten für immer festzuhalten, erforderte die Existenz eines kalendarischen Systems, mit dem Geschichte aufgezeichnet werden konnte. Der Kalender der Maya, sicher der am weitesten entwickelte Kalender im alten Amerika, stellte aber mehr als nur den chronologischen Rahmen für Herrscherbiographien dar; er war Ausdruck des Bedürfnisses von Königen und Fürsten, ihr Leben in den Rahmen immer wiederkehrender Zeitzyklen zu stellen und die eigene Stellung innerhalb der göttlichen Ordnung zu definieren.

Der Kalender der Maya ist einfach zu verstehen (Abb. 147, 148). Im wesentlichen besteht er aus zwei ineinander verschachtelten Zyklen, von denen der eine ein *tzolk'in* genanntes Ritualjahr von 260 Tagen, der andere aber ein dem Sonnenjahr angenähertes Jahr von 365 Tagen, genannt *haab*, bildet. Diese beiden immer wiederkehrenden Zyklen wurden kombiniert mit einer Zählung der Tage, die seit der letzten Weltschöpfung vergangen waren (s. S. 197). Die Kombination von zwanzig Tagen mit den Koeffizienten 1 bis 13 war die Grundlage des *tzolk'in*. So folgte zum Beispiel auf den Tag 1 *Imix* der Tag 2 *Ik'*, dann 3 *Ak'bal* und so weiter. Der dreizehnte Tag hatte die Bezeichnung 13 *Ben*. Dann begann man in der Zählung der Tage wieder mit dem Koeffizienten 1, fuhr aber mit den zwanzig Tagesnamen fort, so daß der

Abb. 151 Abrollung eines polychrom bemalten Gefäßes: Zwei alte Schreiber mit dem für sie charakteristischen Kopftuch unterrichten je ein Paar junger Adepten. Vor dem rechten Schreiber liegt eine Handschrift. Linien vor ihren Mündern in Verbindung mit Schriftzeichen deuten an, daß letztere gesprochene Worte wiedergeben.

14. Tag 1 *Ix* und der zwanzigste Tag 7 *Ahaw* hieß. Die weitere Zählung setzte dann erneut mit den Tagen des Anfangs ein und fuhr dann mit den Koeffizienten in gewohnter Zählweise fort, so daß 8 *Imix* den 21. Tag angab. Erst nach 13 x 20 = 260 Tagen konnte die gleiche Kombination von Koeffizient und Tagesname wieder auftreten. In anderer Form wurden die Tage des *haab* gezählt. 18 Monate zu je 20 Tagen und ein Kurzmonat von 5 Tagen Dauer ergänzten sich zu 365 Tagen. In jedem Monat wurden die Tage von 1 bis 19 durchgezählt; der letzte Tag des Monats war ein besonderer Tag, denn an ihm wurde bereits der nachfolgende Monat in sein Amt eingesetzt. Der letzte Tag des Monats *Pop* konnte zum Beispiel entweder »Ende von *Pop*« oder »Es setzte sich *Wo*« geschrieben werden. Rechnerisch handelt es sich stets um die gleiche Position.

Obgleich die beiden Kalenderzyklen – *tzolk'in* und *haab* – unabhängig voneinander verliefen und ihre Tage von unterschiedlichen Göttern beherrscht wurden, treten sie doch meistens gemeinsam auf. Die gleiche Kombination von *tzolk'in*-Tag und *haab*-Tag konnte nur alle 18 980 Tage wiederkehren, also etwa alle 52 Jahre. Für alle Völker Mesoamerikas waren diese Zyklen zu 52 Jahren von größter Bedeutung. Den Maya jedoch reichten sie nicht aus. Ein Tag, der sich aus dem *tzolk'in*-Datum 8 *Ak'bal* und dem *haab*-Tag 6 *Zotz'* zusammensetzte, konnte nach 52 Jahren wiederkehren und mußte durch weitere Angaben ergänzt werden, wollte man Ereignisse möglichst eindeutig festhalten. Die Maya lösten das Problem, indem sie die beiden genannten Zyklen mit einer Zählung der Tage verbanden, die seit der letzten Schöpfung, die an einem Tag 4 *Ahaw* 8 *Kumk'u* stattfand, verflossen waren. Für diese Zählung bedienten sie sich verschiedener Zeiteinheiten, von denen die kleinste der Tag (*k'in*) war. Zwanzig Tage bildeten einen Monat (*winal*) und 18 Monate ein Jahr zu 360 Tagen, das *tun* genannt wurde. 20 *tun* bildeten einen *k'atun*, zwanzig *k'atun*, also 400 Jahre zu 360 Tagen, eine Einheit, für die die Wissenschaft heute den Begriff *bak'tun* verwendet, obgleich der alte Name für diese Periode *pih* lautete[29]. Zweifellos hätten diese Perioden ausgereicht, um alle Daten, die in die Klassische Zeit fallen, schriftlich festzuhalten. Die Maya gingen jedoch in ihrem Bestreben, den Ursprung des Kosmos und der Zeit zu entdecken und vielleicht den Zeitpunkt zu finden, an dem alle Zyklen und alle Himmelskörper ihren Lauf begannen, noch darüber hinaus; so gibt es Rechnungen mit noch viel größeren Perioden zu 8000, 160 000, 3 200 000 und mehr *tun*.

Die Maya notierten die seit dem »Nulldatum« verflossenen Tage mittels dieser Perioden in eine »Lange Zählung« genanntes System, das auf dem Stellenwert basierte. Wollte man einen Zeitraum von 24 Tagen schreiben, so schrieb man die Zahl vier vor die Hieroglyphe *k'in*, »Tag«. Sowohl die Zahlen als auch die Hieroglyphen für die Periodeneinheiten konnten in abstrakter Form oder als Porträtvarianten und als Logogramme oder mit Silbenzeichen geschrieben werden. Auch in der Schreibung von Daten bewiesen die Schreiber der Maya ihr ganzes künstlerisches Geschick. Wir transkribieren ein Maya-Datum, indem wir die Perioden, beginnend mit der höchsten und mit den Tagen endend, durch Punkte voneinander getrennt hintereinander schriftlich festhalten.

Das Datum der Stele 2 von Piedras Negras muß also 9.12.2.0.16 transkribiert werden. Das entspricht dem *tzolk'in*-Tag 5 *Kib* und dem *haab*-Tag 14 *Yaxk'in*. Da wir wissen, daß der »Nullpunkt« des Maya-Kalenders unserem 13. August 3114 v. Chr. (oder dem 20. September 3113 v. Chr. im Julianischen Kalender) entspricht, können wir nun die auf der Stele verzeichneten, seit dem Nullpunkt verflossenen Tage umrechnen und auf diese Weise das gregorianische Datumsäquivalent ermitteln (7. Juli 674 n. Chr.).

Für die Maya war Zeit aber nicht nur eine Summe verflossener Tage. Jeder Tag, jede Zahl, jeder Monat stand unter der Regentschaft eines anderen Gottes. Die Konstellation verschiedenster Götter hatte einen unmittelbaren Einfluß auf das Tagesgeschehen. Kriege wurden geplant und Kinder getauft, nachdem man einen Priester nach den Prognosen für den betreffenden Tag gefragt hatte.

Wie z. B. Stele 3 aus Piedras Negras (Abb. 149) belegt, folgen der »Langen Zählung« und dem *tzolk'in*-Tag zusätzliche Informationen, die für die augurische Einschätzung des Tages von größter Bedeutung waren. Die ersten beiden auf den *tzolk'in*-Tag folgenden Hieroglyphen nennen uns den Namen eines von neun Göttern, mit deren Wirken ebenfalls an dem Tag zu rechnen war. Jeder Gott herrschte über einen Tag; am zehnten Tag ergriff wieder der erste Gott die Macht. Der Tag 9.12.2.0.16 wurde vom 7. Gott beherrscht. Mit der nächsten Hieroglyphe beginnt die sog. »Mondserie« – ein Versuch der Maya, die Finsternisse von Sonne und Mond vorherzusagen. Zunächst erfahren wir, daß der Mond 9.12.2.0.16 27 Tage alt war, oder wie die Maya sagen: »er erreichte 27«. Die Zählung des Mondalters beginnt mit dem ersten Erscheinen des Mondes als dünne Sichel nach Neumond. Mit einem Mondalter von 28 Tagen war der Mond wieder nahezu unsichtbar. Die nächsten 2 Hieroglyphen der Mondserie – von Forschern prosaisch als »Hieroglyphe C« und »Hieroglyphe X« bezeichnet – geben noch manche Rätsel auf. Hieroglyphe C stellt wohl eine Zählung der Monde in Sechsergruppen dar. Aus dem Dresdener Codex wissen wir, daß die Maya Sonnen- und Mondfinsternisse in Intervallen von fünf bzw. sechs Mondumläufen erwarteten. Die Verfinsterung der Sonne oder des Mondes wurde als unheilbringendes Zeichen sehr gefürchtet. Einer der berühmten hölzernen Türstürze aus Tikal, der sich nun im Baseler Museum für Völkerkunde (Abb. 41) befindet, berichtet von einem großen Kriegszug von »Herrscher B« gegen die Orte Yaxhá und El Perú, der an einem Tag unternommen wurde, an dem über diesen Orten eine totale Sonnenfinsternis zu sehen war.

Die Hieroglyphe X, die stets auf Hieroglyphe C folgt, hat zwölf oder dreizehn Varianten, deren Form von dem Koeffizienten vor der Hieroglyphe C und dem Kopf abhängt, der über der Hand von Hieroglyphe C zu sehen ist. Es gibt drei verschiedene solcher Köpfe: ein Schädel, der Kopf der jungen Mondgöttin und ein Kopf, der vielleicht einen Venusgott zeigt. Auf Hieroglyphe X folgt eine Hieroglyphe, die *u k'aba ch'ok*, »das ist der Name des Kindes«, gelesen wird. Die junge Mondsichel wird auch heute noch in verschiedenen Maya-Sprachen »Kind« genannt. Hieroglyphe X gibt wahrscheinlich den Namen der jeweiligen Lunation an, vielleicht aber auch den Namen des Gottes, der über den Mond zum Zeitpunkt seines ersten Sichtbarwerdens regiert. Die gewöhnlich letzte Hieroglyphe in der Mondserie verzeichnet, ob der laufende Mondmonat 29 oder 30 Tage hatte. Da die Maya nur mit ganzen Tagen rechneten, konnten sie keine Brüche bezeichnen. Daher wechselten in ihrer Vorstellung dreißigtägige Mondumläufe mit 29tägigen ab, was eine gute Annäherung an die tatsächliche Dauer einer Lunation von 29,53059 Tagen bedeutet.

Kalender und Astronomie waren für die Maya nicht voneinander zu trennen. Die astronomischen Beobachtungen gingen weit über das hier angedeutete Maß hinaus; eine eingehendere Beschreibung ihres astronomischen Wissens würde daher manches Buch füllen. Der wichtigste Planet, dessen Stationen am Himmel beobachtet und berechnet wurden, war die Venus. Aber auch Merkur, Jupiter und Saturn wurden beobachtet, und im Dresdener Codex gibt es sogar ein Kapitel, das sich speziell mit dem Planeten Mars beschäftigt. Der Himmel war in Sternbilder unterteilt, und die Ekliptik darüber hinaus in dreizehn Zeichen des Tierkreises. Die Milchstaße wurde wahrscheinlich mit dem Weltenbaum *Wakah Chan* gleichgesetzt. Der Norden war die Region der obersten Vogelgottheit, dorthin zeigte die Weltenachse, um die sich der Sternhimmel dreht[30].

Das Wissen um den Aufbau des Kosmos, die Kenntnis der periodischen Wiederkehr der Planeten, die Möglichkeit, Sonnen- und Mondfinsternisse zu berechnen, ist mit der Ankunft der Spanier und dem Untergang der Schrift und ihrer Schreiber verlorengegangen. Erst die mühsame, allmähliche Entzifferung der Hieroglyphentexte läßt vor unseren Augen die Geschichte und Mythologie der Maya neu entstehen. An dem Prozeß der Erforschung der Kultur der Maya sind seit einigen Jahren nun auch Maya selbst beteiligt. In Seminaren lernen sie, die Hieroglyphenschrift zu lesen und die Botschaften, die ihre Vorfahren verfaßten, zu verstehen. So trägt die Entzifferung der Schrift der Maya dazu bei, einem Volk die Geschichte und das Wissen seiner Vorfahren wieder zurückzugeben.

Der Zusammenbruch einer Kultur

T. Patrick Culbert

Die Maya des südlichen Tieflandes erreichten den Höhepunkt der Machtentfaltung im 7. und 8. Jahrhundert. Das Land wimmelte von Menschen. Wo früher Wald gewesen war, erstreckten sich nun Maisfelder, so weit das Auge reichte. Inmitten der großen Städte mühten sich Scharen von Arbeitern beim Bau immer gewaltigerer Tempel und Paläste. Die großen Tempel von Tikal stiegen in Höhen auf, die denen moderner zwanzigstöckiger Gebäude gleichkommen, während Copán die großartigen Innenhöfe seiner Akropolis errichtete und seinen Ruhm in Gestalt der monumentalen Hieroglyphentreppe verherrlichte. Aber auch Dutzende anderer Stätten wetteiferten miteinander um die Errichtung eindrucksvoller Bauwerke und anderer Denkmäler. Diese Unternehmungen wurden von mächtigen Königen ins Werk gesetzt, deren Namen und Taten jetzt Teil der Weltgeschichte geworden sind. Steinerne Monumente hielten den Ruhm der Herrscher für die Nachwelt fest, während Bildhauer und Maler Meisterwerke für die Begräbnisstätten der Mächtigen schufen. Mit einem Wort: das Goldene Zeitalter für die Maya (Abb. 152–155; 159a, b).

Nur zwei Jahrhunderte später war all das untergegangen. Der sich regenerierende Tropenwald hatte von den Maisfeldern Besitz ergriffen, und die blättergedeckten Pfostenhäuser waren schon lange vergangen. Affen kreischten in den alten Gemäuern, und der Schutt der instabilen Gewölbe füllte die Räume darunter. Die Könige waren verschwunden und ihr Volk mit ihnen. Wir nennen das den Zusammenbruch der Welt der Klassischen Maya, ein Zerfall, der so jäh und gründlich erfolgte, wie der vorausgegangene Höhepunkt spektakulär gewesen war.

Daß damals schweres Unheil über das südliche Tiefland hereingebrochen war, wurde schon in den frühen Tagen der Maya-Forschung klar. Die Entzifferung des Maya-Kalenders um die letzte Jahrhundertwende führte zu hastigen Erkundungszügen nach skulptierten und datierten Denkmälern. Nachdem sich die Daten in den Inschriften zunächst häuften, stellte man fest, daß dann sehr plötzlich die datierten Monumente weniger wurden und im 9. Jahrhundert ganz aufhörten. 1946[1] legte Sylvanus G. Morley, der allseits geschätzte Doyen der Maya-Forschung und fleißigste Datensammler, ein Verzeichnis aller Inschriften mit Kalenderdaten an. Daraus ergab sich, daß zum k'atun-Ende 9.18.0.0.0 (790 n. Chr.) neunzehn verschiedene Zentren datierte Denkmäler errichtet hatten, die größte Anzahl, die je dieses Ereignisses gedacht hatte. Aber schon 810 n. Chr. waren es nur mehr zwölf Stätten, während 830 n. Chr. ganze drei in der Lage waren, Stelen zu errichten; 890 n. Chr. schließlich markiert ein Jade-Halsschmuck aus dem südlichen Quintana Roo als allerletztes Objekt mit einer Datierung der »Langen Zählung« das Ende des Zyklus. Obgleich sich die Anzahl der bekannten Monumente mit Vermerken der k'atun-Enden seit 1946 geändert hat, bleibt die Tendenz erhalten: das System datierter Bau- und Kunstwerke war abrupt zu Ende gegangen. Der Zustand der archäologischen Stätten im südlichen Tiefland und der Mangel an Postklassischen Bauwerken vermitteln den deutlichen Eindruck, daß die Elite-Bautätigkeit wahrscheinlich zum selben Zeitpunkt wie die Inschriften aufgehört hatte. Im dunkeln blieb allerdings das Schicksal des gemeinen Volkes, und J. Eric S. Thompson[2], der Nachfolger Morleys als führender Gelehrter der Maya-Forschung, vertrat die Ansicht, daß die unteren Schichten ihre Priester-Führer gestürzt, die Zeremonialzentren verlassen und sich friedlich auf das umliegende Land zurückgezogen hätten.

Eine solche Argumentation war in den 50er Jahren vertretbar, weil die Maya-Forschung sich vor dem Zweiten Weltkrieg vorwiegend den gewaltigen Gebäudestrukturen und der spektakulären Kunst der Elite gewidmet und dem Leben und den archäologischen Überresten des gemeinen Volkes wenig Aufmerksamkeit geschenkt hatte. Seither befaßt sich die Feldforschung mit Elite und Gemeinen gleichermaßen[3]. Als geradezu revolutionär muß zunächst die Feststellung bezeichnet werden, daß die Klassische Maya-Population viel größer gewesen sein muß als bis dahin angenommen. Zehntausende von Menschen hatten um die größeren Zentren herum gelebt und nicht etwa nur die wenigen hundert, die man sich bei früheren Rekonstruktionen vorgestellt hatte.

Die Daten lassen zweifellos auch die Dezimierung der Bevölkerung erkennen. Demnach war bis zur Endklassik, der unmittelbar auf den Gipfel der Spätklassik folgenden Periode, die Bevölkerung der meisten Städte des südlichen Tieflandes um wenigstens zwei Drittel geschrumpft. Bei diesem Aspekt widerspreche ich entschieden der von Robert Sharer geäußerten Meinung, der die These vom allmählichen Verfall vertritt[4]. In den meisten Orten war das Bevölkerungsmaximum irgendwann zwischen 700 und 800 n. Chr. erreicht und der Verlust von zwei Dritteln der Menschen bereits zu Beginn der Endklassik um 830 n. Chr. eingetreten. Eine neuere Aufstellung aller verfügbaren Daten über die Population macht deutlich, daß im gesamten Raum zwischen dem Usumacinta im Westen und der belizensisch-guatemaltekischen Grenze im Osten, von der Region um Becán im Norden bis zu den Ausläufern der Gebirgsketten von Guatemala im Süden die Siedlungen verwüstet lagen. Obwohl es entlang der Seenkette im Gebiet des zentralen Petén noch Bevölkerungsreste gab, ist dies doch ein sehr kleines Gebiet verglichen mit den annähernd 100 000 km^2, die im wesentlichen unbewohnt zurückgelassen wurden. Der Klassische »Maya-Kollaps« kann mit Recht ein demographisches Desaster genannt werden.

Wo sind diese Menschen geblieben? Waren damals Ströme von Flüchtlingen vor einer Tragödie – welcher Art auch immer – geflohen? Obwohl ein geringer Teil ohne Zweifel die Flucht ergriffen hatte (Sharer z. B. vermerkt einen Bevölkerungsanstieg in der Puuc-Region in Yucatán zu dieser Zeit), waren es doch viel zu viele Millionen, wenn neueste Bevölkerungszahlen stimmen, als daß ein großer Prozentsatz von ihnen hätte auswandern können. Die benachbarten Gebiete hätten schwerlich einen so großen Bevölkerungszustrom absorbieren können. Überdies müßte sich ein plötzlicher Zustrom archäologisch nachweisen lassen. Dies trifft aber nur für die Puuc-Region zu. Statt dessen zeichnet sich immer klarer ab, daß nicht nur Inschriften und Elite-Bauwerke ein Ende fanden, sondern die Bewohner schlichtweg zugrunde gingen. Dabei denkt man instinktiv an Massengräber, an Leichenkarren, die zu Zeiten des Schwarzen Todes durch die Straßen Europas rollten, oder an verhungernde Menschenmassen in der Sahel-Zone. Im Maya-Tiefland dauerte der Niedergang der Bevölkerung sicher fünfzig Jahre, vielleicht sogar hundert. Für eine Bevölkerung mit kurzer Lebenserwartung wären dies mehrere Generationen. Selbst in besten Zeiten dürfte in den feuchten tropischen Gegenden vor Einführung der modernen Medizin die Säuglingssterblichkeit wohl bei fast 50 Prozent gelegen haben. Mangelnde Hygiene, Parasiten, Durchfall bei Säuglingen und alltägliche Krankheiten, die es immer gibt, verringerten die Überlebenschancen von Kleinkindern drastisch. Wenn sich nun die Säuglingssterblichkeit in Notzeiten noch um zehn bis zwanzig Prozent erhöhte – darüber hinaus womöglich begleitet von abnehmender weiblicher Fruchtbarkeit –, dann nahm die Bevölkerung natürlich rapide ab, weil einfach zu wenige Menschen das fortpflanzungsfähige Alter erreichten. Obwohl es im Maya-Tiefland Landstriche gegeben haben mag, in denen plötzliches Massensterben auftrat, müssen solche Szenen nicht durchgängig als Begleiterscheinung des Zusammenbruchs aufgetreten sein, um dennoch das Bild einer plötzlichen Dezimierung entstehen zu lassen.

Die größeren Grabungen nach dem Zweiten Weltkrieg brachten aber auch andere Details über die Geschehnisse zu Zeiten des Kollapses ans Licht. Hier sei Tikal erwähnt, wo Archäologen der Universität von Pennsylvania und aus Guatemala über zwanzig Jahre lang arbeiteten[5]. Die Testergebnisse aus den Wohnbereichen der Unterschicht lieferten sehr wenig Information über die Bevölkerung der Endklassik. Die kleinen Plattformen, auf denen die Häuser gestanden hatten, ergaben fast durchgehend den Beweis für eine Besiedlung in der letzten Phase der Spätklassik, waren jedoch zu Beginn der Endklassik schon nicht mehr bewohnt, d. h., sie waren nicht mehr benötigt worden. Die Ausgrabungen in den steinernen Palaststrukturen hingegen – sowohl im Zentrum als auch in den Randgebieten – vermitteln ein ganz anderes Bild; denn dort fanden sich große Mengen von Endklassischer Keramik. Im Gegensatz zu den Herren von einst müssen diese späten Palastbewohner ein unordentlicher Haufen gewesen sein, hatten sie ihren Abfall doch in den Ecken der Räume aufgehäuft oder aus den Eingängen geworfen, wo er sich in den einst fleckenlosen Höfen türmte. Die Instandhaltung wurde vernachlässigt, und in einigen Fällen stürzten die steinernen Dächer ein, während Menschen in den alten Gebäuden wohnten. Bisweilen hatten sie den Schutt einfach in die Ecke geräumt und waren in die intakten Teile umgezogen. Die nunmehrigen Bewohner machten den Eindruck von Hausbesetzern, die in Steingebäuden, deren frühere Bewohner nicht mehr da waren, Schutz suchten. Wer waren sie? Alles deutet darauf hin, daß es sich nicht um Zuwanderer, sondern um Nachkommen der Leute gehandelt hat, die schon seit Generationen in Tikal ansässig gewesen

Abb. 152 Abrollung eines polychrom bemalten Gefäßes: Ein thronender Fürst empfängt weitgereiste Fernhändler mit ihren Waren. Zwischen diesen Personen und dem Fürsten sitzen zwei Dolmetscher am Boden. Der Höfling hinter dem Herrscher sorgt in geradezu »professioneller« Raucherpose für aromatische Düfte.

waren, denn ihre Keramik wurzelte in den angestammten Traditionen; an technischem Geschick war wenig verlorengegangen, und zum praktischen Gebrauch war sie ebenso geeignet wie die Keramik auf der Höhe der Klassik. Die verfeinerte Bemalung aber gab es nun nicht mehr. Die einheitlich roten Gefäße waren leicht herzustellen und kamen ohne die Fertigkeiten eines Künstlers aus.

Doch trotz des elenden Lebens in den Palastanlagen blieben die Tempel und Zeremonial-*plazas* heilige Plätze. In der Endklassik wurden nur wenige neue Stelen gemeißelt. Statt dessen schleppten die Bewohner die früheren Denkmäler hin und her, um sie an neuer Stelle wieder aufzurichten. In Tikal hatten zwei Fünftel der Stelen, die Archäologen später auf der Großen *plaza* entdeckten, in Endklassischer Zeit eine Wiedererrichtung zu verzeichnen[6]. Dabei waren allerdings die alten heiligen Vorschriften mißachtet worden. Statt der alten Glückszahlen – Sieben, Neun und Dreizehn – fanden sich u. a. acht Stelen in einer Reihe. Dabei hatte die Acht stets als Unglückszahl gegolten, die den Göttern schwerlich gefallen konnte. In diesen Zeiten wurde der obere Teil einer Stele ohne Darstellungen von der West-*plaza* von Tikal fortgenommen und auf der Großen *plaza* wieder aufgestellt, zusammen mit einem Altar, der aus dem abgerundeten Fragment einer skulptierten zweiten Stele bestand[7]. Die-

selbe Vernachlässigung des vorgeschriebenen Rituals zeigte sich auch bei den Gründungsopfern.

In der Klassischen Periode wurde beim Errichten einer Stele ein genau vorgeschriebener Satz von Objekten begraben. Dazu gehörten sieben Obsidianstücke mit eingeschnittenen Götterköpfen und sieben sog. »exzentrische« Flints, niemals aber »exzentrische« Obsidianstücke. Auch bei Baubeginn eines neuen Gebäudes oder beim Umbau eines alten wurde ein ebenso traditionsreicher Satz von Objekten an festgeschriebener Stelle unterm Fußboden plaziert. Man kann sich vorstellen, wie die gelehrten Zeremonienmeister einst ein solches Ritual planten und die alten Bücher konsultierten – mit all der Rücksicht auf Tradition, die man heute bei der Königskrönung in England oder bei der Wahl eines neuen Papstes beobachtet. Die Maya der Endklassik jedoch beachteten diesen alten geheiligten Brauch entweder gar nicht oder brachten solche Opfer falsch dar, indem sie Gegenstände benutzten, die sie wohl irgendwo in einem Gründungsdepot gefunden hatten. So brachen sie einmal in ein wichtiges frühklassisches Grab hoch oben auf der Nord-Akropolis in Tikal ein, um dort vielleicht Jade zu rauben. Beim Zuschütten des Lochs, das sie gegraben hatten, warfen sie »exzentrische« Flints und inzisierte Obsidiane hinein, die sie aus einem Spätklassischen Stelenopfer-Versteck genommen hatten.

Man kann über Sinn und Zweck solcher zwar weiterhin durchgeführten, aber abweichenden Zeremonien nur spekulieren. Erhob hier jemand den Anspruch, Abkömmling der alten Könige zu sein, und feierte ihr Gedenken durch die Wiedererrichtung ihrer Stelen? Oder war ein barbarischer Anführer aus dem Bauernstand zur Häuptlingswürde aufgestiegen, der sich alter Zeiten besann und seine eigene Stele haben wollte, obgleich niemand mehr da war, der seinen Namen oder seine Taten darauf hätte festhalten können? Es wäre denkbar, daß die alten Ritualschriften in der Zeit des Umbruchs der Zerstörung anheimgefallen waren. Hatte man sie jedoch aufbewahrt, so gab es vielleicht niemanden mehr, der die geheimnisvollen und nun zu Zauberformeln verkommenen Zeichen entziffern konnte. Das alte Wissen mochte verlorengegangen sein bis auf die vage Erinnerung, daß »irgend etwas ungefähr so« gemacht worden war.

Dieser Befund läßt sich überall im Tiefland nachweisen. Die Daten aus Tikal verdeutlichen, daß bei den früheren Ausgrabungen in Uaxactún[8], 20 km weiter nördlich, ähnliche Zustände vorgefunden wurden. In Río Azul[9] an der guatemaltekisch-mexikanischen Grenze ebneten die späten Bewohner einen zerfallenden Palast ein und bauten Häuser aus vergänglichem Material auf dem Schutt. Sofern archäologisch untersucht, kommt man überall zu dem Schluß, daß kulturell verarmte Bewohner während der Endklassik die einst blühenden Orte bewohnt haben, bevor sie zu völliger Bedeutungslosigkeit herabsanken.

Zu beobachten ist darüber hinaus, daß diese traurigen Zustände nicht an allen Stätten oder im ganzen Gebiet zur selben Zeit eintraten[10]. Es scheint, als seien die Städte im Westen und Nordwesten des Tieflandes am frühesten zugrunde gegangen; denn die Inschriften von Palenque, Piedras Negras und Yaxchilán enden alle innerhalb weniger Jahre um 800 n. Chr. Tikal dürfte in diese Gruppe gehören, weil dort keine Endklassische Bautätigkeit festzustellen ist. Zur selben Zeit wurden im nahe gelegenen Uaxactún noch einige größere Gebäude errichtet, obwohl schon wenig später auch dort die Hausbesetzer ihren Müll aus den Palasttüren warfen. Ein interessantes Phänomen ist an einigen kleinen Orten im zentralen Petén und in Belize zu beobachten, wo die ersten – und gewöhnlich einzigen – Stelen sehr spät, unmittelbar vor oder ganz zu Beginn der Endklassik, errichtet wurden. Die Situation im Gebiet des Pasión-Flusses stellt sich unterschiedlich dar. Die meisten der nahe dem Petexbatún-See unmittelbar südlich des Pasión gelegenen Stätten wurden früh verlassen, Endklassische Keramik kommt dort nicht vor[11]. Am Pasión selbst[12] dagegen stieg die Bevölkerung z. B. in Altar de Sacrificios an wie nie zuvor. Weiter flußaufwärts, in Seibal, wuchs nicht nur die Bevölkerung an, vielmehr war dieser Anstieg sogar von einer explodierenden Bautätigkeit und Einweihungen von Stelen begleitet. Man renovierte damals die größeren Gebäudegruppen, und auf der Haupt-*plaza* entstand ein neuer Tempel mit vier Treppen, zu deren Füßen je eine Stele stand. Ohne Zweifel stand Seibal in Blüte – vielleicht aber unter der Herrschaft einer neuen Elite. Seine Endklassischen Stelen (Abb. 157, 158) zeigen eine Anzahl ungewöhnlicher Züge, die vom Traditionell-Klassischen abweichen. Einem Maya der Klassischen Epoche wären die auf ihnen abgebildeten Menschen seltsam erschienen. Ihr langwallendes Haar reicht bis zur Taille hinab, und Knochen in den durchbohrten Nasen verleihen ihnen einen martialischen Ausdruck. Die Glyphen sind häufig von quadratischen Kartuschen gerahmt und tragen bisweilen Kalendernamen als Personennamen, wie es bei den Mexica-Azteken und anderen Völkern des Nordens üblich war. Wahrscheinlich sind diese nichtklassischen Züge der späten Skulpturen von Seibal irgendwie auf nördlichen Einfluß zurückzuführen – womöglich aus dem Maya-Gebiet von Yucatán. Von Dauer war aber auch der Aufschwung am Pasión nicht. Ungefähr innerhalb eines Jahrhunderts gingen die Bauvorhaben und das Aufstellen von Stelen in Seibal zurück und hörten dann ganz auf. Seibal und Altar de Sacrificios fielen dem gleichen Niedergang anheim wie andere Orte auch.

Der Zusammenbruch läßt sich also an folgenden Kriterien ablesen: Herrscher und Hofstaat existierten nicht mehr, Inschriften hörten auf, Neubauten wurden nicht in Angriff genommen, das Wissen um Ritualpraktiken ging verloren. Überdies nahm die Bevölkerung dramatisch ab, und die wenigen Menschen zogen in die alten Steingebäude der einstigen Elite. Nach nochmals einem Jahrhundert sind auch sie nicht mehr nachweisbar. Im Laufe der Menschheitsgeschichte stiegen Kulturen auf, und mit fast monotoner Regelmäßigkeit gingen sie wieder unter. Insofern bilden die Maya keine Ausnahme. Das Ungewöhnliche am »Maya-Kollaps« ist jedoch, daß selten eine so große Population verschwand und ein so weites Gebiet fast unbewohnt zurückgelassen wurde.

Zugleich sei aber betont, daß der Zusammenbruch der Klassischen Maya-Kultur nicht ihren Untergang schlechthin zur Folge hatte (s. S. 257 ff.). Im nördlichen Teil der Halbinsel Yucatán vollzog sich der Übergang zu einer spektakulären Postklassischen Epoche. In Belize, am östlichen Rand des südlichen Tieflandes, und selbst in Nischen entlang der Seenkette im zentralen Petén von Guatemala hielten sich Ansiedlungen bis in die Postklassik. Diese Kultur stellt das Erbe der Klassischen Tradition dar, wenngleich verwandelt durch die Zeit und wahr-

Abb. 153   Abrollung eines polychrom bemalten Gefäßes: Die Szene zeigt zwei junge Maisgötter mit übergroßem Rückenschmuck, die vor Hofzwergen tanzen. Keramiken dieser Art wurden in den Palastwerkstätten bemalt und vermitteln einen Eindruck vom elitären Geschmack des Maya-Adels in der Klassischen Zeit.

scheinlich auch durch Einflüsse aus nördlichen Regionen. Wenn ein Überblick über das Seengebiet des Petén zum Beispiel zeigt, daß wahrscheinlich nicht mehr als 50 000 Menschen an Postklassischen Orten auf einer Gebietsfläche von 50 km² lebten[13], so wird deutlich, auf welch drastische Weise sich der Zuschnitt der Maya-Kultur verändert hatte. Verglichen mit der Population in einem beliebigen der zahlreichen größeren Klassischen Stadtstaaten sind das so wenige Menschen, daß wir als Folge davon einen grundlegenden Wandel der Gesellschaftsstruktur annehmen müssen.

THESEN ÜBER DIE GRÜNDE DES ZUSAMMENBRUCHS

Sobald den frühen Archäologen klargeworden war, daß die Kultur der Klassischen Maya ein schreckliches Schicksal erlitten haben mußte, begannen sie über die Ursachen des Kollapses Spekulationen anzustellen[14]. Ihre Vermutungen umfaßten die gesamte Skala potentieller Unglücksursachen, zumeist plötzlicher oder katastrophenträchtiger Art. Natürliches Unheil wie Krankheiten,

Klimaveränderungen und Versagen des landwirtschaftlichen Systems wurden beschworen, ebenso soziale Umsturzsituationen wie z. B. Invasion von Fremden, Bürgerkrieg zwischen den Maya-Städten oder eine Revolution der bäuerlichen Massen. Alle diese Erwägungen haben nach wie vor ihre Berechtigung, denn die Thesen zeitgenössischer Archäologen unterscheiden sich inhaltlich nicht allzusehr von denen der Vergangenheit. Wer sich jedoch in der ersten Hälfte dieses Jahrhunderts mit diesem Thema beschäftigte, sah sich mit folgenden Schwierigkeiten konfrontiert: ein falsch verstandenes Bild von der Klassischen Maya-Gesellschaft und die Annahme, daß diese aus sich heraus stabil gewesen sei, mußten zu Schlüssen führen, die in die Irre leiteten. Das Modell der Klassischen Maya, das in den 40er und 50er Jahren Allgemeingut geworden war, setzte eine ganz andere Gesellschaftsform voraus, als die Artikel dieses Buches vorstellen. Man ging damals davon aus, daß die Maya ihren Lebensunterhalt allein durch einen sehr konservativen Brandrodungsfeldbau bestritten (s. S. 92 ff.). Man glaubte, daß in feucht-tropischer Umgebung gar nichts anderes möglich sei. Brandrodungsfeldbau ernährt jedoch nur eine Bevölkerung von sehr geringer Dichte. Daraus folgerten die Wissenschaftler, daß die großen Klassischen

Stätten »unbewohnte Zeremonialzentren« gewesen seien. Die einfachen Leute hätten dagegen verstreut im Wald gelebt, der sie mit den meisten Dingen des täglichen Lebens versorgt habe, so daß an ökonomischer Spezialisierung kein Bedarf bestanden habe. Danach beschränkte sich der Handel auf den Austausch weniger exotischer Luxusgüter, die von der Elite bei Zeremonien gebraucht wurden.

In diesem Geschichtsbild wurden die Anführer zu sanften priesterlichen Herrschern, in der Kunst der Kriegführung gänzlich unerfahren und meist dem Gebet hingegeben, wobei sie den langsamen Gang der Zeit mittels ihres komplizierten Kalendersystems verfolgten. Gegen Ende eines *k'atun* gaben sie die Arbeit am Bildwerk einer neuen Stele in Auftrag, manchenorts wurden sie ungeduldig und errichteten Stelen in Abständen von einem halben oder gar einem Viertel-*k'atun*. Die unteren Klassen unterstützten die priesterliche Elite aus Furcht und Frömmigkeit. Es war diese Sichtweise, die den Maya eine Sonderrolle im Vergleich zu anderen frühen Kulturen zuwies. Während letztere sich mit Bewässerungssystemen, Handel und Kriegen herumschlugen, behaupteten die Maya ihre Einzigartigkeit, und die Archäologen schätzten und bewahrten sie. Die Maya-Gesellschaft war aus dieser älteren Perspektive heraus extrem konservativ, gut angepaßt an ihre Umwelt, eins mit sich selbst und der Natur. Die Stabilität einer solchen Gesellschaft wurde im Denken der Archäologen niemals angezweifelt. Immerhin hatte sich die Schrift als Hauptinformationsquelle über einen etwaigen Wandel im Laufe der Zeit sechshundert Jahre lang kaum verändert, abgesehen von Angleichungen kalendarischer Spitzfindigkeiten. Es gab allen Grund zu der Annahme, daß so ein ausgewogenes und in sich ruhendes System Bestand haben konnte – es sei denn, daß eine plötzliche Katastrophe sein Ende bewirkte.

Diesem Idyll der Klassischen Maya-Gesellschaft wurde ein ebenso katastrophales Ende bereitet wie den Maya selbst. Die Forschungs-Projekte der 50er und 60er Jahre räumten zunächst mit der These vom Brandrodungsfeldbau und der geringen Bevölkerungsdichte auf. Als in den 60er Jahren dann die eigentliche Entzifferung der Maya-Hieroglyphenschrift einsetzte[15], wurde klar, daß die »sanften Priester-Könige« des alten Modells nie existiert hatten. Die Maya-Herrscher waren, wie die Fürsten anderer historischer Kulturen auch, von ihrer königlichen Abstammung und ihrer eigenen Verherrlichung besessen. Ihre kleinen Staaten lagen im Wettstreit miteinander um Reichtümer und die Errichtung der größten und prächtigsten Bauten. Sie gierten nach Macht und richteten ihre Anstrengungen auf die Gefangennahme ihrer Feinde. Das Opfer von Blut – des eigenen wie das ihrer Gefange-

nen – bildete eine wesentliche Triebfeder des rituellen Lebens[16]. Die Zentren erscheinen immer weniger als Mittelpunkt für Zeremonien zu Ehren der Götter denn als Monumente der Verherrlichung großer Dynastien. Selbst die riesigen Tempelanlagen erweisen sich als Begräbnisstätten, die in alle Ewigkeit von der Macht der Herrscher künden sollten.

Zu den wichtigsten Erkenntnissen gehört die Feststellung (s. S. 41 ff., 158 ff.), daß die Maya-Gesellschaft weder unwandelbar noch stabil war. Die Bevölkerungszahlen zeigen eine fortlaufende Aufwärtskurve, ebenso die Anzahl größerer Stätten und Bauten. Der Höhepunkt der Maya-Kultur in der Spätklassik – kurz vor dem Zusammenbruch – war in jeder Weise ein Gipfel. Quantitativ gesehen, übertrafen die Maya damals alles vorher Dagewesene in vielfacher Hinsicht: Anstelle eines ausgewogenen, an die vorgegebene Umwelt wohlangepaßten Systems finden wir, besonders hinsichtlich der Bevölkerungsexplosion, einen raketenhaften Aufstieg in eine Zukunft vor, deren Herausforderungen vollkommen neu waren. Verhaltensweisen, die sich in der Vergangenheit bewährt hatten, bargen keine Garantie mehr für Zukunftslösungen.

Hinter Ruhm und Glanz der Späten Klassik verbirgt sich eine Gesellschaft unter gewaltigem Druck. Die Ursachen dafür waren mannigfaltige: Streß durch Überbevölkerung, die Notwendigkeit der Erhöhung der landwirtschaftlichen Produktion, eine sprießende Segmentierung der Elite, erhöhter Wettstreit zwischen den einzelnen Zentren – vielleicht verbunden mit größerer Häufigkeit und Heftigkeit von Kriegen –, Zwänge ökonomischer und militärischer Art durch Nachbarn aus Yucatán. Wir können zwar die Ursachen des Zusammenbruchs immer noch nicht präzisieren, haben jedoch erkannt, daß die Maya in der Spätklassik in allen Aspekten ihrer Kultur einen Punkt erreicht hatten, der die Kontrolle zunehmend erschwerte, so daß sie mit den wachsenden Spannungen nicht mehr fertig wurden. Worin bestanden diese Spannungen?

Katastrophen?

Obgleich, wie schon angedeutet, Katastrophen als Erklärungen des Zusammenbruchs nicht mehr hoch im Kurs stehen, können sie doch auch nicht vollständig verworfen werden. Als am wenigsten wahrscheinlich gilt eine plötzlich auftretende Epidemie. Malaria scheint nach neuesten Erkenntnissen auf die Alte Welt begrenzt gewesen zu sein. Gelbfieber ist zwar eine in den amerikanischen Tropen heimische Krankheit, aber da sie in der

Region endemisch war, konnte die eingeborene Bevölkerung damit fertig werden. Als Alternative sei an Ernteseuchen gedacht. Laut dem Botaniker James Brewbaker[17] könnte in einer ohnehin kritischen Zeit der Maismosaikvirus gewütet haben. Die Wirkung einer solchen Pflanzenkrankheit könnte tatsächlich verheerend gewesen sein, aber es gibt leider keine Möglichkeit zu überprüfen, ob sich jemals so etwas ereignet hat. Auch ein Klimawechsel wird gelegentlich als einer der Faktoren diskutiert. Zieht man das empfindliche Gleichgewicht zwischen Bevölkerungsdichte und Unterhaltsmöglichkeit in Spätklassischer Zeit in Betracht, könnte selbst eine relativ kleine klimatische Abweichung eine verheerende Wirkung gehabt haben. Aber auch das läßt sich nicht überprüfen. Man kann also Katastrophen grundsätzlich nicht ausschließen, aber sie sind nicht mehr zwingend notwendig als Ursache, da nunmehr feststeht, daß die Klassischen Maya keine stabile, wohlangepaßte Gesellschaft darstellten.

Überbevölkerung

Schätzungen der Maya-Population basieren auf Kartierungen, Zählungen und der Datierung der kleinen Plattformen, die Überreste der Wohnbauten des einfachen Volkes darstellen[18]. Wenn man die Anzahl solcher ›house mounds‹ (Erdhügel, auf denen die Häuser standen) in Bewohnerzahlen hochrechnet, kommt man mit unterschiedlichen Umrechnungsmethoden zu unterschiedlichen Ergebnissen; dennoch herrscht heute in der Forschung relativ gute Übereinkunft. Danach lagen ohne jeden Zweifel die Spitzenpopulationen zahlenmäßig sehr hoch. Diese hohen Zahlen ergaben sich jedoch nicht nur durch Bevölkerungsmassierungen in der Nähe der Zentren. Dort ist mit einer innerstädtischen Dichte von 500 bis 800 Menschen pro Quadratkilometer zu rechnen. Verglichen mit der Dichte von 5000/km^2 in Zentren wie Teotihuacán im Hochtal von Mexiko oder den alten mesopotamischen Stadtstaaten, sind dies verhältnismäßig niedrige Zahlen, die weiterhin die Diskussion nähren, ob die Maya-Zentren wirklich urbanen Charakter hatten oder nicht. Hoch erscheinen dagegen ländliche Dichten von 100 bis 200/km^2 über sehr große Gebiete zwischen den Zentren, so daß man auf eine übergreifende Dichte von 200/km^2 fast im gesamten südlichen Tiefland zur Zeit des Spätklassischen Bevölkerungsgipfels kommt. Zweihundert Menschen pro Quadratkilometer – das ist eine erstaunliche Zahl, die der Bevölkerungsdichte von beispielsweise Java oder den dichter besiedelten Regionen Chinas entspricht.

Nach Lage des Datenmaterials gab es damals viel zu viele Menschen, als daß sie durch einfachen Brandrodungsfeldbau hätten ernährt werden können. Nicholas Dunnings Artikel (s. S. 92 ff.) gibt einen Überblick über den Forschungsstand zu intensiveren landwirtschaftlichen Techniken, die die Maya anwandten, um ihre wachsende Bevölkerung zu ernähren. Gegenwärtig werden heftige Debatten geführt über die Details dieser Systeme, besonders über Art und Ausmaß des Bewässerungsfeldbaus. Dennoch kann es keinen Zweifel darüber geben, daß sich die Maya zu Zeiten ihrer größten Bevölkerungsdichte an eine ganze Reihe intensiver Anbaumethoden heranwagten. Der Effekt war sicher der, daß auf diese Weise eine Zeitlang der Unterhalt doppelt so vieler Menschen gewährleistet werden konnte. In der Folge jedoch veränderten die Maya ihre Umwelt drastisch. Während der Wald fast völlig verschwunden war, hatten Unkraut und Nutzpflanzen die Stelle der Bäume eingenommen. Die neuen Anbaumethoden bedeuteten einen Drahtseilakt zwischen Erfolg und Desaster. Teilweise waren diese Methoden neu und unerprobt, teilweise führten sie statistisch an den Rand des Mißerfolgs – erfolgreich in guten Jahren, in schlechten ein Totalverlust.

Obwohl die hohe Bevölkerungsdichte aus der archäologischen Beweislage ersichtlich ist, gibt es keine direkte Methode, die in der Vergangenheit verfügbaren Nahrungsmengen zu schätzen. Es existieren jedoch Hinweise auf angespannte Ernährungssituationen anhand von Skelettmaterial aus Maya-Städten[19]. Untersuchungen haben ergeben, daß in Tikal wie in Altar de Sacrificios die Körpergröße der Erwachsenen während der Spätklassik abnahm, und Knochen- und Zahnanomalien deuten auf Ernährungsdefizite an diesen Orten hin – wie in Copán übrigens auch.

Obwohl hier noch viele Fragen offen sind, dürfte feststehen, daß die Maya enorme Bevölkerungsdichten erreicht hatten, wobei sie sich auf abenteuerliche, wahrscheinlich sogar riskante landwirtschaftliche Methoden einließen, um ihr Volk ernähren zu können. Ein Auseinanderklaffen zwischen Bevölkerungsdichte und Unterhaltsmöglichkeiten gilt heute als allgemein akzeptierter Faktor in fast allen Überlegungen zum Zusammenbruch der Maya[20]. Dunning betont in diesem Zusammenhang, daß

Abb. 154 Abrollung eines polychrom bemalten Gefäßes: Der Gott ▷ Itzamna sitzt auf einem mit Jaguarfell geschmückten Thron innerhalb seines Palastes. Die Fülle an Details in der Darstellung demonstriert hier überdeutlich die Neigung der Maya, Flächen dicht wie mit einem Bildteppich zu überziehen. Gefäße wie dieses führen noch einmal den Glanz der Klassischen Epoche vor Augen.

Abb. 155 Abrollung eines polychrom bemalten Gefäßes. Ein Herrscher aus Río Azul und Mitglieder seiner Familie sitzen auf einem thronartigen Podest, die Frauen rechts etwas abseits von den Männern. Auf dem Boden befinden sich Handelsgüter oder Tribute; die Säcke sind mit der Hieroglyphe ka bul, *»unsere Bohnen«, beschriftet.*

sich in Copán ein düsteres Bild übermäßiger Ausbeutung abzeichnet, und Demarest hebt bei seiner Erörterung des Kollapses der Petexbatún-Stätten den Umweltdruck hervor – wenn auch als Ergebnis verschärfter Kriegführung. Kritisch möchte ich nur anmerken, daß nicht nur e i n Faktor für den Bevölkerungsrückgang und das Ausbleiben der Regeneration verantwortlich gemacht werden kann.

Sozialpolitischer Druck

Auch in sozialer Hinsicht muß der Überbevölkerungsdruck Spannungen hervorgerufen haben. Skulpturen und Wandgemälde belegen, daß die Elite an Privilegien gewöhnt war. Auf den Wandgemälden von Bonampak eilen Diener in einfacher Tracht hin und her, kleiden die Herren in reich verzierte Gewänder und legen ihnen Schmuck aus importierten Muscheln und Jade an, den seltensten aller Kostbarkeiten der Maya. Die Gräber der Könige waren angefüllt mit Gegenständen aus fernen Ge-

genden, Meisterwerken bemalter Keramik (Abb. 152–155) und der Steinschneidekunst. Unaufhörlich verlangten die Götter und der eigene Ruhm immer größere Bauten. Paläste und sorgfältig stuckierte Innenhöfe dienten als luxuriöse Behausungen, während steinere Skulpturen von den Taten der Reichen berichteten. Tempel reckten sich in die Höhe und wurden laufend umgebaut, um immer mehr Erhabenheit zur Schau zu stellen. Den Preis bezahlte schließlich die Masse des Volkes, die Nahrung und Arbeit lieferte. Doch trotz dieser Lasten hielt sich der Lebensstandard der Maya-Bauern wohl insoweit auf einer bestimmten Höhe, als es keine Anzeichen irgendwelcher Erhebungen gegen den Adel gibt. Nur wenige Archäologen würden heute noch das Argument vorbringen, daß Bauernaufstände den Zusammenbruch entscheidend verursacht hätten[21].

Für die Elite muß sich dennoch die politische Situation in Spätklassischer Zeit zunehmend destabilisiert haben. Die Führung lag in den Händen einiger weniger großer Familien, die auf komplizierte Weise durch Heirat und Allianzen miteinander verbunden waren – ähnlich den europäischen Fürstenhäusern vor einigen Jahrhunderten (s. S. 142 ff.). Obwohl die Inschriften keinen spezifischen Hinweis auf Parteienbildung und Umstürze liefern, gibt es doch Andeutungen für beträchtliche Unruhe innerhalb der königlichen Familien. Einige Fürsten, die den Thron bestiegen, waren keine direkten Nachkommen der voraufgegangenen Herrscher, können also durchaus Usurpatoren gewesen sein. Wenn die aufwendigen Ernennungszeremonien der Thronerben, die für die Maya belegt sind, einen Mechanismus zur friedlichen Nachfolgeregelung und Vorbeugung von Machtkämpfen dargestellt haben, dann zeigt dies, daß solche Machtkämpfe an der Tagesordnung waren.

Darüber hinaus waren die Herrscherfamilien abhängig von der Unterstützung durch Adlige geringeren Standes in der komplizierten sozialen Pyramide der Maya-Gesellschaft. Mitglieder der *sahal*-Klasse rangierten zwar deutlich unter den *ahauob*, aber die Inschriften zeigen doch auch, daß die *sahalob* eine wichtige Rolle in militärischen Stellungen und als Gouverneure untergeordneter Territorien spielten. Die politische Struktur war wahrscheinlich ziemlich locker und daher die Kontrolle über den niederen Adel alles andere als leicht. Obwohl weder in der Kunst noch in den Inschriften ausdrücklich von Schwierigkeiten die Rede ist[22] – ihr Zweck war es schließlich, die Elite ohne Rücksicht auf die wahre Situation als ruhmreich hinzustellen –, enthalten sie doch Andeutungen von gesellschaftlichen Veränderungen. William Fash[23] hat zwischen den Zeilen der Inschriften von Copán (Abb. 156) gelesen und dabei hier und da politische Schwierigkeiten ausgemacht. Aus den Reliefdarstellungen einer Bank, die in einem Adels-Quartier nahe dem Hauptzentrum von Copán entdeckt wurde, geht hervor, daß 782 n. Chr. im Hause eines dort wohnhaften

Abb. 156 Copán, Honduras, Altar L: Dieses nie fertiggestellte Denkmal wurde von U Kit Tok', dem Nachfolger des Yax Pak, in Auftrag gegeben. Er bestieg 822 n. Chr. den Thron und sah sich als Begründer einer neuen Dynastie, die jedoch bereits mit ihm selbst endete.

Adligen von dem Herrscher *Yax Pak* ein sog. »Streu-Ritus« zum Gedenken an das Ende einer bestimmten Zeitperiode durchgeführt wurde. Eine zweite solche Bank in einem noch prächtigeren Anwesen gedenkt der Einweihung des Hauses und berichtet, daß *Yax Pak* aus diesem Anlaß ein Keramikopfer geschickt habe. Sodann benutzt ein Mitglied des Adels aus einem anderen Ort die Emblemglyphe von Copán und behauptet, mit dem Herrscher verwandt zu sein. Fash interpretiert diese Inschriften als Hinweis darauf, daß *Yax Pak* wahrscheinlich unter Druck spezielle Privilegien wie den Gebrauch eigener Inschriften auf seinen Adel ausgedehnt hatte, um dessen dauerhafte Unterstützung zu sichern. Dasselbe Phänomen ist in Caracol zu beobachten, wo zwei der drei jüngst entdeckten späten Denkmäler Taten von Individuen wiedergeben, die keine Herrscher gewesen sind[24].

Die obengenannten Beispiele spiegeln sozusagen die innenpolitischen Schwierigkeiten einzelner Zentren wider. Ähnliche Anzeichen weisen aber auch darauf hin, daß das Netz riß, das zwischen kleineren Territorien und größeren geknüpft worden war[25]. Gegen Ende der Spätklassik begann eine Anzahl kleinerer bis mittlerer Städte skulptierte Denkmäler zu errichten oder auch nach langer Pause deren Erstellung wiederaufzunehmen. Uaxactún z. B., nur 20 km nördlich von Tikal gelegen und wahrscheinlich jahrhundertelang unter der Vorherrschaft seines größeren Nachbarn, errichtete 751 n. Chr. eine Stele. Sie stellt nach mehr als 200 Jahren das erste Monument dieser Art dar. Während der folgenden dreißig Jahre folgten vier weitere Orte im zentralen Raum nahe Tikal diesem Beispiel. Entweder mußten in solchen Fällen die Herrscher großer Zentren den Statthaltern zweitrangiger Städte Privilegien zugestehen, oder die Statthalter hatten von sich aus ihre Unabhängigkeit erklärt. In jedem dieser Fälle aber wird eine zunehmende politische Fragmentierung und Schwächung der Macht erkennbar. Um die Mitte des 9. Jahrhunderts nahm die Lage dann schließlich chaotische Züge an. In der Zentralregion errichteten drei getrennte Stadtstaaten Stelen: Tikal, ferner das 12 km nördlich gelegene Jimbal, das zu keiner Zeit Bedeutung gehabt hatte, und Ixlú am Ufer des Petén-Itzá-Sees, 20 km südlich von Tikal. Alle diese Orte benutzten die Emblemglyphe von Tikal, aber jeder von ihnen benannte andere Herrscher. Als zu einem etwas früheren Zeitpunkt in der Pasión-Region das Königreich von Dos Pilas zusammenbrach, benutzten zwei oder sogar drei Herrscher der Region an verschiedenen Orten gleichzeitig die Emblemglyphe von Dos Pilas. Das erinnert an die Frage eines assyrischen Schreibers in ähnlich schwierigen Zeiten: »Wer war König? Wer war nicht König? . . .«

Die politischen Spannungen dieser Zeit riefen offensichtlich auch zunehmende militärische Konfrontationen hervor. Es sei daran erinnert, daß die Maya im Tiefland nie ein Einheitsreich geschaffen hatten. Politisches Grundgebilde blieb das größere Zentrum mit ein paar untergeordneten Städten und einem kleinen umliegenden Territorium. Die Fürsten dieser Staaten lagen im Wettstreit miteinander um vieler Dinge willen: Prestige, Handelsinteressen, Untertanen, wahrscheinlich oft auch Territorialansprüche werden dabei eine Rolle gespielt haben. Durch den Krieg bauten die Könige ihr Prestige auf und besänftigten die Götter mit Menschenopfern. Gelegentlich dehnten sie ihren Staat durch Eroberung benachbarter Gebiete aus. Aber solche Eroberungen waren gewöhnlich nur von kurzer Dauer und zerfielen innerhalb von ein oder zwei Generationen.

Der Kriegführung der Maya hat die Forschung in den letzten Jahren zunehmende Aufmerksamkeit geschenkt; die Entzifferung der Inschriften zeichnet partiell dafür verantwortlich. Ein großer Teil der historischen Informationen widmet sich Berichten mit dem Thema ›Wer nahm wen gefangen?‹ und zeigt in Schilderungen und Bildern gefolterte und geopferte Gefangene. Das Interesse der Archäologen an der Kriegführung wurde durch ein Grabungs-Projekt in der Petexbatún-Region angeregt[26]. In der Mitte des 8. Jahrhunderts wurden dort enorme Anstrengungen zur Schaffung von Verteidigungsbefestigungen unternommen. Der Umfang dieser Maßnahmen überrascht: Ein großer Graben, der eine schmale Halbinsel völlig durchtrennt, um Punta de Chimino zu verteidigen, mißt allein neun Meter in der Tiefe. Aguateca, auf natürliche Weise geschützt durch eine steile Böschung und einen durch Verwerfung entstandenen Abgrund, wurde zusätzlich durch Mauern in einer Länge von mehr als fünf Kilometern befestigt. Die Stadtmitte von Dos Pilas erhielt hastig errichtete Mauern aus Steinen, die man aus Tempel- und Palastbauten gerissen hatte. Dies deutet sicher auf große Intensität der Kriegführung in der späten Geschichte der Region hin – kurz vor dem Zusammenbruch.

Wenn einerseits das epigraphische und archäologische Datenmaterial auf eine Eskalation der Kriege während der Spätklassik hinweist, so sind viele Wissenschaftler[27] der Meinung, daß darüber hinaus Kriegstaktik und Kriegsziel sich änderten. Danach seien die Kriege der frühen Maya hauptsächlich auf die Gefangennahme von Gegnern zum Zwecke der Opferung hin geführt worden, hätten wenig Einwirkung auf das gemeine Volk gehabt. Als aber dann die Spannungen der Klassischen Zeit sich häuften, hätten sich die militärischen Operationen zunehmend auf territoriale Eroberungen gerichtet und

Abb. 157 Seibal, Petén, Stele 8: Während der Endklassik wurden auf den Stelen von Seibal zahlreiche fremdartig gekleidete Personen dargestellt. Dieser Umstand könnte ein Anzeichen dafür sein, daß die Oberschicht von Seibal von Fremden aus der Golfküstenregion dominiert wurde.

wachsenden Schaden für die Bevölkerung gebracht. Solche Veränderungen mußten freilich tiefe Auswirkungen auf das tägliche Leben haben und konnten sehr wohl den Zerfall der Klassischen Maya-Gesellschaft eingeleitet oder beschleunigt haben. Ob es in der Art der Kriegführung einen tiefgreifenden Wandel gab, sei dahingestellt. Unter den existierenden Belastungen hätte schon eine Intensivierung früherer Verhaltensmuster ausgereicht, um zerstörerisch zu wirken.

Spannungen zwischen südlichem und nördlichem Tiefland

Als weitere Aspekte des Zusammenbruchs seien die Beziehungen zwischen dem nördlichen und dem südlichen Tiefland aufgeführt. Im Brennpunkt des ersten liegt der Handel: Die Maya-Gesellschaft im südlichen Tiefland könnte gegen Ende der Spätklassik im Wettstreit um die Vormachtstellung im Fernhandel vom Norden bedrängt worden sein[28]. Der Norden wird gemeinhin als Nutznießer effizienter Seehandelsrouten gesehen, der vielleicht auch eine energischere und flexiblere Handelspolitik betrieb als der konservative Süden. Diese Sicht der Dinge basiert auf der Voraussetzung, daß der Fernhandel die Hauptrolle in der Ökonomie der Klassischen Maya-Gesellschaft gespielt hat, so daß drastische Veränderungen sich als verhängnisvoll für den Weiterbestand der Klassischen Lebensart erweisen mußten. Nun hat der Fernhandel wohl in der Tat unter den zunehmenden Spannungen in Spätklassischer Zeit gelitten, meiner Überzeugung nach war er jedoch nie von so zentraler Bedeutung, daß sein Niedergang von der gleichen Bedeutung gewesen wäre wie die oben dargelegten Faktoren. Der zweite Aspekt betrifft ein militärisches Vordringen fremder Eindringlinge[29]. Es scheint klar, daß es in der Zeit der Endklassik im südlichen Tiefland fremde Bewohner gab. Jene Fürsten, die Seibals späte Blüte bewirkten, waren mit Sicherheit von irgendwoher aus dem Norden gekommen. Die Ikonographie ihrer Stelen, ihre Kleidung und Ausrüstung und die Tatsache, daß sie Kalendernamen trugen, all das deutet auf Traditionen, die dem südlichen Tiefland fremd waren. Aber Seibal ist nicht die einzige Stätte, in der »nichtklassische« Elemente in Erscheinung treten. Ähnliche Kennzeichen tragen die Stelen von Ixlú. In einer über das ganze Tiefland verstreuten Anzahl von Orten tauchen in der Endklassik Keramiktypen auf, die den Kontakt mit Yucatán belegen. Man findet sie in Becán und Río Azul an der nördlichen Grenze des südlichen Tieflandes, an Stätten in Belize und

in Quiriguá im Südosten. In Seibal und Colhá (Belize) deuten Schädelopfer auf Massaker hin, die als Massenmord an Einheimischen zur Zeit der Herrschaftsübernahme durch Fremde interpretiert werden können. Die für diese Ereignisse Verantwortlichen waren wahrscheinlich Maya aus Yucatán oder von der Küste von Campeche, deren Kultur sich von der des südlichen Tieflands unterschied und durch Kontakte mit Nicht-Maya-Völkern aus Mexiko beeinflußt worden war. Die ungelöste Frage ist jedoch die Datierung dieser Vorgänge. Fanden sie früh genug statt, um einen Faktor in der Destabilisierung der südlichen Klassischen Gesellschaft zu bilden? Oder machten sich hier Opportunisten die Lage einer Gesellschaft zunutze, die bereits den Todeskampf des Zusammenbruchs durchlebte?

ZUSAMMENFASSUNG

Die hier und an anderer Stelle in diesem Band beschriebene Situation der Maya in der Spätklassik bietet sich vielschichtig dar und unterlag einer Reihe von Spannungen. Die staatlich-gesellschaftliche Ordnung enthielt Elemente, die durch komplizierte Rückkopplungseffekte in Beziehung zueinander standen. Eindrucksvoll in ihren Errungenschaften, solange diese Ordnung funktionierte, war sie zugleich extrem verletzlich. Eine Abweichung oder ein Versagen an einer Stelle konnte Auswirkungen an anderer Stelle haben und immer mehr Probleme schaffen. Systeme solcher Art sind äußerst schwer zu durchschauen, und noch schwieriger ist die Voraussage, welche Entwicklung sie nehmen werden. (Fragen Sie eine Gruppe von Wirtschaftsfachleuten nach dem Verlauf der Weltwirtschaft in den nächsten 10 Jahren!) Zugleich reagiert jegliches System unter Druck empfindlich auf jede Art von Unruhe. Wenn man die Kette der Ereignisse in der Zeit zurückverfolgen könnte, würde man vielleicht auf ein einziges, auf eine intakte Maya-Gesellschaft einwirkendes Ereignis stoßen, das wiederum zu einem anderen Ereignis und dann zu einem weiteren führte. Jedes weitere Glied in der Kette könnte zunehmende Fehlfunktionen und den Verlust der Kontrolle verursacht haben. In komplexen Ordnungen sind solche auslösenden Ereignisse manchmal ganz trivial und würden, selbst wenn sie bekannt wären, keine adäquaten Erklärungen liefern. Nimmt man z. B. an, es wäre möglich zu beweisen, daß eine Reihe schwerer Hurrikan-Jahre im späten 8. Jahrhundert den Niedergang der Maya ausgelöst hätte. Zufriedenstellend könnte man das zur Kenntnis nehmen, aber in Wahrheit stellt dies keine echte Er-

*Abb. 158 Nach einer kur-
zen kulturellen Blüte in der
Endklassik erlebte auch
Seibal einen raschen Nie-
dergang, der sich nirgends
deutlicher niederschlug als
auf dieser Stele, die »bar-
barische« Züge erkennen
läßt.*

Abb. 159 Angesichts der umgestürzten Stelen von Copán vermerkt J. L. Stephens 1839 nachdenklich: »Wer waren die Menschen, die diese Stadt gebaut haben? In den verfallenen Städten Ägyptens . . . weiß der Fremde um die Geschichte des Volkes, dessen Spuren ihn umgeben: Amerika aber – heißt es – war von Wilden besiedelt.«

klärung dar. Hurrikane kommen im Maya-Tiefland oft vor. Wären vollständige Wetterdaten verfügbar, würde sich womöglich herausstellen, daß diese spezielle Serie von Hurrikanen nicht schlimmer als andere war, die die Maya vorher schon ein dutzendmal getroffen hatte; aber vorher hatten sie sich immer davon erholt. Folglich müßte man sich fragen, warum gerade d i e s e Hurrikane den Zusammenbruch verursacht hätten.

Weder das auslösende Ereignis – oder mehrere – noch die exakte Abfolge der Geschehnisse während des Zusammenbruchs (Abb. 160) der Maya werden wir wohl je erfahren. Wichtig ist: Was immer den Gang der Dinge ausgelöst haben mag – der Kollaps geschah, weil die Maya einen kritischen Punkt der Verletzbarkeit erreicht hatten. An diesem Punkt setzten Ereignisse, die zu jeder anderen Zeit vielleicht überstanden worden wären, eine Abwärtsspirale in Gang, aus der es kein Entkommen gab. Folglich stellt die Tatsache, daß einige Autoren dieses Bandes von Militarismus als Ursache sprechen, andere aber das gestörte Gleichgewicht Umwelt – Bevölkerung

betonen, keinen wirklichen Widerspruch dar. Wir alle haben erkannt, daß eine Vielzahl von Faktoren zusammenwirkten im prozessualen Ablauf.

Im Zusammenbruch der Klassischen Maya-Kultur steckt, so glaube ich, eine ernüchternde Lehre für die Menschen von heute. Die Kurve des Bevölkerungswachstums spricht für sich – ein Wachstum, das mit steigenden Zahlen immer weniger Zeit für Reaktionen ließ. Die Maya reagierten darauf, indem sie eine Reihe von ökologischen und sozialen Anpassungen vornahmen. In der Landwirtschaft haben sie vielleicht kurzfristig positive Ergebnisse erzielt, während auf lange Sicht verheerende Konsequenzen eintraten. Für kurze Zeit hatten sie offenbar Erfolg mit der Erhöhung der Nahrungsmittelproduktion. Die Bevölkerung wuchs jedoch weiter an und blieb zweihundert Jahre lang auf einem hohen Stand. Unerprobte, vielleicht verzweifelte Maßnahmen zur Produktionserhöhung können langfristig unvorhersehbare Konsequenzen haben. Langsame Prozesse wie Erosion oder die Anreicherung der Böden mit Salz wirken allmählich, bis

Abb. 160 Kabáh, Yuca-
tán, Innenraum des »Pala-
stes der Masken«. J. L. Ste-
phens bemerkte dazu: »...
das Ganze wirkt so außer-
ordentlich gefällig und ge-
schmackvoll ansprechend,
daß wir hier unsere Vor-
räte ausbreiteten und im
Gedenken an die einstigen
Bewohner speisten.«

sie einen Punkt erreichen, an dem die landwirtschaft-lichen Erträge schlagartig zurückgehen. Die Langzeitfolgen sind sicher unbeabsichtigt, sie sind aber programmiert durch das Streben nach schnellen Ergebnissen. In ähnlicher Weise können auch soziale Anpassungen wie die Übertragung von Privilegien auf eine immer größer werdende Gruppe oder die Verlagerung der Kriegsziele auf Eroberung Auswege gewesen sein, die zur Lösung kurzzeitiger Probleme beschritten wurden, die sich aber auf lange Sicht in ein Anpassungskonzept nicht eingliedern ließen.

In unserer heutigen Welt spricht die Kurve des Bevölkerungswachstums der letzten Jahrhunderte ebenfalls für sich, und diese Tatsache kann kaum der Aufmerksamkeit eines jeden gebildeten Menschen entgangen sein. Außerdem haben die Industrieländer in den beiden letzten Jahrhunderten beachtliche Produktionserfolge erzielt und den Lebensstandard eines bedeutsamen Teils der Erdbevölkerung wesentlich erhöht. Diese positiven kurzzeitigen Ergebnisse basieren auf dem verschwenderischen Gebrauch fossiler Brennstoffe. Jetzt erst beginnen wir einige der Langzeitfolgen zu begreifen. Der Vorrat an fossilen Brennstoffen wird bald erschöpft sein; aber wir sind so verrannt in deren Verarbeitung, daß wir Alternativen ohne großen Enthusiasmus entwickeln. Das aus den fossilen Brennstoffen freigegebene Kohlendioxyd bewirkt die Bedrohung durch den Treibhauseffekt (bzw. hat schon damit begonnen). Mit alarmierender Geschwindigkeit werden die Regenwälder vernichtet – mit möglichen Folgen für Klima und Sauerstoffvorräte. Gleichzeitig zeigen die Strukturen der Industrienationen Risse. Ganze ökonomische Systeme fallen über Nacht in sich zusammen; die Korruption nimmt zu und ist fast schon nicht mehr zu kontrollieren; alte ethnische Gegensätze führen zu Mord und Totschlag. Stehen wir vor einer Katastrophe wie dem Zusammenbruch der Maya-Kultur? Zumindest müssen wir uns die Frage stellen, wo wir in unserem modernen Lebensstil für derartige Folgen schon die Voraussetzungen geschaffen haben. Was können wir tun, um sie abzuwenden?

Die Maya der Postklassik

Diane Z. Chase und Arlen F. Chase

Ein gleichermaßen von Wissenschaftlern und Laien gern diskutiertes Thema ist die Zwangsläufigkeit des Aufstiegs und Untergangs großer Zivilisationen. Und während manche meinen, daß alle Zivilisationen letztendlich untergehen müssen, vertreten andere genau das Gegenteil. Einige haben den Versuch unternommen, in dieser Hinsicht Gesetzmäßigkeiten zu definieren, die auf alle vergangenen und gegenwärtigen Kulturen übertragen werden können, andere betonen dagegen die Individualität jeder einzelnen Kultur[1]. Das große Interesse gerade in unseren Tagen am Aufstieg und Untergang vergangener Kulturen erklärt sich nicht so sehr aus der grundsätzlichen Neugierde gegenüber allem Vergangenen, sondern eher aus der Angst vor dem Zusammenbruch und dem schließlichen Untergang unserer gegenwärtigen Kultur. Unter diesem Aspekt stellen die Maya und ihr »mysteriöser plötzlicher Untergang« ein Paradebeispiel dar.

Die Auseinandersetzung mit der Kultur der Maya wird allerdings von zahlreichen Vorurteilen beeinflußt. Zu diesen gehört u. a. die Meinung, eine Zivilisation könne nicht im Ökosystem eines tropischen Regenwaldes entstehen, sie sei auch in einer derartigen Umwelt nicht lebensfähig und damit zum Scheitern verurteilt[2]. Für uns von größerer Relevanz ist allerdings die Beurteilung der Postklassischen Kultur der Maya als eine dekadente Phase und im Vergleich zu den vorangegangenen Epochen von geringerer kultureller Potenz[3]. Diese Ansicht stützt sich auf einen Ethnozentrismus der Klassik gegenüber und auf die Betonung der Andersartigkeit der Postklassik. Sie stellt grundsätzlich bestimmte Kulturkriterien heraus, die die vorangegangene Klassische Periode charakterisieren, der Postklassik aber fehlen. Dieser Mangel an Relativismus gegenüber der Postklassik ist auf die deutliche Forschungsorientierung in Richtung der Anfänge der Kultur der Maya und ihrer Vorgeschichte zurückzuführen sowie auf das Faktum, daß bis vor kurzem nur wenige Arbeiten über die Postklassik erschie-

nen sind[4]. Daher ist es auch nicht verwunderlich, daß diese Epoche zumeist nicht richtig verstanden wird.

Es erweist sich als weithin unmöglich, die Maya als einen Testfall für Theorien über den Zusammenbruch von Kulturen zu benutzen, solange die Tatsachen des Zusammenbruchs der Maya-Klassik und deren Interpretationen sowie die Kenntnis der Postklassik weitgehend im dunkeln liegen. Eine neue Sicht ergibt sich allerdings durch die bereits sieben Jahre lang kontinuierlich vorgenommenen archäologischen Untersuchungen in der Postklassischen Stadt Santa Rita Corozal in Belize und der Klassischen Stadt Caracol in Belize. Sie vermitteln uns ein Bild der »letzten Maya«, das sich deutlich von früheren Ansichten unterscheidet[5].

DIE POSTKLASSIK: ZEIT UND RAUM

Die Zivilisation der Maya im Tiefland ist am besten durch die Spätklassische Periode (ca. 600–900 n. Chr.) bekannt geworden, während der große Teil der Regenwälder gerodet wurden, um Platz für eine dichte Besiedlung zu schaffen. Die Städte des Tieflandes zeichneten sich durch eine monumentale Architektur und die Verwendung der Hieroglyphenschrift aus. Auf skulptierten Steinmonumenten wurde die Geschichte der jeweiligen Orte in Form von Abbildungen wichtiger Personen in Kombination mit schriftlichen Aussagen über ihre Herkunft, Geburt, Inthronisation, von ihnen geführte Kriege[6] festgehalten. Die archäologischen Befunde der Späten Klassik weisen auf deutliche soziale Unterschiede innerhalb der Gesellschaft und auf hierarchische Beziehungen zwischen den einzelnen Zentren und vermutlich auch zwischen verschiedenen Staaten hin.

Für die Zeit um 900 n. Chr. lassen die Ergebnisse der archäologischen Forschungen auf deutliche Veränderungen schließen[7]. In vielen der großen Zentren des süd-

Abb. 161 Santa Rita Corozal, Belize: Ausgrabung eines Wohnhauses der Postklassik.

lichen Tieflandes endete die Errichtung neuer Monumente oder Gebäude; auch ist eine dramatische Bevölkerungsabnahme in vorher dicht besiedelten Orten zu verzeichnen. Darüber hinaus wurden die Zentren nicht länger auf traditionelle Art und Weise genutzt, und die Bewohner, die nach dem »Zusammenbruch« von den Städten des südlichen Tieflandes mit ihren steinernen Gebäuden Besitz ergriffen, werden oftmals nur als einfache »Hausbesetzer« angesehen. Die Bezeichnung »Postklassik« meint zunächst eine spezielle Epoche, impliziert aber gleichzeitig auch ein bestimmtes Entwicklungsschema. Ihr Beginn wird traditionell unmittelbar an den »Zusammenbruch« oder die Errichtung der letzten Monumente im Tiefland angesetzt, die durch die Lange Zählung auf 10.4.0.0.0, das heißt auf das Jahr 909 n. Chr. datiert sind[8]. Sie endet mit der Ankunft der Europäer in Mittelamerika im 16. Jahrhundert. Darüber hinaus läßt

sich die Postklassik nur schwer exakt definieren. So ist es oft schwierig, Postklassische Funde von denen aus der vorausgehenden Klassischen und der gleich danach einsetzenden Kolonialzeit zu unterscheiden. Auch wurden nicht an allen Orten späte Monumente oder andere Objekte mit Datierungen aufgefunden, die zur Aufstellung eines Zeitrahmens dienen könnten. Zudem muß berücksichtigt werden, daß weder der Zusammenbruch am Ende der Klassik noch der erste Kontakt der Maya mit Europäern im gesamten Maya-Gebiet zur gleichen Zeit stattfand[9]. Während eines Zeitraumes von nur hundert Jahren zwischen 9.18.0.0.0 (790 n. Chr.) und 10.3.0.0.0 (889 n. Chr.), der gelegentlich auch als »Endklassik« bezeichnet wird, geschahen die grundlegenden, einschneidenden Veränderungen: denn während dieser Phase stellten die großen Städte sowohl ihre baulichen Aktivitäten als auch die Errichtung von Monumenten ein, allerdings nicht allerorts gleichzeitig, sondern zu unterschiedlichen Zeiten in den verschiedenen Regionen des Tieflandes[10].

Die Definition der Postklassik basiert generell auf dem Vorhandensein bestimmter Kulturerzeugnisse und der Abwesenheit anderer; mit der möglichen Ausnahme von Keramik kann keine Materialgattung als eindeutiger Indikator für diese Periode dienen, da alle – wenn auch in reduzierter Form – ebenso in früheren und späteren Zeiten auftreten[11]. Die typischen Merkmale der Klassik – hohe Pyramiden und reliefierte, beschriftete Steinmonumente – sind in der Postklassischen Periode nicht mehr anzutreffen. Statt dessen errichteten die Maya in dieser Zeit niedrigere und vergänglichere Strukturen (Abb. 161); darüber hinaus wurden die Klassischen Zentren weitgehend verlassen. Geschichtsereignisse hielten die Maya in Büchern (Codices) fest, die allerdings zum größten Teil bald nach der Eroberung durch die Spanier vernichtet wurden. Viele der Postklassischen Orte lagen in der Nähe von Wasser – an Seen, Flüssen oder am Meer – und nicht wie während der Klassischen Periode zumeist im relativ wasserarmen Binnenland. Im Maya-Hochland fehlte das Wasser, dafür aber wurden die Städte dort in gut zu verteidigenden Gebieten angelegt. Nahezu alle Aspekte der materiellen Kultur zeigen mit dem Beginn der Postklassik grundlegende Veränderungen. An Steinartefakten fällt die nunmehr große Zahl von Pfeilspitzen (Abb. 162) auf, die in der Klassik nur spärlich vertreten waren. Ein anderes Kennzeichen für die Postklassik sind eingeritzte Keramikfragmente, die man wahrscheinlich als Gewichte für Fischernetze benutzte. Auch wurde die zuvor florierende figürliche Bemalung von Keramik weitestgehend aufgegeben, dafür aber wurde nun viel modelliert; keramische Ware ohne Überzug versah man nach dem Brennen häufig zunächst mit einem Stuckuntergrund und bemalte sie erst dann, wie man es bei Postklassischen Räuchergefäßen und Gefäßen aus Opferdepots sehen kann. Die realistisch gemalten Szenen auf polychromen Keramiken wurden durch stärker stilisierte Motive ersetzt. Figürliche Malerei wurde nur auf verputzten Gebäudemauern angebracht, im Gegensatz zur Klassik, die kaum Wandmalereien kennt. Aber was sind nun wirklich die kulturellen Unterschiede zwischen beiden Perioden, und wo verlief die Entwicklung kontinuierlich weiter? Wenn man seinen Blickwinkel nur auf bestimmte materielle Objekte beschränkt, gewinnt man den Eindruck signifikanter und eindeutiger Unterschiede; geht man aber von der Nutzung der Dinge im Gesamtkulturrahmen aus, wird eine deutliche Kontinuität sichtbar.

Neben der Gliederung des Maya-Gebietes in Hochland und Tiefland, die in der Postklassik wie in früheren Perioden klar ist, gibt es andere regionale Unterschiede innerhalb der materiellen Hinterlassenschaften der Postklassik. Ein Teil der Unterschiede in der Keramik oder der Architektur kann mit territorialen Grenzen in Zusammenhang gebracht werden[12]. Dennoch läßt sich im gesamten Maya-Gebiet eine überraschende Übereinstimmung innerhalb der Postklassik feststellen[13], die vielleicht auf eine engere Kommunikation und größere politische Einheiten als während der Klassischen Epoche zurückzuführen ist.

Verschiedene archäologische Fundorte können gleich-

Abb. 162 Santa Rita Corozal, Belize: Pfeilspitzen und anderes Steingerät aus den Gebäuden der Postklassik (Länge der Pfeilspitzen zwischen 2,1 und 4,9 cm).

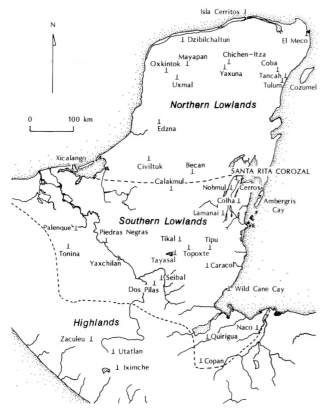

Abb. 163 Karte mit den wichtigsten archäologischen Fundstätten der End- und Postklassik.

Tancah, besitzen sowohl frühe Postklassische Gebäude als auch Überbauungen aus der Späten Postklassik und frühen Kolonialzeit (Abb. 169). Berühmt sind diese Orte wie auch Santa Rita Corozal wegen ihrer Wandmalereien, für deren exotischen Stil man früher auswärtige politische Kontrolle verantwortlich machte; heute ist man allerdings der Auffassung, daß sie eher die kosmopolitische Natur und die breitgefächerten Beziehungen der Späten Postklassik dokumentieren. Santa Rita Corozal ist wahrscheinlich die historische Hauptstadt der alten Maya-Provinz Chetumal[18]. Etwas südlicher in Belize gelegen, weist Lamanai Anzeichen einer ständigen Besiedlung von der Klassik bis zur Postklassik auf[19]; Negroman (oder Macal-Tipu) war vor allem während der Späten Postklassik und der frühen Kolonialzeit bewohnt und besitzt sogar eine frühe spanische Kirche[20]. Im Petén in Guatemala fügen sich die Städte Tayasal und Topoxté in das postklassische Bild ein, wobei das frühe kolonialzeitliche Tayasal wohl nicht in der Nähe der heutigen gleichnamigen Stadt gelegen haben wird[21]. Auch im Hochland entstanden in der Späten Postklassik eine Reihe regionaler Staaten, von denen jeder eine eindrucksvolle Hauptstadt, wie Zaculeu, Mixco Viejo, Iximché (Abb. 170) oder Utatlán besaß[22]. Die vorsichtigen Versuche politischer Zusammenschlüsse, wie sie im Tiefland beobachtet werden können, sind hier jedoch nicht anzutreffen. Ein Großteil unseres Wissens über die Postklassik stammt aus Dokumenten der frühen Kolonialzeit. Die bedeutendste schriftliche Quelle ist der Bericht des Bischofs Landa über die kulturellen Zustände in Yucatán, andere, wie beispielweise das *Popul Vuh*, beschreiben die Maya des Hochlandes[23]. Von den *Quiché*-Maya verfaßt, beinhaltet es Mythen und geschichtliche Traditionen, die bis auf den Ursprung der *Quiché* zurückgehen. Aus diesen Quellen wissen wir, daß das Land der Maya zur Zeit der europäischen Eroberung in eine Reihe unabhängiger Staaten oder Territorien gegliedert war, die alle eine eigene Hauptstadt besaßen. Die Möglichkeit, letztere auch archäologisch nachzuweisen, ist sehr begrenzt und zum Teil umstritten[24]. Weiter verweisen die meisten Quellen auf einen nicht-lokalen Einfluß bei der Entstehung der Kultur der späten Maya, und zwar sowohl im Tief- wie im Hochland[25]. Den Archäologen zufolge setzten diese Einflüsse im Maya-Gebiet zu unterschiedlichen Zeiten ein; so begannen sie in manchen Städten des Tieflands schon in der Endklassik (800 n. Chr.), traten aber im Hochland erst in der Postklassik auf. Zwar enthalten die historischen Dokumente darüber hinaus auch Informationen über verschiedene Aspekte der sozialen, politischen und religiösen Organisation, aber leider existieren nur wenige frühe Augenzeugenberichte. Die drama-

sam als Schlüssel zur Interpretation der Postklassik herangezogen werden (Abb. 163). So zeigen Fundorte wie Seibal und Nohmul[14] im südlichen Tiefland Einflüsse, die nicht aus dem Maya-Kulturkreis stammen und für das Ende der Klassischen Periode charakteristisch sind. Chichén Itzá mit Isla Cerritos als Handelshafen (Abb. 164–167) war vermutlich die Hauptstadt eines Staates, der sich über den Zeitabschnitt vom Ende der Klassik bis in die Frühe Postklassik erstreckte[15] und vielleicht als bedeutendster Versuch einer politischen Vereinigung, die je von den Maya erreicht wurde, angesehen werden kann. Nach dem Zusammenbruch des Staates von Chichén Itzá gewann dann die Stadt Mayapán an Bedeutung (Abb. 168), welche wiederum als Hauptstadt einer riesigen politischen Einheit fungierte, die den Großteil der Halbinsel Yucatán umfaßte[16]. Allerdings ging ihre Bevölkerungsdichte nach ihrer Zerstörung um das Jahr 1450 n. Chr. herum wesentlich zurück. Fundorte an der östlichen Küste Yucatáns schließlich, wie z. B. Tulum[17] und

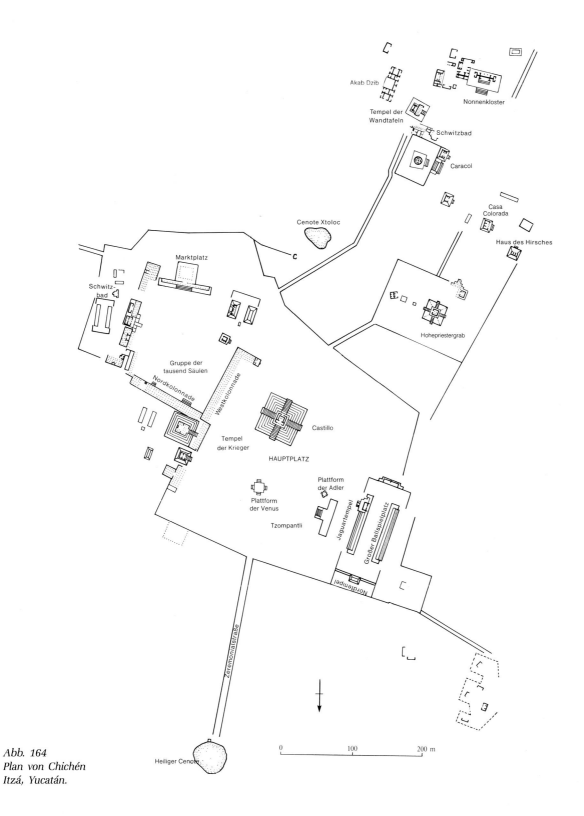

Akab Dzib

Nonnenkloster

Tempel der
Wandtafeln

Schwitzbad

Caracol

Casa
Colorada

Cenote Xtoloc

Haus des Hirsches

Marktplatz

C

Schwitz-
bad

Hohepriestergrab

Gruppe der
tausend Säulen

Nordkolonnade

Westkolonnade

Castillo

Tempel
der Krieger

HAUPTPLATZ

Plattform
der Adler

Plattform
der Venus

Jaguartempel

Tzompantli

Großer Ballspielplatz

Nordtempel

Zeremonialstraße

0   100   200 m

Heiliger Cenote

Abb. 164
Plan von Chichén
Itzá, Yucatán.

Abb. 165   Chichén Itzá, Yucatán. Blick auf den riesigen Bau des Kriegertempels, der von den sog. Tausend Säulen flankiert wird. Heiligtum und Kolonnaden waren ursprünglich mit gemauerten Gewölben überdeckt. Als die tragenden Oberschwellen aus Holz verfaulten, stürzte die ganze Bedachung ein.

tische Entvölkerung des Tieflandes durch von Europäern eingeschleppte Krankheiten, der rapide Wandel der Kultur der Maya, hervorgerufen selbst durch indirekten Kontakt mit Europäern, und die vergleichsweise späte Eroberung der Halbinsel Yucatán tragen Schuld daran, daß weit weniger Dokumente über den Zustand der Maya-Kultur am Vorabend der Eroberung vorhanden sind als über andere Bevölkerungsgruppen, wie z. B. über die Azteken in Zentralmexiko, die sofort in das spanische Kolonialreich integriert wurden. Und leider können auch ethnohistorische Quellen diese Lücke nicht schließen, zeichnen doch archäologische Befunde ein davon abweichendes Bild der Postklassischen Maya-Gesellschaft, wie im folgenden dargelegt werden soll.

KONZEPTIONELLE PROBLEME IM VERSTÄNDNIS DER POSTKLASSIK

Die Einstellung der Postklassik gegenüber hat sich in den 35 Jahren seit Erscheinen des berühmten Artikels »The Death of a Civilization« von Tatiana Proskouriakoff, der ihre Interpretation des Spät-Postklassischen Zentrums Mayapán in Yucatán, Mexiko, darstellte, wenig geändert[26]. In diesem Artikel wies sie auf Parallelen zwischen Aufstieg und Untergang der Kulturen Griechenlands und Roms und dem Schicksal der Maya hin. Sie stellt die zwei klassischen Zivilisationen der Alten Welt mit den Klassischen Maya und den Tolteken aus Zentral-Mexiko gleich; beide – so wie ihre Gegenspieler im medi-

Abb. 166   Chichén Itzá, Yucatán: Blick vom Kriegertempel
auf die höchste Pyramide, El
Castillo.

Abb. 167   Chichén Itzá, Yucatán: Rekonstruktionszeichnung
von Tatiana Proskouriakoff.

terranen Bereich – verkörpern nach Proskouriakoffs Ansicht den Höhepunkt der kulturellen Entwicklung Mesoamerikas. Obwohl diese Analogie auf den ersten Blick sicherlich attraktiv erscheint, ist mittlerweile evident, daß die Grundinterpretationen, auf denen sie aufbaut, einer Überprüfung nicht standhalten.

Die gängigen Darstellungen der Maya-Gesellschaft der Postklassik sind durch die Übernahme überholter Konzepte geprägt worden, wie z. B. durch die erwähnte Griechenland-Rom-Analogie, oder durch eine irreführende Terminologie, die die Begriffe Präklassik, Klassik und Postklassik geprägt hat. Diesen Vergleichen ist es vor allem zuzuschreiben, daß die Idee vom »Aufstieg und Untergang« noch immer aktuell ist. Proskouriakoff hatte einer ausgesprochen militärisch ausgerichteten Postklassischen Periode die Klassik als Zeit des Friedens gegenübergestellt – ein Modell, das später verworfen wurde, als die Klassik als Epoche vielfältiger kriegerischer Aktivitäten erkannt wurde. Auch die Existenz des großen Postklassischen Zentrums Mayapán kann nur als ein großer politischer Erfolg gewertet werden, weit entfernt vom Bild einer in sich zusammenfallenden Maya-Zivilisation in ihren letzten Zügen: Mayapán diente als Metropole des größten Staatsgebildes, das je im Tiefland existiert hat. Mit der Behauptung, die späten Maya seien nicht imstande gewesen, »ihre brillante frühere Kultur wiederherzustellen«, zeigte Proskouriakoff kein Verständnis für den Wandel in der Gesellschaft und Kunst der Maya. Die überzeugendsten Beispiele Postklassischer Kunst – innovative Arbeiten, die sich lediglich anderer Ausdrucksmittel bedienten als in der voraufgegangenen Zeit – belegen eine sehr lebendige, kreative Kultur. Die zahlreichen Räuchergefäße der Postklassischen Periode waren für sie der Beweis, daß die Maya dieser Zeit eine Vielheit von Gottheiten verehrten, im Gegensatz zur Klassik, die nur eine deutlich dominante Gottheit gekannt habe[27]. Proskouriakoff sah die religiösen Bräuche der späten Maya auch als Indikatoren einer Entwicklung, die privaten Kulten weiteren Raum gab. Heute lassen sich diese Ansichten, insbesondere gestützt durch neuere und neueste archäologische Untersuchungen, nicht länger aufrechterhalten. Dennoch sind sie noch immer in der allgemeinen Literatur über die Maya anzutreffen. Vergleichende Arbeiten über Religion und Ritual der Späten Postklassik, die wir vor allem in der Regionalhauptstadt Santa Rita Corozal in Belize durchgeführt haben, erbrachten das Ergebnis, daß die Religion der Postklassik als Folge der weiten Verbreitung und Popularisierung der Klassischen Symbolik zu interpretieren ist[28]. Dieser Prozeß hat u. a. eine Parallele in der Geschichte der katholischen Kirche, die schließlich den Gebrauch ver-

schiedener lokaler Sprachen zuließ, um die lateinische Messe möglichst jedermann verständlich zu machen.

Um die Unterschiede zwischen der Klassik und der Postklassik besser zu verstehen, muß die Kultur der Postklassik unbedingt aus einer relativierten Perspektive betrachtet werden; d. h., methodisch ist das Hauptaugenmerk nicht auf die Klassik, sondern die Postklassik zu richten: Die Maya speziell dieser Phase ihres Daseins sind als das Bindeglied zwischen den »alten« und den noch lebenden Maya zu verstehen – also zwischen den Maya, die wir aus ethnographischen und ethnohistorischen Beschreibungen kennen, und jenen, die in der Epoche der Klassik lebten. Wissenschaftler, die einerseits die großen Unterschiede zwischen diesen beiden Perioden zugeben, haben andererseits kritiklos die Ergebnisse von Ethnographie und Ethnohistorie auf die über 1000 Jahre zurückliegende Zeit bis hin zur Klassischen Periode übertragen. Wie ähnlich oder unterschiedlich die Postklassischen Maya von ihren Vorfahren auch sein mögen, die direkte Anwendung ethnographischer und ethnohistorischer Analogien muß für die Klassische Periode als völlig unangemessen zurückgewiesen werden. Niemanden kann es überraschen, daß sich Probleme bei der direkten Anwendung ethnohistorischer Quellen für die Interpretation einer antiken Gesellschaft ergeben, insbesondere, wenn berücksichtigt wird, welch große und unüberbrückbare Unterschiede zwischen der spanischen Kultur und der der Maya bestanden, ganz abgesehen vom ausbeuterischen Grundverhältnis zwischen Spaniern auf der einen und den Maya auf der anderen Seite. Ähnliches gilt für die Ethnographie: hier sind es die Unsicherheit, ob Dokumente der Gegenwart tatsächlich eine vorkoloniale Situation adäquat beschreiben, und der alles überdeckende und durchdringende, wenn auch manchmal versteckte, aber überaus lange andauernde spanische Einfluß, die die Bewertung kultureller Kontinuität unmöglich machen. Die Ergebnisse der Archäologie sollten dazu verwendet werden, Berichte aus der Kolonialzeit und moderne Informationen zu bestätigen und vor allem zu korrigieren[29]. Speziell die Untersuchungen in Santa Rita Corozal belegen, daß die Ethnohistorie in bestimmten Fällen direkte Verbindungen zur Postklassik und gelegentlich auch zur Klassik knüpfen kann, sich aber in anderen auch als falsch oder irreführend erwiesen hat.

Abb. 168 Mayapán, Yucatán: Rundbau der Postklassik. ▷

Der Vorteil einer überwiegend archäologischen Interpretation der Postklassischen Maya-Gesellschaft soll im folgenden an einigen Beispielen, die sich auf die soziale und religiöse Organisation der Maya beziehen, verdeutlicht werden.

DIE POSTKLASSIK: MODELLE, ETHNOHISTORIE UND ARCHÄOLOGISCHE DATEN

Zu den vielleicht verbreitetsten Ansichten über die Maya gehört, daß sich sozial gesehen zwei große Gruppen gegenüberstanden, die Adligen und das gemeine Volk oder die Elite und die Nicht-Elite, möglicherweise unter Einbeziehung von Sklaven. Diese Ansicht stützt sich vor allem auf ethnohistorische Quellen und wird von vielen zeitgenössischen Archäologen für unumstößlich gehalten. Bei Betrachtung der gesellschaftlichen Gliederung der Klassischen Maya-Welt haben die meisten Wissenschaftler diese Meinung grundsätzlich übernommen und herauszufinden versucht, welche prozentuale Verteilung der beiden Gruppen anzunehmen und wie hoch vor allem der Anteil der Elite zu veranschlagen ist[30]. Trotz großen Vertrauens in diese Zweigliederung für die Zeit der Klassik ergibt sich aus unserer archäologischen Arbeit in Santa Rita Corozal ein grundlegend anderes soziales System: So zeigen Gräber und Architektur deutlich Extreme des sozialen Spektrums, gleichzeitig aber auch die Tatsache, daß eine große Anzahl von Menschen zwischen diesen beiden Polen zu leben verstand.

Gräber gehören traditionellerweise zu den archäologischen Funden, die zur Interpretation der sozialen Ordnung und ihrer Veränderungen besonders häufig herangezogen werden[31]. Was speziell Santa Rita Corozal und auch andere Orte betrifft, so wurden sogar die wichtigsten Persönlichkeiten nur selten in ausgesprochenen Grabkammern bestattet, sondern in der Regel nur in steinernen Zisternen-Gräbern beigesetzt. Demgegenüber gab es während der Klassischen Periode weit mehr Bestattungsvarianten – von einfachen Begräbnissen über Zisternengräber, Grüfte, bis hin zu großen Grabkammern. Dennoch existieren grundlegende Ähnlichkeiten zwischen den Bestattungen der Klassischen und der Postklassischen Zeit, wie vor allem Gräber der führenden Schichten belegen: Während der Postklassik wurden diese hochrangigen Persönlichkeiten in Santa Rita Corozal aufrecht sitzend an zentralen Gebäudeachsen, unter Altären und/oder an durch Steine gekennzeichneten Plätzen mit Grabbeigaben der Luxus-Kategorie wie Jadeit, Spondylus-Muscheln, aufwendiger Keramik und/oder

Metall-Schmuck, aber auch mit Rochenstacheln und sogar Menschenopfern bestattet. Während der Klassik begrub man Angehörige der führenden Schicht in Einzelgräbern im Bereich der Gebäudeachsen, und die Beigaben bestanden gleichfalls aus vielerlei »luxuriösen« Dingen, ähnlich denen der Postklassischen Periode. Aus beiden Epochen lassen sich auch Begräbnisse der niederen Schicht ausmachen, die aus einer einfachen Bestattung in einer Grube oder direkt unter Gebäudetrümmern ohne Grabbeigaben bestanden. Eine strenge Trennung der Bestattungsarten läßt sich für keine der Epochen nachweisen, da eine große und für eine derartige Aussage relevante Anzahl der Begräbnisse zwischen beiden Kategorien einzustufen ist. Aus beiden Zeitperioden wurden Bestattungen unterschiedlicher Art und sozialen Ranges in ein und demselben Gebäude bzw. Architekturkomplex gefunden. Diesem sozialen Kontinuum begegnet man auch in den Siedlungsfunden. Das sollte jedoch nicht als ein Zeichen für eine weniger komplexe oder »geteilte« Gesellschaftsform verstanden werden, denn es verdeutlicht im Gegenteil ein sehr komplexes System der sozialen Differenzierung[32].

Die Basisgliederung der Maya-Gesellschaft in zwei Klassen geht auf ethnohistorische Interpretationen zurück, denen der archäologische Befund widerspricht, insbesondere was die Postklassik betrifft. So haben archäologische Untersuchungen an so bedeutenden Klassischen Orten wie Caracol, Dzibilchaltún und Tikal bereits Informationen geliefert, die die Existenz einer komplizierten sozialen Ordnung schon in der Klassik vermuten lassen[33].

Wie unkritisch man gegenüber den Städten der Klassik auf die Ethnohistorie baute, zeigt überdeutlich das Beispiel der Übernahme entsprechender Daten Diego de Landas. In seiner »Relación de las cosas de Yucatán«[34] beschreibt Landa eine Maya-Niederlassung, die ringförmig um einen Hauptplatz gruppiert ist und deren Tempel ebenso wie die Häuser der Adligen in der Nähe des Zentrums, die der Nicht-Adligen aber in entsprechend deutlicher Entfernung liegen. Dieses »konzentrische« Modell wird oft benutzt, um wesentlich früher anzusetzende Städte der Klassischen Periode zu beschreiben. Da das Modell Landas schon nicht auf die bekannten Postklassischen Fälle zutrifft, bei denen keine Abstufung von Häusern oder Begräbnissen als Übergang von Adel zu Nicht-Adel oder vom Stadtkern zu den Außenbezirken nachgewiesen werden kann[35], warum sollte sie dann als Maßstab für die früheren Siedlungen und Städte der Klassischen Periode gelten?

Zum konzentrischen Modell liefert allerdings die ethnohistorische Literatur auch eine Alternative, die in der

Abb. 169 Tulum, Quintana Roo: Kleiner Tempel neben dem sogenannten »Castillo«. Derartige Miniaturtempel sind ein Charakteristikum der Postklassischen Architektur an der Karibikküste.

Untersuchung unterschiedlicher Sektoren oder Viertel der einzelnen Städte liegen sollte[36]. Wie wissenschaftlich nachgewiesen, können Funde zur Identifizierung unterschiedlicher Teile der Maya-Gesellschaft in Klassik und Postklassik genutzt werden, und sie provozieren die Frage, wer wohl die »wohlhabenden« Personen waren, die an den Randbezirken der Städte lebten. Auch im Postklassischen Santa Rita Corozal ist diese Frage nicht geklärt; fest steht aber, daß allem Anschein nach die prominentesten Personen eine dezentrale Adresse bevorzugten. Im Klassischen Caracol waren einige der »Wohlhabenden« in den Außenbezirken mit verschiedenen administrativen Aufgaben betraut, während andere die weitläufigen landwirtschaftlich genutzten Terrassen kon-

trollierten. Wieder zeigt sich daran, wie schwer es ist, ethnohistorische Informationen auf die Archäologie kritiklos zu übertragen. So deutet in der Tat die Siedlungsforschung, was speziell den unkonzentrischen Aufbau von Siedlungen betrifft, auf eine große Ähnlichkeit zwischen der Klassischen und der Postklassischen Epoche.

Die archäologischen Belege zur Religionspraktik dokumentieren auf der einen Seite klar die Unterschiede, die der Übergang von der Klassik zur Postklassik mit sich brachte, andererseits aber auch die Probleme, die eine ausschließlich auf die Kontinuität oder Diskontinuität bestimmter materieller Objekte gerichtete Sicht mit sich bringt. Ein einfacher Vergleich von Weihrauchgefäßen und Opfern aus Depots, beides für die religiösen Aktivitäten der Maya besonders typisch, weist eher auf Unterschiede als auf Ähnlichkeiten in Form und Ikonographie hin, aber eine detaillierte Analyse der Fundzusammenhänge suggeriert dennoch eine starke Kontinuität im Ritual selbst[37].

Schon eine flüchtige Betrachtung der figürlich gehaltenen Räuchergefäße verdeutlicht sofort den Unterschied zwischen beiden Epochen: In der Postklassischen Periode waren diese hauptsächlich in Menschengestalt gehalten, die an Urnen appliziert waren. In der Klassischen Periode dagegen zeigten entsprechende Weihrauchgefäße Darstellungen von Göttergesichtern, die die hohen Zylindergefäße, meist mit Deckel, schmückten. Vielleicht sind die Postklassischen Weihrauchgefäße wegen der hier wiedergegebenen, völlig bekleideten Figuren direkter und aussagefähiger in ihrer Symbolik, während auf den Gefäßen der Klassik eine für uns noch dunkle Symbolik beispielsweise mit der gedrehten Volute in den Gesichtszügen von Göttern erscheint, die als Jaguar- oder als Nachtaspekt des Sonnengottes gedeutet wird. Man begegnet dieser enigmatischen Symbolik ebenfalls auf Postklassischen Weihrauchgefäßen, allerdings ist die Ikonographie dort in der Regel leichter verständlich. Unabhängig von ihrer Form wurden die Räuchergefäße beider Epochen in Paaren aufgefunden, ein Umstand, der möglicherweise auf ihre Bedeutung für die alle 20 Jahre zelebrierten *k'atun*-Feierlichkeiten hinweist[38]. Darüber hinaus hat die Untersuchung der Postklassischen Weihrauchgefäßfunde aus Santa Rita Corozal und Mayapán ergeben, daß maximal 13 Gottheiten auf diesen Gefäßen dargestellt werden. Es haben sich keine Beweise für eine zunehmende Verehrung von Idolen und den Zusammenbruch der alten Religion ergeben, wie von Frau Proskouriakoff vermutet wurde, sondern vielmehr für weitverbreitete Rituale, die im Zusammenhang mit dem Kalender stehen und sich aus einem Vergleich der Fundkontexte mit ethnohistorischen Beschreibungen derartiger Zeremonien rekonstruieren lassen. Wenn man sich auf ältere archäologische Daten bezieht, können diese Muster bis in die Klassische Periode zurückverfolgt werden.

Die rituellen Opferdepots (sog. »caches«), die an bestimmten Stellen bewußt angelegt oder versteckt wurden, weisen im ganzen Maya-Gebiet und zu allen Zeiten große Übereinstimmungen auf. Oft bestehen sie aus zwei äußeren Behältern, die Rand an Rand aufeinandergestellt sind, d. h., der obere wirkt wie der Deckel des unteren. Die Inhalte dieser Gefäße veränderten sich im Laufe der Zeit. In der Klassischen Periode enthielten sie bei schlichter Ausgestaltung mehrere kleine, sorgfältig bearbeitete

Gegenstände, wie zum Beispiel Muschelschalen, Jade und Rochenstachel. Auch die Inhalte Postklassischer Depot-Gefäße bestanden aus Jadeperlen und Muschelschalen, die wichtigen Elemente aber waren häufig modellierte und nach dem Brand bemalte Keramikfiguren, die als Behälter fungierten (Abb. 171, 172). Die Bildsymbolik dieser Tonskulpturen erweist sich als weit aussagefähiger als die der verwandten, jedoch kleineren und nicht aus Keramik gefertigten Depotbeigaben der Klassischen Periode. So sind die diesbezüglichen Spät-Postklassischen Depotfunde aus Santa Rita Corozal Menschen- oder Tiergestalten angenähert. Wie bereits erwiesen ist, läßt die Zusammenstellung dieser Objekte auf Aktivitäten während der *Wayeb*-Riten schließen und ist damit mit den Neujahrsfeierlichkeiten der Maya in Verbindung zu bringen, die in ethnohistorischen Beschreibungen und den Codices dargestellt sind[39]. Auch diese Fakten bestätigen erneut die deutlich gegliederte Gesellschaft der Postklassik. Sie trägt darüber hinaus zu einem besseren Verständnis der Depotfunde der Klassischen Periode bei, deren Symbolik noch immer stärker im dunkeln liegt. Die zweifellos bedeutendste Änderung im Bereich der Religion am Übergang von der Klassik zur Postklassik stellte die Einführung einer volkstümlicheren und verständlicheren Symbolik dar, die eine intensivere Teilnahme der Gesamtbevölkerung an den religiösen Ritualen der Postklassischen Epoche ermöglichte.

Die Betrachtung der Klassischen Periode der Maya aus einer Postklassischen Perspektive ergibt Hinweise auf deutliche Kontinuität, die Gemeinsamkeiten in der sozialen Organisation, der Struktur von Siedlungen wie auch in einigen Aspekten des Rituals erkennen lassen. Die Maya der Späten Postklassik erweisen sich damit nicht als dekadente Idolanbeter, wie man einst vermutete, sondern eher als Menschen, die mit einem gut durchdachten, öffentlich praktizierten System von Kalender-Ritualen vertraut waren, das den Lauf der Zeit gliederte[40]. Obwohl ein Wandel im Verlauf der beiden Epochen zu erkennen ist, kann nicht länger von einem Niedergang der Maya-Kultur nach der Klassik die Rede sein.

DAS VERHÄLTNIS VON KLASSIK UND POSTKLASSIK

Dennoch bleibt die Frage, welche Umstände zur Aufgabe der großen Klassischen Zentren geführt haben. Ist etwa der Ursprung in einer Umweltkatastrophe zu suchen, oder waren religiöse Umwälzungen, bäuerliche Revolten, Krankheiten, Dürre der Grund? Oder Krieg? Was besagen in dieser Hinsicht die Erkenntnisse der Archäologen

Abb. 170 Iximché, Guatemala, die Hauptstadt der Cakchikel-Maya *während der Späten Postklassik, wurde auf einem von tiefen Schluchten umgebenen Felsvorsprung erbaut.*

und auch Details der beobachteten Kontinuität? Manches wird klarer, wenn man nochmals auf die letzten Jahrhunderte der Klassik zurückblickt.

Die dichte Bevölkerung der Städte des Tieflandes hatte sicherlich drängende prinzipielle Bedürfnisse – angefangen mit der Ernähung bis hin zu Baumaterialien. Wir dürfen vermuten, daß viele Maya-Siedlungen des südlichen wie des nördlichen Tieflandes schon zur Zeit der Mittleren Klassik die Grenze der Kapazität der natürlichen Ressourcen erreicht hatten und man deshalb eine sorgfältigst gepflegte und intensivierte Balance zwischen Ressourcen und Population aufrechtzuerhalten suchte[41]. Dieses Gleichgewicht war jedoch extrem ge-

fährdet; denn man war zwar in der Lage, interne Faktoren zu berücksichtigen und zu kontrollieren, externe Faktoren lagen jedoch außerhalb direkter größerer Einflußmöglichkeit. Und die Gefahr, die speziell von außen drohte, wurde immer größer.

Von Umwelteinflüssen abgesehen deutet alles darauf hin, daß die Maya des 9. Jahrhunderts n. Chr. in der Tat im Bereich einer blühenden, lebendigen Zivilisation lebten. In mehreren Zentren ist eine deutliche Bevölkerungszunahme festzustellen, und zahlreiche Monumentalbauten wurden errichtet. Kein Einverständnis herrscht jedoch über Änderungen innerhalb des Sozialsystems[42]. Bislang war es die Meinung der Archäologen, daß der Zusammenbruch durch den immer krasser werdenden Gegensatz zwischen Elite und Volk ausgelöst wurde, eine Sicht, die heutige Erkenntnisse der Archäologie nicht mehr bestätigen. So lebte z. B. in Caracol in der Späten Klassik eine große Anzahl sehr wohlhabender Menschen, die aber eindeutig nicht dem Adel angehörten. Ähnliche Beobachtungen lassen sich auch für die Späte Klassik in Dzibilchaltún im nördlichen Tiefland und besonders für Lamanai in Belize anführen, eine Stadt, die ganz offensichtlich die Spanne zwischen Klassik und Postklassik überbrückt. Seit mehreren Jahrzehnten steht die Stadt Chichén Itzá im Zentrum der Diskussion über den Übergang von der Späten Klassik zur Postklassik. Chichén Itzá wurde zum ersten Mal um die Jahrhundertwende und später in den 30er Jahren durch Wissenschaftler des Carnegie Institute in Washington archäologisch untersucht. Den Höhepunkt aber bildete Alfred Tozzers großartige Gesamtschau, in der er chronologische Abfolgen für die Architektur, die Kunst und die Keramik des Ortes vorlegte, die sich von der Klassik bis in die Postklassik erstreckten; seiner Ansicht nach ist die Monumentalarchitektur von Chichén Itzá in die Postklassische Zeit zu datieren. Darüber hinaus aber versuchte er zu zeigen, daß die Kunst und Architektur des Ortes die Fusion eines lokalen Maya-Stils mit einem zentralmexikanischen »toltekischen« Stil darstellten[43]. Als Resultat von Tozzers Studien wurde Chichén Itzá zur einzigen wirklich bekannten Fundstätte der »Frühen Postklassik« im Tiefland der Maya: In dieser Funktion füllte die Stadt die zeitliche Lücke zwischen der Aufgabe der großen Städte im südlichen Tiefland und dem Aufstieg der großen Postklassischen Metropole Mayapán[44].

Von besonderer Bedeutung ist das Vorhandensein von »fremden« Elementen in Kunst und Handwerk des südlichen Tieflandes gegen Ende der Klassik. Tatiana Proskouriakoff, Kennerin dieser Materie, fand besonders in der Zeit der Endklassik viele fremde Elemente im Bereich der Ikonographie. Sowohl die Stelen als auch die modellierte »Fine-Orange-Keramik« des südlichen Tieflandes bilden Figuren und Objekte ortsfremden Charakters ab, und Städte wie Seibal in Guatemala und Nohmul in Belize weisen architektonische Parallelen zu Gebäudeformen und Konstruktionstypen auf, die sonst nur im nördlichen Tiefland vorkommen[45]. Die Bedeutung dieser externen Einflüsse ist eine noch offene Frage. Sind sie auf Kontakte zwischen verschiedenen Maya-Gruppen oder auf solche mit Nicht-Maya-Völkern zurückzuführen? Und schließlich – welcher Art waren diese Kontakte? Durch die Präzisierung der Möglichkeiten der Radiokarbondatierung und erneute und intensivierte Untersuchungen der Perioden der Klassik und der Postklassik

lassen sich nunmehr viele der Kriterien, wie Säulenhöfe und Rundbauten oder die Bleiglanz- und Fine-Orange-Keramik, die vormals die Sonderstellung Chichén Itzás in der Frühen Postklassik zu belegen schienen, definitiv in die Endklassik datieren[46]. Auch die zahlreichen Daten und Hieroglyphentexte auf den Türstürzen und Monumenten von Chichén Itzá, die sowohl mit Maya- wie auch mit sog. »toltekischer« Architektur assoziiert sind, bestätigen diese Zuordnung.

Mit dieser Neudatierung von Chichén Itzá in das Ende der Klassik müssen alle Modelle über den Fremdeinfluß und seine Rolle beim Zusammenbruch der Kultur der Maya neu überdacht werden. So hatte Alfred Tozzer seinerzeit die Tolteken aus Zentralmexiko ins Spiel gebracht und die Vermutung ausgesprochen, diese seien aus dem Norden eingewandert, hätten das Gebiet der Maya übernommen und dann als ihre Hauptstadt Chichén Itzá errichtet. Zwar ließen sich so die Parallelen in der Architektur von Tula und Chichén Itzá erklären, zugleich wurde aber auch vorausgesetzt, daß Kulturen Zentralmexikos der der Maya überlegen gewesen seien. Dies sehen wir heute eher umgekehrt und nehmen inzwischen an, daß die Maya der Spätklassik Einfluß auf Zentralmexiko ausübten und Tula vielleicht sogar einen schon existenten neuen Maya-Stil kopierte[47]. Tatsächlich betrachten viele Maya-Forscher nun den Fall Chichén Itzá als regionale Sonderform eines ansonsten Maya-typischen Stils. Hinweise auf eine toltekische Übernahme der Stadt sind jedenfalls nicht erkennbar. Einem anderen Vorschlag von John Eric Thompson zufolge wurde das südliche Tiefland von Einwanderern übernommen, die als Putun bezeichnet werden und von der Golfküste her gekommen sein sollen. Andere nehmen wiederum an, daß die Putun und nicht die Tolteken das nördliche Tiefland kontrolliert hätten. Zum Teil auf archäologische Daten gestützt, werden nun die hypothetischen Putun angeführt, um die »dunkle« Phase zwischen Klassik und Postklassik zu erklären: Zu Händlern und Kaufleuten erklärt, werden diese »Supermänner« Mesoamerikas zur Lösung aller so komplexen Probleme speziell dieses Zeitabschnittes herangezogen[48]. Obgleich es durchaus möglich erscheint, daß fremde Gruppen in der Zeit unmittelbar vor dem Zusammenbruch der Maya-Welt mit diesen in Verbindung standen, kann ihre Rolle nicht genauer definiert werden, solange keine systematischen Untersuchungen in der Golfregion, dem postulierten Kerngebiet der Putun, erfolgt sind.

Zweifellos war die Zeit um 800 n. Chr. von der Ausweitung kultureller Beziehungen bestimmt, die zwischen geographisch unterschiedlich siedelnden Maya-Gruppen und auch zu Nachbarn, die keine Maya waren, aufgenommen wurden. Dieses Faktum läßt sich vor allem an der Verbreitung verschiedener Stilmerkmale in der Zeit des Übergangs zur Postklassik erkennen, einer Zeit, die in dieser Hinsicht wahrhaft »internationale« Neuerungen in Mesoamerika hervorbrachte.

Unabhängig davon, ob die *Putun* jemals eine Rolle im Übergang von der Klassik zur Postklassik spielten, ist unübersehbar, daß das Chichén Itzá der Endklassik ideologische Innovationen im Gebiet der Maya widerspiegelt, und dies besonders in den Bereichen der Kriegführung und der Sozialordnung. Vermutlich waren institutionalisierte Militärorden, wie sie uns aus der aztekischen Kultur bekannt sind, schon in Chichén Itzá existent, wie Kunst und Architektur der Stadt deutlich machen. Wir glauben darüber hinaus, daß diese Stadt beim Zusammenbruch der Städte des südlichen Tieflandes eine entscheidende Rolle spielte. Es ist sogar möglich, daß Chichén Itzá eine *multepal*-Struktur besaß, so wie später auch Mayapán, in der Herrscher unterworfener Staatsgebilde gezwungen wurden, innerhalb der Grenzen von Chichén Itzá zu residieren. Auch der »internationale« Stil Chichén Itzás ließe sich so leichter erklären. Aber wie auch immer, nur eine oder zwei Generationen nach dem Zusammenbruch der Städte des südlichen Tieflandes erleiden die Städte im Puuc-Gebiet und Chichén Itzá selbst das gleiche Schicksal. Erst nach diesem Gesamtzusammenbruch des Tieflandes kann von einem wirklichen Beginn der Postklassischen Ära gesprochen werden.

KRIEGE UND DER ÜBERGANG VON DER KLASSIK ZUR POSTKLASSIK

Obwohl die Maya heute nicht länger als das friedliebende Volk von einst gelten, hat sich noch keine einheitliche Meinung über die Bedeutung des Krieges bei ihnen herausgebildet. Insbesondere ist die Frage offen, welche Bevölkerungsschichten und -teile und vor allem wie viele Menschen in kriegerische Aktivitäten einbezogen waren[49]. Kriegerische Aktivitäten wurden während der Klassik mit verschiedenen Hieroglyphen schriftlich festgehalten. »Venus-Krieg«-Hieroglyphen zum Beispiel bedeuten größere Feldzüge; solche mit dem Lautwert *hubuy* benennen vermutlich einzelne Schlachten; *ch'ak*-Ereignisse deuten auf eine nicht so kriegerische Handlung hin, vermutlich nur auf die Enthauptung einzelner Personen. Damit aber lassen sich historische Informationen über Eroberungen der Maya aus epigraphischen Quellen entnehmen. Das erste bekannte »Venus-Krieg«-Datum ist übrigens der Sieg Caracols über

Tikal im Jahr 562 n. Chr.[50], von dem an in den hieroglyphischen Aufzeichnungen vieler Städte immer häufiger Kriegszüge genannt werden.

Zwar mögen einige Wissenschaftler argumentieren, daß die in den Schriften erwähnten Ereignisse nicht glaubhaft seien oder daß die beschriebenen Kriegszüge nur das Leben einer Minderheit beträfen[51], die Forschungen in Caracol und die Informationen aus früheren Untersuchungen in Tikal zeichnen jedoch ein ganz anderes Bild und beweisen, daß die »Venus-Krieg«-Hieroglyphe in den Inschriften mehr als nur das Phantasieprodukt eines Herrschers aus Caracol war. In Caracol – den Schriftquellen zufolge die siegreiche Stadt – läßt sich im Anschluß an die Kriegszüge gegen zwei guatemaltekische Staaten, zuerst gegen Tikal und später gegen Naranjo, wachsender Reichtum belegen. Die Folgen des Kriegszuges Caracols gegen Tikal zeigen sich auch in einer über hundertjährigen Unterbrechung der besiegten Herrscherdynastie von Tikal. Während dieses Hiatus wurden keine weiteren skulptierten Stelen und Altäre aufgestellt, und es läßt sich auch bei der Konstruktion der sonst so kunstvollen Gräber und im Bereich der Monumentalarchitektur ein deutlicher Niedergang feststellen. Aber auch andere Umstände, wie der zu beobachtende drastische Bevölkerungsschwund, eine Konzentration der Bevölkerung auf das Kerngebiet und die Herausbildung von Niemandsland zwischen beiden Städten[52] deuten darauf hin, daß nicht nur die adlige Schicht, sondern die gesamte Bevölkerung betroffen war.

Speziell in Caracol wurden Untersuchungen mit dem Ziel durchgeführt, die Folgen der Kriegszüge auf die unterschiedlichen Gesellschaftsschichten festzustellen. Systematische Testgrabungen in verschiedenen Bereichen der Stadt führten zu der Erkenntnis, daß gleichzeitig mit dem Bevölkerungsrückgang in Tikal eine bedeutende Bevölkerungszunahme in Caracol zu verzeichnen ist und ebenso eine Zunahme der Bautätigkeit. Dies gilt sowohl für das Zentrum der Stadt als auch für die Außenbezirke. Zudem wurden nicht nur öffentliche und ausgesprochene »Regierungsgebäude« errichtet, sondern auch andere wichtige Baumaßnahmen durchgeführt, die der Anlage von Dammstraßen und Terrassierungen galten. Die Tatsache einer wirklichen Entvölkerung von Tikal läßt eigentlich nur den Schluß zu, daß als Konsequenz des Krieges Tribut in Form von Arbeit geleistet werden mußte. Schließlich vergrößerte sich Caracol schon kurz nach dem so erfolgreichen Krieg gegen Naranjo im Jahre 631 n. Chr. nochmals und wurde damit zu einer großen Regional-Hauptstadt mit einem Umfang von mindestens der Größe Tikals, aber mit einer dichteren Besiedlung und Bebauung. Der Wohlstand machte sich ebenfalls im

Abb. 171 Santa Rita Corozal, Belize: Opfergefäß aus Keramik mit Bemalung, welches das Postklassische Motiv des »Herabstürzenden Gottes« mit der Wiedergabe des Maisgottes verbindet.

Umfeld der Stadt bemerkbar: So wurden auch in ihren Außenbezirken bis zu den in weiterer Entfernung gelegenen Feldern die gleichen Bestattungen vorgenommen und Depotopfer und Rituale, wie sie sonst nur im Kernbereich der Städte nachzuweisen sind, durchgeführt[53]. Damit steht fest, daß die Kriege der Klassischen Periode nicht nur den adligen Teil der Bevölkerung tangierten.

Wie viele Menschen aber direkt an den Kriegszügen beteiligt waren, läßt sich ohne zusätzliche Belege kaum herausfinden. Fest steht allerdings, daß die einzelnen Heere sicherlich nicht groß waren, und entsprechend gering war dann auch die daraus resultierende Zahl von Gefangenen, die man opfern konnte. Zu Beginn der Spätklassik ist im allgemeinen nur ein einziger Kriegszug einer Stadt oder eines Staates während der Regentschaft eines Herrschers verzeichnet, eine Tatsache, die auf eine feste Beziehung zwischen Herrschaft, Thronbesteigung und Krieg deutet. Darüber hinaus bleibt festzuhalten, daß diese Kriege, wenn sie als Eroberungskriege zwecks Landgewinns geführt wurden, keine längerfristigen Er-

folge brachten[54]. Auch Caracol hat vermutlich nie die direkte administrative Gewalt über Tikal besessen. Obwohl ein gewisser Einfluß Caracols auf die Spätklassische Ikonographie Tikals nicht zu leugnen ist, wird die Stadt nur ein einziges Mal in einem Text in Tikal erwähnt, dessen Zerstörung als Folge des Krieges sich im wesentlichen auf die Zerstörung öffentlicher Monumente beschränkt zu haben scheint.

Gegen Ende der Klassischen Periode änderten sich Aktivitäten und Beziehungen im Tiefland. Insbesondere in seinem nördlichen Bereich läßt sich die Einführung neuer Waffen und Kriegsstrategien feststellen, die mit zunehmenden kriegerischen Handlungen verknüpft sind und mit einer dramatischen Zunahme von Menschenopfern in Verbindung stehen[55]. Das Niederbrennen und die Plünderung von Städten sind auf Wandmalereien in Chichén Itzá dargestellt worden, und eine Plattform in unmittelbarer Nähe des Ballspielplatzes zeigt Reihen menschlicher Schädel, die eine große Ähnlichkeit zu den späteren aztekischen *tzompantli* oder Schädelmonumenten aufweisen. Insbesondere in der Monumentalskulptur läßt sich ein intensiverer Austausch zwischen dem südlichen und nördlichen Tiefland erkennen; so werden Herrscher des südlichen Tieflands in fremdartiger Kleidung oder beim Zusammensein mit Menschen in nördlicher Kleidung gezeigt[56]. Die wachsenden Beziehungen zwischen den Maya des Tieflandes untereinander führten auch zu einem Wandel in der Kriegführung. Im südlichen Tiefland wurden mittels Modeln Keramikfiguren von Kriegern und Gefangenen in Serie hergestellt, deren Ursprung man anfänglich an der Golfküste vermutete[57]. In der Monumentalskulptur ist die wachsende Anzahl gefesselter Gefangener und Krieger auffallend, und oftmals geben die spätesten Darstellungen Szenen des Krieges und Gefangene wieder oder präsentieren gänzlich neue ikonographische Motive. In Caracol wird von der Abbildung nur eines einzelnen Herrschers zur Erweiterung um Gefangene übergegangen, auch tauchen Bilder einer riesigen Schlange auf, wie sie vor allem für Chichén Itzá besonders charakteristisch ist, oder Szenen mit Verbündeten. Monumente aus der Zeit von 800 und 810 n. Chr. zeigen gefangene Herrscher, die nicht vom König selbst, sondern von einem ihm untergeordneten Herrscher gefangengenommen worden waren[58].

Zur gleichen Zeit, als in der Bildersprache der Städte des Tieflandes Kriegsthemen immer breiteren Raum einnehmen, läßt sich auch eine Veränderung der Bewaffnung feststellen[59]. Obwohl die Maya des südlichen Tieflandes die Speerschleuder (*Atlatl*) kannten, wurde sie erst gegen Ende der Klassik an mehreren Orten zu einer besonders wichtigen Waffe. Auf kriegerische Auseinandersetzungen weisen auch die unterschiedlichen Befestigungsanlagen der Städte im südlichen und nördlichen Tiefland hin. Die Maya des südlichen Tieflandes suchten mittels Krieg immer größere Territorialgewinne zu machen, und einige dieser Staaten haben wohl auch versucht, größere Imperien zu gründen. Nun gaben sich die Herrscher auch nicht mehr nur mit einem Sieg zufrieden, sondern es lassen sich wie in Caracol mehrere Eroberungszüge nachweisen, von denen einige erstaunlicherweise auch durch untergeordnete Herrscher durchgeführt wurden. Damit aber wird deutlich, daß der traditionell rituelle Charakter der Kriegführung der Maya, vormals als Stärkung einer vorhandenen sozialen Ordnung gedacht, durch eine pragmatischere Auffassung ersetzt wurde. Durch neue Waffen und Taktiken wurde der Krieg immer tödlicher und auch zerstörerischer, und wie vor allem Chichén Itzá belegt, stieg nicht nur die Zahl der Eroberungen, sondern auch jene der Menschenopfer.

Während der Frühen Klassik beschränkten sich kriegerische Zerstörungen auf Monumente und Gebäude im Zentrum benachbarter Städte. Auch kann man davon ausgehen, daß nur wenige Mitglieder des Adels zum Zweck der Opferung gefangengenommen wurden, obwohl vermutlich ein Teil der besiegten Bevölkerung zu Frondiensten verpflichtet wurde[60]. Aber all das änderte sich mit der Späten Klassik und insbesondere ihrem Ende. Die Kriege wurden immer zerstörerischer und beschränkten sich nicht mehr nur auf benachbarte Orte. Eine Änderung der Kriegstechnologie und der Taktik wurde wahrscheinlich durch die Maya des nördlichen Tieflandes und der Golfküste herbeigeführt, eine Entwicklung, die die konservativeren Gruppen des südlichen Tieflandes zunächst zu ihrem Nachteil völlig unvorbereitet getroffen hat. Diese neuen Formen der Kriegführung wurden jedoch sofort von aggressiven Gruppen, wie z. B. Caracol, angenommen und integriert. Die Strohdächer der einfachen Wohnhäuser, die vordem nie von Kriegshandlungen betroffen waren, wurden nun verbrannt, und auch ein großer Teil der nicht-adligen Bevölkerung wurde verschleppt, um geopfert zu werden. Nach der Zerstörung der Wohnhäuser auch der nicht-adligen Bevölkerung sind viele Bewohner sicherlich in die einzigen noch überdachten Gebäude – nämlich in die steinernen Gebäude des Stadtkerns – eingezogen, für die Archäologen der Beweis einer nachträglichen »Hausbesetzung«, wie z. B. in Tikal sichtbar[61].

Die Auswirkungen dieser neuen Kriegführung auf eine Bevölkerung, die an der Grenze ihrer Anpassungsmöglichkeiten an die Umwelt und ihrer technologischen Leistungsfähigkeit lebte, waren sicherlich dramatisch. Eine

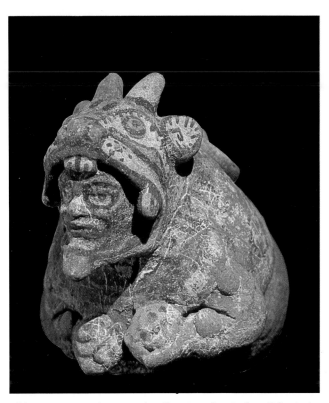

Abb. 172   Santa Rita Corozal, Belize: Bemaltes Opfergefäß mit der Darstellung eines Mannes, der aus einem Jaguarrachen blickt.

derartige Zerstörung des traditionellen Lebensrahmens der Maya führte sicherlich letztlich zu unlösbaren Problemen bei der Versorung mit Nahrungsmitteln und bei der Beschaffung von Baumaterialien. Hätten sich die Maya tatsächlich so verhalten, wie in ethnohistorischen Quellen verzeichnet, wären sie als Folge der Kriege in den Wald geflüchtet und hätten »verbrannte Erde« hinterlassen[62], wären die Folgen sicherlich noch wesentlich gravierender gewesen. Nahrungsnotstand und Wohnungsnot verbunden mit schlechten hygienischen Verhältnissen haben sicherlich die Krankheitsrate sprunghaft ansteigen lassen. Wer auch immer die Verantwortung für diesen Einschnitt trägt – Gruppen aus dem nördlichen Tiefland, benachbarte Staaten aus dem Süden oder möglicherweise Nicht-Maya-Völker –, die kriegerischen Ereignisse der Endklassik führten, wie ein Domino-Effekt, zum Zusammenbruch der Lebenswelt der Klassik. Dieser Einschnitt war nicht etwa nur mit der Ausrottung des gesamten Adels verbunden, sondern es wurden alle Bereiche der Klassischen Maya-Gesellschaft davon betroffen, allerdings einige Gebiete des südlichen Tieflandes stärker als andere. Dennoch haben sicherlich einige Mitglieder der adligen Familien überlebt und mit ihren Erfahrungen und ihrem Wissen die Grundlage für die Maya-Gesellschaft der Postklassik gelegt.

ZUSAMMENFASSUNG

Drei Dinge verbanden sich, um der Klassischen Ordnung für immer ein Ende zu bereiten. Die Monumente und Pyramiden der Klassik waren für die Herrscher und ihre Vorfahren errichtet worden, aber diese vergöttlichten Vorfahren hatten sich nicht bei der Erlangung von Frieden, Wohlstand und Kriegserfolgen bewährt und somit ganz besonders zum Zusammenbruch der Klassischen Maya-Ideologie beigetragen. Das Management, das zur Errichtung der hohen Monumentalstrukturen, zur Anfertigung von Reliefs und Hieroglypheninschriften und zur Koordination der riesigen landwirtschaftlichen Komplexe nötig war, wurde durch die Ereignisse des 9. Jahrhunderts abrupt gestört und zum größten Teil auch in Postklassischer Zeit nicht wiederbelebt. Schließlich wurde die Kriegskunst, die sich in der Endklassik etabliert hatte, in der Postklassik durch die Einführung von Pfeil und Bogen weiterentwickelt. Die traditionell »Dauer« manifestierende Lebensweise der Klassik ließ sich nicht mit der hektischen Postklassischen Welt vereinbaren.

Daraus resultierte, daß die Bevölkerung der Postklassik in der Regel in großer Entfernung von den alten Zentren lebte, in Gebieten, in denen wichtige Ressourcen wie Wasser und Baumaterialien leichter zugänglich waren. Die typische Stadt der Postklassik bestand aus tiefliegenden und vor allem vergänglichen Konstruktionen, die sich für viele Archäologen oft als »unsichtbar« erwiesen haben[63]. Und warum wurde soviel Aufwand für eine Sache betrieben, die so leicht zerstört werden konnte? Der Zusammenbruch der Klassischen Ordnung im südlichen Tiefland erfaßte kurze Zeit später das nördliche Gebiet, und die Maya-Gesellschaft des gesamten Tieflandes veränderte sich, wie vorherzusehen, mit großer Geschwindigkeit. Die geradezu traumatischen Erfahrungen aus der Zeit der Endklassik jedoch erforderten eine organisiertere und integriertere Gesellschaftsform, die in der Lage war, sich auch gegen die neuen Kriegstaktiken und Kriegstechnologien zur Wehr zu setzen. So wurden die Wohnsiedlungen zentrierter angelegt, waren jedoch gegenüber Kriegseinwirkungen, belegt u. a. durch die Pfeilspitzen, nicht sehr dauerhaft. Aus dem Zusammenbruch retteten die Postklassischen

Maya einige Aspekte der Klassik, die sie übernahmen oder modifizierten. Während die Texte der Klassischen Stelen und Altäre hauptsächlich politische Aussagen und Geschichtsdaten enthalten, finden sich in den Postklassischen Codices andere Informationen. Die Maya-Religion wurde volkstümlicher; sie beinhaltete mehr allgemein bekannte Symbole und erfaßte einen größeren Kreis von Menschen. Bauwerke wurden mit weniger aufwendigen Techniken errichtet und mit einem vergänglichen Überzug von Stuck und Farbe geschmückt.

Soll der Wandel zu einer Gesellschaft, die leichter vergängliche Materialien verwendet, als ein Rückschritt betrachtet werden? Steht diese Veränderung für den »Niedergang« einer ehemals mächtigen Zivilisation? Wir sind nicht dieser Meinung. Der Wandel der Postklassischen Maya-Gesellschaft ist vielmehr die erfolgreiche Anpassung an eine sich verändernde Realität, die sich nach bereits bestehenden Traditionen richtete.

Der eigentliche Bruch in der Entwicklung der Maya-Gesellschaft geschah allerdings nicht mit dem Ende der Klassik, sondern durch die spanische Eroberung, die bis dahin unbekannte Krankheiten, Ausbeutung und Unverständnis gegenüber der Lebensweise der Maya mit sich brachte. Dieser Ereignisse wegen bleibt die Grundfrage offen, wie sich die Maya-Zivilisation ohne den Einfluß der Europäer weiterentwickelt hätte. Obwohl die Maya-Staaten zur Zeit der Eroberung keine Einheit bildeten, ist es denkbar, daß eine neue, einzelne Regional-Hauptstadt wie Mayapán oder vordem Chichén Itzá in kurzer Zeit entstanden wäre. Ein derartiges Zentrum hätte eine konkurrierende Stellung gegenüber der aztekischen Hauptstadt Tenochtitlán einnehmen können. Hätten die Spanier ihre Ankunft um 50 Jahre verschoben, wäre die übliche Einschätzung der Postklassik als eine Periode der Dekadenz und des Untergangs nie entstanden, und auch das Szenario von »Aufstieg und Fall« großer Menschheitszivilisationen wäre auf die Maya nie übertragen worden.

Abb. 173 Der See von Petén Itzá mit der auf einer Insel errichteten Stadt Flores. Sie wurde auf den Fundamenten der 1697 zerstörten Maya-Stadt Tayasal, der Hauptstadt der Itzá-Maya, errichtet. ▷

Die Zauberkraft des Bildes: Kunst aus der Sicht der Maya

Carolyn Tate

Bis vor kurzem ging man von der Voraussetzung aus, daß allen Schöpfungen der Kunst bestimmte Prinzipien von Wahrheit und Schönheit zugrunde lägen. Je intensiver man sich jedoch mit außereuropäischen Kulturen beschäftigt, um so mehr setzt sich die Erkenntnis durch, daß die Vorstellung von Kosmos, Wahrheit oder Schönheit nicht gleichmaßen universal verbindlich für die Maya, Chinesen, Europäer oder andere Kulturvölker ist. Selbst innerhalb Mesoamerikas unterscheiden sich die verschiedenen Kulturkreise in ihren Formulierungen der Kunst und haben jeweils eigenständige Ausdrucksweisen in Konzeption und Darstellung gefunden. Jede dieser Kulturen hat sich in dem Bestreben, ihrer Sicht von Realität und Wertvorstellungen Gestalt zu verleihen, auf bestimmte schöpferische Aktivitäten konzentriert und dabei den ihr allein adäquaten Ausdruck zur Vollendung gebracht. Diese schöpferischen Aktivitäten können sich u. a. im gesprochenen Wort, im Tanz, in reliefierten Sarkophagen, verzierten Keramiken bis hin zur Ausbildung einer bestimmten Gesellschaftsform äußern: die Ästhetik – um eine Formulierung von Clifford Beertz zu benutzen – ist jeder Kulturäußerung eigen.

Innerhalb des Spektrum der ästhetischen Schöpfungen des Alten Amerika betrachten viele Euro-Amerikaner die Skulptur und Keramik der Maya als in höchstem Maße auserlesen. Die naturalistischen Proportionen und die Klarheit der Formen rufen instinktiv diese Bewunderung hervor. Die Kunst der Maya hat offenbar mit Erfolg jene Wertvorstellungen zum Ausdruck gebracht, auf die ihre Auftraggeber die Aufmerksamkeit richten wollten. Erst wenn man sie allerdings in ihren Äußerungen in Beziehung setzt zu dem, was wir über die Maya-Kultur wissen, können wir beginnen zu verstehen, was diese Schöpfungen für die Maya selbst bedeuteten.

HEILIGE OBJEKTE UND SCHAMANEN-KÜNSTLER

Alle Objekte dieser Ausstellung waren zunächst und zuallererst einmal Bestandteil eines Zeremonialzentrums. Die Maya glaubten zum Beispiel, daß Feuerstein entstünde, wenn Blitze die Erde berührten[1]. Die sog. »Exzentrischen Flints«, d. h. durch Abschläge kunstvoll gestaltete Feuersteinobjekte, heiligten als Gründungsbeigaben die rituelle Bestattung der Inthronisationsstele des Herrschers »Jaguartatze-Schädel« von Tikal, als sie innerhalb eines neuen Bauwerks seines Nachfahren *Hasaw Chan* in aller Form beigesetzt wurde[2]. Bemalte Keramikgefäße dienten zunächst als Behältnisse für einen Schokoladentrunk bei einem rituellen Mahl und wurden dann, mit Nahrungsmitteln gefüllt, den Verstorbenen in ihre dunklen Gräber mitgegeben. Kunstvoll gearbeiteter Jade- und Muschelzierat zeugte vom gesellschaftlich hohen Status der Besitzer und wies die Träger dieses Schmucks als hochrangige Persönlichkeiten mit weitreichenden Handelsbeziehungen aus, wurde später aber oft absichtlich zerschlagen und bei Weihriten über geheiligten Objekten ausgestreut. Angesichts des komplizierten Bildinhalts und der häufig eleganten Formen der in dieser Ausstellung gezeigten Objekte, die von hohem Können in der Ausführung zeugen, ordnen wir sie in unserem Bewußtsein der Rubrik »Kunst« zu.

Dabei gibt es jedoch in den verschiedenen Maya-Sprachen überhaupt keinen Ausdruck für den Begriff »Kunst«. Sucht man in den verschiedenen Wörterbüchern nach einem entsprechenden Begriff, könnt man allenfalls *its'atil* heranziehen, was in etwa mit »Kunst« oder »Wissenschaft« zu übersetzen wäre, aber auch mit »Fertigkeit, Können, Fähigkeit, Wissen«. Die Wurzel *its'* bezieht sich allerdings nicht auf Kunst im Sinne der Gestaltung von Gegenständen, die man »ansehen« sollte, sondern zielt vielmehr auf »Könnerschaft, Fertigkeit« in bezug auf Magie. Als Titel kommt *its'* (derjenige, der die *its'*-Eigenschaft besitzt) in der Form *ah its'* vor, was mit »Zauberer«

zu übertragen wäre. Ein weiterer, in Frage kommender Begriff wäre *miats* in der Bedeutung »Weisheit, Philosophie, Wissenschaft, Kunst und Kultur«. So beziehen sich also Benennungen für »Kunst« nicht so sehr auf handwerkliches Können und Schönheit als vielmehr auf mentale Fähigkeiten und Weisheit. Auch für »Entwerfen« und »Gestalten« als Prozeß oder Ästhetik als Werturteil gibt es in den Maya-Sprachen keinen Ausdruck. Obwohl die Maya also Tausende von Werken der Bildhauerkunst, der Gefäßmalerei, mit großem Geschick gestaltete Ritualobjekte und Schmuck hinterlassen haben, gehörte »Kunst« nicht zu den Kategorien ihrer Weltvorstellung. Aus der Sicht der Maya waren Dinge, die wir als Kunstwerke bezeichnen, die sichtbar gemachte und in Form gebrachte Umsetzung ihrer ganz spezifischen Weisheit und Kultur.

Diese Konzeption erinnert an eine Vorstellung, wie sie Robert Plant Armstrong für die Yoruba Afrikas[3] beschreibt, wenn er von »Werken beziehungsträchtiger Gegenwart« spricht. In den modernen euroamerikanischen Gesellschaften gelten Arbeiten dann als »Kunst«, wenn sie einzigartig sind, d. h. virtuos im Ausdruck oder in der Technik oder neue Ideen gestalten und Phantasien hervorrufen, die niemals zuvor formuliert oder evoziert wurden, dabei aber von denjenigen, die sie aufnehmen, als gültig anerkannt werden. In afrikanischen Gesellschaften dagegen gilt ein Kunstwerk als groß, wenn sein Schöpfer übermenschliche Kräfte wirksam in traditionelle Formen und Materialien zu bannen weiß. Solche Werke besitzen eine Seele oder »Gegenwart« und müssen wie lebendige Wesen angerufen werden. Man muß zu ihnen in Beziehung treten, für sie sorgen, sie ernähren und kleiden, damit sie Kräfte sammeln. In diesen Skulpturen verkörpern sich im allgemeinen Werte der Gemeinschaft und nicht Gefühle eines Individuums. Sie sollen übernatürliche Macht auf sich ziehen und nicht den seelischen Zustand des Künstlers widerspiegeln.

Aus der überaus dürftigen Überlieferung hinsichtlich des künstlerischen Prozesses bei den Maya der präkolonialen Epoche geht hervor, daß sie, vergleichbar den traditionellen Afrikanern, ihren Schöpfungen spirituelle Macht einflößten. Als eine der Quellen sei in diesem Zusammenhang der schon mehrfach zitierte Diego de Landa angeführt. Er beschreibt die Herstellung heidnisch-sakraler Kultobjekte im »Monat« *Mol*: »Eine Sache, die diese armen Leute für äußerst wichtig und mühselig hielten, war, Götzenbilder aus Holz herzustellen, was sie ›Götter schaffen‹ nannten; und daher hatten sie eine besondere Zeit bezeichnet, um sie zu schaffen, und dies war der Monat *Mol* oder auch ein anderer, wenn der Priester ihnen sagte, daß dies genüge. Diejenigen, die ihre

Götzenbilder machen wollten, konsultierten zuerst den Priester, und nachdem sie sich bei ihm Rat geholt hatten, gingen sie zu jenem, dessen Amt es war, sie herzustellen, und sie sagten, daß diese Handwerker sich immer entschuldigten, weil sie fürchteten, daß sie oder ein Familienangehöriger sterben oder sie tödliche Krankheiten heimsuchen müßten (dieser Einwand bedeutete eine förmliche Umschreibung für das Übernehmen von Verantwortung). Wenn sie ihr Einverständnis erklärten, so begannen die *chaces* (Männer, die öffentliche Aufgaben wahrnahmen und über beträchtliche rituelle ›Aufladung‹ oder seelische Potenz verfügten), die sie auch hierfür wählten, der Priester und der Handwerker mit dem Fasten. Während sie fasteten, holte derjenige, dem die Götzenbilder gehören sollten, selbst oder mit Hilfe von anderen im Wald das Holz, das immer Zedernholz war. Wenn das Holz eingetroffen war, errichteten sie eine Strohhütte und umgaben sie mit einer Umzäunung; in diese Hütte brachten sie das Holz und einen Zuber, in den sie die Götzenbilder legten und wo sie diese verhüllt aufbewahrten, wenn sie diese nach und nach fertigstellten; sie nahmen auch Weihrauch mit, um ihn vor vier Teufeln zu verbrennen, die *acantunes* genannt wurden und die sie an den vier Weltseiten aufstellen. Sie nahmen Instrumente mit hinein, mit denen sie sich Einschnitte ins Fleisch machen oder sich Blut aus den Ohren abzapfen konnten, und das Werkzeug, das sie benutzten, um die schwarzen Götter zu formen; nach diesen Zurüstungen schlossen sich die *chaces*, der Priester und der Handwerker in der Hütte ein, und sie begannen ihr Werk, Götter zu schaffen, wobei sie sich häufig in die Ohren schnitten, jene Teufel mit dem Blut bestrichen und ihren Weihrauch vor ihnen verbrannten; und so harrten sie aus bis zum Ende, während man sie mit Essen und dem Notwendigen versorgte. Und sie durften nicht mit ihren Frauen verkehren und nicht einmal an sie denken; es durfte sogar kein anderer zu jenem Ort kommen, wo sie waren.«[4]

Die Herstellung solcher Holzfiguren fand in Yucatán also nicht im Dorfe selbst statt, sondern an geheiligter, vom Profanen abgeschiedener Stelle. Der Schaffensprozeß war damit nicht in die Gemeinschaft eingebunden, sondern kosmischen Kräften verpflichtet.

Landas Bericht fährt dann mit dem folgenden 20-Tage-Monat fort und hält fest, daß die Idole in einer Prozession während der Neujahrsfeierlichkeiten zu den vier Enden des Ortes getragen wurden. Zwar wird nicht ausdrücklich gesagt, daß es sich um die zuvor genannten neuen Kultbilder handelt, aber dies ergibt sich aus dem Zusammenhang. Im Gemeindehof wurde dann für die neuen Kultbilder aus Zweigen ein abgegrenzter Platz geschaffen und die von den Bildschnitzern und Priestern herbeizitierte übernatürliche Macht in den Dienst der Gemeinschaft gestellt.

Noch die heutigen Maya ziehen ihren heiligen Bildwerken Kleidung an, reichen ihnen Nahrung, bringen ihnen Weihrauchopfer dar und tragen sie in Prozessionen umher. Diese Form des Rituals beschreibt Landa anläßlich der Weihung »eines Bildes oder einer Tonfigur eines Dämons« zu Beginn eines jeden neuen Jahres, und diese Zeremonien sind auch im Dresdener Codex wiedergegeben. Die rituellen Vorgänge belegen eindeutig, daß die Maya ein Werk der »Kunst« nur dann würdigten, wenn es seinem Schöpfer gelungen war, außermenschliche Kräfte in die traditionellen Formen und Materialien zu bannen.

Überirdische Macht anzurufen, zu binden, nutzbar zu machen und dies dem einzelnen in der Gesellschaft oder der Gemeinschaft insgesamt deutlich werden zu lassen, dieser Vorgang ist von vitalem Interesse für eine schamanistische Gesellschaft. So diente die Herstellung von Denkmälern und schmückendem Beiwerk für die Elite einerseits sicher dem Staatsinteresse, doch die Tatsache, daß ihnen Macht eingeflößt werden mußte, zeigt andererseits, wie stark das Substrat des Schamanenglaubens noch war, das sich aus der Zeit der Olmeken erhalten hatte.

BELEBUNG DURCH BERÜHRUNG

Vor wenigen Jahren erst gelang es David Stuart, kurze Satzfolgen mit der Bedeutung »seine Schrift« zu entschlüsseln, denen der Name eines Schreibers und ein weiterer Begriff, der sich auf einen Bildhauer, Schreiber oder den Auftraggeber eines Werkes zu beziehen schien, folgen. Nachdem zuvor schon andere Hinweise in diese Richtung gewiesen hatten, stellte sich damit heraus, daß Maya-Künstler als Individuen zu fassen sind. Damit war auch die frühere Meinung widerlegt, daß der Künstler in der politischen Hierarchie der Fürstentümer hinter dem Bildnis des Herrschers vollständig habe zurücktreten müssen.

Drei umfassende Untersuchungen über Pinseltechniken in den Bereichen Keramik und Skulptur ergaben, daß sogar auch die Gefäßmaler namentlich faßbar sind, daß sie ihre Werke also signiert haben[5]. Überdies konnten Zusammenhänge in der gemeinsamen Arbeit von drei Künstlern aufgezeigt werden, die an den berühmtesten Reliefs von Yaxchilán gearbeitet und dort eine Werkstatt eingerichtet hatten, die für den nächsten König arbei-

tete[6]. Die Identifizierung von »künstlerischen Handschriften« in Yaxchilán dürfte zugleich erhellen, wie wir uns andernorts die Entstehung von Skulpturen vorstellen müssen. Anhand der Reliefs auf den Türstürzen 24, 25 (Abb. 174, 175) und 26 läßt sich demonstrieren, wie die Zusammenarbeit der Künstler ausgesehen hat. Zunächst zeichnen sich verbindende stilistische Elemente ab – die ähnliche Behandlung der Gesichter als Idealbildnis und nicht als Porträt, die Körperproportionen der Figuren, die Feinheit in der Behandlung textiler Materialien und des Schmucks, vor allem aber die Relieftiefe. Bei genauerer Betrachtung jedoch wird man feststellen, daß zwischen Türsturz 24 und 25 doch erhebliche Unterschiede bestehen, vor allem in der Behandlung der Kleidung, der Hände und des Raumes. Das Gewand von Frau *Xok* auf Türsturz 24 ist so um ihre Arme drapiert, daß der Eindruck von Dreidimensionalität entsteht, während das Gewand des Reliefs 25 plan aufliegt und der Arm nur eine Ebene in Anspruch nimmt. Hier sind sicher zweierlei Künstlerhände tätig gewesen.

Die mit Detailfreude wiedergegebene Broschurweberei des Gewandes auf Türsturz 24 und der überaus minutiös gefiederte Fransensaum sind als Eigenheit eines Künstlers von Yaxchilán anzusehen, dem man den Spitznamen »Meister des eleganten Knotens und Gewebemusters« gegeben hat. Dieser Mann läßt sich über 51 Jahre hinweg zwischen den Daten 9.13.10.0.0 (22. 1. 702) und 9.16.1.0.0 (29. 4. 752) nachweisen (vgl. Abb. 175). Die Wiedergabe von Haar und Textilien lag ihm besonders, außerdem zeichnete ihn eine sehr flüssige Schrift mit doppelt umrandeten Hieroglyphen aus, und er liebte die Kreuzlinien-Schraffur. Gleichwohl haftet seinen Kompositionen ein statuarisch-steifer Aufbau an, wie Stele 20 und Türsturz 26 belegen[7].

Aufgrund des flotten Schriftduktus nennen wir seinen Partner den »Meister des Überschwangs«; denn sein Hang zum Überborden äußert sich auch in seiner Auffassung von Plastizität, so daß er sogar die Dreiviertel-Ansicht meisterte, eine Seltenheit in der Kunst der Maya. Kühl plazierte er seine schwierigste Darstellung, nämlich die Handlung der Selbstkasteiung auf Türsturz 24, bei der Frau *Xok* einen dornenbewehrten Strick durch ihre Zunge zieht, genau in die Mitte seiner Komposition. Ihr rechter Arm erscheint in Dreiviertel-Ansicht gedreht, während die Finger übergreifend in eleganter Geste das schreckliche Instrument bewegen. Beide Künstler vereinigten ihr Können für eine Darstellung, die inhaltlich

Abb. 174 Yaxchilán, Chiapas, Türsturz 25.

▷

wie formal mit aller Tradition bracht, indem nämlich eine Selbstkasteiung in aller Deutlichkeit wiedergegeben wurde. Das außergewöhnliche Sujet verbindet sich mit der ungewöhnlichen Lösung in der Behandlung des Bildraumes. Als der »Künstler des Überschwangs« mit dem bisherigen Kanon der zweidimensionalen Darstellung insofern brach, als er eine neue Formulierung für die Drehung eines Armes fand (worin andere Künstler ihm in anderen Städten bald folgen sollten), war dies eine bewußte Herausstellung des »Ich«, ein Vorgang, der in den Köpfen seiner Zeitgenossen Widerhall fand.

Als weniger innovativ erwies sich die Generation der Künstler, die von den beiden zuvor Genannten ausgebildet wurde. Ihnen verdanken wir die Türstürze 15, 16 und 17. Diese unter *Yaxun Balam* (»Vogel-Jaguar IV «) entstandenen späteren Werke wiederholen nur mehr die kühnen Entwürfe der Lehrer, unterwerfen sich aber den gewohnten Normen und behandeln das Relief nun wieder zweidimensional.

In den 90 Regierungsjahren der Herrscher *Itzam Balam* (»Schild-Jaguar«) und seines Sohnes *Yaxun Balam* sind in den Denkmäler-Inschriften von Yaxchilán etwa 50 Schreiber nachweisbar. Das ist ein verhältnismäßig hoher Prozentsatz von Personen, denen eine Ausbildung als Schreiber zuteil geworden war. Aus deren Reihen wurden dann wohl diejenigen ausgewählt, die das Privileg genossen, die Reliefs zu fertigen, in deren Darstellung das Übernatürlich-Göttliche in den menschlichen Bereich hereingebracht wurde, um die politische Hierarchie zu festigen und zugleich das Identitätsgefühl der Gemeinschaft zu gewährleisten. Die Menschen, die um die Zentren herum lebten, verstanden wohl die Bedeutung der Bilder, denn ihre Botschaften stammten aus der gemeinsamen historischen Quelle der Gemeinschaft, aus der Teilhabe an kollektiven Träumen, wie es für heutige Maya-Gruppen bekannt ist, und aus den Wünschen der Auftraggeber, die sich so der Bevölkerung mitteilten.

»WAHRES AUF ERDEN«

Diskussionen über moralische Werte, intellektuelle Aussagen und gesellschaftliche Absichten in der Kunst finden im allgemeinen unter Philosophen statt, die über ästhetische Schöpfungen ihrer eigenen oder verwandter Gesellschaften debattieren. Wenn dergleichen Gespräche unter den Maya stattgefunden haben sollten, so sind zumindest keine Nachrichten darüber auf uns gekommen. Allerdings können wir auf ein Symposion über Kunst im Hause eines Aztekenprinzen namens Tecaye-

huatzin im Jahre 1490 verweisen. Der Gastgeber verlangte zu wissen, »was Blumen- und Gesangs-Poesie, Kunst und deren Symbolik denn nun wirklich bedeuteten«. Die anwesenden Dichter gaben alle unterschiedliche Antworten, nannten die Künste Gaben der Götter, die faßbare Erinnerung des individuellen menschlichen Lebens, eine Möglichkeit, um dem Göttlichen nahe zu kommen und zugleich ein Mittel, um das Herz zu erfreuen. Schließlich meinte der Prinz, daß Dichtung, Musik und bildende Kunst »das einzige seien, auf der Erde Wahres zu sagen, und ein Weg der Verständigung unter Menschen ehrlichen Herzens«[8]. Damit wurde zum Ausdruck gebracht, daß bei den Völkern Mesoamerikas die Künste als Ausdrucksmittel fundamentaler Wahrheiten und als Möglichkeit zur Annäherung an das Sakrale galten.

Wenden wir uns nun der Frage zu, wie die Kunstwerke in den Städten der Maya selbst »benutzt« wurden und welche Bedeutung sie dort hatten. In der Periode der Klassik wurden die Städte ausschließlich von Menschen bewohnt, die eine gemeinsame Anschauung von Realität teilten, in der praktisch jedem Ding Geist oder Seele innewohnte und deren gesellschaftliche Ziele darin bestanden, die Welt der Vorfahren zu bewahren und weiterzugeben. Nicht nur Werke der bildenden Kunst waren ein Vehikel zur Bewahrung der Tradition und zur Propagierung von Ideen in der Öffentlichkeit. Auch Rituale, Musik und Dichtung, formelle Arten der Rede und sogar Verwandtschaftsstrukturen drückten die Beziehung zwischen dem Ich, der Gemeinschaft und dem Kosmos aus. In der Maya-Kunst kommt die ideale Ordnung ihrer Gesellschaft zum Ausdruck, und es ist an uns, dies wahrzunehmen.

Um es einmal ganz allgemein zu sagen: Die Maya-Künstler schufen monumentale Skulpturen in Relief, konzentrierten sich auf Linien, um flache, komplizierte, ineinander verschlungene Formen zu schaffen. Die Illusion des dreidimensionalen Raumes wurde strikt vermieden, Skulpturen und Bauwerke waren leuchtend in nichtnaturalistischen Farbtönen bemalt. Das Flachrelief stellte die Antwort auf die vorhandenen Materialien und die Art der Botschaften, die vermittelt werden sollten, dar.

Die Präklassische Keramik und Architekturskulptur waren von der Konzeption her weitaus raumgreifender angelegt als zur Zeit der Klassik, da Ritualszenen und die Herausstellung der Dynastie die präzisere Form im linearen Flachrelief und in der linearen Malerei fanden. Der weiche Kalkstein und die Tuffgesteine der Monumentalskulpturen boten sich für die Wiedergabe von narrativen Szenen eher an als Basalt und Jade, das bevorzugte Material der Olmeken. Obwohl Maya und Olmeken Jade verarbeiteten, bevorzugten die Maya auch hier das Flachrelief auf planen Objekten. Die olmekischen Jaden dagegen wurden von ihrer Funktionalität bestimmt, zum Beispiel als Perforatorengriffe oder Axtklingen mit leicht eingeritzten Motiven. Es ist zu beobachten, daß die Bevorzugung des Flachreliefs einherging mit der Hinwendung zur Darstellung des dynastischen Erbes, das nunmehr wichtiger war als Kriterium für Herrschaft als die magischen Fähigkeiten. Zugleich auch wandte man sich dem Erzählerischen der zyklisch ablaufenden Zeit in der Hieroglyphenschrift zu.

Die Stele galt als Baum-Stein auf dem ebenen Boden der *plaza*, umgeben von Pyramiden und Bauwerken mit Treppen, die sich dem Himmel entgegenreckten. Sie verkörperte im Grunde die Eindimensionalität der Gegenwart angesichts des tatsächlichen Raumes des Zeremonialzentrums mit seiner Ansammlung historischer Markierungen, die in Lagen sozusagen die große Tiefe von Raum und Zeit im Kosmos widerspiegelten. Die Maya-Künstler haben nie mit der Wirkung von Licht und Schatten gearbeitet, denn diese verhelfen zur Schaffung der Illusion des dreidimensionalen Raumes. Die Darstellungen füllen vielmehr das Bildfeld fast vollständig aus und lassen so wenig Hintergrund wie möglich, weil – so glaube ich – die Figuren eine zeitlich begrenzte Rolle spielten vor dem ewigen Hintergrund des kosmischen Geschehens in Zeit und Raum.

An den meisten Stätten bot sich ein Bild der Wiederholung von Stelen mit fast übereinstimmenden Szenen. Die Südost-*plaza* von Yaxchilán enthielt nicht weniger als sieben dieser Denkmäler, auf denen Herrscher in ähnlicher Pose und in ähnlichem Gewand beim Blutopfer (Blut war der Saft des Weltenbaumes) an Erde, Himmel und Ahnen erschienen. Die Bildnisse waren vervielfacht und überreichlich vorhanden. Unter den heutigen Maya vermehrt jegliche Wiederholung, sei es von Gesang, Rezitativen, bestimmten Tätigkeiten oder des Gebrauchs eines rituellen Objektes, die Menge der rituellen »Ladung« (oder »Hitze«). Diese »Hitze« aber ist notwendig für den Erfolg des Rituals. So führten wohl auch die Wiederholung von Gewändern, von Denkmälerformaten und Architekturformen in den Maya-Städten eine Summierung traditioneller Aktionen herbei und schufen auf diese Weise eine aufgeladene Arena, die den direkten Kontakt zum Geheiligten ermöglichte[9].

Wiederholung und Häufung sind auch Prinzip der Komposition. So wird in der Doppelung von Federn des Kopfputzes oder anderem ornamentalen Beiwerk, bei Flechtwerk und Matten, bei Kleiderlagen, Paaren von Jadekettengliedern, Kleidersäumen sowie Gürtelschließen und -gehängen dieser Hang zur Üppigkeit deutlich.

Abb. 175   Yaxchilán, Chiapas, Detail vom Türsturz 24 (Kat.-Nr. 96).

Für Komposition und Aufstellungsort scheint der Sonnenlauf eine ganz entscheidende Rolle gespielt zu haben, sozusagen als organisierendes Prinzip, so wie das heute noch in Chamula der Fall ist[10]. Die meisten Stelen in Yaxchilán waren so plaziert, daß die Sonne auf ihrem täglichen Lauf die Bilder in chronologischer Reihe »lesen« konnte. Auf beiden Seiten hielt der Herrscher die rechte Hand der aufgehenden Sonne im Osten entgegen, die ideale Position also, um ein Höchstmaß an ritueller »Ladung« zu empfangen. Die Ausrichtung nach dem Sonnenlauf – wobei die aufsteigende Tendenz das höchste Potential birgt – ist in der heutigen traditionellen Maya-Kultur das wichtigste Organisationsprinzip.

Da die Kraft der Sonne und ihre »Hitze« mit dem Höhersteigen zunimmt, wird die Aufwärtsbewegung generell höher bewertet als die Abwärtsbewegung. »Höher« und »niedriger« werden in der in Register gegliederten Skulptur häufig durch Linien angegeben, durch Bänder auf der Keramik und durch die Konzentration von Dekor in den oberen Teilen der Architekturfassaden. So wie die Seelen der Ahnen heute die Berge bewohnen, hielten sie sich in der Klassischen Zeit in den Pyramiden und Hausplattformen auf. Auf Stelen erscheinen sie zumeist über dem Bildnis des Herrschers, damit Güte und Weisheit symbolisierend. Auch beim fürstlichen Ornat nimmt der Schmuck von der Hüfte an bis zu den komplexen Kopfaufbauten zu, so daß der Kopfputz nicht selten ein Drittel der gesamten Figur ausmacht. Der obere Teil einer Figur wird im Verhältnis größer dargestellt und beinhaltet damit »die höchste Ladung« an Information. Ein bemerkenswerter Naturalismus in der Klassischen Kunst der Maya verleiht den Dargestellten eine starke physische Präsenz; das oberste Anliegen ist die Ausstrahlung von Würde. Selbst diagonal verlaufende Gesten und fließende Formen beeinträchtigen niemals die statuarisch-aufrechte Haltung des Königs oder der Fürstin, sondern tragen lediglich zur Belebung bei.

Auf dem Ballspiel-Relief berührt die Figur des Spielers an acht Stellen den Relief-Rahmen oder die Inschrift, so daß eine Spannung zwischen ihr und dem Umfeld entsteht. Die Verbindung zwischen Text und Bild oder Bild und Rahmen ist oft so gestaltet, daß die größtmögliche Wirkung erzielt wird. Eine machtgeladene Figur berührt einen machtgeladenen Text in gegenseitiger Verbundenheit und bei gleichzeitiger Anerkennung der Grenzen. Die Komposition einer mit allem Beiwerk an Kostüm und Machtinsignien »angefüllten« Person, die von Hieroglyphenbändern gerahmt wird, bringt zum Ausdruck, daß hier ein mächtiges Wesen in ein Netz rituell »aufgeladener« Botschaften verwoben ist.

Schönheit verband sich für die Maya wohl damit, das Fließende geschmeidig-gerundeter Formen wiederzugeben und die Bewegungen des Menschen in der Zweidimensionalität festzuhalten. Das Plastische ins Lineare umzusetzen und rhythmisch gegliederte Formen zu wiederholen ist ein Kennzeichen der Maya-Kunst, die den Bildhintergrund vollkommen zurücktreten läßt, während leuchtende Farben die Form akzentuieren. Die Darstellung aller Wesen und ihrer Handlungen wurde so in einer einzigen Ebene eingefangen und von Inschriften wie von Gesängen, die die Luft erfüllten, umgeben. Wenn man sich den harten Schlag der Trommeln, die durchdringenden Töne der Flöten die endlosen Wiederholungen der Litaneien als beständige Elemente der Zeremonien und die Gestalten der Menschen als vorübergehende Träger einer vom Ritual bestimmten Rolle vorstellt, dann kommt wohl eine Ahnung von der Unendlichkeit des Raumes auf, in dem die Kunst der Maya wahrgenommen wurde.

Anmerkungen

DER LEBENSRAUM DER MAYA

Herbert Wilhelmy

[1] D. de Landa (1990).

[2] Eine ausführliche Behandlung der geographischen, ökologischen und sozioökonomischen Probleme der Maya-Hochkultur findet sich in dem Buch des Verfassers (H. Wilhelmy 1981 bzw. 1989).

VON DER ERSTEN BESIEDLUNG BIS ZUR SPÄTEN PRÄKLASSIK

Juan Antonio Valdés

[1] Siehe dazu R. S. MacNeish (1964).

[2] In einigen Chronologie-Schemata findet sich die sog. »Protoklassik« (ca. 100–250 n. Chr.), die den Übergang von der Präklassik zur Klassik kennzeichnet.

[3] Seit den 60er Jahren beschäftigt sich die New World Archaeological Foundation mit der Präklassik in Chiapas; vgl. dazu J. E. Clark und M. Blake (1989). Eine aktualisierte Zusammenfassung zu diesem Gebiet gibt B. Arroyo (1991).

[4] Eine Studie der Gesamtregion wurde von R. J. Sharer und D. W. Sedat (1987) vorgelegt.

[5] Seit 1975 wird über die Datierung der keramischen Phase *Swasey* unterschiedlich argumentiert. Anfänglich datierte man sie in den Zeitabschnitt zwischen 2500 und 2000 v. Chr., später setzte E. W. Andrews V sie auf 800 bis 450 v. Chr. an (E. W. Andrews V 1990; E. W. Andrews V und N. Hammond 1990).

[6] Siehe dazu D. E. Puleston (1977), P. D. Harrison (1977, 1990) sowie M. Hatch (1991).

[7] Zu den Handelsprodukten vgl. J. E. S. Thompson (1970) und M. C. Arnauld (1990).

[8] Dieser Architekturtyp wurde von Frans Blom 1926 in der Gebäudegruppe E von Uaxactún entdeckt und »Observatorium« genannt. 1940 untersuchte Karl Ruppert diesen Komplex. Neue Erkenntnisse zeigen, daß der Bau auch Weihopfer und Gräber beinhaltet, weshalb er von V. Fialko C. (1987) als »Komplex für astronomische Rituale« bezeichnet wird.

[9] Zwischen 1983 und 1986 erfolgten archäologische Untersuchungen in Uaxactún unter der Leitung von Juan Antonio Valdés; vgl. dazu J. A. Valdés (1986, 1989).

[10] Weitere Angaben dazu in E. H. Boone (Hrsg.) (1985).

DIE WELT DER KLASSISCHEN MAYA

Robert J. Sharer

[1] Einen aktuellen Überblick über die Maya-Kultur aus archäologischer Sicht bringt J. A. Sabloff (1990 bzw. 1991). L. Schele und D. A. Freidel (1990 bzw. 1991) bieten eine Rekonstruktion der Geschichte der Maya auf der Grundlage klassischer Texte. Eine Synthese aktueller archäologischer und historischer Daten enthalten T. P. Culbert (Hrsg.) (1991) sowie S. G. Morley, G. W. Brainerd und R. J. Sharer (1983 bzw. im Druck).

[2] Die interregionalen Beziehungen und ihren Einfluß auf die Entwicklung der Maya-Kultur erörtern P. A. Urban und E. M. Schortman (Hrsg.) (1986), R. J. Sharer und D. W. Sedat (1987) sowie E. H. Boone und G. R. Willey (Hrsg.) (1988).

[3] Zur Entwicklung der Maya-Kultur während der Präklassik siehe D. A. Freidel (1979), B. H. Dahlin (1984), N. Hammond (1985a) und R. T. Matheny (1986a und b).

[4] A. V. Kidder (1982).

[5] R. J. Sharer und D. Sedat (1987).

[6] J. Marcus (1976a).

[7] Siehe E. Service (1962) sowie R. D. Drennan und C. A. Uribe (Hrsg.) (1987).

[8] Theorien zur Staatsentwicklung erläutert E. Service (1975 bzw. 1977); speziell auf die Neue Welt beziehen sich G. D. Jones und R. R. Kautz (Hrsg.) (1981).

[9] Zur Elitekultur Mesoamerikas vgl. D. Z. und A. F. Chase (Hrsg.) (1992).

[10] D. A. Freidel und L. Schele (1988).

[11] Vgl. dazu H. Berlin (1958), F. G. Lounsbury (1973), D. Stuart (1985a) sowie zur Maya-Schrift allgemein D. Stuart und S. D. Houston (1989).

[12] T. Proskouriakoff (1960).

[13] Beispiele für solche Namensgebungen finden sich bei P. Mathews und L. Schele (1974), C. C. Coggins (1975), C. Jones (1977) sowie bei D. Stuart und S. D. Houston (1989).

14 T. Proskouriakoff (1961a).

15 Siehe L. Schele (1986).

16 B. Riese (1984a).

17 R. J. Sharer (1991) erläutert das Beispiel Quiriguá.

18 P. Mathews (1991).

19 Auch diese These wird in dem Sammelband von T. P. Culbert (Hrsg.) (1991) behandelt.

20 J. Marcus (im Druck).

21 Auf die vielfältigen Formen der Beziehungen zwischen den Stadtstaaten der Klassischen Maya gehen ein N. Hammond (1991), L. Schele und P. Mathews (1991), R. J. Sharer (1991).

22 Siehe hierzu unter anderen R. E. W. Adams, W. E. Brown und T. P. Culbert (1981), R. E. Blanton und G. M. Feinman (1984) sowie A. P. Andrews (1990).

23 Die Beziehungen zwischen Kaminaljuyú und Teotihuacán behandeln A. V. Kidder, J. D. Jennings und E. M. Shook (1946) sowie F. J. Bove (1991).

24 C. Jones (1991).

25 Zur Kriegführung der Maya vgl. D. L. Webster (1977), D. A. Freidel (1986a).

26 D. L. Webster (1976), A. A. Demarest und S. D. Houston (1990).

27 Arbeiten über Tikal und Uaxactún in der Frühen Klassik sind u. a. C. C. Coggins (1975), P. Mathews (1985), J. P. Laporte und V. Fialko C. (1990), L. Schele und D. A. Freidel (1990 bzw. 1991) sowie C. Jones (1991).

28 Zum Hiatus in der Mittleren Klassik vgl. T. Proskouriakoff (1950), G. R. Willey (1974) und C. C. Coggins (1975).

29 S. D. Houston (1987); L. Schele und D. A. Freidel (1990 bzw. 1991); A. F. Chase (1991).

30 Einen Überblick über den aktuellen Forschungsstand bieten J. A. Sabloff und J. D. Henderson (Hrsg.) (im Druck).

31 Veröffentlichungen über Caracol sind u. a. C. P. Beetz und L. Satterthwaite (1981), A. F. und D. Z. Chase (1987a), S. D. Houston (1987), L. Schele und D. A. Freidel (1990 bzw. 1991) sowie A. F. Chase (1991).

32 C. C. Coggins (1975); C. Jones (1991)

33 Darstellungen Tikals während der Spätklassik liefern u. a. A. Trik (1963), W. Ashmore und R. J. Sharer (1975), C. C. Coggins (1975), C. Jones (1977 und 1991), M. E. Miller (1985), L. Schele und D. A. Freidel (1990 bzw. 1991) sowie T. P. Culbert (1991a).

34 P. Mathews und G. R. Willey (1991).

35 Veröffentlichungen zu den Herrschaftsbereichen des Petexbatún sind u. a. S. D. Houston und P. Mathews (1985), K. Johnston (1985), A. A. Demarest und S. D. Houston (1990), L. Schele und D. A. Freidel (1990 bzw. 1991), P. Mathews und G. R. Willey (1991).

36 Zu Yaxchilán und seiner Geschichte vgl. Proskouriakoff (1963a, 1964), P. Mathews (1988), L. Schele und D. A. Freidel (1990 bzw. 1991), L. Schele (1991a), C. Tate (1991).

37 Siehe K. Ruppert, J. E. S. Thompson und T. Proskouriakoff (1955), M. E. Miller (1986a), L. Schele (1991a).

38 T. Proskouriakoff (1960); S. D. Houston (1983); L. Schele und D. A. Freidel (1990 bzw. 1991); L. Schele (1991a)

39 T. Proskouriakoff (1960).

40 Die mythologischen Texte von Palenque untersuchen P. Mathews und L. Schele (1974), D. H. Kelley (1985), F. G. Lounsbury (1985), P. Mathews und M. Greene Robertson (1985), L. Schele (1990a, 1991a), L. Schele und D. A. Freidel (1990a bzw. 1991).

41 Zu Copán vgl. Baudez (Hrsg.) (1983), L. Schele (1986, 1988), W. L. Fash (1986a, 1988, 1991), W. T. Sanders (Hrsg.) (1986–90), D. Stuart und L. Schele (1986a), N. Grube und L. Schele (1987), D. L. Webster (Hrsg.) (1989), L. Schele und D. A. Freidel (1990 bzw. 1991), W. L. Fash und R. J. Sharer (1991) sowie W. L. Fash und D. Stuart (1991).

42 W. Ashmore (1984, 1986, im Druck); C. JOnes und R. J. Sharer (1986); R. J. Sharer (1978, 1988, 1990, 1991)

43 Proskouriakoff (1950).

44 Synthesen archäologischer und historischer Daten bieten T. P. Culbert (Hrsg.) (1991), T. P. Culbert und D. S. Rice (Hrsg.) (1990), J. A. Sabloff und J. D. Henderson (Hrsg.) (im Druck), L. Schele und D. A. Freidel (1990 bzw. 1991).

45 Den sog. »Maya-Kollaps« und die Postklassik behandeln R. J. Sharer (1982), A. F. Chase und P. M. Rice (Hrsg.) (1985), J. G. W. Lowe (1985), J. A. Sabloff und E. W. Andrews V (Hrsg.) (1986), G. R. Willey (1987) sowie J. A. Sabloff (1990 bzw. 1991).

46 J. A. Sabloff (1977, 1990 bzw. 1991); A. P. Andrews und F. Robles (1985); J. A. Sabloff und E. W. Andrews V (1986); A. P. Andrews (1990); J. A. Sabloff und J. D. Henderson (Hrsg.) (im Druck); J. Marcus (im Druck)

47 Vgl. H. E. D. Pollock (1980), J. K. Kowalski (1987), J. A. Sabloff (1990 bzw. 1991), G. Tourtellot III, J. A. Sabloff und M. Smyth (1990).

48 A. P. Andrews und F. Robles (1985); J. W. Ball (1986); C. E. Lincoln (1986); L. Schele und D. A. Freidel (1990 bzw. 1991); R. Krochock (1991); L. Wren und P. Schmidt (1991).

UMWELT, SIEDLUNGSWEISE, ERNÄHRUNG UND LEBENS-
UNTERHALT IM MAYA-TIEFLAND WÄHREND DER KLASSIK
(250–900 n. Chr.)

Nicholas P. Dunning

1 Es gab einige bemerkenswerte Ausnahmen von diesem Bild der frühen Archäologie im Maya-Tiefland. Gegen Ende des 19. Jahrhunderts unternahm zum Beispiel E. H. Thompson (1897) eine kombinierte Untersuchung der Haushügel und Wasserzisternen *(chultunes)* in Labná.

2 S. G. Morley (1946).

3 Diese veränderte Zielsetzung der Forschung und die geänderte Auffassung von den Maya-Zentren setzten sich erst mit der Einführung einer systematischen archäologischen Siedlungsforschung im Maya-Gebiet durch. Siehe dazu z. B. G. R. Willey, W. Bullard, J. B. Glass und J. C. Gifford (1965) sowie W. A. Haviland (1969). ·

4 Die frühen Jahre in der Entwicklung dieser neuen Perspektive zum Feldbau der Maya werden behandelt in P. D. Harrison und B. L. Turner II (Hrsg.) (1978). Andere zusammenfas-

sende Veröffentlichungen zur Agrarwirtschaft der Maya sind u. a. K. V. Flannery (Hrsg.) (1982) und M. D. Pohl (Hrsg.) (1985).

5 Einen guten Überblick über die Siedlungsforschung im Maya-Tiefland auf dem Stand der späten 70er Jahre vermittelt W. Ashmore (Hrsg.) (1981).

6 Diese Auffassung wird von E. B. Kurjack (1974) vertreten.

7 Dieses Modell geht zurück auf Arbeiten von R. E. W. Adams und W. D. Smith (1981).

8 Für die demographischen Aspekte des alten Siedlungsbildes im Maya-Tiefland siehe T. P. Culbert und D. S. Rice (Hrsg.) (1990).

9 Feldgrenzen sind häufig in der Gegend am Río de la Pasión (siehe Erörterung in diesem Beitrag), der Río Bec-Region und im Rosario-Tal von Chiapas anzutreffen. Siehe B. L. Turner II (1983) sowie O. de Montmollin (1988).

10 J. Marcus (1976b) hat mit Hilfe der ortsspezifischen »Emblemglyphen« und deren Verteilung im südlichen Maya-Tiefland versucht, die politische Hierarchie darzustellen. Eine gute Zusammenfassung genauerer Ansätze zur Analyse des politischen Inhaltes der Inschriften liegt vor in T. P. Culbert (Hrsg.) (1991).

11 Daß in Nordyucatán Kakao produziert wurde, wird belegt von A. Gómez Pompa, J. S. Flores und M. A. Fernández (1990).

12 Zur Zeit gibt es zwei Gebiete im mittleren Bereich der Halbinsel, in denen Entwässerungsanlagen festgestellt wurden. Im Edzná-Tal von Campeche, Mexiko, einer weiten, nordsüdlich verlaufenden Talmulde, wurde schon in der Späten Präklassik mit der Anlage eines ausgedehnten Kanalsystems begonnen. Dieses diente der Trockenlegung von Sumpfgelände, es verbesserte die Dränage der Anbauflächen und ermöglichte eine verläßlichere Wasserversorgung. Das System ist zum großen Teil beschrieben worden von R. T. Matheny, D. L. Gurr, D. W. Forsyth und F. R. Hauck (1983). Im Süden von Quintana Roo, Mexiko, in dem großen *bajo* Morocoy, fand sich eine ganze Reihe von Kanälen und zugehörigen Hochäckern. Diese Anlage wurde bisher jedoch nur oberflächlich untersucht.

13 Die beiden ausführlichsten Berichte über Feuchtraumbewirtschaftung in Belize finden sich in B. L. Turner II und P. D. Harrison (Hrsg.) (1983) sowie in M. D. Pohl (Hrsg.) (1990).

14 K. O. Pope und B. H. Dahlin (1989) wenden sich gegen die Annahme, die Maya hätten Feuchtgebiete in großem Umfang verändert.

15 Siehe z. B. R. E. W. Adams (1980) und P. D. Harrison (1990).

16 Derartiger Ausbau natürlichen Gefälles wird behandelt von V. L. Scarborough und G. Gallopin (1991).

17 Siehe B. L. Turner II (1983).

18 Den Maya-Salzhandel erörtert A. P. Andrews (1983).

19 Das Petexbatún Archaeological Program steht unter der Gesamtleitung von Arthur Demarest und Stephen Houston von der Vanderbilt University. Nicholas Dunning leitet die Siedlungsforschung und die paläoökologischen Untersuchungen in diesem Gebiet. Thomas Killion leitete 1991 die Kartierung des Siedlungsraumes. Erste Ergebnisse der Feldforschungen von 1989, 1990 und 1991 sind in einer Serie von Jahres-berichten enthalten, die vom Department of Anthropology der Vanderbilt University informell veröffentlicht wurden.

20 Siehe R. E. W. Adams (1983).

21 Vergleichbare Belege für Einschwemmsedimente aus der Bodenerosion sind für die Seen des zentralen Petén vorgelegt worden; siehe dazu D. S. Rice, P. M. Rice und E. S. Deevey (1985).

22 Siedlungsbild und Ernährungswirtschaft der Puuc-Region werden ausführlicher behandelt in N. P. Dunning (im Druck).

23 Nach Auffassung vieler Autoren hat sich das Wachstum der Puuc-Region ungebrochen bis weit in das 11. Jahrhundert und sogar darüber hinaus fortgesetzt. Diese Ansichten beruhen jedoch im wesentlichen auf archäologischen Daten von außerhalb des Puuc. In dem Gebiet selbst überwiegen die Hinweise auf ein sehr viel früheres Ende. So kann man einige der jüngsten Großbauten, die in Uxmal errichtet wurden, direkt oder indirekt mit Datumsangaben im Maya-Kalender verknüpfen, die sich um 900 n. Chr. herum häufen. Siehe dazu J. K. Kowalski (1987).

DIE ARCHITEKTUR DER MAYA

Wolfgang W. Wurster

1 Einen allgemeinen Überblick über die Architektur des Alten Amerika und speziell des Maya-Gebietes bieten G. Kubler (1975), I. Marquina (1951), H. Stierlin (1964), H. E. D. Pollock (1965) und D. Robertson (1974).

2 Vgl. hierzu D. S. Hyman (1970).

3 Die Ingenieurleistungen der Maya behandelt L. Roys (1934).

4 Eine ausführliche Darlegung der Frühklassischen Architektur im Maya-Tiefland gibt L. von Falkenhausen (1985).

5 Zum Maya-Gewölbe siehe auch E. H. Thompson (1911), A. L. Smith (1977), H. Hohmann (1979) und W. Wurster (1991).

6 Abhandlungen zu den Regionalstilen des Río Bec, Puuc und Chenés finden sich bei H. E. D. Pollock (1980), P. Gendrop (1983, 1987) und G. F. Andrews (1986).

7 Die Architektur des nördlichen Maya-Tieflandes stellen F. E. Mariscal (1928), E. W. Andrews (1965) und D. F. Potter (1977) dar; D. A. Freidel und J. A. Sabloff (1984) berücksichtigen vorwiegend siedlungsarchäologische Gesichtspunkte.

8 Zur Raumordnung und Anlage von Maya-Städten vgl. G. Kubler (1958), G. F. Andrews (1975) sowie H. Hartung (1972).

9 Die Architektur von Tulum analysiert ausführlich S. K. Lothrop (1924).

DER HOFSTAAT DER MAYA IN DER KLASSIK

Stephen D. Houston und David Stuart

1 Übersetzung nach G. D. Jones (Hrsg.) (1991), S. 39–43.

2 B. Díaz del Castillo (1928), S. 297; (1982), S. 214 f.

3 D. de Landa (1990).

4 Vgl. G. Tourtellot III (1988).

[5] B. Díaz del Castillo (1982), S. 211f.

[6] Siehe P. D. Harrison (1970).

[7] Vgl. L. Schele (1990a).

[8] D. Stuart (1985b).

[9] L. Schele und D. A. Freidel (1990 bzw. 1991), S. 296–351.

[10] J. W. Ball (im Druck).

[11] Karl Taube, persönliche Mitteilung 1992.

KRIEG – MYTHOS UND REALITÄT

David A. Freidel

[1] Linda Schele (persönliche Mitteilung 1992) deutet den »Schwarzen Verwandler« als den Nachthimmel zu dem Zeitpunkt, an welchem die Milchstraße gerade unterhalb des Horizonts als dünner Lichtstreif sichtbar ist. Das »Herz des Himmels« könnte der Nordstern zu diesem Zeitpunkt sein.

[2] Zur Dynastie von Copán vgl. L. Schele und D. A. Freidel (1990 bzw. 1991), Kapitel 8, sowie W. L. Fash (1988).

[3] Lesung nach Nikolai Grube und Linda Schele. Die Handlung, welche sich auf *Yax K'uk' Mo'* bezieht, ist noch Gegenstand zukünftiger Forschung, aber die Alternativen beeinflussen das hier vorgestellte Argument nicht wesentlich. Eine epigraphische Analyse bieten die Abhandlungen von N. Grube und L. Schele in den Copán Notes (L. Schele 1991b).

[4] L. Schele und D. A. Freidel (1990 bzw. 1991), Kapitel 4.

[5] Eine detaillierte Beschreibung der Wandmalereien von Bonampak liefert M. E. Miller (1986a); die Malereien des Oberen Tempels des Jaguars sind publiziert in C. C. Coggins und O. C. Shane III (Hrsg.) (1984) auf der Basis der exzellenten Aquarellzeichnungen von Adela Breton.

[6] A. M. Tozzer (1941); R. S. Chamberlain (1948); V. R. Bricker (1981); vgl. auch R. Hassig (1988) über die Kriegsführung der Azteken.

[7] Diese Vermutung beruht auf dem Gebrauch der Zahl 8000, um die normative oder ideale Größe einer Armee in ethnohistorischen Beschreibungen von Heeren der Eroberungszeit im nördlichen Tiefland auszudrücken. *Hun Pik Tok'* von Izamal z. B. wird geschildert als Herr von »8000 Feuersteinen« (B. de Lizana 1893).

[8] Zur Rolle von Grenzstädten in militärischen Kampagnen der Klassischen Maya siehe L. Schele und D. A. Freidel (1990 bzw. 1991), Kapitel 5. Die Autoren argumentieren, daß die Zerstörung der Frühklassischen Stelen in Tikal einen materiellen Beweis für die Eroberung dieser Stadt durch ihre Feinde und eine rituelle Erniedrigung analog der Errichtung von Eroberungstreppen durch die Sieger in unterlegenen Orten wie Seibal und Naranjo darstellt. Die sich hier ergebende Schwierigkeit ist die lange Zeitspanne zwischen der angenommenen Niederlage Tikals durch Caracol und der Sammlung zerstreuter Bruchstücke von Stelen und ihrer rituellen Bestattung durch *Hasaw Chan K'awil*, den Helden von Tikals Rückkehr zur Macht. Kürzlich jedoch haben Stephen Houston und David Stuart festgestellt, daß Tikal nur drei Jahre vor der Thronbesteigung *Hasaw Chan K'awils* durch *Tok' Chan K'awil*, König von Dos Pilas, besiegt wurde; siehe A. A.

Demarest und S. D. Houston (Hrsg.) (1990). Wir nehmen deshalb nun an, daß *Tok' Chan K'awil* verantwortlich war für die Zerstörung der Stelen von Tikal.

[9] V. R. Bricker (1981).

[10] Vgl. hierzu D. A. Freidel, L. Schele und J. Parker, Kapitel 6 (im Druck).

[11] A. A. Demarest und S. D. Houston (Hrsg.) (1990).

[12] R. D. Hansen (1992).

[13] Siehe L. Schele und D. A. Freidel (1990 bzw. 1991), Kapitel 3.

[14] D. L. Webster (1976, 1977).

[15] V. L. Scarborough (1991).

[16] Siehe R. T. Matheny (1986b) zum Plan der Stadtanlage von El Mirador.

[17] Eine Beschreibung von Colhá im nördlichen Belize, wo während der Präklassik und Klassik Millionen Steinwerkzeuge hergestellt wurden, liefern T. R. Hester, H. J. Shafer und J. D. Eaton (Hrsg.) (1982).

[18] D. L. Webster (1977).

[19] R. D. Hansen (1992).

[20] Richard Hansen erforscht und kartiert derzeit die Präklassischen Siedlungen dieses Teils des Petén von Guatemala, und meine Schätzung basiert auf seinen persönlichen Mitteilungen sowie Feldforschungsberichten des RAINPEG-Projekts.

[21] Siehe hierzu L. Schele und D. A. Freidel (1990 bzw. 1991), Kapitel 3.

[22] L. Schele und D. A. Freidel (1990 bzw. 1991), Kapitel 4.

[23] A. F. und D. Z. Chase (1989).

[24] Siehe D. Z. Chase, A. F. Chase und W. A. Haviland (1990) zu einer Besprechung der Siedlungsmuster von Caracol.

[25] Persönliche Mitteilung von Nikolai Grube und Linda Schele.

[26] Nikolai Grube hat aufgezeigt, daß die Ratsregierung von Chichén Itzá einen Vorläufer in der Regierung des Spätklassischen Xcalumkin, weiter südlich in der Puuc-Region des nördlichen Tieflands gelegen, besaß (N. Grube 1990a). Dort treten bereits um 731 n. Chr. Gruppen von gleichberechtigten Adligen auf, die sich die Herrschaft über Xcalumkin zu teilen scheinen.

[27] L. Schele und D. A. Freidel (1990 bzw. 1991), Kapitel 9; D. A. Freidel (1981, 1986).

[28] V. R. Bricker (1981), N. Farriss (1984) und P. Sullivan (1989) bieten gute historische Analysen des Widerstandes der Maya gegen die spanischen Eroberer.

[29] Obwohl diese Sichtweise sehr beredt in J. E. S. Thompsons populärem Buch über die Maya-Zivilisation (1957 bzw. 1975) vertreten wird, repräsentiert sie die Ansicht zahlreicher Archäologen vor dem 2. Weltkrieg.

DAS BALLSPIEL DER MAYA

Ted J. J. Leyenaar und Gerard W. van Bussel

[1] P. Agrinier (1991).

[2] A. L. Smith (1961), S. 102–117; E. Taladoire (1981).

[3] F. Blom (1932), S. 495f.; T. J. J. Leyenaar (1978), S. 44.

[4] T. J. J. Leyenaar und L. A. Parsons (1988), S. 62.

[5] A. M. Tozzer (1941), S. 124; vgl. auch D. de Landa (1990).

6 R. de Vries (1991).

7 W. T. Sanders und J. W. Michels (Hrsg.) (1977); K. L. Brown (1973, 1977); L. A. Parsons (1967–69).

8 L. A. Parsons (1986), Abb. 164; C. Cook de Leonard (1967); V. Fialko C. (1988), S. 117, 135; S. D. Houston (1989), Abb. 14.

9 J. W. Fox (1981); T. Stern (1966), S. 43.

10 A. L. Smith (1961, 1962); P. Agrinier (1991); T. J. J. Leyenaar und L. A. Parsons (1988), S. 62; L. A. Parsons (1967–69); E. Pasztory (1972).

11 V. L. Scarborough, B. Mitchum, S. Carr und D. A. Freidel (1982).

12 G. W. van Bussel (1988); D. van Tuerenhout (1991).

13 L. Schele und M. E. Miller (1986), S. 247.

14 G. W. van Bussel (1988).

15 K. Ruppert und J. H. Denison, Jr. (1943), S. 5f.; persönliche Mitteilung Merle Greene Robertson. Trotz der geringen Anzahl von Plätzen in Nordyucatán wird die Bedeutung des Ballspiels in dieser Region durch zahlreiche Keramikfiguren, Darstellungen auf Gefäßen und Reliefs belegt; vgl. dazu A. M. Tozzer (1957), Abb. 485; M. Cohodas (1978), S. 89; K. H. Mayer (1988), S. 1203 f., Abb. 2.

16 N. M. Hellmuth (1987), S. 422.

17 R. L. und Barbara C. Rands (1965), Abb. 31; I. Graham (1982).

18 L. A. Parsons (1986), S. 100 f.

19 L. A. Parsons (1967–69), Abb. 54; T. J. J. Leyenaar und J. A. Parsons (1988), Abb. 60; S. F. de Borhegyi (1980), Abb. 16; J. K. Kowalski (1991).

20 A. Ruz L. (o. J.), Abb. 29; L. Schele und P. Mathews (1979), Nr. 861; T. J. J. Leyenaar und L. A. Parsons (1988), S. 80, Abb. 12, Nr. 89; D. L. Webster und E. K. Abrams (1983); N. M. Hellmuth (1987), S. 296.

21 N. M. Hellmuth (1987), S. 4, 422, Abb. 59–62.

22 M. Greene Robertson (1991).

23 J. F. Guillemín (1968); S. F. de Borhegyi (1980), S. 12; C. Jones (1985), Abb. 10, 11.

24 N. M. Hellmuth (1975), S. 87; T. J. J. Leyenaar (1978), S. 21, 44 f.

25 P. D. Joralemon (1971); D. Schávelzon (1980).

26 G. W. van Bussel (1988).

27 I. Kelly (1943); T. J. J. Leyenaar (1978).

28 L. Schele und M. E. Miller (1986), S. 245; G. W. van Bussel (1988).

29 T. J. J. Leyenaar und L. A. Parsons (1988), S. 99, Abb. 16.

30 G. W. van Bussel (1988); T. J. J. Leyenaar (1978), S. 61, 71 f.

31 D. Tedlock (1985), S. 145; G. W. van Bussel (1988).

32 C. C. Coggins und O. C. Shane III (Hrsg.) (1984), S. 40.

33 T. Stern (1966), S. 43; A. Barrera Vásquez (1980), S. 657, 651.

34 M. Greene Robertson (1991).

35 F. Blom (1932), S. 496; A. Barrera Vásquez (1980), S. 372; D. Durán (1867–80); I. Bernal (1968); I. Bernal und A. Seuffert (1979); L. A. Parsons (1969); T. J. J. Leyenaar und L. A. Parsons (1988), Abb. 1.

36 M. D. Coe (1982), Nr. 10; N. M. Hellmuth (1987), S. 7.

37 T. J. J. Leyenaar (1978).

38 D. Tedlock (1985), S. 109; T. Stern (1966), S. 38 f.; T. J. J. Leyenaar (1978); L. Schele und M. E. Miller (1986), S. 248.

39 T. J. J. Leyenaar und L. A. Parsons (1988), S. 110, Abb. 26.

40 F. Blom (1932), S. 495 f.

41 G. W. van Bussel (1988).

42 A. Barrera Vásquez (1980), S. 926.

43 M. E. Miller und S. D. Houston (1987), S. 52.

44 T. J. J. Leyenaar und L. A. Parsons (1988), S. 85.

45 L. Schele und M. E. Miller (1986), S. 255.

46 T. J. J. Leyenaar (1978), S. 13.

47 G. W. van Bussel (1988, 1991).

48 M. E. Miller (1986b), S. 84, 80.

49 K. A. Taube (1985).

50 M. E. Miller (1986b), S. 85.

51 S. G. Morley (1937–38), Bd. 2, S. 301–309; M. Greene Robertson, R. L. Rands und J. A. Graham (1972), Abb. 82, 83; M. E. Miller und S. D. Houston (1987), S. 59; weitere Beispiele finden sich bei G. W. van Bussel (1988).

52 L. Schele und N. Grube (1990).

53 C. Tate (1985), Abb. 12–14; G. E. Stuart (1981); A. Stone (1982).

54 M. E. Miller und S. D. Houston (1987), S. 58 f.

55 I. Graham (1982).

56 D. Schávelzon (1980); M. D. Coe (1975, 1982).

57 D. Tedlock (1985), S. 113, 354 f.

58 So bei den Figuren von der Insel Jaina, Campeche, Mexiko, und Darstellungen in der Höhle von Naj Tunich, El Petén, Guatemala.

59 J. E. S. Thompson (1970), S. 347.

60 A. Ruz L. (1952), S. 54.

61 M. E. Miller (1985), S. 143; J. E. S. Thompson (1970), S. 32.

62 L. Schele und D. A. Freidel (1990 bzw. 1991).

63 L. Schele und M. E. Miller (1986), S. 250; M. E. Miller (1986b), S. 80.

64 D. Stuart (1987), S. 24 f.; A. Barrera Vásquez (1980), S. 657; L. Schele (1987), S. 106.

65 D. Tedlock (1985), S. 210.

66 M. D. Coe (1973, 1975).

67 L. Schele und M. E. Miller (1986), S. 252; N. M. Hellmuth (1987).

68 D. Tedlock (1985), S. 118.

69 E. Z. Vogt (1969), S. 45.

70 D. Tedlock (1985), S. 147.

71 T. J. J. Leyenaar und L. A. Parsons (1988), S. 38.

72 E. P. Benson (Hrsg.) (1986); A. Stone (1982); J. E. S. Thompson (1975).

73 L. Schele und M. E. Miller (1986), S. 250; M. E. Miller und S. D. Houston (1987), S. 62; A. F. und D. Z. Chase (1987a), S. 33, Abb. 27.

74 G. W. van Bussel (1988).

75 E. Seler (1902–23); K. T. Preuß und E. Menghin (1937); W. Krickeberg (1948).

76 T. J. J. Leyenaar und L. A. Parsons (1988), S. 88, 98.

77 A. Barrera Vásquez (1980), S. 399; L. Schele und M. E. Miller (1986).

78 D. Tedlock (1985), S. 110, 137.

RELIGION UND WELTSICHT

Linda Schele

[1] Johannes Wilbert diskutierte diese Ideen auf einem Treffen in Puerto Rico im Januar 1992. Seine Kenntnisse basieren auf 10 Jahren Forschungstätigkeit in Südamerika, vor allem unter den Warao im Delta des Orinoco. Siehe J. Wilbert und K. Simoneau (1977–91) für eine Sammlung von ihm bearbeiteter und veröffentlichter Mythen aller noch existierenden Jäger- und Sammler-Gruppen Südamerikas.

[2] Ich gebe die Schöpfungsgeschichte so wieder, wie sie auf Stele C von Quiriguá, den Reliefs der Tempel der »Kreuzgruppe« in Palenque und im *Popol Vuh* verzeichnet ist. Die Entzifferungen, auf die ich mich berufe, entstammen den Arbeiten von F. G. Lounsbury, P. Mathews, L. Schele und D. Kelley zu den Inschriften von Palenque, insbesondere zu den mythologischen Abschnitten der Inschriften von Palenque (F. G. Lounsbury 1976, 1980, 1985). Ein großer Teil dieser Interpretationen basiert auf den Kommentaren für die Begleitbücher zu den Texas Workshops for Maya Hieroglyphic Writing von L. Schele (vgl. L. Schele 1992) sowie den gegenwärtigen Analysen der Schöpfungstexte für das neue Buch von D. A. Freidel, L. Schele und J. Parker (im Druck).

[3] *Hun* ist die Zahl »Eins«, *nal* bedeutet »Maiskolben« und *yeh* »zeigen, vorstellen, anbieten, demonstrieren, vorführen«. *Yeh* bedeutet aber auch »etwas mit der Hand greifen« und meint also »genommen, nehmen«. In diesem Zusammenhang scheint es zu bedeuten, daß das Wesen die Eigenschaften, die im ersten Teil des Namens erscheinen, repräsentiert.

[4] Engl. Übersetzung des *Popol Vuh* von D. Tedlock (1985).

[5] Siehe D. A. Freidel, L. Schele und J. Parker (im Druck) für eine vollständige Diskussion dieser Interpretation. Der Name des Vogels rührt her von dem Kopfband, das er trägt und das seinen Namen, wie er in dem Begleittext auf dem »Blasrohrschützen-Gefäß« vorkommt, verzeichnet. *Itz* ist das Maya-Wort für als göttlich angesehene Sekretionen wie Tau, Schweiß, Blumennektar und die »Heilige Substanz des Himmels«, die von den yukatekischen *hmenob* in der *cha chak*-Zeremonie materialisiert wird. *Itz* bedeutet ebenso »zaubern« oder »Magie betreiben«, so daß der Name *itz-am*, »Zauberei«, *yeh*, »gezeigt«, »präsentiert« oder »demonstriert« heißt. Der Vogel ist der Geisttier-Aspekt von *Itzamna*, der auch als Gott D in der alphabetischen Nomenklatur der Maya-Götter bekannt ist.

[6] David Freidel äußerte erstmals diese Interpretation des Skorpions.

[7] Die Lesung des Verbs in dieser Textpassage als *pet*, »rundes Objekt«, wurde von Nikolai Grube und Werner Nahm 1990 in einem Brief vorgeschlagen. Barbara MacLeod interpretierte die hier ausgedrückte Tätigkeit als die Ingangsetzung der Kreisbewegung der Konstellation um den Polarstern.

[8] K. A. Taube (1988).

[9] Im unteren »Wasser-Register« auf dem Relief von Tempel 14 in Palenque.

[10] Michael Coe äußerte zum ersten Mal die Vermutung, daß zur Zeit der spanischen Eroberung die von Landa beschriebenen Neujahrs-Riten den Rahmen für den Wechsel von Ämtern, entsprechend der Unterteilung yukatekischer Dorfgemeinschaften in vier Quadranten, bildeten. Er erkannte, daß der 819-Tage-Zählung der Klassischen Periode eine ähnliche Struktur zugrunde lag. Da sich keine Klassische Inschrift auf die Neujahrszeremonie bezieht, nehme ich an, daß Coes Annahme korrekt ist und die 819-Tage-Zählung für den Wechsel von Ämtern durch die Abschnitte der Königtümer der Klassischen Periode benutzt wurde.

[11] David Freidel und ich kamen zu der Identifikation der Milchstraße als Weltenbaum während unserer Forschungen für das Buch »Maya Cosmos« (D. A. Freidel, L. Schele und J. Parker, im Druck).

[12] E. Z. Vogt (1970).

[13] Siehe S. D. Houston und D. Stuart (1989). Nikolai Grube gelang dieselbe Entzifferung gleichzeitig und unabhängig davon. Houston und Stuart sahen keinen Hinweis dafür, daß *wayob* von den Eltern vererbt wurden oder mit Clans zusammenhingen, so wie es bei den heutigen Lakandonen der Fall ist. Dagegen meinte Grube, daß die Beziehung des *way Beklel* zu einigen Königen Palenques dafür spricht, daß bestimmte Familien mit bestimmten *wayob* verbunden waren.

[14] Nikolai Grube schlug diese Interpretation erstmals 1989 in einer Diskussion über die *way*-Hieroglyphe vor.

[15] Nikolai Grube (in einem Brief von 1990) fand eine Substitution, die die Lesung *tzak* für die Hand-Fisch-Hieroglyphe belegt.

[16] Stephen Houston und David Stuart (in einem Brief von 1990) fanden heraus, daß die S-förmigen Gebilde als *muy*, »Wolken«, bezeichnet wurden. Andrea Stone und Barbara MacLeod kamen unabhängig zu demselben Schluß anhand ihrer Studien der Inschriften der Höhle von Naj Tunich.

[17] Der ursprüngliche Lesungsvorschlag für diese Tor-Hieroglyphe von Linda Schele, Peter Mathews, Floyd Lounsbury und David Kelley findet sich in L. Schele et al. (1991). Nikolai Grube schlug 1991 in einem Brief vor, daß diese Hieroglyphe als *ol*, »Herz« oder »Zentrum«, zu lesen sei.

[18] Die Idee, daß das Kosmische Ungeheuer die Ekliptik darstellt, wurde erstmalig von John Sosa (1986) geäußert.

[19] M. D. Coe 1973.

[20] C. Cortez 1986.

SCHRIFT UND SPRACHEN DER MAYA

Nikolai Grube

[1] Landas Bericht liegt in einer von Carlos Rincón herausgegebenen deutschen Übersetzung vor (D. de Landa 1990).

[2] Der betreffende Absatz von Erzbischof Ruffos Bericht wurde zuerst von M. D. Coe (1989) auf Maya-Handschriften bezogen.

[3] H. Deckert (1989), S. 15.

[4] Eine Übersicht über Rafinesques Forschungen, aber auch über seine exzentrische Persönlichkeit, bietet G. E. Stuart (1989a).

[5] Nach wie vor ist dieses Werk eine der besten Einführungen in das Kalenderwesen und die Mathematik der Maya; siehe J. E. S. Thompson (1950).

[6] G. Zimmermann (1956) berücksichtigte in seinem Hieroglyphenkatalog nur die Hieroglyphen der Handschriften. J. E. S. Thompson (1962) dagegen katalogisierte alle ihm zugänglichen Texte, darunter auch sämtliche ihm bekannten Inschriften auf Steinmonumenten. Obgleich sein Katalog umfangreicher ist, ist Zimmermanns Katalog erheblich genauer und methodischer.

[7] T. Proskouriakoff (1960); H. Berlin (1958).

[8] Pionierarbeiten über die dynastische Geschichte von Städten im Tiefland sind D. H. Kelley (1962) für Quiriguá, T. Proskouriakoff (1963a, 1964) über Yaxchilán, P. Mathews und L. Schele (1974) über Palenque und C. Jones und L. Satterthwaite (1982) für Tikal. Die umfassendste moderne Darstellung der Geschichte von zehn ausgewählten Maya-Städten findet sich bei L. Schele und D. A. Freidel (1990 bzw. 1991).

[9] Y. V. Knorosov (1967).

[10] Siehe beispielsweise F. G. Lounsbury (1973) und D. H. Kelley (1976).

[11] Wichtige Veröffentlichungen, die den fortschreitenden Stand der Erforschung der Maya-Schrift verdeutlichen, sind u. a. D. H. Kelley (1976), L. Schele (1982), J. S. Justeson und L. Campbell (Hrsg.) (1984), V. R. Bricker (1986) sowie S. D. Houston (1989).

[12] Chol-Sprachen und yukatekische Sprachen sind Oberbezeichnungen für verschiedene eng verwandte Sprachen. Die Chol-Sprachen sind Chol, Chontal und Chortí. Bis ins 17. Jahrhundert hinein gab es auch noch das Choltí, das heute aber ausgestorben ist, da alle Sprecher bei Umsiedlungsaktionen nach der Eroberung ums Leben kamen. Die yukatekischen Sprachen sind das yukatekische Maya – die einzige Sprache, die sich selber »Maya« nennt –, das Itzá, das Mopán und die Sprache der Lakandonen.

[13] F. Winfield Capitaine (1988).

[14] N. Grube (1990b).

[15] In früheren Arbeiten ist meist nur von 20 Konsonanten die Rede. Es gibt aber deutliche Anzeichen, daß die Maya der Klassischen Zeit zwischen einem weichen, aspirierten und einem rauhen h-Laut unterschieden. Diese Unterscheidung hat sich nur im frühkolonialzeitlichen Yukatekisch, im modernen Chol und im Tzotzil des 16. Jahrhunderts erhalten.

[16] Linguistisch gesehen sind Vokalzeichen ebenfalls eine Kombination aus Konsonant und Vokal. An die Stelle des Konsonanten tritt hier der sog. »Glottalstopp«, der plötzliche Verschluß der Stimmritze, der automatisch im vokalischen Anlaut gesprochen wird.

[17] Die Existenz dieses Determinativs wurde Ende 1990 von David Stuart entdeckt und in einem Rundbrief an Kollegen mitgeteilt. Siehe auch D. Stuart und S. D. Houston (im Druck).

[18] Dazu könnte man z. B. die »Cantares de Dzitbalche« (A. Barrera Vásquez 1961) zählen.

[19] Im Rahmen dieser Abhandlung kann der Venuskalender leider nicht ausreichend gewürdigt werden. Sehr gute Darstellungen des Venuskalenders finden sich in J. E. S. Thompsons Kommentar zum Dresdener Codex (1972) und in den Arbeiten von F. G. Lounsbury (1978) und J. S. Justeson (1989) zur Astronomie der Maya.

[20] Vgl. S. D. Houston, D. Stuart und K. A. Taube (1989).

[21] Dieses Verb wurde 1989 von David Stuart entziffert und brieflich an Kollegen mitgeteilt.

[22] Die Einpflanzung von Stelen wird in N. Grube (1990c) beschrieben.

[23] Seit der Entdeckung der Primären Standardsequenz durch M. D. Coe (1973) haben vor allem S. D. Houston und K. A. Taube (1987), D. Stuart (1989) und N. Grube (1991) zur Entzifferung der Weihtexte beigetragen. B. MacLeod (1990) hat die bis jetzt umfassendste Analyse der Syntax dieser Texte verfaßt.

[24] Zur Bedeutung des Tanzes in der Klassischen Maya-Kultur siehe N. Grube (im Druck).

[25] D. Stuart und S. D. Houston (im Druck); P. Mathews (1988).

[26] Vgl. L. Schele und P. Mathews (1991); T. P. Culbert (1991b).

[27] In einem Brief identifizierte David Stuart die yitah-Hieroglyphe zunächst als eine Hieroglyphe für »Bruder« und »Cousin«; Barbara MacLeod und Dieter Dütting (in unpublizierten Briefen) fanden aber linguistische Hinweise dafür, daß die Hieroglyphe als ein Wort für »Freund« zu interpretieren ist.

[28] Die Entdeckung der wörtlichen Rede und der Pronomina der 1. und 2. Person Singular wurde von Stephen Houston, David Stuart und Nikolai Grube gleichzeitig im Jahr 1988 gemacht, bislang aber noch nicht publiziert. David Stuart fand erst kürzlich heraus, daß auch am Tempel 22 in Copán, also einem Steinmonument, ein Text erscheint, der in der 1. Person Singular gesprochen wird.

[29] In den Inschriften kommen sowohl die Kopfvariante als auch die »symbolische« Variante des Zeichens für die bak'tun-Einheit, das Silbenzeichen pi, vor (D. Stuart 1987, S. 11–13).

[30] Gute Darstellungen der astronomischen Kenntnisse der Maya finden sich bei J. E. S. Thompson (1972), F. G. Lounsbury (1978) und J. S. Justeson (1989). Linda Schele gelang erst vor kurzem der Nachweis der zentralen Rolle der Milchstraße in der Maya-Astronomie. Auch konnte sie die Existenz von Tierkreiszeichen, die schon früher vermutet worden war, bestätigen (L. Schele 1992). Werner Nahm beschäftigte sich in umfangreichen, allerdings noch unpublizierten Arbeiten mit dem Venuskalender und den Tierkreiszeichen der Ekliptik.

DER ZUSAMMENBRUCH EINER KULTUR

T. Patrick Culbert

[1] S. G. Morley (1946).

[2] J. E. S. Thompson (1957 bzw. 1975).

[3] Einen guten Bericht über die wechselnden Strömungen in der Maya-Archäologie findet man in J. A. Sabloff (1990 bzw. 1991). Eine neuere Analyse aller auf die Maya-Bevölkerung

bezogenen Daten ist enthalten in T. P. Culbert und D. S. Rice (Hrsg.) (1990).

4 Robert Sharers Ansicht, daß der Rückgang der Bevölkerung allmählich verlaufen sei, scheint für Copán zuzutreffen (vgl. D. L. Webster und A. C. Freter 1991). Für die übrigen Stätten siehe die Aufsätze in dem Sammelband von T. P. Culbert und D. S. Rice (Hrsg.) (1990).

5 Die University of Pennsylvania nahm ihre Arbeit in Tikal 1956 auf und setzte sie bis 1970 fort; guatemaltekische Archäologen führten die Forschungen über 10 Jahre hinweg weiter. Daten über die Endklassik sind zusammengefaßt in T. P. Culbert (1973).

6 L. Satterthwaite (1958).

7 W. R. Coe (1965); T. P. Culbert (1973).

8 In den 30er Jahren leitete die Carnegie Institution of Washington ein Langzeitprojekt in Uaxactún. Besonders relevant für das hier angesprochene Datenmaterial sind unter ihren Publikationen die folgenden: A. L. Smith (1937, 1950), R. E. Smith (1955).

9 J. D. Eaton (1986).

10 In der Beschäftigung mit der Chronologie des Kollaps muß man sich weitgehend auf das Ende der Inschriftenproduktion verlassen, weil die betreffenden Zeiträume kurz sind (20 bis 50 Jahre) und anderes archäologisches Datenmaterial bei weitem zu unpräzise ist. In einer persönlichen Mitteilung merkt Arlen Chase an, daß sich in Caracol die Besiedlung unverändert bis zum Ende der Endklassischen Phase nachweisen läßt, daß die Wohneinheiten dann aber plötzlich aufgegeben wurden und »Hausbesetzer« in den Palästen nicht nachweisbar sind. Siehe T. P. Culbert (Hrsg.) (1973).

11 Takeshi Inomata, persönliche Mitteilung 1991.

12 P. Mathews und G. R. Willey (1991); J. A. Graham (1973).

13 D. S. und P. M. Rice (1990); A. F. Chase (1990).

14 S. G. Morley (1946); J. E. S. Thompson (1957 bzw. 1975).

15 S. D. Houston (1989).

16 L. Schele und M. E. Miller (1986).

17 J. L. Brewbaker (1979).

18 Eine Zusammenfassung geben D. S. Rice und T. P. Culbert (1990).

19 R. S. Santley, T. Killion und M. Lycott (1986).

20 Für Copán vgl. E. M. Abrams und D. J. Rue (1988) sowie W. L. Fash (1991), für die Petexbatún-Region A. A. Demarest und N. P. Dunning (1990). Vgl. auch T. P. Culbert (1988) wegen einer besonders nachdrücklichen Aussage über die Bedeutung ökologischer Ursachen des Kollaps.

21 Diane und Arlen Chase bringen in ihrem Artikel in diesem Band starke Argumente dafür vor, daß sich die Kluft zwischen Elite und Unterschicht im Laufe der Zeit nicht erweitert hat, sondern daß die Unterschicht an den durch die Herrscher von Caracol erzielten Errungenschaften teilhatte.

22 Die bewegend erzählte Geschichte von *Yax Paks* letzter Stele in David Freidels Beitrag kommt fast einem Klagelied über den Zustand der Maya-Gesellschaft gleich, wie er aus den Inschriften zu ersehen ist.

23 W. L. Fash und D. Stuart (1991).

24 A. F. Chase, N. Grube und D. Z. Chase (1991).

25 L. Schele und D. A. Freidel (1990 bzw. 1991).

26 Aus dem Petexbatún-Projekt gibt es bisher nur vorläufige Ergebnisse. Ergänzungen zu dem publizierten Bericht von A. A. Demarest und N. P. Dunning (1990) liefern die Informationen von Stephen Houston, der die Mauern von Dos Pilas und Aguateca entdeckte und kartierte, und Takeshi Inomata, der die Verteidigungsanlagen von Punta de Chimino kartierte.

27 Siehe die Beiträge von A. F. und D. Z. Chase sowie R. J. Sharer in diesem Katalog. A. A. Demarest und N. P. Dunning (1990) vermuten, daß die intensivierte Kriegsführung in der Spätklassik zu einer Zusammenballung von Menschen im Umkreis der Städte und folglich zu einer übermäßigen Ausbeutung des Landes führte.

28 C. Jones (1979); D. A. Freidel (1986b).

29 Vgl. Anm. 21; R. E. W. Adams (1984).

DIE MAYA DER POSTKLASSIK

Diane Z. Chase und Arlen F. Chase

1 Siehe dazu N. Yoffee und G. L. Cowgill (Hrsg.) (1988).

2 B. Meggers (1954) war erheblich an der Verbreitung dieser Ansicht beteiligt, und viele ihrer Argumente wurden von anderen Autoren aufgegriffen; vgl. W. T. Sanders (1977), W. T. Sanders und D. L. Webster (1988).

3 Das geht aus neueren Arbeiten von C. Gallenkamp (1985) und R. E. W. Adams (1991) hervor.

4 Dazu A. F. Chase und P. M. Rice (Hrsg.) (1985), J. A. Sabloff und E. W. Andrews V (Hrsg.) (1986), D. Z. und A. F. Chase (1988).

5 Die Forschungen in Santa Rita Corozal wurden durch die National Science Foundation (BNS-8318531 und BNS-8509304), die University of Pennsylvania (University Museum, Anthropology Department, Office of Undergraduate Studies), die University of Central Florida, den Explorers' Club of Philadelphia and New York, Sigma Xi und private Stifter unterstützt. Ausführliche Berichte bieten D. Z. und A. F. Chase (1988), ferner D. Z. Chase (1981, 1985a, 1988, 1990, 1991, 1992), D. Z. und A. F. Chase (1986a). Die Forschungen in Caracol finanzierten die University of Central Florida, die Harry Frank Guggenheim Foundation, die United States Agency for International Development, die Regierung von Belize sowie private Spender. Wichtige Publikationen sind unter anderen A. F. und D. Z. Chase (1987a und b, 1989), D. Z. Chase, A. F. Chase und W. A. Haviland (1990), A. F. Chase (1991, 1992), A. F. Chase, N. Grube und D. Z. Chase (1991).

6 L. Schele und M. E. Miller (1986).

7 Dazu S. G. Morley, G. W. Brainerd und R. J. Sharer (1983 bzw. im Druck) sowie T. P. Culbert (1988).

8 Diese Daten erscheinen an zwei Orten: in Tzibanché, Quintana Roo und auf Monument 101 von Toniná, Chiapas.

9 Die Maya des Hochlandes wurden zwischen 1524 und 1527 von den Spaniern besiegt. Im Gegensatz dazu zog sich die Eroberung des nördlichen Maya-Tieflandes von 1527 bis

1546 hin; die *Itzá*-Maya wurden erst im Jahre 1697 unterworfen.

10 J. G. W. Lowe (1985).

11 Die »Postklassischen« Funde in Barton Ramie wurden erst lange nach Abschluß des Ausgrabungsprojektes von James Gifford anhand der Analyse der Keramiken identifiziert; eine Analyse der Befunde vor Ort in Tayasal während der Ausgrabungen von 1971 erbrachte ebenfalls nur eine geringe Menge von Postklassischem Material.

12 Vgl. D. Z. Chase (1986), D. Z. und A. F. Chase (1986 b, 1988), G. D. Jones (1989).

13 D. Robertson (1970).

14 G. R. Willey (1990); D. Z. und A. F. Chase (1982); N. Hammond (1985 b).

15 Zu Isla Cerritos siehe A. P. Andrews et al. (1988). C. E. Lincoln (1986) entwirft eine Zusammenschau der Stellung Chichén Itzás als einer Stätte der Endklassik und steht damit im Gegensatz zur traditionellen Auffassung von A. M. Tozzer (1957).

16 H. E. D. Pollock, R. L. Roys, T. Proskouriakoff und A. L. Smith (1962).

17 S. K. Lothrop (1924); W. T. Sanders (1960).

18 A. Miller (1982); D. Z. und A. F. Chase (1988), S. 65–68, 80–83.

19 D. M. Pendergast (1986).

20 E. A. Graham, G. D. Jones und R. R. Kautz (1985).

21 A. F. Chase (1985 a); P. M. und D. S. Rice (1985).

22 R. B. Woodbury und A. Trik (1953); J. F. Guillemin (1965); D. T. Wallace und R. M. Carmack (Hrsg.) (1977).

23 D. de Landa (1990); D. Tedlock (1985).

24 R. L. Roys (1957).

25 Siehe D. A. Freidel (1985).

26 Der erst ein Jahrzehnt später veröffentlichte Artikel von T. Proskouriakoff (1955) faßt ihre Sicht des Langzeitprojektes der Carnegie Institution of Washington in Mayapán zusammen. Ihre Ansichten zur Postklassik geben zum Teil die allgemeine Enttäuschung der Carnegie-Archäologen über die Aufgabe des Maya-Programms wieder (vgl. E. Shook 1990). Diese zum Teil irregeleiteten Meinungen haben die Forschung über die Postklassik drei Jahrzehnte lang geprägt.

27 Zum Teil in Übereinstimmung mit J. E. S. Thompsons Aussagen über *Itzamná* (1957 bzw. 1975, 1970).

28 Dies wird besonders deutlich in den postklassischen Opferdepots (*caches*) (vgl. D. Z. Chase 1988).

29 Dokumentiert bei D. Z. und A. F. Chase (1988).

30 Siehe hierzu die Beiträge in D. Z. und A. F. Chase (Hrsg.) (1992); zu den theoretischen Implikationen dieses Konzeptes insbesondere A. F. und D. Z. Chase (1992).

31 W. B. M. Welsh (1988) hat die Veränderungen der Maya-Bestattungsformen diachron dokumentiert und korrigiert die Interpretation von W. L. Rathje (1970).

32 Siehe hierzu D. Z. und A. F. Chase (Hrsg.) (1992).

33 Auf die archäologische Erforschung Caracols wurde zuvor in Anmerkung 5 verwiesen. Die Arbeiten von E. B. Kurjack (1974) und E. W. Andrews IV und V in Dzibilchaltún (1980) lassen anhand der archäologischen Funde eine komplexe Sozialordnung erkennen. Neueste Ergebnisse über Tikal finden sich bei W. A. Haviland und H. Moholy-Nagy (1992).

34 Die Übersetzung von Landas Werk und die Anmerkungen dazu von Alfred Tozzer (1941) sind immer noch die wichtigsten Referenzen zur Kontakt-Periode bei den Maya.

35 Dieses Modell kann auf einige, wenn nicht alle Städte der Klassischen Periode übertragen werden, wie von A. F. und D. Z. Chase (1987 b), S. 57–58 und von W. Ashmore (1981) gezeigt.

36 D. Z. Chase (1982, 1986).

37 Eine umfangreiche diachrone Untersuchung der beiden Materialklassen findet sich bei D. Z. Chase (1988).

38 Die Verbindung zwischen den paarigen Weihrauchgefäßen und den *k'atun*-Zeremonien ist von D. Z. Chase vermutet worden (1986; siehe auch D. Z. und A. F. Chase 1988). Ähnliche paarweise auftretende Räuchergefäße fanden sich ebenfalls in Struktur A3 und vor Struktur B19 aus der Endklassik in Caracol.

39 Über die Verbindung zwischen diesen *wayeb*-Ritualen und den Postklassischen *caches* siehe D. Z. Chase (1985 b).

40 So auch D. A. Freidel und J. A. Sabloff (1984), die außerdem zusätzliche Informationen über die Postklassische Religion in Cozumel liefern.

41 Dazu T. P. Culbert und D. S. Rice (Hrsg.) (1990).

42 Siehe D. Z. und A. F. Chase (Hrsg.) (1992). Unterschiedliche Ergebnisse können anhand von verschiedenen Ansichten über die Klassische Maya-Gesellschaft entstehen. Die archäologischen Belege (vgl. A. F. Chase 1992) verweisen auf eine Kluft zwischen Adligen und Volk, wie von zahlreichen Wissenschaftlern, darunter J. G. W. Lowe (1985), vermutet.

43 In einer Arbeit, die unter dem Titel »El norte y el sur – Política, dominios y evolución cultural maya« erscheinen wird, haben wir uns mit den möglichen Beziehungen zwischen den Mexica und den Maya auseinandergesetzt. Danach hatte die archäologisch nachweisbare Verbindung verheerende Folgen für die Endklassik. Eine ältere Arbeit von A. F. Chase (1985 b) befaßt sich mit den Beziehungen zwischen verschiedenen Teilen des Maya-Gebietes.

44 Vgl. Anmerkung 15. H. E. D. Pollock (1965, S. 393) schrieb: »It is strange that within the entire Maya lowlands we know of only one major city of the Early Postclassic period.« Er ergänzt in einer Anmerkung: »This strikes me as so strange that I cannot but wonder if our historical and chronological reconstructions for northern Yucatán are correct.«

45 Diese Kontakte wurden erstmalig von T. Proskouriakoff in ihrer epochalen Arbeit über die Maya-Skulptur (1950) aufgezeigt; siehe nunmehr A. F. Chase (1985 b) und J. K. Kowalski (1989). Vgl. außerdem Anmerkung 14.

46 Die Belege dafür liefern C. E. Lincoln (1986) und A. F. Chase (1986).

47 Gestützt auf die größere zeitliche Tiefe und eine insgesamt differenziertere architektonische Entwicklung in Chichén Itzá gegenüber Tula, wurde diese Idee erstmals von G. Kubler (1975) diskutiert.

48 Sein Modell von der Einwanderung der *Putun* in das südliche Maya-Tiefland bildet die Basis für den ersten Teil von J. E. S. Thompsons Gesamtschau (1970). Daß das nördliche Tiefland von ihnen kontrolliert worden sei, vertreten E. W. Andrews

V und J. A. Sabloff (1986) und noch prägnanter G. Tourtellot III, J. A. Sabloff und K. Carmean (1992). Vgl. außerdem A. Miller (1977).

49 Eine Diskussion neuer Aspekte des Krieges bei den Maya findet sich bei A. F. und D. Z. Chase (1989). Die archäologischen Befunde der Grabungskampagnen von 1988 und 1989 in Caracol deuten darauf hin, daß ein Großteil der Klassischen Maya-Gesellschaft von einem siegreichen Krieg profitierte. Kriegsführung war keineswegs nur dem Adel vorbehalten, wie einige Forscher vermuten (D. A. Freidel 1986a).

50 Wie von Stephen Houston (Appendix zu A. F. Chase 1991) hervorgehoben.

51 J. Marcus (1992) ist der Ansicht, daß die Maya das Alter des Herrschers absichtlich falsch wiedergegeben haben. D. A. Freidel (1986a) hat deutlich argumentiert, daß die große Masse der Maya-Bevölkerung vom Krieg unberührt blieb.

52 So T. P. Culbert, L. J. Kosakowsky, R. E. Fry und W. A. Haviland (1990) und D. E. Puleston (1983).

53 Diese Muster werden ausführlich dokumentiert von A. F. und D. Z. Chase (im Druck).

54 Vermutlich bestand der erste Versuch zur Bildung eines »Reiches« in der Spätklassik in der Eroberung von Naranjo durch Caracol. Die unmittelbare Herrschaft von Caracol über Naranjo dürfte weniger als 50 Jahre Bestand gehabt haben.

55 Siehe Anmerkung 43.

56 Siehe Anmerkung 45.

57 Zur Diskussion der mittels Modeln hergestellten Keramik, ihrer Ikonographie und ihrer Bedeutung siehe R. E. W. Adams (1973) und J. A. Sabloff (1973).

58 So bei Altar 23 aus Caracol (A. F. Chase, N. Grube und D. Z. Chase 1991).

59 Für die Späte Postklassik gibt es vermehrte archäologische Beweise für die Anwendung von Schußwaffen im Gegensatz zu Schlagwaffen (nach K. F. Otterbein 1970, S. 44); zunächst für den häufigeren Gebrauch der Speerschleuder *(atlatl)* und später für die Verwendung von Pfeil und Bogen. Da die Schlagwaffen eher zum Töten als zum Gefangennehmen bestimmt sind, kann man davon ausgehen, daß die Menschen der Postklassik eher an Opfergefangenen oder Sklaven interessiert waren.

60 Dies war der Fall bei der Niederlage Tikals durch Caracol im Jahre 562 n. Chr., als Tikals zentrale Monumente zerstört (A. F. Chase 1991) und die herrschende Dynastie unterbrochen wurden.

61 Diese Interpretation kann mit dem archäologischen Befund von Tikal und der letzten Nutzung der Gebäude dieser Stadt als Wohnungen und Mülldeponie, sogar nachdem die Gewölbe bereits zusammengefallen waren, in Verbindung gebracht werden (siehe dazu T. P. Culbert 1973).

62 Dazu R. S. Chamberlain (1948).

63 Die »unsichtbaren« Strukturen – Maya-Bauten, deren Überreste an der Oberfläche nicht sichtbar sind – haben sich zu einer Thematik entwickelt, die zwischen den verschiedenen Maya-Archäologen intensiv diskutiert wird, da sie für die Berechnung der Bevölkerungszahlen entscheidend sind; vg. T. P. Culbert und D. S. Rice (Hrsg.) (1990). Diese »unsichtbaren« Konstruktionen sind für die Postklassische Epoche bezeichnend (D. Z. Chase 1990).

DIE ZAUBERKRAFT DES BILDES:
KUNST AUS DER SICHT DER MAYA

Carolyn Tate

1 In den meisten Maya-Sprachen wird Feuerstein mit den Fingernägeln oder Zähnen des Blitzstrahles in Verbindung gebracht; sie sind gleichsam Verkörperungen von Blitz und Donner und stehen in Beziehung zu den vier Himmelsrichtungen. Siehe L. Schele und D. A. Freidel (1990 bzw. 1991), S. 463, Anm. 66.

2 L. Schele und D. A. Freidel (1990 bzw. 1991), S. 201.

3 R. P. Armstrong (1981).

4 A. F. Burns (1983).

5 D. de Landa (1990), S. 129 ff.

6 B. und J. Kerr (1988); M. Cohodas (1989). Cohodas untersucht anhand Spätklassischer Gefäßmalereien den Inhalt der Darstellungen, diskutiert die Beziehung zwischen Inschriften und Bildern und arbeitet die Künstlerpersönlichkeit eines Malers heraus, den er »Metropolitan Master« nennt und dessen Entwicklung innerhalb seines Werkes er aufzeigt.

7 C. Tate (1992), S. 38–49.

8 Ebenda.

9 M. León-Portilla (1969), S. 81–83.

10 G. H. Gossen (1974), S. 161.

11 Ebenda, Kapitel 1.

1
Zeremonialbeil

London, The British Museum, St. 536
Grünstein
H. 29,5 cm
Fundort unbekannt
Olmekisch, 1200–800 v. Chr.

Diese sicher nur zu zeremoniellen Zwecken verwendete Beilklinge ist eines der am längsten bekannten Werke olmekischer Kunst. Schon lange bevor die Olmeken als eigenständige Kultur entdeckt worden waren, bildete es eine besondere Attraktion der Mittelamerika-Sammlung des British Museum. Ehe man mit ersten archäologischen Untersuchungen an der mexikanischen Golfküste in den 30er und 40er Jahren unseres Jahrhunderts begann, wurden die wenigen damals bekannten olmekischen Objekte für Erzeugnisse der Maya-Kultur gehalten, deren chronologische Zuordnung in die Präklassische Periode ebenso unbekannt war wie ihre Bedeutung. Die Ähnlichkeiten olmekischer Kunstwerke mit vielem, was man auch aus dem Maya-Gebiet kannte, hatte zu dieser ersten fälschlichen Zuordnung geführt. Allerdings haben Ausgrabungen während der vergangenen Jahrzehnte und die ikonographische Analyse olmekischer Kunst zu der Erkenntnis geführt, daß die Olmeken als eine der ersten staatlich organisierten Gesellschaften im mesoamerikanischen Raum Grundmuster für die Ikonographie wie auch die Kosmologie prägten, die auf alle anderen mesoamerikanischen Kulturen, so auch die Maya, einwirkten.

Das Prunkbeil zeigt uns ein Bild des sog. Gott I, zu dessen charakteristischen Merkmalen die flammenden Augenbrauen gehören. Die flache Nase mit den kreisrunden Nasenlöchern erinnert allerdings eher an zoomorphe als an anthropomorphe Darstellungen. Besonders eindrucksvoll erscheint die Darstellung des Mundes: die breite Oberlippe und die heruntergezogenen Mundwinkel können geradezu als Markenzeichen olmekischer Kunst angesehen werden. Der Kopf ist deutlich vom Unterkörper abgesetzt, auf dem mit eingetieften Linien angewinkelte Arme und Hände, ein Lendenschurz und ein im Verhältnis zum Kopf viel zu kleines Beinpaar angegeben wurden. Der Kontrast zwischen dem vollplastisch gestalteten Kopf und dem nur mit Linien angedeuteten Körper ist charakteristisch für olmekische Zeremonialbeile, über deren Verwendung nur wenig bekannt ist. Einige von ihnen dienten sicherlich als Grabbeigaben, wurden doch mehrere Exemplare sowohl bei der Freilegung von Gräbern in San Lorenzo als auch in La Venta als Bestandteile des Grabinventars aufgefunden.

Zahlreiche olmekische Götterporträts zeigen eine Einkerbung am Kopf, ein Zeichen, das Kent Reilly als ein Symbol des Überganges zwischen irdischer und göttlicher Welt interpretiert. In der olmekischen Ikonographie können solche »kosmischen Portale« auch als geöffnete Monsterrachen dargestellt werden, und aus dem gespaltenen Kopf olmekischer Götter können Pflanzenmotive herauswachsen, die vielleicht als ikonographisches Vorbild jener Hieroglyphen Verwendung fanden, die später in der Maya-Kultur *ahaw* oder »König« bedeuten. Fest steht, daß sich die Präklassischen Herrscher der Maya der von den Olmeken entwickelten Symbolsprache bedienten, um ihre Machtansprüche religiös und kosmologisch zu legitimieren.   N. G.

Lit.: F. K. Reilly III (1990)

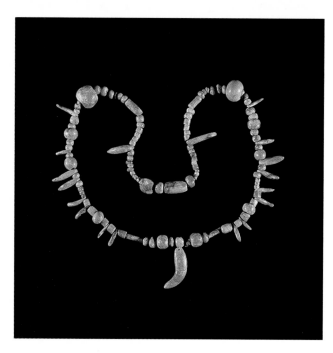

2
Halskette

Copán, Honduras, Instituto Hondureño de Antropología e
Historia, CPN Reg. 170
Jade
L. 80 cm
Copán, Grab VIII-27, Las Sepulturas
Mittlere Präklassik, 900–400 v. Chr.

Seitdem die Kultur der Olmeken in den mexikanischen
Staaten Veracruz, Tabasco und Südwest-Campeche entdeckt wurde, haben in der Wissenschaft Spekulationen
um mögliche Zusammenhänge zwischen Olmeken und
Maya nicht aufgehört. Man weiß heute, daß der Olme-
ken-Fundort San Lorenzo zwischen 1250 und 900 v. Chr.
seine Blütezeit durchlebte und sich hier die früheste
Monumentalarchitektur, ein hochentwickeltes künstlerisches Schaffen sowie ein religiös und politisch weit ent-
wickeltes Zentrum im Alten Mesoamerika entfalteten.

Andere Zentren wie La Venta und Laguana de los Nueve
Cerros übernahmen diese führende Position nach dem
Niedergang von San Lorenzo. Von San Lorenzo aus verbreiteten sich Religionsvorstellungen, die in ganz Mesoamerika Raum griffen, wie etwa die Göttergestalten der
»Feuerschlange« und des »Wer-Jaguars«, die sich auf
Keramikgefäßen eingraviert fanden, die aus den verschiedensten Regionen dieses Gebietes stammen. In der
Blütezeit von La Venta (900–600 v. Chr.) dann waren es
vor allem Jadegegenstände wie Zeremonialbeile, Figürchen und »Perlen« im Sinne von unterschiedlich geformten Kettengliedern, die in ganz Mesoamerika verbreitet
waren. Auch in Copán fand sich sowohl Keramik dieses
Stils mit eingeritzten Mustern als auch hochglänzend
polierter Jadeschmuck in archäologischem Zusammenhang von Begräbnissen unter dem Boden zweier großer
Plattformen aus unbehauenen Steinen, die stratigra-
phisch unter den Schichten der Klassischen Epoche der
Gruppe 9 N-8 in Las Sepulturas zutage kamen.
Die Teile dieser Halskette aus hochpolierten Jadeglie-
dern wurden im Zusammenhang von Begräbnis VIII-27 gefunden, einem etwas problematischen Konvolut, das
auch vier Keramikgefäße enthielt, von denen eines ein
»Haifisch-Motiv« aufweist, dazu neun Jade- bzw. Grün-
stein-Zeremonialbeile und über dreihundert polierte und
durchbohrte Jadeteile. Diese Jadeobjekte wurden von
Restauratoren des Instituto Hondureño de Antropología
e Historia zu drei Ketten aufgezogen, darunter dem vorliegenden Exemplar. Unter den Kettengliedern befinden
sich auch Teile in Gestalt einer Jaguarkralle, ein Hinweis
auf die wichtige Rolle dieser Raubkatze in den Religionsvorstellungen der Olmeken und Mesoamerikas überhaupt. Die besten Kenner olmekischer Keramik, David
Grove für Objekte aus Zentralmexiko, Michael Coe für
San Lorenzo und das »Kernland« sowie Kent Flannery
und Joyce Marcus für das Tal von Oaxaca, versichern in
persönlichen Mitteilungen, daß das sog. »Gordon-
Sub-Komplex«-Material in die Zeit zwischen 1100 und
900 v. Chr. zu datieren ist. Grove und Coe sind darum der
Ansicht, daß es sich bei diesen Jadeobjekten um die frühesten Funde dieser Art in ganz Mesoamerika handeln
könnte, was insofern nicht erstaunlich wäre, als die
Hauptvorkommen des hochgeschätzten Steins ganz in
der Nähe von Copán liegen, nämlich im Motagua-Tal.
Rene Viel, spezialisiert auf den Bereich der südöstlichen
Maya-Peripherie, möchte das Material des »Gordon-
Sub-Komplexes« (darunter auch die Teile dieser Jade-
kette) in die Zeit um 900–700 v. Chr. datieren.

W. L. F./B. W. F.

Lit.: W. L. Fash (1991), 67–71 und fig. 33b; R. Viel (1983)

3
Schale mit Ritzdekor

Copán, Honduras, Instituto Hondureño de Antropología e
Historia, CPN-828
Ton
H. 8 cm, Dm. 13,7 cm
Copán, Las Sepulturas, »Gordon-Sub-Komplex«-Bereich,
Gruppe 85
Mittlere Präklassik, 900–400 v. Chr.

Diese durch das Brennverfahren unterschiedlich gefärbte Schale mit einem Muster in Ritztechnik, das als
abstrahierte »Haifisch«-Darstellung interpretiert wird,
stammt aus einem Gräberkomplex unter zwei Mittelprä-
klassischen Plattformen aus unbehauenen Steinen. Der
perfekte Erhaltungszustand ist nach Deutung der Ausgräber wohl so zu erklären, daß dieses und andere Gefäße als reine Grabbeigaben gedacht waren, d. h. also
nicht benutzt wurden. Bestattungen unter Hausplattformen sind eine über weite Teile Mesoamerikas verbreitete
Sitte, so daß geschlossen werden darf, daß auf den Plattformen die Häuser der Präklassischen Bewohner standen.
Der stilistische Anklang an olmekische Vergleichsstücke
wirft die Frage auf, wer diese frühen Siedler im Copán-
Tal waren, das isoliert weitab vom Kernland der Olmeken
am Golf von Mexiko liegt. Nach W. L. Fash wäre es möglich, daß diese Bevölkerungsgruppe bereits an Handelsrouten angeschlossen war, die sowohl Kontakte zu den
Olmeken als auch zum Hochland von Guatemala und zur
Pazifikküste hergestellt hätten.   W. L. F./B. W. F.

4
Platte mit Gravur   ▷

Tegucigalpa, Honduras, Museo Nacional de Antropología,
PEC 2383, Reg. 219
Jade
L. 11,8 cm, B. 7,1 cm
Salitron Viejo, Sulaco-Fluß, Zentral-Honduras, Nördliche *plaza*
Olmekisch, 900–600 v. Chr.

Dies ist der Teil einer sorgfältig polierten Jadeplatte mit
einer Dekoration aus eingravierten feinen Linien auf der
inneren, konkaven Fläche. Die Form des Stückes macht es
zusammen mit der Verzierung möglich, es als eine Platte
im olmekischen Stil zu identifizieren. Konkave Platten,
häufig als »Venusmuschel-Platten« bezeichnet, wurden
durch das ganze Mesoamerika zwischen 900 und 600
v. Chr. verhandelt. Dies ist eine von drei Venusmuschel-
platten aus Salitron Viejo, die alle Erbstücke gewesen zu
sein scheinen und in Depots zusammen mit anderen
Jadeobjekten während der Frühklassischen Periode zwischen 400 und 600 n. Chr. niedergelegt wurden.
Die Gravur auf der Platte gibt die stilisierte rechte Profilansicht eines menschlichen Gesichtes innerhalb einer
halbkreisförmigen Begrenzung wieder. Der Kopf scheint
mit einem Helm bedeckt gewesen zu sein und weist die
aufgerichtete Lippe und den fletschenden Mund auf, der
typisch für die olmekische Jaguar-Symbolik ist. Eine
menschliche Hand mit einem perlenbesetzten Armband
ist vor dem Gesicht abgebildet, die einen mit einer Spitze
versehenen Stab hält. Dieser Stab ist vielleicht ein Blut-

opfermesser, das ein typisches Thema in der Monumentalkunst und den hieroglyphischen Texten der Klassischen Maya-Zeit ist.

Blutopferrituale wurden an einer ganzen Anzahl olmekischer Stätten in Mesoamerika praktiziert, obgleich ihr Ausmaß und ihre Bedeutung bei den Olmeken unbekannt sind. Während eines solchen Rituals führte ein Herrscher Einschnitte in Teilen seines Körpers aus, um das Blut den Göttern zu opfern. Es ist möglich, daß die Praxis des Blutopferrituals mit dazu beitrug, die Rolle der Herrscher unter den Olmeken zu legitimieren, weil es half, die Götter zu ernähren und die Rolle des Herrsches als eines Mittlers zwischen den Göttern und den Menschen, die er regierte, zu bestärken. K. H.

5
Pektoral

London, The British Museum, 1929.7-12.1
Jade
H. 10,5 cm, B. 10,9 cm
Fundort unbekannt
Olmekisch, Mittlere Präklassik, 900–400 v. Chr.
Maya-Hieroglyphen: Protoklassik, 100–250 n. Chr.

Aus gleichmäßig marmorierter dunkelgrüner Jade fertigte ein unbekannter Künstler lange vor Beginn der Maya-Kultur eines der schönsten Porträts, das wir überhaupt aus dem indianischen Mesoamerika kennen. Der Stil des Gesichts ist olmekisch, wie das auffälligste olme-

kische Merkmal, der leicht geöffnete, von dicken Lippen umgebene Mund mit extrem weit heruntergezogenen Mundwinkeln deutlich macht. Aber auch die sanfte Rundung des Kopfes und die sorgfältige Bearbeitung des hochpolierten Gesteins sind Charakteristika, die das Stück zu einer der besten olmekischen Jadearbeiten machen. Mit großem Realismus sind die Haarsträhnen dargestellt, die auf die Stirn herabfallen. Wie so häufig in der olmekischen Kunst arbeitete der Künstler hier mit einem Gegensatz zwischen plastischen Formen und leicht eingeritzten Linien. Die Pupillen sind durch Vertiefungen angedeutet, was die Vermutung nahelegt, daß sie einst aus einem anderen Material, vielleicht Muschelschale, eingelegt waren. Das Septum der Nase ist durchbohrt, und vielleicht gleichfalls, um dort ein Schmuckstück aus anderem Material anzubringen. Zu beiden Sei-

ten des Kopfes sind die von schweren Ohrgehängen in die Länge gezogenen Ohren angedeutet. Der Kopf wird von zwei Seitenflügeln gerahmt, die dafür sprechen, das Stück als Teil eines auf dem Oberkörper getragenen Pektorals anzusprechen. Zwei kleine Hieroglyphen, die auf dem linken Seitenflügel eingraviert wurden, zeigen, daß die Jade von einem unbekannten Maya umgearbeitet und beschriftet wurde. Zugleich geben die unscheinbaren Hieroglyphen einen Beweis für die hohe Wertschätzung, die olmekische Objekte bei den Maya genossen. Stücke dieser Art wurden als wertvolle und mit spiritueller Kraft erfüllte Erbstücke durch die Generationen weitergegeben. So auch dieses; denn als es in den Besitz des Maya-Schreibers geriet, war es bereits mehr als ein halbes Jahrtausend lang von einer Hand in die andere gelangt.

N. G.

6
Gefäß in Kürbisform

Tegucigalpa, Honduras, Instituto Hondureño de Antropología e Historia, TGC-C-170
Ton, rote Bemalung auf ungeschlämmter Oberfläche
H. 15,2 cm
Cuyamel, Departamento de Colón, Honduras
Frühe Präklassik, 1500–900 v. Chr.

Das Figurengefäß mit roter Bemalung an der Ausgußtülle bildet auf besonders ansprechende Weise einen Kürbis nach. In Mesoamerika kamen verschiedene Kürbisarten wild vor, die schon früh kultiviert wurden. Flaschenkürbisse zumal eigneten sich wegen ihrer harten Schale vorzüglich als Gefäße. In diesem Falle wurde also nicht eine Naturform zum Gefäß gestaltet, sondern der Gebrauchsgegenstand Behältnis lediglich in ein anderes Material – in Ton – umgesetzt. Auf diese Idee scheinen die Bewohner in weiten Teilen Amerikas unabhängig voneinander gekommen zu sein, denn die »Kürbisflasche« aus Cuyamel ähnelt Früh-Präklassischen Flaschen aus Zentralmexiko, vor allem Tlatilco, und aus San Lorenzo in der Golfküstenregion. Flaschen in der Form von Kürbisgewächsen tauchen in dieser Periode auch in Ekuador auf.
J. S. H.

7
Zoomorphes Gefäß

Tegucigalpa, Honduras, Instituto Hondureño de Antropología e Historia, TGC-C-615
Ton, rote Bemalung auf schwarzer Engobe
H. 10,5 cm, B. 13 cm, Dm. 3 cm
Cuyamel, Departamento de Colón, Honduras
Frühe bis Mittlere Präklassik, 1500–400 v. Chr.

Das kleine Bildgefäß hat die Form eines Vogels, vielleicht einer Ente, mit roter Bemalung an Kopf und Flügeln und zwei Schlitzen, welche die Augen andeuten. Es zeigt generelle Ähnlichkeiten mit Früh-Präklassischen Tierfiguren, die in Zentralmexiko, vor allem in Tlatilco, weit verbreitet waren.
J. S. H.

8
Gefäß

Tegucigalpa, Honduras, Instituto Hondureño de Antropología e Historia, TGC-C-116
Ton, zweifarbig
H. 17,4 cm, L. 17,1 cm
Cuyamel, Departamento de Colón, Honduras
Mittlere Präklassik, 900–400 v. Chr.

Dieses zweifarbige, mit kontrastierenden roten und polierten braun-schwarzen Zonen dekorierte Figurengefäß stellt ein Gürteltier dar. In seinem »Bericht aus Yucatán« beschreibt Diego de Landa dieses Tier folgendermaßen: »Es gibt ein anderes kleines Tierchen, das wie ein neugeborenes Spanferkel aussieht, denn seine Vorderfüße und die Schnauze sind genauso; es wühlt gern in der Erde, und es ist ganz mit anmutigen Schalen bedeckt, so daß es einem geharnischten Pferd vollkommen gleicht, wobei nur die Öhrchen, die Vorderfüße und die Hinterfüße herausschauen, während Hals und Vorderkopf auch mit Schalen bedeckt sind; sein Fleisch ist sehr wohlschmeckend und zart.«
In seiner Form ähnelt das Gefäß Früh-Präklassischen Gefäßen aus Zentralmexiko, insbesondere aus Tlatilco. Die Konturierung geschlossener Farbzonen durch Inzision verbindet das Gefäß mit der sog. Zweifarbzonen-Keramik, die während der Mittleren Präklassik in Zentralamerika weithin verbreitet war. J. S. H.

9
Statuette

Tegucigalpa, Honduras, Instituto Hondureño de Antropología e Historia, TGC-C-194
Ton
H. 12 cm
Cuyamel, Departamento de Colón, Honduras
Späte Früh- bis Frühe Spät-Präklassik, 1200–200 v. Chr.

Das Figürchen in sitzender Pose – die Unterschenkel der ursprünglich untergeschlagenen Beine sind abgebrochen – gehört zur großen Zahl prähistorischer Tonstatuetten, die im allgemeinen als Fruchtbarkeitsidole gedeutet werden. Der in seinen weiblichen Eigenheiten gekonnt modellierte Körper im Unterschied zum summarisch gestalteten Kopf würde eine solche Interpretation nahelegen. Die Sitzhaltung erinnert an Parallelen aus dem olmekischen Kulturkreis der Golfküste Mexikos wie auch an Keramikfiguren aus Playa de los Muertos am Río Ulúa (s. auch Kat.-Nr. 12). J. S. H.

10
Zoomorphes Gefäß

Tegucigalpa, Honduras, Instituto Hondureño de Antropología e
Historia, TGC-C-193
Ton, ungeschlämmt
H. 13,2 cm, L. 14,8 cm
Cuyamel, Departamento de Colón, Honduras
Mittlere bis Frühe Spät-Präklassik, 900–200 v. Chr.

Die allgemeinen Stilmerkmale dieses flaschenartigen Gefäßes in Form eines Vierbeiners mit menschlichen Zügen
erinnern an den Stil der Figuren von Playa de los Muertos. Diese Ruinenstätte am Ufer des Río Ulúa ist berühmt
für prächtig ausgestattete Gräber mit Jade- und Muschelschmuck, Keramikfiguren und sorgfältig gearbeiteten,
polierten, monochromen Gefäße, oft mit Ausgußtüllen.
Die Bestattungen lassen vermuten, daß die Gesellschaft
von Playa de los Muertos durch recht scharfe Kontraste
in Reichtum und sozialem Status gekennzeichnet war,
aber da dort nur sehr begrenzte Ausgrabungen stattfanden und die Stätte nun größtenteils zerstört ist, ist
es schwierig, die Art dieses Gemeinwesens mit einiger
Sicherheit zu rekonstruieren. Der Stil der Figuren und
einiger Gefäße ruft olmekische Keramik von der Golfküstenregion Mexikos ins Gedächtnis, und die Zeitspanne, während der der Ort wahrscheinlich bewohnt
war – 600–200 v. Chr. – überschneidet sich mit der Späten Olmekischen Periode. J. S. H.

11
Gefäß

Tegucigalpa, Honduras, Instituto Hondureño de Antropología e
Historia, TGC-1513
Ton, rote Bemalung auf weißem Überzug (?)
H. 22,8 cm
Fundort unbekannt
Mittlere bis Frühe Spät-Präklassik, 900–200 v. Chr.

Die aneinandergelegten Füße einer sitzenden männlichen Figur sind zu einer mit beiden Händen umklam-
merten Ausgußtülle des Gefäßes gestaltet. Längsritzung
am Kopf deutet Haar an, wobei der ausladende Rand
einen Hut darstellen mag. Die Form des Gefäßes, speziell
die Tülle, erinnert an den Keramikstil von Playa de los
Muertos am Río Ulúa. J. S. H.

12 a, b
Zwei Statuetten

Tegucigalpa, Honduras, Instituto Hondureño de Antropología e
Historia, TGC 1600 (159 B/159 A)
Ton
a) H. 11,3 cm   b) H. 8 cm
Valle de Sula, Honduras
Mittlere – Späte Präklassik, 900–200 v. Chr.

Das stehend wiedergegebene Tonfigürchen mit dem ausladenden Becken und den schwellenden Oberschenkeln
weist in der Gesichtsbildung, vor allem bei den sichelför-
mig schmalen Augen, olmekische Charakteristika auf.
Tonstatuetten dieser Kategorie – es handelt sich wohl um
Fruchtbarkeitsidole – werden in der wissenschaftlichen
Klassifizierung dem Typ »Agurcia A oder B« zugeordnet.
Das ein wenig ungelenk geformte hockende Figürchen,
dessen linker Arm auf der Brust liegt, während der
rechte zum Ohr greift, gehört ebenfalls in die früheste
Keramiktradition von Honduras, wobei speziell die Funde
von Playa de los Muertos im Valle de Sula diesen Typus
vertreten.   J. S. H.

13
Figurengefäß

▷

Guatemala-Stadt, Museo Nacional de Arqueología y Etnología,
Nr. 5828
Ton
H. 15,5 cm
Alta Verapaz, Guatemala
Mittlere Präklassik, 900–400 v. Chr.

Tonfiguren kleineren Formats weisen in ganz Mesoamerika eine lange Tradition auf. Auf sehr realistische Weise
wurden dabei sowohl Verwachsungen, Krankheiten und
Gebrechlichkeiten des Alters als auch – im Kontrast dazu
– Krieger, Priester, Ballspieler und elegante Damen porträtiert. Auch Gottheiten wurden insbesondere während
der Späten Klassik und der Postklassik in Form von kleinen Figuren dargestellt.
Die weibliche Figur aus Alta Verapaz gehört zur Gruppe
der sehr realistisch und individuell wiedergegebenen
und unterscheidet sich von den eher abstrakten oder
archetypischen Stücken. Die großen Augen mit durch-
dringendem Blick, die markante Nase, der expressive
Mund und die betonten Alterszüge des Körpers stehen
in einem gewissen Kontrast zum sorgfältig modellierten
Haar. Die Figur diente als Gefäß, wahrscheinlich für Wasser oder für eine andere rituell verwendete Flüssigkeit.
Der Ausguß entspringt aus ihrer Verwachsung im Rük-
kenbereich.
Einige Wissenschaftler vermuten, daß kleine Figuren
oder Bildgefäße in Fruchtbarkeitskulten verwendet wurden. Doch was auch immer ihr Verwendungszweck war,
sie dienten jedenfalls als Vorbilder für ähnliche Kategorien von Objekten der Späten Klassik, wie etwa die Keramikfiguren von der vor der Halbinsel Yucatán gelegenen
Insel Jaina oder jene aus Lagartero in der Provinz
Chiapas.   F. F.

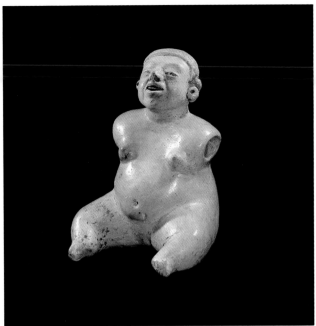

14
Weibliche Figur

Guatemala-Stadt, Museo Nacional de Arqueología y Etnología, Nr. 4469
Polierter cremefarbener Ton
H. 24 cm, B. 18 cm
Kaminaljuyú, Guatemala
Mittlere Präklassik, 900–400 v. Chr.

Diese bemerkenswert gewichtige, mit weißer Engobe überzogene Tonfigur hatte einst bewegliche Arme, die mit Hilfe von Bändern bewegt werden konnten. Diese Tatsache fügt der ohnehin einen geheimnisvollen Charme ausstrahlenden Figur eine weitere Dimension hinzu, da wir nicht wissen, ob sie bei religiösen Zeremonien etwa als bewegliches Orakel diente oder vielleicht nur das Spielzeug eines Kindes war.
Lee Allen Parsons sieht diese und andere Tonfiguren von Kaminaljuyú im Zusammenhang der langen mesoamerikanischen Tradition von Tlatilco und Las Bocas in Zentralmexiko bis hin zu der von Chiapa de Corzo und anderen Fundorten. Die nach dem Fundort Providencia benannte stilistische Untergruppe, zu der das vorliegende Beispiel gehört, fällt zusammen mit dem Vordringen der

südlichen Maya und der Dominanz von Kaminaljuyú und seines Keramikstils. Zu dieser Zeit wurden in weiten Teilen des Maya-Gebietes, besonders in Fundorten wie Monte Alto und Santa Leticia an der Pazifikküste, aber auch in Orten wie Copán und Tikal runde dickbäuchige Steinskulpturen errichtet. Gleichzeitig begann man an verschiedenen Orten mit der Errichtung von Stelen, wie etwa der Stele 9 von Kaminaljuyú (Kat.-Nr. 16). Die Kombination verschiedener Skulptierstile führte dazu, daß gleichzeitig nebeneinander flache Reliefs, Rundskulpturen, Reliefs auf Felsblöcken und in Nischen hockende Figuren auftraten.
Die Tonfigur mit ausgeprägtem Nabel, kleinen Brüsten und dem fröhlichen Lächeln trägt außer großen Ohrpflöcken nichts am Leibe. Man fühlt sich unwillkürlich an das heutige Guatemala erinnert, wo Bildnisse von Heiligen oder des Christuskindes mit Kleidern ausgestattet werden, wie sie die Maya-Bevölkerung des Hochlandes trägt. In ähnlicher Weise könnte auch dieses Figürchen einst nach dem Schnitt der Mode der jungen Maya-Damen wechselnd bekleidet gewesen sein. F. F.

Lit.: L. A. Parsons (1986)

15
Sitzende Figur

Guatemala-Stadt, Museo Nacional de Arqueología y Etnología,
Nr. 3488
Stein
H. 26,5 cm
Villanueva, Guatemala
Mittlere Präklassik, 900–400 v. Chr.

Der sog. »Übergangsstil«, von Lee Allen Parsons als Periode der Abkehr von den olmekisch geprägten künstlerischen Normen bezeichnet, tritt während der Mittleren Präklassik auf. In diesen etwas mehr als 200 Jahren entwickelte sich eine große Vielfalt von neuen Richtungen, während der olmekische Einfluß auf die Kunst der Region ein Ende fand. Die Keramik der Pazifikküste und Kaminaljuyús sowie deren Skulpturen zeigen, daß diese Region den größten Anteil an den Veränderungen der Mittleren Präklassik hatte. An der Pazifikküste und in Kaminaljuyú sind bereits Ansätze der Entstehung der Maya-Ikonographie festzustellen.

Kleine tragbare Skulpturen wie die hier gezeigte, deren Verwendung und Bedeutung unbekannt sind, finden sich konzentriert in der Hochlandprovinz von Chimaltenango in Zentral-Guatemala und im Tal um die moderne Hauptstadt Guatemala. Vereinzelte Exemplare sind aber auch im westlichen Mexiko, in Chiapas und El Salvador gefunden worden. Sie teilen viele Züge mit sog. »Pedestal«-Skulpturen, bei denen das wichtigste Kennzeichen die schweren Schultern und die vom Torso getrennten Arme sind. Einige »Pilzsteine« (zum Typus vgl. Kat.-Nr. 19–21) sind diesen Skulpturen ähnlich, da sie hockende Tierfiguren mit vom Körper abstehenden Beinen als Basis haben.

Diese einzigartige, leider nicht vollständig erhaltene Figur ist aus einem harten, schwarzen, polierten Stein gemeißelt worden. Sie stellt eine Person auf einem kleinen vierfüßigen Thron dar, wobei die ausgesprochen muskulösen Arme auf der Bank abgestützt werden und die Beine von der Bank herabhängen. Das spitz zulaufende Kinn deutet gepunzt einen Bart an, in vorspanischer Zeit sehr ungewöhnlich. Auch der bis zum Nacken punktierte Kopf soll wohl die Frisur nachbilden. Mit dem von einem Bart umrahmten Mund und der betonten Adlernase unterscheidet sich die Figur von anderen Beispielen dieses Typs.

Heute ist der Fundort Villanueva eine kleine Stadt am Randbezirk der Hauptstadt von Guatemala. Sie liegt südlich von Kaminaljuyú zwischen den Städten Solano und El Frutal, zwei wichtigen zeitgleichen Handelszentren, und ist nicht weit entfernt vom Amatitlán-See, der für die im Wasser gefundenen Keramikopfergaben bekannt ist. Diese archäologisch reiche Region war von der Präklassischen Zeit bis zur spanischen Eroberung dicht besiedelt.

F. F.

16
Stele 9

Guatemala-Stadt, Museo Nacional de Arqueología y Etnología,
Nr. 2359
Basalt
H. 154 cm, B. 22 cm
Kaminaljuyú, Guatemala, Pyramide C-III-6
Mittlere Präklassik, 900–400 v. Chr.

Die antike Stätte Kaminaljuyú, heute beinahe völlig unter
den sich explosiv ausbreitenden Vororten von Guatemala-Stadt begraben, ist die Stadt mit der längsten kontinuierlichen Besiedlung im Maya-Hochland. Sie liegt in
einem ausgedehnten Zentraltal, das die Berge der Sierra
Madre durchschneidet. Hier verliefen Handelsrouten
wie die von der reichen Ebene der Pazifikküste durch
den Palin-Paß zum Tal des Motagua-Flusses und der Karibik oder eine andere in die südliche Region von Verapaz
und zum Chixoy-Flußsystem weiter in die Usumacinta-
Tieflandregion, in der viele Städte lagen. Die übrigen
Hochlandtäler im Osten und Westen sind ebenfalls für
ihre lange, doch nicht mit Kaminaljuyú vergleichbare Besiedlung – bis zur spanischen Eroberung – bekannt.
Kaminaljuyú liegt überdies in der Nähe der Obsidian-Vor-
kommen von El Chayal und Jilotepeque, die während der
gesamten vorspanischen Zeit genutzt wurden und alle
Teile Mesoamerikas belieferten. Gleichfalls nicht weit
entfernt befanden sich die Jade-Minen im Tal des Río
Motagua. Zudem gab es bei Kaminaljuyú Gesteinsarten
für die Herstellung von Skulpturen.
Die Stätte umfaßt mehr als 5 km² mit über zweihundert
großen Pyramidenhügeln um *plazas* mit Ballspielplätzen,
Palastanlagen, Tempeln mit Nischengräbern, Resten von
Wasserkanälen und Terrassen für intensiven Ackerbau.
Satellitenstädte wie Solano und El Frutal im Süden des
Tales und Chinautla, Naranjo und Concepción im Norden
und Nordwesten weisen auf eine große Bevölkerungsdichte in der Region mit Kaminaljuyú als dem Mittelpunkt dieses komplexen Präklassischen Fürstentums hin.
Kaminaljuyú hatte seine Blütezeit zwischen der Späten
Präklassik und der Endklassik. In der Frühklassik (250
bis 400 n. Chr.) ist in vielerlei Hinsicht ein Einfluß aus
dem südlichen Maya-Bereich erkennbar. Daran schließt
sich in den folgenden zweihundert Jahren eine Phase an,
die unter der Dominanz der Stadt Teotihuacán stand. In
dieser Phase war Kaminaljuyú ein wichtiges Handelszen-
trum, in dem vielleicht eine Kolonie zentralmexikani-
scher Händler friedlich mit den Bewohnern der Stadt zu-
sammenlebte. Eine maximale Bevölkerungsdichte von
ungefähr 20 000 Bewohnern, die sich wahrscheinlich aus

lokalen *Pokom*-Maya und einigen mexikanischen Adelsfamilien zusammensetzte, ist im Jahre 600 n. Chr. erreicht worden. Der mexikanische Einfluß verschwand
hundert Jahre später mit dem Untergang Teotihuacáns
und leitete in Kaminaljuyú einen Prozeß des Niederganges ein, der schließlich mit der endgültigen Aufgabe um
800 n. Chr. ein Ende fand.

Eines der frühesten Monumente von Kaminaljuyú ist
Stele 9, eine schmale Basaltsäule mit dem Flachrelief
einer nackten männlichen Figur mit betont phallischen
Merkmalen und dekorativen Elementen um die drei Seiten des Schaftes. Lee Allen Parsons datiert die Skulptur
in die Characas-Phase zwischen 700 und 500 v. Chr., die
er als Übergangsperiode vom späten Olmekischen Hori-
zontstil zum Postolmekischen Stil der Späten Präklassik
bezeichnet. Auf der Stele ist eine aufrecht stehende Figur
zu sehen, die zurückblickt und dabei den Kopf himmel-
wärts wendet. Aus ihrem Mund windet sich eine Volute,
die wahrscheinlich Gesang symbolisiert. Sie ist mit einem
breiten Gürtel bekleidet und trägt eine Perlenhalskette
und große Ohrpflöcke. In ihrem Kopfschmuck befindet
sich ein dreiblättriges Ornament, das in ähnlicher Weise
bei Präklassischen Masken in Tempeln des Tieflandes zu
finden ist. Vielleicht ist es eine Vorform des in der Spätklassik als Königsattribut auftretenden »Narren-Gott«-
Motivs. In dem Fall wäre es eine der frühesten Darstellungen eines solchen Symbols und identifizierte den Tanzenden als Herrscher.

Stele 9 reiht sich in einen Skulpturenstil ein, der vor
allem in Monte Albán im mexikanischen Bundesstaat
Oaxaca zu finden ist. Dort erscheinen, allerdings in etwas
späterer Zeit, ähnliche Flachreliefs von halbnackten Tanzenden, aus deren Mündern Sprech- oder Gesangsvolu-
ten kommen. Die Tanzenden in Monte Albán sind durch
Hieroglyphen bestimmten Orten zugewiesen. Es ist
daher nicht klar, ob es sich wirklich um Tanzende handelt oder vielmehr um entkleidete und für Opfer vor-
bereitete Gefangene.   F. F.

Lit.: L. A. Parsons (1986)

17
Teller in Tiergestalt

Guatemala-Stadt, Museo Nacional de Arqueología y Etnología,
Nr. 9320
Ton
H. 7,0 cm, Dm. 27,5 cm
Kaminaljuyú, Guatemala
Späte Präklassik, 400 v. Chr. – 250 n. Chr.

Präklassische Keramik ist bekannt für die in Modeln hergestellten Figürchen, die bisweilen auf ein Gefäß aufgebracht, manchmal aber auch Teil des Gefäßes wurden.
Dies gilt speziell bei Tellern, wo der Körper des Tieres
das Gefäß darstellt, an den Kopf, Schwanz und Beine anmodelliert wurden, um ihn in einen zoomorphen Gebrauchsgegenstand zu verwandeln.

Obwohl es zahlreiche Beispiele für schwarze, ritzver-
zierte Gefäße aus der Gegend von Kaminaljuyú gibt, ist
dieser Teller mit dem perfekt modellierten Fledermauskopf bisher einzigartig. Auf den Seiten sind noch Spuren
von rotem Hämatit vorhanden. Die eingeritzten Muster
und Voluten erwecken den Eindruck ausgebreiteter Flügel.

Sicherlich gab ein reicher Adliger diesen großartigen
Teller als Kunstwerk in Auftrag. Eine zeremonielle und
rituelle Verwendung kann nicht ausgeschlossen werden,
da die Fledermaus als Tier der Nacht zum Bewohner der
Unterwelt wurde und im Reich des Todes, in *Xibalba*,
nicht nur die Toten belästigte, sondern auch zur Gefahr
für die in die Unterwelt hinabgestiegenen Göttlichen
Zwillinge wurde. Im *Popol Vuh* wird das »Fledermaus-
Haus« folgendermaßen beschrieben: »Dieses Gemäuer
ist erfüllt vom schrillen Kreischen der hin- und herflat-
ternden Fledermäuse, die darin eingeschlossen sind und
nicht entkommen können.«   F. F.

Lit.: D. Tedlock (1985), 112

18
Gefäßständer

Guatemala-Stadt, Museo Nacional de Arqueología y Etnología,
Nr. 2047
Stein
H. 79 cm, B. 82,6 cm
Kaminaljuyú, Guatemala, Struktur D-III-6
Späte Präklassik – Protoklassik, 400 v. Chr. – 250 n. Chr.

Diese steinerne Skulptur ist Teil einer Gruppe von drei
Opferständern und besaß zwei heute abgebrochene vertikale Zapfen, um Teller mit Opfergaben zu halten. Die
drei Ständer sind in Größe und Art fast identisch und
gemeinsam in einem großen Erdwall im Südosten der
Hauptakropolis gefunden worden. Zu ihrer Entstehungs-
zeit erlebte Kaminaljuyú gerade eine Blütezeit. Ein Großteil der Architektur wurde damals errichtet, und die Bevölkerungszahl dürfte ihren Höchststand erreicht gehabt
haben. Darüber hinaus wurde Kaminaljuyús Rolle für
den Fernhandel endgültig etabliert, und die Kontrolle
über die Handelswege brachte Reichtum und eine stärkere soziale Gliederung der Gesellschaft mit sich.
Die Skulpturen dieser Zeit entsprechen der Maya-Ikonographie. Riesige Krötenaltäre, menschliche Rundfiguren
und verschiedenartige Tierskulpturen gehören zu dieser
Periode, wie auch das dünne Flachrelief und die kompliziert gravierten »Silhouetten« aus Stein. Der große Ständer in zylindrischer Form ist in Gestalt eines grotesken
Kopfes mit weit abstehenden Ohren gearbeitet. Die
Augen bilden große Voluten. Mit ihrer Ausrichtung auf
die Nase verstärken sie den Eindruck eines grimmigen
Gesichts.
Charakteristisch für diese Präklassischen Masken sind
die Zähne. Reihen von langen, hervorstehenden Zähnen
kommen überall im Maya-Tiefland auf Präklassischen
Stuck- und Steinmasken vor. Das katzenartige Maul hat
zwei Reißzähne und einen T-förmigen Zahn in der Mitte.
Dieses zentrale Element ist ein Attribut des Gottes GI in
späteren Darstellungen aus dem Maya-Tiefland. Vier wel-
lenförmige Elemente, die vielleicht Blut symbolisieren,
tropfen aus dem offenen Maul herab.
Über den Augenbrauen verläuft ein Stirnband mit einem
runden Element in der Mitte und mit dem »Spiegel«-Zei-
chen, das eine frühe Darstellung des Herrscherbandes
sein könnte, welches Fürsten und Götter tragen. Juan Antonio Valdés fand in Uaxactún Stuckmasken mit ähnlichen Zeichen auf der Stirn. Der Vergleich mit Skulpturen aus El Mirador, Nakbé, Uaxactún, Tikal und anderen
Städten zeigt starke Ähnlichkeiten in der Ikonographie.
Die riesigen Ungeheuermasken der frühen Tempelfassa-
den vermittelten sicher politische und religiöse Botschaften, bevor die Schrift in Gebrauch kam. Dieser Ständer
ist vor einem großen Tempelhügel gefunden worden und
wahrscheinlich ähnlich zu deuten. F. F.

19
Pilzstein

Guatemala-Stadt, Museo Nacional de Arqueología y Etnología,
Nr. 2899
Grauer vulkanischer Stein
H. 30,8 cm, B. 15 cm
Kaminaljuyú, Guatemala
Späte Präklassik, 400 v. Chr. – 250 n. Chr.

Auf der rechteckig skulptierten Basis dieses Pilzsteines
sitzt ein Jaguar mit gebleckten Vorderzähnen und großen Eckzähnen, die aus den Seiten des Mauls hervorkommen. Der Schweif des Jaguars ist hinter ihm rund aufge-
rollt. Ein abgesetzter Rand um den Schirm des Pilzes gibt
dem Stück ein zusätzliches interessantes Detail.
Während im Hochland Pilzsteine sehr verbreitet sind,
kannte das Tiefland sie kaum. Vielleicht ist diese Verteilung auf das Vorhandensein von Vulkangestein zurückzuführen, aus dem sie bestehen und das nur im Hochland vorkommt, oder auf einen speziellen Kult, der nur
in bestimmten Regionen des Hochlandes existierte.
Der kolonialzeitliche »Titulo de Totonicapán« bestätigt,
daß die Herrscher der *Quiché* bei ihrer Inthronisation
neben Insignien königlicher Macht *nanakat abaj beleje* er-

hielten, »neun Pilzsteine«. Obwohl sich diese Textpassage
auf Praktiken in der Postklassik bezieht, zeigt es deutlich
die Fortdauer einer Skulpturentradition, die schon in der
Präklassik begann. Pilzsteine waren vielleicht schon in
der Präklassik Insignien königlicher Macht, weil nur die
Fürsten das besondere Privileg genossen, Pilze mit halluzinogener Wirkung zu sich zu nehmen.   F. F.

20
Pilzstein

Guatemala-Stadt, Museo Nacional de Arqueología y Etnología,
Nr. 2209
Grauer vulkanischer Stein
H. 32,5 cm, B. 14,9 cm
Kaminaljuyú, Guatemala
Späte Präklassik, 400 v. Chr. – 250 n. Chr.

Die Basis dieses Pilzsteines bildet eine zum Sprung anset-
zende Kröte. Ihr großes Maul ist deutlich zoomorph gestaltet, während Nase und Augen eher anthropomorph
gemeint sind. Es handelt sich also um eines der vielen
Mischwesen, die die Phantasie der Maya bewegten. Die

Vorderseite der rechteckigen Basis, auf der die Kröte sitzt, zeigt die zwei übertrieben großen Vorderbeine des Tieres. Der Stiel des Pilzes wächst aus Körper und Stirn der Kröte heraus. F. F.

21
Dreifüßiger Pilzstein

Guatemala-Stadt, Museo Nacional de Arqueología y Etnología, Nr. 3450
Vulkanischer Stein mit Resten roter Bemalung
H. 36,9 cm, B. 16,2 cm
Kaminaljuyú, Guatemala
Späte Präklassik, 400 v. Chr. – 250 n. Chr.

Pilzsteine gibt es in unterschiedlicher Größe, Art und Form in der Zeit von der Späten Präklassik bis zur Frühen Klassik. Sie sind typisch für das Hochland. Obwohl ihre Bedeutung noch nicht klar ist, haben sie wohl mit dem Gebrauch von Pilzen als Halluzinogenen zu tun. Einige Wissenschaftler bringen die halluzinogenen Pilze mit dem Hirsch in Verbindung, einem häufig anzutreffenden Tier in der Ikonographie der Maya, weil die Pilze

auf den Ausscheidungen von Hirschen besonders gut gedeihen.
Diese kleine Steinfigur weist noch Spuren von roter Farbe auf. Die Basis ist mit Einritzungen in Form von Karos geschmückt. Da die Füße der Skulptur zugleich die Beine des Jaguars sind, wirkt die Darstellung der kleinen Raubkatze realistischer. Der Rand des Schirms ist ebenfalls durch eine feine umlaufende Einritzung abgesetzt. F. F.

22
Tragbare Steinskulptur

Guatemala-Stadt, Museo Nacional de Arqueología y Etnología, Nr. 2179
Stein
H. 31,8 cm
Kaminaljuyú, Guatemala
Mittlere Präklassik, 900–400 v. Chr.

Tragbare Statuetten hatten wahrscheinlich die Funktion von Hausgöttern und wurden in kleinen Ahnentempeln innerhalb der Wohnanlagen aufbewahrt. Dieses Stück ist im Stil der dickbäuchigen Figuren aus Kaminaljuyú und Monte Alto gearbeitet, einem Stil, der in einer Zeitspanne von rund 500 Jahren auftritt und von dem Beispiele im ganzen Hochland von Guatemala und in der Pazifikebene zwischen Chiapas und El Salvador gefunden wurden. Zu den wichtigsten Merkmalen dieser Figuren gehören ein gleichsam »geschwollenes« Gesicht mit geschlossenen Augen, eine Halskette aus flachen quadratischen oder rechteckigen Elementen, Arme, die um einen Bauch mit einem hervorstehenden Nabel geschlungen sind, und Beine, bei denen sich die Sohlen der Füße beinahe berühren. Einige dieser Skulpturen sind ohne Arme wiedergegeben, andere bestehen lediglich aus riesigen Gesichtern ohne jeglichen Körper.

Lee Allen Parsons ordnet diese Tradition dem olmekoiden Stil zu. Dieser Stil soll lange nach dem Ende der eigentlichen olmekischen Kultur an der mexikanischen Golfküste entstanden sein und sich von der pazifischen Küstenebene später über das Hochland ausgebreitet haben, wo er speziell in Kaminaljuyú vertreten ist.

Dieses Stück, zusammen mit anderen derselben Größe, stammt aus einer früheren Phase der Mittleren Präklassik, kann jedoch nicht sicher eingeordnet werden, da Skulpturen so geringer Größe in der Regel schon in vorspanischer Zeit immer wieder verschleppt und neu aufgestellt wurden.   F. F.

Lit.: L. A. Parsons (1986)

23
Gefäß   ▷

Belmopan, Department of Archaeology 33/199-3:131
Ton
H. 10,7 cm, Dm. 16,9 cm
Cuello, Orange Walk District, Belize
Mittlere Präklassik, 900 – 400 v. Chr.

Das hier gezeigte Gefäß aus Cuello gehört sicherlich zu den ältesten Keramiken dieser Ausstellung und repräsentiert eine frühe Phase in der Töpferei der Maya. Das Gefäß hat eine ungewöhnliche Form. Es öffnet sich nach oben und wird von einem breiten Rand gesäumt. Das Gefäß ist rot bemalt und mit feinen senkrechten Linien verziert. Polychrome Bemalung kommt in der Mittleren Präklassik noch nicht vor und ist bis in die Späte Präklas-

sik extrem selten. Die Verzierung von Gefäßen beschränkt sich auf eingeritzte Linien oder auf Punktreihen. Raum für Kreativität bot sich dagegen in der Form der Gefäße, die sehr stark variiert. In der Mittleren Präklassik gibt es noch keine einheitlichen Keramikstile im südlichen Tiefland. Das kann dadurch erklärt werden, daß die Kommunikation zwischen den verschiedenen Gruppen, die das Tiefland besiedelten, noch sehr begrenzt war und es zu keinem Austausch von Töpferwaren kam.   N. G.

24
Gefäß   ▷

Belmopan, Department of Archaeology 33/199 – 3:187
Ton
H. 12,6 cm, Dm. 12,8 cm
Cuello, Orange Walk District, Belize
Späte Präklassik, 400 v. Chr. – 250 n. Chr.

Obgleich Cuello eher zu den kleinen Ruinenorten des südlichen Tieflandes gehört, ist der Name des Ortes doch jedem Maya-Forscher bekannt als einer der ältesten archäologisch nachweisbaren Maya-Siedlungen. Der Archäologe Norman Hammond, der seit 1973 in Cuello gräbt, fand in den tiefsten Schichten seiner Ausgrabungen einfache Keramikgefäße, die er mit Hilfe der Radiocarbonmethode bis auf 2500 v. Chr. datierte. Viele Forscher standen diesen frühen Daten skeptisch gegenüber, als sie Mitte der 70er Jahre der Fachöffentlichkeit bekannt wurden. Sie sollten recht behalten: als Norman Hammond seine Ausgrabung fortsetzte und zahlreiche zusätzliche Radiocarbondaten ermittelte, stellte er fest, daß die älteste Keramik, die er in Cuello fand, nicht vor 1000 v. Chr. getöpfert worden sein konnte. Trotz dieser späteren Datierung gehört Cuello nach wie vor zu den Orten mit der frühesten Keramik im gesamten Tiefland.

In der Zeit der Späten Präklassik wurde dieser Krug mit Ausguß angefertigt. Der Krug ist – typisch für Keramik dieser Zeit – nur mit einer einfachen roten Bemalung überzogen. Die Verzierung beschränkt sich auf zwei Punktreihen unterhalb der Öffnung. Der Ausguß läuft spitz zu und ist leicht nach oben gebogen. Die Form des Kruges ist selten und kommt sonst nur im Kontext von Grabbeigaben vor.   N. G.

Lit.: E. W. Andrews V und N. Hammond (1990), 570 ff.

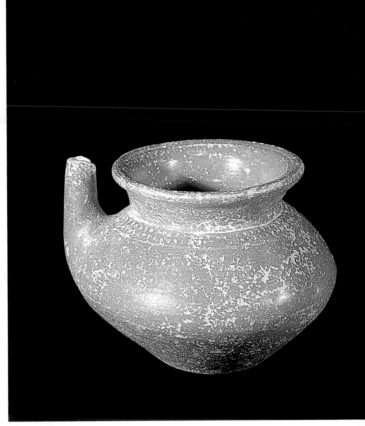

23

24

25

26

25
Gefäß

Belmopan, Department of Archaeology 33/201–1:8
Ton
H. 12,2 cm, Dm. 19,4 cm
Nohmul, Corozal District, Belize, Struktur 2–77
Späte Präklassik, 400 v. Chr. – 250 n. Chr.

Der Ort Nohmul im Norden von Belize hat eine lange und wechselvolle Geschichte. Nohmul war bereits in der Präklassik ein bedeutendes Zentrum mit einer großen Bevölkerung. In der Frühen Klassik wurde der Ort jedoch fast vollständig von seinen Bewohnern verlassen. Die Gründe dafür kennen wir noch nicht. Vielleicht waren es die gleichen Gründe, die auch zur Aufgabe anderer Präklassischer Städte, wie Cerros, El Mirador und Nakbé, in der Frühklassik führten. In der Endklassik jedoch wurde Nohmul wieder neu besiedelt, und die Akropolis wurde als Wohnanlage wiederverwendet. Fremde Keramiken und die Architektur deuten darauf hin, daß diese späte Besiedlung von einer Bevölkerung ausging, die ihre Heimat im nördlichen Yucatán hatte.
Zu den Hinterlassenschaften der Präklassischen Besiedlung gehört dieses einfache rotbraun bemalte Gefäß, dessen einziger Schmuck eine inzisierte Linie unterhalb der Öffnung ist. Das Gefäß wurde 1940 als eine von 24 Keramiken bei Straßenbauarbeiten gefunden. Dabei wurde eine der Pyramiden abgetragen und drei Gräber aus der Späten Präklassik gefunden, in denen sich die Keramiken befanden. Die bescheidene Dekoration des Gefäßes und die hervorragende Qualität der Verarbeitung sind beides Kennzeichen für die Keramiktradition der Späten Präklassik.

N. G.

26
Schale

Belmopan, Department of Archaeology 33/199–3:76
Ton
H. 22,7 cm, Dm. 8,2 cm
Cuello, Orange Walk District, Belize, Struktur 3–52
Späte Präklassik, 400 v. Chr. – 250 n. Chr.

Aus einem Grab unterhalb der Pyramide 3 von Cuello wurde diese ungewöhnlich geformte Schale von Archäologen geborgen. Die kleine Kammer, in der der offenbar junge Mann begraben wurde, war ganz mit roter Farbe ausgemalt. Das Skelett, daß die Archäologen ausgruben, war relativ gut erhalten, aber der Schädel fehlte. Vielleicht war der junge Mann als Opfer enthauptet worden. Neben einigen Keramiken waren dem Toten vier Muschelperlen ins Grab gegeben worden. Die hier gezeigte Schale wurde auf den Beckenknochen gefunden, sie war also, bevor das gesamte Grab der Zeit zum Opfer fiel, auf die Hüfte des Toten gelegt worden. Vermutlich enthielt sie Opferspeisen, die dem Verstorbenen als Wegzehrung bei seinem beschwerlichen Weg durch *Xibalba* dienen sollten.
Die Schale ist innen und außen einfarbig rot bemalt. Zwei Linien laufen um den Gefäßrand und stellen die einzige Verzierung des Gefäßes dar, sieht man einmal von der an sich schon ungewöhnlichen »achteckigen« Form der Schale ab. Auch hier zeigt sich wieder, daß die Töpfer der Präklassik nur sparsam mit Verzierungen umgingen, aber ihre Phantasie in den Formen der Gefäßkörper auslebten.

N. G.

27
Statuette einer sitzenden Frau ▷

San Salvador, Museo Nacional »Dr. David J. Guzman«, Inv.-Nr. SW 1-966
Ton
H. 20 cm, B. 16 cm
Region von Chalchuapa, Santa Ana, El Salvador
Späte Präklassik, 400 v. Chr.–250 n. Chr.

Hier haben wir eine aus feinem Ton gefertigte, cremefarben gehaltene Statuette einer Frau vor uns. Die Details ihres Gesichts sind nachträglich anmodelliert und inzisiert worden. Die weibliche Figur nimmt eine sitzende

die in der Späten Postklassik die Hauptstadt einer mächtigen Provinz war. Kurz nach der Jahrhundertwende vorgenommene Ausgrabungen in Santa Rita bestätigten nicht nur, daß Santa Rita einer der größten Ruinenorte im Norden von Belize war, sondern auch, daß die Stadt ihre Blüte in den letzten Jahrhunderten vor Ankunft der Spanier hatte. Lange Zeit hielt man Santa Rita daher für eine ausschließlich Postklassische Stadt, bis die Archäologen Arlen und Diane Chase Anfang der 80er Jahre in systematischen Grabungen entdeckten, daß Santa Rita viel älter und bereits in der Frühen Präklassik besiedelt war. Aus der Späten Präklassik stammt der hier gezeigte kleine Anhänger aus Muschelschale in Form eines Affenkopfes. Er wurde 1985 von den Archäologen in einem Grab unter einer nur 35 cm hohen Plattform gefunden, die die Struktur 182 trägt und im Zentrum des Ortes liegt. Das Grab enthielt noch einen weiteren Muschelanhänger und zwei Keramikgefäße.

Der Muschelanhänger wurde in einfacher Technik hergestellt. Die Augenlöcher sind durchbohrt. Dicke Ringe umgeben die Augen. Mit wenigen Linien wurden die übrigen Details des Gesichts angedeutet. Daß das Gesicht einen Affen zeigt, wird vor allem an der platten Nase erkennbar. Affen spielen in der Mythologie der Maya eine ganz wichtige Rolle. In der Klassischen Zeit treten sie in der Ikonographie vor allem als Patrone oder Schutzgötter der Schreiber auf. N. G.

Position ein und ist mit einem kurzen Rock bekleidet. Ein einfacher Kopfschmuck, Ohrgehänge und eine Kette um den Hals gehören zu ihrer persönlichen Ausstattung. Auffallend ist der realistische Gesichtsausdruck, der darauf hindeuten könnte, daß die Statuette Porträtcharakter besitzt.

Der Kopf des Figürchens bildet, wie so häufig bei anthropomorpher Kleinplastik aus Ton im mesoamerikanischen Raum, das Mundstück einer kleinen Flöte. M. L.

28
Anhänger in Form eines Affenkopfes

Belmopan, Department of Archaeology 35/203–2:201
Muschelschale
H. 2,5 cm
Santa Rita Corozal, Corozal District, Belize, Struktur 182
Späte Präklassik, 400 v. Chr. – 250 n. Chr.

Der Ruinenort Santa Rita ist heute weitestgehend von der modernen Kleinstadt Corozal begraben, und der Besucher der Ruinen wird sich kaum bewußt, daß er zwischen den Überresten der alten Stadt Chetumal wandelt,

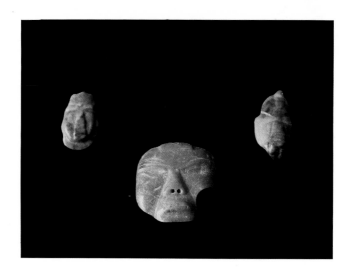

29 a, b, c
Drei Nephritanhänger

Belmopan, Department of Archaeology 35/202–1:54;
35/202–1:55; 333/202–1:56
Nephrit
H. zwischen 4,1 und 5,7 cm
Cerros, Corozal District, Belize, vor Struktur 6 B
Späte Präklassik, 400 v. Chr. – 250 n. Chr.

Als in der Stadt Cerros mit Struktur 6B ein neuer großer Tempel auf einer massiven Plattform vor dem kleinen Tempel 5C–2 errichtet wurde, plazierte man unter der Hochterrasse vor dem Tempel ein Bauweihopfer, um so die spirituelle Energie des Tempels durch magische Gegenstände und Kleinodien zu verstärken. Am Boden eines großen tönernen Opfergefäßes wurden fünf Jadeitköpfe plaziert. Drei dieser Köpfe sind hier zu sehen. Vier Köpfe waren den Ecken des Universums zugeordnet und umgaben einen fünften Kopf, der zugleich der größte und einzige Kopf mit fast realistischen Gesichtszügen ist. Die vier kleineren Nephritköpfe verkörpern die aufgehende Sonne, den Morgenstern, die untergehende Sonne und den Abendstern. Sie stellen also ein Kosmogramm dar, das den zentralen Kopf umgibt. Dieser realistische Kopf ist der eines Königs und verkörpert den König im Mittelpunkt des Universums. Er hat deutlich olmekoide Züge, wahrscheinlich war der Anhänger im Besitz verschiedener Könige von Cerros, lange bevor er als Opfergabe vergraben wurde.

Die fünf Nephritanhänger wurden schließlich von Spiegeln bedeckt, die aus Pyritplättchen bestanden, die man auf eine Perlmuttfläche geleimt hatte. Verschiedene Spondylusmuscheln wurden darübergelegt. Schließlich opferte man noch einen vollständigen Ohrschmuck und schloß dann das Opferdepot mit einer Keramikschale. In die gleiche Grube legte man um den Opferbehälter verschiedene Krüge und Trinkgefäße. Vielleicht waren diese Gefäße zuvor bei einer Zeremonie verwendet worden, bei der man berauschende Getränke oder Kakao zu sich nahm.

Die Nephritanhänger, von denen drei hier zu sehen sind, waren aber sicher die wichtigste der Opfergaben. David Freidel, der die Ausgrabungen von Cerros leitete, vermutet, daß die Nephritanhänger dem früheren König von Cerros gehörten, dem gleichen König, der auch den kleinen Tempel bauen ließ, der durch die neue Tempelplattform seines Nachfolgers in den Hintergrund gestellt wurde.

Die Nephritanhänger aus dem so sorgfältig ausgegrabenen Opferdepot vermitteln einen hervorragenden Einblick in die Bedeutung von Bauweihopfern. Es gibt kaum ein öffentliches Bauwerk, in dem kein Opfer deponiert ist. Erst durch ein solches Opfer wurde ein Bauwerk belebt und wurde zu dem lebenden Berg, auf dem wichtige Zeremonien stattfanden.   N. G.

Lit.: L. Schele und D. Freidel (1991), 122–123

30a, b, c
Drei Objekte aus einem Opferdepot

Belmopan, Department of Archaeology LA 385/2, LA 385/4, LA 385/5
Spondylusmuschel, Jadeit
Muschel: H. 11,4 cm, B. 11,7 cm
Anhänger: beide H. 4,7 cm
Lamanai, Orange Walk District, Belize, Cache N10–43/6
Späte Präklassik, 1. Jh. v. Chr. – 1. Jh. n. Chr.

Die Stadt Lamanai am Ufer des New River hat einen besonderen Platz in der Geschichte der Maya, weil sie zu den am längsten besiedelten Städten des Tieflandes gehört. Lamanai war bereits in der Präklassik ein bedeutendes Zentrum; Ausgrabungen des Archäologen David Pendergast brachten eine der größten Pyramiden aus der Präklassik mit 33 m Höhe ans Licht. Lamanais Bedeutung nahm in der Klassik nicht ab, und im Gegensatz zu den meisten Städten des südlichen Tieflandes erlebte Lamanai keinen »Kollaps« nach Ende der Klassischen Zeit, sondern überlebte bis in die Postklassik, ja sogar bis weit in die Kolonialzeit! Zu den von den Archäologen in Lamanai ausgegrabenen Denkmälern gehören sogar zwei christliche Kirchen aus dem 16. Jahrhundert und eine Zuckermühle aus dem 19. Jahrhundert. Wohl kaum eine andere Maya-Stadt ist so kontinuierlich bewohnt gewesen. Struktur N10–43 ist nicht nur das höchste Bauwerk von Lamanai, sondern war bis zur Ausgrabung der Pyramiden von El Mirador auch die größte Präklassische Pyramide. In der Zentralachse der Pyramide wurde die hier gezeigte Muschelschale mit den beiden Anhängern als Gebäudeweihopfer vergraben. Die Innenseite der Spondylusmuschel wurde abgerieben, bis die rote Farbe zum Vorschein kam. In die Spondylusmuschel waren die kleine Muschelfigur mit den auffallend gekrümmten Beinen und die Jadefigur mit dem übergroßen Kopf gelegt. Die Gesichtszüge beider Stücke sind ausgeprägt olmekoid und deuten auf ihre lange Vorgeschichte hin. Sowohl die Anhänger als auch die Muschel sind an vielen Stellen durchbohrt. Wahrscheinlich dienten sie zuvor als Anhänger, die an Ketten oder als Teil fürstlicher Kleidung getragen wurden, bevor sie als Gebäudeweihopfer in der Späten Präklassik vergraben wurden.   N. G.

31
Gefäß

Guatemala-Stadt, Museo Popol Vuh, Nr. 192
Ton, bemalt
H. 22 cm, B. 13 cm
Departamento El Petén, Guatemala
Späte Präklassik – Protoklassik, 200 v. Chr. – 250 n. Chr.

Diese Gefäßart mit knollenförmigen Fußstützen wird
von Keramikspezialisten als »mammiform« bezeichnet.
Sie tritt während der Präklassik im Hochland von Guatemala und etwas später auch im Tiefland auf. Obgleich die
Grundform des Gefäßes stets die gleiche bleibt, variiert
dieser Gefäßtyp doch erheblich in Größe und Höhe.
Einige, wie auch das hier gezeigte, enthalten in den Fußstützen kleine Tonkügelchen, um so als Rassel dienen
zu können.
Die frühesten Gefäße dieser Art sind noch einfarbig bemalt, später aber treten fast nur noch polychrom bemalte auf. Diese Entwicklung ist auch hier erkennbar.
Auf dem orangefarbenen Hintergrund ist in Rot und
Schwarz ein tanzender Hirsch festgehalten. Das Typische
der Hufe, Ohren und des Geweihs wurde flüssig wiedergegeben, und die anmutige Bewegung läßt die Kreativität
und die Vertrautheit des Künstlers mit diesem Tier erkennen. Hirsche sind in der Maya-Ikonographie weit verbreitet. Der Hirsch war – nach dem Tapir – das größte
nicht-felide Säugetier im Dschungel des Tieflandes. Er
war und ist noch heute die bevorzugte Jagdbeute. Eine
Gottheit in Hirschgestalt wird in den Postklassischen
Handschriften *Uuk Yol Sip* genannt.   F. F.

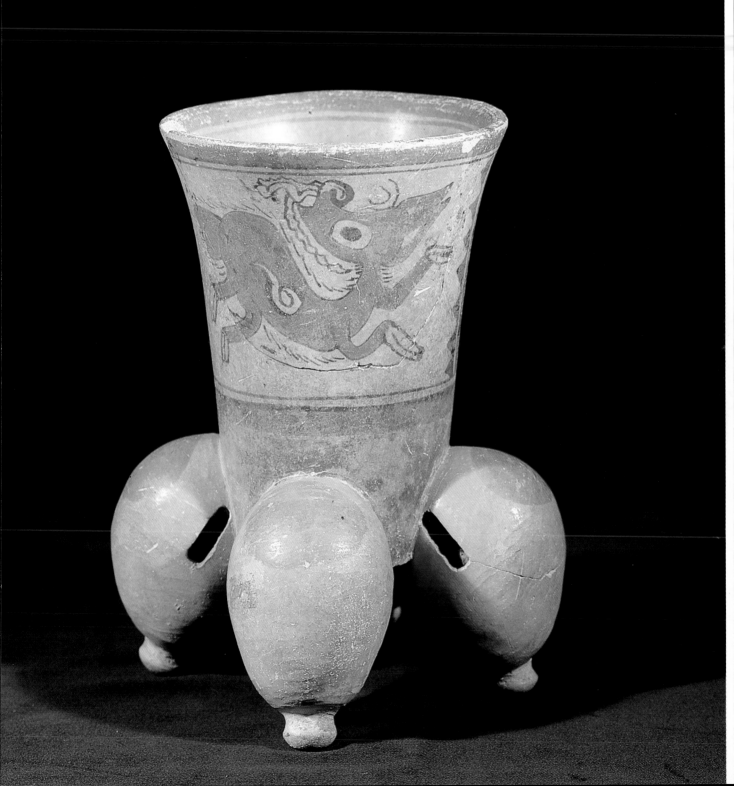

32
Gefäß

Cambridge, Peabody Museum of Archaeology and Ethnology,
Harvard University, Inv.-Nr. 11-6-20/C5659
Ton, bemalt
H. 12,4 cm, Dm. 27,5 cm
Holmul, El Petén, Guatemala
Späte Präklassik, 400 v. Chr.–250 n. Chr.

Eine der charakteristischen Formen von Keramik der
Späten Präklassik sind Teller und Gefäße mit meist polychromer Bemalung, die auf drei oder vier dicken rundlichen Füßen stehen. Fast immer sind diese Füße als Rasseln gestaltet. Sie sind innen hohl und mit einem kleinen
Stein oder einer Tonkugel gefüllt, wobei Schlitze an den
Seiten als Klanglöcher dienten.
Die hier gezeigte Schale aus dem Ort Holmul im Osten
der Petén-Provinz von Guatemala wurde in einer der
ersten systematischen Ausgrabungen einer Maya-Ruine
im südlichen Tiefland gefunden. Die Ausgräber Merwin
und Vaillant ordneten die Schale einer bis dahin noch
ganz unbekannten frühen Kulturstufe der Maya zu. Heute
sind zahlreiche Beispiele von Schalen und Gefäßen des
gleichen Stils nicht nur aus dem Gebiet des Tieflandes,
sondern auch aus dem Hochland von Guatemala und
El Salvador bekannt. Wahrscheinlich waren das östliche
Guatemala und das westliche El Salvador sogar der Ausgangspunkt dieses Keramikstils. Ein einfaches abstraktes
Muster bildet das Motiv der Schale.   N. G.

33
Gefäß mit Ösen

Comayagua, Museo Regional, Reg.-Nr. CMG-312
Ton, bemalt
H. 17,7 cm, max. Dm. 33 cm
Salitrón Viejo, Honduras
Späte Präklassik, 400 v. Chr. – 250 n. Chr.

Die komplexe Technik, mit der man diesen Oberflächen-
dekor erzeugte, hat in den letzten Jahren einige Aufmerksamkeit erhalten. Der Prozeß bestand darin, zwei
Überzüge oder Angüsse von Tonlösungen aufzutragen,
die nach dem Brand zu unterschiedlichen Schattierun-
gen trockneten, gewöhnlich rot oder rot-orange. Nachdem der erste Überzug gebrannt war, wurden die Muster auf die Oberfläche aufgetragen; danach folgte der
zweite Überzug, und das Gefäß wurde erneut gebrannt.
Die Substanz, mit der man die Muster markierte (wahrscheinlich Tierfett), verhinderte das Durchdringen des
zweiten Abgusses (oder »widerstand« ihm); man hat
daher die Bezeichnung »Usulután Widerstands-Ware«
geprägt. Der Brennprozeß tilgte diese Markierung. Das
Resultat war ein negatives Muster auf dem ersten Ton-
überzug, welches durch den zweiten durchschien.
In diesem Stil dekorierte Keramik ist ein Kennzeichen des
Austauschs zwischen dem Hochland von Guatemala, dem
westlichen El Salvador und dem westlichen und zentralen Honduras während der Späten Präklassischen
Periode (400 v. Chr. bis 250 n. Chr.). Sich häufende Belege

lassen vermuten, daß der »Usulután-Verzierungsstil« seinen Ursprung im westlichen El Salvador hat, denn in dieser Region variieren diese Gefäße am stärksten in Form und Funktion. Verwendungszweck und Form reichen von dickwandigen Kochtöpfen bis zu Opferschalen in Gestalt von Figurengefäßen.

Dieses seltene schwarze, geschlämmte und mit Fingerabdrücken verschmierte Gefäß mit kleinen Ösen stammt aus dem Grab eines Mannes, der nach Ausweis der Beigaben sicher der Oberschicht angehörte. Das Begräbnis wurde erst 1982 in dem Ruinenort Salitrón Viejo im Hochland von Zentral-Honduras entdeckt.   G. H.

34
Tongefäß (Typ *florero*)

Tikal, Museo Sylvanus G. Morley, Nr. 12P–558/177
Ton
H. 39,8 cm
Tikal, El Petén, Guatemala
Späte Präklassik, 400 v. Chr. – 250 n. Chr.

Dieses große Gefäß gehört zu einer Gruppe von nur wenigen ähnlichen Exemplaren. Man könnte meinen, sie seien Erzeugnisse eines Töpfermeisters oder einer Werkstatt und alle für den gleichen Auftraggeber hergestellt worden. Mit dem Namen *florero* bezeichnen Keramikexperten große Gefäße, die eine auffallende Ähnlichkeit mit unseren Blumenvasen aufweisen. Wir wissen nicht, zu welchen Zwecken diese Gefäße in der Späten Präklassik dienten. Aber wir sollten die Möglichkeit nicht ausschließen, daß sie vielleicht in gleicher Weise genutzt wurden. Jedoch gehörten sie sicherlich in einen zeremoniellen oder rituellen Kontext. Man kann sich ihre beeindruckende Wirkung auch heute noch gut vorstellen, wenn sie zusammen gruppiert werden.

Im allgemeinen ist die Keramik der Präklassik einfarbig, entweder rot-orange oder schwarz. Die Oberflächenbehandlung reicht von einfacher Polierung über Kannelierung, Einritzungen bis zu eingeschnittenen Mustern. In einigen Fällen, dies trifft besonders für *floreros* aus dem Hochland zu, gestaltete der Töpfer die Gefäße in der Form von Tierkörpern oder modellierte zoomorphe Köpfe auf.

Das vorliegende Exemplar ist kanneliert, sehr sorgfältig poliert und mit einem ausladenden Hals und einer weit ausbuchtenden Öffnung versehen. Die zur Innenseite hin leicht abgeschrägte Öffnung zeugt von Eleganz und hochwertiger Handarbeit. Dieses und andere ähnlich ausgeführte Stücke zeigen den Reichtum Tikals in der Präklassik. Als Zentrum der Handelsrouten von der Karibik ins Landesinnere gewann Tikal an Einfluß, der seine Elite wohlhabend machte; so ließ der Adel auch Ritualgerät für familieneigene Tempel- und Wohnanlagen sowie für rituelle und zeremonielle Opfergaben in Auftrag geben.   F. F.

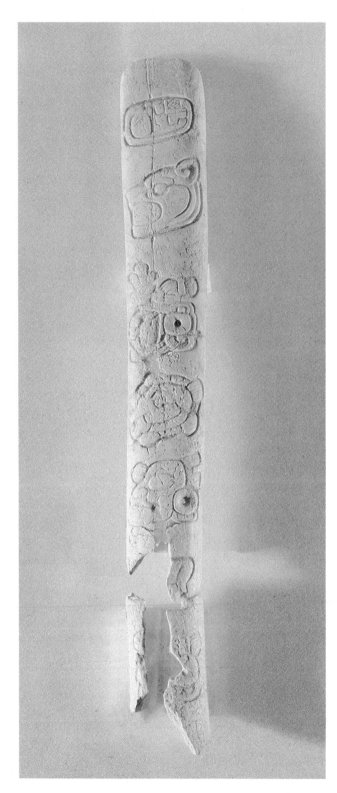

35

Beschriftetes Knochenstück

Belmopan, Department of Archaeology, o. Inv.-Nr.
Knochen
L. 18,6 cm, Dm. 2,4 cm
Kichpanha, Orange Walk District, Belize, Grab 1
Späte Präklassik, 1. Jh. v. Chr. – 1./2. Jh. n. Chr.

In einem Grab in dem kleinen Ruinenort Kichpanha im nördlichen Belize machten Archäologen im Jahr 1985 einen bedeutenden Fund: sie entdeckten das hier gezeigte beschriftete Knochenstück, das zu den ältesten Schrifttexten gehört, die wir überhaupt aus dem Tiefland kennen. Das Knochenstück lief ursprünglich in ein spitzes Ende aus und diente wohl als Dolch für die Selbstkasteiung. Dafür spricht auch, daß es in der Gegend der Beckenknochen ausgegraben wurde, so daß es wahrscheinlich als Dolch für die Durchbohrung des Penis gedient hatte. Da das Objekt beschriftet war, muß es für seinen Besitzer so wertvoll gewesen sein, daß es ihm mit in das Grab gegeben wurde. Das Grab enthielt verschiedene Keramiken als Beigaben, die alle in die Späte Präklassik datiert werden können, so daß die Datierung dieses Schrifttextes in die Zeit zwischen 100 v. Chr. und 150 n. Chr. gesichert ist. Der Knochen ist also mindestens 150 Jahre älter als Stele 29 von Tikal, die als erstes datiertes Monument im südlichen Tiefland gilt. Er beweist, daß die Maya-Schrift viel älter ist als früher angenommen und daß sie in der Späten Präklassik bereits in voll entwickelter Form verwendet wird.

Der Schreiber schnitzte den aus mindestens acht Hieroglyphen bestehenden Text in den stark bearbeiteten Knochen eines großen Säugetiers, etwa den einer Seekuh oder eines Tapirs. Die acht Hieroglyphen können noch nicht richtig gelesen werden. Die erste Hieroglyphe ist die Kopfvariante des Zeichens *tzuk*, »Weltgegend«. Die zweite Hieroglyphe zeigt einen Jaguarkopf mit dem Zeichen für *k'in*, »Sonne, Tag«, im Maul. Dies könnte der Name des Fürsten sein, in dessen Besitz sich der Dolch einst befand. Die dritte Hieroglyphe ist ein menschlicher Kopf mit einem Vogelkopfputz und hochgebundenen Haaren. Das Stirnband, aber auch das neben den großen Ohrringen senkrecht gebundene Band deuten an, daß der Kopf eine frühe Kopfvariante für den Titel *ahaw* »König« ist. Der Vogel im Kopfputz könnte eine Modifikation dieses Titels sein. Die vierte Hieroglyphe zeigt einen Vogelkopf mit einem Knochen im Mund, und ihr folgt ein menschlicher Kopf mit einer großen Scheibe im Mund. Die sich anschließenden Hieroglyphen sind zu stark verwittert und abgebrochen, als daß man sie auch nur beschreiben könnte. Wie lang der Text ursprünglich war, wissen wir nicht.

Im Vergleich mit Schrifttexten aus der Klassischen Zeit fällt die große Anzahl von Kopfvarianten auf. Offenbar dokumentiert dieser Text ein frühes Stadium der Maya-Schrift, in dem noch die ikonographischen Ursprünge der Schriftzeichen erkennbar sind. In der Späten Präklassik tauchen Schriftzeichen als ikonographische Elemente gemeinsam mit den großen Stuckmasken auf, die Bauwerke aus dieser Zeit schmücken. In den Porträtzeichen des Knochens kann man vielleicht die zu Hieroglyphen gewordene Form dieser Stuckmasken erkennen. Funde wie dieser helfen uns, das Entstehen der Maya-Schrift aus der Ikonographie der Präklassik nachzuvollziehen und das den einzelnen Zeichen zugrundeliegende »Bildmaterial« zu identifizieren. N. G.

Lit.: E. C. Gibson, L. C. Shaw und D. R. Finamore (1986)

36
Stele

Guatemala-Stadt, Museo Nacional de Arqueología y Etnología, Nr. 2081
Stein
H. 102 cm, B. 43,5 cm
Tal von Antigua, Sacatepequez, Guatemala
Späte Arenal-Phase, 1.–2. Jh. n. Chr.

Das guatemaltekische Hochland ist geprägt von einer gebirgsreichen Landschaft, tiefen Schluchten und Vulkanen. Diese geologische Formation führte zur Bildung einer Reihe von fruchtbaren Tälern, in denen sich schon sehr frühzeitig Ansiedlungen bildeten und die auch bis heute noch besiedelt sind. Fast überall lassen sich archäologische Spuren nachweisen, und viele der modernen Städte sind auf prähispanischen Ruinen erbaut oder liegen zumindest nicht weit davon entfernt.

Obwohl schwerlich ein Urteil darüber möglich ist, welche der Täler am dichtesten besiedelt waren, lassen sich mit einiger Sicherheit das Gebiet von Kaminaljuyú und die nicht weit davon entfernten Täler von Antigua und Chimaltenango sowie die Gebiete von Patzún und Iximché herausgreifen. Das Tal von Antigua ist besonders bekannt durch Präklassische Steinskulpturen, die unter Einfluß aus dem Cotzumalhuapa-Gebiet an der Pazifik-Küstenebene, mit dem das Tal über Handelsrouten in Kontakt gestanden haben muß, zustande gekommen sind. Die gleichen Handelswege verbinden auch heute noch das Tal von Antigua mit der tropisch heißen Küstenregion.

Als wasserreiche Gegend ist Antigua berühmt für seine fruchtbare Erde, die Vielfalt seiner Produkte und sein angenehmes Klima. Es ist keine abwegige Vorstellung, daß sich eine erfolgreiche Gemeinschaft oder ein kleines Häuptlingstum in dieser Gegend entwickelt haben könnte und in engem Kontakt mit Kaminaljuyú, der Pazifikküste und dem nahe gelegenen Chimaltenango lebte, künstlerische Traditionen und Einflüsse aus der Umgebung aufnahm, aber dennoch seinen eigenen Charakter zu wahren verstand.

Diese schlanke Stele erinnert an die vergleichbaren Silhouettenstelen von Kaminaljuyú. Hier läßt sich der Einfluß Kaminaljuyús während der Späten Präklassik erkennen, der sich in Richtung des westlichen Hochlandes ausbreitete, vielleicht weil wichtige Nahrungsmittel und Produkte aus diesem Teil des Hochlandes in das dicht bevölkerte Kaminaljuyú gebracht wurden.

Das in einigen Teilen beschädigte Objekt bildet großzügig abstrahiert die Maske eines Ungeheuers mit geöffnetem Mund, herausgemeißelter Nase und durchbrochenen Augen ab. Anstelle der Wangen sind kompliziert herausgearbeitete Schlangen zu erkennen. Ein gestuftes pyramidenähnliches Motiv mit Voluten und Strahlen im oberen Bereich bildet die Stirn. Wie sich aus den Zügen der Maske schließen läßt, handelt es sich offensichtlich um ein übernatürliches Wesen, ähnlich denen, die in der Präklassik von den Maya des Tieflandes an der Vorderfront ihrer Tempel angebracht wurden.

Die beeindruckende Wirkung entsteht durch den Kontrast der durchstochenen oder durchbohrten Areale mit den gemeißelten Partien. Sie zeigt nicht nur eine exzellente Technik, sondern auch die außergewöhnliche Kreativität des Bildhauers, der die Kombination verschiedener Elemente nutzte, um eine Aussage zu vermitteln, die vielleicht nicht einmal in Kaminaljuyú selbst, dem Zentrum der Hochlandkunst, in gleicher Weise ausgeführt wurde.   F. F.

37
Maske

London, The British Museum, 8678
Jade
H. 23,2 cm, B. 15,6 cm
Fundort unbekannt
Späte Präklassik oder Frühklassik, um 100–250 n. Chr.

Obgleich die Maske die Ausmaße eines menschlichen Kopfes hat, ist sie wohl niemals von einer lebenden Person getragen worden, denn weder die Augen noch der Mund sind durchbohrt. Das anthropomorphe Gesicht ist streng geometrisch angelegt, wie es für die Späte Prä- und beginnende Frühklassik charakteristisch ist. Über der Stirn ist ein rechteckiges Motiv zu erkennen, das auch häufig auf Stuckmasken der Präklassik belegt ist.

Gleichfalls ein Kennzeichen für Masken der Späten Präklassik sind die großen Augenbrauen mit Voluten an den äußeren Enden, unter denen sich die Vertiefungen der Augen befinden. Da diese unpoliert blieben, waren sie wahrscheinlich einst mit Muschelschale oder farbigen Steinen eingelegt. Nase und Mund sind mit der knappen Linienführung der Frühzeit der Maya wiedergegeben, wobei besonders die Verlängerungen der Lippen auffallen. Handelt es sich hier um die Andeutung eines Bartes oder um das Kennzeichen eines Gottes? Die Perforationen in den Ohren wie in der Oberlippe dienten wahrscheinlich der Befestigung der Maske an einem Standbild oder am Kopf eines Toten. Allerdings sprechen sowohl der rechteckige Stirnschmuck als auch die eigentümlichen Verlängerungen der Lippen dafür, daß die Maske nicht als das Porträt eines Fürsten, sondern als Abbild eines Gottes gedacht war.   N. G.

38
Altar 7

Guatemala-Stadt, Museo Popol Vuh, Nr. 601
Stein
L. 67 cm, B. 54 cm
Kaminaljuyú, Guatemala
Frühklassik, 250–600 n. Chr.

Kaminaljuyú lag ursprünglich am Ufer des Miraflores-Sees, der heutzutage nicht mehr existiert. Den Bildhauern war daher die Fauna des Wassers gut bekannt. Beispiele dafür sind neben Stele 3 mit der Darstellung eines schwimmenden Fisches auch viele Altäre in Form von Fröschen verschiedener Größe. Viele Objekte aus Keramik zeigen ebenfalls Wassertiere. Ein gutes Beispiel ist ein Teller schwarzer Ware im Nationalmuseum von Guatemala mit der Darstellung eines Krebses.

Obgleich Altar 7 in der Tradition von Tierdarstellungen von Fröschen und Kröten steht, ist er doch aufgrund seiner Abstraktion ein Unikat. Der Künstler hat die Form des Steines so auszunutzen gewußt, daß er nur wenig abschlagen mußte. Die Abstraktion wird durch die gezackten Zähne, durch die Wellenlinie an den Hinterfüßen und durch die Voluten, die aus dem Maul hervortreten, unterstützt. Obwohl der Künstler das Tier nur angedeutet hat, ist seine Natur doch klar zu erkennen.

Wie so viele andere kleinere Skulpturen aus Kaminaljuyú wurde der Altar bereits lange vor Beginn erster Ausgrabungen verschleppt, so daß heute sein ursprünglicher Standplatz nicht mehr festzustellen ist. Der Altar 7 ist jedoch nicht der einzige, der eine Kröte darstellt. Mindestens zwei weitere Krötenaltäre sind in einem Schrein im Herzen der Stadt gefunden worden. Was mochte die Künstler von Kaminaljuyú dazu bewogen haben, Altäre in Form von Kröten zu meißeln? Sicherlich gab es dafür noch einen anderen Anlaß außer dem Umstand, daß die Stadt einst an einem See lag. Kröten mögen, ähnlich wie Pilze (vgl. die Pilzsteine Kat.-Nr. 19–21), wegen ihres Giftes, das sie ausschwitzten, geschätzt worden sein. Das Gift der Kröte *Bufo marinus*, deren Knochen man an verschiedenen Fundorten im gesamten Maya-Gebiet ausgegraben hat, ruft, wenn es eingenommen wird, schwere psychoaktive Reaktionen und kardiovaskuläre Störungen, die sogar bis zum Tod führen können, hervor. Wie auch die Stele 9 (Kat.-Nr. 16) mit der Darstellung eines offensichtlich in Extase befindlichen nackten Mannes, könnte die Kröte ein Hinweis auf die große Bedeutung psychoaktiver Substanzen in der Religion von Kaminaljuyú sein. F. F.

39
Weihrauchgefäß

Guatemala-Stadt, Museo Nacional de Arqueología y Etnología,
Nr. 214a, b
Ton
H. 22,9 cm
Uaxactún, El Petén, Guatemala, Struktur A-5, Grab 22
Frühklassik, 250–600 n. Chr.

Die Struktur A-5 in Uaxactún ist das aufwendigste palast-
artige Gebäude der Stadt. In den 30er Jahren und auch
während anderer späterer Ausgrabungen ist eine große
Anzahl von Gräbern in Axialposition zu den Hauptgebäu-
den dieses Architekturkomplexes gefunden worden.
Kürzlich entdeckte Juan Antonio Valdés Frühklassische
Paläste mit riesigen Stuckmasken, die unter späteren
Konstruktionen begraben lagen. In seinem noch nicht
veröffentlichten Forschungsbericht zieht Federico Fahsen die Möglichkeit in Betracht, das reichste und am besten ausgestattete Grab 22 von Uaxactún dem Heerfüh-
rer »Rauch-Frosch« von Tikal zuzuweisen, der Uaxactún
378 n. Chr. eroberte. Nach diesem Ereignis verbrachte

»Rauch-Frosch« noch mindestens zwanzig Jahre dort als
Herrscher und Hegemonialfürst eines Staates, zu dem
nun sowohl Tikal wie auch Uaxactún gehörten. Er gründete eine Dynastie, die in Uaxactún bis zum Ende der
Frühklassik regierte.
Dieses zweiteilige Räuchergefäß ist zusammen mit einem
ähnlichen, weniger qualitätvollen Gefäß im selben Grab
gefunden worden. Dreiunddreißig weitere Keramik-
objekte, Muscheln, Jade und andere Luxusgüter hatten
den Verstorbenen in die Unterwelt begleitet.
Die dickbäuchige Figur gehört in die lange Tradition der
Darstellungen beleibter Würdenträger. Die weiß schraffierten Streifen auf dem Gesicht könnten Zeichen
schmerzhafter Blutopferrituale sein, die den Kontakt
mit den Göttern ermöglichten. Die Streifen auf dem Körper sind vielleicht Teil einer gewebten Bekleidung, wie
sie deutlicher auf anderen Gefäßen dieses Grabes zu
sehen ist. Durch die Öffnungen in den Augen, der Nase
und dem Mund, die dem Antlitz zugleich ein natürliches
Aussehen verleihen, konnte der Rauch des *pom* heraus-
treten. Die Gestik der einen Kreis formenden Hände ist
noch nicht hinlänglich gedeutet, erinnert aber an Gesten
von Fürsten, wie wir sie auf Stelen und Keramikgefäßen
vorfinden. F. F.

che Statuetten aus dem Bereich des südlichen Tieflands zu nennen wären. Sie wurde in einem Frühklassischen Gebäudeweihopfer mit verschiedenen exzentrischen Feuersteinen und Obsidianstücken gefunden. Geringe Reste von rotem Pigment vor allem an der Mund- und Augenpartie sind noch vorhanden. Die Augen selbst waren wahrscheinlich mit Muschelplättchen eingelegt. Hände, Finger und Augenbrauen sind sorgfältig in das harte Material eingeritzt. Die Form der Augenbrauen ist charakteristisch für die Präklassische Zeit. Die mit k'in-Zeichen geschmückten Wangen gelten in der Spätklassischen Kunst als Attribut des Sonnengottes. Mit aller Vorsicht wäre zu überlegen, ob nicht auch dieses außergewöhnlich qualitätvolle Werk der Kleinkunst den Sonnengott darstellt. Es wäre dann eines der frühesten Abbilder dieses Gottes.

Eine Vielzahl von kleinen Bohrlöchern an Kopf, Handgelenken, Ohren und Beinen könnten zur Anbringung von dekorativen Elementen wie Blumen, Federn, Muschel- oder Jadestücken gedient haben. Zweifellos gehörte dieses Stück zum wertvollen Besitz – vielleicht als Erbstück – der Adelsfamilie, die einst in Struktur 18 von Uaxactún residierte. F. F.

40
Figur eines Sitzenden

Guatemala-Stadt, Museo Nacional de Arqueología y Etnología, Nr. 924
Fuchsit
H. 25,3 cm
Uaxactún, El Petén, Guatemala, Struktur A18, Cache 31
Späte Präklassik, 400 v. Chr. – 250 n. Chr.

In der Monumentalkunst sind die Maya bekannt für ihre Stelen und Relieftafeln, die Herrscher überwiegend im Profil zeigen. Es gibt jedoch auch eine lange Tradition von Rundplastik, die weit bis in die Präklassik zurückreicht. Verwiesen sei in diesem Zusammenhang auf die Skulpturen der Pazifikküste (vgl. Abb. 26) und auf Kaminaljuyú.

Diese sorgfältig polierte Figur ist Teil dieser Skulpturentradition, wenngleich auch nur wenige Beispiele für sol-

41
Reliefierte Miniaturschale

Guatemala-Stadt, Museo Nacional de Arqueología y Etnología, 231
Ton
H. 10,5 cm, Dm. 7 cm
Uaxactún, El Petén, Guatemala, Struktur A-V, Grab A-31
Frühklassik, 250–600 n. Chr.

Uaxactún ist berühmt für seine schwarz inzisierte Keramik, die von Laien jedoch oft nicht entsprechend gewürdigt wird, weil sie auf den ersten Blick den auffälligeren polychromen Keramiken der Klassischen Zeit nicht standhält. Diese Ware braucht jedoch einen Vergleich nicht zu scheuen, da sie sehr fein modelliert und hochpoliert ist und darüber hinaus oft mit historischen Texten beschriftet ist, die dem Fachmann einen Einblick in die frühe Geschichte Uaxactúns und anderer Städte geben. Schwarze Keramik dieser Art ist charakteristisch für die Frühklassik und kommt hauptsächlich in Tikal, Uaxactún und anderen zentralen Maya-Städten vor.

Struktur A-V war das wichtigste religiöse Zentrum und der bedeutendste Wohnkomplex in Uaxactún zu dieser Zeit. Die Struktur wurde innerhalb von zweihundert Jahren ständig verändert. Zuerst war sie lediglich ein dreigeteiltes Gebäude, später wurde sie zu einer richtigen Akropolis und dem Ort, an dem vier wichtige Könige von Uaxactún, angefangen von »Rauch-Frosch« von Tikal in Grab A-29 bis zu seinen drei Nachfolgern, beigesetzt wurden. Die Gräber von Struktur A-V sind die am reichsten ausgestatteten in Uaxactún und gehören zu den bemerkenswertesten im gesamten Maya-Gebiet.

Grab A-31 mit einem der umfangreichsten Beigabenkomplexe wird dem Keramikhorizont Tzakol 3 zugeschrieben. Der König, der hier beigesetzt wurde, regierte zeitgleich mit »Stürmischer Himmel« von Tikal und Herrscher X von Río Azul und hat etwa zwischen 410 und 450 n. Chr. gelebt. Sein Grab, das einige Jahre später datiert, ist mit der Stele 26 assoziiert, die 9.0.10.0.0 7 Ahaw 3 Yax (445 n. Chr.) errichtet wurde. Der Name des Königs erscheint in der letzten Hieroglyphe der Stele und lautet wahrscheinlich Chan Mah K'ina.

Sein Grab enthielt neunzehn Keramikschalen, zahlreiche Jademosaikstücke und andere Jadeobjekte, Spondylusmuscheln, Knochen, Jaguarkrallen, veschiedene grüne Steinperlen und eine lange Obsidianklinge. Dieses Instrument, das für Selbstkasteiungsriten verwendet wurde, wurde in der Beckenregion des Beigesetzten gefunden und war die luxuriöse Ausführung des sonst zu diesem Anlaß verwendeten Rochenstachels. Das Grab befand sich in einer überwölbten Kammer, die gemeinsam mit Grab A-29 eine Nord-Süd-Achse im Zentrum von Struktur A-V bildet. Nach der Beisetzung wurde Struktur G über dem Grab errichtet und ein Opfer von neun exzentrischen Feuersteinobjekten in der Nähe plaziert.

Diese kleine, schwarze Schale ist doppelt bedeutend: sie ist hervorragend erhalten und weist darüber hinaus einen um die Schale laufenden inzisierten Hieroglyphentext auf, der zwar noch nicht vollständig entziffert ist, aber zwei verschiedene Personen erwähnt. Der Text beginnt mit der Hieroglyphe uch'ib, die sich auf das Gefäß selbst bezieht, und fährt fort mit der Aussage u nichin, »ist der Sohn von«, der die Emblemglyphe von Uaxactún folgt: ein in der Mitte gespaltenes Himmelszeichen mit zwei darüberstehenden Elementen. Eine Namenseinführungshieroglyphe folgt mit dem na-yax-kan-Ausdruck unmittelbar dahinter. Ein ungewöhnliches Zeichen in Form eines Vogels mit einem infigierten Ahaw-Zeichen, eine Verwandtschaftshieroglyphe und Namen und Titel beschließen diesen Text. Das letzte Zeichen ist ein Jaguarzeichen, und die vorangehende Hieroglyphe bezieht sich vielleicht auf einen Namen, in dem die Venus vorkommt. Das Vogelzeichen vor dieser Hieroglyphe erinnert den Autor an Formen der Hieroglyphe für »Haus«, wie sie in Endklassischen Inschriften Nordwest-Yucatáns belegt ist. In Uaxactún wurde wahrscheinlich yukatekisches Maya gesprochen, so daß dieses Zeichen eine frühe Form der yukatekischen Haus-Hieroglyphe wäre.

Keiner der Namen bezieht sich auf »Rauch-Frosch«, Chan Mah K'ina, selbst oder einen seiner Vorfahren. Vielleicht nennt der Text andere Mitglieder des Adels von Uaxactún, so daß die Schale ein Geschenk an den verstorbenen Herrscher wäre oder auch nur ein Opfer, das während der Beerdigungszeremonie von einer der im Text erwähnten Personen dargebracht wurde.   F.F.

42
Deckelurne

Köln, Museum Ludwig (SL XLIX) Dauerleihgabe im Rautenstrauch-Joest-Museum
Grauschwarzer Ton mit Farbresten
H. 19,5 cm, Dm. 21,5 cm
Nördlicher Petén
Frühklassik, 250–600 n. Chr.

Zusammen mit zwei anderen Urnen gleicher Größe gehört die hier abgebildete Deckelurne zu einer Dreiergruppe dieses Typs, in der sich laut Vorbesitzer Kinderknochen befunden haben. Die Bestattung von Angehörigen adliger Familie in kostbar verzierten Urnen war gerade in der Frühklassik weit verbreitet. Viele dieser Deckelurnen, die sich heute in Museen befinden, stammen aus der Gegend des nordöstlichen Petén, insbesondere aus der Region von Uaxactún, Xultún und Río Azul, wo vor allem in der Frühklassik Werkstätten bestanden haben müssen, die auf die Herstellung derartiger Urnen spezialisiert waren.

Die drei Urnen sind in Form und Komposition ähnlich: Knapp die Hälfte der Gefäßwandung wird von einem Maskengesicht eingenommen, das teils in den Ton des Gefäßes eingeschnitten, teils auf das Gefäß aufmodelliert wurde, so daß Bart und Nase deutlich abstehen. Jedes der drei Gesichter unterscheidet sich in spezifischen Details, obgleich alle drei Bärtige zeigen. Auf dem hier wiedergegebenen Exemplar erkennen wir einen alten Gott mit einem um den Mund laufenden Bart und seitlich des Gesichts herabhängenden Haaren. Auch über die Stirn fallen Haarsträhnen, die von drei Schmuckelementen, vielleicht Knoten, untergliedert werden. Mit den übrigen Gesichtern teilt die Maske die aus zwei dicken Kugeln bestehende Nasenzier. Zu beiden Seiten des Gesichts sind große Ohrpflöcke als weitere Schmuckelemente zu erkennen. Das allerdings wichtigste Kennzeichen befindet sich über der Stirn: eine halbrunde Kartusche und in dieser ein Kopf im Profil und eine Hand, die zusammen wohl den Namen des dargestellten Gottes beschreiben. Die Kombination von Hand und Profil kommt sonst in der Ikonographie nicht vor. Allerdings finden wir in der Bildwelt der Frühklassik, aber auch manchen Inschriften eine Hieroglyphe, die eine Hand vor der Wiedergabe des Tageszeichens *Ahaw* zeigt, so daß diese Hieroglyphe wahrscheinlich den Namen einer Variante von Gott G I der Palenque-Triade wiedergibt, denn auch andere ebenfalls in der Zeit der Frühklassik anzusetzende sog. Depot-Gefäße tragen auf ihrer Vorderseite die Maske des Gottes G I, verbunden mit der Hand-*Ahaw*-Hieroglyphe über der Stirn als besonderes Kennzeichen. Wir dürfen demnach vermuten, daß auch die Maske auf vorliegendem Gefäß eine Form des Gottes G I darstellt und daß in diesem Falle der gewöhnlich als spezielles Merkmal auftretende *Ahaw*-Kopf hier durch ein Profil ersetzt wurde. Gott G I ist der Erstgeborene der Göttertriade von Palenque. Es gibt Anhaltspunkte dafür, daß die beiden anderen Deckelurnen die Götter G II und G III der Dreiheit repräsentieren.

N. G.

Tikal, Museo Sylvanus G. Morley, Nr. 12p–98/78
Fuchsit, Muschelschale
H. 12,3 cm
Tikal, El Petén, Guatemala, Struktur 5D-Sub-1-1st, Grab 85
Späte Präklassik, 1. Jh. n. Chr.

Den Hauptplatz von Tikal beherrschend, wird die Nordakropolis von allen Forschern als eine der ältesten An-
lagen Tikals angesehen. Als Bestattungsplatz zahlreicher
Herrscher blieb dieser Baukomplex für mehr als ein Jahr-
tausend der zentrale Ort für die Verehrung der Ahnen.
Die Nordakropolis ist die komplexeste Gebäudegruppe
Tikals und bedeckt mit ihren fünfzehn Gebäuden oder
Tempeln ungefähr einen Hektar Fläche. Die verschiede-
nen Bauten wurden innerhalb eines langen Zeitraumes
auf einer gewaltigen künstlichen Plattform in mehreren
Bauphasen errichtet. Die frühesten, mit meterhohen
Stuckmasken verzierten Gebäude wurden später überbaut und blieben dadurch weitestgehend unbeschädigt.
Die meisten Bauwerke, die heute zu sehen sind, stammen
aus der letzten Phase architektonischer Entwicklung und
wurden in der Spät- oder Endklassik errichtet.
Grab 85 auf der Hauptachse tief innerhalb des Akropolis-
Komplexes enthielt das Skelett eines offenbar bedeutenden Fürsten, der dort in Präklassischer Zeit bestattet
worden war; allerdings fehlte der Schädel. Unvollstän-
dige Skelette, aber auch Überreste mit Zeichen von Ver-
stümmelung wurden in verschiedenen Gräbern in Tikal
und anderen Orten des Maya-Gebietes gefunden. Es ist
bekannt, daß die rituelle Wiederbestattung der Knochen
Verstorbener praktiziert wurde. Jedoch weiß man nicht,
ob dies auch hier der Fall war oder ob der Bestattete ge-
waltsam zu Tode kam. Die kleine Maske ersetzte offensichtlich den fehlenden Schädel und war vermutlich ein
Porträt des Toten. Der porträthafte Charakter der Maske
kommt in solchen Attributen wie dem eingravierten
Schnurrbart zum Ausdruck.
Als Symbol der königlichen Macht ist das sog. »Narren-
gott«-Stirnband zu deuten. Das dreiteilige Symbol in der
Mitte wird in der Klassischen Zeit durch die Darstellung
eines Götterkopfes ersetzt, aus dessen Stirn drei Zacken
oder Blätter hervorsprießen. Dieser Gott ersetzt in Stirn-
bändern die Hieroglyphe *ahaw*, »König«. Daher wissen
wir, daß dieses Motiv ein Symbol königlicher Würde war,
das schon sehr früh in der Ikonographie der Maya erscheint. Virginia Fields vermutet, daß es sogar schon bei
den Olmeken mit gleicher Bedeutung verwendet wurde.
Die drei Zacken des Symbols stellen wahrscheinlich eine

43

Anhänger in Gestalt eines Totenköpfchens

Guatemala-Stadt, Museo Nacional de Arqueología y Etnología,
Nr. 35
Muschelschale
H. 4,9 cm
Uaxactún, Guatemala
Frühklassik, 250–600 n. Chr.

Die Kreativität eines Künstlers besteht auch darin, das
für seine Arbeit passendste Material auszuwählen; im
vorliegenden Fall war es die aufgrund ihrer leichten Zerbrechlichkeit schwer zu bearbeitende Muschelschale, die
dem Darstellungsinhalt, einem Totenköpfchen, auch in
der Farbe besonders adäquat erscheint. Die übertrieben
weiten Augenhöhlen und der offene Mund mit den betonten Zahnreihen verleihen dem Objekt, das vielleicht
als Kleidungszierat diente, einen geradezu »expressiven«
Charakter.   F. F.

Blüte dar, die vor der Strin getragen wurde. In ganz Mesoamerika galten Blumen als Zeichen der Königswürde. Mit dem Satz »Er bindet sich das Kopfband mit der weißen Blüte« wird in Palenque und anderen Orten die Thronbesteigung von Herrschern ausgedrückt. Deshalb scheint es sicher zu sein, daß diese Maske aus dem Grab eines Herrschers und nicht aus dem eines einfachen Adligen stammt.

Der Wunsch, die Maske so lebensecht wie möglich zu gestalten, drückt sich in der vorspringenden Nase, den eingelegten Muschelaugen, die vermutlich Pupillen aus Pyrit hatten, sowie den aus Muscheleinlagen gefertigten Zähnen aus. Die Durchbohrungen am Kinn und an den Ohren dienten vermutlich zum Anbringen von Schmuck aus farblich kontrastierendem Material.   F. F.

45
Zylindrisches Dreifußgefäß

Tikal, Museo Sylvanus G. Morley, Nr. 12C–477ab/34
Ton
H. 22 cm
Tikal, El Petén, Guatemala, Struktur 5D-34, Grab 10
Frühklassik, Frühes 5. Jh. n. Chr.

Nach Beendigung des Krieges mit Uaxactún regierte *Yax Ain* in Tikal, zunächst als *ahaw* der Verwandtschaftslinie und nach dem Tode seines Onkels »Rauch-Frosch« am Tag 8.18.6.6.17 8 *Kaban* 15 *Ch'en* (21. Oktober 402 n. Chr.) auch als *chakte*. Seine Regentschaft währte bis etwa 426 n. Chr., als seinem Sohn und Nachfolger »Stürmischer Himmel« der Titel *chakte* verliehen wurde. Als Erbe des mächtig gewordenen Staates von Tikal und schließlich als Herrscher der vereinigten Staaten von Tikal und Uaxactún war er eine der mächtigsten Persönlichkeiten der Frühklassik, und sein Ruhm und Reichtum verbreiteten sich sicherlich über den gesamten Petén.
Die von *Yax Ain* errichteten Stelen zeigen eine Abkehr von der vorhergehenden Maya-Ikonographie. Dies führte vor Jahren zu der Theorie, daß *Yax Ain* ein Fremdling oder gar ein Usurpator gewesen sein müsse. Aus den Untersuchungen der letzten Jahre, besonders von Linda Schele und Federico Fahsen, scheint sich jedoch zu erge-
ben, daß *Yax Ain* nicht nur in Tikal geboren wurde, sondern auch der alteingesessenen Herrscherdynastie angehörte. Die auffallenden Fremdeinflüsse in der Keramik und im Stil der Stelen gehen demnach auf das Interesse Tikals an Handelskontakten und Ideenaustausch mit anderen mesoamerikanischen Kulturen, besonders aber mit dem Hochland von Mexiko, zurück.
Hervorragendes Beispiel für fremde stilistische Einflüsse ist das hier vorgestellte dreifüßige, zylinderförmige Gefäß mit Deckel, das im Grab von *Yax Ain* gefunden wurde. Es ist zwar mit großer Wahrscheinlichkeit in Tikal selbst hergestellt worden, der Töpfer bediente sich aber in der Gestaltung fremder Vorlagen. Während der als Menschenkopf geformte Deckelknauf typisch für die Maya-Kunst ist, weisen die drei Füße auf stilistischen Einfluß aus dem Hochland hin.
Die drei Medaillons auf dem Deckel und die zwei auf dem Gefäßkörper sind mit Ornamenten verziert, die auf stark abstrahierte Schlangenleiber zurückgehen. Das dunkelfarbige Gefäß schränkt die visuelle Wirkung der Medaillons jedoch stark ein.
Ein typischer Maya-Kopf mit charakteristischer Nase, großen runden Ohrpflöcken und fliehender Stirn bildet den Knauf. Der Kopfschmuck aus einem geknoteten Stoffstück trägt wesentlich dazu bei, die Gesamtkomposition ausgeglichen erscheinen zu lassen. F. F.

46
Schale mit Deckel

Guatemala-Stadt, Museo Popol Vuh, Nr. 377
Ton, bemalt
H. 20 cm, Dm. 22,5 cm
El Petén, Guatemala
Frühklassik, 250–600 n. Chr.

Gefäße wie dieses sind mit ihrer sich nach unten verjüngenden Wandung charakteristisch für die Frühklassische Periode und stellen eine der auffälligsten künstlerischen Innovationen nach der Präklassik dar. In dieser Zeit wird zum ersten Mal Farbe als Verzierung von Töpferwaren im Tiefland verwendet. Die häufigsten Farben sind Rot und Orange, Schwarz und Grau über einem cremefarbenen oder lederfarbenen Untergrund. Die Verwendung dieser Farben hält bis in die Zeit der Frühklassik an. Die Außenseiten des Gefäßes sind mit stark abstrahierten Schlangen geschmückt, die auch weitgehend das Motiv der Dekoration des Deckels ausmachen, obgleich auch aquatische Symbole verwendet werden. Bei manchen dieser Gefäße ist der Deckel als Teil des Körpers der Figur gestaltet, deren Kopf als Griff dient.

Der Deckel ist mit drei Schlangenköpfen bemalt, die in gebogene Leiber münden und jeweils durch eine schwarze Fläche voneinander abgesetzt sind. Der Griff ist als menschlicher Kopf geformt. Das cremefarbene Gesicht mit seinen charakteristischen Maya-Zügen weist schwarze Bemalung um Augen und Mund auf, so daß ein starker Kontrast zur hellen Haut entsteht. Unter der charakteristischen, stark ausgeprägten Nase erkennt man einen Anhänger, womit, obgleich grau gehalten, doch ein Schmuck aus Jade gemeint sein könnte. Der kurze, diademähnliche Kopfputz ist der Form des Kopfes angepaßt; drei schwarze Zapfen stehen vom Kopfputz ab, sie stellen vielleicht die schwarzen Federn des Muan-Vogels dar. Der Kopfputz ist ein wenig nach hinten versetzt, so daß ein orangefarbener Stirnschmuck mit drei schwarzen geschwungenen Linien darunter hervorkommt. Die schwarze Bemalung um Augen und Mund hat Vorläufer in der farbigen Dekoration der gigantischen Göttermasken auf Pyramiden und Tempeln der Präklassik. Gesichtsbemalung hat sich bei den Maya bis zur Zeit der spanischen Eroberung erhalten. Priester und Krieger bemalten sich sogar den ganzen Körper.

Eine bislang noch unbeantwortete Frage ist, warum diese Gefäße keinen Hieroglyphentext tragen und nicht mit Palastszenen bemalt sind wie so viele der Keramiken aus der Spätklassik. Vielleicht waren die verwendeten Symbole ein Ersatz für geschriebene Texte. Vielleicht galt es aber einfach nicht als opportun, auf Keramikgefäße dieser Art Texte zu schreiben, denn die meisten dieser Keramiken sind in Gräbern gefunden worden. Besonders schöne Beispiele wurden in Tikal, Río Azul und Uaxactún ausgegraben. Die meisten Forscher gehen davon aus, daß zu der Zeit, als solche Gefäße angefertigt wurden, die Schrift bereits verwendet wurde, allerdings erscheinen die frühesten Belege für die Hieroglyphenschrift auf anderen Medien und nicht auf Keramik.   F. F.

Als eines der Zentren, um das die spätere Stadt entstand, entwickelte das Viertel sein eigenes Architekturprogramm, dessen Mittelpunkt eine sog. E-Gruppe bildete mit einer hohen Hauptpyramide. Viele andere große Bauwerke gruppierten sich um diesen Mittelpunkt. Das Viertel muß in der Frühen Klassik der Hauptsitz einer einflußreichen Familiendynastie gewesen sein, denn trotz der an Bedeutung zunehmenden Nordakropolis wurden reich ausgestattete Gräber und andere Denkmäler, darunter auch Stele 39 (Kat.-Nr. 48), in den Bauwerken dieses Viertels plaziert.

Grab 63 enthielt diese eindrucksvolle »Basal-Flange«-Schale, eine der größten ihrer Art. Das Grab wurde in die sog. Manik II-Phase datiert, die ungefähr in die Zeitspanne von 275 bis 375 n. Chr. fällt. Wie wir inzwischen wissen, kam es nach dem Krieg Tikals gegen Uaxactún im Jahre 378 n. Chr. zu Umwälzungen. Sie waren wohl die Folge von zunehmender Zentralisierung, d. h. der Stärkung der Macht des Herrscherhauses, das in der Zentralakropolis residierte und seine religiösen Zeremonien in der Nordakropolis durchführte. Diese Veränderungen brachten auch neue Keramiktypen hervor, die Errichtung von zahlreichen Denkmälern auf dem Hauptplatz von Tikal und ein insgesamt weltlicher ausgerichtetes Ambiente in dem nun von seinem wichtigsten Konkurrenten befreiten Tikal.

Die hier gezeigte Schale ist im charakteristischen »Basal-Flange«-Stil geformt, d. h. mit einem vorspringenden Rand am Boden. Das Muster auf dem Rand besteht aus einem schwarzen, orange, cremefarbenen und mäanderartigen Motiv, das sich deutlich von der restlichen schwarzen Bemalung mit aufgetragenen orangefarbenen und roten Bändern abhebt. Die Bänder wiederum säumen zwei abstrahierte Schlangenköpfe, die alle Elemente dieses Motivs aufweisen: bartähnliche Symbole, dreigeteilte Elemente, die die Augenlider markieren, sowie Rollen und Voluten vor und hinter jedem Kopf. Das Innere der Schale ist rot bemalt. Im allgemeinen gehört zu diesem Gefäßtyp ein Deckel, der hier jedoch fehlt und wohl auch gar nicht vorhanden war. Eine Erklärung findet sich möglicherweise im ungewöhnlich großen Durchmesser der Schale.

Obgleich diese frühen Schalen keine Aufschriften oder höfische Szenen zeigen, ist es doch offensichtlich, daß ihnen eine besondere Funktion im Ritual zukam. Kaum eines dieser Stücke ist jemals im Kontext eines Grabes gefunden worden, was sehr ungewöhnlich ist. Vielleicht wurden sie in Selbstkasteiungsritualen verwendet, dafür könnte die rote Farbe der Innenseite sprechen, die mit Blut assoziiert wurde. F. F.

47
Gefäß

Guatemala-Stadt, Museo Nacional de Arqueología y Etnología, 11220
Ton, bemalt
H. 13,5 cm, Dm. 33,5 cm
Tikal, El Petén, Guatemala, Mundo Perdido Grab 63
Frühklassik, 3./4. Jh. n. Chr.

Die archäologische Erforschung des *Mundo Perdido* genannten Viertels von Tikal hat eine sehr lange Besiedlung nachgewiesen, deren Beginn in der Mittleren Präklassik um 700 v. Chr. liegt.

48
Stele 39

Tikal, Guatemala, Stelenmuseum, o. Nr.
Kalkstein
H. 140 cm, B. 66 cm
Tikal, El Petén, Guatemala, Kammer 3 von Struktur 50-86-7
Frühklassik, 21. März 416 n. Chr.

Der Disput der Fachleute über die Datierung der Stele 39 wird wahrscheinlich nie beendet werden können, da der entscheidende Hieroglyphenblock durch Erosion und Absplitterung unlesbar geworden ist. Sollte sich heraus-

stellen, daß das Datum das Ende des 17. *K'atun* im 8. *Bak'tun* markiert, würde das Errichtungsdatum das Jahr 376 n. Chr. sein. Der Alternativvorschlag datiert die Stele auf das Ende des 19. *K'atun* und plaziert das Errichtungsdatum somit auf das Jahr 416 n. Chr. Diese vierzig Jahre Unterschied scheinen zwar innerhalb der Kulturgeschichte der Maya unbedeutend, sind aber für die Geschichte von Tikal von größter Bedeutung, da im Jahr 378 n. Chr. »Rauch-Frosch«, Bruder des Königs »Große-Jaguartatze-Schädel« von Tikal, den Nachbarort Uaxactún eroberte und eine neue Machbalance im Petén schuf, die über dreihundert Jahre bestehen sollte. Der Name von »Große-Jaguartatze-Schädel« erscheint in der zweiten

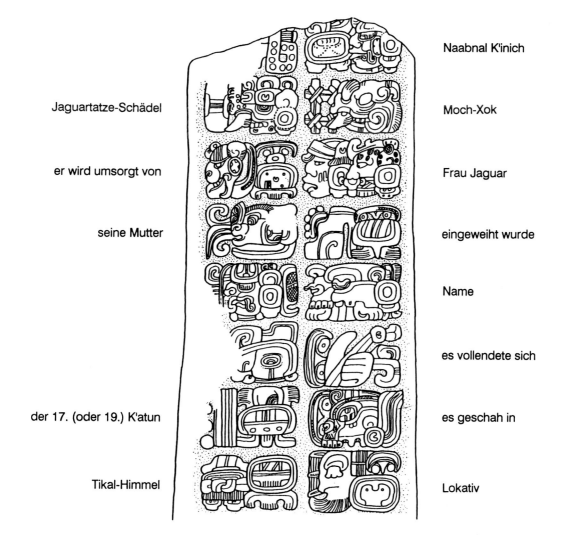

Jaguartatze-Schädel

er wird umsorgt von

seine Mutter

der 17. (oder 19.) K'atun

Tikal-Himmel

Naabnal K'inich

Moch-Xok

Frau Jaguar

eingeweiht wurde

Name

es vollendete sich

es geschah in

Lokativ

Zeile der linken Textspalte der Stelenrückseite, und wenn das Datum der Stele 8.17.0.0.0 ist, so wäre er zu dem Zeitpunkt noch am Leben gewesen. Wenn aber das spätere Datum zutrifft, wäre *Yax Ain* bereits König gewesen. Neben »Große-Jaguartatze-Schädel« wird in der fünften Zeile der rechten Spalte eine weitere Person erwähnt, deren Namenshieroglyphe einen Schädel darstellt. Diese Person ist es, die die Stele errichten ließ und »Große-Jaguartatze-Schädel« als ihren Vater bezeichnet. Die Mutter, eine Frau mit einem Jaguarkopf als Namensbestandteil, wird in der dritten Zeile der rechten Spalte genannt. Dem Namen der Mutter folgt eine Hieroglyphe, die »sie ist die Mutter« gelesen werden kann. Die Namenshieroglyphe des »Schädel« genannten Sohnes steht vor der Hieroglyphe *u p'enal*, »er ist der Sohn«. Die »Schädel« genannte Person war vielleicht ein junger Angehöriger der Familie, die im *Mundo-Perdido*-Komplex von Tikal residierte.

Die Vorderseite des Stelenfragmentes zeigt den Unterteil eines menschlichen Körpers; es ist der eines Kriegers, wie man an der Axt in seiner Hand erkennen kann, und Angehörigen der Dynastie von »Große-Jaguartatze-Schädel« aufgrund der Form der Axt, die eine Jaguartatze darstellt. Er steht auf einem gefesselten bärtigen Gefangenen, der die Hieroglyphe *tz'akab ahaw*, »Herrscher der Dynastie«, im Kopfputz trägt. Der seltsame Vogelkopf mit dem dreigeteilten Auge neben dem linken Bein des Gefangenen enthält die *yax-Tikal-chan*-Hieroglyphe, die das Toponom für Tikal ist. Dieser Ausdruck wiederholt sich in der gleichen Form in den letzten beiden Hieroglyphenblöcken des Textes auf der Rückseite und zeigt, daß die Stele in Tikal errichtet wurde.

Das Ereignis, das auf der Stele festgehalten wird, ist eine Opferzeremonie, wie aus den Hieroglyphen zwischen dem Namen der Mutter und dem ihres Sohnes hervorgeht. Sie bestehen aus einem Zeichen, das als Pyramide identifiziert werden kann und das die Einweihung von Bauwerken und Artefakten beschreibt, gefolgt von einem Zeichen, das einen Obsidiandolch für die Selbstkasteiung darstellt und sehr wahrscheinlich *u ch'ama*, »er opfert Blut«, gelesen wurde. Die Sequenz endet mit der Hieroglyphe *y-ak'il*, »aus seiner Zunge«. Der gesamte Abschnitt behandelt also ein Selbstkasteiungsritual, das die Feierlichkeiten zum Abschluß des *K'atun*-Endes begleitete.

Zu dem Disput über das Datum der Stele trägt auch die Tatsache bei, daß es das einzige Monument ist, das in *Mundo Perdido* gefunden wurde. Es war zerbrochen, aber sorgfältig rituell in Kammer 3 von Struktur 50-86-7, dem zentralen Gebäude einer sog. E-Gruppe, beigesetzt worden. Dieser Komplex liegt gegenüber der großen Pyramide von *Mundo Perdido*, deren früheste Bauphasen bis 700 v. Chr. zurückreichen. Die Pyramide in ihrem heutigen Zustand ist die letzte Überbauung aus der Zeit um 380 n. Chr. Unmittelbar gegenüber, im Osten der Pyramide, liegt die E-Gruppe mit Struktur 5D-86. In Verbindung mit der bestatteten Stele wurde Grab 19, das sog. »rote Grab«, entdeckt, benannt nach der ganz in roter Farbe bemalten Grabkammer. In ihr war eine Person begraben worden, deren Alter zwischen 35 und 50 Jahren gelegen hat. Darüber hinaus fand man in dem Grab »Basel-Flange«-Schalen mit Deckeln, deren Knauf in Form von Tierköpfen geformt waren, ferner Teller, viele Jadestücke, Muscheln und Knochenfragmente. Der Reichtum der Beigaben und die rote Stuckbemalung der Grabkammer und ihres Gewölbes deuten auf die hohe Stellung des dort beigesetzten Individuums hin.

Da diese Person weder »Große-Jaguartatze-Schädel« noch *Yax Ain* oder »Stürmischer Himmel« gewesen sein kann, die in kontinuierlicher Reihenfolge zwischen 350 und 457 n. Chr. herrschten, muß es sich um ein junges Mitglied der Familie gehandelt haben, die eng mit dem König verwandt war und in einem der ältesten und heiligsten Bezirke der Stadt lebte. Die Tatsache, daß zu der betreffenden Zeit bereits die Nord- und Zentralakropolis der Sitz der Macht waren, hat in keiner Weise die spirituelle Kraft des Komplexes um die große Pyramide von *Mundo Perdido* mit ihren riesigen Stuckmasken auf den vier Seiten, die sie als *ch'ul witz* oder »heiliger Berg« definieren, gemindert.

Stele 39 befindet sich in gutem Zustand und weist sogar noch rote und schwarze Farbspuren auf. Und obgleich sie zerbrochen ist, wurde sie einer rituellen Bestattung für wert befunden. Warum nur das untere Fragment beerdigt wurde, wird wohl für immer ein Geheimnis bleiben. Vielleicht wird einst in zukünftigen Ausgrabungen der obere Teil der Stele entdeckt und so wie die Teile der Stele auch andere Teile des Puzzles – die Datierung und die genaue Identität des Protagonisten – zu einem neuen Bild zusammengefügt werden können. F. F.

49
Zylindrisches Deckelgefäß

Tikal, Museo Sylvanus G. Morley, Nr. 1351
Ton
B. 12,8 cm, H. 17,8 cm
Tikal, El Petén, Guatemala
Frühklassik, 250–600 n. Chr.

Tönerne Deckelgefäße oder Dosen sind uns aus der Frühklassik bekannt. In einigen wenigen Fällen handelt es sich um Importwaren, die meisten Stücke wurden jedoch vor Ort hergestellt. Auch dieses gehört der Frühklassischen Tradition an.

Aufgrund der realistischen Darstellung des als Knauf dienenden menschlichen Kopfes, offensichtlich das Porträt einer realen Person und nicht die Abstraktion oder Idealisierung einer Maya-Schönheit, könnte es sich um eine Auftragsarbeit handeln, in der sich der Besitzer wiedererkennen wollte.

Die drei großen Hieroglyphen in roten Kartuschen auf dem Gefäßkörper stehen für den Titel *ahaw te,* »Herr des Baumes«, der von metaphorischer Bedeutung ist und vor allem von hohen Beamten getragen wurde. Die kontrastierenden Farben Rot, Creme und Schwarz unterstreichen die Ausdruckskraft der Hieroglyphen, Gefäß und Deckel sind cremefarben gehalten. Ein rotes Band um die Ränder von Gefäßkörper und Deckel gliedert die Vertikale, komplettiert das Farbzusammenspiel und fügt die beiden Teile zusammen.

Auf dem Deckel umschließen drei Kartuschen schwer unterscheidbare Schlangenköpfe. Möglicherweise stellen sie den Namen des Auftraggebers dar. Sie gleichen ähnlichen Schlangenfiguren auf dreifüßigen dosenförmigen Gefäßen aus der Frühklassik, die entweder stuckierten oder nur eingeritzten Dekor aufweisen. Ein besonderes Charakteristikum dieses Gefäßes ist der auffallend sorgfältig modellierte Männerkopf. Zwei große runde Ohrpflöcke und eine Halskette heben den hohen Status der abgebildeten Person hervor, wozu sich der Kopfschmuck bestens fügt. Es ist die gleiche Form von Diadem, das auch die Jademaske (Kat.-Nr. 67) trägt. Der Kopfschmuck auf solchen Gefäßdeckeln unterscheidet sich in der Regel von den großen Federbüschen, die Herrscher auf polychromen Keramikgefäßen oder auf Steinmonumenten zur Schau stellen. Vielleicht war die Zerbrechlichkeit des modellierten Kopfes auf dem Deckel ausschlaggebend für einen bescheideneren Aufbau. F. F.

50
Stele 5

Guatemala-Stadt, Museo Nacional de Arqueología y Etnología,
Nr. 7652
Kalkstein
H. 127 cm, B. 44 cm
El Zapote, El Petén, Guatemala
Frühklassik, 435 n. Chr.

Obwohl sich schon während der Mittleren und Späten
Präklassik Häuptlingstümer und vielleicht sogar Staaten
im nördlichen Petén und anderen Orten in Belize und
Yucatán entwickelt hatten, erscheinen die frühesten
schriftlichen Belege für die Existenz von Herrscherdyna-
stien erst im ausgehenden dritten Jahrhundert. Die mei-
sten frühen Darstellungen von Fürsten stammen aus dem
Kerngebiet des nördlichen Zentral-Petén aus der Umgebung von Tikal und benachbarten Zentren wie Uaxactún,
Balakbal, El Perú, Bejucal und El Zapote.
El Zapote ist eine relativ kleine Ruinenstätte südlich von
Tikal und östlich des Petén-Itzá-Sees, dem größten einer
Gruppe von Seen in diesem Gebiet. Stele 5 mit dem
Errichtungsdatum 9.0.0.0.0 8 *Ahaw* 13 *Keh* (10. Dezember 435 n. Chr.) gehört zu den bekannten Denkmälern
dieses von Plünderern stark heimgesuchten Ortes. Da
mindestens drei Stelen von El Zapote früheren Datums
sind, muß hier schon zu Beginn der Frühklassik ein bedeutendes Zentrum bestanden haben, wahrscheinlich
Mittelpunkt eines kleinen Staates. Zwar hat man bis jetzt
noch keine Emblemhieroglyphe auf den Stelen von El
Zapote gefunden, was stets ein gutes Indiz für das Vorhandensein eines unabhängigen Staates ist, aber die Ikonographie der Stelen und ihre Texte berichten von einer
bedeutenden Fürstendynastie, die vielleicht in Verbindung mit Tikal stand.
Stele 5 ist auf allen vier Seiten mit Reliefs verziert. Während Vorder- und Rückseite verschieden gekleidete Personen abbilden, enthalten die Inschriften auf den Seiten
eine Reihe von Daten und Ereignissen. Auf der stark verwitterten und beschädigten Seite ist wenig mehr von der
dargestellten Person auszumachen als eine langnasige
Maske und eine Halskette aus großen runden Jadeperlen. In Brusthöhe hält sie ein nicht identifizierbares
Objekt.
Die andere Seite zeigt eine stehende Person im Perlen-
umhang und Rock. Wie der Umhang, so besteht auch der
Rock aus länglichen Perlen, vermutlich aus Jade. Personen in dieser Tracht werden sowohl als Frauen als auch
als weiblich gekleidete Männer gedeutet. Besonders auf
Frühklassischen Stelen sind häufig Männer mit Per-
lenröcken abgebildet. Ein eindrucksvoller Kopfschmuck

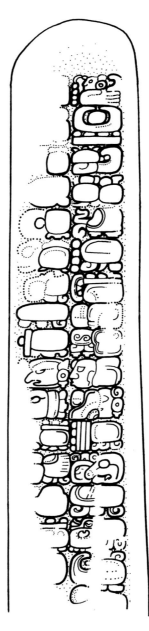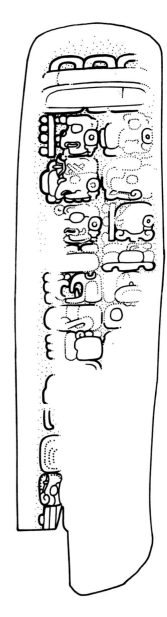

reicht bis zum oberen Rand der Stele. Hervorzuheben sind zwei ikonographische Elemente von besonderer Bedeutung: das mit Koeffizienten versehene Objekt in der Hand und die hinter den Füßen liegende Hieroglyphe. Ähnliche Hieroglyphen kommen auf Frühklassischen Denkmälern in Uaxactún vor und bezeichnen dort Ortsnamen. Auch hier könnte das Zeichen mit der emporsteigenden Flamme (oder handelt es sich um sprießende Maistriebe?) ein Toponym sein und vielleicht den Ort El Zapote selbst bezeichnen.

Das Zeichen in der rechten Hand ist das sog. »Jahreszeichen« mit der Zahl »12« oberhalb einer quadratischen Kartusche und der Darstellung des sog. »Jaguarbabys«. Diese Gottheit erscheint auch in frühen dynastischen Texten Tikals, wie beispielsweise der Stele 31, und könnte in diesem Fall auf eine dynastische Verbindung zwischen beiden Zentren hinweisen.

Die Inschrift auf der linken Seitenfläche beginnt mit dem als Lange Zählung geschriebenen Einweihungsdatum der Stele am Tag 9.0.0.0.0 8 *Ahaw* 13 *Keh* (10. Dezember 435 n. Chr.). Obwohl auf dieser Seite die Inschrift erheblich beschädigt ist, läßt sich in Andeutung eine Geburtshieroglyphe erkennen und somit der Beleg für eine Herrscherbiographie.

Die gegenüberliegende Inschrift beginnt mit den Resten einer Mondserie, die vermutlich Teil eines weiteren Datums war. Die dritte Hieroglyphe in Spalte D wird *tz'apah* gelesen und bezieht sich auf das Einpflanzen der Stele in den Boden, denn für die Maya waren Stelen nicht leblose Objekte, sondern steinerne Bäume. Die folgenden Hieroglyphen nennen den Namen des Herrschers, der die Stele hat errichten lassen. In die Namens- oder Titelsequenz gehört auch die Hieroglyphe des Gottes *K'awil* in Position D5. Die Hieroglyphen in Position C9 und D9 benennen einen mythologischen Ort, *Wak Chan Muyal Witz* oder »Sechs-Himmel-Wolken-Berg«. In dem noch nicht völlig verstandenen Text erkennen wir auch den Hinweis auf ein Sterbedatum eines Herrschers, dessen Namenshieroglyphe dem Todesverb unmittelbar folgt.

In der Maya-Epigraphie müssen Hieroglyphenforscher immer wieder mit unvollständigen, aber deshalb nicht minder interessanten Dokumenten wie in diesem Fall arbeiten. Die lückenhafte Information eines stark verwitterten Textes kann aber in vielen Fällen durch das Hinzuziehen anderer Texte aus dem gleichen Ort oder aber durch archäologische Ausgrabungen ergänzt und verstanden werden. Vielleicht wird es in der Zukunft Archäologen geben, die sich dem kleinen Ort El Zapote zuwenden, um seine Geschichte zu erforschen. F. F.

Lit.: N. Grube (1990)

51
Zylindrisches Dreifuß-Gefäß mit Deckel

Tegucigalpa, Honduras, Instituto Hondureño de Antropología e
Historia, CPN-156
Ton, roh aufgetragener Cremeüberzug auf polierter brauner
Paste
H. 22,5 cm
Copán, Honduras
Frühklassik, 250–600 n. Chr.

Das Auftreten der für die Keramiktradition von Teotihuacán typischen zylindrischen Dreifuß-Gefäße mit Deckel
in Maya-Zentren während der Frühklassik reflektiert die
engen Beziehungen zwischen diesen beiden Regionen
während jener Zeitperiode. Um 150 n. Chr. war Teotihuacán eine Metropole im Hochtal von Mexiko und erreichte eine Bevölkerungszahl von 250 000. Ihre Ausstrahlung – vermittelt über die Kontrolle der wesentlichen Fernhandelsstraßen – auf das südliche Mesoamerika läßt sich nicht nur in Form importierter Waren
wie dieses speziellen Gefäßtyps nachweisen, sondern
tritt auch in der Architektur (Kaminaljuyú) und im
Kriegswesen zutage (vgl. auch S. 50 f., 58, 172).
Die Muster, die auf diese Gefäße aufgemalt oder eingeritzt sind – in diesem Fall ein inzisierter Hieroglyphentext, eingerahmt von zwei braun polierten Bändern, die
sich auf dem Deckel und dem Gefäßkörper wiederholen –, sind allerdings von der Maya-Kultur inspiriert. Die
Hieroglyphen stellen eine abgekürzte Version der Primären Standardsequenz dar, die in ihrer ausführlichen
Form die Art des Gefäßes (seine Form und Funktion) benennt, sich auf seine Dekoration und seinen Inhalt bezieht und manchmal auch seinen Besitzer und/oder Hersteller nennt.   J. S. H.

52
Statuette

New York, National Museum of the American Indian, Heye
Foundation, Inv.-Nr. 10/9827 (VA 329)
Jade
H. 20 cm, B. 12 cm
Copán, Honduras
Frühklassik, 250–600 n. Chr.

Diese aus einem grünlich-dunkelbraunen Jadeknollen
herausgearbeitete Figur wurde in einem Depot unter
Stele 7 in Copán gefunden. Die Stele wurde vom 11. Herrscher namens *Butz' Chan* (563–628 n. Chr.) geweiht, der
nach Ausweis seiner Denkmäler ein halbes Jahrhundert
lang den aufstrebenden Staat mit großer Energie führte.
In guter Tradition nennt Stele 7 neben anderen Daten
eines der für Copán wichtigsten: 9.0.0.0.0 = 11. Dezember 435 n. Chr., d. h. ein Datum, das in die Zeit des Dynastiegründers *K'inich Yax K'uk' Mo'* fällt.
Die Statuette könnte ein Bildnis des *Butz' Chan* sein, aber
auch – wenn man die Plazierung »unter« der Stele bedenkt – gleichsam den »Dynastiegründer« darstellen.

Der Herrscher ist frontal mit untergeschlagenen Beinen
sitzend wiedergegeben, eine nicht sehr typische Darstel-
lungsweise in der Maya-Kunst, die normalerweise Profil-
oder Dreiviertelansichten bevorzugt. Die Position seiner
Arme ist, als ob er den doppelköpfigen Schlangenstab als
Herrschaftssymbol halten würde, aber in diesem Fall
sind es zwei seltsam geformte Gegenstände, die den Betrachter an den *Hix*-Vogel im Mund der Schlange über
»Stürmischer Himmel« auf Stele 31 in Tikal erinnern
(Abb. 38, 39), ebenso auf Stele 26 und dem sog. »Mann
von Tikal« (Abb. 105 a, b).
Der Herrscher trägt einen Kopfschmuck, der vorwiegend aus einer großen *kaban*-Hieroglyphe besteht, dem
Zeichen für »Erde«, flankiert von zwei nach unten wei-
senden Voluten, die »Laub« darstellen. In diesem Sinn ist
er als ein irdischer Herrscher und nicht als übernatürliche Erscheinung zu verstehen. Große Wirbel und Voluten hängen von einem Knoten über dem *kaban*-Zeichen
herab und rahmen sein Gesicht. Er trägt einfache Arm-
und Knochenbänder aus Jadeperlen sowie ein Pektoral
und einen Hüftschmuck aus einer Scheibe und einigen
zylindrischen Stücken.   F. F.

53
Stele

Zürich, Museum Rietberg, RMA 307
Kalkstein
H. 135 cm, B. 47 cm, Dm. 4 cm
Gegend von Bonampak, Chiapas, Mexiko
Wohl Späte Frühklassik, 7. Jh. n. Chr.

Das Relief dieser Stele zeigt einen stehenden Maya-Fürsten, dessen Körper in Frontalansicht dargestellt ist, während sein Gesicht nach rechts gewandt im Profil erscheint. Er hält einen Schild in seiner linken Hand, mit der rechten umfaßt er eine geschmückte Lanze mit einer Spitze aus Obsidian. Die Lanze war sicher keine Kriegswaffe, sondern eher ein Zeremonialstab, denn sie ist in ganzer Länge mit geknoteten Bändern und einem Motiv aus Zacken verziert, die ihre Verwendung im Kriegsfall unmöglich gemacht hätten. Für den zeremoniellen Gebrauch sprachen auch die geöffneten Schlangenrachen an beiden Enden.

Den Kopf des Fürsten rahmt ein großer geöffneter Schlangenrachen, der Teil des Kopfputzes ist. Ein Federaufbau krönt den Kopfputz. Um die Hüften trägt der Fürst einen breiten, mit Kreuzen dekorierten Gürtel, von dem ein langer Lendenschurz bis zu den Fußgelenken herabhängt. An der Stelle, wo Lendenschurz und Gürtel zusammentreffen, ist eine Plakette mit der Maske eines Gottes aufgesetzt, dessen charakteristisches Attribut drei Knoten über der Stirn sind. Die drei Knoten sind ein ikonographisches Zeichen, das stets in Verbindung mit Blutopfern und Selbstkasteiung vorkommt. Die gleichen Knoten schmücken auch die Fußgelenke des Fürsten und schließlich den bereits erwähnten Zeremonialstab.

Die Identität des Fürsten könnte aus dem aus acht Hieroglyphen bestehenden Text oberhalb seines Kopfes hervorgehen, wenn dieser nicht so stark verwittert wäre. Die wenigen Details, die noch erkennbar sind, sprechen dafür, daß die Stele aus der Gegend von Bonampak oder Piedras Negras kommt. Leider kann sie auch nicht genau datiert werden, da der Text kein Datum enthält. Aufgrund stilistischer Kriterien scheint die Stele eher dem Ende der Frühen Klassik zugeordnet werden zu müssen als der Späten Klassik; die Datierung ist jedoch ganz unsicher, und andere Wissenschaftler verweisen darauf, daß ähnliche Darstellungen in der Spätklassik häufig sind. Eine genaue Datierung wird erst dann möglich sein, wenn die wenigen noch erkennbaren Hieroglyphen mit Herrschernamen auf anderen Denkmälern in Verbindung gebracht werden können.   N. G.

54
Oberteil einer Stele

Köln, Museum Ludwig (SL XXXV), Dauerleihgabe im Rauten-
strauch-Joest-Museum
Heller Kalkstein
H. 116 cm, B. 59 cm
Fundort unbekannt, wohl Grenzgebiet Mexiko/Guatemala
Frühklassik, 5. Jh. n. Chr.

Das flache Relief dieser Stele ist ein Beispiel für den fast
überladen wirkenden Skulpturstil der Frühklassik, so
daß der Betrachter Mühe hat, sich in den vielen, kaum
voneinander abgesetzten Details zu orientieren. Die Verständlichkeit wird auch noch dadurch erschwert, daß
die Stele unterhalb des Gürtels, etwa in Höhe der Knie
der dargestellten Person, abgesägt wurde. Für den Fachmann ist die Deutung des Reliefs deshalb erschwert, weil
ein erklärender Hieroglyphentext fehlt und nicht genau
bekannt ist, wo die Stele einst gestanden hat. Eine endgültige Klärung der Herkunftsfrage ist aber erst dann möglich, wenn irgendwo der abgesägte untere Teil der Stele
wieder aufgefunden wird.
Da uns der beigeschriebene Text nicht zur Verfügung
steht, haben wir keine Möglichkeit, die dargestellte Person – sicherlich ein hoher Würdenträger oder *ahaw* – zu
identifizieren. Sein Gesicht wird im Profil gezeigt. Die
Ohren werden von zwei überdimensional großen Ohrpflöcken bedeckt. Auf dem Kopf trägt er eine nach vorn
geneigte Haube in Form eines Hirschkopfes. Das kleine
Geweih mittelamerikanischer Cerviden ist in Andeutungen über dem großen Auge des Tieres zu erkennen. In
der Linken hält der Fürst einen doppelköpfigen Schlangenstab, an dessen beiden Enden weit geöffnete Schlangenrachen zu sehen sind, aus denen mit Hieroglyphen im
Kopfputz geschmückte menschliche Gesichter hervorkommen. Die Enden des Schlangenstabes werden durch
einen mit Mattensymbolen verzierten Balken verbunden.
Der Schlangenstab ist zugleich ein Instrument, aus dem
Visionen und Visionsschlangen hervorkommen, aus
deren Rachen wiederum die Gesichter verstorbener
Ahnen blicken. Durch das Tragen eines Schlangenstabes
wollte ein Fürst seine Macht über Visionen und seine
Fähigkeit, mit den Ahnen in Kontakt zu treten, öffentlich
darstellen.
Die Hieroglyphen über den aus den Schlangenrachen
blickenden Vorfahrenköpfen können sprachlich noch
nicht gelesen werden, geben aber sicherlich die Namen
ihrer Träger an. Zwei weitere Masken, deren Bedeutung
gleichfalls noch unbekannt ist, schmücken den Gürtel

Kat.-Nr. 54

55

Bichromes Dreifußgefäß mit Deckel

Belmopan, Department of Archaeology 35/203–2:159
Ton, bemalt
H. 23,2 cm (mit Deckel), Dm. 19 cm
Santa Rita Corozal, Corozal District, Belize, Struktur 7
Frühklassik, 250–600 n. Chr.

Zu den größten Entdeckungen, die im Jahr 1985 in Santa Rita Corozal gemacht wurden, gehört die Ausgrabung eines gut erhaltenen Grabes aus der Frühen Klassik in der Struktur 7, dem höchsten noch stehenden Gebäude in der heute weitestgehend von der modernen Stadt Corozal bedeckten Ruinenanlage. Die Grabkammer war 4,25 m lang, 1,5 m breit und etwa 2 m hoch. Sie enthielt die Überreste eines erwachsenen Mannes, der offenbar von hohem Status war, wie aus den kostbaren Grabbeigaben zu schließen ist: einem Zeremonialbalken aus Flintstein, einer Spondylusmuschel, einem Rochenstachel für die Selbstkasteiung, acht Keramikgefäße (darunter auch das hier gezeigte Dreifußgefäß), eine Schale aus Kalksandstein, eine Jadeitmaske und die stark verwitterten Überreste eines Codex. Der Mann, der in diesem Grab bestattet wurde, war sehr wahrscheinlich ein Herrscher von Santa Rita in der Frühen Klassik. Die Tatsache, daß in seinem Grab ein Codex lag, deutet darauf hin, daß er literat war. Leider war der Codex so stark verwittert, daß keine Malerei und kein Schrifttext mehr zu erkennen waren, die uns vielleicht Aufschluß über den Bestatteten und seine Funktion gegeben hätten. Nachdem der Fürst bestattet und die Grabkammer geschlossen war, wurden vor dem Eingang Opfergaben plaziert, darunter drei große Keramikschalen mit Deckeln, auf denen jeweils eine Hieroglyphe geschrieben war. Die drei Hieroglyphen waren wahrscheinlich in Sequenz zu lesen und gaben Namen und Titel des Fürsten an.

Das hier gezeigte bichrome Dreifußgefäß mit Deckel ist aus ganz dünnem Ton getöpfert und daher ungewöhnlich leicht und zerbrechlich. Das Gefäß steht auf drei filigran durchbrochenen hohlen Füßen. Die Wandung des Gefäßes ist geschwungen, ein Eindruck, der noch durch die spiralförmige Bemalung in Rot und Orange verstärkt wird. Der Deckel des Gefäßes setzt die vom Gefäßkörper ausgehende Spirale fort. Der Knauf des Deckels ist als nach oben blickender menschlicher Kopf modelliert. Die geschlossenen Augen hinterlassen den Eindruck, als handele es sich um das Gesicht eines Toten oder einer Person in Trance. Der den Kopf zierende Schmuck beschränkt sich auf zwei kleine Ohrringe, was ebenfalls dafür spre-

des Fürsten. Von der vorderen hängen drei Glocken herab, ein häufiges Attribut fürstlicher Kleidung.
Das Relief war anscheinend nur an der Vorderseite von einer Art Leiste begrenzt. Um aber doch eine gewisse räumliche Wirkung zu erreichen, ließ der unbekannte Künstler das vordere Ende des doppelköpfigen Schlangenstabes über die Leiste hinausreichen.   N. G.

Lit.: J. E. S. Thompson (1936)

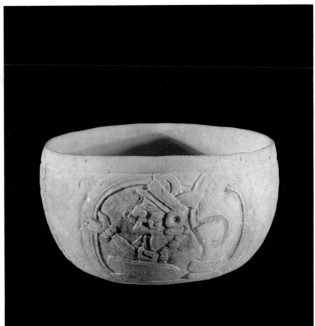

chen könnte, daß es sich um den Kopf eines Verstorbenen handelt.

Wurde dieses Gefäß als Grabbeigabe angefertigt, oder war es bereits vorher in Gebrauch? Gehörte es dem beigesetzten Fürsten, oder war es das Geschenk eines Verwandten oder befreundeten Würdenträgers? Dies sind Fragen von elementarer Bedeutung für Archäologen, aber noch wissen wir nicht genug über die Produktion polychromer Keramik in der Frühklassik, um sie beantworten zu können.   N. G.

Lit.: D. Z. Chase und A. F. Chase (1986)

56
Kleines Steingefäß

Belmopan, Department of Archaeology 35/203−2:152
Feiner Kalkstein
H. 8 cm, Dm. 14,4 cm
Santa Rita Corozal, Corozal District, Belize, Struktur 7
Frühklassik, 250−600 n. Chr.

In dem gleichen Grab, in dem das zuvor beschriebene bichrome Dreifußgefäß (Kat.-Nr. 55) gefunden wurde, be-

fand sich auch die hier gezeigte einzigartige Schale aus Kalkstein. Die Schale ist nicht getöpfert, sondern aus einem soliden Block aus schwerem feinem Kalkstein geschnitten. Diese Technik ist ganz und gar ungewöhnlich und hat im gesamten Maya-Gebiet kein Gegenstück. Zwar kennen wir verschiedene Vasen aus Onyx und anderen semitransparenten Steinen, doch ein Gefäß aus Kalkstein, also dem gleichen Gestein, aus dem auch Stelen und Altäre skulptiert wurden, ist bislang noch in keiner archäologischen Grabung zutage gefördert worden. Das ungewöhnliche Material brachte es mit sich, daß die Wände der Schale relativ dick sind. Besonders der Boden des Gefäßes ist weitaus dicker als bei anderen Gefäßen, so daß die Schale schwerer ist als alle anderen Gefäße gleichen Ausmaßes. Trotz ihres Gewichts wirkt die Schale doch keineswegs plump; im Gegenteil, sie ist an vier Seiten mit äußerst kunstvollen Reliefs verziert, die ihre Wandungen auflockern.

Zwei Reliefs auf den gegenüberliegenden Seiten sind figürlich und stellen den alten Gott N dar, der auf dem Rücken eine überdimensionale Schneckenschale trägt, eines der charakteristischen Insignia dieses Gottes. Das hervorstehende Kinn, die kantige Nase und der zahnlose Mund deuten an, daß Gott N ein alter Gott ist. In gleicher

Weise wird dieser mit den Bakab und den Himmelsrichtungen assoziierte Gott auch in den Codices wiedergegeben. Gott N trägt einen durch eine Binde festgehaltenen Kopfputz. Dies ist der Kopfputz der alten Schreiber; in der Hieroglyphenschrift steht ein Zeichen, das auf der Darstellung dieses Kopfputzes basiert für das Wort *itz'at*, »Weiser, Schriftgelehrter«. Durch diesen Kopfputz wird Gott N auch mit den Pawahtun-Göttern in Verbindung gebracht, die ebenfalls alte Schreibergötter und mit den Bakab verwandt, wenn nicht gar identisch waren. Zu dem Schmuck von Gott N auf beiden Seiten des Gefäßes gehören eine lange Kette, große runde Ohrringe und Perlenreifen um das Handgelenk. In beiden Fällen ist Gott N sitzend dargestellt. Sein Bild wird von einer runden Kartusche eingerahmt. Große Teile der Darstellungen waren ursprünglich mit roter Farbe hervorgehoben. Zwischen den beiden Szenen sind Kolumnen von jeweils drei untereinander angeordneten Hieroglyphen reliefiert, die zwar gut erhalten, aber noch nicht befriedigend entziffert sind. Vermutlich stellen die sechs Hieroglyphen zusammen einen fortlaufenden Text dar, der mit der Kolumne beginnt, an deren erster Stelle der Kopf eines jungen Gottes mit hervorstehenden Schneidezähnen steht. Es könnte sich hier um den jungen Maisgott, aber auch um den Gott der Kakaopflanzen handeln. Die zweite Hieroglyphe scheint aus einem Tierschädel zu bestehen. Die dritte Hieroglyphe kann endlich gelesen werden, es ist die Hieroglyphe *y-uch'ib*, »sein Trinkgefäß«, die so häufig in Weihtexten auf Keramiken vorkommt und die hier die Funktion der Schale als Trinkgefäß ausdrückt. Der Text setzt sich nun in der gegenüberliegenden Kolumne mit der Hieroglyphe *kakaw* fort, die bestätigt, daß die Schale einst der Aufnahme von Kakao diente. Die nächste Hieroglyphe wird *ochi butz'*, »der Rauch trat ein«, gelesen. Dies ist ein Ausdruck, der eine Einweihungszeremonie für Gebäude beschreibt, bei der zum ersten Mal Weihrauch in das neue Gebäude gebracht wurde. Der Name des einzuweihenden Objektes sollte in der letzten Hieroglyphe stehen; diese können wir aber noch nicht lesen. Die Beschreibung einer Hauseinweihungszeremonie auf einer Schale ist äußerst ungewöhnlich und kann noch nicht sinnvoll erklärt werden. Wir können hier nur spekulieren, daß die Schale vielleicht als Teil eines Bauopfers anläßlich der Vollendung eines Bauwerkes angefertigt wurde.

Die Schale gehört zu den großen Meisterwerken Frühklassischer Steinschneidekunst und bestätigt einmal mehr, daß die Person, die sie mit in ihr Grab nahm, ein besonders wichtiger und reicher Fürst gewesen sein muß, vielleicht sogar der König von Santa Rita selbst.

N. G.

57

Röhrenperle

London, The British Museum, 1938.7–8.1
Jade
H. 14 cm, B. 2,5 cm
Nohmul, Corozal District, Belize
Frühklassik, 250–600 n. Chr.

Unter den reichen Grabbeigaben eines hohen Würdenträgers, der in der Nähe des Ortes Nohmul bestattet worden war, fand sich auf der Brust des Toten auch diese auf allen vier Seiten mit Bildschmuck ausgestattete Röhrenperle aus Jade. Die Durchbohrung durch die Mittelachse diente sicherlich dazu, sie an einer Kette aufzuhängen, so daß sie wie ein Emblem den Status des Trägers dokumentierte. Die hohe Qualität der Arbeit zeigt sich unter anderem darin, daß man alle vier Seiten der Jaderöhre bearbeitet hatte, um die Gestalt eines Königs mit der Maske des Baumgottes abzubilden. Die beiden Knoten am Hinterkopf zeigen, daß wir nicht das wirkliche Gesicht des Königs sehen, sondern nur seine Maske. Die großen, fast quadratischen Augen, die durch zusätzliche Rahmenlinien noch besonders betont werden, und die rechteckigen Pupillen sind ein Kennzeichen des Baumgottes wie das kreuzförmige Medaillon anstelle des Mundes, das in der Hieroglyphenschrift als Zeichen für *te*, »Baum,« auftritt. Übergroße Ohrpflöcke mit großen aufgesetzten Schmuckvoluten, die bei anderen Darstellungen meist oberhalb der Ohrpflöcke mit Markierungen des Jaguarfelles gekennzeichnet sind, vervollständigen das Porträt des Gottes. Hier ist vielleicht deshalb noch kein Jaguarmerkmal vorhanden, weil das Objekt eine der frühesten bislang bekanntgewordenen Darstellungen dieses Gottes aufweist. Über der Stirn ist eine einfache *Ahau*-Hieroglyphe als Kopfschmuck mit einem Band befestigt, aus der drei Blätter sprießen, übrigens ähnlich wie bei der Maske aus Grab 160 in Tikal (Kat.-Nr. 67), die vielleicht das Zeichen des »Narrengottes«, also das personifizierte Emblem der Königswürde bedeuten.

Die Figur hält beide Hände vor die Brust, und zwar in der Haltung, die Könige immer dann einnahmen, wenn sie einen doppelköpfigen Schlangenstab vor sich tragen. Vom Hals hängt eine lange Kette mit einem dreiteiligen Pektoral herab, dessen Streifenmarkierung andeutet, daß es sich um ein reflektierendes poliertes Material handelt. Ein breiter Lendenschurz ist um die Hüfte gewickelt, der vorn und hinten in Form eines dreiteiligen Schmuckelementes erscheint. Die Füße der Figur sind nur angedeutet; eine Reihe von Ritzungen markiert die Zehen.

Ganz offensichtlich zeigt uns die Jaderöhrenperle einen hohen Würdenträger mit der Maske des Baumgottes. Bäume spielen im Leben der Maya viele verschiedene Rollen. So waren sie Sitz spiritueller Energie, markierten Himmelsrichtungen und Provinzen, aus ihnen wurden Vorfahren geboren, und entlang der Achse des alle kosmischen Ebenen durchkreuzenden Weltenbaumes fielen Könige nach ihrem Tod in die Unterwelt. Stelen waren steingewordene Bäume; das Maya-Wort für Stele ist »Baumstein«. Könige, die sich auf einer Stele verewigen, wurden dadurch zu einer Verkörperung des Weltenbaumes und zum Mittelpunkt des Kosmos. Auch auf unserer Jaderöhrenperle haben wir vielleicht das Abbild eines Fürsten, der sich mit Hilfe einer Maske in den Baumgott und damit in die Weltenachse verwandelt. N. G.

Lit.: W. L. Fash (1991), Tafel IX.

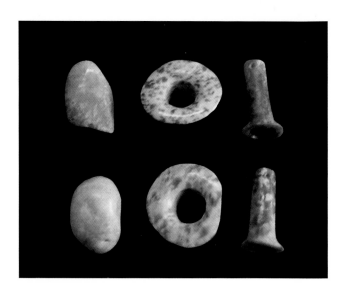

58
Zwei vollständige
Ohrschmuckensembles

Belmopan, Department of Archaeology 32/196–1:140
Verschiedene Jadeite
Schmuckringe: max. Dm. 2,7 cm
Pflöcke: max. L. 2,5 cm
Perlen: max. L. 2,7 cm
Lamanai, Orange Walk District, Belize, Caches N9–56/5 und
N9–56/6
Frühklassik, um 500 n. Chr.

In zwei miteinander assoziierten Opferdepots in Struktur N9–56 von Lamanai wurden diese beiden vollständig erhaltenen Ohrschmuckensembles entdeckt. Sie illustrieren in selten vollständiger Weise, wie der Ohrschmuck eines Maya-Fürsten aussah und wie er im Ohr getragen wurde. Mit Hilfe der beiden langen Pflöcke wurden die runden, in der Mitte offenen Schmuckscheiben am durchbohrten Ohrläppchen befestigt. Die Pflöcke wurden durch das Ohrläppchen gesteckt, und damit sie nicht herausfielen, wurde am hinteren Ende eine Jadeperle befestigt. Sie schützte den Schmuck nicht nur davor, aus dem Ohrläppchen herauszurutschen, sondern stellte zugleich auch ein Gegengewicht zur relativ schweren Schmuckscheibe dar. Feine Durchbohrungen am Ende des Pflockes wie auch in den Perlen zeigen, daß die Perlen mit Bändern am Pflock festgebunden wurden. Ganz offensichtlich konnte der Fürst diesen Ohrschmuck nicht selbst am Ohr befestigen, sondern hatte Diener, die ihm dabei halfen. Tatsächlich gibt es zahlreiche Szenen auf polychrom bemalten Keramiken, die Hofangestellte bei der Einkleidung eines Fürsten zeigen.

Eine besonders schöne und lebhafte Wirkung hat der Künstler, der diesen Ohrschmuck anfertigte, durch die Verwendung verschiedenartiger Jadeite erzielt. Sie spiegeln die ganze Bandbreite der Farben mittelamerikanischer Jadeite wider. Die Schmuckringe bestehen aus einem stark gemaserten bläulich-weißen Jadeit, die Pflöcke aus einem relativ dunklen Jadeit, und die Perlen haben die hellgrüne Farbe, die wir gewöhnlich mit Jade verbinden.

Die hohe Qualität des Ohrschmucks macht es wahrscheinlich, daß er sich im Besitz eines hohen Würdenträgers oder eines besonders reichen Mannes befand, bevor er in dem Opferdepot vergraben wurde.   N. G.

59
Votivgabe

New York, National Museum of the American Indian, Heye Foundation, Inv.-Nr. 15/3639 (VA 333)
Jade
H. 7 cm
Mazatenango oder El Quiché, Guatemala
Wohl Frühklassik, 250–600 n. Chr.

Jade war weit verbreitet unter den Völkern Mesoamerikas. Der Stil dieses Stückes entspricht eher den einfacheren Arbeiten der Pazifikküste als den hervorragend gearbeiteten Stücken aus dem *Nebaj*- und dem *Quiché*-Gebiet in Guatemala.

Im offenen Rachen einer Schlange, deren rundes Auge deutlich zu erkennen ist, erscheint die Gestalt eines Mannes im Profil. Das große Gesicht mit dem unverhältnismäßig weit geöffneten Auge und den vollen Lippen kontrastiert mit dem kleinen Arm unmittelbar darunter. Diese Details unterstreichen eine Datierung in die Frühe Klassik. Erst unlängst wurden fünf Jademosaikmasken in Abaj Tabalik an der pazifischen Künste entdeckt, die im Vergleich zu den späteren Stücken aus dem nördlichen Tiefland weniger sorgfältig gearbeitet sind. Die durchgehende Linie, die den Oberkiefer und die Augenhöhle der Schlange bildet, kann ebenfalls als Kennzeichen des Pazifikküsten-Stils gelten und findet sich hier bei großen schlangenkopfförmigen Architekturdekoren aus Stein.

Da das Stück keine Durchbohrungen aufweist, konnte es nicht als Bestandteil einer Kette o. ä. getragen werden. Vielleicht ist es als Votivgabe zu deuten. F. F.

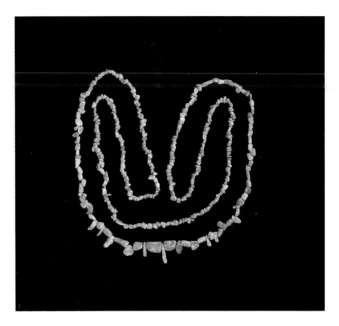

60
Halskette

Guatemala-Stadt, Museo Nacional de Arqueología y Etnología, Nr. 4786
Jade
L. ca. 120 cm
Nebaj, El Quiché, Guatemala
Frühklassik, 250–600 v. Chr.

Diese aus rund 350 unterschiedlich großen Gliedern gebildete Kette zeigt einmal mehr die Vorliebe des Maya-Adels für das Material Jade. Gleichzeitig weist sie auf die große Schwierigkeit hin, mit einfachen Werkzeugen Löcher in die Glieder zu bohren, um diese dann aufziehen zu können. Die Löcher der kleinen Glieder haben alle die gleiche Größe, sind also eindeutig mit demselben Instrument hergestellt worden; nur wenige größere Glieder sind mit Bohrlöchern größeren Durchmessers versehen. Selbstverständlich ließen sich letztere auch einfacher herstellen. Die Region um Nebaj ist durch die dort aufgefundenen Objekte aus Jade bekannt geworden. Da Jade im Tal des Motagua-Flusses flußabwärts vom Hauptfundort Nebaj aus gesehen natürlicherweise vorkommt, entwickelte es sich zu einem wichtigen Zentrum der Jadeverarbeitung. Glänzendere Jade und von noch intensiverem Grün scheint sich nahe bei Nebaj gefunden zu haben, so daß beide Rohstoffquellen für das Auftreten besonders schöner Objekte gerade in dieser Region verantwortlich sind. F. F.

61
Räuchergefäß

Guatemala-Stadt, Museo Popul Vuh, Nr. 216
Ton, mit Resten der Bemalung
H. 70 cm
Aus dem Amatitlán-See, Guatemala
Wohl Frühklassik, 250–600 n. Chr.

Der Amatitlán-See, rund dreißig Kilometer vom heutigen Guatemala-Stadt entfernt, ist durch seine zahlreichen Protoklassischen und Frühklassischen Fundorte bekannt sowie die große Anzahl von tönernen Opfergefäßen, die im See rituell versenkt wurden. Viele dieser Opfergefäße sind grobe, dunkelbraune, flache Teller und Weihrauchgefäße mit den für sie charakteristischen Zackenverzierungen. Jedoch weisen andere Stücke hervorragend modellierte Figuren auf, die als Dekor von Räuchergefäßen verschiedener Formen und Größen dienen. Einige von ihnen enthalten dekorative Elemente, die den Einfluß fremder Stile auf lokale Künstler deutlich machen.

Der Amatitlán-See ist weniger als 50 km von der pazifischen Küste entfernt und lag höchstwahrscheinlich auf der Route vom Pazifik nach Kaminaljuyú. Unweit des Sees liegen außerdem die Orte Solano und El Frutal, die während der Späten Protoklassik und der Frühen Klassik blühende Handelsplätze waren. Neben seiner strategisch günstigen Lage für den Handel hatte sich der Amatitlán-See wahrscheinlich auch zum Pilgerzentrum entwickelt, zu dem Menschen aus weiten Teilen des südlichen Guatemala reisten, um Opfergaben darzubringen.
Das große zylindrische Keramikgefäß mit Seitenteilen bildet den oberen Teil eines Behältnisses, in dem Harz oder ähnliche duftende Substanzen verbrannt wurden. Aus dem applizierten offenen Papageienschnabel, umgeben von Federn und großen Augen, tritt ein menschliches Gesicht mit leicht geöffnetem Mund hervor, durch den Rauch austreten konnte. Ohrpflöcke, ein Anhänger und eine Halskette mit runden Perlen wurden an das Gesicht anmodelliert. Die zapfenartigen Gebilde am oberen Rand konnten einen Teller mit Opfergaben für die Gottheit, vor die das Räuchergefäß gestellt wurde, aufnehmen.

F. F.

62
Räuchergefäß

Guatemala-Stadt, Museo Nacional de Arqueología y Etnología,
Nr. 4371
Ton, mit Resten von Bemalung
H. 35 cm, B. 32 cm
San Agustín Acasaguastlán, El Progreso, Guatemala
Frühklassik, 250–600 n. Chr.

Die Eleganz und Detailfreude dieses Räuchergefäßes
zeugt vom hochentwickelten künstlerischen Gefühl der
Menschen im Gebiet des mittleren Motagua-Tales. Die in
der Frühen Klassik einsetzende hohe Qualität des lokalen
Handwerks setzte sich bis in die Späte Klassik und in die
Kolonialzeit fort. Einige der schönsten kolonialzeitlichen
Kirchen Guatemalas finden sich in der Gegend des moder-
nen Ortes Acasaguastlán.
Der außergewöhnliche Kopfschmuck, der beinahe um
ein Drittel größer ist als die ganze Figur, betont die
barocke Komposition, während sie gleichzeitig dazu
dient, das eigentliche Räucherbehältnis zu verdecken.
Geschmückt mit diesem Kopfputz und einem einfachen
Lendenschurz macht die Figur deutlich, wie sich ein
Mann von hohem Status, vielleicht ein Priester, in der
Maya-Gesellschaft kleidete. Ohrpflöcke, Nasenpflock und
Armschmuck wurden von hochgestellten Mitgliedern
dieses Häuptlingstums täglich getragen und gehörten zu
den Insignien ihrer Würde. Offensichtlich stellten sie den
Wohlstand der Region zur Schau, der im Motagua-Tal un-
mittelbar an der Handelsroute zwischen Hochland und
Karibik augenfällig war. F. F.

63

Figur

Tegucigalpa, Honduras, Museo Nacional de Antropología,
PEC 493, Reg. 160
Serpentin
H. 10,4 cm, B. 7,5 cm
Salitron Viejo, Sulaco-Fluß, Zentral-Honduras, Iglesia-Plattform
G-44-a, Depot 492
Östliches Mesoamerika, 400–600 n. Chr.

Zwischen 1981 und 1984 wurde ein umfangreiches Material mit mehr als 2800 Jade- und Steinobjekten (vgl. Kat.-Nr. 178–218) auf dem archäologischen Fundplatz Salitron Viejo am Sulaco-Fluß in Zentral-Honduras ausgegraben. Salitron Viejo war eine bedeutende Siedlung in der Zeit zwischen 400 und 800 n. Chr. und konnte zahlreiche andere Siedlungen am Sulaco-Fluß in sein Herrschaftssystem integrieren. Jade wurde in öffentlichen Ritualen verwendet, um die soziale und politische Anerkennung dieser Herrschaft auszudrücken. Alle Objekte in dieser Ausstellung stammen aus zeremoniellen Depots, die im Zusammenhang mit der Weihung, dem Bau oder der Entweihung und der Aufgabe von Monumenten der Nordgruppe und des Iglesiabezirkes in Salitron Viejo angelegt wurden. Mehr als 2400 dieser Jadeobjekte stehen in Zusammenhang mit Bauarbeiten im Iglesiabezirk. Jadeobjekte wurden dort verstreut oder in Depots zwischen den Steinschüttungen niedergelegt, sorgfältig hinter Stein- oder Lehmfassaden plaziert, neben den Mauern oder am Fuß von Strukturen deponiert, wenn das Bauwerk fertiggestellt war, und verbrannt und/oder zerbrochen, wenn ein Bauwerk aufgegeben wurde.

Diese Sammlung von Jadeobjekten ist wertvoll, weil sie ein zeremonielles Ensemble darstellt, das sich aus Objekten aus unterschiedlichen kulturellen Traditionen zusammensetzt. Die verschiedenen Stile und Herstellungstechniken reflektieren die vielfältigen kulturellen Kontakte der Oberschicht von Salitron Viejo mit den umliegenden Bevölkerungen während der Periode seiner regionalen Hegemonie. In ihrem Stil und in der Motivwahl sind die Arbeiten typisch für das östliche Mesoamerika. Obwohl sowohl von den Olmeken als auch von den Maya beeinflußte Stilelemente festzustellen sind, ist die Mehrzahl der Objekte eigenständig. Sie zeigen eine einzigartige und bis jetzt nur wenig bekannte Tradition der Jadebearbeitung an der südöstlichen Grenze Mesoamerikas. Verschiedene Stilelemente charakterisieren diese lokale Traditon. Die Objekte wurden hergestellt aus Jade und einer Vielzahl anderer lokaler Materialien. Sie sind massiv, gerundet und lassen manchmal noch die Form des Rohmaterials, aus dem sie angefertigt wurden, erkennen. Eine tiergestaltige Bildsprache herrscht vor neben Darstellungen von Menschen und schweren, doppelkonisch durchbohrten Ohrpflöcken. Sie zeigen eine Herstellungstechnik, die Bohren, Sägen und Schleifen mit Steinbearbeitungstechniken wie Retuschieren und Picken verbindet. Der Zwerg oder Bucklige ist die häufigste menschliche Darstellung, und bei Gesichtern werden meistens dreieckige oder V-förmige Einschnitte als Begrenzung verwendet.

Die Menschen, die Salitron Viejo bewohnten und diese Zeremonialobjekte benutzten, waren keine Maya. Eher waren sie eine von zahlreichen Nicht-Maya-Gruppen, die in vorspanischer Zeit das zentrale Honduras besiedelten, vielleicht die Lenca. Die Jadearbeiten in dieser Ausstellung sollen dem Besucher einen Einblick in die reichen künstlerischen Traditionen geben, die diese Gruppen entwickelten und die in ihrer Steinschneidekunst erhalten geblieben sind.

Die Figur zeigt einen sitzenden, nach vorn blickenden Menschen, der seine Hände vor der Brust gefaltet hat. Der Kopf ist groß und deutlich herausgearbeitet im Gegensatz zum Körper, der in einer mehr impressionistischen Manier angedeutet ist. Nase und Mund sind durch schräge Schnitte gekennzeichnet, ähnlich wie bei anderen Stücken dieser Sammlung das dreieckige Gesicht herausgearbeitet ist. Der Kopf hat seine größte Breite am Schulteransatz. Die Augen sind einfach Bohrungen, und die Ohren werden durch schlaufenähnliche Elemente an den Seiten des Kopfes bezeichnet. Das Haarbüschel in der Mitte des Kopfes und der massige Gesamteindruck der Figur legen nahe, daß es sich um die Darstellung eines Zwerges handelt. Die Beine sind durch flache, übereinandergesetzte Einschnitte angedeutet, um eine Sitzhaltung mit überkreuzten Beinen wiederzugeben. Die Figur ist fleckig und ihre linke Seite teilweise zerstört, weil sie intentionell einem Feuer ausgesetzt war.

K. H./S. G. H.

64
Gefäß

Tikal, Museo Sylvanus G. Morley, Nr. 117A – 2/36
Ton, bemalt
H. 17,4 cm, Dm. 10,5 cm
Tikal, El Petén, Guatemala, Struktur 5D – 73, Grab 196
Spätklassik, 8. Jh. n. Chr.

Obwohl eine Vielfalt von Szenen auf Maya-Gefäßen abgebildet wurde, die von mythologischen und religiösen Themen bis zu weltlichen reichen, hebt oft ein spezielles Detail ein bestimmtes Stück in seiner Einzigartigkeit hervor. Unter den vielen Gefäßen von Tikal im gleichen Stil ist das gezeigte Stück durch die auf Zehenspitzen schreitende, rauchende Figur besonders bemerkenswert. Wir werden wohl niemals erfahren, ob der Künstler eine reale Szene darstellen wollte oder ob er seiner Phantasie freien Lauf ließ.

Die Hauptszene zeigt einen sitzenden Maya-Herrscher in Frontalansicht, der in der üblichen Aufmachung im roten Lendenschurz mit großem Maskenkopfschmuck mit Seerose sowie den typischen runden Ohrpflöcken und einer Perlenhalskette angetan ist. Seinen Kopf wendet er im Profil einer weiteren sitzenden Person zu und hält einen mit langen Federn geschmückten Opferdolch. Zwei Hieroglyphen oberhalb der Herrscherfigur kommentieren offenbar die dargestellte Handlung, können jedoch wie alle anderen Zeichen auf diesem Gefäß noch nicht gelesen werden. Der Gesprächspartner trägt lediglich einen kreuzweise schaffierten Schurz und einen fantastischen Kopfschmuck aus einem Vogel mit einer Schlange im Schnabel. Der Kopfschmuck ist unverhältnismäßig groß im Vergleich zum Körper der auf dem Boden sitzenden Person.
Wenn nur diese Bilder die Szene ausmachten, wäre sie nichts anderes als eine gewöhnliche Palastszene wie viele andere auch. Von der linken Seite jedoch tritt der Rau-

chende in die Szene hinein. Vielleicht schleicht er sich
aber auch von dem thronenden Fürsten fort, wie das
abgewandte Gesicht andeuten könnte. Der weiße Stoffturban des Rauchenden erinnert an die entsprechende
Kopfbekleidung auf Stele 89 von Calakmul (Kat.-Nr. 174).
Eine massive Perlenkette liegt auf dem nackten Oberkörper, während ein Schurz die Lenden bedeckt. Was be-
zweckte der Künstler mit dieser ungewöhnlichen Figur?
Warum setzte er sie so in den Mittelpunkt, daß weder
der Herrscher noch sein Untergebener, sondern sie die
Szene dominiert? Ist der Rauchende vielleicht der Künstler selbst? Alle diese Fragen werden wohl nie beantwortet werden können, aber die außergewöhnliche Qualität
der Malerei und damit des Malers zeigt sich nicht nur in
den Porträts, sondern auch in der Verwendung dunkle-
rer Farbtupfen für die Betonung der Muskulatur.
Dieses Gefäß gehört zu einem Satz von über 40 Keramik-
objekten aus Grab 196 in Tikal, die »Herrscher B« auf
seine Unterweltreise mitgegeben worden waren.   F. F.

65

Figur eines Jaguars

Tikal, Museo Sylvanus G. Morley, Nr. 117A–50/36
Jade
L. 16,2 cm
Tikal, El Petén, Guatemala, Grab 196
Spätklassik, 8. Jh. n. Chr.

Der Jaguar ist das größte Raubtier im Urwald des Tieflandes. Er wurde von den Maya seit der Frühen Klassik,
wenn nicht schon zuvor, mit der Nachtsonne assoziiert,
die durch die gefährliche Unterwelt reisen muß. Auch
bei den Olmeken spielte die Jaguarsymbolik schon in viel
früherer Zeit eine überragende Rolle.
Neben der Verbindung mit der Nacht wurde der Jaguar
mit Wasserlilien assoziiert, einer häufigen Pflanze in den
Flüssen des Tieflandes. Da sich das Tier gern an Wasser-
läufen aufhält und auch gern fischt, konnte diese Assoziation wohl entstehen. Deshalb wird er oft, wie auch in

diesem Fall, mit einer solchen Blume am Kopf dargestellt.
Ein weiteres auffallendes Detail ist die Hieroglyphe des
Tageszeichens *Hix*, »Jaguar«, im Auge des Tieres.
Dieses Objekt stammt, wie auch die Darstellung des
Akrobaten (Kat.-Nr. 66) und das polychrome Gefäß (Kat.-
Nr. 64), aus dem Grab 196 und ist – nach dem berühmten
Kopf des Sonnengottes *K'inich Ahaw* aus Altun Há, Belize
– die größte bekannte Jadefigur aus ganz Mesoamerika.
Der Jaguar war sicherlich eine für »Herrscher B«, der in
diesem Grab beigesetzt war, angemessene Beigabe. Da
ein solches Stück nicht direkt am Tag des Todes oder im
Moment der Bestattung von »Herrscher B« gearbeitet
werden konnte, muß es sich schon länger in der Familie
befunden haben, vielleicht als Erbstück. Wann er bestattet wurde, steht nicht fest, doch das Thronbesteigungs-
datum war der 8. Dezember 734. Als wertvolles Amulett
sollte die kleine Figur vermutlich die Seele des Verstorbenen während seiner schweren Reise durch *Xibalba* begleiten oder als Grabbeigabe den Jaguar-Gott der Unterwelt
besänftigen.   F. F.

66
Anhänger mit Darstellungen von Akrobaten

Tikal, Museo Sylvanus G. Morley, Nr. 117a–62/36
Jade
H. 9 cm, B. 2 cm
Tikal, El Petén, Guatemala, Grab 196
Spätklassik, 8. Jh. n. Chr.

Vier Akrobaten, auf jeder Seite einer, stehen wie bei Spielen oder einer Feier einander gegenüber. Während sich zwei von ihnen an der Hand halten, stützen sich die beiden anderen mit ihren Ellenbogen, in jedem Fall eine für die Akrobaten gefährliche Stellung. Die Präzision der Arbeit läßt sogar den versteckten Fuß zweier Athleten und den Schmuck, den sie tragen, erkennen.
Als Anhänger war dies sicher ein bedeutendes Objekt und einzig in seiner Art, nicht nur so sehr seiner blaugrünen Farbe wegen, sondern auch aufgrund der Originalität der Komposition. Der Anhänger wurde, ebenso wie der Jaguar aus Jade und das Gefäß mit polychromer Malerei in Grab 196 von Tikal aufgefunden, einem Grab, das aufgrund seiner reichen Beigaben und der auf diesen angebrachten Hieroglyphentexte mit großer Wahrscheinlichkeit als das Grab des »Herrschers B« von Tikal identifiziert werden kann. Leider wissen wir bislang nicht, wann »Herrscher B« starb oder beigesetzt wurde; aus seiner Biographie ist nur seine Thronbesteigung 9.15.3.6.8, d. h. am 8. Dezember 734 n. Chr., bekannt.   F. F.

67
Mosaikmaske

Guatemala-Stadt, Museo Nacional de Arqueología y Etnología, Nr. 11082
Jadeit, Diopsit, Muschel- und Schneckengehäuse, Perlmutt, Pyrit
H. 34,5 cm, B. 29,5 cm
Tikal, El Petén, Guatemala, Grab 160
Späte Frühklassik, 6. Jh. n. Chr.

Als eine der kostbarsten Beigaben eines hohen Würdenträgers oder sogar eines Herrschers, eines *ahaw*, wurde diese Maske in Grab 160 in Tikal entdeckt. Die Stadt, deren Bedeutung bis in die Späte Präklassik zurückreicht, war eines der herausragendsten Handels- und Herrschaftszentren der Klassik. Obwohl Tikal im 6. Jh. n. Chr. einen schweren Rückschlag zu erleiden hatte und nach dem Krieg mit den Herrschern von Caracol fast vollständig zerstört worden war, gelang es den Bewohnern noch einmal, einen bewundernswerten kulturellen Aufschwung zu bewirken. Ein gewaltiges Bauprogramm erneuerte die Strukturen der Stadt, beispiellose künstlerische Arbeiten entstanden, wie sie z. B. in den Gräbern der Herrscher *Hasaw Chan* (gestorben 723 n. Chr.) und seines Sohnes *Yax K'in* (gestorben 768 n. Chr.) gefunden wurden. Vor allem Jade oder Jade-ähnliche Materialien spielten dabei eine große Rolle. Man glaubte, daß diese Steine lebenspendende Kräfte besitzen. So wurden sie geschätzte Opfergaben bei einer Vielzahl von Weih-, Erneuerungs- und Bestattungszeremonien. Jadeperlen und andere Schmuckgegenstände waren aber auch ein

Symbol für Macht und Reichtum und kennzeichneten die hochgestellten Mitglieder der Gesellschaft. Obgleich solche Jadeobjekte wichtige Informationen über den Aufbau und die Vorstellungen der Gesellschaft in vorspanischer Zeit liefern können, haben Archäologen nur selten die Möglichkeit, gut dokumentierte Objekte studieren zu können, die sich eindeutig einem bestimmten sozialen Umfeld zuordnen lassen. Um so bedeutsamer ist es, wenn Jadegegenstände innerhalb eines gesicherten Grabungskontextes entdeckt werden, wie im vorliegenden Fall.

Die Maske wurde aus einer Vielzahl kleiner und größerer Plättchen zusammengesetzt. Eine exaktere Materialanalyse gelang aber erst vor wenigen Jahren mit Hilfe eines tragbaren Spektrometers, der die Wellenlängen reflektierten Lichtes zu messen in der Lage ist. So konnten exakte Bestimmungen verschiedener Mineralien vorgenommen, die charakteristischen Merkmale z. B. von Jadeit, Nephrit oder Diopsit herausgearbeitet und gegeneinander abgegrenzt werden. Solche Merkmalanalysen erlauben eine Materialbestimmung ohne beschädigende Probeentnahmen bei hochrangigen Kunstwerken, zu denen auch die berühmte Maske aus Tikal zählt. Dabei stellte sich heraus, daß die Ohrpflöcke der Maske, die als Schmuckstücke aus besonders edlem Material bestehen mußten, aus Jadeit gefertigt sind, die restlichen grünfarbigen Bestandteile dagegen aus Diopsit.

Die eindrucksvollen roten Lippen sowie die gleichfarbigen Teile des Ohrschmuckes und die aus rechteckigen kleinen Plättchen gearbeitete Einfassung der *ahaw*-Glyphe über dem Kopf bestehen aus roter Muschel-

schale. Die überaus naturalistisch gestalteten Augen sind aus Perlmutt und die Pupillen aus schwarzem Pyrit gefertigt.

Die gesamte Physiognomie wurde auf eine intensive Wirkung hin konzipiert. Die Augen mit den etwas schweren, leicht gesenkten Oberlidern und den mittels Farbe und Modellierung betonten Lidrändern suggerieren einen fast tranceartigen Zustand. Die scharfkantig geschnittenen, wenig geschwungenen Brauenbögen unterstreichen den strengen Charakter des Gesichtes. Tiefe Nasolabialfalten ziehen sich von den breiten Nasenflügeln herab und reichen weit über die Winkel des fast tragisch anmutenden, geöffneten Mundes hinaus. Die für den Standard der Maya-Porträts ungewöhnlich kleine und nur wenig vorspringende Nase unterstreicht den individuellen Charakter dieses Meisterwerkes.

Der Kopfschmuck wird von einem Ungeheuer mit Volutenaugen und einem frontalen »Haifischzahn« gebildet, wobei noch Reste der roten Bemalung erhalten geblieben sind. Dieses Phantasiewesen ist eine der bei den Maya so beliebten Mischgestalten. Der hervorstehende Zahn mit Ritzmustermarkierung deutet auf einen Aspekt des Gottes G II hin, der zu den Hauptgöttern der Maya zählte. Auch die Hieroglyphe in der Kartusche oberhalb des Vogelkopfes nennt ein Epitheton dieses Gottes.

Der Umriß der Kartusche mit den eingravierten Hieroglyphen erinnert an die Frühklassische Version des Tageszeichens *Ahaw*. Eine vergleichbare Gestalt mit ebenfalls dreizackigem Oberteil kennzeichnet einen Kopfschmuck, der auf einem Muschelanhänger aus Río Azul dargestellt wird. Die Inschrift auf dem Kopfschmuck unserer Mosaikmaske besteht aus dem Zeichen für *k'ul*, »göttlich, heilig«, den Postfixen *-wa* und *-na* und einem

Zeichen, das in dem Alphabet Diego de Landas für die Silbe *p'e* steht. Aus der linken Einbuchtung des Zeichens ragt ein Zahn hervor, der wohl auf den hervorstehenden Haifischzahn der Maske hinweisen soll. Wenn das Zeichen tatsächlich *p'e* zu lesen ist, könnte es sich auf das yukatekische Wort *p'eh* beziehen, das scharfe Gegenstände mit angesägten Seiten bedeutet. In der Tat weist der Haifischzahn der Maske Andeutungen der charakteristischen Widerhaken auf. Haifischzähne wurden von den Maya verwendet, um sich Blut abzuzapfen. Das *p'e*-Zeichen erscheint hier mit dem Postfix *-wan*, das eine Endung sog. positioneller Verben ist. Das könnte darauf hindeuten, daß die Hieroglyphe insgesamt eine Aktion zum Ausdruck bringen soll, vielleicht die »Blutentnahme«. Oberhalb der Hieroglyphenkartusche befindet sich ein dreiblättriges Element mit verschiedenen gravierten Zeichen: eines mit 3 Punkten könnte als das Zeichen *na* identifiziert werden, ein geknotetes Band mit einem Superfix ist vielleicht als *ha* zu lesen; dazu tritt ein doppelt ausgeführtes *ka*-Zeichen. Dieser Ausdruck könnte als »nak« verstanden werden, ein Wort, das im yukatekischen Maya »Maske« oder auch »Krone« bedeutet.

Eine vermutlich aus Río Azul stammende Fuchsitmaske, die Maske *Pakals* von Palenque und die hier gezeigte Maske sind drei der schönsten und großartigsten Beispiele lebensgroßer Mosaikmasken aus dem Maya-Gebiet. Sie wurden über das Gesicht des Toten gelegt und schmückten ihn neben Jadepektoralen sowie anderem Jade- und Muschelschmuck für seine Reise durch die Unterwelt, zugleich aber auch für seine Apotheose, denn nach dem Tod folgte die Verwandlung in einen der Göttlichen Zwillinge und die Auferstehung aus *Xibalba*.   F. F.

68
Schale

Tikal, Museo Sylvanus G. Morley, Nr. 384–93
Ton, polychrome Bemalung
Dm. 25 cm
Tikal, El Petén, Guatemala
Spätklassik, 600–900 n. Chr.

Polychrome Keramikgefäße gehören zu den faszinierendsten künstlerischen Leistungen der Spätklassischen
Maya. In ihrer Schönheit und Qualität sind sie durchaus
mit klassischen griechischen Vasen vergleichbar. Die spar-
same Verwendung einiger weniger kontrastierender Farben wie Orange, Gelb und Schwarz bezeugt die Fähigkeit
des Künstlers, trotz einer nur begrenzten Farbauswahl
ein Meisterwerk zu schaffen.
Die Außenwandung der Schale zeigt ein für viele Maya-
Gefäße typisches Motiv: die stilisierte Darstellung von
Vogelfedern, vermutlich denen des *Muwan*-Vogels. Das
Innere ist mit einem der vielen Verwandlungsmotive verziert. Man erkennt einen Vogel, der, bis auf den Kopf,
ganz und gar in einen menschlichen Körper geschlüpft
ist. Oder sollen wir einen Menschen erkennen, der sich
in einen Vogel verwandelt hat? Wie ein hoher Würdenträger sitzt er jedenfalls auf einem Thron. Der Thron
nimmt den gesamten unteren Teil der Szene ein und
zeugt von der geschickten Ausnutzung der Malfläche. So
wird die Größe der dargestellten Person gegenüber der
Länge des Vogelschnabels ausgeglichen.
Die Person trägt einen braungepunkteten Schurz, einen
gewickelten Stoffturban und eine lange Perlenhalskette,
deren Gewicht durch eine weitere Reihe von Perlen auf
dem Rücken ausbalanciert wird. Ein hübsches Detail
stellt die ausgestreckte linke Hand dar, die ebenfalls ein
Gleichgewicht zum Vogelschnabel herstellt. Die Darstellung von expressiven Gesten hat in der Kunst der Maya
eine lange Tradition.
Dieses Gefäß vertritt ein bestimmtes Genre der Malerei.
Die zentrierte Darstellung steht im Gegensatz zu solchen
mit Schilderungen komplexer Handlungsfolgen.   F. F.

69
Becher

Tikal, Museo Sylvanus G. Morley, Nr. 1389
Ton, bemalt
H. 11,5 cm, B. 13 cm
Tikal, El Petén, Guatemala
Spätklassik, 600–900 n. Chr.

Dieser hämatitrote Becher mit der Darstellung einer sich um das Gefäß windenden Schlange zeugt von der Kreativität des Töpfers, der Form, Farbe und Motiv in vollständige Harmonie zu bringen wußte.

Der Kontrast zwischen der glatten Oberfläche des Gefäßes und der rauhen Beschaffenheit der Schlange wird durch den Farbkontrast zwischen dem roten und dem cremefarbigen Ton verstärkt. Die Schlange scheint sich langsam auf dem Untergrund fortzubewegen. Da sich ihr Kopf am Boden des Gefäßes befindet, man es also umdrehen muß, um das ganze Reptil betrachten zu können, handelt es sich wohl eher um eine Grabbeigabe mit symbolischer Bedeutung.

Schon aus der Frühen Klassik, insbesondere in Tikal und Uaxactún, sind Gefäße bekannt, die ein spiralförmiges Muster aufweisen. Obwohl dieser Becher aus späterer Zeit stammt, folgt er dieser Tradition und fügt noch den Kontrast der Zweifarbigkeit hinzu.   F. F.

70
Gefäß

Tikal, Museo Sylvanus G. Morley, Nr. 394-83
Ton, polychrom bemalt
H. 11 cm, Dm. 14,4 cm
Tikal, El Petén, Guatemala
Spätklassik, 600–900 n. Chr.

Diese kleine Schale zeigt einmal mehr die Vorstellungskraft und das Gestaltungsvermögen der Maya in bezug auf tier-menschliche Mischwesen. Zwei weibliche Figuren, die Vögel personifizieren, oder zwei Vögel mit anthropomorphen Zügen bilden das Thema. Die Farbkombination Rot und Schwarz auf weißem Hintergrund wirkt dabei besonders brillant.

Die beiden Figuren sitzen nach vorn geneigt und halten Schalen mit Opfergaben, vermutlich Maiskörner, in den ausgestreckten Händen. Abgesehen von ihren vogelähnlichen Gesichtern sind beide in ihrem übrigen Aussehen als Menschen erkennbar. Sie tragen runde Ohrpflöcke und aus Stoff gefertigten Kopfschmuck sowie Röcke oder Schurze. Hinter ihrem Rücken erkennt man einen sich von der übrigen Gestalt scharf abhebenden schwarzen Gürtel, der beide Figuren offensichtlich verbindet, da die Opferschale von beiden unterhalb dieses Elementes gehalten wird. Der eingezogene Boden der Schale ist mit

schwarzen Punkten auf weißem Untergrund geschmückt und wurde durchbohrt, um die Macht der Schale zu brechen und sie rituell zu töten.

Zwei schwarze Linien trennen die Figuren von einem schmalen roten Band, das unterhalb des schwarzen Gefäßrandes entlangläuft. Dieses Muster wiederholt sich auch auf der rotbemalten Innenseite. Zwei schwarze Linien verlaufen etwa 2 cm unterhalb des Schalenrandes. Mittels dieser Linien und Farben werden Flächen untergliedert und die Bewegung im Rund betont. F. F.

gen Durchmesser wird der Betrachter angeregt, seinen Blick vom Rand bis zum Boden schweifen zu lassen. Die vertikale Ausrichtung wird zusätzlich durch acht voneinander getrennte Bänder betont, die senkrecht verlaufen, bis sie auf das Band gleich unter dem Gefäßrand stoßen. Zusätzlich kontrastiert das fast japanisch anmutende glatte, glänzende Rot des Gefäßes mit dem schwarzen Fleck, der zufällig einen Teil des Bodens einnimmt und wohl durch ungleichmäßiges Brennen entstanden ist. F. F.

71
Zylindrisches Gefäß

Tikal, Museo Sylvanus G. Morley, Nr. 90-4/1
Ton
H. 20,5 cm
Dos Aguadas, Tikal, El Petén, Guatemala
Spätklassik, 600−900 n. Chr.

Der Künstler dieses Gefäßes hat wohl das ästhetische Prinzip »weniger ist mehr« befolgt. Durch die außergewöhnliche Betonung der Höhe im Vergleich zum gerin-

72
Zylindrisches Gefäß

Tikal, Museo Sylvanus G. Morley, Nr. 12K−91
Ton, bemalt
H. 15,7 cm
Tikal, El Petén, Guatemala
Spätklassik, 600−900 n. Chr.

Der Farbkontrast von Schwarz und Orange und die verschwenderische Fülle von Linien und geometrischen Formen auf diesem zylindrischen Gefäß sind selten in der

Kunst des Tieflandes. Die Farbzusammensetzung und Ornamente erinnern den Betrachter an Keramik der mediterranen Kulturen.

Die gesamte Oberfläche des Gefäßes ist mit neun aufeinanderfolgenden Reihen von geometrischen Formen geschmückt. Reihen von getreppten Haken, gegenständig angeordneten Dreiecken und Flechtbändern sind übereinander angeordnet und variieren in der Höhe, so daß der Eindruck von Gleichförmigkeit vermieden wird. Ähnliche geometrische Muster werden noch heute in Textilien im Hochland von Guatemala gewebt. Diese Kontinuität bestimmter Muster über einen Zeitabschnitt von eintausend Jahren hinweg ist ein Beweis für die lebendige Tradition, die die modernen Maya mit ihren Vorfahren verbindet. F. F.

73

Zylindrisches Gefäß

Tikal, Museo Sylvanus G. Morley, Nr. 117A–9/36
Ton, mit Bemalung und Stucküberzug
H. 20,7 cm, Dm. 11 cm
Tikal, El Petén, Guatemala
Spätklassik, 600–900 n. Chr.

Das Auftragen von Stuckschichten auf Tongefäße als Untergrund für leuchtende Malereien war gerade in der Frühklassik ein sowohl im Hochland als auch im Tiefland beliebtes Verfahren. Stuckierte Oberflächen verwendete man z. B. auch für die Beschriftung der Bücher, der sog. Codices. Als gröberer Verputz diente Stuck zum Modellieren und Formen der Haus- und Tempelwände, und er war zugleich ein hervorragender Untergrund für farbenprächtige Wandmalereien. Wahrscheinlich entstammte die Technik, auf stuckierte Gefäße zu malen, einem Einfluß aus dem mexikanischen Hochland. Wunderschöne Stücke mit Motiven, die auf Einflüsse aus

Teotihuacán zurückgehen, datieren in das 4. Jahrhundert n. Chr.

Yax Ain, Herrscher von Tikal, und »Rauch-Frosch«, sein Onkel und Herrscher in Uaxactún, regierten beide in der letzten Hälfte des 4. und der ersten Hälfte des 5. Jahrhunderts. Beiden wurden einzigartige Stücke dieser Art mit ins Grab gegeben. Kaminaljuyú gilt als Ursprungsort vieler dieser Gefäße.

Bei diesem Gefäß aus der Spätklassik dient die Stuckschicht als Rahmung für eingeritzte Verzierungen auf schwarz polierten Feldern. Das rote Band unterhalb des Gefäßrandes, das mit verschiedenen einfachen Ritzmotiven versehen ist, schafft ein zweites kontrastierendes Element im Dekor. Die Qualität der Inzisierungen und des Stucks lassen den beträchtlichen Niedergang der Kunst in diesem Bereich erkennen, verglichen mit der Schönheit und sorgfältigen Ausführung der Gefäße aus der Frühklassik. Dies ist zweifellos die Folge einer gewandelten Ästhetik, denn als dieses Stück entstand, war polychrome und im Codex-Stil bemalte Keramik in Mode. Vielleicht war aber auch die Technik des Auftragens von Stuckschichten bereits in Vergessenheit geraten. F. F.

74
Zylindrisches Gefäß

Tikal, Museo Sylvanus G. Morley, Nr. 394-83-1
Ton, bemalt
H. 14,5 cm
Tikal, El Petén, Guatemala
Spätklassik, 600–900 n. Chr.

Die Mythologie der Maya schildert die Unterwelt als einen furchteinflößenden Ort, den der Tote durchreisen muß, bis es ihm gelingt, die Herren der Unterwelt zu besiegen. Die Unterwelt war eine Umkehrung der oberen Welt und von grotesken Tieren, tanzenden Skeletten, blutsaugenden Fledermäusen und plagenden Insekten bewohnt. Einige dieser Tiere erscheinen in der Erzählung um die Prüfungen und Leiden der Göttlichen Zwillinge *Hunahpu* und *Xbalanke* in *Xibalba*. Während ihrer Prüfungen werden sie Fledermäusen, *Kamasotz'* genannt, Feuerfliegen, Moskitos und anderen Plagen und Gefahren ausgesetzt. Einige dieser Wesen stehen ihnen hilfreich zur Seite. Andere dagegen trachten danach, sie zu töten.

Um die Herren von *Xibalba* zu besiegen und deren Namen und Identitäten zu erfahren, senden die Göttlichen Zwillinge eine Moskito-Mücke aus. Der Stich der Mücke läßt die Unterweltsherrscher aufschreien und ihre Namen preisgeben, so daß die Göttlichen Zwillinge die Namen jedem einzelnen Herrn zuordnen können. Durch die Kenntnis der wahren Namen können die Herrscher von *Xibalba* überwunden werden.

Die Insekten auf diesem außergewöhnlichen Stück könnten eine Darstellung dieser Moskitos sein, denn sie fliegen nicht nur vor einem blutroten Hintergrund, einer die Unterwelt charakterisierenden Farbe, sondern tragen auch »Todesaugen« auf ihren Halskragen und Lendenschurzen. Das *ak'bal*-Zeichen, das »Dunkelheit« bedeutet, erscheint auf ihren Flügeln und Schädeln. Aus ihren Mäulern und Schwänzen entströmen Voluten, die wahrscheinlich Rauch oder Flammen symbolisieren. Neben den Flügeln verfügen die Moskitos auch noch über Arme mit Klauen und Beine mit Fußringen, so daß sie zu tierisch-menschlichen Mischwesen werden.

Der Künstler skizzierte ein jedes Körperteil der Insekten mit einer feinen Konturlinie und erreichte damit die leichte Schattierung bestimmter Partien. Der Randtext von außergewöhnlicher kalligraphischer Qualität besteht aus elf Hieroglyphen. Sieben von ihnen gehören zu dem als Primäre Standardsequenz bekannten Einweihungstext. Daraus geht hervor, daß das Gefäß frischen Kakao barg, der vielleicht für den Verstorbenen auf seiner Reise durch die Unterwelt bestimmt war. Die letzten vier Zeichen nennen wahrscheinlich den Besitzer des Gefäßes, der unter anderem die Titel *witz ahaw*, »Herr des Berges«, und *bakab*, »Weltenstütze«, trug.   F. F.

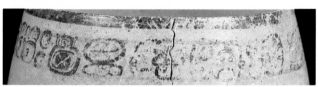

75
Schale

Guatemala-Stadt, Museo Popol Vuh, Nr. 1197
Ton, bemalt
H. 15,4 cm, B. 17 cm
El Petén, Guatemala
Frühe Spätklassik, um 600 n. Chr.

Diese schöne orangefarbene Schale mit einem schwarz aufgemalten Hieroglyphentext kommt wohl aus einem geplünderten Grab aus der Region von Tikal und kann dem Ende der Frühklassik zugeordnet werden. Obwohl jegliche Verzierung oder szenische Darstellung fehlt, enthält das Hieroglyphenband ein interessantes historisches Detail, denn es nennt den Namen des Eigentümers. Der Text beginnt mit der von Michael Coe entdeckten Primären Standardsequenz. Während Coe die Primäre Standardsequenz für einen Totengesang hielt, haben jüngere Forschungen von Stephen Houston, David Stuart, Nikolai Grube, Barbara MacLeod und anderen die Primäre Standardsequenz als Weihinschrift identifiziert, in der oft Namen des Besitzers und der Person, die das Gefäß bemalt hat, genannt werden.

In diesem Fall beginnt der aus fünfzehn Zeichen zusammengesetzte Text mit der Einführungshieroglyphe, die noch nicht überzeugend entziffert ist, gefolgt von sechs anderen, die sich auf *yich*, die Oberfläche der Schale, *tz'ib*, die Schrift, und mit der Hieroglyphe *yuch'ib*, »sein Trinkgefäß«, auf das Objekt selbst beziehen. Der Besitzer der Schale wird in der folgenden Hieroglyphe mit dem Titel *chakte* tituliert. Die folgende Namenssequenz besteht aus drei Hieroglyphenblöcken, einschließlich eines Kreuzbandes, eines Himmelszeichens und eines leider zerstörten Zeichens, das aus zwei anthropomorphen Gesichtern zusammengesetzt sein könnte. Interessant ist, daß die zwölfte Hieroglyphe eine Form des *Ahaw*-Zeichens ist, das in Textbändern nicht selten vorkommt und dazu dient, eine Vater-Kind-Beziehung auszudrücken. In diesem Fall würden die letzten drei Hieroglyphen den Sohn nicht mit seinem vollen Namen benennen, sondern mit dem Titel »Erd-Himmel *K'inich Ahaw*«. Nach brieflicher Mitteilung hat Nikolai Grube zwei Teller mit ähnlichem Text identifiziert, einen davon aus Grab 195 von Tikal, und glaubt, daß die Inschrift den 22. Herrscher von Tikal und seine Eltern benennt, denn diese Titel werden nur vom 22. Herrscher Tikals und seinem Vater »Doppelvogel« verwendet.

F. F.

76
Zylindergefäß

New York, National Museum of the American Indian, Heye
Foundation, Inv.-Nr. 24/7475
Ton, bemalt
H. 30 cm
Insel Jaina, Campeche, Mexiko
Spätklassik, 600–900 n. Chr.

Dieses sehr schön mit einem Wirbelmotiv bemalte Gefäß wirkt ungewöhnlich aufgrund seiner rosa Grundfarbe. Rosa ist eine bei Maya-Keramiken sehr seltene
Farbe und als Hintergrund für Hieroglypentexte normalerweise nur von dem Fundort Motul de San José im Zentral-Petén bekannt. Als weitere Farben wurden das
Orange der drei runden Stachelelemente und der Hieroglyphen sowie das Rot der Randlinie und der Zwischen-
bänder zwischen den rosafarbenen Oberflächen verwendet. Schwere schwarze Striche trennen die Farbfel-
der und geben Voluten oder Wellen und Stacheln um die
orangefarbenen Felder wieder. Jaina ist eine Insel, und
die Dekoration dieses Gefäßes wirkt auf den Betrachter,
als ob sie Formen und Elemente des Meeres und seiner
Bewohner in stark abstrahierter Form nachvollzöge. Es
ist aber auch möglich, daß dieses Gefäß ursprünglich
nicht von der Insel stammte, sondern im zentralen Petén
angefertigt wurde und als Handelsobjekt auf einem langen, verschlungenen Weg in den Norden gelangte.   F. F.

77

Zylindrisches Gefäß

Guatemala-Stadt, Museo Nacional de Arqueología y Etnología, 9967
Ton, polychrom bemalt
H. 10,5 cm, Dm. 6 cm
Tayasal, El Petén, Guatemala, Struktur T 107
Spätklassik, 600–900 n. Chr.

Höfische Szenen und Palastdarstellungen sind häufig vorkommende Genres der Gefäßmalerei der Maya. Die Szene dieses Gefäßes unterscheidet sich in der Detailfreude, mit der sie trotz der geringen Größe aufgebracht wurde. Drei Personen sind auf einer Fläche von nur 140 Quadratzentimetern untergebracht, und dennoch ist genug Raum für eine teilende Kolumne übrig, die sich zwischen dem Rücken des sitzenden Fürsten und dem einer der Damen befindet. Solche Kolumnen markieren nicht nur Beginn und Ende einer Szene, sondern schaffen auch einen räumlichen Eindruck. Die sorgfältige Einteilung der sparsam bemessenen Fläche ist ein Zeichen für die hohe Kunstfertigkeit, über die der Maler verfügte. Ein am oberen Rand umlaufendes schwarzes Band bildet einen reizvollen Kontrast zum cremefarbenen Untergrund des Gefäßes, und dieser Gegensatz wird geschickt in der Kleidung der Frauen noch einmal aufgenommen, wobei einer der Seitenstreifen leicht abgewandelt ins Rotorange spielt. Eine der beiden Frauen trägt ihr Haar zu einem Pferdeschwanz zusammengebunden. Der Fürst ist anscheinend nur mit einem Lendenschurz aus Jaguarfell bekleidet. Die sehr markanten und perfekt gezeichneten Gesichtszüge der drei Personen sind ein weiteres bemerkenswertes Detail dieses Miniaturgefäßes.

Von besonderem Interesse ist eine große dreifüßige Schale *(hawante)*, die mit einem Muster aus den Federn des Muwanvogels verziert ist, ein weitverbreitetes Motiv. Diese sorgfältig ausgeführte Schale scheint die Aufmerksamkeit der drei Personen auf sich zu lenken. Der aufsteigende Rauch könnte das Verbrennen von blutbespritzten Papierstreifen gemeinsam mit Weihrauch als Folge einer Selbstkasteiung anzeigen.

Vier kurze Texte zwischen den Personen dürften ihre Namen und das Ereignis angeben. Unglücklicherweise sind jedoch gerade die das Ereignis betreffenden Zeichen weitgehend abgerieben, so daß wir wahrscheinlich niemals den Inhalt der dargestellten Szene erfahren werden. Die Beischrift vor dem Fürsten gibt offenbar seinen Namen und den *Ch'akte*-Titel wieder. Vor den sitzenden Frauen sind jeweils drei Hieroglyphen zu erkennen. Der direkt vor dem Fürsten sitzenden Frau wurde eine Namensphrase zugewiesen, die erwartungsgemäß mit einem weiblichen Kopf beginnt, der für *na*, »Frau«, steht. Ihr folgt der noch unentzifferte Ausdruck *Sak-Mu-Witsin*. Der andere Text beginnt ebenfalls mit einem Frauenkopf, aber die zweite Hieroglyphe ist das sog. »Flache-Hand-Verb«, das häufig in Thronbesteigungstexten vorkommt. Das dritte Zeichen kann noch nicht gelesen werden.

Roséfarbene Hieroglyphen auf Gefäßen gelten als Kennzeichen einer Werkstatt in Motul de San José. Dies ließe sich gut mit dem Fundort des preziösen kleinen Exemplares – Tayasal am Petén-Itzá-See – verbinden, denn Motul de San José liegt nicht weit entfernt, wahrscheinlich sogar im Machtbereich von Tayasal. Grab 71 barg neben dem vorliegenden noch drei weitere Keramikgefäße, die jedoch längst nicht die gleiche Qualität aufweisen.   F. F.

Lit.: A. F. Chase (1980), 193–201

78
Zylindrisches Gefäß

Guatemala-Stadt, Museo Nacional de Arqueología y Etnología, 13730
Ton, bemalt
H. 21,5 cm, Dm. 9 cm
El Petén, Guatemala
Spätklassik, 600–900 n. Chr.

Viele der polychromen Gefäße der Späten Klassik zeigen keine höfischen Szenen, sondern waren mit symbolischen Motiven bemalt, die jedoch den Gefäßkörper nicht weniger kunstvoll zur Geltung bringen. Dies trifft auch auf das vorliegende zylindrische Gefäß zu, das zweieinhalbmal so hoch wie weit ist. Schon allein diese Proportionen erzeugen eine ganz besondere Eleganz.

Die Farbskala beschränkt sich auf Rot, Ocker, Orange und ein dunkles Gelb. Zwei unterschiedliche Motive, die sich dreimal wiederholen, sind nicht als einfache vertikale Bänder, sondern leicht geneigt aufgemalt, so als ob sie den Gefäßkörper umwänden.

Eines der Bänder zeigt eine Kette aneinandergereihter Blüten, die mit kräftigen schwarzen Umrißlinien vom roten Untergrund abgesetzt sind. Das andere Band auf hellorangefarbenem Untergrund besteht aus einer gedrehten Kordel mit herzförmigen Ausbuchtungen und geschlängelten Linien.

Ein sinnloser Text aus zwei sich wiederholenden Hieroglyphen schmückt den oberen Rand des Gefäßes. Sie bestehen aus dem Silbenzeichen *la* und einem Gesicht mit dem charakteristischen Haken anstelle der Pupille, wie es Götter auszeichnet.   F. F.

79

Zylindrisches Gefäß mit Ritzverzierung

Guatemala-Stadt, Museo Nacional de Arqueología y Etnología, Nr. 11134
Ton
H. 23,5 cm, D. 17,6 cm
Tikal, El Petén, Guatemala
Spätklassik, 600–900 n. Chr.

Die Maya-Ikonographie kennt verschiedene Gefäße mit Szenen, in denen auf zwei Ebenen sitzende Gestalten auf eine thronende Gottheit blicken. Die »Vase der Sieben Götter« und die »Vase 1 der November-Sammlung« gehören in diese Kategorie. Das zylindrische Gefäß aus dem Nationalmuseum von Guatemala wurde in der Ruinengruppe »Mundo Perdido« von Tikal ausgegraben.

Einige von den sitzenden Wesen sind *Pawahtuns*, die auch auf einigen anderen Gefäßen erscheinen. Diese »alten« Götter stehen an den vier Ecken des Universums und heben, wie auch auf dem Altar aus *Site Q*, den Himmel über die Erde. Auf diesem Gefäß sind die vier *Pawahtun* mit *Kawak*-Zeichen an Oberschenkel und Armen markiert, die sie als übernatürliche Wesen charakterisieren. Mindestens zwei von ihnen tragen das typische Haarnetz der *Pawahtuns* als Kopfschmuck, der zugleich typisch ist für die »alten« Götter des Maya-Kosmos. Sie schauen auf einen Hirsch, der sich anscheinend mit ihnen unterhält, da sich aus seinem Mund Sprechvoluten winden, die zu Kartuschen mit Hieroglyphen führen. Ob sie Sätze bilden oder nur Namen sind, ist schwer zu entscheiden. Die unterste Hieroglyphe des vom Hirsch gesprochenen Textes entspricht dem letzten Zeichen des Textes, der zwischen Herrscher und dem knienden Untergebenen steht.

Die fünf übernatürlichen Wesen im oberen Bereich sitzen hinter einem weiteren Hirsch mit *Akbal*-Kennzeichnungen auf Oberschenkel und Armen. Das Gefäß war bereits zerbrochen, als es aufgefunden wurde. Nur drei von diesen im oberen Bereich dargestellten übernatürlichen Wesen sind komplett restauriert worden. Dabei ist eines ganz deutlich als Jaguar zu erkennen, während die anderen beiden merkwürdige schnauzenartige Gesichter aufweisen. Könnte es sich um personifizierte Pekaris handeln? Obwohl keine Hieroglyphen vorhanden sind, scheinen die Sprechvoluten eine Konversation zwischen ihnen zu symbolisieren.

Eine Hieroglyphenspalte trennt die Gottheiten von einem thronenden Fürsten. Dieser sitzt auf einem Thron aus Stein in einer Höhle, erkennbar wiederum an den *Kawak*- oder Steinmarkierungen. Da Höhlen als Portale zur Unterwelt betrachtet wurden, sollte vielleicht angedeutet

werden, daß der Fürst bereits verstorben war. Sein Lendenschurz bedeckt sein vorderes Bein. Den Kopf bekrönt der Kopfputz des Wasserlilien-Jaguars. Dem entsprechen die Jaguartatzen an Händen und Füßen.

Darstellungen von Fürsten mit Jaguartatzen anstelle von menschlichen Gliedmaßen kommen in der Maya-Ikonographie häufig vor. Beispiele dafür erscheinen vor allem auf bemalten Gefäßen, die den Prozeß der Verwandlung von Personen in ihren tierischen Schicksalsdoppelgänger zeigen.

Vor dem Fürsten kniet eine Figur, von der nur noch der Rücken erhalten ist. Ihr straff gebundenes Haar mit dem Kopfschmuck aus Stoff ähnelt dem der übernatürlichen Wesen auf der anderen Seite der Hieroglyphenspalte. Zwei Texte zwischen dem Fürsten und dieser Figur deuten neben den Sprechvoluten eine Unterhaltung an. Die drei Hieroglyphen des kleinen Textes beziehen sich möglicherweise auf die kniende Person. Sie sind allerdings zu stark erodiert, als daß sie gelesen werden könnten. Die Spalte, die die beiden Szenen trennt, hat verschiedene erkennbare Hieroglyphen. Die erste enthält die Silbenzeichen *yu* und *xi*; unklar bleibt aber, welches Wort damit bezeichnet werden soll. Ihr folgt *its'at*, »Gelehrter«. Der Titel *its'at* kommt auch unmittelbar hinter der Primären Standardsequenz vor. Sie scheint sich in dem Randtext aber auf den Besitzer des Gefäßes zu beziehen. Die restlichen Zeichen in der vertikalen Textspalte sind wohl Namenshieroglyphen, wobei an letzter Stelle möglicherweise die Emblemglyphe von Motul de San José erscheint.

Der Rand bot Platz für mindestens dreizehn Hieroglyphen. Die Inschrift muß mit einer nicht mehr erhaltenen Initial- oder Einführungsglyphe der Primären Standardsequenz begonnen haben, der weitere sechs Zeichen folgen, die sich auf den Gefäßtyp und den Inhalt des Gefäßes beziehen. Diesen besonders kalligraphisch geschriebenen Hieroglyphen schließen sich sechs weitere Zeichen an, darunter *its'at*, was soviel wie »Gelehrter« bedeutet und häufig für die Schreiber verwendet wird, die besonders geschickt und erfahren waren.

Die lange Inschrift über der knienden Figur ist sicherlich der eindrucksvollste Text des Gefäßes. Sie setzt sich aus zweiundzwanzig Hieroglyphen zusammen und ist in der ersten Person Singular geschrieben. Dies muß als Besonderheit und Rarität in der Maya-Schrift hervorgehoben werden; denn die meisten Texte sind in der dritten Person verfaßt. Obwohl dieser Text noch nicht vollständig entziffert werden kann, scheint doch so viel sicher, daß eine Serie von Gütern aufgelistet wird. Zum Beispiel lautet die letzte Hieroglyphe der ersten Spalte *ni tup*, »meine Ohrpflöcke«, gefolgt von *ban*, die einen Zahlklassifikator

darstellt und sich auf »viele« oder »viel« bezieht. Der gesamte Ausdruck bedeutet vielleicht, daß der Sprecher viele Ohrpflöcke besaß. Die erste Hieroglyphe der dritten Spalte ist *ni kab* oder »mein Land«. Auch die nächste Hieroglyphe beginnt mit dem Pronomen *ni,* »ich« oder »mein«. Daraus kann geschlossen werden, daß der Text ein Bericht der knienden Person an den sitzenden Fürsten ist, der ihm eine Tributliste seiner Besitztümer überreicht. Es ist jedoch schwierig zu sagen, wer Subjekt dieses Textes ist und wie die beschädigte Stelle zu ergänzen ist. In jedem Fall gehört der Text zu den interessantesten und ungewöhnlichsten Belegen der schriftlichen Überlieferung überhaupt. Er dürfte zukünftigen Generationen von Philologen noch viel Kopfzerbrechen bereiten. F. F.

Lit.: M. D. Coe (1973); F. Robicsek und D. M. Hales (1982)

80
Zylinderförmiges Gefäß

Guatemala-Stadt, Museo Popol Vuh, Nr. 421
Ton, polychrom bemalt
H. 16 cm, B. 17 cm
El Petén, Guatemala
Spätklassik, 600–900 n. Chr.

Dieses ungewöhnlich hohe Zylindergefäß zeigt eine höfische Szene, die sich – im Gegensatz zu vielen anderen Szenen auf polychromen Gefäßen – in der realen Welt abspielt. Der sitzende Herrscher läßt seine Beine vom Thron herunterhängen. Im Unterschied zu vielen anderen solcher Thronszenen, die Fürsten in sehr lockerer Haltung wiedergeben, sitzt dieser Herrscher mit hoch aufgerichtetem Körper. Er hält zwei Stäbe oder Speere mit Obsidianspitzen in der rechten Hand, während die linke von einem Schild mit einem stark stilisierten Tlaloc-Gesicht verdeckt wird, wie es auch auf den Seiten von Tikal-Stele 31 zu sehen ist (Abb. 38, 39).
Gekleidet in einen einfachen Lendenschurz mit sieben herunterhängenden Schneckengehäusen, trägt der Herrscher einen Halsschmuck wahrscheinlich aus Jadeplättchen oder Perlen. Eine Maske bildet den Mittelpunkt der Kette vor seinem Oberkörper. Sein üppiger Federkopfschmuck zeigt ein zoomorphes Wesen mit offenem,

gekrümmtem Maul, aus dem ein schlangenartiger Kopf herausragt. Drei Hieroglyphen einschließlich eines *Imix*-Zeichens trennen den Herrscher von der vor ihm sitzenden untergebenen Person. Ein verschnürter Ballen Stoff mit einem »personifizierten« Gesicht könnte ein Geschenk oder Tribut für den Fürsten enthalten.

Die dem Herrscher gegenübersitzende Person trägt einen zweifachen Umhang mit aufgemalten gekreuzten Knochen. Gekreuzte Knochen sind ein häufiger Bestandteil der Tracht von Priestern und bestimmter Tagesgötter. Um den Hals der Person ist ein Tuch gebunden. Sie hält in einer Geste der Ehrerbietung den rechten Arm vor die Brust.

Zwei einfach gekleidete Personen hinter dem Herrscher scheinen sich zu unterhalten, trennen somit die Szene von der Fürstendarstellung ab.

Die acht Hieroglyphen am oberen Rand, nicht mit der gleichen Sorgfalt ausgeführt wie die figürliche Darstellung, enthalten zwar Zeichen aus der Primären Standardsequenz (vgl. Abb. 140), sind aber nicht in der gewohnten Folge angeordnet, und zwei Hieroglyphen, die ein jugendliches Gesicht wiedergeben sollen in der Bedeutung *na hal*, sind spiegelbildlich wiederholt. Sie rahmen sozusagen eine ebenfalls verdoppelte Hieroglyphe, die für *te el* stehen könnte. In jedem Fall dürfte Bezug genommen werden auf »Frisches« als Inhalt des Gefäßes.   F. F.

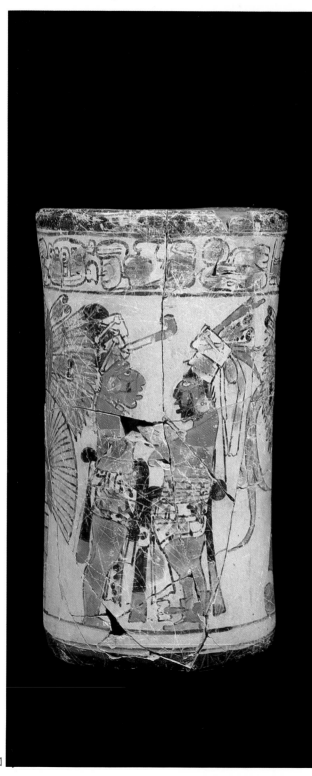

81
Schale mit der Darstellung von sitzenden Göttern

Guatemala-Stadt, Museo Popol Vuh, Nr. 465
Ton, polychrom bemalt
H. 21,5 cm, Dm. 12,5 cm
El Petén, Guatemala
Spätklassik, 600–900 n. Chr.

Bei der Bemalung dieses Gefäßes sind als Grundfarben Dunkelrot, Schwarz und sehr helles Orange verwendet worden. Die Szene zeigt neun Figuren, die auf einem schwarzen Band sitzen. Sieben von ihnen haben menschliche Züge, es kann sich aber auch um Götter handeln, die bei dem Vollzug eines Rituals gezeigt werden. Die anderen beiden sind sitzende Jaguare. Die beiden Jaguare tragen Wasserlilien als Haarschmuck, die sie somit als Jaguargötter der Unterwelt kennzeichnen. Unterhalb des Gefäßrandes verläuft ein Text mit siebzehn Hieroglyphen.

Unter dem den Text eröffnenden Zeichen sitzt die bedeutendste Gottheit. Sie ist proportional größer als die anderen dargestellt und schwarz bemalt. Ihr nach vorne gebundenes Haar fällt über die Stirn, wobei an der Nase lange geknotete Tücher angebracht sind, die als Nasenschmuck dienen. Die Doppelaxt in ihrer Hand weist sie als einen Gott des Opfers aus. Es handelt sich um einen Gott, dessen Maya-Namen wir nicht kennen und der deshalb als »Gott mit den drei Knoten« bekannt ist. Er scheint identisch zu sein mit dem Gott *Mok Chi,* »Knoten-Nase«, der auf Spätklassischer Keramik als einer von vielen Todes- und Unterweltsgöttern erscheint. Die dritte Figur mit einem Stab in der Hand und die sechste Figur, die vor einer sich erbrechenden Person sitzt, könnten Darstellungen des gleichen »Gottes mit den drei Knoten« sein. Auf anderen bemalten Gefäßen sind Personen, die sich erbrechen, in Klistierritualen dargestellt. In den auf dem Boden stehenden Gefäßen vor dem ersten »Gott mit den drei Knoten« und hinter der sich erbrechenden Person könnten Halluzinogene enthalten sein, die in solchen Ritualen verwendet wurden.

Die zweite und die fünfte Figur tragen die gleiche Kleidung aus netzartigem Material. Ihre Hände haben sie – fast wie in Trance – erhoben. Die fünfte Figur hält eine nicht identifizierbare Frucht in die Höhe. Die Flüssigkeit, die von ihrem Gesicht herabfließt, könnte Blut darstellen. Das Wesen in Position 9 hat einen entenartigen Schnabel anstelle des Mundes und ist schwarz bemalt. Ein aus seinem Mund hervorkommendes kreuzförmiges Zeichen dürfte das Symbol für einen Ton sein. Mindestens drei weitere Gefäße und Schalen befinden sich zwischen den Figuren und könnten ebenfalls Getränke mit halluzinogener Wirkung für bewußtseinserweiternde Rituale enthalten haben.

Der oberhalb der Szene in einem Band um das Gefäß laufende Text beginnt mit der Einführungsglyphe der Primären Standardsequenz, einer Formel, die sich auf die Einweihung des Gefäßes bezieht. Die fünfte Hieroglyphe im Text lautet *y-uch'ib*, »sein Trinkgefäß«. Dann folgt der Ausdruck *ti tsih*, »für das frische (Getränk)«, der angibt, für welchen Zweck das Gefäß verwendet wurde. Die nun folgenden Hieroglyphen nennen Namen und Titel des Besitzers oder Auftraggebers des Gefäßes. Sie beginnen mit dem *Chakte*-Titel. Die nächsten Hieroglyphen können zwar noch nicht richtig gelesen werden, sind aber bereits Bestandteil des Besitzernamens. Die drei letzten nennen *Chan Kab Tzuk Mahk'ina*. Bei dieser Namenssequenz handelt es sich um Beinamen des 22. Herrschers von Tikal, der in Grab 195 von Tikal beigesetzt war. Dort wurden zwei Teller gefunden, deren Texte in vielen Aspekten mit dem hier vorliegenden übereinstimmen, so daß die Teller und dieses Gefäß wohl in der gleichen Zeit, wenn nicht sogar vom selben Künstler getöpfert und bemalt wurden. Der gleiche Herscher wird übrigens auch auf der Schale als Besitzer genannt.

Gefäße dieser Art dienten wohl als Behälter für Getränke mit halluzinogener Wirkung bei Zeremonien, wie sie auf dem Gefäß gezeigt werden. Für die Teilnehmer verschwamm der Unterschied zwischen Vision und Realität derart, daß die Trennung zwischen Göttern und Menschen aufgehoben wurde. Die Herrscher konnten auf diese Weise in direkten Kontakt zu den übernatürlichen Mächten des Universums treten und Einfluß auf sie nehmen. Inwieweit die Einnahme von Halluzinogenen auf die Angehörigen der Herrscherfamilie beschränkt blieb oder ob der Gebrauch von Drogen allgemein üblich war, läßt sich gegenwärtig noch nicht sagen. Polychrome Gefäße, die Visionsszenen und den Gebrauch von Rauschgetränken darstellen, kommen jedoch nur als Besitz von Herrschern und nahen Verwandten vor. F. F.

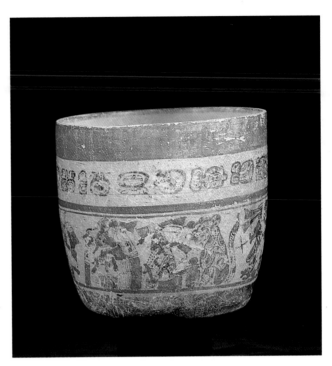

Kat.-Nr. 81

82
Gefäß

Zürich, Museum Rietberg, RMA 315
Ton, polychrom bemalt
H. 20,5 cm, Dm. 17 cm
Fundort unbekannt
Spätklassik, 600–900 n. Chr.

Zu den großen Kunstwerken der Klassischen Maya-Kultur gehört zweifellos die polychrom bemalte Keramik. Als begehrte Sammelobjekte sind die meisten dieser Gefäße jedoch nicht durch Archäologen geborgen, sondern von Grabräubern in illegalen Plünderungen ihrem originalen Fundkomplex entrissen und auf den internationalen Kunstmarkt gebracht worden. Wir wissen daher in

kostbaren Objekte ausschließlich im Besitz von Angehörigen der Königshäuser waren, so weiß man heute, daß auch reiche Familienoberhäupter, die weit außerhalb städtischer Zentren lebten, an diesem Luxus teilhatten. Häufig gehörten solche Trinkgefäße auch zu den Geschenken, die der König wichtigen Familien zukommen ließ, um sich deren Loyalität zu sichern.

Die Darstellungen dieses zylindrischen Gefäßes geben eine mythologische Szene wieder, in der wir zahlreiche Göttergestalten erkennen. Den Mittelpunkt bilden die beiden um ein großes Gefäß am Boden sitzenden Gestalten. Daß dies das Zentrum ist, geht auch aus der Spalte von fünf Hieroglyphenblöcken oberhalb des großen Kruges hervor. Links sitzt eine Gestalt mit einem Vogelkostüm mit Schnabelmaske und Vogelflügeln. In der rechten Hand hält sie ein kleineres Gefäß, vielleicht eine Trinkschale, um die in dem großen Krug enthaltene Flüssigkeit zu entnehmen. Die Gestalt der gegenüberliegenden Seite des Kruges hält ihre Hand so, als ob sie dem im Krug enthaltenen Getränk eine Substanz hinzufügen wollte. Hinter der als Vogel gekleideten Gestalt steht eine Figur mit menschlichem Körper, aber deutlichen reptilischen Merkmalen an Armen und Beinen. Es handelt sich um eine Visionsschlange, aus deren weit geöffnetem Rachen ein jugendlicher Männerkopf herausschaut, vielleicht der des Maisgottes. Drei *Pauahtun*-Götter sitzen und stehen zwischen der Visionsschlange und dem Palast, in dem sich die Trinkszene abspielt. Direkt hinter der Visionsschlange auf dem Boden sitzt ein *Pauahtun* mit Flügeln an den Armen, die die Form von Spondylusmuscheln haben. Der *Pauahtun* über ihm verbindet wie die Visionsschlange einen menschlichen Körper mit Reptilienmerkmalen. Hände und Füße sind durch Klauen ersetzt. Es ist jedoch nicht möglich, das Tier zu identifizieren, das durch diesen *Pauahtun* verkörpert wird. Wie so häufig in der Maya-Ikonographie haben wir hier ein Mischwesen vor uns, das Elemente von Mensch und Tier in phantasievoller Weise miteinander verbindet. Mit dem Gesicht dem Palast zugewandt steht schließlich ein dritter *Pauahtun*, dessen Bauch als eine große Schnecke gemalt ist. Hände und Arme scheinen zu gestikulieren, und die Stellung der Beine verrät, daß der Schnecken-*Pauahtun* als Tanzender dargestellt ist. Ein Vergleich mit der Visionsschlange bestätigt, daß auch sie tanzt.

Die gesamte Szene stellt offenbar ein Ritual dar, bei dem berauschende Getränke getrunken werden. Die tanzenden Götter sind vielleicht bereits berauscht. Es ist aber auch möglich, daß sie den um das Gefäß sitzenden Gestalten als Visionen erscheinen. Leider verstehen wir den kurzen Hieroglyphentext noch nicht, der den Schlüssel zur Deutung des Geschehens liefern könnte.   N. G.

der Regel nicht, wo eine Keramik gefunden wurde, ob sie aus einem Grab stammt oder in einer Wohnanlage gefunden wurde, und welche Objekte im gleichen Zusammenhang auftauchen – Informationen, die für Archäologen von größter Bedeutung sind, um die Verwendung und Herstellung von Keramik verstehen zu lernen. Glücklicherweise gibt es aber immer wieder Situationen, in denen Archäologen gut erhaltene polychrome Keramikgefäße in einer systematischen Grabung freilegen. Daher wissen wir, daß sie nicht nur Grabbeigaben waren, sondern durchaus als Trinkgefäße bei Festen und Zeremonien Verwendung fanden. Glaubte man früher, daß diese

83
Gefäß

Zürich, Museum Rietberg, RMA 314
Ton, polychrom bemalt
H. 18,5 cm
Fundort unbekannt
Spätklassik, 600–900 n. Chr.

Ein immer wieder auf polychromen Gefäßen auftauchendes Genre sind Palastszenen, in denen Mitglieder eines Adelshauses oder des königlichen Hofes bei verschiedenen Aktivitäten gezeigt werden. Daß diese Szenen in Palästen anzusiedeln sind, geht in der Regel aus einer Reihe standardisierter Merkmale hervor: ein senkrechter, mit verschiedenen geometrischen Motiven verzierter Balken stellt die Begrenzung der Szene dar und ist gleichzeitig die Wand eines Palastes; die Personen sitzen meist auf Thronen, und vom oberen Rand der Szene hängt häufig ein geraffter Vorhang. Bis auf den Vorhang ist auch diese Palastszene nach dem genannten Schema gemalt. Drei reich gekleidete Personen sitzen einer vierten gegenüber, die auf einem mit Jaguarfell überzogenen Thron residiert. Unter beiden Thronpodesten sind Gefäße plaziert: links eine Schale, die mit einem Deckel oder Tuch bedeckt ist, und rechts eine flache Schale, die verschiedene Gegenstände enthält. Der Fürstenthron ist darüber hinaus mit zwei noch nicht entzifferbaren Hieroglyphen beschriftet, ein weiteres Element, das den Thron als den eines wichtigen Mannes oder sogar eines Königs identifiziert.

Die Bedeutung des Fürsten wird dadurch unterstrichen, daß er als einziger in Frontalansicht, allerdings mit nach links gewandtem Gesicht, gezeigt wird. Auf dem Kopf trägt er einen Turban, an dem die Maske des Narrengottes und Büschel von Quetzalfedern befestigt sind. Die Mundpartie seines Gesichts ist weiß bemalt. Vor dem Gesicht »fliegt« ein Symbol, das »Sprache« bedeutet. In der rechten Hand hält er einen Fächer. Links neben ihm auf dem Thron liegt ein Kissen.

Die drei Figuren gegenüber sind nach Ausweis ihres Kopfputzes ebenfalls Fürsten oder Mitglieder adliger Familien. Sie blicken in Richtung des Königs und halten Gefäße mit Getränken in ihren Händen. Offenbar handelt es sich um eine Audienz oder um einen Empfang, bei dem der König seine Gäste mit Getränken bewirtet. Die Hieroglyphen zwischen ihnen geben wahrscheinlich deren Namen wieder.

Oben um den Gefäßrand läuft eine Primäre Standardsequenz, d. h. ein Hieroglyphentext, der sich auf die Einweihung und Verwendung des Gefäßes bezieht. Der Text beginnt mit der Hieroglyphe direkt oberhalb des Königskopfes. Die ersten drei Zeichen beziehen sich auf den Einweihungsakt selbst; ihre Entzifferung ist noch umstritten. Die vierte, fünfte und sechste Hieroglyphe bedeuten *u tz'ibnah y-uch'ib*, »die Schrift auf dem Trinkgefäß«. Die folgenden drei beschreiben die Verwendung des Gefäßes: *ta tzihtel kakaw*, »für frischen Kakao«. Der Text endet mit zwei Hieroglyphen, die sich auf den Künstler beziehen, der das Gefäß bemalte und beschriftete, ohne ihn allerdings mit Namen zu nennen.   N. G.

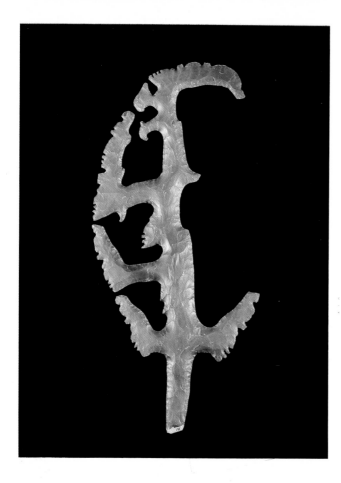

84
Feuersteingerät

Copán, Honduras, Instituto Hondureño de Antropología
e Historia, CPN 112
Feuerstein
H. 33 cm
Copán, Depot der Hieroglyphentreppe von Struktur 10 L-26
Spätklassik, 763 n. Chr.

Einer der Bereiche, in dem sich die Handwerker und
Künstler der Maya vor allen anderen Zeitgenossen in
Mesoamerika auszeichneten, war ihre Meisterschaft in
der Behandlung von Feuerstein und Obsidian, die sie mittels Abschlägen bearbeiteten. Außer Lanzen- und Wurf-
geschoßspitzen aller Größen und Formen stellten sie eine
ganze Reihe anderer Objekte aus Feuerstein und Obsidian her, die man im allgemeinen als »exzentrische« Flints
bezeichnet, weil sie oft seltsam »exzentrisch« gestaltet
sind. Von rein geometrischen Formen bis hin zu Tierdar-

stellungen, der Wiedergabe von Kanus und menschlichen Köpfen gibt es eine große Bandbreite dieser Geräte, und sie gehören zweifellos zum Eigenständigsten,
was die Maya uns hinterlassen haben.
Das vorliegende Feuersteingerät ist eines der größten
Exemplare dieser Gattung aus Copán. Es wurde von
David Stuart 1987 unter dem massiven Altar an der Basis
der Hieroglyphentreppe gefunden und stellt das größte
von drei besonders kunstvoll bearbeiteten derartigen
Objekten dar, die unter dem Weihaltar der Hieroglyphentreppe im Jahre 763 n. Chr. niedergelegt worden waren.
Lanzettförmig im Umriß, weist das Feuersteingerät am
unteren Ende einen Zapfen auf, mittels dessen eine Befestigung an einem hölzernen Schaft bewerkstelligt wurde.
Damit entstand eine eindrucksvolle Prunklanze, die aber
natürlich viel weniger zur Waffe getaugt hätte als eine
Lanze mit einfacher Spitze, sie war also Abzeichen der
Würde. Sicher durften nur der König selbst und seine
höchstrangigen Krieger eine so kostbare Prunkwaffe
tragen. Bei genauer Betrachtung zeichnen sich sieben
menschliche Köpfe im Profil ab. Wenn man Stirn, Adlernase, Lippen und Kinn in Seitenansicht erst einmal ausgemacht hat, sieht man deutlich die Wiederholung praktisch im gleichen Maßstab im Bogen links von der Mittelachse. Genau in der Mittelachse wird ein nach links
gerichtetes Profil erkennbar, wobei sich unter dem Kopf
sogar die Andeutung einer Schulterpartie wahrnehmen
läßt. Die drei unteren Seitenarme tragen je einen Kopf,
könnten zugleich aber auch Gliedmaßen der Mittelfigur
sein, während der dritte Seitenarm links zwei Köpfe aufweist. Dabei könnte es sich um das »Axt-in-der-Stirn«-
Motiv handeln, das mit dem Gott K in Verbindung gebracht wird, dem Schutzherrn der Königsdynastie, und
mit Wiedergaben von Ahnen. Auch der in der Mitte
emporführende Teil endet in einem Kopf im Profil, der
nach oben gewandt ist, so daß diese Komposition zugleich den Kopfschmuck der Mittelfigur ergibt.
Die graue Partie am Zapfen stellt die Reste der verwitterten äußeren Hülle des Steinknollens dar, aus dem die
diffizile Form herausgeschlagen werden mußte. Um
einen Feuersteinklumpen dergestalt zum filigran durchbrochenen Kunstwerk zu machen und dabei noch einen
Rest der äußeren Hülle zu erhalten, muß man so viel Wissen, Übung und Geschicklichkeit besitzen, daß heute niemand mehr ein solches Gerät nacharbeiten kann. Das
kleine Stück »Rinde« wurde sicher absichtlich als Zeichen seiner Meisterschaft vom Feuersteinbearbeiter ste-
hengelassen und darf in der Tat als ein Signet seines Kön-
nens gelten.   W. L. F./B. W. F.

Lit.: W. Fash (1988); W. Fash und D. Stuart (1991)

85 a, b, c
Feuersteingeräte (»Exzentrische Flints«)

Guatemala-Stadt, Museo Nacional de Arqueología y Etnología,
Feuerstein
a) L. 19,6 cm (Inv.-Nr. 7826)
b) L. 10,5 cm (Inv.-Nr. 7825a)
c) L. 18,5 cm (Inv.-Nr. 7825b)
Altar de Sacrificios, El Petén, Guatemala, Struktur B 1
Spätklassik, 600–900 n. Chr.

Flintkerne (Feuerstein) wurden als Handelsgut von Belize
bis ins Tiefland gebracht. Man verarbeitete sie nicht nur
zu Waffen, sondern sie dienten auch als zeremonielle
und rituelle Gegenstände, die bei der Einweihung von
Gebäuden oder Stelen in speziellen Opferdepots niedergelegt wurden. In verschiedenen Fällen kommen sie auch
als Grabbeigaben vor. Längere und besonders ausgear-
beitete Exemplare mögen als Zepter der Fürsten bei
Thronbesteigungszeremonien benutzt worden sein. In
Yaxchilán z. B. werden sie unter den Gegenständen für
eine Tanzzeremonie des Herrschers *Yaxun Balam* und seines Hofstaates aufgeführt.
Bei aller dekorativen Ausgestaltung wird häufig ein klar
identifizierbares Motiv sichtbar. So läßt eines der Exemplare die Profilansicht eines Menschenkopfes samt
Kopfschmuck erkennen, ein anderes ist eine Art Bohrer,
aber vielleicht nie als solcher gebraucht worden, und das
kleinste der drei Objekte gibt ein stark abstrahiertes Reptil wieder.   F. F.

Lit.: G. R. Willey (1972)

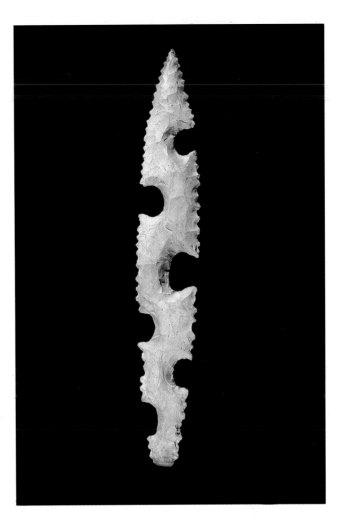

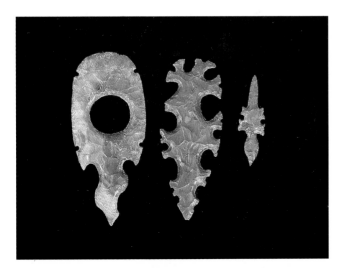

86
Exzentrischer Flint

Belmopan, Department of Archaeology 32/196–1:1156
Feuerstein
L. 77,8 cm, B. 13 cm, H. 4,2 cm
Lamanai, Orange Walk District, Belize, Cache N10–18/5
Spätklassik, 7 Jh. n. Chr.

Hier haben wir den größten exzentrischen Flintstein vor
uns, der je im Mayagebiet gefunden wurde. Solche exzentrischen Objekte hatten keine praktische Funktion. Das
hier gezeigte Objekt wäre viel zu groß und zu zerbrechlich, um es als Werkzeug oder auch nur als Insignie
zu verwenden. Wahrscheinlich wurden exzentrische
Flintsteine ausschließlich als besonders wirksame und
zauberkräftige Opfergegenstände hergestellt. Besonders

viele exzentrische Flintsteine wurden im Norden von Belize gefunden, wo Flint in guter Qualität erhältlich war und sich ganze Ortschaften der Herstellung von Werkzeugen und Hausgeräten, aber eben auch von »nutzlosen« exzentrischen Objekten widmeten. Exzentrische Flintsteine kommen in verschiedenen Formen vor, meist sind sie etwa handtellergroß, und häufig deuten ihre Umrisse Tierfiguren oder sogar menschliche Profilgesichter an. Mehrere exzentrische Flintsteine werden gewöhnlich gemeinsam in einem Opferdepot vergraben. Der große exzentrische Flintstein ist jedoch als Einzelstück in einem Opferdepot in der zentralen Achse des Wohngebäudes N10–18 von Lamanai gefunden worden. Wahrscheinlich hatte er aufgrund seiner außergewöhnlichen Größe die gleiche Zauberkraft wie mehrere kleine Objekte. N. G.

87
Dreifuß-Teller

Guatemala-Stadt, Museo Nacional de Arqueología y Etnología, Nr. 352
Ton, polychrome Bemalung
Dm. 34 cm
Uaxactún, El Petén, Guatemala, Grab A1
Spätklassik, 600–900 n. Chr.

Das Innenrund des in Orange, Rot und Schwarz gehaltenen Tellers beherrscht die Darstellung eines Tänzers. Im Gesicht sind Lippen und Augen durch rote Ummalung herausgehoben. Sein phantasievoller Kopfputz besteht offensichtlich aus einem Turban, Federn und Perlen. Vom Rückenteil des Lendenschurzes hängen schwarze und weiße Stoffstreifen herab. Aufgrund der starken Stilisierung ist es schwierig, die Art des Gürtels zu bestimmen, seine Breite paßt besser zur Kleidung eines Ballspielers als zu der eines Tänzers. Allerdings fehlen andere wichtige Kleidungsstücke, die Ballspieler normalerweise tragen.

Die graziöse Bewegung der Figur wird durch die übertriebene Geste der linken Hand und Finger, durch Dehnung und Beugung der Arme und durch die Stellung der Füße bewirkt. Man kann sich leicht die eleganten Bewegungen vorstellen, die dieser Tänzer zum Klang von Trommeln und Muscheltrompeten vollbrachte.

Wie vielen anderen Objekten wohnten auch diesem Teller spirituelle Kräfte inne. Das Loch in der Mitte ist ein Zeichen dafür, daß die Maya diese Kräfte durch die rituelle Tötung des Tellers entlassen wollten, bevor er zusammen mit vielen anderen prächtigen Beigaben in das Grab eines Herrschers von Uaxactún gelegt wurde.

Die extrem kalligraphische Schreibung der vier Glyphenblöcke macht eine Lesung unmöglich. Vermutlich dienten die Hieroglyphen als kontrastierendes Element ohne inhaltlichen Bezug zur zentralen Figur. F. F.

1 Chak Hix   2 spielt den Ball

88
Ballspielrelief

New York, National Museum of the American Indian, Heye
Foundation, Inv.-Nr. 24/457
Kalkstein
H. 27,6 cm, B. 18,1 cm
Fundort unbekannt
Spätklassik, 600–900 n. Chr.

In der Nähe der Stele 1 von Nakbé, einem großen Monument mit einer Darstellung der Göttlichen Zwillinge, liegt
der vielleicht älteste bekannte Ballspielplatz im südlichen
Mesoamerika. Daß das um 400 v. Chr. verlassene Nakbé
bereits einen Ballspielplatz besaß, ist ein Beleg für das
hohe Alter dieses Spiels – ein Spiel, das umwoben ist von
Rätseln und Geheimnissen.
Die Göttlichen Zwillinge des Schöpfungsmythos be-
kämpften wie schon zuvor ihr Vater und dessen Zwillingsbruder die furchtbaren Herrscher der Unterwelt in
grausamen Wettspielen, bei denen die Unterlegenen zer-

stückelt und geköpft wurden. Der Sieger dagegen verkörperte Wiedergeburt und Erneuerung, so daß die Fort-
führung des Spiels in historischer Zeit religiöse Elemente
enthielt, die weit über ein bloßes Sportereignis hinaus-
gingen. Herrscher oder ihre Kämpfer, die gegen ge-
schwächte Gefangene, die anschließend geopfert wurden, spielten, führten einen Welt/Unterweltritus aus, der
gleichzeitig ein Spektakel für die Bevölkerung war.
Nur wenige Maya-Zentren haben keine Ballspielplätze.
Die Darstellung dieses Ereignisses wurde aber unterschiedlich gehandhabt. In den westlichen Gebieten und
am Usumacinta- und Pasión-Fluß scheint ein größeres
Interesse an der Darstellung von Ballspielen bestanden
zu haben. Obwohl hier verschiedene Typen von Ballspielplätzen und unterschiedliche Spielszenen dargestellt
sind, scheint in allen Darstellungen immer wieder ein
Bauwerk mit sechs oder dreizehn Stufen eine Rolle zu
spielen. Vermutlich wurden Gefangene hier hinabgewor-
fen anstelle von Bällen. Auf anderen Szenen versuchen
die Spieler in ihrer Spielkleidung den Ball zu treffen, der

400

mit einer Nummer entweder aus Strichen und Punkten oder mit einem speziellen Hieroglyphenzeichen gekennzeichnet ist, das den Namen der Person, die geopfert werden soll, oder den richtigen religiösen Namen des Balles nennt.

Diese Kalksteintafel von einem unbekannten Fundort könnte die linke Hälfte einer zweiteiligen Stufe einer Hieroglyphentreppe sein, die die großen Ereignisse in der Geschichte einer Stadt erzählt. Die Tafel zeigt einen auf dem Boden knienden Spieler, der im Begriff ist, den Ball zu treffen und ihn über das Spielfeld einem anderen Spieler entgegenzuschleudern, der ihm vermutlich auf der fehlenden Tafel gegenüberstand. Teile seiner Schutzkleidung sind sichtbar, wie der Knieschutz, das Polster um seine Taille und der darunterliegende Hüftschutz. Sein phantastischer Haarschmuck zeigt den Jaguargott der Unterwelt. Die Augen der Maske enthalten die drei Punkte der *hix*-Hieroglyphe, die für den Jaguar steht. Der fleischlose Unterkiefer bestätigt den Unterweltscharakter. Die kleine Glyphe über den Federn ist das Zeichen »Blume« und bedeutet *ahaw* oder Herrscher und kennzeichnet den hohen Status des Spielers.

Die erste Hieroglyphe vor seinem Gesicht nennt den Namen des Spielers, *Chak Hix*. Es folgt sein Titel mit der Hinzufügung *pitzil*, d. h. »das Ballspiel«. Es ist also eine verkleidete, lebende Person in einem Unterweltsritual. Der Ball trägt den Namen *Bolon Nab* mit der noch nicht gedeuteten Übersetzung »Neun Wasser«.

Dieses Stück ist ein schönes Beispiel für die Reliefkunst der Maya. Auch der kalligraphische Stil der Hieroglyphen ist auf höchstem Niveau. Die Usumacinta-Region ist berühmt für ihre hochwertigen Kunstwerke, die sich aber noch keinem archäologischen Fundort zuweisen lassen, da entsprechende Inschriften fehlen. Vorerst muß vermutet werden, daß dieses Stück von einem noch nicht lokalisierten Ruinenort »Site Q« stammt, so benannt von Peter Mathews, als in den 80er Jahren in Europa und in den USA erstmals einzelne Stücke auftauchten. F. F.

89
Hacha

San Salvador, Museo Nacional »Dr. David J. Guzman«, Inv.-Nr. SW 2-65
Basalt
H. 30,0 cm, B. 22,0 cm
Region von Cara Sucia, Ahuachapán, El Salvador
Spätklassik, 600–900 v. Chr.

»Hachas« stellen gemeinsam mit »Yugos« und »Palmas« drei wichtige Gegenstände dar, die offenbar in ganz Mesoamerika im Zusammenhang mit dem Ballspiel verwendet wurden. Die schönsten Beispiele für solche Gegenstände kommen aus dem Bereich der mexikanischen Golfküste. Vielleicht deuten die vielen »Yugos« und »Hachas«, die man sowohl in Salvador wie auch im Hochland von Guatemala fand, auf Einflüsse aus dem Bereich der Golfküste hin.

Die hier gezeigte »Hacha« aus feinkörnigem Basalt gibt das Profil eines männlichen Kopfes wieder, der eine Art Maske trägt. Vielleicht handelt es sich bei dieser Maske um eine lokale Variante des mexikanischen Gottes *Xipe Totec*, dessen Priester die Haut der von ihnen geopferten Gefangenen überzogen. Das Relief zeigt deutlich die Ohren, Lippen, Nase und Augen des Kopfes. In der oberen Ecke des Reliefs befinden sich zwei runde Durchbohrungen von unbekannter Bedeutung. M. L.

90
Skulptur

Guatemala-Stadt, Museo Nacional de Arqueología y Etnología,
Nr. 2013
Vulkanischer Stein
L. 126 cm, H. 86 cm
Pazifikküste Guatemalas
Spätklassik, 600–900 n. Chr.

Skulpturen wie die hier gezeigte haben eine weite Verbreitung über ganz Mesoamerika und kommen bis Teotihuacán vor, wo sie als Dekor in die Fassaden von Bauwerken eingelassen waren. Vor allem im Hochland von Guatemala hatten sie aber die Funktion von Markiersteinen auf Ballspielplätzen, wie man heute noch am Beispiel des Ballspielplatzes von Mixco Viejo sehen kann.
Diese mit rückwärtigem Zapfen zur Anbringung im Mauerwerk versehenen Skulpturen erscheinen relativ spät im Vergleich zum »mexikanischen« oder »teotihuacanoiden« Stil in dieser Region. Vermutlich entwickelte sich dieser Stil zunächst im Bereich der Pazifikküste, bevor er auch im Hochland Verbreitung fand. Seine Ausbreitung geht einher mit dem Ende der Maya-Vorherrschaft in Kaminaljuyú nach dem 5. nachchristlichen Jahrhundert. Viele dieser Markiersteine stellen Papageien, Jaguare oder – wie im Falle dieses Stückes – Schlangen dar. Die Schlange unseres Markiersteins trägt einen Federkopfschmuck. Aus dem aufgesperrten Rachen hängt die Zunge mit Spuren roter Farbe heraus, eingerahmt von spitzen Fangzähnen. Im Gegensatz zu zahlreichen anderen Skulpturen dieses Typs zeigt diese kein aus dem Rachen hervorkommendes menschliches Gesicht.　F. F.

91
Zeremonialbeil (*hacha*)

Guatemala-Stadt, Museo Nacional de Arqueología y Etnología,
Nr. 2203
Vulkanisches Gestein
H. 29,5 cm
Departamento Suchitepéquez, Guatemala
Spätklassik, 600–900 n. Chr.

Diese flachen, hochpolierten Steinskulpturen in der Tradition der Protoklassischen, als Silhouetten gearbeiteten
Skulpturen von Kaminaljuyú stehen in Verbindung mit
dem rituellen Ballspiel und wurden vielleicht von den
Spielern als Teil ihrer Ausrüstung getragen. Die tatsächliche Verwendung dieser sog. *hachas* und der oft zusammen mit ihnen gefundenen Steinjoche ist aufgrund ihres
Gewichts immer noch umstritten. Neuerdings gibt es
Theorien, die diese *hachas* und Joche als Model zur Herstellung von Ballspielgürteln aus Leder ansehen. Diese
wären natürlich erheblich leichter und praktischer gewesen als ihre steinernen Model und könnten, so die gän-
gige Theorie, als Schutz beim Spiel mit dem schweren
Kautschukball verwendet worden sein. Andere Forscher
meinen, die *hachas* seinen Zeremonial- und Ritualgegen-
stände in Verbindung mit dem Ballspiel gewesen. Vielleicht habe es sich um Trophäen gehandelt.

Die Regeln des Ballspiels variierten vermutlich nicht nur
von Region zu Region, sondern veränderten sich auch im
Laufe der Jahrhunderte. Während einige Elemente des
Spiels inzwischen verstanden werden, sind andere bisher vollkommen unbekannt. Die Ursprünge des Spiels
werden in mythologischen Berichten beschrieben. Das
bekannteste Beispiel hierfür ist das Ballspiel der Göttlichen Zwillinge im *Popol Vuh*.
Das Ballspiel war seit der Präklassischen Zeit über das ge-
samt Tiefland verbreitet. Darstellungen von Ballspielern
finden sich in höchst lebendigen Szenen auf zahlreicher
polychromer Keramik ebenso wie auf Steinmonumenten.
Aus diesen archäologischen Materialien läßt sich schon
auf die Bedeutung und Spielweise schließen. Die Ausrüstung der Spieler ist ausreichend belegt (vgl. S. 177 ff.)
Dieses aus Granit gearbeitete Stück hat einen Schädel mit
einem darüber gebeugten Harpyenadler oder Geier als
Motiv. Vielleicht deutet es auf den gewaltsamen Tod hin,
den der Verlierer des Spiels zu erwarten hatte.
Hachas und »Joche« kommen zwar in ganz Mesoamerika
vor, ihr Hauptverbreitungsgebiet war jedoch die mexikanische Golfküste. Dieses Stück stammt aus dem pazifischen Küstentiefland Guatemalas, einer Region, die stets
durch enge Kontake zur mexikanischen Golfküste ausge-
zeichnet war.   F. F.

Lit.: R. de Vries (1988)

92

Türsturz 16

London, The British Museum, 1886–318
Kalkstein
H. 78,8 cm, B. 76,2 cm, T. 7 cm
Yaxchilán, Chiapas, Mexiko, Tempel 21
Spätklassik, 770 n. Chr.

6 Kaban 5 Pop
(9.16.0.13.17, 19. Feb. 752)
Gefangengenommen wurde

aus Wak'ab

Pay   ?-Chak   dem Ahaw von Wak'ab

Yax Kib Tok'

der Sahal von

durch die Tat von

3 K'atun Ahaw

Yaxun Balam

Er, der 20 Gefangene gemacht hat

Göttlicher Ahaw von Yaxchilán

Zusammen mit Türsturz 15 und 17 gehörte Türsturz 16 in das Bau- und Selbstdarstellungsprogramm, das *Yaxun Balam* nach seines Vaters Tod, aber noch vor seiner eigenen Inthronisation am Tag 9.16.1.0.0 11 *Ahaw* 8 *Sek* (3. Mai 752 n. Chr.) ausführen ließ. Anscheinend mußte *Yaxun Balam* seine eigene Position innerhalb der um Macht und Ansehen streitenden Familie festigen. Dazu waren verschiedene Aktionen notwendig. So mußte er beweisen, daß er als guter Krieger Gefangene einbringen konnte, er mußte einen Nachfolger zeugen und gleichzeitig öffentlich dokumentieren, daß er der einzige in Frage kommende Erbe seines Vaters und Vorgängers war. Aus diesem Grund stellt Tempel 21 mit seinen drei Türstürzen eine genaue Kopie von Tempel 23 dar, den *Itzam Balam* für Frau *Xok* errichten ließ. Türsturz 16 zeigt daher, wie Türsturz 24 aus der Zeit seines Vaters, eine Kriegsszene. *Yaxun Balam* steht mit einer Lanze und einem flexiblen Schild bewaffnet in Frontalansicht und vollem Kriegsornat vor einem knienden, fast nackten Gefangenen. *Yaxun Balam* trägt zum Schutz seines Oberkörpers eine Art Weste aus Daunenfedern, darüber hängt eine Schärpe, die vor dem Bauch zusammengebunden ist und vielleicht ebenfalls aus Daunen- oder Baumwollbändchen bestand. In seinem bewegten Federkopfschmuck spiegelt sich die geballte Dynamik der Szene wider. Die in alle Richtungen wehenden Federn vermitteln den Eindruck, als sei *Yaxun Balam* gerade vom Schlachtfeld herangestürmt. Unterhalb der Nase ist ein Schmuckröhrchen zu erkennen, das eine schwungvoll gebogene Feder hält.

Die prächtige Kleidung *Yaxun Balams* kontrastiert mit dem einfachen Lendenschurz des Gefangenen, der im Hieroglyphentext namentlich als *Yax Kib Tok'* erwähnt wird. Ein Seil um den Hals soll die Flucht verhindern und unterstreicht die Aussichtslosigkeit seiner Lage.

Durch die Ohren sind Papierstreifen gezogen anstelle der wertvollen Ohrpflöcke, die man dem Gefangenen zuvor entrissen hatte. In der rechten Hand hält *Yax Kib Tok'* eine Art Fächer, ein Attribut, das gemeinsam mit den über den linken Arm gelegten Stoffen immer wieder im Zusammenhang mit Gefangenen vorkommt. Die Punktreihen auf Nase und Wange könnten entweder Tätowierungen oder aber Blut sein. Auf dem Kopf trägt *Yax Kib Tok'* einen spitz nach oben gebogenen Turban aus Jaguarfell, der ein wenig dem Turban ähnelt, den der Herrscher von Calakmul auf Stele 89 (Kat.-Nr. 174) trägt. In einer auffallenden Geste führt er die linke Hand zum Mund und scheint nervös auf ihr zu kauen, vielleicht in ängstlicher Erwartung des bevorstehenden Opfertodes. Eine ähnliche Geste, nämlich die linke Hand an der linken Schulter, finden wir immer wieder in der Ikonographie als Zeichen des Respekts und der Unterwerfung. Vielleicht ist *Yax Kib Tok'* gerade im Begriff, seine Hand an die Schulter zu führen, um diese Haltung einzunehmen.

Der Hieroglyphentext beginnt mit dem Datum der Gefangennahme, dem Tag 6 *Kaban* 5 *Pop* 9.16.0.13.17 (19. Februar 752 n. Chr.). Erwartungsgemäß folgt auf das Datum das Verb, hier *chukah*, »es wurde gefangengenommen«. Die nächsten Hieroglyphen enthalten den Namen des Gefangenen und definieren seine Stellung innerhalb seines Herkunftsortes. *Yax Kib Tok',* wie sein Name lautet, kommt aus einem Ort mit dem Namen *Wak'ab* und ist der *Sahal* des Königs dieses Ortes. Wo der Ort *Wak'ab* lag, wissen wir nicht, denn das Toponym *Wak'ab* kommt sonst in keiner Inschrift vor. *Yax Kib Tok'* wird somit als ein besonders wertvoller Gefangener im Range eines *Sahals* ausgewiesen (vgl. S. 142 ff.).

Der Hieroglyphentext fährt fort mit den fünf Zeichen vor dem Arm *Yaxun Balams*. Sie bezeichnen ihn als *ox k'atun ahaw, ah k'al bak, k'ul* »*Yaxchilan*« *ahaw*, »König von drei Katunen, der zwanzig Gefangene gemacht hat, göttlicher *Ahaw* von Yaxchilán«.

Türsturz 16 zelebriert somit den ersten siegreichen Feldzug *Yaxun Balams*, auf dem er einen bedeutenden Gefangenen gemacht hat und sich als potenter Kriegsherr und legitimer Anwärter auf den Thron von Yaxchilán ausweist.

N. G.

93
Türsturz 17

London, The British Museum, 1886–318
Kalkstein
H. 69,2 cm, B. 76,2 cm, T. 5 cm
Yaxchilán, Chiapas, Mexiko, Tempel 21
Spätklassik, 770 n. Chr.

Er opfert Blut

Es wurde geboren — Chelte

3 K'atun Ahaw — Yaxun Balam

Er, der 20 Gefangene gemacht hat

Göttlicher Ahaw von Yaxchilán

Göttlicher Ahaw von Yaxchilán

Sie ist — Titel — Frau ?-tu Jaguar — Frau aus Hix-Witz — Frau Bakab

Das gleiche Bildprogramm, das *Itzam Balam* für die Türstürze von Tempel 23 entwarf, kopiert sein Sohn *Yaxun Balam* auf den Türstürzen 15, 16 und 17 in Tempel 21, der ebenfalls am Hauptplatz von Yaxchilán gelegen ist. Viele Details von Türsturz 17 entsprechen seinem Gegenstück 24. Hier wie dort ist es die Gattin des Königs, die sich eine dornenbewehrte Schnur durch die Zunge zieht, um Blut für ihre Vorfahren zu opfern. Die Schnur fällt in einen Korb, der mit blutbefleckten Papierstreifen gefüllt ist. Frau *Lahka Ahaw* kniet vor dem Korb, während ihr Gewand, ein langer Huipil, zu Boden fließt. Als Kopfschmuck trägt sie eine Art Turban, aus dem außer Federbüscheln zwei »mexikanische Jahressymbole« herausragen, die in der Ikonographie der Klassischen Zeit zu einem von Venus und Krieg handelnden Symbolkomplex gehören. In diesen Zusammenhang gehört auch die Tlaloc-Maske, die *Yaxun Balam* vor die Stirn gebunden hat. Während *Itzam Balam* auf Türsturz 24 lediglich eine Fackel hält und sonst nur als Zuschauer an dem Blutopfer beteiligt ist, zapft sich sein Sohn auf Türsturz 17 Blut aus dem Penis ab. Wir erkennen *Yaxun Balam* mit einem Knochendolch in der rechten Hand, den er zwischen seine Beine führt. Offenbar hält er seine Beine gespreizt, denn sein rechtes ist erhoben, so daß man die Fußsohle sieht. Das qualvolle Ritual der Penisdurchbohrung steht unmittelbar bevor. *Yaxun Balam* sitzt auf einem Bündel aus spitzen Blättern, die vielleicht auch im Laufe des Rituals verwendet oder gar durch die blutende Wunde gezogen werden sollen.

Die die Szene kommentierenden Beischriften haben eine ungewöhnliche Satzstruktur und sind daher schwerer zu deuten als andere Texte. Was die Lesung der Inschrift ebenfalls beeinträchtigt, ist das fehlende Datum. Würde im Text nicht auf die Geburt von *Chelte Chan*, dem Sohn und Thronfolger *Yaxun Balams* hingewiesen, wüßten wir nicht, wann das Blutopfer stattfand. Der Text beginnt in der Hieroglyphenkartusche zwischen den Köpfen der beiden Figuren mit einem Hinweis auf das Blutopfer. Er fährt fort mit zwei stark verwitterten Zeichen, die noch nicht gedeutet werden können. Daran aber schließt sich die Aussage an: »es wurde *Chelte* geboren«. Daher wissen wir, daß das dargestellte Blutopfer anläßlich der Geburt von *Yaxun Balams* Sohn stattfand, die auf den Tag 9.16.0.14.5 1 *Chikchan* 13 *Pop* (18. Februar 752 n. Chr.) fiel, wie wir aufgrund der Inschrift von Türsturz 13 wissen. Das Datum der Blutopferzeremonie und von *Chelte Chans* Geburt liegt also einen Tag vor dem Datum der Gefangenenszene auf Türsturz 16. Beide sind Teil der Kampagne, mit der *Yaxun Balam* seinen rechtmäßigen Anspruch auf die Thronfolge Yaxchiláns beweisen will.

Der Passage, die sich auf die Geburt von *Chelte* bezieht, folgen wiederum zwei noch unentzifferte Hieroglyphen. Die beiden letzten Zeichen in der oberen Kartusche sowie die drei von der Kartusche darunter eingeschlossenen Hieroglyphen nennen Namen und Titel von *Yaxun Balam*, darunter den Titel *ah k'al bak*, »er, der 20 Gefangene gemacht hat«, und die beiden Formen der Emblemhieroglyphe von Yaxchilán.

Yaxun Balams Partnerin, die sich das Blut aus der Zunge abzapft, wird in der Hieroglyphenreihe am unteren Rand des Türsturzes genannt. Sie ist ganz offensichtlich eine von *Yaxun Balams* Frauen, aber nicht die Mutter von *Chelte Chan*. Darüber hinaus stammt sie nicht aus einer lokalen Familie, sondern heiratete nach Yaxchilán ein. Ihre Heimat ist der Ort *hix wits* oder »Jaguarberg«, der zwischen Yaxchilán und Piedras Negras liegt.   N. G.

94
Türsturz 15

London, The British Museum, 1886–318
Kalkstein
H. 87,6 cm, B. 82,6 cm, T. 10,7 cm
Yaxchilán, Chiapas, Mexiko, Tempel 21
Spätklassik, 770 n. Chr.

4 Kawak 12 Sip   Heraufbeschwört wurde   die ??-Schlange der *way* von K'awil
(9.16.3.16.19, 28. März 755)

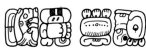

und dann wurde beschwört   Name   mythologisches Toponym

Sie ist

Frau Wak Tun

Frau aus Motul de San José

Frau

Bakab

Türsturz 15 befand sich einst über der südlichen Eingangstür von Tempel 21. Zusammen mit 15 und 16 ist er Teil einer öffentlichen Kampagne, mit der Fürst *Yaxun Balam* die Rechtmäßigkeit seiner Thronfolge demonstrieren wollte. So wie auch die Türstürze 16 und 17 ihr Gegenstück in vergleichbaren Reliefs von Tempel 23 haben, entspricht 15 seinem Vorbild 25 in der Darstellung einer Visionsschlange, die als Folge der Einnahme von Halluzinogenen und durch den starken Blutverlust nach der Selbstkasteiung den dargestellten Frauen erscheint.

Türsturz 15 zeigt Frau *Wak Tun*, eine der Gattinnen des Herrschers *Yaxun Balam*, in einem reich bestickten Huipil mit einem Korb in den Händen vor einer Visionsschlange kniend. Der geflochtene Korb enthält neben blutbefleckten Papierstreifen deutlich sichtbar einen Rochenstachel, wie er zur Durchbohrung von Körperteilen in der Selbstkasteiung verwendet wurde. Die Schnur, die sich Frau *Wak Tun* ebenso wie Frau *Xok* auf Türsturz 24 durch die Zunge zog, fällt nun über ihren rechten Arm herab. Das prachtvolle Gewand wird ergänzt durch Jadeschmuck, Ohrpflöcke und aneinandergereihte Perlenketten an den Handgelenken. Das Haar ist nach hinten gekämmt und mit blutbefleckten Rindenpapierstreifen zusammengebunden sowie mit zwei in das Stirnhaar gesteckten Stäben oder Jaderöhrenperlen geschmückt.

Offenbar hat Frau *Wak Tun* das Blutopfer gerade beendet, denn nun erscheint für sie eine Vision in Form einer höchst naturalistisch wirkenden Schlange mit weit aufgerissenem Maul, aus dem der Kopf eines Vorfahren herausblickt. Die perlenbesetzten Voluten am Unterleib der Schlange signalisieren den Begriff *muyal*, »Wolke«. Das Zeichen soll die Idee von der Schlange als Vision bestärken oder anzeigen, daß die Vision am Himmel zwischen den Wolken auftauchte.

Die Schale mit den blutbefleckten Papierstreifen am Boden vor Frau *Wak Tun*, aus der die Schlange emporwächst, zeigt deutlich, daß die Vision als Folge des Blutopfers angesehen und daß die Visionsschlange durch das eigene Blut geboren wurde.

Der in drei Kartuschen aufgeteilte Hieroglyphentext beginnt mit dem Datum 9.16.3.16.19 4 *Kawak* 12 *Sip* (28. März 755 n. Chr.). Dieses Datum liegt bereits fast drei

Jahre nach der Inthronisation von *Yaxun Balam*, der in dieser Szene überhaupt nicht genannt wird. Der folgende Text gliedert sich in zwei Sätze, die sich beide auf die Visionsschlange beziehen. In beiden Fällen ist das Verb die Hieroglyphe *tsak*, die »eine Vision heraufbeschwören« bedeutet, und jeweils die nächste Hieroglyphe nennt den Namen des aus dem Rachen der Visionsschlange hervorkommenden Vorfahren. Der erste Satz fährt dann fort mit der Aussage *na chan u way k'awil*, »die Schlange ist die Transformation von *K'awil*«. Der Gott *K'awil* ist nicht nur der Gott der königlichen Dynastien, sondern er kann sich auch in Visionsschlangen manifestieren. Auf vielen polychromen Gefäßen sehen wir den Gott *K'awil* mit einem Bein, das in den Leib einer Schlange übergeht. Schließlich zeigen auch die vielen *K'awil*-Zepter, die Herrscher als Symbol ihrer rechtmäßig ererbten Königswürde in der Hand halten, den Gott *K'awil*, dessen Bein sich in eine Schlange verwandelt (vgl. Kat.-Nr. 163), so daß die meisten Visionsschlangen Verwandlungen des Gottes *K'awil* gewesen zu sein scheinen. Der nächste Satz fährt nach dem Namen des Vorfahren, der hier mit Silbenzeichen anstelle eines Porträtkopfes geschrieben ist, mit zwei Toponymen fort. Das erste ist der Ort *hemna*, »Tal-Haus«, das zweite könnte »das Innere der Erde« oder »Zentrum der Welt« bedeuten. Sicherlich

sind dies mythologische Stätten, vielleicht die Heimat der Seele des heraufbeschworenen Vorfahren.

Der etwas kürzere Hieroglyphentext zwischen Frau *Wak Tun* und ihrer Vision enthält ihren Namen und unter anderem den Titel »Königsfrau aus Motul de San José«. Motul de San José war die Hauptstadt eines mit Yaxchilán befreundeten Fürstentums. Frau *Wak Tun* hatte also in die Herrscherfamilie Yaxchiláns eingeheiratet und stellte eine der üblichen dynastischen Verbindungen her, die freundschaftliche Beziehungen Yaxchiláns zu wichtigen und einflußreichen Zentren festigen sollten, ähnlich wie die Heiratsallianzen zwischen europäischen Fürstenhäusern. N. G.

95
Türsturz 41

London, The British Museum, 1886–315
Kalkstein
H. 60,5 cm, B. 94,6 cm, T. 10,1 cm
Yaxchilán, Chiapas, Mexiko, Tempel 42
Spätklassik, 755 n. Chr.

Obgleich Türsturz 41 während der Regierungszeit von *Yaxun Balam* geschaffen wurde, weist er doch Eigenheiten auf wie die Skulpturen, die sein Vater *Itzam Balam* für Tempel 23, dem Haus für Frau *Xok*, in Auftrag gab. Das Relief ist tief eingeschnitten und gibt den Figuren eine fast vollplastische Erscheinung. Die elegant geschriebenen Hieroglyphen werden von gleichmäßigen Begrenzungslinien umrahmt. Türsturz 41 wurde 1882 von Alfred Maudslay in zwei Teile zerbrochen vor dem südlichen Türeingang von Tempel 42 der Westakropolis entdeckt und 1886 nach London verschifft.

Das Relief zeigt uns *Yaxun Balam* und eine seiner Frauen namens *Wak Halam Chan Ahaw* aus Motul de San José bei der Vorbereitung zu einem Kriegszug. Zur Montur des Kriegers gehören die vor den Kopfschmuck gebundene Tlaloc-Maske, das aus verschiedenen Jaguarfellstreifen genähte Cape und vor allem der große federgeschmückte Speer, den er in seiner – nun abgebrochenen – rechten Hand hält. Das Pektoral auf seiner Brust enthält im Medaillon einen hockenden Jaguar, vielleicht das Emblem des Herrschergeschlechts von Yaxchilán.

Auch Frau *Wak Halam Chan Ahaw* gibt sich martialisch, wie wir an dem eigentümlichen Kopfschmuck, einem Stück Jaguarfell, das durch eine durchbohrte Spondylusmuschel gezogen ist, erkennen können. Gekleidet war Frau *Wak Halam Chan Ahaw* in einen reich verzierten Huipil ähnlich dem, den Frau *Xok* auf Türsturz 24 trägt. Da ein Teil des Reliefs fehlt, wissen wir nicht, was die Gattin ihrem Mann überreichte. Sicher ist diese Szene mit der von Türsturz 26 vergleichbar, die ebenfalls Kriegsvorbereitungen zeigt und auf der eine Generation zuvor Frau *Xok* ihrem Mann *Itzam Balam* einen Schild und einen Jaguarkopfputz überreicht.

Der Hieroglyphentext beginnt mit den vier Zeichen in der linken oberen Ecke und eröffnet mit dem Datum 7 *Imix* 14 *Sek* 9.16.4.1.1 (9. Mai 755 n. Chr.). Die nächste Hieroglyphe enthält das Verb, das sog. »Venus-Kriegsverb«, es weist darauf hin, daß die Kriegszüge der Maya von der Position des Planeten Venus am Himmel abhängig gemacht wurden. Es gab bestimmte Perioden innerhalb des 584 Tagen währenden Venuszyklus, während deren man sich sicher glaubte, daß Kriegszüge erfolgreich verlaufen würden. Die verschiedenen Venusgötter waren in besonderem Maße als Kriegsgötter aktiv, und man glaubte wahrscheinlich, daß die Venus dem Angreifer zur Seite stand. Hinter dem Kriegsverb ist der Name des feindlichen Ortes angegeben, den wir zwar noch nicht lesen können, der aber auf einem geraubten Türsturz aus der Gegend von Yaxchilán als Herkunftsort einer adligen Frau erwähnt wird. Dabei ist mit einem Zentrum außerhalb des von Yaxchilán kontrollierten Gebietes im Teritorium eines angrenzenden Fürstentums zu rechnen.

Der einspaltige senkrechte Text beginnt mit dem Verb *chukah*, »es wurde gefangengenommen«. Der Schädel mit einer ihn umgebenden Punktreihe bezeichnet den Namen des Gefangenen. Ein neuer Satz folgt in den anschließenden drei Hieroglyphen: *u bak yaxun balam u chanul ah uk*, »er ist der Gefangene von *Yaxun Balam*, dem Bewacher (dem Fänger) von *Ah Uk*«. In dem unteren, nun abgebrochenen Teil des Türsturzes setzte der Text sich

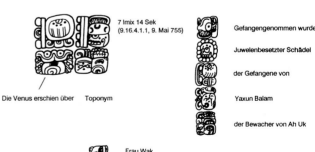

7 Imix 14 Sek
(9.16.4.1.1, 9. Mai 755)

Gefangengenommen wurde

Juwelenbesetzter Schädel

der Gefangene von

Yaxun Balam

der Bewacher von Ah Uk

Die Venus erschien über   Toponym

Frau Wak

Halam Chan Ahaw

Frau aus Motul de San José

Frau Bakab

mit den standardisierten Titeln und der Emblemglyphe des Königs fort. In flachem Relief und nicht in einer ausgeschnittenen Kartusche wie der sich auf *Yaxun Balam* beziehende Haupttext steht der Name von Frau *Wak Halam Chan Ahaw* aus Motul de San José, einem mit Yaxchilán befreundeten Fürstentum, dessen Hauptort unweit des Lago Petén-Itzá gelegen ist. Der Name *Wak Halam Chan Ahaw* kommt in den Inschriften des Tieflandes häufig vor und benannte solche Frauen, die von einem fremden Fürstentum in eine lokale Dynastie einheirateten.

Lange Zeit war man sich nicht sicher, ob Motul de San José tatsächlich der Hauptort des sog. *Ik'*-Ortes ist, weil die Emblemglyphe nur von einem Monument aus dem Ort bekannt war. Ian Graham und Nikolai Grube sind in Motul de San José gewesen und haben Stelen gefunden, in deren Inschriften mehrfach die *Ik'*-Emblemglyphe genannt wird. Darüber hinaus erwähnen auch die Stele 1 aus Flores auf ihrer Rückseite und eine Stele aus dem Frühklassischen Ort Bejucal, etwas nördlich von Motul de San José, die *Ik'*-Emblemglyphe. Das deutet nun darauf hin, daß verschiedene nahe beieinander am Nordrand des Petén-Itzá-Sees liegende Orte die *Ik'*-Emblemprovinz bildeten.

Das gleiche Datum wie Türsturz 41 trägt Türsturz 8 aus Tempel 1. Die Szene fängt zwei Zeitebenen ein. Während die bildliche Darstellung die Einkleidung von *Yaxun Balam* als Vorbereitung für den Kriegszug zeigt, beschreibt der Hieroglyphentext den sich unmittelbar daran anschließenden Krieg. Türsturz 8 mit dem gleichen Datum versetzt uns unmittelbar auf den Kriegsschauplatz in den Höhepunkt der Schlacht. *Yaxun Balam* wird hier mit seinem *Sahal K'an Tok* bei der Gefangennahme von »Juwelenbesetzter Schädel« gezeigt. Interessant ist, daß *Yaxun Balam* dort in genau der gleichen Kleidung auftritt wie hier auf Türsturz 41, obgleich die künstlerische Perfektion und die Detailgenauigkeit auf Türsturz 8 nicht die Qualität des vorliegenden Reliefs erreichen.   N. G.

Lit.: K. H. Mayer (1987), Abb. 44

96
Türsturz 24

London, The British Museum, 1886–317
Kalkstein
H. 110,5 cm, B. 80,6 cm, T. 10,1 cm
Yaxchilán, Chiapas, Mexiko, Tempel 23
Spätklassik, 726 n. Chr.

Yaxchilán Türsturz 24 gehört sicherlich zu den großen Meisterwerken der Maya-Kunst. Das ungewöhnlich tief eingeschnittene Relief ist wie bei kaum einer anderen Skulptur erhalten und läßt die Darstellung fast vollplastisch erscheinen. Alfred Maudslay, wissenschaftlicher Erforscher zahlreicher Maya-Ruinen und ein hervorragender Photograph, unternahm 1882 eine Expedition nach Yaxchilán, während er nicht nur die meisten der Türstürze und Stelen entdeckte, sondern auch einige der schönsten dieser Denkmäler nach London verbrachte. Türsturz 24 war der erste der von Maudslay an das Britische Museum gesandten Werke dieser Art.

Dieses Relief war einst mit zwei anderen über den drei Eingangstüren von Tempel 23 angebracht. Der Tempel selbst wurde, wie aus den Inschriften hervorgeht, am 26. Juni 726 n. Chr. für Frau *Xok*, eine der Gattinnen des Fürsten *Itzam Balam* von Yaxchilán eingeweiht. Alle drei zeigen nicht nur Frau *Xok* als Hauptperson, sondern sie verbindet darüber hinaus, daß verschiedene Aspekte eines Blutopferrituals dargestellt sind. Keine andere seiner Gemahlinnen besitzt einen eigenen Tempel und dazu noch in so zentraler Lage am großen Hauptplatz von Yaxchilán. Eine Inschrift von Türsturz 23, der erst später

über einer Seitentür eingesetzt wurde, berichtet, daß Frau *Xok* Mitglied der lokalen Herrscherdynastie von Yaxchilán war, vielleicht sogar eine entfernte Cousine von *Itzam Balam*. Allerdings war sie nicht seine einzige Gattin und vor allem nicht die Mutter des Thronfolgers, *Yaxun Balam*. Diesen Sohn zeugte *Itzam Balam* vielmehr mit einer Frau aus »*Site Q*«, einer Stadt, die wir nur aus den Inschriften kennen, die aber sehr groß und einflußreich gewesen sein muß. Linda Schele und David Freidel nehmen an, daß es zu Konflikten zwischen der Familie von Frau *Xok* und *Itzam Balam* gekommen ist, weil die ortsan-

4 K'atun Ahaw

Itzam Balam
Der Bewacher von

5 Eb 15 Mak   Er opfert Blut   vor dem Fackelstab
(9.13.17.15.12, 28. Okt. 709)

Ah Nik

Göttlicher Ahaw
von Yaxchilán

Sie opfert Blut

Frau Xok

Frau Chak-Te

Es wird eingeweiht

die Skulptur von

Ah Chakil

Ahol

sässige Familie von Frau *Xok* einen Thronfolger dieser Linie bevorzugt hätte. Tempel 23 könnte demnach als Tribut *Itzam Balams* an diese mächtige Familie interpretiert werden, die darauf bestanden hätte, Frau *Xok* politischen Einfluß zu gewähren.

Die Blutopferszene auf Türsturz 24 fand am Tag 5 *Eb* 15 *Mak* 9.13.17.15.12 (28. Oktober 709 n. Chr.) vor den auf den anderen beiden erwähnten Türstürzen abgebildeten Szenen statt. Frau *Xok*, in einem kostbaren Umhang auf dem Boden kniend, zieht sich eine dornenbewehrte Schnur durch die Zunge. Die Schnur fällt in einen geflochtenen Korb, in dem sich blutbefleckte Papierstreifen befinden. Diese Papierstreifen wurden anschließend gemeinsam mit Weihrauch verbrannt. Die Punktreihen um Frau *Xoks* Lippen deuten das aus der verletzten Zunge schießende Blut an. Für die Blutopferzeremonie hat sich die hohe Frau besonders elegant in einen gewebten Huipil gekleidet, wie er auch heute noch für zeremonielle Zwecke im Hochland von Chiapas von *Tzotzil*-Webern angefertigt wird. Leider sind uns aufgrund des ungünstigen Klimas keine Reste von Kleidungsstücken aus der vorspanischen Zeit erhalten geblieben. Das Relief zeigt, daß die Maya hervorragende Weber und Textilkünstler gewesen sein müssen. Über dem Gewand trägt sie ein Cape aus dünnen Plättchen, vielleicht aus Jade oder Muschelschale. Aus dem gleichen Material bestand wohl auch der Armschmuck. Durch die Ohren ist ein Ohrpflock in Form einer Blüte gesteckt, deren Stempel sich als abstrahierte Schlangen aus der Blüte herauswinden. Zur Befestigung hinter dem Ohr dient eine kleine Maske. Der reiche Kopfschmuck von Frau *Xok* ragt aus einem turbanartig gebundenen Unterteil heraus. Sein wichtigstes Element ist eine Mosaikmaske des Gottes Tlaloc. Die Tlaloc-Maske, aber auch die stabförmige Konstruktion dahinter, die Fachleute als »mexikanisches Jahreszeichen« bezeichnen, gehört zu einem großen Symbolkomplex, der bei den Maya mit Krieg und Blutopfer assoziiert ist.

Vor Frau *Xok* steht mit einer Fackel in der Hand ihr Mann und König von Yaxchilán, *Itzam Balam*. Er ist in einen mehrfach gewickelten Lendenschurz gekleidet, während von den Schultern über den Rücken ein kostbar gewebtes Cape herabhängt. Seinen Hals schmückt eine Kette aus dicken Jadeperlen mit einer Jademaske des Sonnengottes *K'inich Ahaw*. Auch von den Knien hängen mehrere kurze Perlenschnüre herab. Die Sandalen aus Jaguarfell sind über dem Fuß festgeknotet. Sein langes Haar trägt *Itzam Balam* nach hinten gekämmt und in einen Knoten aufgesteckt. Auf der Stirn wird der Kopf eines geopferten Gefangenen als Trophäe sichtbar. Mit beiden Händen hält *Itzam Balam* eine brennende Fackel, wohl Hinweis darauf, daß die Szene entweder in der Nacht oder in einem abgedunkelten Innenraum stattfindet.

Der Hieroglyphentext beginnt unmittelbar oberhalb von *Itzam Balams* Kopf mit einem Satz, der das schon genannte Datum angibt. Die nächsten Zeichen beziehen sich auf das Ereignis, es heißt, *Itzam Balam* sei dabei, sich Blut abzuzapfen »vor dem Fackel-Stab«. Nun ist zwar diese Handlung nicht dargestellt, doch wir dürfen annehmen, daß auch er sich – vielleicht im nächsten Schritt des Rituals – Blut aus der Zunge oder dem Penis abzapfte. Auch die Fackel wird erwähnt, die ein sonst nicht in diesem Zusammenhang auftretendes Attribut ist und der daher viel Bedeutung beigemessen worden sein muß. Dann wiederholt sich die Aussage, daß sich *Itzam Balam* Blut abnehme, bis sich seine Namenshieroglyphe und die Titel *u chanul ah nik*, »Bewacher von *Ah Nik*«, und »Göttlicher *Ahaw* von Yaxchilán« anschließen.

Etwas tiefer, aber noch auf einer erhabenen Kartusche hinter *Itzam Balam* finden sich vier Hieroglyphen, die Frau *Xok* als Akteurin des Blutopfers beschreiben. Das Verb steht in der ersten Hieroglyphe, die folgenden drei Blöcke geben die meist aus drei Teilen bestehende Namensphrase wieder, aus der wir auch erfahren, daß Frau *Xok* den *Chakte*-Titel trug (letztes Zeichen).

Schließlich seien noch die vier inzisierten Hieroglyphen erwähnt, deren Informationswert weit über die flüchtige Art der Anbringung hinausweist. Sie sind die Signatur des Bildhauers *Ah Chakil Ahol*. Früher glaubte man, die drei Türstürze von Tempel 23 seien allesamt vom gleichen Künstler geschaffen worden. Eine genaue Analyse des Stils hat aber ergeben, daß es wohl doch verschiedene Bildhauer waren, die die in ihrer Qualität gleichrangigen Meisterwerke vielleicht unter der Aufsicht von *Ah Chakil Ahol* meißelten, denn außer seinem Namen finden sich keine weiteren Signaturen.   N. G.

Lit.: L. Schele und D. Freidel (1990)

97
Schale mit Reliefdekor

Guatemala-Stadt, Museo Nacional de Arqueología y Etnología,
Nr. 5826
Ton
H. 11 cm, Dm. 20 cm
Alta Verapaz, Guatemala
Spätklassik, 600–900 n. Chr.

Die natürliche Grenze zwischen dem Hochland von Guatemala und dem Petén, dem Kernland der Maya-Zivilisation, wird durch die Berge der Verapaz-Region gebildet.
Diese Region ist mit ihren bewaldeten Hügeln und dem
tropischen Urwald die Heimat vieler Tierarten, auch die
des Quetzal-Vogels, der für sein prachtvolles blau-grünes
Gefieder bekannt ist. In dieser karstigen Landschaft befinden sich viele Höhlen, die für die Maya Eingänge zur
Unterwelt *Xibalba* waren.
Viele Handelsrouten durchzogen diese Region. Von den
Städten des Hochlandes Kaminaljuyú und El Portón
brachte man Obsidian und Jade ins Tiefland, während
man im Austausch dafür Federn und andere Luxusgegen-
stände erwarb. Mit den erworbenen Gütern kamen auch
neue Einflüsse aus dem Tiefland, wie es die bekannte
Chamá-Keramik und diese reliefierte Schale bezeugen,
die entweder eine aus dem Tiefland importierte Ware

oder eine lokale Kopie eines Vorbildes aus dem Tiefland
ist.
Die braun bemalte, reliefierte Schale weist noch einige
Spuren von Creme-Farbe auf und ist in zwei Bildfel-
der aufgeteilt, die durch Pseudoglyphen voneinander getrennt sind. Solche Pseudoglyphen wurden von illitera-
ten Künstlern verwendet, um ihren Erzeugnissen eine
größere Bedeutung zu verleihen. Die Bildflächen sind mit
einem komplizierten Relief eines Schlangenkopfes und
Voluten verziert. Am Gefäßboden befindet sich eine
Hieroglyphe, die bisher noch nicht identifiziert werden
konnte. Da diese Schale vermutlich als Gefäß zum Auffangen von Opferblut Verwendung fand, könnte der
Schlangenkopf auf die Visionsschlange hinweisen, die
nach der Selbstkasteiung und der Einnahme von Halluzinogenen als Vision sichtbar wurde.
Die Maya praktizierten die Selbstkasteiung als Bestandteil zahlreicher Feierlichkeiten, wie der Thronbesteigung
oder der Vollendung bestimmter Kalenderzyklen. Dabei
durchbohrten sie ihre Zungen, ihre Ohren oder auch
ihre Genitalien.
Das menschliche Blut galt als Gabe und als Verbindung
zu den Göttern. Dieses Ritual ist seit der Frühen Klassik
auf Denkmälern und in Texten gut dokumentiert und
geht wahrscheinlich sogar auf eine Entstehungsmythe
zurück, wie sie das *Popol Vuh* schildert: dort wird das
Selbstopfer der Götter als letzter Schritt in der Erschaffung der Menschen beschrieben.   F. F.

98
Miniaturflasche

Guatemala-Stadt, Museo Nacional de Arqueología y Etnología,
Nr. 1609
Ton
H. 5 cm, B. 5,5 cm
San Agustín Acasaguastlán, El Progreso, Guatemala
Spätklassik, 600–900 n. Chr.

Miniaturgefäße dieser Art sind gemeinhin als Giftbehälter bekannt, obgleich sie mit Sicherheit nie diesem Zweck gedient haben dürften. Die große Anzahl von Fläschchen mit dem gleichen Motiv deutet darauf hin, daß das Gefäß in Massenproduktion unter Zuhilfenahme von Modeln hergestellt wurde. Dennoch bewundert man die gute Qualität dieser kleinen, sogar mit Hieroglyphen versehenen Beispiele.

Das Fläschchen wurde in der Nähe der Ruinenstätte von Acasaguastlán gefunden, einem Ort im mittleren Motagua-Tal, dort wo sich wichtige Handelsrouten aus dem Hochland und der Karibik trafen. Zugleich war das Tal des Río Motagua die Hauptquelle für die hochgeschätzte Jade. Wahrscheinlich wurden auf den an Acasaguastlán vorbeiführenden Wegen neben landwirtschaftlichen Erzeugnissen, darunter auch Tabak, große Mengen an Obsidian, Jade, Quetzalfedern, Muscheln aus dem Golf von Honduras und andere exotische Produkte transportiert. Orte, die an einer solchen Hauptroute liegen, profitieren naturgemäß von einem Austausch nicht nur von Waren, sondern auch von Ideen. Unterhalb des Ausgusses schmückt den Gefäßkörper eine halbplastisch aufgesetzte Figur, die wie ein Schwimmender erscheint, ein Motiv, das sich sehr oft auf Copador-Keramiken aus der Gegend von Copán und dem Nordwesten von El Salvador findet. Die Figur trägt runde Ohrspulen, einen Kopfputz aus unregelmäßig großen Plättchen, vielleicht aus Muscheln, und ein Stirnband. Der kurze Hieroglyphentext enthält unter anderem die Hieroglyphe *ch'ok*, ein Titel, der »jugendlich« heißt und von Mitgliedern von Fürstenfamilien getragen wird, die noch kein wichtiges Amt bekleiden. Davor steht die Hieroglyphe *kol*, die aus den Silbenzeichen *ko* und *lo* zusammengesetzt erscheint. Obgleich wir sie phonetisch lesen können, bleibt unklar, wie das Wort in diesem Zusammenhang zu übersetzen ist. Ein anderes Gefäß gleicher Größe und gleichen Typus in einer Privatsammlung zeigt anstelle der Hieroglyphen eine kauernde Gottheit, die ein Blatt, vielleicht Tabak, in der Hand hält. Darüber hinaus wurde der schwimmende Mann durch einen schwimmenden Jaguar ersetzt. Sind die anscheinend schwimmenden Gestalten auf diesen Vasen Götter, die halluzinogene Drogen eingenommen haben, oder dienten die Fläschchen vielleicht der Aufnahme einer bewußtseinsverändernden Substanz, die aus dem Saft der Tabakpflanze gewonnen wurde? Vielleicht werden eines Tages die noch unentzifferten Hieroglyphen eine Antwort geben. F. F.

99
Darstellung eines Rauchenden

Cleveland, The Cleveland Museum of Art, The Norweb
Collection, 65.550
Muschelschale
H. 26,5 cm
Fundort unbekannt
Spätklassik, 600–900 n. Chr.

Mit größter Eleganz und sicherer Linienführung hat hier
ein erfahrener Künstler eine ungewöhnliche Szene in die
Schale einer Tritonmuschel (Strombus gigas) geritzt. Das
Miteinander von tief eingeschnittenen und haarfeinen
Linien erzeugt einen geradezu kalligraphischen Stil, wie
er sonst nur auf polychrom bemalten Gefäßen zu finden
ist. Ein junger Fürst, angetan mit einem kostbar gewebten
ten Lendenschurz, sitzt auf einem Thronpodest, das nur
durch eine dünne Linie zwischen dem Schlangenkopf
und seinem linken Fuß angedeutet ist. Mit großer Sorgfalt hat der Künstler das feine Gewebe eines Kissens wiedergegeben, ebenso wie die Fransen und die Bordüre, die
den Rand desselben schmücken. Leicht nach vorne gebeugt scheint der Fürst mit der Schlange zu kommunizie-
ren, die vor ihm aus einer großen Tritonmuschel hervorkommt. Während er mit den Händen gestikuliert, raucht
er gleichzeitig eine lange Zigarre, wie sie auch heute
noch bei den Lacandonen gedreht wird. Der amerikanische Tabak, Nicotiana rustica, ist schon sehr früh von den
Maya für Zigarren verwendet und geraucht worden. In
der Kunst der Maya sind Darstellungen von zigarre-
rauchenden Göttern nicht selten. Man glaubte sogar, daß
Meteorite die Stummel von Zigarren seien, die die Götter wegwarfen. Der Tabakrauch wird hier durch schraf-
fierte Wolkengebilde angedeutet. Den Oberkörper des
Fürsten schmücken kreisförmige Tätowierungen. Um
den Hals trägt er eine einzelne Röhrenperle an einem
Band, die nicht wie üblich mittig vor dem Oberkörper
hängt, sondern seitlich verschoben ist, so daß sie lässig
auf der Schulter liegt. Blütenmotive sind zu einem großen Ohrgehänge gestaltet. Mehr noch als dieser Schmuck
fällt der Kopfputz auf, der aus dem Kopf eines der für
die Tieflandgebiete charakteristischen kleinen Hirsches
(Mazama americana) besteht.
Die Frage nach der Bedeutung dieser Szene muß so lange
offenbleiben, wie wir den Hieroglyphentext, der sie umgibt, nicht vollständig lesen können. Die wenigen schon
verständlichen Zeichen vermitteln jedoch einen ersten
Einblick in das dargestellte Geschehen. Von den vier
Hieroglyphen vor dem Kopf des Fürsten nennen die drei
unteren den Besitzer des Objektes. Die zweite Hieroglyphe von oben bedeutet u huch, »das ist die Muschel

von«, ihr folgt der Name des Besitzers mit dem Hauptzei-
chen balam, »Jaguar«, sowie sein Titel, ah k'una, »Höfling«
oder »Tempelherr«. Die erste Hieroglyphe in der gleichen Kolumne gehört noch zum Text oberhalb des Fürsten. Das letzte dieser sechs Zeichen ist y-alahiy, »er
sprach«. Daraus geht hervor, daß die fünf vorangehen-
den Hieroglyphen ein gesprochener Text sind, der in
wörtlicher Rede wiedergegeben wird. Der Adressat wird
in der ersten der vier Hieroglyphen vor dem Kopf des
Fürsten genannt: ti chih, »an den Hirsch«. Da der sitzende
Fürst einen Hirschkopf als Schmuck trägt, scheint er der
Angesprochene zu sein. Wer aber ist der Sprecher? Das
einzige Lebewesen außer dem Fürsten ist die aus der Tritonmuschel hervorkommende Schlange. Richtet sie ihre
Worte an den Fürsten? Vielleicht handelt es sich um eine
Visionsszene: der von starkem Tabak berauschte Fürst
empfängt eine Vision, die als Schlange zu ihm spricht.
Das außergewöhnliche Stück hat keine erkennbare Funktion. Durchbohrungen zum Aufhängen oder Befestigen
an einer Kette oder an der Kleidung fehlen. Vielleicht
darf man die ästhetisch herausragende Muschelschnitzerei einfach als kostbaren Besitz des Fürsten Balam betrachten.

N. G.

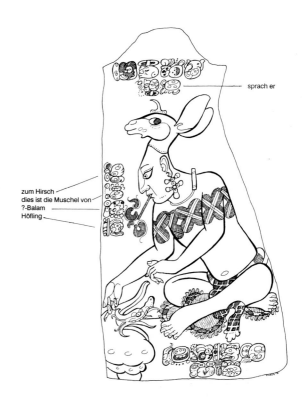

sprach er

zum Hirsch
dies ist die Muschel von
?-Balam
Höfling

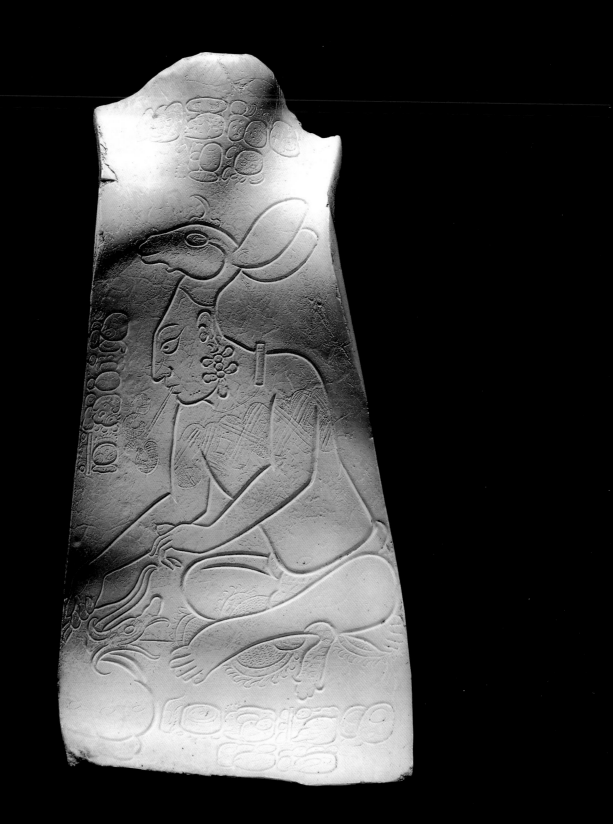

100
Hoher Becher

New York, National Museum of the American Indian, Heye Foundation, Inv.-Nr. 24/8750
Ton, polychrom bemalt
H. 25 cm, Dm. 10 cm
Campeche, Mexiko
Spätklassik, 600–900 n. Chr.

Zwei mit Ausnahme eines wichtigen Details sehr ähnlich aussehende Herrscher sitzen auf niedrigen Thronen und

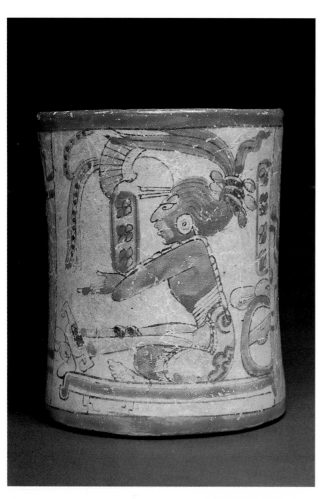

gestikulieren in sehr typischer Maya-Manier. Daß der Maler dem Betrachter deutlich machen wollte, daß hier zwei verschiedene Personen dargestellt sind, wird an Unterschieden in der Kleidung und ihrem Schmuck deutlich. Hinzu kommt aber vor allem der Umstand, daß einer der beiden Herrscher eine dünne Zigarre aus einheimischem Tabak (*Nicotiana rustica*) raucht, der viel stärker als die heute üblichen Sorten war und den man vermutlich bei religiösen Zeremonien benutzte, um Visionen und Trancen herbeizuführen. Diese starke Droge wurde bis zur spanischen Invasion benutzt, und Tabak ist auch heute noch Bestandteil einheimischer religiöser Zeremonien und Riten.

Im Gegensatz zu dem rauchenden Herrscher sitzt der andere vor einem Spiegel mit einem geknoteten Stück Gewebe, das an die Trennwand zwischen den beiden Personen gelehnt ist. Hinter seinem Rücken und ebenfalls an die Trennwand stoßend liegt ein Bündel, auf dessen heiligen Inhalt ein Himmelszeichen verweist. Beide Herrscher tragen einen eleganten Federkopfschmuck, einer davon mit einer Wasserlilie und einem Jaguarschwanz, wohl um darauf hinzudeuten, daß er *Xbalanke* ist, einer der Göttlichen Zwillinge. Dann müßte sein Bruder die Zigarre als eine versteckte Anspielung auf eine der Prüfungen, denen sich die beiden unterziehen mußten, rauchen: in *Xibalba*, bevor sie die Götter der Unterwelt besiegten, wie es im *Popol Vuh* überliefert ist.

Sie tragen prächtige, dicht mit Quasten geschmückte Lendentücher und Halsketten, wohl aus Muscheln, die ihren Rücken und ihre Brust schmücken.

Hieroglyphenähnliche Zeichen, komplett in Kartuschen gesetzt, befinden sich vor den Herrschern, als ob sie ihre Namen enthalten sollten – es sind aber völlig sinnlose Scheinschriftzeichen. So etwas ist auf Gefäßen manchmal zu finden, vermutlich brauchte man keine Namensbeischrift, um Personen kenntlich zu machen, die durch ihre Tätigkeit, ihre Kleidung oder ihren Schmuck auf den ersten Blick identifizierbar waren, so wie hier die beiden Göttlichen Zwillinge.

Die Malerei in hellem Orange über einem leicht cremefarbenen Hintergrund ergibt eine außerordentliche Kontrastwirkung. Sie scheint mit einer Werkstatt, die mit der Nebaj-, Naranjo- und Chamá-Keramik verbunden war, im Zusammenhang zu stehen, wo diese Grundfarben und die sparsamen schwarzen Linien zur Betonung von Details verwendet wurden. Die hohe Qualität der Linienführung, z. B. in der Darstellung der Augenwinkel der Herrscher, zeigt, daß wir hier das Produkt eines Meisters vor uns haben, der mit Zeichentechniken ebenso vertraut war wie mit der flächendeckenden Verwendung von Farbe zur Erzielung spezieller Effekte.   F. F.

101
Kopf des Maisgottes

New York, National Museum of the American Indian, Heye-
Foundation, Inv.-Nr. 4/6276 (VA 300)
Jade
H. 5,2 cm, B. 4 cm
Palenque, Chiapas, Mexiko
Spätklassik, 600–900 n. Chr.

Der Jade-Rohling, der als Ausgangsmaterial für diesen
Kopf des Maisgottes diente, hatte bereits einen weiten
Weg vom Motaguatal bis nach Palenque zurückgelegt,
bevor er verarbeitet wurde. Dieses jugendliche Gesicht,
umrahmt von üppigem Haar, das sich zu Locken zu tür-
men scheint, stellt ein Bildnis der Maisgottheit *Hunal Ye*
dar, die stets mit Zügen der Jugend – und nicht der Reife
– charakterisiert wird.

In den »Haarschmuck« sind verschiedene für die Maispflanze typische Eigenschaften – in stilisierter Form –
eingeflossen. So verkörpert das in regelmäßigen Strähnen symmetrisch über der Stirn hervorsprießende
»Haar« die seidigen fadenförmigen Narben der weiblichen Blüten dieser zur Gattung der Gräser gehörenden Pflanze, während der »lockenhafte« Aufbau die den
Kolben umgebende Blätterhülle andeutet. Ein zusätz-
licher Hinweis auf das »Heranreifen« mag bei diesem
Stück noch in der Wahl des Gesteins zum Ausdruck kommen: »Grün« signalisiert wohl in fast allen Kulturen der
Welt den Aspekt von Leben und Jugend.
Der Mais war eine der wichtigsten Nutzpflanzen Amerikas, wenn nicht die wichtigste überhaupt, und spielte
daher auch bei den Maya eine große Rolle.   F. F.

Lit.: L. Schele und M. E. Miller (1986), 154

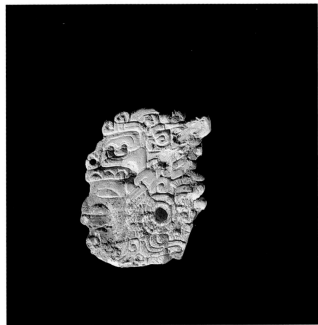

102
Halskette

Guatemala-Stadt, Museo Nacional de Arqueología y Etnología,
Nr. 450
Muschel
L. 78,5 cm
Uaxactún, El Petén, Guatemala
Spätklassik, 600–900 n. Chr.

Muscheln mit eingeritzten szenischen Darstellungen
oder Hieroglyphentexten als Teile von Gürteln, als Musikinstrumente und als Schmuckstücke waren wie Federn
oder Jade von der Präklassik bis zur spanischen Eroberung besonders kostbare Handelsgüter. Als eine der ältesten Handelswaren wurden sie schon sehr früh von
der Karibik auf den von den Maya genutzten Flußsyste-
men bis in das zentrale Tiefland gebracht. In späterer
Zeit – so der archäologische Befund – wurden Muscheln
dann sogar aus dem Pazifik bis in die zentralen Maya-
Regionen transportiert.
Die abgebildete Halskette schmückte wahrscheinlich einst
eine Dame von hohem gesellschaftlichem Rang, und dies
wohl mehrmals um den Hals gewickelt, so wie man es
auch heute noch in den Dörfern des Hochlandes antreffen kann, wo indianische Frauen dicke Stränge glänzen-

der Perlen mit Münzen und anderen Materialien ver-
mischt als Schmuck um den Hals legen. Die Vielfalt der
verwendeten Muschelarten erlaubt heutigen Archäologen Aufschlüsse über ihre jeweilige Herkunft und damit
über die Handelsbeziehungen der Maya.   F. F.

103
Schmuckplatte

Guatemala-Stadt, Museo Nacional de Arqueología y Etnología,
Nr. 8670
Muschelschale
H. 6,1 cm
Salinas de los Nueve Cerros, Baja Verapaz, Guatemala
Spätklassik, 600–900 n. Chr.

Die reich dekorierte kleine Muschelplatte – wohl ein
importiertes Luxusgut für hohe Würdenträger – gibt
den Kopf eines Adligen im Profil wieder, dessen aufwendiger Kopfschmuck vor allem aus einer Maske über der
Stirn besteht, die aufgrund der stark betonten Zähne
vielleicht als Totenschädel gedeutet werden kann, den
Knoten und Federn ebenso umgeben wie das Gesicht,
hängt doch von der Maske über die Wangen hinweg ein

geflochtenes Band nebst kleinen Federn in den Nacken
herab. Dieser Schmuck wie auch der große Ohrpflock
deuten auf die hohe Stellung des Abgebildeten innerhalb
der Maya-Gesellschaft.

Muscheln waren wichtige Handelsgüter, die sowohl von
der Karibik wie dem Pazifik ins Landesinnere gelangten.
Zu ihrer Bearbeitung standen ausschließlich Steinwerkzeuge in Verbindung mit Sand und Wasser zum Schleifen
zur Verfügung. Dennoch gelangen den hochspezialisier-
ten Handwerkern wie auch im vorliegenden Fall ausgesprochene Miniaturkunstwerke.   F. F.

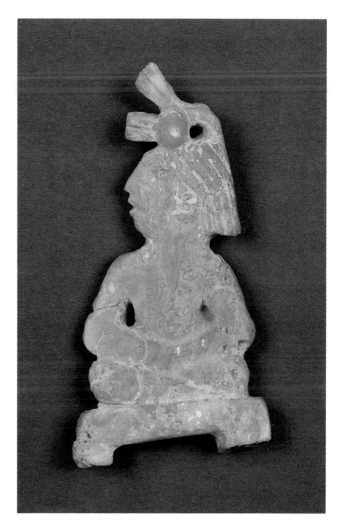

104
Muschelschmuck

New York, National Museum of the American Indian, Heye
Foundation, Inv.-Nr. 24/8969 (VA 298)
Muschel
H. 5 cm
Fundort unbekannt
Spätklassik, 600–900 n. Chr.

Diese kleine Muschelsilhouette zeigt das Kunsthandwerk
der Maya von seiner besten Seite, zumal Muscheln ein
außerordentlich schwer zu bearbeitendes Ausgangsmaterial sind. Sie sind extrem brüchig und zerbrechen
leicht während der Politur. Das Herausschneiden der
Figur und die Ausarbeitung der Öffnungen zur Trennung der Arme vom Körper und in der Frisur mußten
mit enormer Sorgfalt durchgeführt werden.

Dargestellt ist ein sitzender Herrscher mit untergeschlagenen Beinen und ohne Schmuck, mit Ausnahme eines
Kopfputzes. Die frontal dargestellte Figur blickt nach
rechts und erweckt den Eindruck, als ob sie sich mit
jemand anderem unterhalten würde, wie dies Gefäßmalereien so anschaulich schildern.

Die Verwendung von Muscheln zu Schmuck- und Luxus-
gegenständen ist ein Beleg für das umfangreiche Han-
delssystem innerhalb des Maya-Gebietes. In ganz Mesoamerika wurden vorwiegend verschiedene Arten dieser
Meerestiere aus der Karibik verarbeitet, obwohl auch solche aus dem Pazifik vorkommen. Welche anderen Handelswaren auf diesen Routen transportiert wurden, wird
Gegenstand zukünftiger Forschungen sein müssen. Bereits jetzt ist aber klar, daß derartige Handelskontakte
seit der Formativen Periode bestanden und einen wesentlichen Beitrag zur Herausbildung einer Kultur leisteten,
die dann für mehr als tausend Jahre Bestand hatte. F. F.

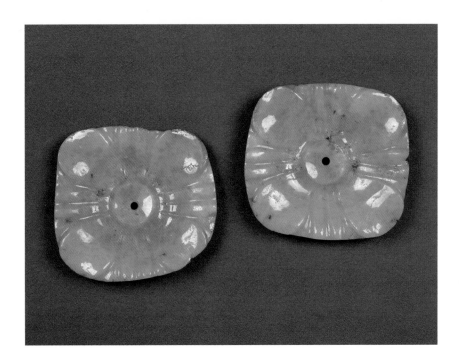

105
Kopfbandschmuck

New York, National Museum of the American Indian, Heye
Foundation, Inv.-Nr. 24/6720 (VA 300)
Jade
H. 4,3 cm und 4,7 cm, B. 4,6 cm und 3,0 cm
Fundort unbekannt
Spätklassik, 600–900 n. Chr.

Diese schönen, hellgrünen Schmuckstücke stellen sicherlich Blumen dar. Vermutlich wurden sie an einem Kopfband getragen und waren Teil eines Herrschaftssymbols.
Neuere Untersuchungen zur Maya-Ikonographie von
Nikolai Grube, Linda Schele und David Stuart haben gezeigt, daß das ahaw-Zeichen, wenn es nicht in Zusammenhang mit Kalenderangaben verwendet wird, in der
Bedeutung »Blume« zu verstehen ist und daß Ohrpflöcke

und andere typische Schmuckteile der Maya-Fürsten
häufig Herrscherattribute wiedergeben. Linda Schele
interpretiert das Blumenzeichen als Darstellung der
Blüte des Ceibabaumes, die, als Ohrpflock oder anderer
Schmuck getragen, den Herrscher in seiner Rolle als
Baum des Lebens kennzeichnen soll.
Das ahaw-Zeichen als Blume steht außerdem in Zusammenhang mit dem Wort nichim oder nich in der Bedeutung »Kind des Vaters«, gesehen aus der Sicht des Vaters.
Außerdem kommt es vor in dem noch nicht vollständig
gedeuteten Begriff sak nik, »weiße Blume«, vielleicht
einer Metapher für Seele oder Geist, die in Todesphrasen
eine Rolle spielt.
In der gesamten Maya-Region gibt es eine Vielzahl von
Herrscherdarstellungen der Spätklassik mit Schmuck,
der Kopfbänder oder Helme verzierte. Die Verbindung
von Blumen und Herrschaft ist ein geläufiges Bild in der
Ikonographie des gesamten Mesoamerika.   F. F.

106
Rückseite eines Spiegels

Köln, Rautenstrauch-Joest-Museum, 49640
Schiefer
Dm. 9 cm
Angeblich aus Uaymil, Campeche, Mexiko
Spätklassik, 600–900 n. Chr.

Spiegel wurden von den Maya nicht nur benutzt, um das eigene Spiegelbild vor Augen zu haben, sondern sie waren Teil der Kleidung und wurden vor allem von reichen Männern als Schmuck getragen. Auf vielen der bemalten Gefäße sehen wir Bewohner von Palästen, wie sie auf Bänken ruhend geradezu selbstvergessen ihr Spiegelbild betrachten. Diego de Landa berichtet: »Alle Männer benutzen Spiegel, aber die Frauen nicht; und wenn sie jemandem den Namen eines Gehörnten geben wollten, sagten sie, seine Frau habe ihm den Spiegel in das überstehende Haar des Hinterkopfes gesteckt.« Spiegel mit reich verzierten oder gar beschrifteten Rückseiten, die – was die Spiegelfläche betrifft – meist aus poliertem Schwefelkies (Pyrit) bestanden, der in Yucatán nicht vorkommt und daher als teures Handelsgut eingeführt worden sein muß, waren in der Klassik sicherlich Ausweis für den Luxus des Eigentümers. Der eigentliche Spiegel wurde auf seiner Rückseite auf anderem Material, etwa Holz oder Schiefer, wie in diesem Fall, befestigt, in das man verschiedene Motive oder Texte eingravieren konnte.

Umgeben von einem Band mit einem Hieroglyphentext sehen wir auf dem inneren Medaillon einen tanzenden Zwerg mit federgeschmückten Armen. Tanzende Zwerge sind ein sehr häufiges Motiv in der Maya-Ikonographie und wurden besonders häufig auf der Insel Jaina in Ton modelliert. Wie der spanische Chronist López de Cogolludo berichtet, traten zwergwüchsige und bucklige Männer als Schauspieler auf und trugen dabei oft Federkleider, um in ihnen die Bewegungen von Vögeln nachzuahmen. Leider wissen wir noch zu wenig über die Tänze der vorspanischen Epoche, um sagen zu können, ob speziell diese Vogeltänze von Zwergen der Unterhaltung am Hofe oder eher rituellen Zwecken dienten.

Der Text, der die Darstellung ringförmig umgibt, beginnt mit der Hieroglyphe in Blickrichtung des Zwerges. Die erste Hälfte des Textes enthält eine mit der »Primären Standardsequenz« auf Keramiken weitgehend identische Weihformel, die von der Gravierung und Reliefierung der Oberfläche des *u kit tun* genannten Objektes berichtet. Da das Maya-Wort für Spiegel *nen* ist, bezieht sich die Formel wohl speziell auf die Einweihung der Spiegelrück-

seite, deren Name »*kit*-Stein« lautete, ein Wort mit noch unklarer Bedeutung. Die vier letzten Hieroglyphen des Textes nennen Namen und Titel des Eigentümers, zu dem auch die Hieroglyphen *wak pet kab* gehören, in der Übersetzung »Sechs Parzellen Land«. Wahrscheinlich war der Besitzer des Objektes zugleich auch Herr über ein bestimmtes Gebiet und daher besonders angesehen und reich. N. G.

Lit.: D. de Landa (1990), 47; D. López de Cogolludo (1971)

107
▷
Papageien-Relief

Copán, Honduras, Instituto Hondureño de Antropología e Historia
Tuffstein
H. 225 cm, B. 294 cm
Copán, Struktur 10L–10, Ballspielplatz A-III
Spätklassik, 8. Jh., Weihung des Ballspielplatzes 738 n. Chr.

Die Rekonstruktion dieses aus einzelnen skulptierten Steinen bestehenden Reliefs ist das Ergebnis mühevoller, jahrelanger Arbeit eines Wissenschaftlerteams aus

In ihrer zu Recht berühmten Publikation versuchte Proskouriakoff zum ersten Mal eine theoretische Rekonstruktion der Ballspielplatz-Bauten. Ihre scharfe Beobachtungsgabe und ihr ausgeprägtes ästhetisches Gefühl ließen sie jeweils acht dieser Papageien-Skulpturen den beiden Seitenbauwerken des Ballspielplatzes zuweisen. Auf der Grundlage der Grabungsergebnisse der Carnegie Institution unter Stromsvik sah ihre Ergänzung die Lokalisierung der Skulpturen über den jeweils acht Eingängen der Bauwerke vor.

In Zusammenarbeit mit dem Instituto Hondureño de Antropología e Historia gründeten dann 1985 der Autor, William Fash (als Archäologe), Barbara Fash (als Künstlerin) und Rudy Larios (als Architektur-Restaurator) das Copán Mosaics Project zur Bewahrung, Dokumentation und Analyse der Zehntausende von Fragmenten von Fassadenschmuck, die über das weite Areal der archäologischen Stätte Copán verstreut lagen. Dokumentation und Analyse würden, so hofften wir, zur Rekonstruktion ganzer Motiv-Komplexe der verschiedenen Bauwerke führen und schließlich Rekonstruktionszeichnungen wie die von Proskouriakoff ermöglichen. Zunächst wandten wir uns dem Ballspielplatz zu. Zum einen hatte Proskouriakoff hier bereits Vorarbeiten geleistet, der Bereich war zudem ausgegraben, und man hatte die zugehörigen Fragmente getrennt von anderen Bauteilen zusammengefaßt, so daß der Fassadenschmuck komplett vorhanden sein mußte. Nach einer von Paläontologen, Zoologen und Anthropologen angewandten Methode zur Bearbeitung von Skelettfunden dokumentierte das Mosaik-Team »die kleinste Anzahl von Individuen« all der verschiedenen Motiv-Klassen, die sich unter den skulptierten Fragmenten befand. Nach diesem Prinzip stellten wir in der Tat fest, daß mindestens 16 dieser Papageien-Figuren existiert haben mußten, denn es gab 16 Köpfe, 16 linke Krallen, 16 rechte Krallen, 16 Perlenhalskragen, 16 linke skelettierte »Schlangenflügel«, 16 rechte Exemplare dieser Kategorie usw. usw. Bei Bearbeitung der übrigen Elemente ergab sich, daß jeder der Vögel über zwei Lagen Schwanzfedern verfügt hatte (in drei und vier Reihen übereinander), dazu vertikal aufgerichtete Flügelfedern über den Schlangenköpfen, ein zentrales Schwanzelement, zwei kleine hakenförmige Elemente an der Basis der Schwarzpartie und eine Hieroglyphe mit der Bedeutung *ak'bal* (»Dunkelheit«).

Als dann die Zahl der Elemente bestimmt war, aus der jeder der Vögel bestand, konnten die am besten erhaltenen Teile zu einem »Komposit«-Stück experimentell vereinigt werden, zunächst in einem großen Sandkasten und dann an der Fassade des Ballspielplatzes selbst. Bei allen diesen Experimenten ließ sich das Team natürlich

den verschiedensten Disziplinen. Das Papageien-Mosaik schmückte einst neben 15 weiteren solchen Monumentalbildnissen den Hauptballspielplatz von Copán. Wie bei allen Bauwerken von Copán, die in der Endphase der Stadt standen, zu beobachten, verfielen in den Jahrhunderten nach Aufgabe dieses bedeutenden Zentrums vor allem die oberen Partien der Gebäude und stürzten schließlich ein. Dieses Schicksal teilten auch die Bauten des Ballspielplatzes. Die Tatsache, daß sich alle diese Strukturen in große Schutthaufen verwandelt hatten, stellte für die späteren Archäologen, die Form, Funktion und Dekor dieser imposanten Architektur verstehen wollten, ein großes Problem dar. Die große Maya-Forscherin Tatiana Proskouriakoff formulierte treffend: »Als ob sie eifersüchtig gewesen wären auf diese herrlichen Schöpfungen des Menschen, haben sich hier die gewalttätigsten Kräfte der Natur versammelt, um dieses Menschenwerk zu zerstören. Selbst in historisch rezenter Zeit noch haben Erdbeben die Ruinen beschädigt, so daß nun die kunstvoll behauenen Fragmente auf den Hängen der Pyramidenhügel wie Teile eines gewaltigen Puzzlespiels verstreut liegen.«

von bautechnischen Erwägungen leiten. Wir erkannten, daß die Tiefe der Zapfen an den einzelnen Fragmenten innerhalb ein und derselben Steinlage gleich war, aber unterschiedlich bei den verschiedenen Lagen. Ferner waren die Steine mit ihrer Längsachse horizontal verlegt worden. Da die Steine erst bildhauerisch bearbeitet worden waren, als sie sich bereits an Ort und Stelle befanden, halfen auch aneinanderpassende Reliefpartien weiter. Auch vergleichende Studien an anderen Werken der Maya-Kunst wurden vorgenommen, im Falle des Ballspielplatzes von Jeff Kowalski. Das vorläufige Endergebnis unserer Arbeit ist das in der Ausstellung gezeigte Papageienexemplar. Völlig überraschend kam für Barbara Fash eine im nachhinein wichtige Entdeckung: da genau die Hälfte der Zapfen der Papageien-Elemente dreieckige Formen aufwiesen, konnte man schließen, daß sie an die Ecken der Bauwerke gehörten. Das bedeutete aber, daß die übrigen acht Vögel (vier pro Gebäude) über den Pfeilern und nicht über den Durchgängen gesessen hatten. Eine indirekte Bestätigung dafür kam von Ausgräber Stromsvik selbst, der die »Schlangenteile« (die er nicht den Vogelflügeln zuwies) an allen vier Ecken der Gebäude gefunden hatte.

Als die Fragmente dann von Rudy Larios der Fassade des östlichen Gebäudes (Struktur 10 L-10) eingefügt wurden, stellte er verschiedene wichtige Dinge fest, darunter zum Beispiel, daß die Mosaikbestandteile aufgrund der Zapfenwinkel und der Relieftiefe nicht genau senkrecht in die Fassade eingelassen gewesen waren, sondern nach oben leicht nach hinten geneigt, was im übrigen auf die meisten Gewölbebauten in Copán zutrifft.

Die Bedeutung des Papageies von der Spezies Ara (Guacamayo, *Ara macao*) in Beziehung zum Ballspiel der Maya im allgemeinen und Copán im besonderen ist eine schwierige Frage, mit der sich Jeff Kowalski auseinandergesetzt hat. Nach Überlieferungen des *Popol Vuh* und der wenigen erhaltenen Codices war der Ara ein Symbol der Sonne. Da alle Skulpturen vom Ballspielplatz A-III das *ak'bal* -Zeichen tragen, könnten sie die Sonne der Unterwelt verkörpern, die die Mächte der Dunkelheit und des Todes bekämpft. Seit langem schon betrachtet man das mesoamerikanische Ballspiel in seiner religiösen Bedeutung als Ritual, das die Fortdauer der Naturzyklen gewährleisten sollte, so die Bewegung der Sonne und anderer Himmelskörper, den Ablauf der Jahreszeiten und die wiederkehrende Fruchtbarkeit.

Die vegetabilischen Ornamente auf den Wasserableitern der Ballspielplatz-Bauten und die 32fache Wiederholung des Maismotivs auf den Fassaden weisen deutlich auf den Fruchtbarkeitskult hin. Wenn der Herrscher oder seine Vertreter die Mächte von Krankheit, Dürre und Tod be-

siegten, symbolisiert in der Ausrüstung der einander gegenüberstehenden Spieler, wie wir es auf dem Ballspielplatzmarkierer sehen (Kat.-Nr. 108), so stellten sie sicher, daß die Sonne erneut triumphierend im Osten aufging und der Regen ausreichend war und zur rechten Zeit einsetzte.

Alle Papageienreliefs des Ballspielplatzes waren ursprünglich rot bemalt, Reste der Farbe sind noch auf dem *ak'bal*-Zeichen unmittelbar über dem Kopf des Vogels sichtbar. Dies fügt sich zur Interpretation des Ara als Sonnengestalt, denn Rot war die Farbe, die in den kosmologischen Vorstellungen der Maya der am meisten verehrten Himmelsrichtung, dem Osten, d. h. dem Land des Sonnenaufgangs, zugewiesen worden war.

W. L. F./B. W. F.

Lit.: T. Proskouriakoff (1963), 31, 39–41; G. Stromsvik (1953), 185–222; B. Fash (1992), 189; J. Kowalski, W. L. Fash (1990)

108
Ballspielmarkierer

Copán, Honduras, Instituto Hondureño de Antropología e Historia, CPN 185
Tuffstein
Dm. 74 cm
Copán, Ballspielplatz A II b
Spätklassik, 695–738 n. Chr.

In der spätesten Ausführung des Ballspielplatzes unter dem 13. Herrscher von Copán, *Waxaklahun Ubah* (»18 Kaninchen«), war dieser skulptierte Ballspielmarkierer in der Mitte des Spielfeldes plaziert worden. Das Relief gibt eine Ballspielszene in der Unterwelt wieder. Die vierblättrige Rahmung (an den leichten Einziehungen am äußeren Rand kenntlich) bedeutet in der Ikonographie der Kunst Mesoamerikas, daß der Betrachter durch eine Art »Portal« in die Unterwelt hinabschaut. Die beiden Ballspieler in Aktion sind vor allem durch ihre Ausrüstung kenntlich gemacht: ihre rechten Unterschenkel, die Hüften und die rechte Hand des rechten Spielers (vom Betrachter aus) sind geschützt. Zwischen den beiden Spielern erscheint ein unverhältnismäßig großer Gummiball.

In der hieroglyphischen Beischrift wird *Waxaklahun Ubah* als Auftraggeber und Stifter dieses Ballspielmarkierers genannt. In dem rechten Spieler darf man wohl

einen der Herren von *Xibalba* sehen, der Unterwelt des Todes, möglicherweise den Gott der Zahl »Null«. Man erkennt ihn an der Hand über seiner unteren Gesichtshälfte und den schraffierten Stellen auf seinem Bein, Kennzeichen für die sich zersetzende Haut dieser Inkarnation des Todes.

Bei der linken Figur handelt es sich nach allem wohl um einen der Göttlichen Zwillinge, speziell *Hunahpu* (nach der Überlieferung des *Popol Vuh*). Ins Bild gebracht ist wohl die berühmte und lang ausgeführte Episode vom alles entscheidenden Ballspiel: in einer Folge von langen und mühsamen Spielwechseln gelingt den Göttlichen Zwillingen letztlich der Sieg über die Herren der Unterwelt. Einige Wissenschaftler sind der Auffassung, daß der Fürst *Waxaklahun Ubah* selbst als *Hunahpu* auftrat und in dessen Rolle die Mächte des Bösen, der Dunkelheit und des Todes überwand. Kurz nachdem dieser und zwei weitere solcher Ballspielmarkierer im Boden des Platzes A II b eingesenkt worden waren, ließ *Waxaklahun Ubah* die gesamte Anlage erneuern, indem er die Nord-Süd-Achse ein wenig verlagerte und etwas weiter nach Norden ausgriff. Man geht wohl nicht fehl in der Annahme, daß der exzellente Erhaltungszustand der Reliefs allein darauf zurückzuführen ist, daß auf diesem Platz nicht sehr lange gespielt wurde; denn die Exemplare vom Spielplatz II a (früher) und der späteren Anlage III, vertreten durch das Papageien-Relief (siehe Kat.-Nr. 107), sind wesentlich stärker abgenutzt. W. L. F./B. W. F.

Lit.: L. Schele und M. E. Miller (1986), 252; J. Kowalski und W. Fash (1991)

109
Kopf eines Fürsten

Copán, Honduras, Instituto Hondureño de Antropología e Historia, CPN-244
Tuffstein
H. 64 cm
Copán, Tempel 10 L-22
Spätklassik, 695–738 n. Chr.

Dieses großartige Werk der Bildhauerkunst von Copán war einst Teil einer überlebensgroßen Statue, die den Dachaufsatz des Bauwerks 10 L-22 zierte, eines Gebäudes, das in der Wissenschaft die Bezeichnung »Tempel der Meditation« führt. Zwei solcher Köpfe waren bereits 1885 von Alfred Maudslay gefunden worden, zwei weitere kamen durch Mitglieder des Peabody Museums-

Expeditionen in den neunziger Jahren des vorigen Jahrhunderts zutage, nochmals zwei, darunter das vorliegende Exemplar, entdeckten die Archäologen der Carnegie Institution of Washington Ende der dreißiger Jahre unseres Jahrhunderts. Fragmente weiterer solcher Köpfe sind in Oberflächen-Depots des Copán Mosaics Project sichergestellt worden. Bei eingehenden Untersuchungen an den Fragmenten und Rekonstruktionsversuchen stellte Barbara Fash fest, daß die Körperteile dieser Figuren ein so hohes Relief aufweisen, daß sie auf keinen Fall als Fassadenschmuck in Frage kommen, sondern vielmehr zum Dachaufbau gehört haben müssen. Was die Ikonographie angeht, so konnte B. Fash überdies nachweisen, daß einige dieser »Dachfiguren« als Krieger in voller Rüstung, mit Lanzen ausgestattet, wiedergegeben waren.

Mit großer Wahrscheinlichkeit handelt es sich bei diesen Skulpturen um Darstellungen von Ahnen, die im wahrsten Sinne des Wortes an der höchsten Stelle des Tempels 22 residierten. Seine Eckenzier bestand aus *tun witz* (Witz-Ungeheuern) und kennzeichnete so das Bauwerk als »Steinernen Berg«. Im Hochland von Guatemala und Chiapas (Mexiko) gehören Berge noch heute zu den zutiefst verehrten Stätten der Maya, weil man sie sich von den Ahnen in den Höhlen bewohnt vorstellt. In Prozessionen ziehen die Maya dorthin, stellen Kreuze auf und bringen Weihrauchopfer zu Ehren ihrer Vorfahren dar. Tempel 22 war offenbar ein von Menschenhand geschaffener »heiliger Steinberg«, mit Skulpturen der Vorfahren geschmückt. Ihnen galt die Verehrung, und sie wurden um Rat gefragt, ihre Fürsprache wurde erbeten.

Der üppige Kopfschmuck steht völlig im Einklang mit der Deutung der Figur als königlicher Vorfahr. Die Skulpturen vom Tempel 22 gehören zu den künstlerisch besten Arbeiten von Copán. Auftraggeber dieses Bauwerks war der Herrscher *Waxaklahun Ubah* (»18 Kaninchen«), der wohl als der größte Förderer der Künste in die Geschichte Copáns eingehen dürfte. W. L. F./B. W. F.

Lit.: B. Fash (1992); L. Schele und M. E. Miller (1986), 144; M. E. Miller (1986); L. Schele und D. Freidel (1990), 315; W. Fash (1991), 113

110
Kopf des *Witz*-Ungeheuers

Cambridge, Peabody Museum of Archaeology and Ethnology,
Harvard University, Inv.-Nr. 95-42-20
Tuffstein
H. 45 cm
Copán, Honduras, wahrscheinlich aus der Umgebung von
Tempel 22
Spätklassik, 600–900 n. Chr.

Steinskulpturen als Architekturschmuck sind im Vergleich zu anderen Regionen des Maya-Gebietes speziell in Copán besonders zahlreich belegt. Dafür lassen sich verschiedene Gründe anführen, darunter auch der, daß das Holz, das man zum Brennen von Stuck benötigte, im engen Copán-Tal immer seltener wurde und man daher mit dieser wertvollen natürlichen Rohstoffquelle in der Spätklassik sorgsamer umgehen mußte als in der Frühklassik. Unter *Waxaklahun Ubah*, dem dreizehnten König von Copán, erreicht die Monumentalskulptur eine künstlerische Ausdruckskraft, die alles zuvor Geschaffene dieser Maya-Stadt in den Schatten stellt. *Waxaklahun Ubah* muß ein geradezu leidenschaftlicher Förderer der Bildhauer gewesen sein, denn unter seiner Herrschaft nimmt

auch die Qualität der Skulpturen, mit denen die Bauwerke im Zentrum Copáns geschmückt wurden, in großem Umfang zu. Wenn auch die genaue Zahl der aus Copán bekanntgewordenen Skulpturen und Skulpturfragmente nicht ermittelt werden kann, so dürfte sich aber inzwischen sicher eine fünfstellige Zahl ergeben.
Der abgebildete Kopf trägt über den Augen und auf der Rüsselnase das Traubenmotiv, das die Maske als die des *Witz*- oder Steinungeheuers charakterisiert, der Personifizierung von Berg und Fels. Das gleiche Motiv ist übrigens auch für den Altarfuß aus Piedras Negras belegt. Noch heute schmücken große Masken dieser Gottheit, die aus mehreren Teilen zusammengesetzt sind, die Ecken von Tempel 22, jenes damit als heiligen steinernen Berg gekennzeichneten Gebäudes, mit dessen Fertigstellung *Waxaklahun Ubah* den fünften Jahrestag seiner Thronbesteigung begangen hat. Leider wissen wir nicht genau, welchem Bauwerk das von uns anzusprechende Architekturfragment zuzuordnen ist, die große Ähnlichkeit mit den Masken von Tempel 22 spricht jedoch dafür, daß die Skulptur noch zu den Zeiten *Waxaklahun Ubahs* fertiggestellt worden ist und wohl auch von einem der von ihm um den Osthof herum errichteten Gebäude stammt. N. G.

111
Maisgott

Cambridge, Peabody Museum of Archaeology and Ethnology,
Harvard University, Inv.-Nr. 95-42-20/C728
Tuffstein
H. 60 cm
Copán, Honduras
Spätklassik, wohl 695–738 n. Chr.

Dieser Kopf des jungen Maisgottes vereinigt alle Züge des
Klassischen Schönheitsideals der Maya in sich: das volle,
lange Haar ist nach hinten zurückgekämmt, eine hohe,
leicht fliehende Stirn, mandelförmige Augen mit schweren Lidern, eine ausgeprägte Nase, die ohne Höcker in
die Stirn übergeht, und schließlich die vollen Lippen.

Zwei große runde Ohrringe sind der einzige Schmuck.
Aus dem Kopf sprießt ein junger Maistrieb, der den Kopf
damit eindeutig als den des jungen Maisgottes identifiziert, dessen Name in der Klassischen Zeit *Hun Nal Ye* lautete, »Eins-Maiskolben-Ergreifer«.
Der Kopf diente einst als Teil des Architekturschmucks
eines Bauwerkes. Der vollplastische Stil, aber auch die
Eleganz der Darstellung sind charakteristisch für die
Skulpturen, die der 13. König von Copán, *Waxaklahun
Ubah*, anfertigen ließ. Ein ganz ähnlicher Kopf – ebenfalls
im Peabody-Museum – wurde vor Tempel 22 aufgefunden, dem Bauwerk, mit dem *Waxaklahun Ubah* das
Hotun-Jubiläum seiner Thronbesteigung feierte. Somit
erscheint wahrscheinlich, daß auch der hier ausgestellte
Kopf ein Teil des Fassadenschmucks von Tempel 22 gewesen ist.   N. G.

Wie für viele weitere Fragmente aus dem Bereich des Osthofes der Akropolis fehlt auch für diesen Kopf eine genauere Zuweisung, so daß über die Einordnung in das Bildprogramm des Architekturschmucks nur Vermutungen angestellt werden können. Der prächtige Ohrschmuck deutet darauf hin, daß hier eine Person hohen Standes wiedergegeben war, doch über diese Feststellung hinaus ließe sich nur spekulieren, so daß vor allem auf die große Könnerschaft der Bildhauer von Copán verwiesen sei. Ausgrabungen an den Rückseiten der Bauten 18, 21, 21 A, 22 und 22 A haben keine vergleichbaren Stücke zutage gefördert, so daß man daraus wohl schließen darf, daß dieser Kopf nicht von den genannten Strukturen stammt. Weiter darf man dann wohl annehmen, sozusagen im Ausschlußverfahren, daß dieses Bildnis mit dem vornehm-gesammelten Gesichtsausdruck ursprünglich zu Struktur 19 oder 20 gehörte. Letzte Spuren dieser Bauwerke verschwanden zu Beginn unseres Jahrhunderts im Copán-Fluß, der damals noch viel näher an der Akropolis vorbeifloß. Schon aus den Plänen, die John L. Stephens – der berühmteste unter den Wiederentdeckern der Maya-Stätten – bei seinem Besuch in Copán im Jahre 1839 zeichnen ließ, geht hervor, daß der Fluß Mauerteile der Akropolis weggerissen hatte: »Der Strom war breit und stellenweise tief, reißend und mit ungleichem und steinigem Bette . . . Wir ritten . . . längs dem Ufer hin, bis wir an den Fuß der Mauer kamen . . . Die Mauer war aus gehauenen Steinen aufgeführt . . .« Ähnlich schildert den Zustand ein hoher spanischer Beamter, der auf einer Inspektionstour durch mehrere Provinzen Guatemalas und El Salvadors nur rund fünfzig Jahre nach der Eroberung hierher kam: »An einer Seite dieses Bauwerks befindet sich ein Turm, oder vielmehr eine Terrasse, die sehr hoch ist und beherrschend über dem Fluß liegt, der an ihrer Basis vorbeifließt. An dieser Stelle ist ein großes Stück der Mauer eingestürzt.« Nachdem der Fluß in der Klassischen Zeit von den Bewohnern von Copán schon einmal reguliert worden war, gruben sich seine Wasser nach dem Verfall der Stadt wieder tief in ihr einstiges Bett zurück. Um die Ruinenstätte ein für allemal vor der fortschreitenden Zerstörung zu bewahren, wurde der Fluß im Zuge umfangreicher und umfassender Grabungs- und Restaurierungsarbeiten der Carnegie Institution und der Regierung von Honduras in den dreißiger Jahren unseres Jahrhunderts erneut umgeleitet.

W. L. F./B. W. F.

112
Kopf-Fragment einer Skulptur

Copán, Honduras, Instituto Hondureño de Antropología e Historia, CPN 620
Tuffstein
H. 38 cm
Copán, von einem der Tempel am Osthof, möglicherweise Struktur 10 L-19 oder 10 L-20
Spätklassik, 600–900 n. Chr.

Lit.: J. L. Stephens (1980), 21; W. L. Fash (1991)

113
Kopf des Maisgottes

Copán, Honduras, Instituto Hondureño de Antropología
e Historia, CPN 630
Tuffstein
H. 32 cm
Copán, Westseite von Tempel 22
Spätklassik, 695–738 n. Chr.

Bei Ausgrabungen der Westseite von Struktur 10 L-22 fand Aubrey Trik in den dreißiger Jahren unseres Jahrhunderts u. a. auch diesen Kopf. Weitere Parallelen waren bereits von Maudslay und den Archäologen des Peabody Museum, die in Copán arbeiteten, entdeckt und mitgenommen worden. Alfred Maudslay war es auch, dem für die jugendlich-rundlichen Bildnisköpfe die Bezeichnung »Singing Girls« einfiel. Die Maisblätter jedoch und bei einigen gut erhaltenen Exemplaren auch die Maiskolben belegen eindeutig, daß es sich nicht um weibliche Wesen, sondern um Bildnisse des Maisgottes handelt, den Schutzgott der Zahl »8«. Eine Reihe von Körperpartien, ebenfalls aus dem Schutt dieses Bauwerks geborgen, paßt zu den Kopffragmenten. Unterschenkel ließen sich jedoch nicht nachweisen. Mary Miller schlägt daher vor, daß die Halbgestalten der Maisgötter an allen vier Kanten des Gebäudes aus den Masken von *tun witz*-Wiedergaben (Steinberg-Verkörperungen) »herauswuchsen«. Wenn dieser von *Waxaklahun Ubah* in Szene gesetzte Tempelbau als der krönende Abschluß eines von Menschenhand errichteten heiligen Berges aufzufassen ist, so wuchs auf diesem Berg Mais, eines der wichtigsten Grundnahrungsmittel der Maya: der Stoff, aus dem nach der Überlieferung des *Popol Vuh* in der vierten Schöpfung der Welt die Menschen selbst geschaffen worden waren. W. L. F./ B. W. F.

Lit.: A. P. Maudslay (1889–1902), Vol. I, pl. 17; L. Schele und M. E. Miller (1986), 144

114
»Personifikations«-Kopf

Copán, Honduras, Instituto Hondureño de Antropología
e Historia, CPN-15702
Tuffstein
H. 78 cm
Copán, ältere Phase von Struktur 10 L-26
Spätklassik, vor dem 8. Jh. n. Chr.

Im Pyramidenunterbau von Struktur 10 L-26 sind eine
Reihe früherer Bauten verborgen, die die Jahrhunderte
noch vor den Anfängen der Königsdynastie im 4. Jh.
n. Chr. und der Endphase des Komplexes mit der Hieroglyphentreppe im Jahre 761 n. Chr. umspannen. Eines
dieser Bauwerke trägt die provisorische Bezeichnung
»Hijole-Struktur« und enthielt eine Reihe von Skulpturen-
fragmenten mit Zapfen, darunter auch das vorliegende
Objekt. Man nimmt an, daß sie die Fassade dieses Gebäudes schmückten, dessen Oberteil abgetragen und als Füllmaterial verwendet wurde, bevor man darüber den späteren Bau errichtete.
Den Kopf mit fratzenhaftem Antlitz – in der früheren
Literatur meist »Groteske« genannt – zeichnen ein skelet-
tierter Unterkiefer und große, runde »Tieraugen« aus,
die im allgemeinen als Merkmal des Übernatürlichen gelten: Der nicht näher zu bestimmende Wasservogel auf
dem Kopf ist das eigentliche übernatürliche Wesen, das
sich sozusagen in diesem Kopf »personifiziert«, möglicherweise verband es die Oberwelt der Lebenden mit
der Wasser-Unterwelt, dem Aufenthaltsort der Ahnen
und Geister.
Ähnliche Skulpturen sind auch von den letzten Bauten
der Struktur 10 L-22 bekannt, dem sog. »Meditationstem-
pel«. Das Team des »Copán Mosaics Project« fand dort bei
Grabungen 1988 Fragmente von Vogelköpfen, die praktisch identisch mit dem des »Hijole-Struktur«-Kopfes sind
und zu ähnlichen »Grotesken« gehörten. Die Köpfe von
Tempel 22 sind in vielen Fällen mit »Venus-Zeichen« zu
seiten des Personifikationskopfes ausgestattet, was bei
dem vorliegenden Exemplar nicht zutrifft. Nach Abschluß der Ausgrabungen der »Hijole-Sruktur« im Jahre
1992 wird man den Zusammenhang, in den diese Skulptur gehört, sicher besser verstehen.   W. L. F./B. W. F.

Lit.: W. Fash (1991); W. Fash, R. Williamson, R. Larios, J. Palka (1992);
H. Spinden (1913); A. Trik (1939)

115
Kopf eines Jaguars

Copán, Honduras, Instituto Hondureño de Antropología
e Historia, CPN 621
Tuffstein
H. 36 cm
Copán, Tempel der Hieroglyphentreppe, Struktur 10 L-26
Spätklassik, 8. Jh. n. Chr.

Dieser Kopf gehört zu den Kostümelementen einer
Königsfigur, die überlebensgroß in voller militärischer
Rüstung einen der Herrscher von Copán dargestellt hat.
Erinnert sei in diesem Zusammenhang an die azteki-
schen Militärorden der Jaguare und Adler, die bei den
frühen spanischen Chronisten, die sich mit den kulturel-
len Traditionen Mesoamerikas befaßten, große Beach-
tung fanden und häufig erwähnt werden. Während der
Endklassik gab es den Jaguar- und Adlerorden sowohl in
Zentralmexiko (Cacaxtla) als auch in Yucatán (Chichén
Itzá), frühere Ansätze sind schwer nachweisbar. In der
Klassischen Periode tritt der Jaguar als Beschützer der
Herrscherfamilie auf. Die Malereien von Bonampak belegen, daß der Fürst und seine höchstrangigen Krieger in
Jaguarfellen in den Kampf zogen und Jaguarembleme
zur Rüstung gehörten (Abb. 48), und so deutet auch der
Jaguarkopf aus Copán auf die Verbindung von Herr-
scherfamilie, Krieg und Raubkatze hin.

Die berühmte Hieroglyphentreppe von Struktur 10 L-26
ist schon seit langem als eines der herausragendsten kulturellen Zeugnisse des ursprünglichen Amerika gewürdigt worden, denn hier findet sich die längste Hierogly-
pheninschrift der präkolumbianischen Welt. Die Inschrift und die in der Zentralachse angebrachten
Königsbildnisse stellen eine Huldigung an die Dynastie
von Copán dar, die an dieser Stelle 300 Jahre ihrer Geschichte ausbreitete.

Über 1200 Hieroglyphenblöcke mit mehr als doppelt so
vielen einzelnen Hieroglyphenelementen zierten die Stufen des Pyramidenunterbaus für einen Tempel, der weitaus weniger bekannt ist, aber auch mit Inschriften versehen war. Über 3000 mit Zapfen versehene Skulpturen-
fragmente belegen, daß dieses Bauwerk ebenfalls mit
Reliefmosaiken geschmückt war. Unter diesen Fragmenten lassen sich sechs überlebensgroße Sitzfiguren ausmachen, die in der linken Hand einen Schild hielten, während die rechte aller Wahrscheinlichkeit nach eine Lanze

umklammerte. Der Jaguarkopf gehörte zum Schmuck
dieser fürstlichen Kriegsherren vom Dachaufbau des
Tempels 26, zu dem die Hieroglyphentreppe hinauf-
führte.

Das im Umkreis geborgene Material wird noch immer
analysiert, so daß es verfrüht wäre, entscheiden zu wollen, welchen der Könige dieser und drei weitere solcher
Jaguarköpfe zierten, die bei Ausgrabungen an der Südseite des Bauwerks zum Vorschein kamen. Bliebe zum
Schluß ein Hinweis auf Altar Q (Abb. 58, 59), ein weiteres
denkwürdiges Monument der Verherrlichung der Dynastie. Dort fand man in einer unterirdischen Krypta die
Überreste von fünfzehn Jaguaren, die der sechzehnte
König von Copán und Stifter des Altars Q geopfert hatte,
jeweils einen für jeden seiner 15 Vorfahren.

W. L. F./B. W. F.

Lit.: T. Proskouriakoff (1961); D. Stuart und L. Schele (1986); W. Fash
(1988); W. Fash (1991); D. Stuart (1989)

116
Kopf eines Herrschers

New York, National Museum of the American Indian, Heye
Foundation, Inv.-Nr. 0/8601
Stein
H. 30 cm
Copán, Honduras
Spätklassik, 600–900 n. Chr.

Ein Maya-Bildhauer hatte zwei Möglichkeiten, sich selbst
und seine Kreativität zum Ausdruck zu bringen. In den
meisten Gebieten diktierte die Tradition Form, Umriß
und Inhalt, und daher sind Stelen und Altarkomplexe
sowohl in Früh- als auch in Spätklassischen Städten der
Maya weit verbreitet. Diese Tradition der Monumentalkunst läßt sich zurückverfolgen bis in die Spätformative
Periode des Hochlandes und der pazifischen Küstenregion. Die Monumente dieser Gebiete zeigen Arbeiten
im flachen Relief von höchster Qualität.

Aber aus dieser Zeit sind auch rundplastische Arbeiten
bekannt. Monte Alto, Kaminaljuyú und Abaj Takalik belegen diese andere Tradition. Aus ihr entwickelten später
Maya-Bildhauer in Copán und an einigen wenigen anderen Orten einen völlig eigenständigen Stil: Stelen wurden
ebenso wie Menschen- und Tierköpfe rundplastisch ausgearbeitet. Diese Tradition war freier als die der eher
konservativ anmutenden Stelen- und Altarkomplexe im
zentralen Petén; nachdem sie einmal die Grenzen der
Form überschritten hatte, entwickelte sie sich frei und
ohne Begrenzungen außer denen, die durch die inhaltlichen Bedürfnisse und die verfügbaren Materialien vor-
gegeben waren.

Copán ist der vielleicht berühmteste Ort für diesen Typus
von Skulpturen. Hier sind viele der Stelen fast vollständig
rundplastisch ausgearbeitet, und die dekorativen Ara-
papageien, die Affen und anderen Tiere, die verschwen-
derisch die Gebäude der Stadt schmücken, sind schöne
Beispiele für eine so überquellende Kreativität, daß man
es fast »barock« nennen kann.

Dieses Stück ist nicht vollständig rundplastisch, aber
doch mehr als nur im hohen Relief herausgearbeitet. Ein
junger Herrscher, bei dem es sich vielleicht um den Maisgott handelt, mit Ohrpflöcken und einem Halsschmuck
aus zylindrischen Einzelteilen, ist in voller Frontalität
dargestellt. Vermutlich handelt es sich bei dem Stück
um einen Bestandteil einer Fassadendekoration von der
Akropolis von Copán.   F. F.

117
Rauchopfergefäß in Gestalt eines Truthahns

Copán, Honduras, Instituto Hondureño de Arqueología
e Historia, CPN 616
Tuffstein
H. 28 cm
Copán, vom Ballspielplatz
Spätklassik, 8./9. Jh. n. Chr.

Archäologen der Carnegie Institution fanden vor Jahrzehnten im Bereich der spätesten Anlage des Hauptballspielplatzes ein Fragment dieses Opfergefäßes, das bereits im Altertum zerbrochen war. Dabei handelt es sich um das deutlich heller gefärbte Fragment, das seinerzeit von Stromsvik veröffentlicht wurde. Der durch Brandeinwirkung dunkel verfärbte Teil wurde später gefunden und 1988 von Barbara Fash als zugehörig erkannt. In seinem Bericht über die Ballspielplätze merkte Stromsvik an, daß zur Zeit der spanischen Eroberung in Zentralmexiko während bestimmter Riten vor Beginn des Spiels ein Weihrauchopfer dargebracht wurde, und so schlug er vor, daß diese Sitte auch in Copán und an anderen Höfen der Klassischen Periode anzunehmen sei. Truthähne sind häufiger in Maya-Codices bei Opferriten dargestellt worden, und bei religiösen Zeremonien der Maya-Bevölkerung, die an ihren alten Traditionen festhält, wird noch heute nicht selten ein Truthahn geopfert. Über diesen Vogel berichtet so treffend und immer noch aktuell der Brockhaus von 1903: »Der Truthahn ist eine aus einer Gattung und drei Arten bestehende Unterfamilie der Fasanenvögel, die das südliche Nordamerika von den mittleren Vereinigten Staaten bis nach Guatemala bewohnt. Es sind sehr schöne Tiere, namentlich *Meleagris ocellata* von Guatemala, aber auch *Meleagris mexicana*, ein stolzer, prächtiger Vogel, dem sein wahrscheinlicher, degenerierter Nachkomme, der domestizierte Truthahn (*Meleagris gallopavo*), nicht entfernt gleichkommt. Das Tier fanden die Europäer in Mittelamerika bereits gezähmt vor und brachten es sehr bald danach nach Europa, zuerst 1520 nach Spanien«. W. L. F./B. W. F.

Lit.: G. Stromsvik (1952), 192, fig. 19e

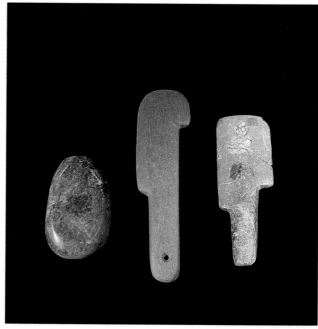

118 a, b
Steingeräte

Copán, Honduras, Instituto Hondureño de Antropología e
Historia
Kalkstein
a) L. 30 cm, Inv.-Nr. CPN-42
b) L. 15 cm, Inv.-Nr. CPN-62 (Fragment)
Copán, Las Sepulturas, Patio C, Struktur 9 N-8
Spätklassik, 600–900 n. Chr.

Geräte dieses Formats und dieser Zurichtung wurden für
die Herstellung von »Papier« aus Rindenbast benötigt.
Das Bastmaterial stammte häufig von Bäumen der Ficus-
Gattung. Untersuchungen an Maya-Codices haben erge-
ben, daß die Bastfiber durch Aufweichen und Klopfen
der formbaren Substanz so verändert wurde, daß das
Endprodukt wirklichem Papier – einer Erfindung der
Chinesen – sehr nahe kam. Die mit einer Rille an den
Schmalseiten versehenen Steine (b) wurden wohl ge-
schäftet, d. h. mit einer Art Griff ausgestattet.
Die Codices der Maya fielen nicht nur als »heidnisches
Teufelszeug« regelrechten Bücherverbrennungen der
christlichen Missionare zum Opfer, sondern mögen auch
häufig durch Unachtsamkeit und Unkenntnis ihrer Bedeutung für die Nachwelt zerstört worden sein. Einen
Hinweis in dieser Richtung gibt Diego Garcia de Palacio,
wenn er in seiner »Carta dirigida al Rey de España« von

1576 in Zusammenhang mit der Besichtigung der Ruinen
von Copán bemerkt: »Auf jede Weise habe ich versucht,
von der Bevölkerung zu erfahren, ob denn in ihrer Überlieferung durch ihre Vorfahren nichts bekannt wäre
über die einstigen Bewohner dieser Stätte, aber sie besitzen keine Bücher über ihre Altertümer, und ich glaube,
daß es im ganzen weiten Distrikt keines gibt außer dem
einen, das sich in meinem Besitz befindet.«

W. L. F./B. W. F.

Lit.: D. G. de Palacio (1860), 95 f.

119 a, b, c
Steingerätschaften

Copán, Honduras, Instituto Hondureño de Antropología
e Historia
a) Polierstein, Inv.-Nr. CPN-31
   Grünes Hartgestein
   L. 16 cm
b) Axt, Inv.-Nr. CPN-47
   Schiefer
   L. 39 cm
c) Axt, Inv.-Nr. CPN-50
   Schiefer
   L. 28.8 cm
Copán, Las Sepulturas, Patio C, Struktur 9 N-8
Spätklassik, 600–900 n. Chr.

Die beiden Äxte sind aufgrund ihres Materials nicht als Werkzeug gebraucht worden, sondern wohl am ehesten als »Prunkäxte« im Sinne von Abzeichen der Amtswürde zu deuten. Diese Interpretation liegt nahe, wenn man den »Bericht aus Yucatán« von Diego de Landa zum Vergleich heranzieht. Im Zusammenhang mit der Verwaltungsorganisation des Postklassischen Staatswesens von Mayapán schreibt er: »Die Häuptlinge ordneten an, da es in dem ummauerten Bezirk [der Stadt] nur Tempel und Häuser für die Häuptlinge und den Oberpriester gab, daß man Häuser außerhalb der Mauer bauen sollte, wo jeder von ihnen einige Leute zu seiner Bedienung unterbringen könnte . . . und in diesen Häusern setzte jeder [der Häuptlinge] einen Verwalter ein, der als Zeichen einen dicken und kurzen Stab trug.« Zum anderen ergibt sich aber auch aus dem Fundort ein Hinweis auf eine solche Verwendung der beiden Steinäxte, denn sie stammen aus der Residenz einer adligen Familie im Viertel von Las Sepulturas (vgl. Kat.-Nr. 126). W. L. F./B. W. F.

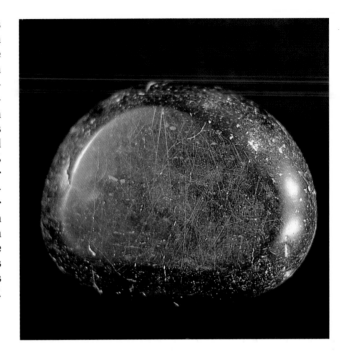

120
Polierstein

Copán, Honduras, Instituto Hondureño de Antropología e Historia CPN 55
Grünes Hartgestein
L. 17 cm
Copán, Las Sepulturas, Patio C, Struktur 9 N-8
Spätklassik, 600–900 n. Chr.

Poliersteine dieser Form und dieses Materials benutzte man wohl zum Glätten der mit Kalkstuck verputzten Bauteile, solange die Oberfläche noch feucht war.
Der Stein ist auf der einen Seite vollkommen glatt abgearbeitet und liegt ausgesprochen gut in der Hand. Kratzer auf der Steinoberfläche zeigen an, daß er über eine weiche Masse gezogen worden ist, die einige wenige sehr feine, aber harte Partikel enthielt. Sie wurden während des Poliervorganges mitgezogen. Ein Kalkstucküberzug versiegelte in Copán vor allem die horizontalen Flächen der Bauwerke und Platzanlagen: Böden, Terassen und Dächer wurden auf diese Weise vor den tropischen Regenfällen geschützt. In bestimmten Abständen erneuerte man auch die häufig in leuchtenden Farben bemalten Architekturteile, ebenfalls eine Bauerhaltungsmaßnahme. Sobald aber die Städte verödeten und der Putz Risse bekam, überzog üppige Vegetation die von Menschenhand geschaffenen Hügel, so daß sie oft nach kurzer Zeit schon nicht mehr von ihrer natürlichen Umgebung zu unterscheiden waren. W. L. F./B. W. F.

121
Weihrauchgefäß

Copán, Honduras, Instituto Hondureño de Antropología
e Historia
Ton, bemalt
H. 105 cm, Dm. 34 cm
Copán, Struktur 26, vor Grab XXXVII-4
Spätklassik, 7. Jh. n. Chr.

Struktur 26 von Copán ist eine der bemerkenswertesten architektonischen Anlagen im Maya-Gebiet. Als eines der größten Gebäude Copáns erhebt sie sich hoch über den Platz unmittelbar vor Copáns Ballspielanlage. Die Treppe, die zu dem Tempelgebäude auf Struktur 26 führt, ist mit über 2000 Hieroglyphen beschriftet und stellt die längste Steininschrift im Maya-Gebiet dar. Es ist verständlich, daß ein so wichtiges Gebäude das Interesse der Archäologen auf sich lenkt, und so wurde Struktur 26 im Rahmen des von William Fash geleiteten Ausgrabungsprojektes untersucht. Ziel der Arbeiten war nicht nur die Rekonstruktion und Entzifferung der Inschrift der Hieroglyphentreppe, sondern auch die Untersuchung der Baugeschichte von Struktur 26 und der Akropolis von Copán überhaupt. Zu diesem Zweck wurde in schwerster Arbeit ein Tunnelsystem in die Akropolis getrieben, das es ermöglichte, frühere Bauwerke, die von späteren Bauten einfach überdeckt wurden, aufzufinden und zu dokumentieren, ohne die späteren, darüberliegenden Bauschichten abzutragen. In jahrelanger und bis heute noch nicht abgeschlossener Arbeit grub man tiefer in die Akropolis hinein und machte auf diese Weise eine Art Zeitreise von der Späten Klassik in die Anfänge Copáns in der Späten Präklassik. Heute weiß man, daß die ersten Tempel und Palastanlagen an der Stelle der Akropolis schon vor *Yax K'uk' Mo'*, dem Gründer der Königsdynastie von Copán, angelegt wurden.

Im Frühsommer des Jahres 1989 stießen die Archäologen Richard Williamson und William Fash bei der Untertunnelung von Struktur 26 auf eine Säule, ein Opferensemble von kostbaren bemalten Keramiken und auf eine überwölbte Kammer, die mit Schutt angefüllt war. Als der Schutt beiseite geräumt wurde, entdeckten die Archäologen eine Reihe von großen Steinplatten, die, als man sie vorsichtig zur Seite schob, den Blick auf ein Grab freigaben, das größte und schönste aller bis dahin in Copán entdeckten Gräber. Wer war nun die dort beigesetzte Person, die so wichtig war, daß man ihr Jadeperlen, 44 Keramiken, zahlreiche Muschelschalen und sogar einen Codex als Grabausstattung mitgab? Der völlig zerfallene Codex, aber auch eine Schale mit dem Bildnis eines Schreibers deuten darauf hin, daß der hier Bestattete wirklich ein Schreiber war. Dafür spricht auch, daß eines der kleinen Tongefäße noch Reste von rotem Pigment enthielt. Das Grab konnte aufgrund der Stratigraphie und der assoziierten Keramiken in die Zeit des zwölften Herrschers von Copán, Rauch-*Imix* Gott K, datiert werden. Da der Grabherr an so prominenter Stelle im Herzen der Akropolis beigesetzt wurde, vermuten die Archäologen, daß er ein naher Verwandter von Rauch-*Imix* Gott K war, vielleicht sogar einer seiner Brüder. Leider gibt uns kein Hieroglyphentext über die Identität des Bestatteten eine zuverlässige Auskunft.

Bei der systematischen Ausgrabung der ganzen Grabanlage fand man östlich, westlich und südlich der Grabkammer große Weihrauchgefäße mit figürlich verzierten Aufsätzen, die zwar zerbrochen waren, aber in mühevoller Kleinarbeit wieder zusammengefügt werden konnten. Die hier ausgestellte Keramikfigur ist Teil eines solchen Aufsatzes. Der Realismus der Darstellung und die Größe der Figuren haben im ganzen Maya-Gebiet keinen Vergleich. Die Figur trägt einen turbanartigen Kopfschmuck, der Ähnlichkeiten mit dem Turban hat, der von einigen der Figuren auf der Bank von Tempel 11 und von *Yax Pak* und seinen fünfzehn Vorgängern auf Altar Q getragen wird. Es scheint, daß dieser Kopfputz zu den spezifischen Attributen der Könige von Copán gehört. Wenn dies so ist, kann man die Figur als die eines Königs von Copán deuten. Über den Turban ist ein Stoff gelegt, der aus verschiedenen Bahnen zu bestehen scheint, die in der Mitte zusammengeknotet sind. Auf der Stirn ist ein eigentümliches Schmuckelement befestigt, das keine Entsprechung in der Kunst der Maya hat. Zwei große zylindrische Ohrpflöcke, einst in lebhaften Farben bemalt, umrahmen das fast völlig von Schmuck bedeckte Gesicht. Unterhalb des Mundes hängen zwei gekreuzte Bänder, zwei Knoten und ein langer Stoffstreifen bis auf den Oberkörper herab. Die Verbindung von gekreuzten Bändern und Knotenreihen kommt in der Maya-Ikonographie bei Personen und Götterdarstellungen vor, die mit Selbstkasteiung assoziiert sind. Vielleicht ist auch der über den Turban hängende Stoff ein Attribut, das die Fürsten von Copán während oder nach dem Opfer des eigenen Blutes trugen. Eine als Schleife vor den Hals gebundene Kette aus farbigen Perlen vervollständigt die sehr ungewöhnliche Ausstattung dieses Meisterwerkes copanekischer Töpferkunst. Die Figur sitzt mit angewinkelten Armen und breitbeinig auf dem runden, rot bemalten Deckel des Räuchergefäßes. Die Haltung der Arme läßt die Figur besonders lebhaft erscheinen. Auf die Ausformung des Körpers, des Lendenschurzes und der Beine hat der Künstler offenbar weniger Mühe ver-

wendet als auf die sorgfältige Gestaltung des Hauptes; in dieser Schwerpunktsetzung kommt zum Ausdruck, daß diese Figuren nicht als naturalistische Abbildungen der äußeren Form, sondern als Träger einer in Kopfputz und Schmuck verschlüsselten symbolischen Botschaft verstanden wurden.

Das eigentliche Räuchergefäß ist zylindrisch und mit Zapfenreihen verziert, ganz so wie die Räuchergefäße, die noch heute bei den *Tzeltal* und *Tzotzil* im Hochland von Chiapas in Gebrauch sind. In der Klassik bis hin in die Postklassik waren die Zapfenreihen geradezu ein Ausweis, durch das ein Gefäß zu einem Räuchergefäß wurde. Alle Räuchergefäße, die in den Maya-Handschriften dargestellt sind, weisen vergleichbare Zapfenreihen auf. Verschiedene Forscher haben vermutet, daß diese Reihen die kleinen Zapfen in der Rinde des *kopal*-Baumes nachbilden.

Die Figur ist nach dem Brennen bemalt worden, wobei Reste der Farbe sich durch die besondere Fundsituation bis heute erhalten haben. Die großen figürlichen Aufsätze wurden gemeinsam mit den Weihrauchgefäßen vor dem Grab aufgestellt und zerbrochen, um sie rituell zu töten und ihnen die übernatürliche Energie zu nehmen, die ihnen innewohnte.   N. G.

122
Aufsatz eines Weihrauchgefäßes

Copán, Honduras, Instituto Hondureño de Antropología e Historia
Ton, bemalt
H. 58 cm, Dm. 26 cm
Copán, Struktur 26, vor Grab XXXVII-4
Spätklassik, 7. Jh. n. Chr.

Im gleichen Fundzusammenhang wie das zuvor beschriebene Weihrauchgefäß wurde auch diese Figur gefunden. Zwei Gruppen von Räuchergefäßen bewachten das Grab XXXVII-4 unter der Struktur 26, tief im Inneren des Tempelgebäudes, dessen Aufgang die berühmte Hieroglyphentreppe darstellt an seiner West- und seiner Ostseite. Eine größere Gruppe von Räuchergefäßen stand vor der Südseite genau an der Stelle, an der der Eingang zum Grab verschlossen war. Insgesamt wachten elf Räuchergefäße mit figürlicher Verzierung auf dem Deckel über dieses bedeutende Grab eines Schreibers,

der zur Zeit des zwölften Königs von Copán, Rauch-*Imix* Gott K, lebte und, wie an den Knochenfunden ersichtlich, im jungen Alter von 35–40 Jahren starb. Die Anzahl der Räuchergefäße dürfte nicht ohne Bedeutung gewesen sein, denn das Grab wurde mit größter Wahrscheinlichkeit vom zwölften König in Auftrag gegeben; die elf Räuchergefäße könnten daher Porträts seiner Vorfahren sein. Für diese Interpretation spricht auch, daß alle Figuren, so auch die hier gezeigte, den gleichen Kopfschmuck tragen, nämlich einen nach oben breiter werdenden Turban. Es ist dies der gleiche Turban, den die Ahnenporträts, die unter der Ägide von *Yax Pak* gemeißelt wurden – wie Altar Q, die Bank von Tempel 11, und Altar L –, zeigen. Außer bei königlichen Porträts kommt dieser Turban nicht in der Ikonographie von Copán vor. Es ist daher einleuchtend, daß die elf Räuchergefäße die verstorbenen königlichen Vorfahren von Rauch-*Imix* Gott K abbilden.

Nun muß aber ein kleines Räuchergefäß erwähnt werden, dessen figürlicher Aufsatz aus dem Rahmen fällt: Es handelt sich um eine Figur, die kopfüber, fast wie ein Akrobat nach unten stürzt. Könnte diese Figur den Verstorbenen darstellen, der gerade in die Unterwelt hinabfällt, ähnlich wie der tote *Pakal* auf dem Relief, das den berühmten Sarkophagdeckel (vgl. Abb. 52) von Palenque schmückt? Hätten die Maya uns diesbezügliche Texte hinterlassen, könnten wir die figürlichen Aufsätze viel besser deuten. So bleiben wir zunächst auf Vermutungen angewiesen.

Die hier gezeigte Figur trägt den schon erwähnten Turban. Sie ist darüber hinaus mit einer Perlenkette, einem Pektoral vor der Brust und großen blütenförmigen Ohrpflöcken geschmückt. Wie alle Figuren sitzt sie breitbeinig auf dem Deckel, der das Räuchergefäß verschloß. Die Arme sind leicht angewinkelt, so als ob die Figur im Begriff sei, eine manuelle Handlung auszuführen; sie erhält dadurch eine Lebendigkeit, die ganz im Gegensatz zum starren Ausdruck des wohl im Model geformten Gesichts steht.

Die Figur war der Aufsatz auf einem runden Räuchergefäß, das wie die meisten Räuchergefäße der Maya mit Zapfenreihen an den Gefäßwänden verziert war. In einigen der Gefäße wurden sogar noch Spuren von Asche nachgewiesen, ein Zeichen dafür, daß die Gefäße, bevor man sie zertrümmerte, um ihnen ihre magische Kraft zu nehmen, noch als Weihrauchbrenner gedient hatten. Wie alle anderen figürlich verzierten Aufsätze, so war auch dieser in leuchtenden Farben nach dem Brennen bemalt worden. Schwache Farbspuren geben allerdings nur einen unzureichenden Eindruck von der Leuchtkraft, die die Gefäße einstmals besaßen.   N. G.

123
Steinernes Räuchergefäß

Copán, Honduras, Instituto Hondureño de Antropología
e Historia, CPN 601/602
Tuffstein
H. 119 cm
Copán
Spätklassik, 803–820 n. Chr.

Das aus zwei separaten Teilen bestehende Räuchergefäß
ist eines der größten unter Dutzenden ähnlicher Sakral-
geräte aus dem 8./9. Jahrhundert. In der Regierungszeit
des sechzehnten Herrschers von Copán namens *Yax Pak*
(763–820 n. Chr.) war es üblich geworden, auf den
Deckeln der Räuchergefäße inschriftlich die Weihung
festzuhalten, d. h. das Datum, an dem mit einer Zeremonie dem Räuchergefäß »Leben gegeben« worden war.
Überdies nannte man auch die Art des Rituals und den
Namen des Gegenstandes, der »Leben erhalten« hatte. In
diesem Falle handelt es sich um einen *sac laktun*, wörtlich
»eine weiße Steinplatte«. Stifter waren meist König *Yax
Pak* selbst und/oder einer seiner drei Brüder.
Drei große Knoten auf der Unterseite des Gefäßes er-

innern in der künstlerischen Tradition Mesoamerikas
stets an Opfer und Opfergaben, so auch hier. Außer Räu-
cherharzen konnten in diesem Behältnis neben blut-
getränkten Papierfetzen aus Rindenbast – wie in Yaxchilán überliefert (Kat.-Nr. 94) – auch andere Opfergaben
verbrannt werden. Parallele Exemplare solcher Räuchergefäße sind häufig mit Kakaofrüchten verziert, so daß
man sie vielleicht ebensogut als Bottiche zur Aufbewahrung eines Schokoladentrankes interpretieren kann.
Kakao galt als große Delikatesse und war unentbehrliche
Zutat bei religiösen Festen.
Im skulptierten Oberteil oder Deckel verbinden sich
Aspekte von Jaguar und Schlange. Ein wedelförmiges
Element, das aus dem Kopf hervorwächst, erinnert an
ein ähnliches Attribut bei dem Jaguarkopf Kat.-Nr. 115.
Die Inschrift auf der Rückseite des Oberteils vermerkt
zwei Daten der Kalenderrunde und Titel und Namen des
Herrschers *Yax Pak.* Er wird als »Herr der drei *k'atun*« be-
zeichnet, d. h., als dieses Räuchergefäß geweiht wurde,
hatte er die dritte 20-Jahre-Periode seiner Herrschaft begonnen, die er nicht mehr vollenden sollte. Er war zugleich der letzte König von Copán.   W. L. F./B. W. F.

Lit.: D. Stuart (1986); L. Schele (1990)

124

Bildnis des *Yaχ Pak*

London, The British Museum, 333–1886
Kalkstein
H. 104,1 cm, L. 76,2 cm, B. 15,2 cm
Copán, Honduras, Tempel 11
Spätklassik, 775 n. Chr.

Dieses tief ausgeschnittene Relief gehört zum Dekor oberhalb des Ungeheuerrachens, der die Nordtür von Tempel 11 umgab. Das Fragment ist nur eines von vielen, die einst den ganzen Bereich oberhalb der Tür schmückten. Die meisten anderen sind verloren, gestohlen oder verwittert. Zu den wenigen erhaltenen Teilen gehören einige Hieroglyphen, die in Vollfigurenvarianten geschrieben sind. Die hier gezeigte Skulptur stellt den auf einem inzwischen abgebrochenen Thron sitzenden *Yaχ Pak* dar. Ein Bein ist angezogen und ruht auf dem Thron, mit dem anderen berührt er den Boden. Einen Arm hält *Yaχ Pak* vor seinen Oberkörper, mit dem anderen präsentiert er einen Teller, auf dem der Kopf des Gottes *K'awil* liegt. Kleidung und Kopfschmuck beschränken sich auf einen Lendenschurz und auf Perlen, die in das zurückgekämmte Haar geflochten sind. Im Haar steckt eine Blume, deren Blütenstempel die Form einer stark abstrahierten Schlange aufweist. Eine Perlenkette hängt von seinem Hals herab.

Die vier Hieroglyphen identifizieren die Figur eindeutig als Porträt von *Yaχ Pak* und titulieren ihn als *ch'ahom*, als »Verschütter« von Opferblut.

Tempel 11 war das ehrgeizigste Bauprojekt, das *Yaχ Pak*, der sechzehnte König von Copán, in Auftrag gab. Es sollte eine grandiose steinerne Abbildung des Kosmos werden und *Yaχ Paks* Anspruch auf die Macht über Copán zeigen und für immer legitimieren.

Am Südrand der Akropolis und des Platzes vor der Hieroglyphentreppe stand ein altes Bauwerk, das noch von »Mond-Jaguar«, dem zehnten Herrscher von Copán, der 553 n. Chr. den Thron bestieg und 578 n. Chr. starb, als »Heiliger Tempel von Copán, Haus des *Mahk'ina Yaχ K'uk' Mo'*« eingeweiht wurde. Dieses »Haus« war zur Erinnerung an *Yaχ K'uk' Mo'*, den Gründer der Königsdynastie von Copán, erbaut worden. *Butz' Yip*, Vorgänger von *Yaχ Pak*, hatte ungefähr zweihundert Jahre nach Errichtung des »Hauses von *Yaχ K'uk' Mo'*« vor der Nord-Süd-Achse des Bauwerks eine Stele errichtet. Nun überbaute *Yaχ Pak*

dieses alte Gebäude mit einem Tempel, der alles bisher Dagewesene an Monumentalität und Darstellungskraft übertreffen sollte. Der neue Tempel 11 sollte sowohl seine Verbindung zu den Vorfahren dokumentieren als auch seinen Kontakt mit den Göttern, die für das Schicksal der Stadt wichtig erschienen. Darüber hinaus sollte der Tempel die kosmische Ordnung erklären und *Yaχ Pak* als Ordner und Stütze des Kosmos verewigen. Indem *Yaχ Pak* das Haus von *Yaχ K'uk' Mo'* überbaute, nutzte er bereits vorhandene Bausubstanz. Darüber hinaus signalisierte die Überbauung, daß mit *Yaχ Pak* eine neue Herrschaft begann, die sich im buchstäblichen Sinn »auf« die Aktivitäten seiner großen Vorfahren stützte.

Der Beginn der Überbauung durch *Yaχ Pak* ist in den Inschriften nicht festgehalten. Wahrscheinlich war der erste vollendete Bauabschnitt die am Tag 9.16.18.2.12 8 *Eb* 15 *Sip* (27. März 769 n. Chr.), etwa fünf Jahre nach seiner Inthronisation eingeweihte Zuschauertribüne an der Südfassade des neuen Tempels. Von ihr blickt man auf einen darunterliegenden Platz, der als symbolischer Ballspielplatz mit drei rechteckigen Markierungssteinen angelegt war. Sechs Stufen, die von der Zuschauertribüne auf den Ballspielplatz führen, charakterisieren den Ballspielplatz als *wak ebnal*, einen Ort, an dem man zusammengeschnürte Menschenopfer als Spielbälle in die Unterwelt warf. Der symbolische Ballspielplatz war durch steinerne Tritonshornmuscheln und schwimmende Kaimane als die Oberfläche der Unterwelt gekennzeichnet, die in der Vorstellung der Maya eine Wasserfläche war. Oberhalb der sechsten zur Zuschauertribüne führenden Stufe taucht der Gott *Chak Xib Chak* aus der Oberschicht der Unterwelt auf. *Chak Xik Chak* wird auf zahlreichen Gefäßen mit einer Axt in der Hand dargestellt. Er schleudert mit dieser Axt seinen jüngeren Bruder, den Gott G III der Göttertrias von Palenque, über ein *witz*-Ungeheuer, das Symbol für »Berg«, aber auch für Tempelpyramiden, in die Hände eines tanzenden Todesgottes, der sicherlich einen der Herren von *Xibalba* personifiziert. Das ikonographische Programm der Zuschauertribüne wiederholte diese Szene, denn von ihr aus konnte *Chak Xib Chak* oder der ihn repräsentierende König einen Gefangenen, der dann zum Abbild von G III wurde, in den Unterwelt-Ballspielplatz schleudern. Daß der Platz vor der Zuschauertribüne von Tempel 11 als Eingang in die Unterwelt gedacht war, geht aus dem Einweihungstext hervor, der den Platz als *ol*, »Loch« und »Zentrum«, beschreibt (vgl. S. 188 ff.). N. G.

125
Reliefierte Sitzbank

London, The British Museum, 329-333-1886
Kalkstein
Rechte Bank: L. 263,7 cm, H. 51,5 cm, B. 17,8 cm
Endstück: L. 48,9 cm, H. 50,2 cm, B. 12,7 cm
Linke Bank: L. 262,5 cm, H. 50,8 cm, B. 13,3 cm
Endstück: L. 52,7 cm, H. 48,2 cm, B. 17,8 cm
Copán, Honduras, Tempel 11
Spätklassik, 775 n. Chr.

Die Anlage der Zuschauertribüne vor der Südfassade
von Tempel 11 reflektiert in vielen Details das Ensemble
von Tempel 22 mit dem davorgelegenen Osthof, der
durch drei Markiersteine als Ballspielplatz ausgewiesen
war. Zwei große Stufenreihen führten von der als Kosmogramm gestalteten Eingangstür des Innenraumes von
Tempel 22 durch einen Himmelsrachen auf den Ballspielplatz von *Xibalba*. Tanzende Jaguare an den Treppen, die

den Ballspielplatz nach Westen abgrenzen, sind ebenso
ein Kennzeichen der Unterwelt wie die große Maske des
Venusgottes auf dem erhöhten Westsockel. Tempel 22
wurde als Kosmogramm und zentrales Heiligtum auf der
Akropolis von *Waxaklahun Ubah* anläßlich des Hotun-
Jubiläums seiner Thronbesteigung eingeweiht. Die Weihinschrift, die auf der Stufe unterhalb des als Kosmogramm gestalteten Türbogens geschrieben ist, wird von
verschiedenen Schädeln eingerahmt, die den Eingang
zur Unterwelt markieren. Aus der Inschrift erfahren wir,
daß die Einweihung des Tempels 22 nicht nur mit dem
üblichen erstmaligen Abbrennen von Räucherharz in
dem neuen Bauwerk gefeiert wurde, sondern es wurde
ein Angehöriger der Königsdynastie von Copán, ein Sohn
von »Rauch-*Imix*«, dem zwölften Herrscher, als kostbar-
stes aller möglichen Opfer die Treppenstufen hinunter-
geschleudert, so daß er als Ball auf den symbolischen
Ballspielplatz vor Tempel 22 fiel.
Als *Yax Pak* mit der Gestaltung der Südseite von Tempel

11 diese Anlage kopierte, zeigte er einmal mehr seine ganz besondere Aufmerksamkeit für *Waxaklahun Ubah*, dem er unter allen seinen Vorfahren die größte Verehrung erwies.

Die Fertigstellung von Tempel 11 fiel auf das Datum 9.17.2.12.16 1 *Kib* 19 *Keh* (22. September 726 n. Chr.) und wurde mit großem Zeremoniell und der Opferung von Gefangenen gefeiert. Vier Relieftafeln des später errichteten Tempels 18 zeigen *Yax Pak*, wie er am Tag der Einweihung als Krieger verkleidet tanzte. Wir schließen daraus, daß Tempel 11 geweiht wurde, nachdem *Yax Pak*, in Kriegszügen Gefangene für die begleitenden Opferzeremonien gemacht hatte.

Die in Tempel 11 zum Ausdruck kommenden kosmologischen Vorstellungen machen ihn zu einem der faszinierendsten Bauwerke der Maya-Welt. Blickte man vom Hof der Hieroglyphentreppe nach Süden, so sah man eine aus großen Treppenfluchten bestehende, mehr als 20 m über das Platzniveau ragende Pyramide, auf deren Spitze der

Rachen eines gewaltigen *Witz*-Ungeheuers zu sehen war. Vor seinem Maul, das zugleich den Nordeingang in das Gebäude darstellte, stand eine Tribüne, auf der sich *Yax Pak* an Festtagen der Menge und den versammelten Würdenträgern zeigen konnte. An der Nordwestecke und Nordostecke des krönenden Bauwerkes trugen zwei überlebensgroße Pauahtun-Figuren als Karyatiden ein großes Himmelsband.

Im unteren Stockwerk des Gebäudes verliefen kreuzförmig zwei Gänge, deren Eingangstüren in die vier Himmelsrichtungen zeigten. Tritt man in eine der Türen ein, so stößt man auf Inschriften, die in das Mauerwerk skulptiert sind. Die Inschriften sind an den gegenüberliegenden Wänden angebracht. Eigentümlicherweise ist jeweils eine der zu Paaren angeordneten Inschriften in Spiegelschrift geschrieben, so als sollten sie nur von Göttern, nicht aber von Menschen gelesen werden können. Wollte man vom Ost-West-Gang in den zur Südtür führenden Gang eintreten, mußte man über eine erhöhte

455

Plattform steigen, die von einem skelettierten Unterweltsrachen umgeben war. An der Nordseite der Plattform war der Unterkiefer durch einen Sockel ersetzt, dessen Vorderseite mit den hier gezeigten Skulpturtafeln geschmückt war.

Sie zeigen zwanzig Vorfahren und Götter, die sich in zwei Zehnergruppen um ein zentrales Schriftfeld anordnen, das sich mit der Inthronisation von *Yax Pak* am Tag 6 *Kaban* 10 *Mol* 9.16.12.5.17 (28. Juni 763 n. Chr.) befaßt. Die kurze, aus acht Hieroglyphen bestehende Inschrift nennt das Kalenderrunddatum, fährt dann fort mit der Aussage *hok' ahaw*, »war die Thronbesteigung von . . .«, und dem Namen von *Yax Pak*. Sie endet mit den drei Hieroglyphen *waklahun ts'ak ch'ahom k'ul xukpi ahaw*, »der sechzehnte Verschütter (von Blut), göttlicher *Ahaw* von Copán«.

Die zwanzig Personen, die *Yax Pak* am Tag seiner Inthronisation assistieren, blicken auf den Hieroglyphentext in der Mitte. Keine von ihnen ist eindeutig als *Yax Pak* selbst zu erkennen. Die beiden mit Seerosen bekränzten Schädel, die die Tafeln links und rechts begrenzen, verlegen die ganze Szene in die Unterwelt. Das spricht dafür, daß die zwanzig Personen keine lebenden Fürsten oder Verwandte von *Yax Pak*, sondern verstorbene Vorfahren oder Götter sind, die aus der Unterwelt hervorkommen, um ihm göttlichen Beistand zu leisten. Alle Personen sind in verschiedenen Sitzhaltungen gezeigt. Sie tragen eine Tracht, wie sie charakteristisch ist für die Spätzeit von Copán, insbesondere für die Monumente von *Yax Pak*. Drei verschiedene Arten von Kopfschmuck lassen sich unterscheiden: ein aus mehreren Stofflagen gebundener Turban, zoomorphe Masken mit nach hinten fallenden Quetzalfedern und ein Kopfputz, wie er sonst den Gott *Chak Xib Chak* charakterisiert. Die Pektorale zeigen entweder den Kopf des *Witz*-Ungeheuers, dessen Mundpartie oder die Hieroglyphe des Tageszeichens *Ik'* und in einigen Fällen einfache Kombinationen von Röhrenperlen. Alle Figuren sind barfüßig, tragen aber Schmuck um die Fußknöchel und an den Handgelenken. In den Händen halten sie noch nicht identifizierte Gegenstände. Lediglich die letzten drei könnten an Stäben befestigte Blumensträuße sein.

Die zwanzig Personen sitzen auf Hieroglyphenblöcken, die anscheinend zum Teil ihren Namen wiedergeben. Die ersten drei von links scheinen sich auf die Einweihung oder Aufstellung der Tafeln zu beziehen. Die Hieroglyphen zwischen der vierten bis einschließlich der zehnten Hieroglyphe links sind spiegelbildlich geschrieben. Insofern passen sie sich den ebenfalls spiegelbildlich verfaßten Texten der Türen an. Die vierte und die fünfte Figur sitzen auf den Hieroglyphen *walach* und *xiban*, die wahr-

scheinlich Namen noch nicht identifizierter Götter sind. Die vier Hieroglyphen unter den Figuren 9, 8, 7 und 6 repräsentieren Götter, die in den Inschriften von Copán stets eine ganz besondere Rolle spielen. Sie treten häufig gemeinsam auf und werden als Visionen herbeizitiert. Ihre Namen sind *Bolon K'awil, Kante Ahaw, K'uy Nik* und *No' Witz*. Zu den Zeichen, die wir sicher identifizieren können, gehören schließlich auch die Namen von vier früheren Königen. Die dreizehnte Figur sitzt auf einer Hieroglyphe, die auf Altar Q als Name von »Rauch-*Imix*« angegeben wird, die vierzehnte Person wurde von David Stuart als der Name des siebten Königs »Seerose-Jaguar« gedeutet. Unter Figur 15 ist der Name von *Buts' Chan*, dem elften König zu lesen, und die sechzehnte Figur könnte auf dem Namen des Gründers der Dynastie von Copán, *Yax K'uk' Mo'*, sitzen. Die vier letzten Hieroglyphen sind wahrscheinlich wieder Namen von Göttern. Trotz einiger Unsicherheiten können wir die gesamte Szene doch als Versammlung von Göttern und Vorfahren anläßlich der Inthronisation von *Yax Pak* interpretieren.

Mit Tempel 11 wollte *Yax Pak* seine Macht im Copán-Tal festigen, die bereits durch drohende Katastrophen am Vorabend des Zusammenbruchs der Dynastie ins Wanken geraten war. N. G.

Lit.: N. Grube und L. Schele (1990); L. Schele und D. Freidel (1990)

126
Mosaikrelief eines Adligen

Copán, Honduras, Instituto Hondureño de Antropología e Historia, CPN 3985
Tuffstein
H. 214 cm
Copán, »House of Bacabs«, Gruppe 9 N-8, Las Sepulturas-Wohnbereich
Spätklassik, 8. Jh. n. Chr.

Die Teile dieses Mosaik-Reliefs stammen von der Fassade der Struktur 9 N-82, einem palastähnlichen Wohnkomplex im Bereich imposanter Architekturreste. Dieses »Wohnquartier« liegt 0,6 km östlich des Zeremonialzentrums von Copán im städtischen Wohnbereich der alten Stadt, das die heutigen Bewohner »las Sepulturas« (Gräberstätte) nennen, weil hier viele Gräber gefunden wurden. Das betreffende Bauwerk wurde im Rahmen der Grabungen »Proyecto Arqueológico Copán« unter der Schirmherrschaft des Instituto Hondureño de Antropología e Historia und unter wissenschaftlicher Leitung von William Sanders und seinem Co-Direktor David Webster ausgegraben.

Wie beim Papageien-Relief handelt es sich auch hier um eine Rekonstruktion aus »Komposit«-Teilen, d. h., man hat die Fragmente dreier derartiger Dekorteile verwendet, um eine vollständige Figur wiederherzustellen. Als zu Beginn der achtziger Jahre die Ausgrabungen stattfanden, war keine der Figuren mehr vollständig erhalten. Wie kaum an anderen Stellen hatten in dem vergangenen Jahrtausend, seitdem das Gebäude verlassen wurde, frühere, aber besonders auch moderne Souvenirjäger Köpfe, Hände, Körperteile und andere Elemente mitgenommen. Gleichwohl konnten noch genügend Steine geborgen werden, um den Wissenschaftlern eine zuverlässige Rekonstruktion des ursprünglichen Fassadenschmucks und speziell dieser Skulptur zu ermöglichen. Barbara Fash und Rudy Larios besorgten die zeichnerische Rekonstruktion in der Vorder- und Rückseite des Hauses, das auch im Aufriß vorliegt.

Die Figur ist Teil des Fassadendekors eines sorgfältig aufgemauerten Gebäudes mit Gewölben, in dem laut Hieroglyphentext einer steinernen Bank (fast ein Thron), die im Innern des Hauses gefunden wurde, ein Schreiber adliger Abkunft gewohnt hat. Aus der Inschrift erfahren wir weiter, daß der Bewohner Mitglied des Hofes des letzten Copán-Herrschers namens *Yax Pak* war, und zwar zu dem Zeitpunkt, als das Bauwerk im Jahre 782 n. Chr. eingeweiht wurde. Jeweils drei Figuren bildeten den Fassadenschmuck der Vorder- und der Rückseite des Hauses. Eingehende Untersuchungen lassen vermuten, daß das Geschlecht, das hier residiert hat, mindestens zwei, wahrscheinlich aber mehrere Generationen lang in der Rolle von Schreibern tätig war und der übernatürliche Schutzherr dieses Schreibergeschlechts Aspekte des Schreibergottes (Monkey Man) und des *Pawahtun/Bakab*-Gottes, der an den vier Weltenden Erde und Himmel stützte, in sich vereinigte.

Die zentrale Figur auf beiden Seiten des Hauses weist Symbole dieses Schutzpatrons auf und ist als Porträt des Familienoberhauptes interpretiert worden. Die beiden Figuren jeweils rechts und links, von denen eine in diesem Kompositbild ausgestellt ist, könnten Abkömmlinge der männlichen Linie darstellen, Verwandte also des Hausherrn oder vielleicht auch seine Erben. Die jugendlichen Gestalten sitzen mit untergeschlagenen Beinen auf einem Podest mit dem Zeichen T. 23, das von den Epigraphikern *na* (»Haus«) gelesen wird, d. h., jeder der Dargestellten sitzt gewissermaßen »in seinem Haus«, und wenn die ausgestellte Skulptur sich augenblicklich auch weit entfernt von Copán aufhält, so ist sie dennoch »zu Hause«. Über dem Haus-Zeichen bildet ein kleines, mit Federn verziertes Kissen die unmittelbare Sitzunterlage, wobei ein Teil des Lendenschurzes auf das Kissen herab-

reicht. Gürtel und Armschmuck bestehen aus massiven Röhrenperlen, während sich der Schmuckkragen aus kleineren Perlen zusammensetzt und große Ohrpflöcke die Ausstattung vervollständigen. Nach Grabfunden aus Tikal und Palenque war derartige Zier aus Jade gearbeitet. Wenn wir dies vorausschicken dürfen, dann war die Familie zweifellos sehr vermögend. Über dem sorgfältig gemeißelten Gesicht erkennt man die Darstellung einer Gottheit mit Schnauze, einen sog. »Personifizierungskopf«, was in diesem Fall bedeutet, daß er den Maiskolben, der aus der Stirn herauswächst, zum Leben erweckt bzw. den Maiskolben »personifiziert«. Die Deutung geht dahin, daß die Gestalt des jungen Adligen unter dem Schutze des Maises, d. h. des Maisgottes, steht. Zu seiten des Kopfputzes breiten sich üppige Federarrangements aus, die vom Quetzalvogel oder von einem roten Ara (vgl. Abb. 13) stammen könnten. Die Anordnung des überaus prächtigen Federkopfputzes macht zugleich den Arbeitsprozeß dieser Mosaikskulpturen deutlich: hier lassen sich die übergreifenden Konturen über die verschiedenen Steinlagen hinweg verfolgen. W. L. F./B. W. F.

Lit.: L. Schele und M. E. Miller (1986); W. L. Fash (1990)

127
Gefäß mit Ritzzeichnung

Tegucigalpa, Honduras, Instituto Hondureño de Antropología e Historia, CPN-844
Ton, weiße Schlämmung auf braunem Überzug
H. 17 cm, Dm. 14,5 cm
Copán, Grab 27–42
Spätklassik, 7. Jh. n. Chr.

Die Ritzung erfolgte vor dem Brennen, sobald der Ton »Lederhärte« erreicht hatte, also noch geschmeidig war. Der exzellente Erhaltungszustand des Gefäßes deutet an, daß es kaum benutzt wurde und wohl bald nach Fertigstellung als Grabbeigabe Verwendung fand. Im Zusammenhang mit dem Fundort ergibt sich auch die Datierung ins 7. nachchristliche Jahrhundert. Die Inschrift am oberen Rand stellt eine Version der sog. »Primären Standardsequenz« dar.
Der umlaufende Figurenfries zeigt vier in ganz ähnlicher Haltung im Schneidersitz wiedergegebene Personen, wobei drei im Profil dargestellt sind, während die vierte sich aus der Vorderansicht leicht – vom Betrachter aus – nach links wendet. In die Dreidimensionalität »zurückübersetzt« bedeutet dies, daß sich der Betreffende in

einer leichten Drehung nach rechts wendet und nach vorn beugt. Die Unterarme sind angewinkelt, und er scheint lebhaft mit den Händen zu gestikulieren, so wie es für die Wiedergabe hoher Herren typisch ist, die sich einem Gegenüber zuwenden. Hier aber kehren die übrigen Personen ihm den Rücken zu. Alle vier tragen einen von großperligen Halsketten gehaltenen Brustschmuck in Form von Masken-Pektoralen und manschettenbreiten Armschmuck an beiden Handgelenken.

Nach Ausweis der verschiedenen Attribute sind die Figuren als Schutzpatrone der Schreiber zu deuten, wobei »Schreiber« hier nicht nur den des Lesens und Schreibens Kundigen meint, sondern einen »Wissenden« im umfassenden Sinne. Auch die bildenden Künste gehörten zur Domäne der Schreiber, worauf eine der sitzenden Gestalten hinweist, die in der linken Hand ein Werkstück und in der rechten einen Griffel hält, um möglicherweise die Arbeit an einer Maske anzuzeigen.

Häufig erscheinen die Beschützer der »Schreiber« in Anlehnung an einen Mythenstrang des *Popol Vuh* mit äffischen Zügen (im vorliegenden Fall mögen die »tierischen« Ohren, die sich bei drei der Figuren wie ein Teil des Kopfschmucks ausnehmen, in diese Richtung weisen). Dies bezieht sich auf das Schicksal der älteren Halbbrüder der Göttlichen Zwillinge: »Eins-Affe und Eins-Künstler wurden Musiker, Sänger und Schreiber, sie schnitten Bilder und stellten Schmuck her . . . und da sie heranwuchsen, litten sie große Schmerzen, denn das Erwerben des Wissens ist mit Leiden verbunden. So wurden sie große Musiker, Sänger, Schreiber und Bildhauer und gestalteten alles sehr gut, denn von Geburt an ›wußten‹ sie schon und waren begabt über alle Maßen.« Eifersucht unter den Halbgeschwistern jedoch führte schließlich dazu, daß die Göttlichen Zwillinge die Älteren überlisten und sie im wahrsten Sinne des Wortes auf die Bäume treiben, wo sie nur mehr als Affen existieren können: »Bindet eure Kleider um die Hüften und laßt das längere Ende nachschleifen, wie einen Schwanz, dann könntet ihr euch in den Baumwipfeln besser bewegen«, raten die Göttlichen Zwillinge, »und als jene ihren Lendenschurz hinter sich her zogen, verwandelte er sich alsogleich in einen Schwanz, und sie sahen aus wie Affen . . . und lebten fortan in den Bäumen . . . Aber dennoch waren sie die größten Flötisten und Sänger auf Erden, und Sänger, Schreiber und Künstler unter unseren Vorfahren beteten zu ihnen.«

Nachweislich genossen die »Schreiber« an allen Höfen der Maya-Fürsten hohes Ansehen, doch nirgends ist ihre Position deutlicher belegt als in Copán.   J. S. H.

Lit.: L. Schele und M. E. Miller (1986); D. Tedlock (1985)

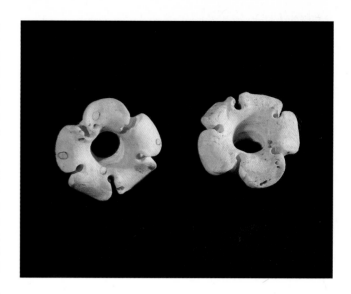

128
Ohrschmuck

Copán, Honduras, Instituto Hondureño de Antropología e Historia, CPN 43
Klappmuschel-Schale (Spondylus)
Dm. 6 cm
Copán
Spätklassik, 600–900 n. Chr.

Mitglieder des Adels trugen in der Klassischen Epoche den Titel *ahaw*, was etwa dem Begriff »König, Fürst, Herrscher« entspricht. Das Zeichen für diesen Titel ist nach David Stuart von einer Blüte abgeleitet. Der Jade-Ohrschmuck, den der Herrscher von Palenque trug, dessen Grab man im Innern der Pyramide mit dem Tempel der Inschriften fand, war Blütenmotiven nachempfunden, wie auch jener eines königlichen Schreibers, dessen Grab David Stuart unter der Hieroglyphentreppe in Copán fand.

So mögen auch diese in Form und Farbe blütenhaft-naturalistisch wirkenden Exemplare die Ohrläppchen eines hochrangigen Mitglieds der Gesellschaft geziert haben. Sie sind aus den Fußteilen der Spondylus-Schalen gefertigt und daher von bescheidener Größe im Verhältnis zu den oben genannten Jade-Beispielen. Das Material bestimmte wesentlich ihre Form und natürlich die Farbe und legt zugleich Zeugnis ab von der Meisterschaft der Kunsthandwerker der Maya.   W. L. F./B. W. F.

Lit.: R. Agurcia und W. L. Fash (1989), 484

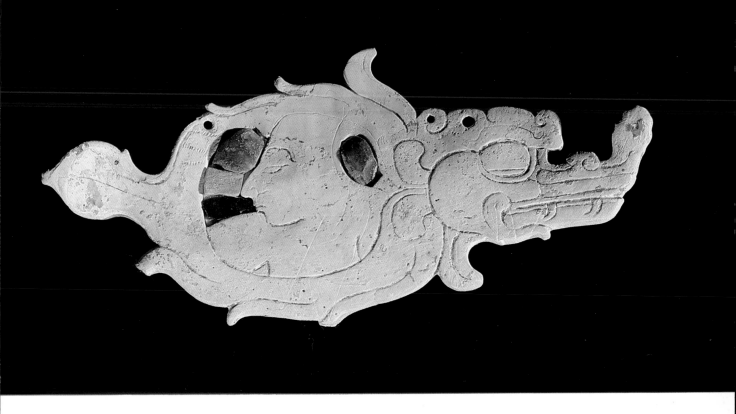

129
Muschelanhänger mit Einlagen

Copán Honduras, Instituto Hondureño de Antropología
e Historia, CPN 77
Muschel, Jade, Obsidian
H. 5,1 cm, L. 12,3 cm
Copán
Spätklassik, 600–900 n. Chr.

Diese höchst elegante Muschelschnitzerei mit Intarsien
aus wertvollem Gestein wurde im Grab einer hochrangigen Persönlichkeit unter dem Boden eines Hauses gefunden, das nur 120 m vom Großen Platz der Stadt, dem Zentrum für profane und zeremonielle Anlässe, entfernt lag.
Es handelt sich um eine der qualitätvollsten Muschel-
arbeiten, die je in Copán gefunden wurden. Die Komposition besteht aus einem menschlichen Kopf im Profil, der
aus dem Körper eines Krokodils hervorwächst und vom
Betrachter aus nach links blickt. Das sicher dem Bereich
der Mythologie zuzurechnende Tier weist einen Schwanz
in Form einer Seerosenblüte auf. Darstellungen von Krokodilen werden in der Kunst der Maya nicht selten von
Seerosen und anderen Wasserpflanzen begleitet, ja man
stellte sich die Erdoberfläche als den Rücken eines sol-

chen ins Gigantische gesteigerten Reptils vor, das in
einem riesigen See schwamm. Diese Vorstellung wird
verständlich, wenn man in Landesschilderungen bis ins
19. Jahrhundert hinein von der Größe und Vielzahl dieser Tiere in Seen und Flüssen liest: »Die Bäche und Flüsse
sind voller Alligatoren, oder besser Krokodilen, schrecklichen Tieren, die von der Bevölkerung gefürchtet werden. Die Leute erzählten mir, daß ein Bulle beim Durch-
queren eines Flusses von einem Kaiman am Schweif gepackt wurde und, da er ihn nicht abschütteln konnte,
noch vom Ufer aus ins Wasser zurückgerissen und getötet wurde . . . Die Kaimane erreichen eine Länge von
zwanzig bis dreißig Fuß, und ihren Panzer kann nicht
einmal eine Kanonenkugel durchschlagen.« (Diego de Palacio 1576 über die Pazifik-Küstenregion Guatemalas.)
Wenn der Mensch nach dem Tode von der Erdoberfläche
verschwand, kehrte er nach Vorstellungen der Maya in
ihr Inneres wie in einen Krokodilleib zurück.
Dieser ästhetisch besonders ansprechende Anhänger
aus dem Besitz eines Adligen gibt also keineswegs das
Opfer eines Kaimans wieder, sondern spielt auf den Auf-
enthalt in der Unterwelt an.   W. L. F./B. W. F.

Lit.: J. E. Thompson (1970), 216–218; D. Palacio (1860), 25; A. Morelet (1872)

Bei diesem Stück wurde die Muschel zuerst poliert, danach wurden die Gravuren zur Betonung der Details angebracht. Wie auch andere Stücke seiner Art stellt es ein personifiziertes Tageszeichen in seiner Kartusche dar. Das im Profil sichtbare Gesicht ist die typische Darstellung eines Mannes im Stil der Klassischen Maya-Zeit – vielleicht handelt es sich um den Tag *ahaw*, der gewöhnlich mit dem Gesicht eines jungen Mannes wiedergegeben wird.

F. F.

130
Gefäß

Cambridge, Peabody Museum of Archaeology and Ethnology, Harvard University, Inv.-Nr. 92-49-20/C182
Ton, polychrom bemalt
H. 20,5 cm
Copán, Honduras, Grab 1
Spätklassik, 600–900 n. Chr.

Grab 1 von Copán war eines der ersten Gräber, das in Copán im Rahmen der von George B. Gordon kurz vor der Jahrhundertwende durchgeführten Ausgrabungen im Bereich der Akropolis entdeckt wurde, deren Ziel es war, möglichst viele interessante Objekte für das Peabody Museum zu erwerben. Grab 1 erwies sich als besonders reich ausgestattet, konnte doch neben zahlreichen Keramiken, darunter auch das Gefäß in Form eines Hundekopfes (Kat.-Nr. 132), auch ein Pekari-Schädel geborgen werden, auf dem sich in Ritztechnik ausgeführt eine der schönsten szenischen Darstellungen der gesamten Maya-Region befindet.
Das abgebildete Gefäß ist ein besonders charakteristisches Beispiel der in Copán so häufigen sog. »Copador-Keramik« mit ihrer begrenzten Farbpalette auf cremefarbenem Untergrund. Die Motive sind nur schwer zu deuten und unterscheiden sich wesentlich von den realistischen szenischen Darstellungen des südlichen Tieflandes. Die Fremdartigkeit der Motive auf Copador-Gefäßen geht auf starke Einflüsse aus Nicht-Maya-Regionen im heutigen Honduras und El Salvador zurück, wo diese Keramikgattung ebenfalls weit verbreitet war. Da Copán jedoch zahlenmäßig die größte Anzahl derartiger Produkte aufweist, ist es sehr wahrscheinlich auch eines der wichtigsten Herstellungszentren dieser speziellen Keramikart gewesen. Auffallend ist, daß viele dieser Gefäße, wie auch im vorliegenden Fall, mit einem Band von Scheinhieroglyphen geschmückt wurden, die wohl den Wert der Keramik, auf die sie gemalt waren, steigern soll-

129 A
Muschelornament

New York, National Museum of the American Indian, Heye Foundation, Inv.-Nr. 22/5273 (VA 298)
Muschel
H. 6,4 cm, B. 7,4 cm
Insel Jaina, Campeche, Mexiko
Spätklassik, 600–900 n. Chr.

Schmuckstücke wie dieses wurden auf Kleidungsstücke und Kopfbänder aufgenäht und waren für die, die sich leisten konnten, besonders wertvoll, da sie aus importierten Seemuscheln angefertigt wurden und zu ihrer Herstellung besondere Kunstfertigkeit nötig war. Für die Oberschicht der Maya machte den Wert eines solchen Stückes nicht allein sein Material aus, sondern auch die in ihm vermuteten Kräfte.
Dieser silhouettenartige Muschelschmuck führt im wesentlichen eine Tradition derartiger Arbeiten fort, die bis in die Präklassische Zeit von Kaminaljuyú zurückreicht, wo tragbare Steinskulpturen mit ausgeschnittenen Umrissen häufig auftreten.

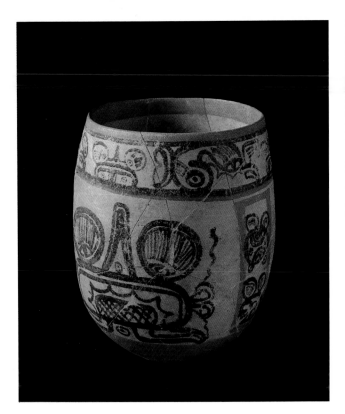

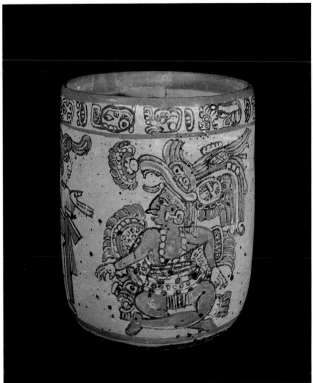

ten. Offenbar konnten die Töpfer, die diese Keramik herstellten, selbst nicht lesen; denn sonst hätten sie sicher sinnvolle Texte, wie etwa die Primäre Standardsequenz, auf dieser polychromen Ware niedergeschrieben. Copador-Keramik wurde von ihrem Produktionszentrum Copán aus bis weit nach Honduras hinein und nach El Salvador, im Westen sogar in das Motagua-Tal gehandelt. N. G.

131
Zylindrisches Gefäß

Cambridge, Peabody Museum of Archaeology and Ethnology, Harvard University, Inv.-Nr. 92-49-20/C209
Ton, polychrom bemalt
H. 20,5 cm
Copán, Honduras, Grab 2
Spätklassik, 600–900 n. Chr.

Zu den vielen Gefäßen der Copador-Ware, die die polychrome szenische Malerei des südlichen Tieflandes imitieren, gehört auch dieses Beispiel, das von George B.

Gordon in Grab 2 im Bereich der Hauptakropolis von Copán gegen Ende des vergangenen Jahrhunderts aufgefunden wurde. Mit schwarzem und braunem Farbauftrag auf cremefarbenem Untergrund ausgeführt, zeigt die Malerei zweimal das gleiche Motiv: einem im »Schneidersitz« thronenden, prächtig gekleideten Fürsten steht eine Person in einfacher Kleidung gegenüber, die die Arme über den Oberkörper verschränkt hat, aber mit einer Hand auf ihr Gegenüber weist. Das Ornat des Fürsten besteht vor allem aus einem federgeschmückten Kopfputz mit einem Schlangenkopf als Hauptelement, langen Ohrpflöcken und einer schweren Kette über der Brust. Ein kostbarer Lendenschurz ist um die Hüften geschlungen, und die zu beiden Seiten der Schultern wiedergegebenen Federn scheinen Teil einer Rückendevise zu sein, ein zu zeremoniellen Anlässen getragener Schmuck. Demgegenüber erscheint der Stehende extrem ärmlich ausgestattet mit seinem langen, zusammengeschlungenen Haar und dem einfachen Lendenschurz. So drückt der deutliche Gegensatz in Haltung und Bekleidung sicherlich einen sozialen Unterschied aus: wahrscheinlich steht dem Fürsten ein Diener oder ein Höfling zur Berichterstattung gegenüber.

Unterhalb des oberen Gefäßrandes verläuft wie bei Kat.-Nr. 130 ein Pseudo-Hieroglyphentext, wie es für die Copador-Ware charakteristisch ist. Obgleich sich einzelne Elemente des Textes ausmachen lassen, fehlt doch der Zusammenhang, so daß sich keine sinnvolle Lesung ergibt: Dies scheint ein Indiz zu sein, daß der Maler zwar wußte, wie Texte aussehen, selber aber nicht lesen konnte.

Keramik dieser Gattung wurde in Copán in großer Quantität hergestellt, und ihr Stil ist so einheitlich, daß es sich wohl um ein einziges hochspezialisiertes Zentrum handelte, das diese Ware in einer Art Massenproduktion nicht nur für den lokalen Markt, sondern speziell für den Export herstellte.   N. G.

132

Gefäß in Form eines Hundekopfes

Cambridge, Peabody Museum of Archaeology and Ethnology, Harvard University, Inv.-Nr. 92-49-20/C138
Ton, mit Resten roter Bemalung
H. 21 cm
Copán, Honduras, Grab 1
Spätklassik, 600–900 n. Chr.

Hunde waren nicht nur Haustiere, sondern spielten auch in der Mythologie der Maya eine große Rolle. In der Überlieferung des *Popol Vuh* gehört es zu den Zauberkunststücken der auferstandenen Göttlichen Zwillinge, einen Hund zu opfern und wieder zum Leben zu erwecken. In beschwörender dreimaliger Wiederholung heißt es da: »Und als sie ihn opferten, kehrte er sogleich ins Leben zurück; und dieser Hund war glücklich, als er wieder ins Leben zurückgekehrt war; er wedelte mit dem Schwanz, als er denn ins Leben zurückgekehrt war.« Hier hat ein unbekannter Maya-Künstler ein Gefäß in Form eines äußerst realistischen Hundekopfes mit aufgerissenem Maul und gefletschten Zähnen gestaltet. Die Beobachtungsgabe des Künstlers kommt auch in der Darstellung der Nasenpartie und der Ohren zur Geltung. Das Gefäß steht auf drei kaum sichtbaren Füßen.

Der Hundekopf wurde zusammen mit zahlreichen weiteren Beigaben, darunter einem beschrifteten Pekari-Schädel, in Grab 1 gefunden. Das Hundebildnis könnte durchaus als Symbol der Überwindung des Todes verstanden werden. Wir wissen zwar nicht genau, wer in dem Grab beigesetzt war, doch die hohe Qualität der Beigaben spricht dafür, daß es ein angesehener Würdenträger war.   N. G.

133
Kopf eines Maisgottes

New York, National Museum of the American Indian, Heye
Foundation, Inv.-Nr. 9/8198
Stein
H. 35,3 cm, B. 29,4 cm
Quiriguá, Izabal, Guatemala
Spätklassik, 600–900 n. Chr.

Im hohen Relief ausgeführt, zeigt diese fast vollplastische
Darstellung einen jungen Maisgott mit gerundeten
Ohren und maisblattartigen Haaren über der Stirn und
zu beiden Seiten des Gesichts. Darüber springt eine stei-
nerne Locke vor wie bei den Blattornamenten ähnlicher
Maisgottskulpturen aus dem benachbarten Copán. Das
Gesicht war sicherlich mehr ein Archetypus als das tat-
sächliche Portrait eines jugendlichen Mannes aus Quiri-
guá. Am überraschendsten sind die Augen, mandelför-
mig und geschlossen, die darauf hindeuten, daß der Gott
erst dann erwachen wird, wenn der Mais reif ist.
Die berühmtesten Maisgottskulpturen stammen aus
Copán, wo sie aus den Köpfen von *kawak*-Ungeheuern im
Gesims von Struktur 22, dem Palast *Waxaklahun Ubahs*,
des dreizehnten Herrschers von Copán, wachsen. Der
Kopf aus Quiriguá könnte Bestandteil eines ähnlichen
Architektur- und Verzierungsprogrammes gewesen sein.
Quiriguá und Copán pflegten immer intensive Kontakte,
die größtenteils friedlich waren, sich jedoch gerade in
der Zeit von *Waxaklahun Ubah* verschlechterten, als der
zeitgleiche Herrscher *Butz'Tiliw*, besser bekannt unter
dem Namen »Doppelbeiniger Himmel«, *Waxaklahun Ubah*
in einer Art Staatsstreich gefangennahm und enthaup-
tete. Die Maisgottskulptur zeugt von den intensiven Kontakten zwischen beiden Orten, die auch einen Austausch
von Ideen und Stilen bewirkten.   F. F.

133 A
Mahlstein mit Handwalze

Comayagua, Honduras, Instituto Hondureño de Antropología e
Historia, CMG-8
Basalt
Mahlstein: L. 71,5 cm, B. 40 cm, H. 27 cm
Handwalze: L. 62,5 cm
Fundort unbekannt
Wohl 4.–8. Jh. n. Chr.

Ebensowenig wie die Gefäße des Ulúa-Polychrom-Stils
(vgl. Kat.-Nr. 231, 232) oder die Marmorgefäße (Kat.-Nr.

229 a, b) gehört auch dieser Mahlstein mit Handwalze im engeren Sinne der »Welt der Maya« an, aber er stammt im weiteren Sinne aus dem kulturellen Umfeld, in dem die Maya lebten.

Überall in Mesoamerika und den südöstlich angrenzenden Regionen, wo Mais als das wesentlichste der Grundnahrungsmittel zu gelten hat, bildeten Mahl- oder Reibsteine und Handwalzen unabdingbare Geräte eines jeden Haushalts. Die überragende Bedeutung des Maises fand ihren Niederschlag natürlich auch in den religiösen Vorstellungen. In den Schöpfungsmythen der Maya galt der Maisgott als »Erster Vater«, und die Menschen selbst wurden in der Vierten Schöpfung aus Mais – gemahlen und zu Teig geknetet – geformt. Der Kreislauf von Ernte, Aussaat und Wachstum wurde zum Sinnbild des sich zyklisch erneuernden Lebens (s. S. 197 ff.).

Das dreibeinige Mahlgerät aus vulkanischen Gestein mit dem plastisch gestalteten Tierkopf – wohl ein Reptil darstellend – hat seine nächsten Parallelen im Gebiet von Zentral-Honduras, ist aber grundsätzlich einer weiter südlich, in Costa Rica angesiedelten Tradition verpflichtet. Prunkmahlstein-Ensembles aus dem Gebiet von Guanacaste-Nicoya werden als Statussymbole einer herrschenden Schicht interpretiert, die unter Anspielung auf das unentbehrliche Gerät zur Verarbeitung von Mais habe demonstrieren wollen, daß sie die Nahrungsmittelproduktion und -verarbeitung, den Landbesitz und die Arbeitskraft sowie Krieg und Verteidigung kontrollierte.

G. H.

Lit.: Katalog: Before Cortes (1970), 210; Katalog: Between Continents / Between Seas, Precolumbian Art of Costa Rica (1981)

134
Reliefierter Steindiskus

San Salvador, Museo Nacional »Dr. David J. Guzman«, Inv.-Nr.
A 2.2-555
Basalt
Dm. 88,0 cm, H. 27,0 cm
Cara Sucia, Ahuachapán, El Salvador
Wohl Spätklassik, 600–900 n. Chr.

Der Kopf eines Jaguars in Frontalansicht schmückt
diesen aus feinkörnigem Basalt gemeißelten Diskus. Der
Jaguarkopf ist mit großem Realismus gestaltet. Die langen gefletschten Eckzähne sollen dem Jaguar ein furcht-
einflößendes Aussehen geben. Der Diskus ist wahrscheinlich Teil eines Gebäudeschmucks und war als solcher in eine Wand eingelassen gewesen. Herkunftsort ist
die im Westen von Salvador nahe der Grenze zu Guatemala gelegene archäologische Zone von Cara Sucia. Die
Datierung des Stückes ist umstritten: während einige
Forscher das Stück in die Späte Präklassik datieren,
sehen andere in ihm einen Vertreter des Stils von Cotzumalhuapa, der in der Spätklassik blühte und Elemente
verschiedener Kunststile, so von Teotihuacán, der mexikanischen Golfküste und sogar der Maya, miteinander
verband.   M. L.

135
Altar L

Guatemala-Stadt, Museo Nacional de Arqueología y Etnología,
Nr. 2108
Sandstein
Dm. 100 cm
Quiriguá, Izabal, Guatemala
Spätklassik, 30. Mai 653 n. Chr.

Obwohl etwas abgelegen im extremen Südosten des
Maya-Gebietes angesiedelt, zählen die Orte Copán und
Quiriguá zu den größten und wichtigsten Städten des
ganzen Tieflandes. Quiriguá und Copán liegen nur wenige Tagesmärsche voneinander entfernt und haben eine
gemeinsame Vergangenheit. Copán als das ältere und
größere Zentrum reicht mit seiner langen Geschichte bis
in die Protoklassik hinein. Beide Orte liegen in strategisch
günstigen Flußtälern, Copán im Tal des Copán-Flusses
und Quiriguá im breiten Tal des Motagua. Zugleich bildeten sie beide die östliche Grenze des Maya-Gebietes und
stiegen daher zu bedeutenden Handelsstationen für den
Austausch von Waren mit Völkern des südlichen Zentralamerika auf. Der Ort Quiriguá wurde wohl von den Herrschern Copáns gegründet, um den Handel zwischen der
Karibischen See und dem guatemaltekischen Hochland
zu kontrollieren.

Quiriguá wurde in der ersten Hälfte des 5. Jahrhunderts
von einem der Nachfolger von *Yax K'uk' Mo'*, dem ersten
ahaw von Copán, möglicherweise als Handelsstation gegründet. Über die Klientel-Fürsten, die Quiriguá in der
frühen Zeit regierten, wissen wir wenig, denn nur zwei
Stelen aus der Frühen Klassik sind erhalten. Nach der
Weihung dieser beiden Stelen wurde in den folgenden
etwa 180 Jahren kein weiteres Monument in Quiriguá
errichtet. Daraus läßt sich wohl schließen, daß Quiriguá
in dieser Zeit zu Copán gehörte und gar nicht das Recht
hatte, beschriftete Monumente aufzustellen. Der hier gezeigte Altar L ist dann nach langer Unterbrechung das
erste in Quiriguá errichtete dynastische Denkmal und
bleibt es auch für die folgenden achtzig Jahre. Mit dem
Fürsten *Butz' Tiliw* beginnt aber schließlich eine ganz
neue Phase in der Geschichte der Stadt. Ihm gelingt es,
sich von Copán zu emanzipieren, indem er in einem dramatischen Akt dessen Herrscher *Waxaklahun Ubah* gefan-
gennimmt und enthauptet. Unter *Butz' Tiliws* Herrschaft
beginnt Quiriguá sich zu einem selbständigen und großen Zentrum zu entwickeln und ein Rivale von Copán zu
werden. Nach dem Tode von *Butz' Tiliw* allerdings besin-
nen sich die *ahawob* von Quiriguá wieder darauf, daß
ihre Dynastie einen gemeinsamen Ursprung mit der
Herrscherdynastie von Copán hat, und spätere Könige
betonen ihre freundschaftlichen Kontakte und fami-
liären Bindungen zu Copán.

Außer für seine Beziehung zu Copán ist Quiriguá dafür
bekannt, daß es die höchsten Stelen und einige der faszinierendsten Monumente der Maya-Kunst, sog. Zoomorphe, besitzt. Diese riesigen, mit den Darstellungen von
Ungeheuern versehenen skulptierten Felsblöcke sind
wirklich einzigartig für diesen Ort, obwohl sie ihre Vorbilder in Copán gehabt haben könnten, wo verschiedene
groteske Wesen die Monumente des Hauptplatzes und
die umgebenden Gebäude schmückten.

Altar L ist das einzige Monument Quiriguás aus der Spätklassik, das noch vor der Loslösung der Dynastie Quiriguás durch die Enthauptung von *Waxaklahun Ubah* von
Copán errichtet wurde. Der Altar folgt der Tradition,
eine große, häufig personifizierte *ahaw*-Glyphe mit einem
darüber geschriebenen Koeffizienten in die Mitte eines
runden Altars zu plazieren, um dadurch ein Datum auszudrücken. Solche großen *ahaw*-Altäre sind aus Caracol,
Machaquilá, Toniná und Altar de Sacrificios bekannt. Im
Fall von Altar L stellt die sitzende Figur die Personifizie-

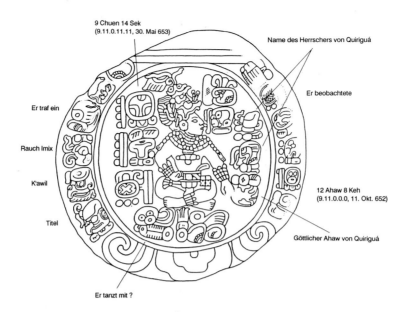

9 Chuen 14 Sek
(9.11.0.11.11, 30. Mai 653)

Name des Herrschers von Quiriguá

Er beobachtete

Er traf ein

Rauch Imix

K'awil

12 Ahaw 8 Keh
(9.11.0.0.0, 11. Okt. 652)

Titel

Göttlicher Ahaw von Quiriguá

Er tanzt mit ?

rung des Tageszeichens *Ahaw* dar. Zugleich ist sie wohl auch als Bildnis des Fürsten von Quiriguá zu verstehen. Obgleich von dem Koeffizienten über der Hieroglyphe nur die zwei Balken erhalten sind, läßt sich das Datum doch als »12 *Ahaw*« rekonstruieren. Es markiert das Periodenende 9.11.0.0.0 12 *Ahaw* 8 *Keh* (11. Oktober 652). Eine wichtige Inschrift umgibt zu beiden Seiten die Tageszeichenkartusche. Dort wird nämlich die Ankunft des Königs »Rauch-*Imix*-Gott K« von Copán in Quiriguá beschrieben. In den sechs Hieroglyphen auf der rechten Seite der Kartusche wird uns mitgeteilt, daß der Anlaß des Besuchs ein *ilah*-Ereignis war. Das Wort *il* bedeutet »sehen«, es wird häufig dann verwendet, wenn Fürsten aus fremden Städten an großen Zeremonien als Beobachter teilnehmen. Hier dürfte wohl »Rauch-*Imix*-Gott K« die Feierlichkeiten zum Abschluß des 11. *k'atun* in Quiriguá beobachtet haben. Solche Herrscherbesuche sind in den Klassischen Inschriften sehr häufig.

Sie haben eine wichtige Funktion für die Bildung von Allianzen und zur Demonstration der Macht eines Hauptzentrums gegenüber seinen Satelliten. Dies könnte auch hier der Fall gewesen sein, denn Quiriguá war von Copán abhängig. Der Besuch von »Rauch-*Imix*-Gott K« in Quiriguá diente aber vielleicht auch zur Aufwertung der Person und der Dynastie des Fürsten von Quiriguá, der nun seinen Untertanen anhand des Altars seine privilegierte Stellung demonstrieren konnte.

Ein weiteres Datum und der dazugehörige Text umgeben die Darstellung des Herrschers. Es liegt 231 Tage später, am 30. Mai 653 n. Chr. Den beiden Hieroglyphen unterhalb der Figur zufolge fand an diesem Tag ein Tanz statt.

Den Namen des Tänzers erfahren wir in der langen Hieroglyphensequenz vor dem Gesicht der Figur: es ist der Name des Herrschers von Quiriguá, der in der letzten Hieroglyphe als göttlicher König von Quiriguá tituliert wird. Dies deutet darauf hin, daß Quiriguá trotz seiner Abhängigkeit von Copán bereits ein eigenes Staatsgebilde war. Noch ein wichtiges Detail muß zu dem Datum dieses Tanzes angemerkt werden: er fand kurz vor dem Datum einer – allerdings in Quiriguá nicht sichtbaren – Sonnenfinsternis statt. Auch aus Yaxilán sind Tänze bekannt, die anläßlich einer bevorstehenden Sonnenfinsternis aufgeführt wurden. Die Maya konnten mit Hilfe ihrer in Faltbüchern aufgeschriebenen astronomischen Beobachtungen genau die Daten berechnen, an denen eine Sonnen- oder Mondfinsternis eintreten würde. Wenn schließlich diese Phänomene nicht sichtbar wurden, so führte man das wahrscheinlich auf die erfolgreiche Wirkung der Zeremonien und Tänze zum Schutz vor der Finsternis zurück.

Tanzdarstellungen sind das am weitesten verbreitete Motiv auf Steinmonumenten der Klassischen Zeit. Die Herrscher liebten es, sich als Tänzer verewigen zu lassen. Tänze fanden zu allen Zeit und im Zusammenhang mit den verschiedensten Ereignissen statt. Obgleich die Mehrzahl der Tänze wohl religiösen Inhalts war, gab es sie auch – wie wir aus frühen kolonialzeitlichen Quellen wissen – aus ganz profanen Anlässen, einfach zum Vergnügen.   F. F.

Lit.: N. Grube, L. Schele und F. Fahsen (1991); L. Schele (1989, 1990); R. J. Sharer (1990)

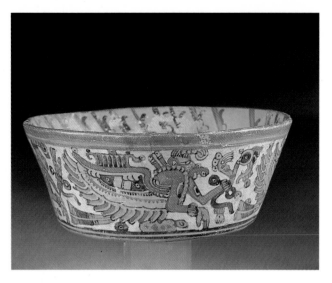 

136
Schale

Tegucigalpa, Honduras, Instituto Hondureño de Antropología e Historia, TGC-1624
Ton, polychrome Bemalung auf weißer Engobe
H. 8,1 cm, Dm. 20,8 cm
Valle de Sula, Honduras
Späte Frühklassik bis Spätklassik, 500–900 n. Chr.

Geflügelte Mischwesen aus menschlichem Oberkörper, Kopf und Vogelleib umziehen als Dekor die Außenseite dieser flachen Schale, deren Innenbemalung aus geometrischen Mustern besteht. Auch dieses Gefäß gehört zu einer polychromen Keramikware, wie sie speziell im Valle de Sula und ähnlich im Einzugsbereich des Ulúa-Flusses bis hinab zum Yojoa-See und ins Comayagua-Tal in der zweiten Hälfte des 1. Jahrtausends n. Chr. hergestellt wurde. Begehungsprojekte zur Feststellung der Siedlungsdichte haben ergeben, daß in dieser Zeit ein reger Austausch mit dem Maya-Gebiet westlich und nordwestlich stattgefunden haben muß und eine hohe Siedlungs-

dichte anzunehmen ist, bevor zwischen 900 und 1000 n. Chr. ein drastischer Bevölkerungsrückgang einsetzte. Der im wesentlichen Nord-Süd-gerichtete Korridor einschließlich des Comayagua-Tales bildete zu allen Zeiten die Hauptverbindungsroute zwischen Atlantik und Pazifik.   J. S. H.

Lit.: K. G. Hirth (1988)

137
Hohes Gefäß

Tegucigalpa, Honduras, Instituto Hondureño de Antropología e Historia, TGC-1252
Ton, polychrome Bemalung auf hellorangefarbener Engobe
H. 22 cm, Dm. 16,5 cm
Wohl Valle de Sula
Späte Frühklassik bis Spätklassik, 500–900 n. Chr.

Ulúa-Polychrom-Gefäße wie dieses wurden hauptsächlich im Valle de Sula während seiner Blütezeit – von der späten Frühklassischen Periode bis zur Endklassik (etwa zwischen 500 und 900 n. Chr.) – hergestellt, als die Region mit dichter Besiedlung eine differenzierte gesellschaftliche Gliederung aufwies und Kunst und Handwerk, obwohl in enger Nachbarschaft zu Copán, technisch und ästhetisch eine durchaus eigenständige Entwicklung nahmen. Eng verwandte Stilrichtungen verweisen auf Verbindungen zum Süden, in die Region des Lago de Yojoa und das Valle de Comayagua in Zentral-Honduras. Polychrome Gefäße aus einer oder mehreren dieser Gegenden wurden in Grabstätten der Elite und in Depots im zentralen Bereich von Copán und auch in einer an einen Wohnkomplex der Oberschicht angegliederten Wohnanlage in der abseits gelegenen Sepulturas-Zone gefunden. Man hat daher überlegt, ob nicht eine Kolonie dieser nicht näher definierten Bevölkerung in Copán gesiedelt hat. Dieses faßförmige Gefäß trägt ein Muster aus Schnörkeln, Stufendekors und Federn, das möglicherweise eine hochstilisierte Maske darstellt. Vergleichbare kunstvolle Zeichnungen mit feinen Linien sind typisch für frühere Ausprägungen des Ulúa-Polychrom-Stils, der in einigen Aspekten unverkennbar Bezug zu den Maya besitzt. J. S. H.

138
Hoher Relief-Becher

San Salvador, Museo Nacional »Dr. David J. Guzman«, Inv.-Nr. A 1-2622
Ton
H. 18 cm, Dm. 13 cm
Region von Chalchuapa, Santa Ana, El Salvador
Spätklassik, 600–900 n. Chr.

Die Völker, die El Salvador in der vorspanischen Zeit bewohnten, darunter vor allem die Lenca, hatten sehr enge Beziehungen zum Maya-Gebiet. Diese Beziehungen kommen auch in der Kunst deutlich zum Ausdruck, wie das Beispiel dieses Gefäßes zeigt. Die unbemalte Keramik ist meisterhaft mit plastischen und eingeritzten Motiven verziert. Die Gefäßwände sind mit zwei viereckigen Paneelen geschmückt, die stark abstrahierte Darstellungen von Fabeltieren einrahmen. Die zwei Paneele alternieren mit ineinander verwobenen Bändern, die ebenfalls von rechteckigen dicken Linien eingerahmt werden.
Unterhalb des Gefäßrandes läuft ein Band von Pseudo-hieroglyphen. Ganz offensichtlich kannte der Künstler Maya-Hieroglyphen aus eigener Anschauung, konnte sie aber nicht lesen. Er war sich aber deren hoher Bedeutung bewußt und versuchte durch Imitation, den Wert der von ihm gefertigten Keramik zu steigern. M. L.

139
Polychromes Gefäß

San Salvador, Museo Nacional »Dr. David J. Guzman«, Inv.-Nr.
SW 1-522
Ton, bemalt
H. 11,0 cm, Dm. 16,0 cm
Region von Chalchuapa, Santa Ana, El Salvador
Spätklassik, 600–900 n. Chr.

Das polychrom bemalte Gefäß im Stil von Salua ist mit

stilisierten Motiven in schwarzer und roter Farbe auf cremefarbenem Untergrund ausgestattet. Wahrscheinlich wurden Keramiken von dieser außerordentlichen Qualität für rituelle Zwecke oder im Haushalt eines Fürsten verwendet. Keramik dieses Stils wurde von den Lenca angefertigt, einem Volk, das in unmittelbarer Nachbarschaft mit den Maya im Süden von Honduras und im östlichen Teil El Salvadors lebte. Wohl von dort ist das Gefäß in die Region von Chalchuapa gelangt, deren Bevölkerung in der Späten Klassik offensichtlich mayasprachig war. M. L.

140
Hohe Schale

San Salvador, Museo Nacional »Dr. David J. Guzman«, Inv.-Nr.
SW 1-360
Ton, bemalt
H. 9 cm, Dm. 21 cm
Region von Chalchuapa, Santa Ana, El Salvador
Spätklassik, 600–900 n. Chr.

Dieses polychrom bemalte Gefäß ist in Form einer stark
abstrahierten Schildkröte modelliert. Deutlich erkennbar sind dabei Beine, Kopf und Schwanz des Tieres. Der
Unterteil der Keramik bildet den bauchigen Körper der
Schildkröte; darüber erhebt sich der eigentlich Bereich
der Schale, die mit anthropomorphen Figuren versehen
ist. Dazu treten florale und geometrische Muster und
symbolische Darstellungen.
Der vorliegende Keramikstil wird als Arambala bezeichnet und gehört zur Klasse der Copador-Gefäße, die eine
sehr weite Verbreitung vom Zentralgebiet El Salvadors
bis einschließlich Copán besaßen.   M. L.

141
Musikinstrument

Copán, Honduras, Instituto Hondureño de Antropología e
Historia, CPN-780
Ton
H. 13 cm
Copán, aus einem Grab im Bereich Patio D, Gruppe 9 N-8, Las
Sepulturas
Spätklassik, 600–900 n. Chr.

Figureninstrumente dieser Art – eine Art Flöte oder
Pfeife – wurden in großer Zahl im Tal von Sula in Zentral-
Honduras hergestellt und gelangten von dort sowohl
nach Copán als auch an andere Orte des Peripherie-
gebietes südöstlich von Copán. Das vorliegende Exemplar
wurde in einem Grab in Hof (Patio) D der Las Sepulturas-
Wohngruppe 9 N-8 gefunden. Nach Webster und Freter

soll hier eine Gruppe von Einwanderern aus Zentral-Honduras, wahrscheinlich aus dem Comayagua-Tal, gewohnt
haben. Viele dieser Pfeifchen wurden in Gräbern von
Kindern gefunden, ein Hinweis, daß sie von den an Körper und Seele jung Gebliebenen besonders geschätzt
wurden. Das Pärchen, das sich eng umschlungen hält,
vermittelt ohne Kommentar und über kulturelle und zeitliche Grenzen hinweg das Bild innigen Verbundenseins.
Da sich die Hände auf dem Leib der Frau treffen, könnte
dies ein Hinweis sein, daß sie schwanger ist und der
Nachwuchs sich bereits bemerkbar macht. Wenn man in
der Interpretation noch etwas weiter gehen will, so sei
angemerkt, daß der Mann lächelt, während die Frau dem
vor ihr liegenden Ereignis weit weniger enthusiastisch
entgegenzusehen scheint.   W. L. F./B. W. F.

Lit.: D. L. Webster und C. Freter (1990)

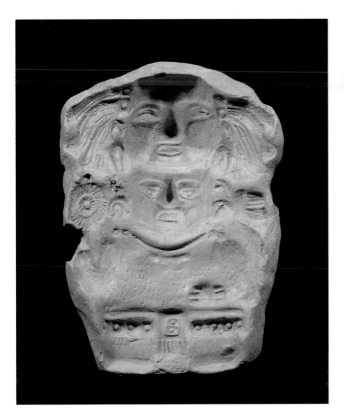

142
Tonfiguren-Model

Tegucigalpa, Honduras, Instituto Hondureño de Antropología e
Historia, TGC-1773-A
Ton
H. 15,7 cm
El Cajón (El Mango), Honduras
Spätklassik, 600–900 n. Chr.

Die Vorderseiten Spätklassischer Figurengefäße wurden
mit Hilfe von Lehmmodeln hergestellt, während die
Rückseiten handmodelliert waren. Dieser Model ist einer
von mehr als einem Dutzend, die in einem Opferdepot in
der Ruinenstätte El Mango in der Region von El Cajón,
knapp 100 km südöstlich des Valle de Sula im Entwässe-
rungsgebiet der Flüsse Ulúa, Chamelecón und Humuya
gelegen, entdeckt wurden. Wie das Valle de Sula erreichte die Region von El Cajón den Höhepunkt ihres
Wachstums und Wohlstands während der Spätklassischen Periode (600–900 bzw. 1000 im letztgenannten Gebiet), als die in diesem Fund enthaltenen Model hergestellt wurden. Die hier gezeigte Form gibt eine mensch-

liche Gestalt mit zwei Köpfen wieder, deren oberer
wahrscheinlich eine Maske darstellt. Obwohl Tausende
von Tonfiguren gefunden wurden, sind Abformungen,
die sich mit ganz speziellen Modeln in Verbindung bringen ließen, ausgesprochen selten.   G. H.

143
Model für Tonfiguren

Tegucigalpa, Honduras, Instituto Hondureño de Antropología e
Historia, TGC-1773-B
Ton
H. 12 cm, B. 7,9 cm
El Cajón (El Mango), Honduras
Spätklassik, 600–900 n. Chr.

Dieser Model stammt aus demselben Opferdepot wie
Kat.-Nr. 142, aus El Mango im Gebiet von El Cajón (»El
Cajón reservoir impoundment area«). Er gibt wahrscheinlich eine Eule wieder; dieses und das Bild eines Hirsches sind die einzigen beiden Darstellungen nicht-
menschlicher Gestalten in der ganzen Sammlung, die aus
über zwei Dutzend Modeln besteht.   G. H.

144
Zoomorphe Okarina

Tegucigalpa, Honduras, Instituto Hondureño de Antropología e
Historia, TGC-1593
Ton, ungeschlämmt
L. 15 cm
Valle de Sula, Honduras
wohl Spätklassik, 600–900 n. Chr.

Diese in der Form einer Katze, wohl einer Raubkatze,
modellierte Okarina ähnelt wegen des langgezogenen, stilisierten Körpers des Tieres einer Flöte. Das Instrument
wurde wahrscheinlich hauptsächlich bei Ritualen eingesetzt, ist vielleicht aber auch Grabbeigabe, da solche Funde
in Gräbern häufig sind; Blasinstrumente wurden außerdem benutzt, um Kriegszüge zu begleiten, ja Schlachten-
lärm mit Hilfe von Instrumenten gehörte zur Kampftak-
tik der Maya, wie u. a. der spanische Historiker Cogolludo
überliefert: »Eine große Zahl Indianer lagen im Hinter-
halt . . . und dann brachen sie hervor mit all ihren Waffen
. . . bliesen auf ihren Pfeifen und bearbeiteten Schildkrötenpanzer mit Hirschgeweihen, dazu bliesen sie auf großen Schneckenhörnern. Außer einem Lendenschurz trugen sie nichts am Leibe; aber den Körper hatten sie mit
unterschiedlich gefärbter Erde eingerieben, so daß sie
wie schreckliche Teufel anzusehen waren . . .«   J. S. H.

Lit.: A. M. Tozzer (1941) 49 Anm. 240

145
Anthropomorphe Okarina

Tegucigalpa, Honduras, Instituto Hondureño de Antropología e
Historia, TGC-1566
Ton, ungeschlämmt
H. 10,3 cm
Valle de Sula, Honduras
wohl Spätklassik, 600–900 n. Chr.

Diese Okarina in Gestalt eines mit einer schweren Last
auf dem Rücken bepackten Mannes besitzt eine Reihe
von runden Öffnungen, die, mit den Fingern abwechselnd verschlossen, die unterschiedlichen Tonhöhen bewirken. Das Gesicht des Mannes ist vollständig mit band-
und schlaufenartigen Tätowierungen bedeckt, die sogar
Nase und Augenlider miteinbeziehen. Der Kopf ist leicht
angehoben, die Augen geschlossen und der Mund weit,
wie zum Gesang geöffnet. Unklar bleibt, ob es sich hierbei um einen alten oder jüngeren Mann handeln soll und
ob der Sack mittels eines verzierten Tragriemens über
der Stirn gehalten wurde.   J. S. H.

146
Okarina

Tegucigalpa, Honduras, Instituto Hondureño de Antropología e Historia, TGC-1565
Ton, ungeschlämmt · H. 11,8 cm
Valle de Sula, Honduras
wohl Spätklassik, 600–900 n. Chr.

Mischgestaltige Wesen, welche aus den unterschiedlichsten Elementen verschiedener Tiere und Menschen zusammengefügt scheinen, sind ein beliebtes Motiv für Musikinstrumente. Die hier vertretenen zoomorphen Aspekte symbolisieren die Sphären der Luft und des Wassers. Besonders dominant treten die Flügel anstelle von Armen hervor, deren rechteckige Gestalt sich auch im Federhelm der Figur widerspiegelt. Die vorspringende Schnauze dagegen erinnert eher an vergleichbare Darstellungen von Krokodilen. Die weitaufgerissenen Augen, die Nase und der mit Männerbekleidung versehene Unterkörper vertreten dagegen den menschlichen Aspekt, der zusätzlich durch den dicken, gesteppten Baumwollpanzer über dem Oberkörper die kriegerische Komponente betont.   J. S. H.

147
Zoomorphe Okarina

Tegucigalpa, Honduras, Instituto Hondureño de Antropología e Historia, TGC-1561
Ton, ungeschlämmt · H. 12,2 cm, max. B. 10 cm
Valle de Sula, Honduras
wohl Spätklassik, 600–900 n. Chr.

Unter den rein tiergestaltigen Okarinas erfreuen sich vor allem Vogeldarstellungen größerer Beliebtheit. In diesem Falle scheint es sich um die Wiedergabe einer jungen Eule zu handeln, deren Gefieder auf dem Körper mittels eines Punkte- und Strichmusters angedeutet ist. Die feinen, längeren Federn an den Ohren sind durch Parallelritzungen besonders hervorgehoben worden. Die fehlende Musterung der Flügelstummel verweist entweder auf die Gestaltung eines sehr jungen Vogels oder möglicherweise auch darauf, daß die ganze Gestalt einen Menschen im Vogelkostüm bezeichnet, wobei die Federn synonym zur Panzerung eines Kriegers aufzufassen sein könnten.   J. S. H.

148
Relieftafel

Zürich, Museum Rietberg, RMA 308
Kalkstein
H. 88 cm, B. 95 cm, Dm. 4,5 cm
Pomoná, Tabasco, Mexiko
Spätklassik, um 780 n. Chr.

Dieses stark verwitterte Fragment war einst Teil eines größeren Reliefs, das rechts anschloß. Ob die Komposition auch links von dem Fragment weiterführte, ist unsicher. Oben und unten deuten Begrenzungslinien an, daß zumindest die Höhe die originale ist. Trotz der starken Verwitterung sind die Eleganz der Skulptur und die Meisterschaft des Bildhauers noch deutlich zu spüren. Ein junger Fürst sitzt in typischer Maya-Haltung leicht vorgebeugt und sich mit der rechten Hand auf sein Knie stützend auf einem Thron, der nicht die herkömmliche Form hat, sondern aus Vegetation zu bestehen scheint. Solche Sitze stellen häufig Toponyme dar, die das Geschehen an einen realen oder einen mythologischen Ort verlegen. Der Fürst ist mit einem ungewöhnlichen Lendenschurz bekleidet, der aus vielen kleinen Stoffstreifen und vielleicht sogar Vogelfedern besteht. In seiner linken Hand hält er ein Element, das die Vegetation mit der

Hieroglyphe *kah*, »Land, Ort«, verbindet, vielleicht die Ortsbezeichnung. Der Kopf zeigt eindrucksvoll, wie Schädel deformiert wurden, um dem Schönheitsideal der Klassischen Zeit zu entsprechen. Das Haar trägt er hochgebunden. Ein Fisch an einer Seerose bildet den hinteren Teil des Kopfputzes, während vorn eine Blüte von der Stirn herabfällt.

Vier stark verwitterte Hieroglyphen links vom Betrachter aus verzeichnen wohl seine Namen und Titel. Die ersten beiden Hieroglyphenblöcke scheinen die Namenshieroglyphen zu sein, während die dritte und vierte die Titel *y-ahaw te*, »Herr des Baumes«, und *sahal*, »Provinzfürst«, schreiben. Offenbar war der Porträtierte ein *Sahal*, der im Auftrage eines Königs eine Provinz verwaltete.

Die Herkunft des Reliefs ist nicht eindeutig gesichert. Archäologen haben jedoch in der Maya-Stadt Pomoná im mexikanischen Bundesstaat Tabasco, nicht weit von Palenque entfernt, ganz ähnliche Reliefs ausgegraben. Das Reliefpaneel 1 von Pomoná zeigt zum Beispiel zwei Figuren mit Hieroglyphen in den Händen, die in gleicher Haltung nach links blickend dargestellt sind. Es ist daher anzunehmen, daß dieses Relief Teil einer größeren Komposition war, die ein Bauwerk oder eine Palastwand in Pomoná schmückte. Der gezeigte Fürst wäre dann also Verwalter einer zum Fürstentum von Pomoná gehörenden Region.

N. G.

149
Plakette mit Darstellung eines Fürsten

Cambridge, Peabody Museum of Archaeology and Ethnology,
Harvard University, Inv.-Nr. 10-71-20/C 6667
Jadeit mit Resten schwarzer Bemalung
H. 12,0 cm, B. 13,5 cm, D. 0,3–0,7 cm
Chichén Itzá, Yucatán, Mexiko, Heiliger *Cenote*
Spätklassik, 600–900 n. Chr.

Die gravierte Darstellung zeigt umgeben von einer kartu-
schenartigen Rahmung einen auf einer Matte sitzenden
Fürsten, dessen Kleidung nur aus einem Lendenschurz
nebst Arm- und Fußreifen besteht. Um den Hals des Fürsten liegt eine mehrfach geschlungene Kette mit einem
größeren Pektoral, sein Ohr ziert ein Ohrpflock. In der
rechten Hand hält er eine Hieroglyphe, von der nur das
obere Drittel original ist, der Rest wurde von Tatiana
Proskouriakoff sorgsam rekonstruiert. Statt eines aufwendigen Kopfschmucks wird das Haar hier in zwei

Strähnen geteilt wiedergegeben, und zwar büschelartig
vor der Stirn, wohl durch eine Röhrenperle gezogen, hinter dem Kopf dagegen zopfartig weit ausladend und wohl
von Bändern umschlungen. Das im Profil dargestellte Gesicht fällt durch die lange Nase auf, vor der eine Volute,
vielleicht ein stark abstrahierter Schlangenkopf, zu
schweben scheint, was wohl »Atem« oder »Sprache« bedeutet. Die um das Fürstenporträt gelegte Kartusche, die
sich aus aneinandergereihten Kreisen zusammensetzt
und zum Rand hin zehn kleine Bohrlöcher als Befestigungshilfen aufweist, läßt sich möglicherweise als »Son-
nenkartusche« interpretieren.
Da der Stil der Darstellung für Chichén Itzá fremd ist,
liegt die Vermutung nahe, daß es sich nicht um ein hier
hergestelltes Produkt handelt, sondern um eine Arbeit,
die von Pilgern oder reisenden Kaufleuten nach Chichén
Itzá gebracht wurde. Positur und vor allem die Gesichts-
wiedergabe mit künstlich verformtem Schädel und der
auffallend langen Nase legen als Entstehungsort Palenque nahe. Dieser Annahme entspricht auch die Frisur
und das Fehlen jeglichen Federschmucks.   N. G.

150
Anhänger mit dem Bildnis eines Fürsten

London, The British Museum, 1938.10-22.25
Jade
H. 14 cm, B. 14 cm
Angeblich aus Teotihuacán
Spätklassik, 600–900 n. Chr.

Wir wissen nur wenig über die Vorgeschichte dieser Jadeplakette, die zu den bekanntesten Jadearbeiten der Maya gehört. Angeblich wurde das Stück in der Stadt Teotihuacán in Zentralmexiko gefunden, es könnte demnach als Handelsgut oder wertvolles Freundschaftsgeschenk dorthin gelangt sein, pflegte doch Teotihuacán speziell in der Frühklassik intensive Beziehungen zum Gebiet der Maya; sicher hat es aber auch Würdenträger und Händler aus Teotihuacán, die die Maya-Region bereisten und auf diese Weise den Austausch kostbarer Güter anregten, gegeben.
Leider ist die Jadeplakette nicht vollständig erhalten, so daß wesentliche Elemente der Ikonographie, wie zum Beispiel der rechte Kopf der doppelköpfigen Schlange über dem Fürsten, fehlen. Da dennoch die Kanten der

Jade abgeschliffen sind, war das Stück bereits in den Händen eines der Vorbesitzer zerbrochen, aber es wurde für so kostbar gehalten, daß man es erneut abschliff, es sogar noch einmal polierte und mit einem neuen Loch zur Aufhängung versah.
Die Szene scheint in das Genre der Palastszenen zu gehören. Der mit dem Gesicht im Profil gezeigte Fürst sitzt mit übergeschlagenen Beinen auf einem steinernen Thron. Seine Haare werden durch einen Maskenkopfputz verdeckt, aus dem Quetzalfedern im Bogen herabfallen. Vor der Nase erkennen wir ein Symbol, dessen exakte Bestimmung noch aussteht, aber vielleicht Atem oder Sprechen andeutet. Ein aus mehreren Röhrenperlen zusammengefügtes Pektoral hängt an einer Kette vom Hals herab. Mit dem linken Arm hält der unbekannte Fürst einen Schild vor sich, der mit dem Gesicht des Jaguargottes der Unterwelt geschmückt ist. Links vor ihm steht ein kleiner Hofzwerg, wie ihn die Maya häufig in Palastszenen zeigen. Und schließlich erkennen wir über dem Fürsten den bereits erwähnten doppelköpfigen Schlangenstab, aus dessen linkem, weit geöffnetem Schlangenrachen der Gott *K'awil* herausblickt. Sah man früher in dem Stab nur ein Himmelssymbol, so machen neueste Untersuchungen eine Interpretation als Symbol für die Milchstraße wahrscheinlich.

N. G.

151
Porträtkopf

Köln, Museum Ludwig (SL XXXVII), Dauerleihgabe im Rauten-
strauch-Joest-Museum
Stuck
H. 23,7 cm, B. 20 cm
Angeblich aus Palenque, Chiapas, Mexiko
Spätklassik, 600–900 n. Chr.

Der hier abgebildete Porträtkopf gibt in seiner jetzigen
Form einen vornehmen Maya wieder, dessen Gesicht
weder Schmuck noch den für andere Porträtköpfe typischen, in die Stirn verlängerten künstlichen Nasengrat
aufweist. Augenbogen und Brauen schwingen in feinen
Linien von der Nase ausgehend um die mandelförmigen
Augen und bilden die beherrschenden Züge des Gesichts,
denen zufolge es sich bei dem Dargestellten um eine Person im Alter von 20–30 Jahren gehandelt haben dürfte.
Aus Stuck modellierte menschliche Köpfe waren als

Schmuck der Außenfronten von Tempeln und Palästen
über ein Gebiet verbreitet, das sich von Palenque bis nach
Quintana Roo erstreckte. In Palenque konnten solche
Köpfe als die Porträts mehrerer Herrscher identifiziert
werden. Die Stuckköpfe aus dieser Stadt, wie auch der
hier vorgestellte, zeigen einen besonders sensiblen gestalterischen Realismus, der sie von den weiter östlich
aufgefundenen, mehr schematisch wirkenden Köpfen
unterscheidet. Diese Tatsache läßt die Herkunftsangabe
»angeblich Palenque« glaubwürdig erscheinen oder – da
der Kopf in der Darstellung der Augen und anderer
Details von den Herrscherporträts von Palenque abweicht – ihn zumindest der Umgebung von Palenque zuweisen.
Der so einfache und dadurch besonders realistisch wirkende Kopf trug ursprünglich einen Kopfschmuck, wie
man an dem unregelmäßigen Abbruch oberhalb der
Stirn erkennen kann. Vielleicht gehört er sogar zu einer
lebensgroßen, halbplastisch aus Stuck geformten Figur,
wie wir sie aus zahlreichen Städten der Klassischen Zeit
als Fassadenschmuck kennen.   U. D.

152

Zylindrischer Aufsatz eines Räuchergefäßes

Köln, Museum Ludwig (SL XL), Dauerleihgabe im Rauten-
strauch-Joest-Museum
Roter Ton mit weißen und blauen Farbresten
H. 77 cm, B. 36 cm, Dm. 11 cm
Umgebung von Palenque, Chiapas, Mexiko
Spätklassik, Ende 7. Jh. n. Chr.

Die dickwandige, oben und unten offene Keramikröhre
fand bei Räucherritualen Verwendung, wobei die genaue
Funktion allerdings noch umstritten ist. Entweder bildete die Keramik den Aufsatz und Rauchabzug eines
nicht mehr erhaltenen unteren Gefäßes, in dem Kopal-
harz verbrannt wurde, oder der Behälter mit Räucherharz wurde oben auf der Öffnung angebracht. Dem
Zylinder vorgesetzte Keramik-Applikationen und seitlich
über die ganze Länge herausgezogene flache Keramik-
platten bilden die ornamentierte Vorderfront. Es handelt sich um ein für die Region von Palenque typisches
Objekt.
Im Mittelpunkt der Darstellung steht das Gesicht des bärtigen Venusgottes. In vielen Darstellungen wird sein Gesicht von zwei Venushieroglyphen eingerahmt, die seine
Assoziation mit diesem die Mythologie der Maya prägenden Himmelskörper offensichtlich machen. Zu seinen
Attributen gehören ein langer, blattförmiger Bart und
Jaguar-Ohren. Eines seiner Jaguar-Ohren ist links neben
dem Gesicht erhalten. Charakteristisch sind außerdem
die pupillenlosen Augen sowie die dicken volutenartigen
Verschlingungen an der Nasenwurzel, die in ebensolche
Augenumrahmungen übergehen. Über den langen Stirn-
haaren ragt ein groteskes langnasiges Gesicht ohne Unterkiefer heraus, das von einem schmückenden Stirnband abgeschossen wird. Ein auf diesem sitzender Vogel
(ein Kormoran?) ist heute nur noch partiell erhalten, desgleichen sind die beiden im oberen Teil seitwärts herausragenden, früher wohl flügelförmigen Ansätze abgebrochen. Die Basis der Darstellung wird vom Oberteil des
Gesichtes des »Knotengottes« gebildet.
Ebenso wie die Darstellung des Venusgottes stimmen
auch die auf den Seitenteilen streng symmetrisch aufge-
brachten Motive inhaltlich mit denen anderer Keramiken
des Typs überein (von unten nach oben: Vogelkopf, Quin-
cunx oder Jade, Kartusche mit gekreuzten Bändern,
Schlangenflügel neben dem grotesken Kopf sowie am
oberen Abschluß weitere Schlangenornamente). Es
könnte sich bei den Motiven auf den Seitenteilen um
Himmelssymbole ähnlich denen, die man in den Him-
melsbändern findet, handeln. U. D.

Lit.: N. Grube und L. Schele (1988)

153
Porträtmaske

London, The British Museum, 9599
Grünstein
H. 15,2 cm, B. 9,9 cm
Comayagua, Honduras
Spätklassik, 600–900 n. Chr.

Diese einfache, aber in hohem Grade naturalistische Porträtmaske wurde angeblich von zwei Indianern, die in Tambla, Honduras, lebten, in dem Ort Comayagua in Zentral-Honduras gefunden. Wie der Kopf in das Tal von Comayagua gelangte, in dem in der Klassischen Zeit sicher keine Maya-Bevölkerung lebte, dürfte für immer ein Rätsel bleiben.

Der schlichte Realismus des Gesichts wird von keinem Schmuck oder zusätzlichem Detail gestört. Seine Züge sind auf das Wesentlichste konzentriert; die schweren Lider sind nur angedeutet, die große Nase entspricht dem klassischen Schönheitsideal der Maya. Die Augen waren einst wohl mit Muschelschale oder farbigen Steinen eingelegt, und der Mund erscheint – wie so oft bei idealisierten Fürstenporträts – leicht geöffnet. Durch seitliche Löcher in Augenhöhe war der Kopf einst an einem Gürtel befestigt, wie Reibspuren an der Nase und in Höhe der Augenbrauen vermuten lassen, oder hing als Pektoral vor dem Oberkörper eines Fürsten. Ein drittes Loch oben auf dem Kopf ist begonnen, aber nie vollendet worden. Auf zahlreichen Fürstenporträts sehen wir die Fürsten mit breiten Gürteln bekleidet, an denen ein oder mehrere Porträtköpfe befestigt sind und darunter häufig drei flache Anhänger, hölzerne Rasseln oder Spiegel.

Auf der Rückseite der Maske ist ein Hieroglyphentext eingeritzt, der das Rätsel um die Herkunft zu lösen hilft. Leider ist ein Großteil des Textes verwittert und abgerieben, darunter auch das Datum und der Teil der Inschrift, der vielleicht einst den Namen des Besitzers enthielt. Der erste lesbare Satz beginnt mit dem Porträtkopf des Gottes N, eine Hieroglyphe, die sich auf die Einweihung von Häusern und Objekten bezieht. Vielleicht ist hier die Weihung der Maske gemeint. Die der Einweihungshieroglyphe folgende Hieroglyphe beginnt mit dem Possessivpräfix *u*, also stand das nächste Wort im Genitiv und war vielleicht der Name eines Objektes. Ihr folgen die Hieroglyphen *u pakal k'inich ch'ul Palenque ahaw*, »der Gürtelschmuck von *K'inich*, dem göttlichen *Ahaw* von Palenque«.

Das Wort *pakal* heißt in diesem Zusammenhang »Zierat« und »Gürtelschmuck«. Die Maske war also der Gürtelschmuck eines göttlichen *Ahaw* von Palenque mit dem

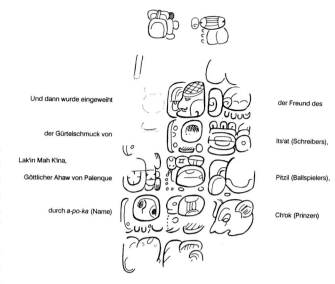

Und dann wurde eingeweiht
der Gürtelschmuck von
Lak'in Mah K'ina,
Göttlicher Ahaw von Palenque
durch a-po-ka (Name)

der Freund des
Its'at (Schreibers),
Pitzil (Ballspielers),
Ch'ok (Prinzen)

Titel *k'inich* »Sonnengesicht«. Der Text fährt fort mit einem Satz, der den Namen der Person nennt, die die Maske einweihte. Der Name ist allerdings nicht mehr lesbar. Der Text endet schließlich mit der Aussage, daß derjenige, der die Maske einweihte und wahrscheinlich dem *Ahaw* von Palenque schenkte, ein Freund des Künstlers war, der sie angefertigt hatte. Der Künstler trägt die Titel *itz'at pitzil ch'ok*, »Weiser, Ballspieler und Angehöriger der Fürstenfamilie«; denn wie so häufig kamen die Künstler aus den königlichen Familien. In der Gürtelmaske dürfen wir demnach wahrscheinlich ein Geschenk sehen, das ein unbekannter Herrscher von einem befreundeten Künstler für einen Herrscher von Palenque anfertigen ließ. Der Austausch von Schmuck, Jadefiguren und wertvollen Keramiken war in der Klassischen Zeit ein wichtiges Mittel, um Kontakte und Freundschaften aufrechtzuerhalten.

Wie aber ist nun diese Maske, die wohl für einen Fürsten von Palenque geschaffen wurde, nach Honduras gelangt? Linda Schele und Mary Ellen Miller vermuten, daß die Maske ein Teil des Schmuckes war, den Frau *Yax Nik* aus Palenque bei ihrer Heirat mit einem Fürsten von Copán dorthin mitnahm, berichtet doch Stele 8 von Copán, daß *Yax Pak*, der sechzehnte König, als Sohn von *Yax Nik* aus Palenque zur Welt kam. Vielleicht wurde das Stück nach dem Tode von Frau *Yax Nik* an einen Provinzfürsten weiterverschenkt und gelangte auf diese Weise in das mit dem Copán-Tal in engem wirtschaftlichen Kontakt stehende Tal von Comayagua. So überzeugend dieser Vorschlag auch klingt, wird eine sichere Klärung dieses Geheimnisses wohl nie möglich sein. N. G.

154
Altarstütze

Guatemala-Stadt, Museo Nacional de Arqueología y Etnología,
Nr. 9625
Stein
H. 36,5 cm, B. 40 cm
Piedras Negras, El Petén, Guatemala
Spätklassik, 5. Mai 751 n. Chr.

Piedras Negras war die Hauptstadt eines Kleinstaates im
Bereich des Río Usumacinta. Während seiner langen Geschichte unterhielt Piedras Negras diplomatische Beziehungen zu seinen Nachbarn und verknüpfte mit der Aufzeichnung seiner Geschichte viele Episoden aus anderen
Staaten. Darüber hinaus stammen einige der wohl schönsten und faszinierendsten Kunstwerke der Maya aus dieser Stadt.

Die russische Kunsthistorikerin Tatiana Proskouriakoff
zeigte 1960 anhand der einem menschlichen Lebensalter
entsprechenden zeitlichen Staffelung der Stelen, daß die
Inschriften der klassischen Maya-Kultur die Biographien
von Herrschern behandeln. Mit der Veröffentlichung
ihrer Ergebnisse bewirkte sie das vielleicht tiefgreifend-
ste Umdenken in der Maya-Forschung, indem sie endgültig den historischen Charakter der Inschriften nachwies.
Die Texte von Piedras Negras befaßten sich nun nicht
mehr nur mit astronomischen Berechnungen und esoterischen religiösen Offenbarungen, sondern schlossen
sich der übrigen Menschheitsgeschichte an, in deren Mittelpunkt historische Persönlichkeiten standen, Männer
und Frauen, die Staaten regierten, gegenseitige Beziehungen pflegten, untereinander heirateten und Kriege
gegen ihre Feinde führten.

Sieben Herrscher sind in lückenloser Abfolge für Piedras
Negras bekannt. Die hier gezeigte Inschrift ist eine von
vier Stützen von Altar 2, die das Leben des vierten Herrschers von Piedras Negras behandeln. Er war ein Zeit-
genosse von *Yaxun Balam* von Yaxchilán, Herrscher über
den mächtigsten Nachbarstaat. *Yaxun Balam* hatte wohl
auch ein wachsames Auge auf ihn geworfen, denn er
wird in Piedras Negras als Besucher erwähnt, und war
vielleicht auch ein Alliierter in Kriegszeiten. Zu einem bestimmten Zeitpunkt in ihrer Geschichte muß es den beiden Zentren gelungen sein, die Usumacinta-Region zu
einem großen Teil unter sich aufzuteilen. Dies führte jedoch nicht zur Konfrontation zweier Supermächte, wie
man annehmen könnte, sondern zu einer Koexistenz von
zwei gleichbedeutenden Staaten.

Aus der Inschrift der ersten Stütze des Altars erfahren
wir, daß »Herrscher 4« am Tag 7 *Men* 18 *K'ank'in*,

9.13.9.14.15 (18. September 701 n. Chr.) geboren wurde.
Im Alter von 28 Jahren, nämlich 2 *Ben* 16 *K'ank'in*,
9.14.18.3.13 (9. September 729 n. Chr.), bestieg er den
Thron von Piedras Negras. Die hier gezeigte dritte Stütze
des Altar 2 bezieht sich in ihrer Inschrift auf die Vollendung des 15. *k'atun* am Tag 9.15.0.0.0 4 *Ahaw* 13 *Yax*
(18. August 731 n. Chr.). Die Inschrift besteht aus neun
sorgfältig eingemeißelten Hieroglyphen, von denen sieben Daten und kalendarische Informationen wiedergeben. Die beiden übrigen notieren den Namen des Herrschers und titulieren ihn als *k'ul yokib ahaw*, »Göttlicher
ahaw über das Land der Schlucht«, denn Piedras Negras
liegt dort, wo der Fluß Usumacinta eine tiefe Schlucht in
hohe Felswände gegraben hat.

Das Datum 9.15.0.0.0 war für den vierten Herrscher
nicht nur deshalb so bedeutend, weil es ein rundes
Datum war, sondern es war der erste *k'atun*, der sich
innerhalb seiner Regierungszeit vollendete. Anläßlich
dieses Ereignisses, so erfahren wir aus der Hieroglyphe
links unten in der Inschrift, errichtete der vierte Herrscher seine erste Stele.

Auf der vierten Altarstütze, deren Text den hier gezeigten fortsetzt, ist von der Vollendung des nächsten
k'atun-Endes am Tag 2 *Ahaw* 13 *Sek* 9.16.0.0.0 (5. Mai 751
n. Chr.) die Rede. Dies ist das letzte Datum, das auf den
Stützen von Altar 2 verzeichnet ist und dürfte auch das

Datum sein, an dem der Altar auf dem großen Westplatz vor der Treppenanlage, die zur Akropolis hinaufführt, errichtet wurde. Nur sechs Jahre nach Errichtung dieses Altars, am Tag 9.16.6.11.17 (26. November 757 n. Chr.) starb der vierte Herrscher von Piedras Negras im Alter von 56 Jahren.

Auf den vier Altarstützen lag einst eine quadratische Platte, die ebenfalls mit Hieroglyphen beschrieben war. Als Teobert Maler, der Entdecker von Piedras Negras, bei seinem zweiten Besuch im Jahre 1899 den Altar fand, war die Platte bereits so verwittert, daß er sie nicht mehr photographierte.   F. F.

Lit.: T. Proskouriakoff (1960)

155
Altarstütze

Guatemala-Stadt, Museo Nacional de Arqueología y Etnología, Nr. 364
Kalkstein
H. 72 cm
Piedras Negras, El Petén, Guatemala
Spätklassik, Ende 7. Jh. n. Chr.

Dieses Objekt, eine von vier identischen Skulpturen, ist die Stütze oder das Bein eines Altars (Nr. 4). Für den Maya-Bildhauer aber war es die Personifikation eines heiligen Steines und seiner ihm innewohnenden spirituellen Kraft. Das gleiche Zeichen – die *kawak*-Hieroglyphe, erkennbar an der üblichen rundlichen Kartusche mit einem traubenförmigen Element an der oberen linken Seite und einem kleinen zungenförmigen Element an der unteren rechten Seite – drückt, neben anderen Bedeutungen, das Wort für »Stein« aus, aber auch »Stele«, »Berg«, »Altar« und verwandte steinere Objekte. Wenn ein Objekt in Ritualen verwendet wurde oder auf einem heiligen Ort stand, sammelte es mit der Zeit so viel spirituelle Kraft, daß es gefährlich werden konnte, und mußte in »Entweihungszeremonien« rituell zerstört oder getötet werden. Dann wurden Gefäße zerbrochen, Stelen und Türstürze beerdigt und ganze Gebäude abgerissen oder überbaut. Es war deshalb für den Bildhauer, der diese Altarstütze schuf, selbstverständlich, diese mit einem Gesicht zu versehen und sie dadurch zu personifizieren.

Auffällig an dieser Skulptur sind die Augenbrauen, die schraffierten Augen und die vorstehende Nase oder Schnauze. Den Abschluß bildet das breite Maul mit abgefeilten Schneide- und Backenzähnen, während aus den Mundwinkeln durch Voluten symbolisiertes Blut strömt. Die drei kleinen Hieroglyphen auf der Stirn sind unglücklicherweise zu stark verwittert, als daß sie vollständig gelesen werden könnten. Die erste jedoch ist die *lu*-Fledermaus genannte Verbhieroglyphe, die 1986 von David Stuart als Verb für »steinschnitzen« oder »skulptieren« gedeutet wurde. Sie gehört zu den Zeichen, die wir zwar genau deuten, aber noch nicht in der Sprache der Maya phonetisch lesen können. Die folgenden zwei Glyphen buchstabieren den Namen des Bildhauers. Es handelt sich also um eine echte Künstlersignatur. Offenbar waren sich die Künstler ihrer individuellen Leistungen durchaus bewußt. Die Künstler von Piedras Negras haben ihre Signaturen besonders häufig hinterlassen; auf einigen Stelen finden sich sogar verschiedene Signaturen – ein Zeichen dafür, daß mehrere Bildhauer gemeinsam an einem Werk arbeiteten. Das ermöglicht den Kunsthistorikern heute, Werkstätten und künstlerische Stile herauszuarbeiten. Die Künstler scheinen in einigen Fällen sogar als besonders wertvolle Gefangene aus eroberten Städten gekommen zu sein. So ist Stele 12 von Piedras Negras wahrscheinlich von Bildhauern aus dem erst wenige Jahre zuvor eroberten Ort Pomoná gefertigt worden. Meist aber gehörten sie ebenso wie Maler und Schriftgelehrte den Herrscherfamilien an. Einige Texte sagen explizit, daß ein bestimmter Bildhauer Sohn des gegenwärtigen Königs ist. Über die Verwandtschaft oder Herkunft des Meisters unseres Stückes wissen wir außer seinem Namen nur, daß er auch für Stele 6 verantwortlich zeichnete, deren Errichtungsdatum 687 n. Chr. ist. Das gibt uns einen Anhaltspunkt für die Datierung der Stütze von Altar 4, der ansonsten keine Daten liefert. Dies ist nur eine von vier Stützen, auf denen eine runde Altarplatte lag, die an den Rändern beschriftet war. Die Altarplatte ist nur von einem Photo, das der deutsche Forscher Teobert Maler um die Jahrhundertwende aufnahm, bekannt. Er entdeckte diesen Altar isoliert in einiger Entfernung von Pyramide 15 von Piedras Negras.   F. F.

156
Anhänger

Cambridge, Peabody Museum of Archaeology and Ethnology,
Harvard University, Inv.-Nr. 10-70-20/C6100
Jadeit
H. 8,5 cm, B. 5,9 cm, Dm. 5,1 cm
Chichén Itzá, Yucatán, Mexiko, Heiliger *Cenote*
Spätklassik, 26. Oktober 699 n. Chr.

Dieser aus Jadeit gefertigte Schmuckanhänger hat eine
lange Geschichte, von der wir allerdings nur den Anfang
und das Ende kennen. Auf seiner Ober- wie auch seiner
Rückseite haben sich zwei kurze, eingeritzte Hieroglyphentexte erhalten, die uns außer zwei Kalenderrund-
daten auch Aufschluß über seine Herkunft geben. So
sind die sechs Hieroglyphen auf dem Kopf des Jaguars als
das Datum 7 *Imix* 14 *Mak* zu lesen, dessen genauere Bestimmung nicht mehr möglich ist, da eine Lange Zählung
fehlt und sich das genannte Datum alle 52 Jahre wiederholt. Der Text fährt aber mit der Aussage *tsutshi oxlahun
tun ti ahawlel* fort, die in der Übersetzung folgenden Satz
ergibt: »Es vollendete sich sein dreizehntes Jahr als
Ahaw«. Darauf folgt eine Hieroglyphe, die sicherlich den
Namen des Herrschers wiedergab, der hier sein Thron-
jubiläum festhalten ließ. Sie ist aber heute zu stark erodiert, als daß sie Aufschluß über seine Identität geben
könnte. Tatiana Proskouriakoff, der das große Verdienst
zukommt, die Jadefragmente aus dem *cenote* von Chichén Itzá sowohl restauriert als danach auch dokumentiert zu haben, argumentierte überzeugend, daß sich
das Datum auf die Thronbesteigung von Herrscher 3 aus
Piedras Negras beziehen könnte, der sein Amt als *Ahaw*
von Piedras Negras am 9.12.14.13.1, d. h. am 2. Januar
687 n. Chr., antrat. Demnach kann das Datum des Anhängers in die Position 9.13.7.13.1 der Langen Zählung eingefügt werden, was dem 26. Oktober 699 n. Chr. entspricht;
das sind auf den Tag genau 13 *Tun* nach dem Tag der
Thronbesteigung. Damit läßt sich schließlich auch der
Inhalt der letzten schlecht erhaltenen Hieroglyphe ermitteln: sie nennt den Namen des Herrschers 3 von Piedras
Negras: *Yonal Ak*.
Auch um die Höhlung in der Rückseite des Stückes, die
dieses wohl leichter und damit besser tragbar machen
sollte, wurde eine Inschrift graviert, die aber wiederum
zum Teil verwittert erscheint. Sie setzt offenbar mit der
Hieroglyphe 7 *Tun* ein, die hier als Distanz vom obengenannten zum nächsten Datum zu verstehen ist. Ihr
folgt die Hieroglyphe *utom*, »es wird geschehen«, die anzeigt, daß das nachstehende Datum in der Zukunft liegt.
Die sich anschließende Kalenderrunde gibt schließlich

das Datum 5 *Imix* 19 *Sak* wieder, also 9.13.14.13.1 oder
den 19. September 706 n. Chr., das gleichzeitig das
K'atun-Jubiläum der Thronbesteigung von *Yonal Ak* darstellt. Daraus läßt sich folgern, daß der Anhänger als
Anlaß der Feier des dreizehnten *Tun*-Jubiläums der
Thronbesteigung angefertigt wurde; allerdings wollte
sich *Yonal Ak* auch nicht die Gelegenheit nehmen lassen,
gleichzeitig darauf hinzuweisen, daß er schon in wenigen Jahren sein *K'atun*-Jubiläum begehen würde. Übrigens geben die zwei kleinen Hieroglyphen, die sich im
unteren Bereich der Rückseite eingraviert finden, wohl
den Namen des Künstlers wieder, dem wir die Herstellung dieser Preziose zu danken haben.
Im einzelnen ist der Anhänger als das idealisierte Porträt
eines Fürsten gestaltet worden, wahrscheinlich handelt
es sich um *Yonal Ak* selbst, dessen eindrucksvoller Kopfputz, als Jaguarkopf gebildet, ebenso eindrucksvoll ins
Auge fällt wie die lange »Maya-Nase«.
Sicherlich diente das Stück einst als Anhänger oder als
Gürtelschmuck, sind doch sowohl unterhalb der Ohren
des Jaguars wie auch auf der Rückseite Löcher eingetieft
worden, die sicher als Befestigungshilfen dienten.
Der lange Weg des Anhängers von seinem Erstbesitzer
Yonal Ak bis zu seiner Opferung im *cenote* von Chichén
Itzá wird für immer unbekannt bleiben. Vielleicht wurde
der Anhänger als kostbares Erbstück vom Vater an den
Sohn weitergegeben, bis er schließlich durch einen Pil-
ger nach Chichén Itzá gelangte. Dort wurde er noch vor
seiner Versenkung im *cenote* in ein Feuer geworfen, das
ihn in viele kleine Stücke zerspringen ließ.   N. G.

157
Anhänger in Gestalt eines Totenschädels

Guatemala-Stadt, Museo Nacional de Arqueología y Etnología,
Nr. 4764
Jade
H. 3,5 cm, B. 3 cm
Nebaj, El Quiché, Guatemala
Spätklassik, 600–900 n. Chr.

158
Anhänger

Guatemala-Stadt, Museo Nacional de Arqueología y Etnología,
Nr. 12152
Jade
L. 4,5 cm, H. 5 cm
Tikal, El Petén, Guatemala
Spätklassik, 600–900 n. Chr.

Es muß Monate gedauert haben, um dieses vor allem durch sein intensives Grün besonders schöne Jadestück zu bearbeiten, zieht man die einfachen Werkzeuge, die zur Verfügung standen, und die Härte des Steins in Betracht; der dabei entstandene Miniaturtotenkopf mit deutlich hervortretenden Vorderzähnen weist als durchgehende Verbindung zwischen beiden Ohren ein im Durchmesser 1,5 cm großes Loch auf, welches den Schädel durchbohrt. Durch diesen Bohrkanal war ursprünglich ein Stab aus Jade gesteckt worden, der zu beiden Seiten des Schädels als Ohrpflock endete. Zwei kleinere Bohrungen in den Wangen dienten zur Führung von Lederschnüren, um das Objekt vor der Brust als Pektoral tragen zu können.
Kostbare Stücke wie dieses konnten von Generation zu Generation weitergegeben werden oder als Grabbeigaben Verwendung finden. F. F.

Jade war ein Luxusgut, das in ganz Mesoamerika bis hin nach Costa Rica gehandelt wurde. So wurden kunstvoll bearbeitete Jadestücke u. a. sowohl in der Stadt Teotihuacán, dem Gebiet von Nebaj im guatemaltekischen Hochland wie auch im Petén und in Yucatán gefunden.
Das vorgestellte Beispiel aus glänzend grünem Stein wurde als das Bildnis einer hochstehenden Persönlichkeit gestaltet, wie die deutlich angegebenen Ohrpflöcke oder der vierteilige Halskragen nahelegen. Sein Kopfschmuck könnte aus Stoff mit eingeflochtenen runden Jadeteilen bestanden haben, ähnlich dem, der auf Türsturz 26 aus Yaxchilán als Teil der Kopfbinde des Schutzjaguars auftritt. Zwei Durchbohrungen in den Ohrpflöcken und eine weitere am Rand des Kopfschmucks weisen auf die Verwendung des Objektes als Anhänger für eine elegante Dame oder einen Maya-Fürsten. F. F.

159
Ohrpflock

Guatemala-Stadt, Museo Nacional de Arqueología y Etnología,
Nr. 461
Muschelschale mit eingelegter Jade und Pyrit
Dm. 7,3 cm, T. 4 cm
Uaxactún, El Petén, Guatemala
Spätklassik, 600–900 n. Chr.

Ohrpflöcke aus verschiedenen Materialien gehörten bei
den Maya zum beliebtesten Schmuck. Am häufigsten
wurden Ohrpflöcke aus Jade hergestellt, aber es gab
auch fein geritzte Exemplare aus Muschelschalen der
Karibischen See, die die hohe Stellung des Trägers und
seinen Reichtum zur Schau stellen sollten.
Im Innern des Ohrpflocks befindet sich ein Mosaik, das
aus zahlreichen kleinen Jadeteilen zusammengesetzt
wurde. Es zeigt eine Variante des Antlitzes des mexikanischen Regengottes *Tlaloc*, der bei den Maya jedoch mit
Krieg und dem Planeten Venus in Verbindung gebracht
wurde. Die runden Augen sind aus Pyrit gearbeitet und
die Nase plastisch hervorgehoben. Das *Tlaloc*-Antlitz
trägt selbst Ohrpflöcke, und von seinem Kinn hängen
fünf bartähnliche Elemente herab. Ein aufwendiger
Kopfputz nimmt die obere Intarsienpartie ein.
Mosaikmasken in Miniaturform sind den lebensgroßen
Masken nachempfunden, die auf den Schädel Verstorbener aufgelegt wurden. Dieser Ohrpflock, dessen Gegenstück gleichfalls erhalten blieb, zeigt uns dieselbe Applikationstechnik mittels Jadesplittern, die möglicherweise
als Abfallprodukte bei der Herstellung einer lebensgroßen Maske für den Besitzer entstanden sind.   F. F.

160
Ein Paar Ohrpflöcke

Guatemala-Stadt, Museo Nacional de Arqueología y Etnología,
Nr. 3909
Jade
Dm. 4,2 cm und 4,3 cm, L. 6 cm
Nebaj, El Quiché, Guatemala
Spätklassik, 600–900 n. Chr.

Die einfachen Ohrpflöcke vertreten den gebräuchlich-
sten Typ dieses Schmucks, wie er von Angehörigen des
Maya-Adels getragen wurde. Das blütenartige Rund wird
nur viermal durch Ritzlinien unterteilt. Der »Blüten-
boden« dient jeweils als Kopfteil eines Jadestabes, mit
dem die schweren Objekte im Ohr befestigt wurden.
Wenn in der Bilderwelt der Maya Gefangene auftreten,
fehlen die Ohrpflöcke, die oftmals durch mit Blutsprit-
zern befleckte Stoffknäuel ersetzt werden. Die Entfernung der Ohrpflöcke war eine Demütigung für den Gefangenen, für den Sieger aber bildeten sie eine wertvolle
Trophäe.   F. F.

161
Stele 35

Köln, Museum Ludwig (SL XXXIII), Dauerleihgabe im Rauten-
strauch-Joest-Museum
Heller Kalkstein
H. 135 cm, B. 101 cm
Piedras Negras, El Petén, Guatemala
Spätklassik, 20. August 662 n. Chr.

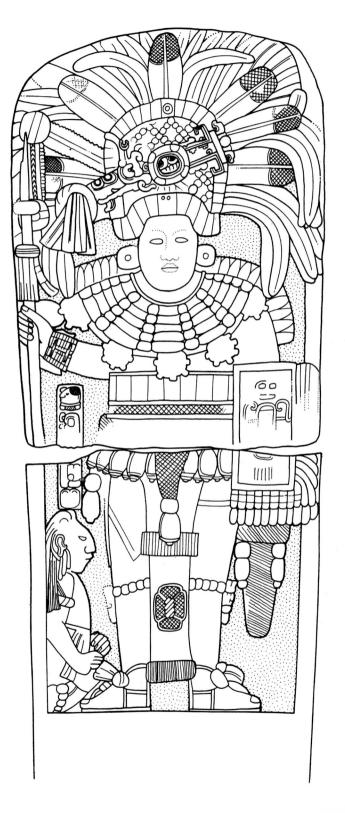

Als der deutsch-österreichische Forschungsreisende Teobert Maler 1895 als erster Europäer die Ruinen der alten
Maya-Stadt Piedras Negras am Río Usumacinta betrat,
fand er die hier ausgestellte Stele in sechs große Teile zerbrochen. Noch Anfang der dreißiger Jahre lagen die
Fragmente an ihrem ursprünglichen Ort vor dem Gebäude R-5, wo sie von den Archäologen des University
Museum von Philadelphia, die verschiedene Ausgrabungen in Piedras Negras durchführten, photographiert
wurden. Irgendwann nach Ende der archäologischen
Arbeiten wurden die fünf Fragmente des Oberteils der
Stele von Plünderern geraubt und auf dem internationalen Kunstmarkt verkauft. Was mit der unteren Hälfte der
Stele geschah, wissen wir nicht genau. Gerüchten zu-
folge versank sie beim Abtransport in den Fluten des Río
Usumacinta.

Das gerettete Oberteil ist von Restauratoren aus den fünf
übriggebliebenen Fragmenten zusammengesetzt worden. Ursprünglich war die Stele 270 cm hoch und an den
Seiten mit einem Hieroglyphentext beschriftet. Der Text
ist seinerzeit von den Plünderern abgesägt worden, einmal, um die Steine besser transportieren zu können, zum
anderen, weil bildliche Darstellungen auf dem Kunstmarkt besser zu verkaufen sind als Hieroglyphentexte.
Hätten wir nicht die hervorragenden Photos von Teobert
Maler und Sylvanus Morley aus der Zeit vor der Plünderung, wüßten wir nicht, wen die auf der Vorderseite fast
vollplastisch porträtierte Person darstellt.

Stele 35 stand ursprünglich in einer Reihe mit den Stelen
32, 33, 34, 36 und 37 vor dem Bauwerk R-5. Die russische
Kunsthistorikerin Tatiana Prokouriakoff hat 1960 in
einem bahnbrechenden Aufsatz nachgewiesen, daß in
Gruppen aufgestellte Stelen Ereignisse aus der Biographie verschiedener Herrscher von Piedras Negras beschrieben. Alle Stelen vor dem Bauwerk R-5 wurden vom
zweiten Herrscher von Piedras Negras errichtet. Stele 36
nennt in ihrem Inschriftentext das Datum 9.9.13.14.1
(8. Dezember 626 n. Chr.) als sein Geburtsdatum. Auf den
Stelen 33, 36 und 38 ist das Datum seiner Thronbesteigung verzeichnet: 9.10.6.5.9 (12. April 639 n. Chr.). »Herrscher 2« von Piedras Negras trat also schon im Alter von

noch nicht einmal 13 Jahren das Amt des *ahaw* von Piedras Negras an. Der Hieroglyphentext auf den Seiten von Stele 35 verweist auf verschiedene Ereignisse, darunter auch Kriegszüge, die im Jahre 662 n. Chr. stattgefunden haben. Das letzte Datum auf Stele 35 ist das Halb-*k'atun*-Jubiläum 9.11.10.0.0 (20. August 662 n. Chr.). Zu diesem Zeitpunkt befand sich »Herrscher 2« in seinem 35. Lebensjahr und offenbar auf dem Höhepunkt seiner Macht.

Auf Stele 35 läßt sich »Herrscher 2« als siegreicher Krieger darstellen. Der vor dem Herrscher kniende Gefangene wie auch die im Seitentext genannten Kriegszüge bestätigen, daß »Herrscher 2« sein Ansehen in Piedras Negras durch erfolgreiche Überfälle auf benachbarte Fürstentümer festigen wollte. Leider ist der Name des Gefangenen, der sich ursprünglich in den vier Hieroglyphen über dem Kopf befand, zu stark verwittert, sonst wäre es vielleicht möglich, den Ort seiner Herkunft zu identifizieren. Daß er überhaupt mit Namen genannt wird, deutet auf seine hohe soziale Stellung hin. Man kann vermuten, daß der Gefangene später als besonders wertvolles Opfer in einer großen öffentlichen Zeremonie, wie wir sie auch von den Wandmalereien aus Bonampak kennen, getötet wurde.

»Herrscher 2« ist mit allen Attributen eines Kriegers ausgestattet. Auf dem Kopf trägt er einen helmartigen Kopfschmuck mit einem üppigen Busch verschiedenartiger Federn. Vor dem Helm ist eine Art Zierbalken zu erkennen, dessen rechtes Ende in einen weit geöffneten Schlangenrachen mündet, aus dem seinerseits ein Obsidianmesser hervorkommt. Eine runde Scheibe, die die Umrisse der Hieroglyphe für »Schild« mit der Hieroglyphe *ak'ab*, »Nacht, Dunkelheit«, kombiniert, scheint den Zierbalken mit dem Helm zu verbinden. Die Zusammenstellung des Obsidianmessers mit dem Schild könnte die ins Bildliche umgesetzte Metapher *tok'-pakal*, »Flint-Schild«, sein, die in den Inschriften der Klassischen Zeit für »Krieg« steht. Der Schild in der linken und die federgeschmückte Lanze in der rechten Hand sind ebenfalls Attribute, die »Herrscher 2« als Krieger ausweisen. Der Schild ist mit feinen Linien verziert, die unter anderem den mexikanischen Gott Tlaloc zeigen, der bei den Maya mit Krieg assoziiert wurde. »Herrscher 2« erscheint festlich gekleidet: große Ohrpflöcke schmücken die Ohren, und ein Cape aus Röhrenperlen, an dem fünf Muschelschalen hängen, bedeckt seine Schultern, sein Armschmuck, der ebenfalls aus Reihen kleiner Röhrenperlen besteht, wird von zwei Schleifen gehalten. Der besondere Reiz der Stele ist aber das fast vollplastisch modellierte und stark porträthafte Gesicht des Herrschers.

N. G.

162
Maske

Guatemala-Stadt, Museo Nacional de Arqueología y Etnología, Nr. 7894
Stuck
H. 26 cm, B. 29 cm
Piedras Negras, El Petén, Guatemala
Spätklassik, 600–900 n. Chr.

Wie die mosaikartigen Skulpturen ein besonderes Kennzeichen von Copán und der südöstlichen Regionen sind, so ist die Verwendung von Stuck als dekoratives Element ein Charakteristikum des westlichen Maya-Gebietes. Diese Maske aus Piedras Negras geht über eine Idealisierung eines menschlichen Gesichts unter Beibehaltung realistischer Attribute wie der großen Nase und dem leicht geöffneten Mund hinaus. Das Gesicht repräsentiert das Klassische Schönheitsideal. Ähnliche Gesichter erscheinen auf vielen anderen Kunstwerken aus Jade und Stein, aber auch auf polychrom bemalten Gefäßen. Trotz dieser Idealisierung ist es ersichtlich, daß der Bildhauer eine ganz bestimmte Person darstellen wollte, da im Vergleich mit anderen Masken vom selben Bauwerk große Unterschiede festzustellen sind.

An der Bruchstelle der Stirn ist der Herstellungsprozeß dieser Maske erkennbar. Nach dem Aufbau einer allgemeinen Grundform wurde der Stuck darüber aufgetragen, um das Gesicht mit seinen individuellen Merkmalen zu modellieren. Diese Technik ist auch in Palenque angewandt worden.

Obgleich die Kunst der Maya starken Konventionen unterlag, gibt es viele Beispiele dafür, daß Bildhauer sich von den Kodifizierungen lösten und Herrschern und ihren nächsten Angehörigen auf Stelen, mehr aber noch im Medium Stuck, individuelle Züge verliehen. An dieser Maske bewundern wir die weit geöffneten Augen, die markante Nase und die Nasolabialfalten, die wohl ein Kennzeichen des fortgeschrittenen Alters des dargestellten Würdenträgers sind. Aus der Kombination von Hieroglyphentexten, Daten und Porträtdarstellungen von Fürsten und ihren Familienangehörigen entsteht ein immer lebendigeres Bild der Geschichte der Maya.

F. F.

163
Stele 2

Guatemala-Stadt, Museo Nacional de Arqueología y Etnología,
Nr. 13428
Kalkstein
H. (mit Stumpf) 281 cm, B. 120 cm, T. 32 cm
Machaquilá, El Petén, Guatemala, vor Struktur 20
Spätklassik, 7. Januar 801 n. Chr.

An dieser Stele aus dem Ort Machaquilá läßt sich auf
eklatante Weise der Schaden darstellen, den Plünderer
an Kunstwerken und archäologischen Objekten anrich-
ten und durch den sie wichtige Informationen über die
Kulturgeschichte eines Volkes für immer zerstören. Stele 2
wurde in den 70er Jahren zusammen mit Stele 11 und
weiteren Denkmälern von Raubgräbern verschleppt, die
dieses Stück mit Motorsägen zerkleinerten, um es so besser transportieren zu können. Glücklicherweise entdeckte der amerikanische Zoll die Fragmente, bevor sie
auf dem internationalen Kunstmarkt an skrupellose
Sammler verkauft werden konnten. Sie wurden nach
Guatemala zurückgebracht. Aufgrund der willkürlichen
Beschädigungen ist dennoch ein Großteil der historischen Information für immer verlorengegangen.
Der Ort Machaquilá wurde erst 1957 im Urwald entdeckt
und in den Jahren 1962 und 1963 von Ian Graham besucht. Er veröffentlichte Photographien und Zeichnungen der meisten Monumente einschließlich dieser Stele.
Aufgrund seiner Aufzeichnungen war es späteren Forschern möglich, der dynastischen Geschichte von Machaquilá nachzugehen und die Biographie einzelner Fürsten
und ihrer Angehörigen zu rekonstruieren.
Machaquilá liegt im südlichen Zentral-Petén und relativ
isoliert von anderen Städten. Als Hauptstadt eines kleinen Staates blieb es weitgehend unbehelligt von den
Kriegszügen im Petexbatún-Gebiet oder den Auseinandersetzungen zwischen Caracol und den Orten des südöstlichen Petén. Die Kontakte Machaquilás zur Außen-
welt scheinen sich auf Heiratsbeziehungen nach Cancuén und Motul de San José sowie auf gelegentliche
Auseinandersetzungen mit dem Ort Ixtutz beschränkt
zu haben.
Machaquilás Blüte liegt im 9. Jahrhundert n. Chr. Nur
zwei Monumente datieren früher. Dagegen wurden nach
800 n. Chr. zahlreiche sehr gut gearbeitete Stelen aufgestellt. Das späteste Datum, 10.0.10.17.5 13 *Chikchan*
13 *Kumk'u* (1. Januar 841 n. Chr.), zeugt davon, daß der
Ort nur eine kurze Blüte hatte und dann das Schicksal
aller großen Städte des Tieflandes teilte.
Die Vorderseite der Stele zeigt den reichgekleideten

Herrscher *K'inich Chakte Ah Ho' Bak*, der ungefähr 20 Jahre
über Machaquilá herrschte. Er trägt einen komplexen
Kopfschmuck, dessen Hauptelement die Maske des Gottes *Chak* ist. Auch *K'inich Chakte* selbst trägt eine Maske
vor dem Gesicht, die wir allerdings nur im Profil sehen.
Sein Blick fällt auf das *K'awil*-Zepter in seiner rechten
Hand. Der Gott *K'awil* ist die Patronatsgottheit der Herrscher und ihrer Familien. Als Zepter gehalten, gilt er als
eines der wichtigsten Symbole königlicher Macht. Einer
der Ausdrücke für die Inthronisation von Herrschern
lautet daher auch »Er empfing das *K'awil*-Zepter.«
In seiner linken Hand hält *K'inich Chakte* einen kleinen
runden Schild mit dem Gesicht des Jaguargottes G III. Ein

Pektoral aus Jadeperlen, Armbänder und ebenfalls mit Perlen geschmückt Sandalen zeigen den Reichtum des Herrschers an und müssen zusammen mit den Federn seines Kopfschmucks einen farbenprächtigen Eindruck gemacht haben.

Eine kleine, aus der Sicht des Betrachters links kniende Figur hält eine *wuk k'an*-Hieroglyphe, aus der eine Maispflanze herauszuwachsen scheint. Mit der linken Hand berührt der Kniende die rechte Schulter. Diese Geste gilt bei den Maya als Zeichen des Respekts und der Unterwerfung. Man kann also vermuten, daß es sich bei dem Knienden um einen Gefangenen handelt. Die vier kleinen inzisierten Hieroglyphen enthalten wahrscheinlich die Namenshieroglyphen und Titel des Gefangenen, zumal eines der Zeichen *u bak*, »sein Gefangener«, zu lesen ist. Am linken Bein von *K'inich Chakte* hängt die Maske eines *Muwan*-Vogels an einer Kette herab. Da Maya-Könige mit exzentrischen Tiermasken bekleidet in den Krieg zogen, kann man vermuten, daß auch diese *Muwan*-Vogelmaske zur Kriegsuniform gehörte.

Der chronologische Rahmen der Inschrift der Stele umfaßt ungefähr 30 Jahre aus dem Leben des Herrschers. Die Inschrift auf der Rückseite, heute zerstört, begann vermutlich mit der Geburt des Herrschers am Tag 9.16.19.10.19 2 *Kawak* 17 *Sak* (1. September 770 n. Chr.) und berichtete über eine Reihe von Ereignissen, die fast dreißig Jahre später innerhalb weniger Monate stattfanden. Das erste dieser Ereignisse am Tag 9.18.8.1.5 4 *Chikchan* 3 *Mak* (20. September 798 n. Chr.) war wohl die Thronbesteigung von *K'inich Chakte*, der zu diesem Zeitpunkt etwa 28 Jahre alt war. Auch auf den Seiten der Stele sind Hieroglyphentexte eingemeißelt. Sie verweisen auf Ereignisse, die nur wenige Monate nach der Thronbesteigung stattfanden. Eines der Daten ist der Tag 9.18.9.15.10 12 *Oc* 18 *Mol* (26. Juni 800 n. Chr.). Am frühen Morgen dieses Tages konnten die Bewohner von Machaquilá eine totale Sonnenfinsternis am Osthimmel beobachten. Sonnenfinsternisse galten als gefürchtete Himmelsphänomene, die Unglück verhießen und daher genau registriert wurden.

Der Text auf der Vorderseite berichtet von der Vollendung der »Halben Periode« am Tag 9.18.10.0.0 10 *Ahaw* 8 *Sak* (15. August 800 n. Chr.) sowie der Errichtung der Stele 145 Tage später. Die unteren beiden Hieroglyphen in dem Block vor dem Kopfschmuck des Herrschers enthalten die Namenshieroglyphen von *K'inich Chakte*. Die mit dem Namen verbundenen Titel folgen in den vier Hieroglyphen unterhalb des Schildes. Sie bezeichnen *K'inich Chakte* als denjenigen, »der fünf Gefangene gemacht hat, göttlicher *ahaw* von Machaquilá«, gefolgt von einem Titel, der aus der Zahl 28 besteht und in seiner Bedeutung noch nicht verstanden wird. Am Ende steht ein Titel, der in phonetischer Schreibung das Wort *ba-ka-ba* wiedergibt. *Bakab* bedeutet soviel wie »Stütze der Welt« und stellt einen der Haupttitel von Maya-Herrschern überall im Tiefland dar.

Diese Stele mit insgesamt 106 Hieroglyphenblöcken ist der längste Text von Machaquilá. Die meisten anderen Monumente vermerken nur ein oder zwei datierte Ereignisse. *K'inich Chakte*, der vierte uns bekannte Fürst von Machaquilá, lebte vielleicht 50 Jahre oder mehr, doch ist dies die einzige von ihm errichtete Stele, die uns bislang bekannt ist.

F. F.

Lit.: I. Graham (1967); F. Fahsen (1984); B. Riese (1984)

164
Statuette

Guatemala-Stadt, Museo Popol Vuh, Nr. 379
Ton
H. 20,5 cm
El Petén, Guatemala
Klassik, 250–900 n. Chr.

Während Personen beiderlei Geschlechts und Alters in den verschiedensten Beschäftigungen ausgesprochen häufig als Statuetten modelliert wurden, zeigen wenige von ihnen Mutter und Kind auf eine so anrührende Weise wie diese.
Die Frau trägt einen seltsamen konischen Hut, der in ähnlicher Form auch auf einigen Jaina-Statuetten dargestellt wird. Auch verschiedene stilistische Merkmale weisen eher nach Yucatán denn in das südliche Tiefland. Das Haar der Frau fällt auf ihre Schultern. Ein Umschlagtuch hüllt teilweise auch das Kind ein, das sie im rechten Arm hält. Sie ist darüber hinaus mit einer Halskette, Ohrpflöcken und einem Armband geschmückt, Attributen, die auf einen hohen Status in der Maya-Gesellschaft hindeuten. Ein Huipil, der den Oberkörper bedeckt, hängt über einem langen Rock. Über der Originalfarbe des Tons sind rote Farbspuren zu erkennen. Besondere Beachtung verdient ein Detail am Kopf des Kindes, das in seiner Bedeutung nicht so ohne weiteres verständlich ist. Es handelt sich um ein flaches Holzbrett, das dazu diente, dem Schädel des Kindes die von der Maya-Elite so geschätzte fliehende flache Stirn, ein Zeichen hohen Ranges, zu geben. Diese Figur ist bis jetzt die einzige bekannte Darstellung dieses Verfahrens aus der vorspanischen Zeit. F. F.

165
Reliefiertes Gefäß

New York, National Museum of the American Indian, Heye
Foundation, Inv.-Nr. 20/7626
Ton
H. 17 cm
San Agustín Acasaguastlán, El Progreso, Guatemala
Frühklassik, 250–600 n. Chr.

Dieses ungewöhnliche Gefäß ist eines der besten Beispiele für die technische Perfektion, die in der Schneide-
und Applikationstechnik bei Keramiken erreicht wurde.
Jede Schicht der Verzierung wurde getrennt hergestellt
und dann auf der Oberfläche plaziert; die späteren
Schichten werden dabei über die vorhergehenden gelegt, bis ein tiefes Relief mit einer Vielzahl kontrastierender Elemente erreicht war. Die Anbringung der Ornamentik und das Polieren der Oberfläche folgte anschließend als letzter Herstellungsschritt.

Das Tal des Motagua-Flusses war seit der Formativen
Periode einer der wichtigsten Handelswege. Außerdem
gibt es reiche Vorkommen an Jadeiten und an Obsidian
sowie Verbindungswege zum Hochland von Guatemala.
Quiriguá liegt flußabwärts, Copán an einem Nebenfluß.
San Agustín Acasaguastlán befindet sich in der Mitte des
Tales und war somit ein optimaler Treffpunkt für Händler aus allen Richtungen, die hier ihre Waren austau-
schen konnten: Quetzalfedern aus den nebligen Bergen
von Alta Verapez; Jade aus der Umgebung; Obsidian aus
El Chayal und San Martín Jilotepeque; *Manos* und *Metates*
(Reibsteine) zum Getreidemahlen aus den vulkanischen
Hochländern; Kakao von der pazifischen Küste via Kaminaljuyú; Muscheln aus der Karibik und Salz aus Sacapu-
las. In diesem Umfeld entstand eine große Vermischung
pan-mesoamerikanischer Traditionen und Mythen, und
das vorliegende Stück ist eines der Ergebnisse.
Mittelpunkt der Szene ist der Sonnengott, zu erkennen
an dem *k'in*-Symbol auf seiner Stirn. Er sitzt mit untergeschlagenen Beinen und Armen in derselben Position, in
der Spätklassische Könige den Doppelschlangenstab als
Zeichen der Herrschaft halten. Zwei Visionsschlangen
laufen durch seine Arme. Sie tragen Federn und sind
doppelköpfig, wobei der jeweils hintere Kopf dem Sonnengott am nächsten ist, während der vordere Kopf um
das Gefäß gelegt ist, bis sich beide Köpfe gegenüberstehen.
Der Sonnengott blickt nach links und die Schlange auf
dieser Seite hat »leuchtende« Spiegel-Symbole, während
die auf der anderen Seite ihr Gegenstück ist und auch so
verstanden werden muß. Die Mythologie und Ikonographie der Maya ist voll von Gegensatzpaaren wie das *k'in*
und das *ak'bal*-Zeichen, wie Tag und Nacht oder wie Licht
und Dunkelheit, Wasser und Land und auch die Gottheiten. Aus jeder Schlange kommt ein Visions-Kopf hervor:
Von der rechten Schlange kommt der Sonnengott mit
dem *k'in*-Zeichen auf seiner Stirn und den Jaguarflecken
auf der Wange, nicht der Jaguar-Gott der Unterwelt, sondern eine leuchtende Gottheit. Aus der anderen Schlange
entwickelt sich ein menschlicher Kopf mit kurz geschnit-
tenem Haar und typisch Frühklassischen Ohrpflöcken.
Er trägt einen fremdartigen reptilienförmigen Kopfschmuck und ein Ritualgerät für das Blutopfer, die übliche Weise, eine Visionsschlange zu beschwören. Dieser
menschliche Kopf könnte einen beschworenen Vorfahren darstellen, während der Sonnengott für die lebende
Person steht, die diese Vision durch ihr Blutopfer herbei-
gerufen hat.
Andere kleine Wesen und eine Überfülle von Symbolen,
die das Gefäß verzieren, bedecken jedes freie Stück der
Oberfläche.   F. F.

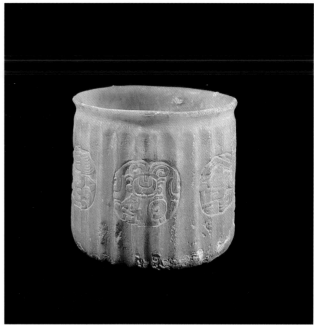

166
Prunkgefäß mit Weihinschrift

Köln, Museum Ludwig (SL LII), Dauerleihgabe im Rauten-strauch-Joest-Museum
Travertin mit Resten von Bemalung
H. 11 cm, Dm. 12 cm
Fundort unbekannt
Spätklassik, 600–900 n. Chr.

Travertin ist ein leicht zu bearbeitendes Tuffgestein, das von den Maya gerne verwendet wurde, um besonders fein bearbeitete Gefäße herzustellen. Viele der Travertin-gefäße waren bemalt, wobei vor allem der Kontrast zwischen der Bemalung und dem leicht durchscheinenden Material auf die Maya einen besonderen Reiz ausgeübt haben muß.

Die sehr dünne Wandung des Gefäßes erscheint auf der Außenoberfläche gleichmäßig kanneliert. In seine Wandung sind umlaufend sechs Kartuschen mit Hieroglyphenfüllung in Relief eingeschnitten, insgesamt eine als »Primäre Standardsequenz« bekannte Weihinschrift, die besagt, daß das Gefäß als Trinkgefäß für Kakao diente.

Zwar fehlt hier die sonst übliche Hieroglyphe für das Wort Kakao, aber die dem Wort *y-uch'ib,* »das Trinkgefäß von«, folgende Hieroglyphe ist die Namensbezeichnung des Gottes des Kakaobaumes, *Tsihtel.* Die sechste und letzte Hieroglyphe der Sequenz enthält dann den Namen des Gefäßeigentümers. Trinkgefäße dieser Art waren wertvoller Besitz von Adligen und Angehörigen der Herrscherfamilie, die bei großen Banketten Verwendung fanden und als wertvolle Geschenke an bedeutende Gäste weitergereicht wurden. Wie Diego de Landa beschreibt, waren kostbare Gefäße als Gastgeschenke auch noch zur Zeit der spanischen Eroberung üblich: »Oft verschwenden sie bei einem Gastmahl, was sie in vielen Tagen mit Handeln und Feilschen verdient hatten; und sie feiern diese Feste auf zwei Arten. Bei der ersten, die den Häuptlingen und vornehmen Herren eigentümlich ist, hat jeder Gast die Pflicht, ein ebensolches Gastmahl auszurichten und jedem anderen Gast einen gebratenen Vogel, Brot und reichlich Kakaotrunk vorzusetzen, und zum Abschluß des Gastmahls geben sie gewöhnlich jedem einen Umhang, damit er sich bedeckt, einen Schemel und das kunstvollste Gefäß, das sie finden können . . .«   N. G.

Lit.: D. de Landa (1990), 50

167
Gefäß in Tiergestalt mit Tülle

Guatemala-Stadt, Museo Nacional de Arqueología y Etnología,
Nr. 8688
Ton
H. 14,3 cm, Dm. 16,5 cm
Pazifikküste Guatemalas
Spätklassik, 600–900 n. Chr.

Mesoamerikanische Künstler nahmen Modelle aus ihrer
Umgebung, um sie als Metaphern für Vorstellungen über
den Kosmos und über die soziale Ordnung zu verwenden. Vorbilder aus Flora und Fauna verhalfen dazu, nicht
nur menschliche Werke und den menschlichen Lebens-
zyklus zu beschreiben, sondern auch Naturphänomene
zu erklären. Diese Einbindung der Umwelt kommt auch
in diesem Gefäß zum Ausdruck.
Das Gefäß ist in Form eines Jaguars modelliert, dem
König der Tiere in Mesoamerika. Während der Körper
zum Ring gebildet wurde, dient der aufgerichtete
Schweif geschickt als Tülle. Der Kopf ist hochgereckt und
das Maul weit geöffnet, so daß man in den Schlund des
Tieres hineinsehen kann. Unterhalb der Nüstern hat der
Künstler kleine Löcher für die Barthaare angebracht, die
vielleicht durchaus realistisch in Gestalt von Fäden eingefügt waren. Im Gegensatz zum naturgetreuen Kopf
wirken die kleinen Beinchen unproportioniert, betonen
jedoch die extravagante Ringform des Gefäßkörpers.
Der Jaguar ist mit der Unterwelt als Jaguarsonnengott
der Nacht assoziiert. Als Tier der Nacht hält er sich überwiegend in wasserreichen und sumpfigen Gebieten auf.
Ein gefürchteter Räuber, stellt er gleichzeitig das größte
Raubtier des Urwaldes dar und wurde so zur Verkörperung von Macht und Stärke.   F. F.

168
Räuchergefäß

Guatemala-Stadt, Museo Nacional de Arqueología y Etnología,
Nr. 1255
Ton
H. 36,5 cm, B. 34 cm
Departamento Escuintla, Guatemala
Spätklassik, 600–900 n. Chr.

Das Gebiet der Pazifikküste Guatemalas ist erst in jüngster Zeit in den Blickpunkt der Forschung gerückt, trotz
der Tatsache, daß es seit der Frühen Präklassik von verschiedenen Völkern besiedelt war und seine kulturelle
Entwicklung sowohl von den Maya als auch von der olmekischen Kultur beeinflußt wurde. Archäologische Stätten
wie Cotzumalhuapa, Monte Alto, Balberta, La Blanca und
Abaj Takalik zeugen von einer reichen Tradition in Keramik, Architektur und Skulptur über einen Zeitraum von
fast zwei Jahrtausenden.
Eine der weniger gut bekannten Regionen ist das Departamento Escuintla, eine fruchtbare Region, in der sich
unter anderem die Präklassischen Monumente von Monte
Alto finden und in der sich die Klassische Cotzumalhuapa-Kultur entwickelte.
Das Oberteil dieses Räuchergefäßes ist ein Beispiel für
die Vielfalt der archäologischen Funde dieser Region.
Reich verziert und modelliert in rotem Ton, zeigt es eine
weibliche Figur und eine Reihe ikonographischer Elemente, die auf seine Funktion als Räuchergefäß im Rahmen eines agrarischen Fruchtbarkeitskults hinweisen,
worauf die maiskolbenähnlichen Anhängsel an den Ohrpflöcken sowie die Schmucknarben am Körper der Frau
hindeuten. Die Schale in ihren Händen diente als Behältnis für Opfergaben.   F. F.

510

169
Zylindrisches Gefäß

Belmopan, Department of Archaeology DF1/1
Ton, bemalt
H. 19,5 cm, Dm. 11,8 cm
Fundort unbekannt
Spätklassik, 600–900 n. Chr.

Wir wissen nicht, in welcher Gegend von Belize dieses polychrome zylindrische Gefäß gefunden wurde. Das mindert aber nicht den Reiz dieses Stückes, das mit einer fröhlichen und fast humoristisch zu nennenden Szene bemalt ist. Das zylindrische Gefäß, dessen Wandungen leicht gewölbt sind, hat einen orangefarbenen Hintergrund, auf den die Szene mit kursiven Pinselstrichen aufgetragen ist. Die Szene wird oben und unten von einem dicken roten und einem dünnen schwarzen Streifen eingerahmt. Die Szene selbst zeigt zwei Spinnenaffen mit übertrieben lang dargestellten Gliedmaßen. Besonders viel Freude hatte der Maler offenbar an den langen Schwänzen und den langen Armen. Einer der Affen steht auf dem Boden, während der andere Affe auf einer in schwarzer und roter Farbe gemalten Blüte sitzt. Um den Zwischenraum zwischen den beiden Affen auszufüllen, hat der Maler in leuchtendem Rot Pflanzen in den freien Platz gemalt. Schwarze und rote Kreise füllen darüber hinaus die Zwischenräume zwischen den Köpfen und Armen der Affen aus. Vielleicht sollen diese Kreise ebenfalls Urwaldpflanzen abbilden, die von Bäumen herabhängen. Die Szene ist trotz ihrer Einfachheit äußerst anschaulich und verspielt und spiegelt die auch heute noch von den Maya empfundene Freude an der Beschäftigung mit Tieren, insbesondere aber mit Affen, wider. Auch heute noch hört man abends auf dem Dorfplatz humoristische Geschichten und Fabeln, bei denen Affen eine wichtige Rolle spielen. N. G.

170
Gefäß

Guatemala-Stadt, Museo Popol Vuh, Nr. 088
Ton, polychrom bemalt
H. 12,5 cm, B. 16 cm
Nebaj-Region, El Quiché, Guatemala
Spätklassik, 600–900 n. Chr.

Aufgrund ihrer charakteristischen Ikonographie unterscheiden sich die polychromen Gefäße aus Chamá in der
Alta Verapaz und aus der Region von Nebaj im Hochland
der Provinz El Quiché deutlich von denen des südlichen
Tieflandes. Trotz der begrenzten Farbpalette (Orange,
Rot, Schwarz, Braun und Weiß) gelang es den Künstlern
dieser Werkstätten, eine unglaubliche Vielfalt von Darstellungen mit großer Lebendigkeit zu erzeugen. Weitere
Merkmale dieser Keramik sind die häufig übertriebenen
Gesichtszüge der dargestellten Personen und der kräftige orangefarbene Untergrund, von dem sich die Szenen
stark absetzen. Als abgebildete Genres finden sich Kriege
und Krieger, Kaufleute, Herren und Damen des Herr-
scherhofes, Gottheiten, Ungeheuer und phantasievoll zusammengesetzte anthropomorphe Wesen. Diese Ware
vermittelt nicht nur Szenen des täglichen Lebens der
Maya, sondern sagt zugleich viel aus über die religiösen
Vorstellungen, die Mythologie und über Formen der

Kriegführung. Häufig befassen sich die Malereien zum Beispiel mit dem Schicksal der Göttlichen Zwillinge und mit den Göttern und Tieren von *Xibalba*. Szenenabfolgen geben Krieger wieder, die sich für den Kampf rüsten, dann eine Kriegsszene und eine Gefangennahme, so als sollten diese Episoden in erzählender Form nacheinander betrachtet werden.

Die Nebaj-Region war während der Endklassik besonders mächtig und reich. Es wurden dort fein gearbeitete Jade-Stücke aller Art, große Bestattungsurnen und kostbare Gefäße wie das hier gezeigte, hergestellt. Über die Blütezeit dieser Bevölkerungsgruppe, die vermutlich an einem Weg lag, der als Verbindung zwischen Hochland und Tiefland diente, kann man nur spekulieren. Die Artefakte aus Nebaj sind in ihrer regionalen Ausprägung einzigartig, und sie gehören stilistisch zum Hochland, obwohl Ikonographie und die Verwendung von Hieroglyphentexten auf das Tiefland hinweisen. Vielleicht entwickelte sich Nebaj sogar infolge des allmählichen Zusammenbruchs der Staaten des Tieflandes. Um das Jahr 1000 n. Chr. endete jedoch auch die Blütezeit des Nebaj-Stils. In der Postklassik wurde die Geschichte dieser Region von den expandierenden *Quiché* bestimmt.

Unser Gefäß stellt einen Herrscher in der üblichen Frontalansicht dar, dessen Kopf im Profil wiedergegeben ist. Er sitzt auf einem personifizierten Thron. Hinter ihm ist ein anthropomorphes Gesicht zu erkennen, ein für die Chamá- und Nebaj-Keramik typisches Motiv. Der Herrscher trägt eine Art Schurz, einen wallenden Kopfschmuck, einen Brustschmuck mit einem Gesicht (wahrscheinlich handelt es sich um eine Maske aus Jade oder aus Muschelschale) und Armbänder. Er unterhält sich vermutlich gerade mit zwei Kriegern, die ihm gegenüberstehen und lediglich mit einem dürftigen Lendenschurz bekleidet sind. Masken, die auf dem Rücken herabhängen, deuten auf ihre Namen hin.

Speer und Schild, auf dem sich ein Gesicht mit starren Augen befindet, halten die Krieger in der Hand. Hierbei sei auf einen kleinen Fehler des Künstlers aufmerksam gemacht: einer der beiden Krieger ist an einer Hand aus Versehen mit sieben Fingern ausgestattet worden. Der Kopfschmuck beschränkt sich auf nur eine Feder. Beide scheinen ins Gespräch mit dem Fürsten vertieft, denn ein netzartiges Element schwebt vor ihren Gesichtern, wobei es sich wahrscheinlich um eine Substitution der häufig dafür verwendeten Sprechvolute handelt.

Die mit sicherer Pinselführung aufgetragenen Akzente in Schwarz verhelfen der Szene zum Ausdruck von Tiefe und Bewegung und vermitteln einen höchst lebendigen Eindruck.

F. F.

171
Zylindrisches Gefäß (sog. »Fenton-Vase«)

London, The British Museum, 1930.F.1
Ton, bemalt
H. 16,5 cm, Dm. 17,2 cm
Nebaj, El Quiché, Guatemala
Spätklassik, 600–900 n. Chr.

Im Jahr 1904 ist dieses polychrom bemalte, zylindrische
Gefäß in Nebaj im Norden des Departments El Quiché im
Hochland von Guatemala ausgegraben worden und gelangte von dort in die Hände des englischen Kunstsamm-
lers C. L. Fenton, dem es seinen Namen verdankt. Seit der
Auffindung gilt dieses Gefäß als eines der schönsten Beispiele der polychromen Gefäßmalerei der Maya. Der Ort
Nebaj ist archäologisch nur ungenügend erforscht, gibt
es doch dort keine Monumentalarchitektur, und auch
Stelen oder Altäre mit dem Namen der Herrscher wurden bislang noch nicht aufgefunden. Wahrscheinlich lebten die Bewohner der Stadt in einfachen, wohl aus organischem Material bestehenden Häusern, die erst durch
sorgsame Freilegungsarbeiten nachgewiesen werden
könnten. Da sie keine Stelen errichteten, verwendeten sie
statt dessen Keramik als gleichwertigen Ersatz. Das mag
der Grund dafür sein, daß wir inzwischen ein gutes Dutzend derartiger Gefäße kennen, die fast alle in gleicher
Größe im sog. Nebaj-Stil gehalten sind, der sich durch
lebhafte Figurenkompositionen, eine besonders elegante
Wiedergabe der Hände und durch rote und schwarze

Malerei auf dunkelcremefarbenem Untergrund auszeichnet. Die untere Begrenzung der Bildfläche wird
stets von drei dünnen Linien in den Farben Schwarz,
Weiß und Rot gebildet, und die in die Malerei eingestreuten Texte zeigen die Hieroglyphen, die die Namen der gezeigten Personen wiedergeben, auf roten Kartuschen. Da
die gleichen Namen auf verschiedenen Gefäßen wiederkehren, muß man davon ausgehen, daß die Gefäße eine
Folge nacheinander stattfindender Ereignisse beschreiben. Darüber hinaus scheinen diese Fakten darauf hinzudeuten, daß sie in der gleichen Töpferwerkstatt, wenn
nicht sogar vom selben Künstler, vielleicht als Auftragsarbeit eines lokalen Fürsten, hergestellt worden sind.
Viele der sog. »Nebaj-Gefäße« zeigen höchst lebendige,
ja geradezu dramatische Kriegsszenen, auf denen mit
Westen aus Jaguarfell bekleidete Krieger eine feindliche
Gruppe verfolgen und zuvor schon gefangengenommene
Krieger abführen. Auf einer zweiten Gruppe dieser Gefäße, der auch die hier gezeigte Fenton-Vase angehört,
sind Palastszenen dargestellt worden.
Fünf Personen sind darauf in natürlicher Haltung bei verschiedenen Handlungen und in Konversation zu sehen,
wobei alle dargestellten Personen einen um den Kopf gebundenen Turban tragen, an dem Blüten und Federschmuck befestigt sind. Alle tragen auch Schmuck am
Ohr und um den Hals, und nur die vorn auf dem Thron
sitzende Person trägt einen besonderen Ohrschmuck in
Form eines Sternes. Die Kleidung ist spärlich und auf
einen Lendenschurz reduziert. Das mag die normale All-
tagstracht hochstehender Männer gewesen sein, wurden

doch kostbare Umhänge und Verkleidungen von den Füsten nur außerhalb der Palastmauern getragen, wenn sie sich in öffentlichen Zeremonien dem Publikum zeigten, wie auch auf Kriegszügen oder beim Ballspiel. Im Palast scheint es auch nicht üblich gewesen zu sein, Sandalen zu tragen. Die fast identische Kleidung der Personen macht es schwer, Statusunterschiede festzustellen. Dennoch darf man wohl in der Figur, die am linken Ende der Palastbank sitzt und die sich in Konversation mit zwei weiteren Personen befindet, die Hauptperson, vielleicht den *ahaw* von Nebaj, erkennen. Das läßt sich vor allem aus seiner Größe schließen wie auch aus der Seerose, mit Fisch, die, in seinen Turban gesteckt, sonst bei keiner der übrigen Personen vorkommt.

Der Herrscher ist der Mittelpunkt der Szene. Vor ihm sehen wir zwei Männer, die offenbar bestimmte Güter abzuliefern haben, denn zwischen ihm und der auf dem Boden knienden Figur sind Decken und Stoffe gelegt, auf denen eine mit einer unbekannten Substanz gefüllte Schale steht. Der Wedel, den der Kniende in der Hand hält, könnte ebenfalls Teil der Tributleistungen sein. Hinter dem Kissen, das auf der Bank liegt, ist ein Korbgefäß zu erkennen. Eine kleinere auf der Bank kniende Person scheint die abgelieferten Waren zu registrieren oder mit einer Tributliste zu vergleichen, wobei das von diesem in der linken Hand gehaltene Objekt ein aufgeschlagener Kodex sein könnte, in dem man die Güter zu verzeichnen pflegte, die von Untergebenen oder Vasallen beim Hof abzuliefern waren. Sollte diese Identifizierung zutreffen, so hätte man einen Beleg dafür, daß die Maya-Schrift auch als Katasterschrift und für ökonomische Zwecke verwendet wurde. Die gesamte Szene könnte sich logisch an die auf den anderen Gefäßen dargestellten Kriegsszenen anschließen, denn man erlangte offenbar von den besiegten Fürsten Tribut. Die auf dem Stoffballen stehende Schale schmückt ein unterhalb des Randes umlaufendes schwarzes Zackenband, wie es für den Keramikstil des nicht weit von Nebaj entfernten und etwa zur gleichen Zeit blühenden Ortes Chamá charakteristisch ist. Vielleicht verdanken wir die Nebaj-Gefäße der Siegesfeier des Fürstentums von Nebaj über das von Chamá.

Leider läßt sich nicht mehr feststellen, ob die beiden Männer vor dem Fürsten Angehörige des tributabhängigen Ortes oder aber vom Herrscher beauftragte Steuereintreiber sind, vielleicht im Rang von *Sahales*. Da aber beide die gleiche Kleidung tragen wie die anderen dem Herrscher zugeordneten Personen, ist eher an beauftragte Tributeinnehmer zu denken.

Fünf Kartuschen mit Hieroglyphentexten sind über die Szene verteilt, wobei sich jede einer Person zuordnen läßt und deren Namenshieroglyphen enthält. Die längste Kartusche steht vor dem Namen des Herrschers: Da dieser sich als erfolgreicher Krieger darstellen will, trägt er als Teil seines Namens die Hieroglyphe *u chan wi*-»Schädel« *chan*, »Fänger von *wi*-Schädel-Schlange«. Sein eigentlicher Name aber ist *ah hub*, »Herr Iguana«. Viele Fürstennamen der Klassischen Zeit basieren auf Tiernamen. Der hinter dem Herrscher sitzende Schreiber trägt den »Hand-Affen«-Titel, der noch unentziffert ist, sich aber auf das Schreiberamt zu beziehen scheint, und den Titel *pitsil*, »Ballspieler«. Der hinter dem Schreiber stehende Mann hat das Amt des *Ah K'una*, des Tempeldieners, inne. Die narrative Szene wird durch ein senkrechtes breites Textband gegliedert, das vier Hieroglyphen der Primären Standardsequenz enthält. Die beiden ersten beschreiben die Einweihung des Gefäßes, während die letzten beiden *u tzi'bal y-uch'ib*, »Die Schrift auf seinem Gefäß,« gelesen werden. Erst durch das Auftreten der Weihinschrift wird das Gefäß beseelt und dadurch zu einem Gegenstand, dessen kultischer Wert seinen materiellen erheblich übersteigt.

N. G.

Lit.: J. Kerr (1990), Nr. 2206, 2352; J. Quirarte (1983); F. Robicsek und D. M. Hales (1982); D. Dütting (1972)

172
Fragment einer Skulptur

Zürich, Museum Rietberg, RMA 309
Kalkstein
H. 30 cm
Fundort unbekannt
Spätklassik, 600–900 n. Chr.

Da weder der Fundort noch der Kontext dieses Fragmentes bekannt sind, wissen wir nicht, ob das Objekt Teil eines Gebäudefrieses oder einer Rundskulptur war. In jedem Fall handelt es sich um eine lebensgroße und realistische Darstellung eines Fürsten. Besonders auffallend ist seine Frisur mit einer über die Stirn fallenden Strähne. Die Augen werden durch ungewöhnlich deutlich markierte Lider besonders hervorgehoben. Typisch für Fürstenporträts der Klassischen Zeit ist der leicht geöffnete Mund, zwischen dessen vollen Lippen die Oberzähne zu erkennen sind. Der Schmuck ist reduziert auf einfache runde Ohrpflöcke und einen Federkopfputz, der allerdings nur durch eine Reihe von Linien angedeutet ist. Wahrscheinlich war die Skulptur wie auch viele Stelen und andere Monumentalskulpturen mit einer dünnen Stuckschicht überzogen und farbig bemalt.　　N. G.

173
Gewölbedeckstein Nr. 1

Köln, Museum Ludwig (SL XXXVI), Dauerleihgabe im Rautenstrauch-Joest-Museum
Kalkstein mit Bemalung
H. 45 cm, B. 35 cm
Dzibilnocac, Campeche, Mexiko
Spätklassik, 600–900 n. Chr.

Bemalte, seltener mit Flachrelief verzierte Decksteine von Gewölben finden sich besonders häufig in den Ruinen der nordwestlichen Halbinsel Yucatán, wo sie in Gebäuden aller drei großen Architekturstile auftreten. Die Gewölbe der Region sind in Schüttmauerwerk über verblendeten Außenflächen aus bearbeitetem Stein errichtet. Den Druck auffangende Schlußsteine, Kennzeichen eines echten Gewölbes, fehlen; an ihre Stelle treten Gewölbedecksteine, die in einer Reihe nebeneinanderliegend den Spalt zwischen den beiden aufeinander zustrebenden Gewölbehälften überdeckend schließen.
Ein verzierter Gewölbedeckstein liegt üblicherweise über dem zentralen Eingang des Raumes. Das Motiv ist meist eine einzige, in einen festen Rahmen gestellte Göttergestalt mit gelegentlich ergänzender Inschrift; nur in

einigen Fällen handelt es sich ausschließlich um einen Hieroglyphentext. Ähnlich wie im zentralen Maya-Gebiet bei Tempelinschriften belegt, dürfte es sich auch hier um Weih- oder Votivmonumente handeln, die mit der Errichtung des Gebäudes in Zusammenhang standen.

Der Gewölbedeckstein Nr. 1 aus dem Palast-Tempel von Dzibilnocac, dem nördlichsten Großbau mit Zügen des sog. Río Bec-Stils, ist ein charakteristisches Beispiel für diesen Typ von Monumenten: Die unregelmäßig gehauene Oberfläche des Kalksteins wurde mit einer dicken Stuckschicht geglättet und als einstmals weißer, heute cremefarbener Maluntergrund vorbereitet. Mit kräftigen, nicht sehr sorgfältigen, aber routinierten Pinselstrichen wurde in dunklem Rot – Mehrfarbigkeit ist selten – eine Gestalt abgebildet, die in dem durch unregelmäßige Doppellinien geformten Rahmen steht, der das Motiv gleichsam zusammenzupressen scheint. Der Malstil mit kursiven flüssigen Linien erinnert an die Codex- und Gefäßmalerei und unterscheidet sich deutlich von der steiferen Darstellungsform der großflächigen Wandmalereien und Steinmonumente.

Wiedergegeben ist der Gott *K'awil* mit einem reichen Kopfschmuck, der an dem volutenartigen Rauchgebilde vor seiner Stirn, dem langen schnauzenähnlichen Mund sowie der Reihe kleiner Rechtecke entlang des Armes und unteren Rückens zu erkennen ist, die – schuppenähnlich – auf den reptilhaften Aspekt dieses häufig auch mit einem Schlangenleib verschmelzenden Gottes hinweisen. Aus einem gewebten Sack in seiner Hand fallen Maiskörner zu Boden. Zwischen dem Rücken der Gottheit und dem Rahmen steht das Zeichen *k'an*, das unter anderem den Namen des vierten Tages bezeichnet, welches hier die Zahl Drei als darunterstehenden Koeffizienten aufweist; vorgestellt ist die Zahl Neun. Mangels eines weiteren Periodenzeichens kann keine kalendarische Bedeutung der Hieroglyphe angenommen werden. Vielmehr handelt es sich wahrscheinlich um einen Beinamen des Gottes *K'awil* oder um einen Ausdruck augurischer Bedeutung. Die Kombination von Tageszeichen mit mehreren Zahlenkoeffizienten, die stets Beinamen von Göttern oder deren Aspekte zu beschreiben scheinen, erscheint nicht selten in Hieroglyphentexten des nordwestlichen Yucatán und in den Codices. Der Gott *K'awil*, Gott II innerhalb der Palenque-Triade, ist einer der wichtigsten Götter des Maya-Pantheons. Die Anbringung seines Bildes im Inneren eines lichtlosen Kultraumes kann in Verbindung mit der Selbstkasteiung des Herrschers und seiner Aufgabe, für das Wohlergehen der Menschen zu sorgen, gestanden haben.   U. D.

Lit.: K. H. Mayer (1983)

520

174
Stele 89

Köln, Rautenstrauch-Joest-Museum, 49629
Kalkstein
H. 248 cm, B. 141 cm
Calakmul, Campeche, Mexiko, Westseite der Plattform auf Struktur 1
Spätklassik, 1. September 731 n. Chr.

Die Klassische Maya-Stadt Calakmul im Südosten des mexikanischen Bundesstaates Campeche nahe der guatemaltekischen Grenze ist vor allem für ihre mehr als

8 Kaban 10 Sak
(9.15.0.0.17, 4. Sept. 731)

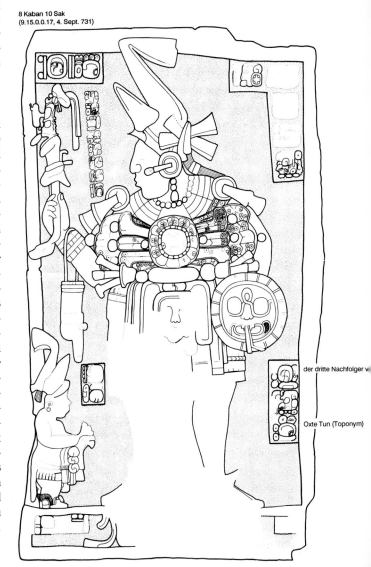

der dritte Nachfolger v

Oxte Tun (Toponym)

110 Stelen bekannt. In keiner anderen Stadt des Tieflandes sind mehr Stelen errichtet worden als in Calakmul. Dennoch sind gerade sie die besonders schlecht erhaltenen, stand den dortigen Bildhauern doch nur ein extrem weicher Kalksandstein zur Verfügung, der im tropischen Klima besonders schnell zerfällt. So sind nur ganz wenige Stelen aus Calakmul gut genug erhalten, um bildliche Darstellungen und Hieroglyphen zu erkennen, und die hier ausgestellte Stele 89 ist sicherlich eine der am besten erhaltenen und schönsten.

Als Calakmul 1931 von dem amerikanischen Botaniker Cyrus Lundell entdeckt wurde, lag Stele 89 auf einer Terrasse wenige Meter unterhalb des höchsten Punktes der etwa 500 m hohen Pyramide 1. Nur wenige Monate nach der Entdeckung der Stadt photographierte Sylvanus Morley die meisten der Stelen, darunter auch Stele 89. Auf die ersten Besuche folgten vier weitere Expeditionen in den Jahren 1932–1938, die vor allem das Ziel hatten, die Stelen und Inschriften zu dokumentieren. Danach blieb die Stadt wieder dem Urwald überlassen und teilte das Schicksal vieler anderer Ruinenorte: sie wurde von Plünderern heimgesucht und zerstört. Zu ihren Beutestücken gehörte auch Stele 89, die in mehrere Stücke zersägt im Ausland verkauft wurde. In Calakmul ließen die Plünderer nur die für sie uninteressanten Teile zurück – die beiden Schmalseiten mit den für sie unlesbaren Hieroglypheninschriften. Die skulptierte Front der Stele gelangte in das Kölner Rautenstrauch-Joest-Museum, wo sie seit 1966 ausgestellt ist.

Die Vorderseite der Stele zeigt den Herrscher von Calakmul in einem reichen Gewand, mit einem K'awil-Zepter in der rechten Hand und einer Räuchertasche, einem Schild mit dem Gesicht des Gottes G III in der linken. Ungewöhnlich ist die Form seines Kopfschmucks, der am Hinterkopf festgeknotet ist. Das lange Haar wird von Bändern zusammengehalten. Mit viel Sorgfalt hat der Bildhauer auch die verschiedenen Zierelemente dargestellt: die großen Ohrpflöcke mit den pendelnden Röhrenperlen, ein ebenfalls aus Röhrenperlen bestehendes Schultercape und ein Prunkpektoral, das vielleicht aus Perlen und Federn bestand und in dessen Mitte eine Scheibe mit der heute verwitterten Darstellung eines Gesichtes angebracht war. Um die Hüften trägt der Herrscher einen durch einen Knoten zusammengehaltenen Schurz, vor dem nochmals eine Scheibe mit einem ebenfalls kaum mehr wahrnehmbaren Gesicht erscheint. Unter den mit Sandalen bekleideten Füßen des Herrschers wird in einem weiteren, gleichfalls stark verwitterten Relief ein liegender Gefangener gezeigt, vor dessen Gesicht einst drei heute nahezu völlig zerstörte Hieroglyphen seinen Namen angaben.

Den gleichen Kopfschmuck wie der Herrscher trägt auch die kleine Zwergenfigur rechts neben ihm. Ähnliche Zwergendarstellungen – häufig mit körperlichen Mißbildungen wie Buckel oder zu kurzen Beinen – finden sich auch auf zahlreichen anderen Stelen, ohne daß die Bedeutung dieses Motivs restlos geklärt wäre. Daß Zwerge wichtig waren, läßt sich aber auch an der Tatsache ablesen, daß sie oftmals – wie auch auf Stele 89 – in zwei oder drei Hieroglyphenblöcken mit Namen benannt sind. Eines der immer wieder vorkommenden Namenselemente ist erst vor kurzem von Stephen Houston und Nikolai Grube als *mas* entziffert worden, ein Wort der Maya für »Gespenst« und »Kobold«. Waren die Zwerge Kobolde oder Hilfsgeister, die den Herrschern in bestimmten Situationen halfen?

Die verschiedenen kurzen Hieroglyphentexte auf der Vorderseite sind leider stark verwittert. Deutlich zu lesen ist nur das Datum 7 *Kaban* 10 *Sak* in der oberen linken Ecke, das rechnerisch eigentlich nicht möglich ist, müßte doch der Koeffizient des Tageszeichens 8 lauten. Früher hielt man derartige Daten für Rechenfehler der Maya, heute aber wissen wir, daß der 260tägige und der 365tägige Kalender zu verschiedenen Tageszeiten begannen und daß es immer dann zu Verschiebungen kam, wenn ein Ereignis aufgeschrieben werden sollte, das in der Nacht stattfand. Wir können also davon ausgehen, daß die dargestellte Szene in der Nacht spielt, und zwar in der Nacht von 9.15.0.0.17 (4. September 731 n. Chr.). Leider ist die Verbhieroglyphe, die uns die Natur des Ereignisses beschrieben hätte, bereits stark verwittert; allerdings wird das Datum auf der abgesägten rechten Seite der Stele wiederholt, nur dort beschreibt die Verbhieroglyphe ein uns noch unbekanntes Ritual.

Eine längere Hieroglyphenreihe ist in eingetieftem Relief zwischen dem Zepter und dem Kopf des Herrschers eingeschnitten. In diesen Hieroglyphen haben zwei Bildhauer ihre Namen und uns damit einen Beleg hinterlassen, daß die Künstler keineswegs anonym blieben. Künstler und Bildhauer hatten in der Gesellschaft der Maya einen hohen sozialen Status, ja sie waren häufig sogar Mitglieder des Adels. Die beiden Künstler, die Stele 89 schufen, *Sak Muan* und *Sak Yib Tzak Balam*, hinterließen ihre Signatur auch auf Stele 51, einem Monument, das am 31. Juli 731 n. Chr., also nur wenige Tage vor Stele 89, vor der Pyramide errichtet wurde. Ob die beiden Künstler weitere Skulpturen in Calakmul schufen, läßt sich leider aufgrund des schlechten Erhaltungszustandes der meisten Monumente nicht mehr feststellen.

Die von den Plünderern abgesägten Seiten der Stele tragen einen langen Hieroglyphentext, der mit einer vollständigen Initialserie begann, die das Datum 9.15.0.0.14

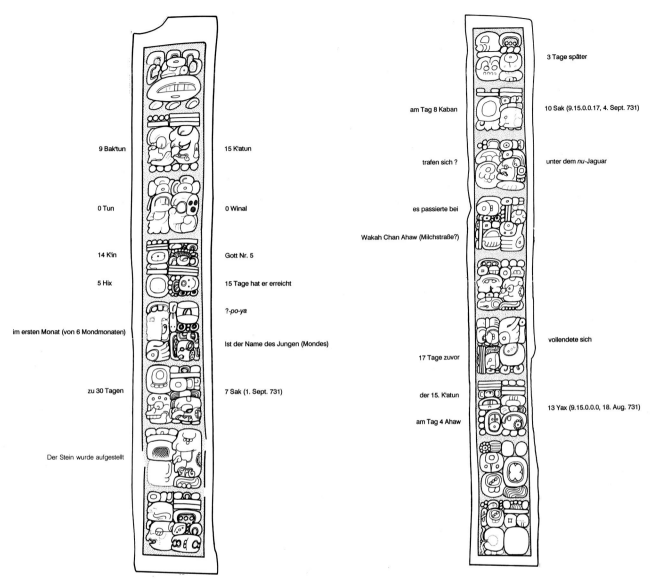

9 Bak'tun   15 K'atun

0 Tun   0 Winal

14 K'in   Gott Nr. 5

5 Hix   15 Tage hat er erreicht

im ersten Monat (von 6 Mondmonaten)   ?-po-ya

Ist der Name des Jungen (Mondes)

zu 30 Tagen   7 Sak (1. Sept. 731)

Der Stein wurde aufgestellt

3 Tage später

am Tag 8 Kaban   10 Sak (9.15.0.0.17, 4. Sept. 731)

trafen sich ?   unter dem nu-Jaguar

es passierte bei

Wakah Chan Ahaw (Milchstraße?)

17 Tage zuvor   vollendete sich

der 15. K'atun

am Tag 4 Ahaw   13 Yax (9.15.0.0.0, 18. Aug. 731)

5 *Hix* 7 *Sak* (1. September 731 n. Chr.) festhält. An diesem Tag wurde laut dem auf die Initialserie folgenden Verb die Stele errichtet. Der Beschreibung der Errichtung folgt dann ein drei Tage später angesetztes Datum, das wie erwähnt auch auf der Vorderseite erscheint und sich vielleicht auf das Datum einer partiellen Sonnenfinsternis bezieht, die zwei Tage später, nämlich in den Morgenstunden des 6. September 731 n. Chr., über Calakmul zu sehen war. Dem Hieroglyphentext zufolge fand das genannte Ereignis an der *Wak Chan* genannten kosmischen Achse statt, die von Linda Schele jüngst als Milchstraße gedeutet wurde. In diesem Fall würde diese neue Interpretation gut zum astronomischen Charakter der ganzen

Passage passen. Interessant ist aber auch, daß die gleiche Hieroglyphensequenz – nur etwa 40 Jahre früher – exakt auf einem der hölzernen Türstürze von Tikal auftritt und das Datum auch in diesem Fall eine partielle Sonnenfinsternis angibt. Schließlich wendet sich der Text mit der Beschreibung von Zeremonien anläßlich des runden Datums 9.15.0.0.0 (18. August 731 n. Chr.) wieder der Vergangenheit zu. Glücklicherweise sind die Seiten der Stele noch von Karl Ruppert und John H. Dennison photographiert worden, bevor man sie zersägte, sonst wäre ein weiteres Dokument der Maya-Geschichte für immer verloren gewesen.   N. G.

175

Statuette eines alten Mannes

New York, National Museum of the American Indian, Heye
Foundation, Inv.-Nr. 23/2573
Gebrannter Ton
H. 36,4 cm, B. 14,0 cm
Insel Jaina, Mexiko
Spätklassik, 600–900 n. Chr.

Die Insel Jaina vor der Westküste Yucatáns ist berühmt
für ihre Keramikfiguren, die Angehörige verschiedenster
Klassen und Typen der Maya darstellen. Dennoch bildet
diese sehr große Figur eines alten, offensichtlich betrun-
kenen Mannes eine Ausnahme innerhalb dieser Objekt-
gruppe. Nicht allein wegen ihrer Größe, sondern vor
allem aufgrund der sorgfältigen und delikaten Modellierung verdient diese Statuette besondere Beachtung.
Der vorstehende Bauch und die breiten Hüften kennzeichnen einen älteren Mann. Obgleich er Ohrpflöcke
und einen Stoffturban trägt, hängt sein Lendentuch un-
ordentlich vom Gürtel herab. Der Künstler, dem wir dieses Meisterwerk verdanken, besaß eine hervorragende
Beobachtungsgabe für Details wie z. B. für den Fall des
Lendentuches beim etwas verunsicherten Stehvermögen
des Mannes. Das gilt auch für Details des Gesichtes, wie
die in tiefer Konzentration gefurchten Brauen, als wenn
er sorgfältig die nächste Bewegung vorplanen müßte.
Daß dieser nächste Schritt so schwierig sein wird, hängt
sicherlich mit dem alkoholischen Getränk zusammen,
das er in einem zweikammerigen Gefäß fest in seinen linken Arm gepreßt hält, wahrscheinlich kehrt er gerade
von einer religiösen Zeremonie zurück, wo Alkohol-
exzesse üblich waren, wie noch heute im Hochland von
Chiapas und Guatemala, wo Schnaps nicht nur als Getränk, sondern auch als Opfergabe ein wichtiger Bestandteil des Rituals ist.   F. F.

176

Musikinstrument in Frauengestalt

New York, National Museum of the American Indian, Heye
Foundation, Inv.-Nr. 24/3929
Gebrannter Ton
H. 15 cm
Insel Jaina, Mexiko
Spätklassik, 600–900 n. Chr.

Diese elegante Dame in ihrem besten Staat ist gleichzeitig auch ein kleines Musikinstrument: eine Flöte. Solche
Instrumente wurden wohl bei privaten religiösen Zeremonien benutzt, und die dargestellten Personen repräsentieren vermutlich bestimmte Archetypen der Maya-
Gesellschaft wie Frauen, alte Männer, Ballspieler, Krieger
und Musiker in einem breiten Spektrum der verschiedensten Tätigkeiten.
Diese Figur stellt eine würdige Dame mit einem großen
Kopfschmuck aus Stoff dar, der ihr vorne kurzgeschore-
nes Haar mit einer Locke auf der Stirn bedeckt. Die runden Ohrpflöcke und eine Halskette aus runden und zylin-
derförmigen Steinen, die in zwei Quasten – eine für
jeden Strang – endet, bilden den üppigen Schmuck, wie
er aus Jade vielfach erhalten geblieben ist. Schwere, aus
Muscheln oder Jade zusammengesetzte Armbänder vervollständigen ihre Ausstattung.   F. F.

177
Statuette einer Weberin

New York, National Museum of the American Indian, Heye
Foundation, Inv.-Nr. 23/2865
Gebrannter Ton
H. 9,2 cm, B. 15,9 cm
Insel Jaina, Mexiko
Spätklassik, 600–900 n. Chr.

Von der Insel Jaina stammen einige der überraschendsten Beispiele für die Maya-Kunst. Einzelpersonen sind
hier nicht nur würdevoll-statuarisch dargestellt, sondern
auch mit Humor. Situationen des täglichen Lebens sind
in diesen kleinformatigen Tonfiguren in typischen Bewegungen festgehalten und geben damit dem Forscher die
Möglichkeit, die Kultur der Maya in allen Bereichen, und
nicht nur die Welt der Oberschicht, kennenzulernen.
Noch heute stellen im Hochland Maya-Frauen Textilien
auf dem waagerechten Gürtelwebstuhl her. In dieser Statuette wird eine Tradition eingefangen, die bis in die Mittlere Präklassik (900–400 v. Chr.) zurückreicht, aus der
die ältesten tönernen Spinnwirtel bekannt sind.

Sicherlich gab es Unterschiede zwischen alltäglicher und
zeremonieller Kleidung, aber Gürtel, Lendentücher und
huipiles wurden von den Frauen der Familie im Hauswerk
angefertigt. Traditionelle Techniken wurden von Groß-
müttern und Müttern an die jüngeren Frauen weitergereicht. Der Gürtelwebstuhl ist ein einfaches Gerät, bestehend aus den Kettfäden und den Stäben, die die Bildung von Fächern für den Schußfaden ermöglichen.
Durch gleichmäßiges Vor- und Zurückbewegen konnten
Stoffe damit dicht mit einer bunten Ornamentik gewebt
werden, wie sie noch heute üblich ist.
Die abgebildete Weberin zeigt eine ernsthafte und konzentrierte Maya-Dame mit Ohrpflöcken, einer Halskette,
Kopfbedeckung und Gewand. Ursprünglich einmal weiß
und rot bemalt, wie viele andere dieser Figuren auch,
diente eine Öffnung über der Stirn ursprünglich wohl
zur Befestigung eines Schmuckes aus vergänglichem
Material.
Einige dieser Figuren könnten Votivgaben gewesen sein,
und da Weben ein Attribut der Mondgöttin *Ix Chel* war,
ist denkbar, daß diese Figur in einer doppelten Funktion
sowohl die lebende Maya-Dame als auch ihre Schutz-
herrin darstellen sollte.   F. F.

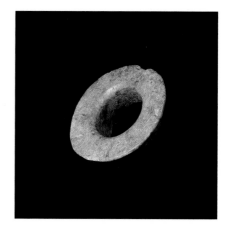

178
Tierförmiger Anhänger

Tegucigalpa, Honduras, Museo Nacional de Antropología,
PEC 124, Reg. 207
Jade
H. 4,1 cm, B. 2,7 cm
Salitron Viejo, Sulaco-Fluß, Zentral-Honduras, Iglesia-Plattform
G-2-p, Depot 116
Östliches Mesoamerika, 400–600 n. Chr.

Einige der Jadearbeiten von Salitron Viejo sind so weit
stilisiert, daß es schwierig ist, die dargestellte Figur zu
identifizieren. Hierfür ist dieser Anhänger typisch, der
den Kopf eines Vogels im Profil darstellt. Zwei eingeschnittene Linien umschreiben den zentralen Teil des
Gesichts, das Auge wird durch eine Hohlbohrung wiedergegeben. Der mit einer Saite gesägte Bereich bezeichnet
den offenen Schnabel.   K. H./S. G. H.

179
Ohrpflock

Tegucigalpa, Honduras, Museo Nacional de Antropología,
PEC 1674, Reg. 172
Dunkle Jade
H. 4,2 cm, B. 4,0 cm
Salitron Viejo, Sulaco-Fluß, Zentral-Honduras, Iglesia-Plattform
G-44-d, Depot 1655
Östliches Mesoamerika, 400–600 n. Chr.

Gestielte Pflöcke wie dieser sind weitgehend beschränkt
auf Fundplätze entlang der östlichen Grenze Mesoamerikas und auf das Hochland von Guatemala. Ähnliche Stücke
stammen aus Depots der Esperanza-Phase (400–700
n. Chr.) in Kaminaljuyú und aus Frühklassischen Fund-
zusammenhängen in Copán. Einige Stücke wurden auch
im Cenote von Chichén Itzá entdeckt, sind dort aber
wegen der langen Benutzung nur schwer zu datieren.

K. H./S. G. H.

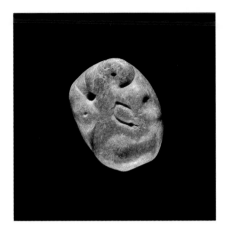

180
Tierförmiger Anhänger

Tegucigalpa, Honduras, Museo Nacional de Antropología,
PEC 1105, Reg. 176
Jade
L. 4,4 cm, B. 3,5 cm
Salitron Viejo, Sulaco-Fluß, Zentral-Honduras, Iglesia-Plattform
G-30-e
Östliches Mesoamerika, 400–600 n. Chr.

Diese Arbeit zeigt das Profil eines stark stilisierten Tier-
kopfes mit einer langen Schnauze und einem offenen
Mund. Das Auge ist eingraviert in einem länglichen
Schlaufenband, das in einer scharfen Welle an jedem
Ende ausläuft. Ein schmales Bohrloch kennzeichnet den
Mundwinkel, während schwach eingetiefte Riefen seine
Seiten begrenzen. Ein kleines rundes Ornament befindet
sich unterhalb des Ohres und scheint den Ohrpflock darzustellen. Obgleich es oft sehr schwer ist, die jeweilige
Tierart bei derartigen hochstilisierten Arbeiten festzustellen, scheinen die Verdickung über dem Auge und das
längliche Schleifenband auf der Rückseite des Kopfes die
knochigen Vorsprünge und die schweren Nackenkämme
eines Kaimans darzustellen.   K. H./S. G. H.

181
Tierförmiger Anhänger

Tegucigalpa, Honduras, Museo Nacional de Antropología,
PEC 906, Reg. 207
Jade
H. 4,7 cm, B. 2,2 cm
Salitron Viejo, Sulaco-Fluß, Zentral-Honduras, Iglesia-Plattform
G-44-c, Depot 883
Östliches Mesoamerika, 400–600 n. Chr.

Dieser kleine Anhänger hat die Form eines stark stilisierten Vogelkopfes. Der Anhänger ist länglich mit dem Befe-
stigungsloch an der Spitze und gibt den Eindruck eines
langen, flachen Gesichtes und Schnabels wieder. Die
Augen sind groß und als zwei runde Vorsprünge beiderseits des Kopfes dargestellt. Bohrlöcher bilden die Pupillen. Der Anhänger ist zu stark stilisiert, als daß es möglich wäre, die Art des Vogels festzustellen.   K. H./S. G. H.

182

Ohrpflock

Tegucigalpa, Honduras, Museo Nacional de Antropología,
PEC 1587, Reg. 172
Jade
L. 3,6 cm, B. 3,5 cm
Salitron Viejo, Sulaco-Fluß, Zentral-Honduras, Iglesia-Plattform
G-44-c, Depot 1255
Östliches Mesoamerika, 400–600 n. Chr.

Dieser Ohrpflock wurde getragen, indem der zylindrische Stiel auf der Rückseite durch ein großes Loch im
Ohrläppchen geführt wurde, wo er festgesteckt oder mit
einer Schnur befestigt werden konnte. Die Schauseite
dieses Pflockes ist eine flache Oberfläche, die rechtwinklig einbiegt, wo der Pflock nach innen in den Stiel
übergeht. Die Schauseite und die Grundform wurden gesägt. Die zylindrische Form des Stiels und das Loch in seiner Mitte wurden mit großen Hohlbohrern angefertigt.
Arbeitsspuren sowohl vom Sägen als auch vom Bohren
können oft an den Innenseiten derartiger Ohrpflöcke
festgestellt werden, da nur die Schauseite sorgfältig
poliert wurde. K. H./S. G. H.

183

Tierförmige Perle

Tegucigalpa, Honduras, Museo Nacional de Antropología,
PEC 1949, Reg. 176
Jade
L. 3,9 cm, B. 2,1 cm
Salitron Viejo, Sulaco-Fluß, Zentral-Honduras, Iglesia-Plattform
G-44-f, Depot 1792
Östliches Mesoamerika, 400–600 n. Chr.

Reptiliendarstellungen, vertreten durch Schlangen und
Kaimane, spielen eine große Rolle unter den Funden aus
Salitron Viejo. Dieser Anhänger hat die Gestalt einer gewundenen Schlange. Das Gesicht der Schlange ist stilisiert und gekennzeichnet durch ein eingraviertes Auge
und das offene Maul mit mehreren Fangzähnen. Zwei
flache Einschnitte auf dem Kopf stellen supraorbitale
Schleifenbänder dar, die ein typisches Stilelement in
Verbindung mit Reptiliendarstellungen in Salitron Viejo
sind. K. H./S. G. H.

184
Anhänger in Form eines Buckligen

Tegucigalpa, Honduras, Museo Nacional de Antropología,
PEC 282, Reg. 156
Jade
L. 8,7 cm, B. 7,5 cm
Salitron Viejo, Sulaco-Fluß, Zentral-Honduras, Iglesia-Plattform
G-44-a, Depot 274
Östliches Mesoamerika, 400–600 n. Chr.

Anhänger in Form eines Buckligen sind eine der hervor-
tretendsten Artefaktklassen aus Salitron Viejo. Diese Anhänger sind in einem weichen, flachen Relief geschnitten
und zeigen einen zusammengekauerten Mann in Seitenansicht, der sich nach vorn lehnt und mit aufgestützten
Armen sein Kinn auf die Hände lehnt. Die Figur trägt
immer einen Gürtel und einen Lendenschurz, der häufig
das auffälligste und einzige Kleidungsstück ist. Die Beine

sind immer eingeknickt und unter der Figur in einer sitzenden oder kriechenden Position zusammengelegt. Alle
Figuren sind nach vornüber geneigt abgebildet, entweder durch die Krümmung des Rückgrates oder durch die
Position von Kopf und Schulter. Außerdem haben die
Figuren im Verhältnis zu den Körpern zu große Köpfe,
was alles darauf schließen läßt, daß hier eine spezielle
Gruppe von Zwergen oder Buckligen abgebildet ist.
Auge, Nase und Mund werden von flachen Rillen gebildet. Bei dem hier gezeigten Anhänger trennt eine vertikale Linie Nase und Mund vom Rest des Gesichtes, ähnlich wie bei den Gesichtsanhängern. Alle Figuren haben
eine einfache Frisur oder tragen einen turbanähnlichen
Kopfputz oder Kopfschmuck. Wie bei den anderen Stük-
ken dieser Sammlung sind auch hier zwei Aufhängelöcher durch die Rückseite gebohrt, so daß die Figur mit
dem Gesicht nach unten hing. Dieser Anhänger war Teil
eines Depots mit 46 Anhängern und Perlen.

K. H./S. G. H.

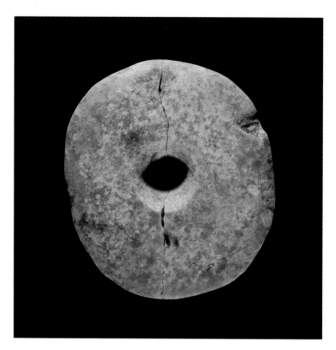

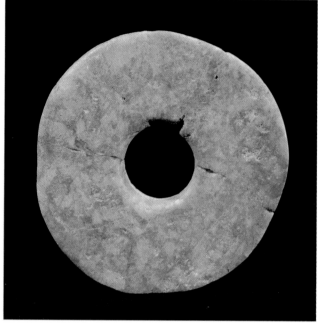

185
Doppelkonischer Ohrpflock

Tegucigalpa, Honduras, Museo Nacional de Antropología,
PEC 2135, Reg. 167
Jade
L. 12,1 cm, B. 10,9 cm
Salitron Viejo, Sulaco-Fluß, Zentral-Honduras, Iglesia-Plattform
G-200-c
Östliches Mesoamerika, 400–600 n. Chr.

Große und schwere Ohrpflöcke mit einem doppelkoni-
schem Bohrloch in der Mitte sind seltene und aussage-
kräftige Objekte, die bis jetzt nur von wenigen Plätzen
des südöstlichen Mesoamerika vorliegen. Diese Ohrpflöcke unterscheiden sich deutlich von den gestielten,
flachseitigen Pflöcken (Kat.-Nr. 182, 201), weil für sie eine
vollständig andere Herstellungsweise angewendet wurde.
Wegen ihrer Größe und ihres Gewichts ist es unwahrscheinlich, daß die doppelkonischen Pflöcke als Ohrschmuck getragen wurden. Es ist wahrscheinlicher, daß
sie als Bestandteil des Gürtels verwendet wurden oder als
Kopfschmuck. Doppelkonische Ohrpflöcke sind fertige
Artefakte und dürfen nicht verwechselt werden mit Ohr-
pflockrohlingen oder nicht fertiggestellten Arbeiten. Sie
gehören zu einer Jadebearbeitungtradition, die unabhängig von dem besser bekannten Stil der Maya arbeitete. K. H./S. G. H.

186
Ringpektoral

Tegucigalpa, Honduras, Museo Nacional de Antropología,
PEC 1333, Reg. 166
Jade
H. 9,5 cm, B. 9,0 cm
Salitron Viejo, Sulaco-Fluß, Zentral-Honduras, Mound 1, Iglesia-
Bezirk F-44-b, Depot 1326
Östliches Mesoamerika, 400–600 n. Chr.

Diese dünne, sorgfältig gearbeitete Jadescheibe ist eine
von vielen aus Salitron Viejo. Obwohl runde Scheiben als
Brustschmuck auf Maya-Stelen dargestellt sind, sind derartige Jaderinge nur von wenigen archäologischen Fundstätten Mesoamerikas bekannt. In Salitron Viejo treten
sie vorwiegend paarweise auf und waren vielleicht eher
Bestandteile von Kopfputzen, Gürteln oder Kleidung, als
daß sie als Einzelstück und als Pektoral getragen wurden.
Ringpektorale sind ungewöhnlich und unterscheiden
sich von den meisten anderen Jadearbeiten aus Salitron
Viejo dadurch, daß sie aus dünn gesägten Scheiben Jade
hergestellt wurden. Dieses Ringpektoral war niedergelegt worden als Teil eines kleinen Depots und wurde
zerbrochen bei einem Ritual anläßlich der Erweiterung
und Erneuerung der Tempelanlage auf Mound 1.
K. H./S. G. H.

187
Kopfanhänger

Tegucigalpa, Honduras, Museo Nacional de Antropología,
PEC 2695, Reg. 214
Jade
H. 7,0 cm, B. 5,0 cm
Salitron Viejo, Sulaco-Fluß, Zentral-Honduras, Nördliche *plaza*,
Depot 2576
Östliches Mesoamerika, 400–600 n. Chr.

Dieser Kopfanhänger ist in hohem Relief geschnitten und
zeigt das Gesicht eines Menschen mit Jadeohrpflöcken
und einem dreiteiligen Kopfputz über einem schmalen
Band. Der dreiteilige Kopfputz besteht aus einem zentralen, rechteckigen Teil, der flankiert wird von zwei seitlichen Schnörkelelementen. Seine Verwendung ist besonders interessant, weil der dreiteilige Kopfputz bereits in
der Späten Präklassik im Maya-Gebiet auftritt und dort
als ein wichtiges Verzierungselement auf Jadeanhängern
und bei Stuckmasken an den Seiten der Plattformen zu
finden ist. Der Anhänger zeigt das Gesicht in realistischen Proportionen, und die Verwendung der rautenförmigen Augen und die breiten Schnitte geben ihm eine
robuste Erscheinung.   K. H./S. G. H.

188
Anhänger in Form eines Buckligen

Tegucigalpa, Honduras, Museo Nacional de Antropología,
PEC 533, Reg. 156
Dunkle Jade
L. 10,4 cm, B. 6,7 cm
Salitron Viejo, Sulaco-Fluß, Zentral-Honduras, Iglesia-Plattform
G-44-a, Depot 533
Östliches Mesoamerika, 400–600 n. Chr.

Zwerge und Bucklige finden sich in der vorspanischen
Kunst ganz Mesoamerikas von Westmexiko bis in die
Maya-Region. Jadeanhänger in Form eines Buckligen, wie
die aus Salitron Viejo, sind jedoch im wesentlichen begrenzt auf die südöstliche Peripherie Mesoamerikas.
Ähnliche Stücke wurden in den benachbarten Maya-
Städten Copán (Honduras) und Quiriguá (Guatemala),
aber auch in dem weiter entfernten Chichén Itzá, gefunden. Erst kürzlich wurde bei Ausgrabungen im Templo
Mayor in Mexico City ein besonders schönes Exemplar
gefunden, das vielleicht als ein Tribut dorthin gelangte
und später als Altbesitz in ein aztekisches Opferdepot gelangte. Anhänger in Form eines Buckligen sind die wichtigste Form der Darstellung einer vollständigen mensch-

lichen Figur unter den Jadearbeiten aus Salitron Viejo und spiegeln die symbolische Bedeutung dieses Motivs bei den lokalen Religionen des südöstlichen Mesoamerika wider.

Dieser Anhänger ist eine der schönsten Darstellungen eines Buckligen aus Salitron Viejo. Die Figur trägt einen großen, verzierten turbanartigen Kopfputz, einen Gürtel und einen Lendenschurz. Der runde Ohrpflock ist das zentrale Element des sorgfältig herausgearbeiteten Ohrschmuckes. K. H./S. G. H.

189
Halbmondförmiges Pektoral

Tegucigalpa, Honduras, Museo Nacional de Antropología, PEC 259, Reg. 164
Jade
L. 11,9 cm, B. 6,7 cm
Salitron Viejo, Sulaco-Fluß, Zentral-Honduras, Iglesia-Plattform G-44-a, Depot 252
Östliches Mesoamerika, 400–600 n. Chr.

Pektorale dieser Form sind einzigartig für das zentrale Honduras und sind nur aus Salitron Viejo bekannt. Sie sind normalerweise halbrund mit einer sorgfältig geschnittenen und polierten Kerbe oder Ausbuchtung in der Mitte der Oberseite. Zwei zusätzliche Kerben sind von gegenüberliegenden Seiten gesägt und herausgebrochen. Ein Paar sorgfältig gearbeiteter Winkelbohrungen ist so an beiden Seiten der zentralen Kerbe angebracht, daß die Schauseite weder durchbohrt noch beschädigt wird. Damit konnte das Pektoral an einer Halskette oder an einem größeren ornamentalen Gerät befestigt werden. Die Schauseite wurde verziert durch drei Paar konzentrischer Hohlbohrungen. K. H./S. G. H.

190
Halbmondförmiges Pektoral

Tegucigalpa, Honduras, Museo Nacional de Antropología, PEC 260, Reg. 164
Jade
L. 13,0 cm, B. 7,2 cm
Salitron Viejo, Sulaco-Fluß, Zentral-Honduras, Iglesia-Plattform G-44-a, Depot 252
Östliches Mesoamerika, 400–600 n. Chr.

Drei Paare konzentrischer Kreise verzieren die Schauseite dieses Pektorals. Die Lage der Seitenkerben unterhalb der Mittellinie teilt das Objekt in ein rechteckiges oberes und in ein gerundetes unteres Feld. Ähnliche flache Pektorale wurden im Cenote von Chichén Itzá, Yucatán, Mexiko, gefunden. Die Salitron-Pektorale sind in ihrer Form ähnlich, aber nicht identisch mit dem flachen, stilisierten Nasenschmuck, die oft als »Naregueras de Mariposa« bezeichnet werden. Dieser Nasenschmuck, der sowohl in Jade als auch in Keramik hergestellt wird, ist über einen großen Teil Mesoamerikas von Teotihuacán bis zur südlichen Küste Guatemalas verbreitet. Auf den häufigen Abbildungen auf Räuchergefäßen ist zu sehen, daß die zentrale Kerbe durch die Nase getragen wurde. Dieses Pektoral war Bestandteil eines Depots von 177 Jadeobjekten, das ebenfalls das Pektoral Kat.-Nr. 189 enthielt. K. H./S. G. H.

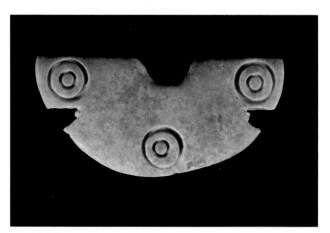

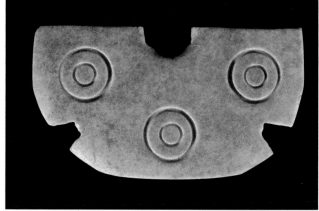

der Grenze zwischen Guatemala und Honduras stammt, ist die Herkunft der Stücke Kat.-Nr. 188 und 208 weniger klar, da sie aus einer dort nicht vorkommenden Spielart bestehen.

Vorliegendes Stück ist ungewöhnlich, weil die Form des Kopfes und der Schultern als eine Umrißlinie, geschnitten in die Oberfläche des Steines, kenntlich ist und nicht die Form des Steines den Umriß der Figur bestimmt. Kleine Gruben und Risse auf der Rückseite dieses Anhängers zeigen, daß er aus einem kleinen, natürlichen Stein angefertigt wurde und die Figur durch Picken, Schneiden und Polieren ihre Form erhielt. K. H./S. G. H.

191
Anhänger in Form eines Buckligen

Tegucigalpa, Honduras, Museo Nacional de Antropología,
PEC 1303, Reg. 147
Jade
L. 9,4 cm, B. 7,1 cm
Salitron Viejo, Sulaco-Fluß, Zentral-Honduras, Mound 1, Iglesia-Bezirk F-44-a, Depot 1302
Östliches Mesoamerika, 400–600 n. Chr.

Obgleich alle Anhänger in Form eines Buckligen eine ganze Anzahl ähnlicher Merkmale aufweisen, gibt es keine Standardisierung in der Art und Weise, wie einzelne Elemente oder Details des Kopfputzes, des Lendenschurzes oder der Haartracht dargestellt sind. Jeder Anhänger ist ein Unikat, als wenn es ein Ziel der Schnitzer gewesen wäre, die Herstellung von ähnlichen oder übereinstimmenden Stücken zu vermeiden. Unterschiede können auch im Schneidestil und in den unterschiedlichen Rohmaterialien gefunden werden, was darauf hindeutet, daß die Anhänger an verschiedenen Orten hergestellt wurden. Während dieser Anhänger aus einer Jade hergestellt zu sein scheint, die aus dem Motagua-Tal in Nähe

192
Tierförmiger Anhänger

Tegucigalpa, Honduras, Museo Nacional de Antropología,
PEC 256, Reg. 176
Serpentin
L. 3,9 cm, B. 3,5 cm
Salitron Viejo, Sulaco-Fluß, Zentral-Honduras, Iglesia-Plattform G-44-a, Depot 252
Östliches Mesoamerika, 400–600 n. Chr.

Dieser kleine Anhänger soll eine Schildkröte oder einen Schildkrötenpanzer darstellen. Diese Ansprache beruht auf der Form des Anhängers und einer Linie um eine Ecke des Panzers, die mit der auf dem Anhänger Kat.-Nr. 193 identisch ist. Die einfache, längliche Durchbohrung durch das Zentrum des Anhängers ermöglichte es, ihn als Anhänger eines Halsbandes zu tragen. K. H./S. G. H.

193
Tierförmiger Anhänger

Tegucigalpa, Honduras, Museo Nacional de Antropología,
PEC 669, Reg. 154
Jade
L. 7,0 cm, B. 5,9 cm
Salitron Viejo, Sulaco-Fluß, Zentral-Honduras, Iglesia-Plattform
G-44-a, Depot 185
Östliches Mesoamerika, 400–600 n. Chr.

Die prähistorischen Menschen in Mesoamerika hatten
eine besondere Vorliebe für Tiere, die sich sowohl auf
der Erde als auch in der Luft oder im Wasser bewegen
können. Ihre Bedeutung war verbunden mit dem Glauben, daß sie von der Welt der Lebenden in die der Toten
reisen und so Kontakt mit den Geistern der toten Vorfahren aufnehmen können. Die hier dargestellte Schildkröte
gehört aufgrund ihrer Fähigkeit, im Wasser und an Land
zu leben, dazu. Dieser Anhänger wurde zusammen mit
dem Anhänger Kat.-Nr. 194 in einem großen Depot mit
194 Jadeobjekten gefunden.   K. H./S. G. H.

194
Kopfanhänger

Tegucigalpa, Honduras, Museo Nacional de Antropología,
PEC 475, Reg. 148
Dunkle Jade
H. 9,8 cm, B. 7,8 cm
Salitron Viejo, Sulaco-Fluß, Zentral-Honduras, Iglesia-Plattform
G-44-a, Depot 471
Östliches Mesoamerika, 400–600 n. Chr.

Dieser reliefartig geschnittene Anhänger zeigt den Kopf
einer Figur mit Ohrpflöcken und einem komplizierten
Kopfschmuck. Im Maya-Gebiet werden hochgestellte Persönlichkeiten auf Stelen und auf Jadearbeiten mit einer
Vielzahl ausgeklügelter Kostüme dargestellt, darunter
auch eines mit einem Schlangen-Kopfputz. Form und
Komposition dieses Anhängers lassen vermuten, daß hier
die Darstellung einer Person mit solch einem Schlangen-
Kopfputz vorliegt. Es ist bezeichnend, daß, während die
äußere Form des Kopfputzes kopiert wurde, die inneren
Details hochgradig stilisiert sind und wohl auch nicht gut
genug verstanden wurden, um das Schlangenbild deutlich werden zu lassen. Der Künstler versuchte, die Tradition der Klassischen Maya wiederzugeben, ohne ihre Stilelemente im einzelnen zu verstehen. Dieser Anhänger ist
ein gutes Beispiel dafür, wie Gesellschaften an einer Kul-
turgrenze versuchen, die große Zivilisation, mit der sie
Kontakt haben, zu imitieren und zu kopieren.

K. H./S. G. H.

195 Tierförmiger Anhänger

Tegucigalpa, Honduras, Museo Nacional de Antropología,
PEC 674, Reg. 176 · Jade
H. 3,5 cm, B. 3,1 cm
Salitron Viejo, Sulaco-Fluß, Zentral-Honduras, Iglesia-Plattform
D-44-d, Depot 1655
Östliches Mesoamerika, 400–600 n. Chr.

Dieser stark stilisierte Anhänger stellt den Kopf eines
Säugetieres mit gedehnter Schnauze und geöffnetem
Maul dar. Die Augen werden von zwei Hohlbohrungen in
einer schmalen, horizontal über das Gesicht verlaufenden Rinne gebildet. Eine kreisförmig über den Augen
verlaufende Linie markiert der Haaransatz. Kleine Kurven an den oberen Ecken des Gesichts bilden die Ohren.
Durchbohrungen der Ohren dienten zur Aufhängung
des Anhängers.   K. H./S. G. H.

196 Tierförmiger Anhänger

Tegucigalpa, Honduras, Museo Nacional de Antropología,
PEC 535, Reg. 176 · Jade
H. 3,9 cm, B. 2,8 cm
Salitron Viejo, Sulaco-Fluß, Zentral-Honduras, Iglesia-Plattform
G-44-a, Depot 533
Östliches Mesoamerika, 400–600 n. Chr.

Dieser Anhänger zeigt ein Säugetier mit vorgestreckter
Schnauze und offenem Maul. Kleine Vollbohrungen bilden die Augen, und die sie kreisförmige umgebende
Linie stellt vermutlich den Ansatz der das Gesicht des
Tieres bedeckenden Haare dar. Weiter eingetiefte Rillen
auf der Oberseite des Anhängers kennzeichnen die Stirn
des Tieres und zwei Ohren an den oberen Ecken des Kopfes. Obwohl es schwierig ist, die dargestellte Tierart genauer zu bestimmen, unterstreicht die Präsenz derartiger tiergestaltiger Anhänger die naturverbundene und
animistische Grundlage der im östlichen Mesoamerika
heimischen Religionen außerhalb der Maya-Region. Dieser Anhänger lag zusammen mit dem Anhänger mit der
Darstellung eines Buckligen (Kat.-Nr. 188) in einem Depot
von 110 Jadeobjekten.   K. H./S. G. H.

197 Gesichtsanhänger

Tegucigalpa, Honduras, Museo Nacional de Antropología,
PEC 769, Reg. 207 · Dunkle Jade
H. 3,9 cm, B. 3,0 cm
Salitron Viejo, Sulaco-Fluß, Zentral-Honduras, Iglesia-Plattform
G-44-a, Depot 185
Östliches Mesoamerika, 400–600 n. Chr.

Der Aufbau eines Gesichts auf der Grundform des Drei-
ecks hat eine lange Tradition in der mesoamerikanischen
Jadeschnitzerei. Er erscheint zuerst in der Späten Präklassischen Periode bei den »bib-and-helmet« (= »Latz
und Helm«)-Anhängern, die dieselbe Gesichtsform und
auch den Kamm auf der Oberseite des Kopfes zeigen, der
als Teil eines Helmes interpretiert wurde. Diese stilistischen Beziehungen spiegeln möglicherweise eine geneti-
sche Entwicklungslinie zwischen diesen beiden Formen
mesoamerikanischer Jadearbeiten wider.
Die Nase und der Mund des Anhängers werden gebildet
durch horizontale Schnitte, während die Augen vertieft
sind und mit Hohlbohrungen herausgearbeitet wurden.
Der Schädelkamm wird begrenzt von zwei seitlichen Einschnitten auf der Oberseite des Kopfes. Der weite Abstand dieser Einschnitte voneinander gibt dem Kopf eine
katzenähnliche Wirkung, weil so der Eindruck von spitzen Ohren zu beiden Seiten entsteht. Eine kleine Bohrung ist in der Mitte der Nase angebracht. Es ist aufschlußreich, daß die Anhänger Kat.-Nr. 197 und 198
nebeneinander in einem großen Depot mit insgesamt
194 Jadeobjekten geborgen wurden.   K. H./S. G. H.

198 Gesichtsanhänger

Tegucigalpa, Honduras, Museo Nacional de Antropología,
PEC 768, Reg. 207
Talkum
H. 3,7 cm, B. 2,9 cm
Salitron Viejo, Sulaco-Fluß, Zentral-Honduras, Iglesia-Plattform
G-44-a, Depot 185
Östliches Mesoamerika, 400–600 n. Chr.

Diese Arbeit zeigt ein menschliches Gesicht mit betontem
Mund und betonter Nase. Im Gegensatz zu vielen ande-
ren Gesichtsanhängern sind die Augen hier durch er-
höhte Rauten und nicht durch Bohrungen angedeutet.
Das Haar wird von drei parallelen Einschnitten auf der
Oberseite des Kopfes dargestellt. Auf dem unter dem
Mund sichtbaren Hals oder Lätzchen sind zwei kleine
Durchbohrungen zur Befestigung zusätzlichen Schmuk-
kes wie kleiner Perlen oder Pailletten angebracht. Der
Anhänger ist aus einem gut polierten, milchig-weißen
Stein gearbeitet, der relativ selten unter den Funden aus
Salitron Viejo vorkommt. Das seltene Rohmaterial und
die ungewöhnliche Weise, in der Augen, Haare und Hals
dargestellt sind, lassen darauf schließen, daß dieser Anhänger in einem anderen Gebiet Mesoamerikas hergestellt wurde als die übrigen hier ausgestellten Gesichtsanhänger.   K. H./S. G. H.

200
Kugelförmige Perle

Tegucigalpa, Honduras, Museo Nacional de Antropología,
PEC 1570, Reg. 140
Jade
L. 6,6 cm, B. 5,5 cm
Salitron Viejo, Sulaco-Fluß, Zentral-Honduras, Iglesia-Plattform
G-44-a, Depot 1270
Östliches Mesoamerika, 400–600 n. Chr.

Perlen sind vielleicht die älteste Form von Menschen getragenen Schmucks. Jadeperlen waren ein Symbol hoher
sozialer Stellung und sind die häufigsten Jadeobjekte, die
in Mesoamerika gefunden wurden. Die Perlen aus Salitron Viejo reichen in ihrer Form von röhrenförmig über
scheibenförmig bis hin zu vollkommen rund. Diese ungewöhnlich große Perle war eine von dreien, die in
einem Depot mit insgesamt 121 Jadeobjekten ausgegraben wurde.   K. H./S. G. H.

199
Kopfanhänger

Tegucigalpa, Honduras, Museo Nacional de Antropología,
PEC 1146, Reg. 151
Jade
H. 7,0 cm, B. 10,5 cm
Salitron Viejo, Sulaco-Fluß, Zentral-Honduras, Iglesia-Plattform
Struktur 12, G-100-a, Depot 1128
Östliches Mesoamerika, 400–600 n. Chr.

Auf diesem Anhänger ist ein stark stilisiertes menschliches Gesicht mit Ohrpflöcken und einem dreiteiligen
Kopfputz abgebildet. Das breite Gesicht ist gebildet mit
rautenförmigen Augen, die nach oben von einem dünnen
Band begrenzt werden, das sich über die ganze Stirn
zieht und auch den oberen Abschluß der Nase darstellt.
Der Kopfputz besteht aus einer Scheibe in der Mitte der
Stirn und lockenförmigen Teilen auf beiden Seiten. Dieser Anhänger hat wie die Stücke Kat.-Nr. 187 und 202
winkelförmige Bohrlöcher auf der Ober- und Unterseite,
so daß er in einer vertikalen Position angebracht oder
aufgehängt werden konnte. Grübchen und Risse an den
Seiten und auf der Rückseite lassen darauf schließen,
daß dieser Anhänger aus einem Teil eines natürlichen
Steins gearbeitet wurde, der an den Seiten zurecht-
geschnitten und gehauen wurde, um die dreieckige
Grundform zu erreichen.   K. H./S. G. H.

201
Ohrpflock

Tegucigalpa, Honduras, Museo Nacional de Antropología,
PEC 786, Reg. 138
Jade
L. 8,4 cm, B. 7,7 cm
Salitron Viejo, Sulaco-Fluß, Zentral-Honduras, Iglesia-Plattform
G-44-a, Depot 185
Östliches Mesoamerika, 400–600 n. Chr.

In ganz Mesoamerika wurden die Angehörigen der Oberschicht auf bildlichen Darstellungen in Codices und auf
Skulpturen mit erlesenen Gewändern und Schmuck dargestellt. Das wichtigste und häufigste Erkennungszei-
chen hoher sozialer Stellung war der im Ohrläppchen
getragene Ohrpflock aus Jade. Das Formenspektrum
reicht von den weit geöffneten, leicht gerundeten Exemplaren des Maya-Gebietes bis zu dem stark polierten, gestielten Exemplar hier. K. H./S. G. H.

202
Kopfanhänger

Tegucigalpa, Honduras, Museo Nacional de Antropología,
PEC 1158, Reg. 149
Jade
H. 4,5 cm, B. 5,7 cm
Salitron Viejo, Sulaco-Fluß, Zentral-Honduras, Iglesia-Plattform
Struktur 12, G-100-a, Depot 1128
Östliches Mesoamerika, 400–600 n. Chr.

Im Maya-Gebiet wurden Kopfanhänger als Brustschmuck
ebenso verwendet wie als Bestandteil von erlesenen
Kopfputzen oder als Kleidungsbesatz. Bei den Maya
scheinen Kopfanhänger Herrschaft symbolisiert zu
haben und wurden wohl nur von den Angehörigen der
Elite getragen, die politische Ämter innehatten. Dieser
kleine Anhänger stellt ein stilisiertes menschliches Gesicht mit Ohrpflöcken und einem mehrteiligen Kopfputz
dar. Der Kopfputz zeigt dieselbe Dreiteilung wie andere
Beispiele aus Salitron Viejo, wobei in diesem Fall das Zentrum durch vier leichte Rillen weiter untergliedert ist.
Dieser Anhänger stammt zusammen mit Kat.-Nr. 199 aus
einem Depot mit 24 Ohrpflöcken und Anhängern, die als
Opfergaben in der Aufschüttung der die Iglesia-Plattform umgebenden Struktur 12 niedergelegt wurden.
K. H./S. G. H.

des Affen erinnert an das frühere »Bib-and-helmet«-(= »Latz und Helm«)-Motiv, das während der Späten Präklassik im ganzen östlichen Mesoamerika vorkommt.

K. H./S. G. H.

203
Tierförmiger Anhänger

Tegucigalpa, Honduras, Museo Nacional de Antropología,
PEC 1234, Reg. 176
Dunkle Jade
H. 3,1 cm, B. 2,2 cm
Salitron Viejo, Sulaco-Fluß, Zentral-Honduras, Iglesia-Plattform
G-44-c, Depot 1230
Östliches Mesoamerika, 400–600 n. Chr.

Dieser sorgfältig gearbeitete Anhänger demonstriert den erreichten Grad realistischer Darstellungen auf Stücken aus Salitron. Es ist die Darstellung eines Affen und im Stil ähnlich realistisch wie die Darstellungen menschlicher Gesichter, mit Ausnahme der beiden Kreise um die Augen, die die Grenzen des Haaransatzes markieren, der Teile des Tiergesichtes bedeckt. Stilistische Ähnlichkeiten mit Menschendarstellungen in der Komposition des Gesichts und die Verwendung von Schlaufen zur Darstellung der Ohren reflektieren die engen Verbindungen zwischen Menschen und Affen in den Schöpfungsmythen vieler mesoamerikanischer Völker. Genaue Autopsie zeigt, daß diagonale Schnitte zur Herausarbeitung der unteren Gesichtspartien verwendet wurden, die nachträglich durch weiteres Zuarbeiten und Polieren überformt wurden. Die dreieckige Gesichtskomposition mit der teilweisen Darstellung von Hals und Schultern

204
Gesichtsanhänger

Tegucigalpa, Honduras, Museo Nacional de Antropología,
PEC 911, Reg. 207
Dunkle Jade
H. 2,8 cm, B. 1,9 cm
Salitron Viejo, Sulaco-Fluß, Zentral-Honduras, Iglesia-Plattform
G-44-c, Depot 883
Östliches Mesoamerika, 400–600 n. Chr.

Ein wichtiges stilistisches Kennzeichen vieler Jadearbeiten aus Salitron Viejo ist die Verwendung der »Dreieckigen Gesichtskomposition« zur Darstellung von Nase und Mund. So gestaltete Objekte werden bezeichnet als »triangular face carvings« (wörtl.: »Dreieck-Gesichtsschnitzerei«), der abgebildete Anhänger ist ein gutes Beispiel hierfür. Diagonal eingeschnittene Linien kennzeichnen das Gesichtsfeld.
Gesichtselemente werden geformt durch gerade horizontale Schnitte zur Darstellung und Unterscheidung von Nase und Mund. Die Augen wurden als Hohlbohrungen angebracht, und Ohrpflöcke sind angedeutet durch zwei zusätzliche Bohrungen beiderseits des Mundes. Die meisten dreieckigen Gesichtskompositionen haben einen Knochenkamm auf ihrem Kopf, der ähnlich zu dem auf Kat.-Nr. 63 ist und vielleicht das stachlige Haar eines Zwerges oder Buckligen darstellen soll.   K. H./S. G. H.

205
Gesichtsanhänger

Tegucigalpa, Honduras, Museo Nacional de Antropología,
PEC 836, Reg. 207
Jade
H. 2,4 cm, B. 1,9 cm
Salitron Viejo, Sulaco-Fluß, Zentral-Honduras, Iglesia-Plattform
G-44-c
Östliches Mesoamerika, 400–600 n. Chr.

Dieses Stück zeigt den Gesichtsanhänger in seiner am
stärksten stilisierten Form: Das Gesicht wird gebildet von
vier diagonal und horizontal verlaufenden Rillen und
zwei Hohlbohrungen für die Augen. Der Schädelkamm
oder der Haaransatz sind durch zwei leicht eingetiefte
diagonale Rillen auf der Oberseite des Kopfes angedeutet.   K. H./S. G. H.

206
Gesichtsanhänger

Tegucigalpa, Honduras, Museo Nacional de Antropología,
PEC 1670, Reg. 176
Jade
H. 2,7 cm, B. 1,7 cm
Salitron Viejo, Sulaco-Fluß, Zentral-Honduras, Iglesia-Plattform
G-44-d, Depot 1655
Östliches Mesoamerika, 400–600 n. Chr.

Dieser stark stilisierte Gesichtsanhänger zeigt alle Merkmale dieser Gattung. Eingeschnittene Rillen bilden die
zentralen Elemente des Gesichtes und den Schädelkamm,
zwei Vollbohrungen die Augen. Alle Gesichtsanhänger in
dieser Ausstellung haben ein einziges Aufhängeloch, das
so durch das Zentrum des Stücks gebohrt ist, daß das
Gesicht nach vorn blickt, wenn es an einer Schnur herabhängt.   K. H./S. G. H.

207
Tierförmiger Anhänger

Tegucigalpa, Honduras, Museo Nacional de Antropología,
PEC 1530, Reg. 176
Jade
H. 1,4 cm, B. 2,9 cm
Salitron Viejo, Sulaco-Fluß, Zentral-Honduras, Iglesia-Plattform
G-44-c, Depot 1270
Östliches Mesoamerika, 400–600 n. Chr.

Dieser Anhänger stellt den Kopf eines Tieres mit leicht
vorstehender Schnauze und offenem Maul dar. Die Kombination verschiedener Merkmale, darunter die vorstehende Schnauze, die nach vorn gerichteten Augen und
der Haaransatz, wiedergegeben als betonte Linie über den
Augen, läßt darauf schließen, daß das Tier möglicherweise ein Säugetier ist. Massivbohrungen wurden verwendet, um die Augen und zwei Backen oder Backen-
taschen am Schnauzenansatz zu formen.   K. H./S. G. H.

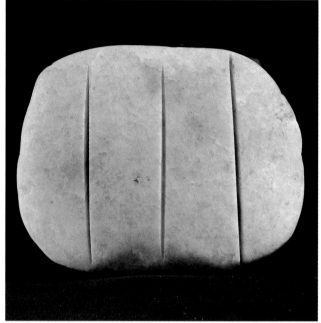

208
Anhänger in Form eines Buckligen

Tegucigalpa, Honduras, Museo Nacional de Antropología,
PEC 477, Reg. 156
Jade
L. 9,5 cm, B. 5,5 cm
Salitron Viejo, Sulaco-Fluß, Zentral-Honduras, Iglesia-Plattform
G-44-a, Depot 471
Östliches Mesoamerika, 400–600 n. Chr.

Im Maya-Gebiet sind Zwerge und Bucklige häufig abgebildet als Begleitung von Priestern und Herrschern auf Keramiken und Steinmonumenten. Man glaubte, daß sie besondere Fähigkeiten besäßen, zum Beispiel als Zwischenwesen zur Geisterwelt. In den ethnohistorischen Quellen werden Zwerge und Bucklige als Naturgeister beschrieben, verbunden mit Bergen, dem Wald, der Unterwelt und den Toten. Die präkolumbianische Region in Zentral-Honduras enthielt starke animistische Elemente im Vergleich mit der Maya-Religion. Vermutlich stellten die Buckligen mächtige Naturgeister dar, die Magie beherrschten und diese auf vielfache Art und Weise nutzten.
Das flache Relief und die verwaschene Ausführung der Schnitte des Anhängers kontrastieren deutlich mit den sorgfältigeren und zarteren Jadearbeiten der Maya-Region. Solche Anhänger sind meist relativ dick, haben einen konvexen Umriß und wurden mit wenig Rücksicht auf eine ökonomische Nutzung des Rohstoffes hergestellt. Andere Wissenschaftler haben diese Figuren »Pebblecarvings« (= »Kieselschnitzereien«) genannt, weil die Form der Figuren den Eindruck vermittelt, sie seien der natürlichen Form der Steine, die als Ausgangsmaterial dienten, angepaßt. Der hier abgebildete Bucklige trägt einen runden Ohrpflock, der einzige normalerweise abgebildete Schmuck.   K. H./S. G. H.

209
Anhänger

Tegucigalpa, Honduras, Museo Nacional de Antropología,
PEC 506, Reg. 126
Jade
L. 12,0 cm, B. 9,6 cm
Salitron Viejo, Sulaco-Fluß, Zentral-Honduras, Iglesia-Plattform
G-44-a, Depot 492
Östliches Mesoamerika, 400–600 n. Chr.

Dieser große, rechteckige Anhänger zeigt eine der einfachsten in Salitron Viejo vorkommenden Formen. Drei vertikale Rillen unterschiedlicher Länge und Tiefe sind in die Vorderseite des Anhängers geschnitten und teilen sie in vier ungleich große Flächen. Eine Verfärbung, die einen Teil des Anhängers bedeckt, könnte von einer Sub-

stanz herrühren, mit der die Rillen ausgefüllt waren oder mit der der Anhänger umgeben war, als er zusammen mit den Stücken Kat.-Nr. 63 und 215 in ein Depot mit 40 Jadeobjekten in der Iglesia-Plattform niedergelegt wurde.   K. H./S. G. H.

210
Unverzierter Anhänger

Tegucigalpa, Honduras, Museo Nacional de Antropología,
PEC 329, Reg. 189
Jade
L. 12,4 cm, B. 8,0 cm
Salitron Viejo, Sulaco-Fluß, Zentral-Honduras, Iglesia-Plattform
G-44-a, Depot 329
Östliches Mesoamerika, 400–600 n. Chr.

Große, unverzierte Anhänger sind sehr häufig in Salitron Viejo. Der vorliegende Anhänger ist ein typisches Exemplar. Unverzierte Anhänger reichen in ihrer Form von geschnitten, rechteckig über eiförmig und trapezoid bis hin zu unveränderten, natürlichen Steinen, die poliert und durchbohrt wurden und die man ohne weitere Veränderungen trug. Der Anhänger war an einem Paar Befestigungslöchern aufgehängt, die so in eine Kante eingebohrt waren, daß man sie von der Vorderseite des Objektes nicht erkennen kann.   K. H./S. G. H.

211
Tierkopfanhänger

Tegucigalpa, Honduras, Museo Nacional de Antropología,
PEC 1681, Reg. 155
Jade
H. 7,8 cm, B. 8,4 cm
Salitron Viejo, Sulaco-Fluß, Zentral-Honduras, Iglesia-Plattform
G-44-d, Depot 1655
Östliches Mesoamerika, 400–600 n. Chr.

Tiergestaltige Bilder waren sehr wichtig für die vorspanischen Bewohner des zentralen Honduras und finden sich auch unter den geschnittenen Jadearbeiten, die in Salitron Viejo gefunden wurden. Der ausdrucksvolle Anhänger gibt den stilisierten Kopf eines Vogels wieder und wurde aus einem keilförmigen Stück Jade durch seitliche Schnitte und Hohlbohrungen für die Augen angefertigt. Die Form des Schnabels deutet darauf hin, daß hier ein Raubvogel – ein Falke oder Adler – dargestellt wurde. Dieser Anhänger und der Perlenanhänger Kat.-Nr. 206 lagen zusammen in einem Depot von 36 Jadeartefakten. Die Größe und das Gewicht des Anhängers und die Position der Aufhängelöcher an der Oberseite des Stückes lassen darauf schließen, daß es als einziger Brustschmuck gedacht war oder als Teil einer Halskette.
                                        K. H./S. G. H.

Kat.-Nr. 212–214

212
Tierförmige Perle

Tegucigalpa, Honduras, Museo Nacional de Antropología,
PEC 826, Reg. 207
Dunkle Jade
L. 3,2 cm, B. 1,7 cm
Salitron Viejo, Sulaco-Fluß, Zentral-Honduras, Iglesia-Plattform
G-44-a, Depot 185
Östliches Mesoamerika, 400–600 n. Chr.

Dieser kleine Perlenanhänger ist geschnitten in der Form
eines im Profil gesehenen, stark stilisierten Fisches. Seitliche Einschnitte trennen Kopf und Maul vom Rest des
Körpers, während eine Hohlbohrung das Auge darstellt.
Seitliche Einritzungen auf dem Körper stellen entweder
stilisierte Flossen oder Muster dar. Wie bei Perle Kat.-
Nr. 214 ist das Maul des Fisches ausgerichtet auf die Öffnung der Durchbohrung, die die Perle der Länge nach
durchläuft.   K. H./S. G. H.

213
Röhrenförmige Perle

Tegucigalpa, Honduras, Museo Nacional de Antropología,
PEC 269, Reg. 176
Jade
L. 3,3 cm, B. 1,7 cm
Salitron Viejo, Sulaco-Fluß, Zentral-Honduras, Iglesia-Plattform
G-44-a, Depot 252
Östliches Mesoamerika, 400–600 n. Chr.

Die hochpolierte Perle ist hergestellt aus einem der hoch-
wertigsten Stücke apfelgrüner Jade in dieser Sammlung.
Zwei kleine, unvollendete Durchbohrungen an den Kanten der Perle sind die einzigen Verzierungen. Dies war
die einzige Perle zusammen mit den Artefakten Kat.-Nr.
189, 190, 192 in einem Depot mit 17 Jadeobjekten.
                                               K. H./S. G. H.

214
Tierförmige Perle

Tegucigalpa, Honduras, Museo Nacional de Antropología,
PEC 478, Reg. 207
Jade
L. 3,6 cm, B. 0,9 cm
Salitron Viejo, Sulaco-Fluß, Zentral-Honduras, Iglesia-Plattform
G-44-a, Depot 471
Östliches Mesoamerika, 400–600 n. Chr.

Eine Vielzahl tierförmiger Darstellungen ist unter den
Objekten aus Salitron zu finden. Dieser kleine Perlenanhänger ist gestaltet in Form eines Fisches, einer der
Formen von Meereswesen in der Jadekunst des vorspanischen Mesoamerika. Seitliche Einschnitte zeigen Kör-
perprofil, Maul und Schwanzflossen des Fisches. Ein
Kringel über dem Maul stellt die Nase dar und entspricht
mehr der stilistischen Tradition als der Anatomie. Eine
Hohlbohrung kennzeichnet das Auge, während eine
zweite als dekoratives Element auf dem Schwanz des
Fisches angebracht ist. Das Maul endet mit der Durchbohrung zur Befestigung, die längs durch den ganzen
Fisch verläuft.

215
Figürlicher Anhänger

Tegucigalpa, Honduras, Museo Nacional de Antropología,
PEC 500, Reg. 150
Dunkle Jade
H. 8,4 cm, B. 5,3 cm
Salitron Viejo, Sulaco-Fluß, Zentral-Honduras, Iglesia-Plattform
G-44-a, Depot 482
Östliches Mesoamerika, 400–600 n. Chr.

Diese hervorragend geschnittene Figur zeigt in Seitenansicht einen Akrobaten oder Taucher. Die Hände sind
unter das Kinn gelegt, und der Körper ist gedreht, so daß
beide Beine über dem Körper liegen und die Füße oben
auf dem Kopf der Figur stehen. Der Anhänger ist im typischen Maya-Stil abgebildet mit stilisierten Ohrpflöcken,
Arm- und Fußringen mit Perlen sowie einer verzierten
Halskrause oder einem Lendentuch um den Körper. Der
exakte lineare Schnittstil, die sorgfältige Politur und die
Verwendung von kleinen Bohrungen zur Betonung von
Kurven erinnern an die schönsten Jadearbeiten der
Maya-Region. Bei den Maya wurde die Figur des Tauchers
oder Akrobaten benutzt, um Venus-bezogene Stern-

H. K./S. G. H.

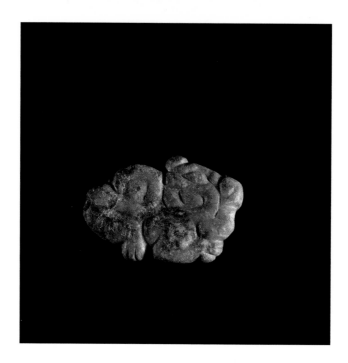

bilder darzustellen. Akrobatenanhänger aus Jade mit rautenförmigen Augen und stilistischen Anklängen an »Buckligen-Anhänger« wurden auch in dem benachbarten Fundplatz Copán, Honduras, geborgen.

Der Anhänger ist von oben nach unten längs wie eine große röhrenförmige Perle durchbohrt, und die Figur war in einer horizontalen Position sichtbar, wenn sie auf einen Faden aufgezogen oder in eine Halskette integriert war.   K. H./S. G. H.

Dieser kleine Anhänger stellt im Profil ein liegendes oder schlafendes katzenartiges Wesen dar. Der Kopf mit dem aufgerissenen Maul und den sichtbaren Zähnen ist nach hinten gerichtet und blickt auf den gewundenen Schwanz. Die Beine des Tieres sind angezogen und liegen unter dem Körper in einer Position, die eher Ruhe als Bewegung auszudrücken scheint. Schnörkelmotive geben Teile von Nase und Ohren an, wie es üblich ist im Jadeschneidestil des östlichen Mesoamerika. Obgleich der Geist des katzenartigen Wesens den vorspanischen Bewohnern der Neuen Welt als besonders mächtig galt, ist er nur selten auf den Jadearbeiten oder den bemalten Keramikgefäßen aus Zentral-Honduras abgebildet.

K. H./S. G. H.

216
Tierförmiger Anhänger

Tegucigalpa, Honduras, Museo Nacional de Antropología,
PEC 1410, Reg. 176
Jade
L. 4,6 cm, B. 3,2 cm
Salitron Viejo, Sulaco-Fluß, Zentral-Honduras, Iglesia-Plattform
F 59-x, Depot 1394
Östliches Mesoamerika 400–600 n. Chr.

217
Halskette mit Anhänger

Tegucigalpa, Honduras, Museo Nacional de Antropología,
PEC 2023, Reg. 204
Jade und Muschel
Perlen: Dm. 0,5–0,8 cm
Anhänger: L. 2,3 cm, B. 0,9 cm
Salitron Viejo, Sulaco-Fluß, Zentral-Honduras, Iglesia-Plattform
M-31-c
Östliches Mesoamerika, 400–600 n. Chr.

Diese Halskette, bestehend aus einem zentralen Anhänger und dünnen Perlen, wurde zusammen mit weiteren
Jadeobjekten und vier Keramikgefäßen in einem im Zusammenhang mit einem Steinaltar stehenden Depot am
Ostrand der Iglesia-Plattform gefunden. Die meisten Perlen scheinen mit einem kleinen, röhrenförmigen Bohrer
hergestellt worden zu sein. Kleine Perlen dieser Größe
sind selten in Salitron Viejo. Die Halskette ist ein gutes
Beispiel dafür, wie im vorspanischen Amerika neben Jade
lokal vorhandene Rohmaterialien zur Herstellung von
Perlen und anderen Schmuckstücken verwendet wurden, die weiträumig durch das zentrale und östliche Honduras verhandelt wurden.   K. H./S. G. H.

218
Tierförmige Perle

Tegucigalpa, Honduras, Museo Nacional de Antropología,
PEC 2316/2394, Reg. 217
Kaliglimmer
L. 14,1 cm, B. 2,2 cm
Salitron Viejo, Sulaco-Fluß, Zentral-Honduras, Iglesia-Plattform
M-31-C
Östliches Mesoamerika, 400–600 n. Chr.

Dies ist ein Teil einer langen, röhrenförmigen Perle in
Form einer doppelköpfigen Schlange. Beide Enden der
Perle zeigen einen Schlangenkopf mit offenem Maul und
mehreren Zähnen. Im Mittelteil sind die beiden Schlan-
genkörper umeinandergewickelt. Die Körper der Schlangen enden in kleinen Rasseln und treffen sich in der
Mitte der Perle, wo sie umeinandergelegt sind. Der doppelköpfige Schlangenstab war bei den Maya als ein Herrschaftssymbol besonders wichtig, und röhrenförmige
Perlen dieser Form sind gelegentlich auf Steinmonumenten im Maya-Gebiet wiedergegeben.
Die Art des Steines ist sehr ungewöhnlich wegen seiner
grau-grünen Farbe und der Mineralglimmereinschlüsse,
die dem Stein einen irisierenden, funkelnden Anschein
geben. Dieses Gestein ist häufig verwendet worden für
kleine, tiergestaltige Perlenanhänger, die einen Vogel-
oder Affenkopf darstellen. Objekte aus diesem Material
scheinen weit durch das östliche Mesoamerika während
der Klassischen Periode verhandelt worden zu sein.
Neben einigen Schlangenperlen, die in dem Maya-Gebiet
gefunden wurden, gelangten andere viel weiter östlich
bis nach Costa Rica, wo eine mit der hier gezeigten identische Perle entdeckt wurde.   K. H./S. G. H.

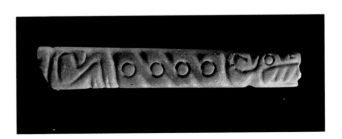

219
Figürlicher Anhänger

Cambridge, Peabody Museum of Archaeology and Ethnology, Harvard University, Inv.-Nr. 10-71-20/C7695
Tumbaga
H. 6,9 cm, B. 3,1 cm
Chichén Itzá, Yucatán, Mexiko, Heiliger *Cenote*
Endklassik, 800–900 n. Chr.

Viele der Opfergaben, die in den Heiligen *cenote* von Chichén Itzá versenkt wurden, stammen aus dem südlichen Mittelamerika, besonders aus dem Grenzgebiet von Costa Rica und Panama. So ist dieser kleine figürliche Anhänger charakteristisch für den sog. Coclé-Stil Panamas. Die Figur mit zwei Rasseln oder Schellen in Händen trägt einen zweigeteilten Kopfaufsatz mit doppelten Voluten aus falschem Filigran zu beiden Seiten und eine Kette um den Hals. Sie wurde unbekleidet im Guß verlorener Form hergestellt: Über einen Kern aus Lehm und Holzkohle wurde dabei zunächst aus Wachs eine Figur geformt und mit einer Tonform umgeben. Durch Löcher in diesem äußeren Mantel wurde dann flüssiges Metall ins Innere geleitet und so das Wachs ausgeschmolzen. Nach Erkalten des Metalls wurde die äußere Form aufgebrochen und durch Löcher in der nunmehr vorhandenen Metallfigur der Lehm-Holzkohle-Kern entfernt, was im vorliegenden Fall nicht ganz gelungen ist, wie man durch das Loch im Rücken erkennen kann.

Viele der Metallarbeiten dieser Region haben zwar die Farbe von Gold, bestehen aber genaugenommen aus einer Legierung von Kupfer, Gold und einer geringen Menge Silber, die Tumbaga genannt wird. Der Vorteil dieser Legierung besteht darin, daß ihr Schmelzpunkt unterhalb des Schmelzpunktes jeder einzelnen Komponente dieser Zusammensetzung liegt. Tumbaga war also leichter zu verarbeiten als eigentliches Gold. Durch säurehaltige Bäder konnte man darüber hinaus die Kupferfarbe der Oberfläche so zurücktreten lassen, daß ein wirklicher »Goldeindruck« entstand.

Tumbaga taucht als Importware im Maya-Gebiet u. a. schon im Opferdepot unter Stele H von Copán auf, die 731 n. Chr. errichtet wurde, womit belegt scheint, daß sich die Fernhandelsbeziehungen Chichén Itzás auf eine Infrastruktur stützen konnten, die schon lange zuvor existierte.

N. G.

220
Anhänger

Cambridge, Peabody Museum of Archaeology and Ethnology,
Harvard University, Inv.-Nr. 10-71-20/C7725
Tumbaga
H. 9,8 cm, B. 7,0 cm
Chichén Itzá, Yucatán, Mexiko, Heiliger *Cenote*
Endklassik, 800–900 n. Chr.

Zu den rätselhaftesten Gegenständen aus dem *cenote* von
Chichén Itzá gehört sicherlich dieser aus einer Kupfer-
Gold-Verbindung, genannt Tumbaga, gefertigte Anhänger. Bei dieser Legierung, die auch geringfügige Spuren
von Silber enthält, ist hevorzuheben, daß ihr Schmelzpunkt deutlich unter dem der einzelnen beteiligten Me-
talle liegt und damit leichter zu verarbeiten war. Der
Kupferanteil dürfte bei etwa 78%, der des Goldes bei
etwa 20% und der des Silbers bei annähernd 2% liegen.
Wie die meisten Objekte aus dem südlichen Zentrame-
rika, die hier geborgen werden konnten, ist auch er im
Guß in verlorener Form hergestellt worden.
Der Anhänger zeigt ein stark abstrahiertes Gesicht mit
zwei »Seiten«-Flügeln aus gerollten Voluten. Aus dem
Kopf ragen zwei pilzförmige Zapfen hervor. Ein Band aus
vier Streifen und zwei gegensätzliche Voluten scheinen
Mund und Augen des Gesichts oder einer Maske darzustellen. Zwei dünne Arme, die zwei Stäbe, möglicherweise Flöten, halten, die sich unterhalb des Gesichts
berühren, sind ein Kennzeichen des sog. Darién-Stils
von Südpanama und Kolumbien. Dennoch vermutet
Clemency Coggins, daß der Anhänger in Costa Rica hergestellt wurde, und zwar als lokale Kopie im Darién-Stil.
Für diese Ansicht spricht u. a. auch der flache »Vogel-
schwanz«, der den unteren Teil des Anhängers bildet und
bei anderen Goldarbeiten aus der karibischen Küstenregion von Costa Rica belegt ist.   N. G.

Lit.: C. C. Coggins und O. C. Shane III (Hrg.) (1984), 65

221
Zierscheibe H

Cambridge, Peabody Museum of Archaeology and Ethnology,
Harvard University, Inv.-Nr. 10-71-20/C10068
Goldblech
Dm. 22,6 cm
Chichén Itzá, Yucatán, Mexiko, Heiliger *Cenote*
Endklassik, 800–900 n. Chr.

Unter den vielen Scheiben aus Goldblech, die im *cenote* von Chichén Itzá gefunden wurden, ragt dieses Stück aufgrund seiner außergewöhnlich realistischen Darstellung eines Menschenopfers heraus. Im Mittelpunkt der Szene erkennen wir das Opfer mit klaffender Brust. Die hochgewölbte Brust erleichtert dem Opferpriester das Herausschneiden des Herzens. Vier Knaben oder junge Adepten halten das Opfer an Armen und Beinen fest. Eines der Knabengesichter blickt den Betrachter an, es gehört zu den seltenen Frontalporträts in der Maya-Kunst. Der Priester steht in leicht gebückter Haltung vor seinem Opfer, in der linken Hand das Messer haltend, mit der rechten nach dem Herzen greifend. Auf dem Kopf trägt er eine Adlermaske, an der ein Büschel langer Quetzalfedern befestigt ist. Eine Volute vor seinem Gesicht deutet Sprache oder einen Ausruf an. Um seine Arme sind Stoffringe gebunden. Unterhalb der Knie trägt er Ketten mit kleinen Glöckchen, ähnlich den hier ausgestellten.

Ein Diener hinter dem Priester hält eine *Atlatl*-Speerschleuder, Speere und einen Umhang, wahrscheinlich alles Waffen und Kleidungsstücke, die der Priester abgelegt hat, um das Opfer vornehmen zu können. Offenbar war der Opfernde sowohl Priester wie auch Krieger. Ihm gegenüber führt ein weiterer Gehilfe im langen Federumhang und mit einem Kopfputz aus einer Art Turban und langen Quetzalfedern das nächste, an den Oberarmen noch gefesselte, aber nahezu unbekleidete Opfer heran.

Eine Klapperschlange und der Kopf des kosmischen Ungeheuers rahmen die Szene oben und unten und plazieren sie gleichsam zwischen Erde und Himmel. Der Kopf des kosmischen Ungeheuers kommt in der Ikonographie der Klassik häufig als das Ende der Himmelsschlange vor, konfrontiert mit dem sog. »Tripartite-Badge«-Zeichen.

Die Klapperschlange über der Szene mit ihrer deutlich erkennbaren Rassel ist die in Chichén Itzá übliche Variante der Visionsschlangen, denn aus ihrem Rachen kommt der Kopf eines Kriegers hervor, der in seiner rechten Hand eine *Atlatl*-Speerschleuder und in der linken Pfeile und Speere hält. Die Brust ist von einem Pektoral mit der Darstellung eines stilisierten Schmetterlings bedeckt, eines der ikonographischen Motive, die außer in Chichén-Itzá sehr häufig in Tula, der Hauptstadt der Tolteken in Zentralmexiko, vorkommen. Es zeigt, wie weit verbreitet ikonographische Motive in der Endklassik waren und daß der Kunststil Chichén Itzás wahrhaft international war. Die Bedeutung dieses Schmetterlingspektorals ist ungewiß. In der Ikonographie Zentralmexikos gelten Schmetterlinge als die Verkörperung der Seelen toter Krieger. Hier könnte der Schmetterling andeuten, daß die Seele eines Vorfahren, der ein Krieger war, als Vision aus dem Rachen der Schlange hervorgerufen wird.

Der die Bildszene umschließende Rand ist mit Darstellungen von vier Schädeln geschmückt, aus denen Wasserlilien und Seerosen wachsen, ein Motiv, das häufig auf polychromen Keramiken der Klassischen Zeit zu sehen ist und das Thema der Wiedergeburt darstellt.

Trotz vieler Elemente, die der eigentlichen Maya-Kunst fremd sind, wie etwa die *Atlatl*-Speerschleudern und die Physiognomie der Gesichter (der Bart des Priesters), steht die Komposition der Szene doch ganz eindeutig in der Tradition der Klassischen Zeit. Sie verbindet alte ideologische Vorstellungen mit einem internationalen Stil, der von der kriegerischen Gesellschaft von Chichén Itzá gepflegt wurde.

Die Szene wurde in Goldblech gepunzt und gehämmert, das man zuvor im Handel mit dem südlichen Mittelamerika erworben hatte. Technisch ist die Goldscheibe äußerst einfach hergestellt; die schöpferische Energie des Künstlers konzentrierte sich auf die Ikonographie. Zu welchem Zweck die zahlreichen aus Goldblech gearbeiteten Scheiben aus dem Heiligen *Cenote* dienten, ist nicht gesichert; Reste von Harz deuten darauf hin, daß die Scheiben einst auf einen Untergrund geklebt waren, vielleicht auf ein Holzbrett, so daß man sie als Pektoral tragen oder in einem wichtigen Gebäude aufhängen konnte.

N. G.

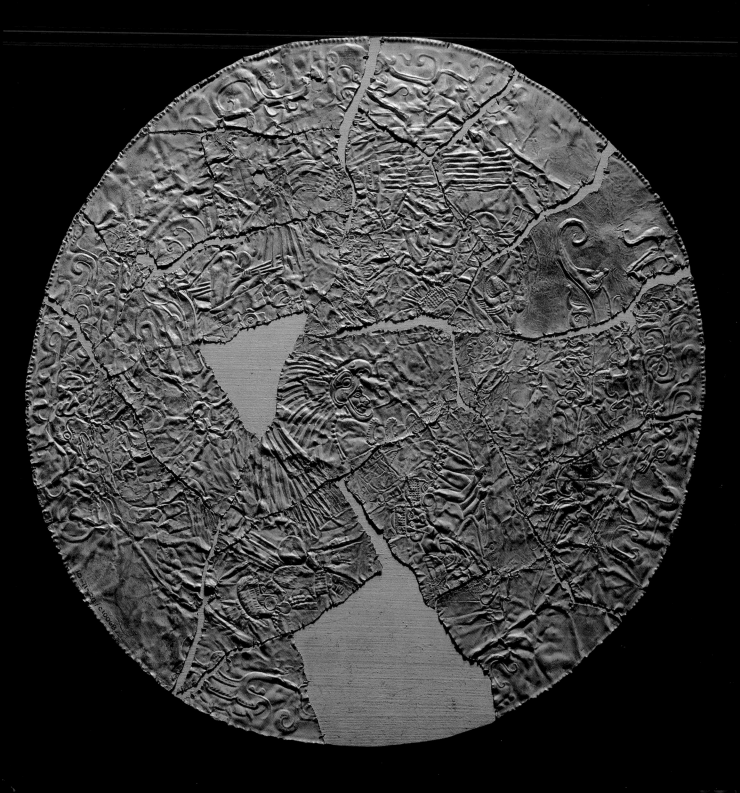

222

Glöckchen in Gestalt eines hockenden Tieres

Cambridge, Peabody Museum of Archaeology and Ethnology, Harvard University, Inv.-Nr. 10-71-20/C7668
Gold
H. 2,8 cm, B. 1,3 cm
Chichén Itzá, Yucatán, Mexiko, Heiliger *Cenote*
Frühe Postklassik, 900–1200 n. Chr.

Dieses kleine goldene Glöckchen in Gestalt eines Tieres, das einen Gegenstand – vielleicht einen Maiskolben – ans Maul führt, wird nach dort gefundenen Parallelen wohl aus der Diquís-Region im Süden von Costa Rica importiert worden sein. Dort gab es in der Frühen Postklassik eine hochentwickelte Metallurgie, die sich vor allem der Technik des Gusses in verlorener Form bediente, eines Verfahrens, dem auch dieses Glöckchen seine Existenz verdankt. Da es keine Löcher oder Ösen besitzt, vermutet

Clemency Coggins, daß es an den Armen aufgehängt wurde.
Wie die anderen Goldfunde aus dem *cenote*, so belegt auch dieses Glöckchen die Internationalität Chichén Itzás, das durch seinen Handelshafen auf der Isla Cerritos an den Fernhandel angeschlossen war. N. G.

Lit.: C. C. Coggins und O. C. Shane III (Hrg.) (1984), 90

223

Anhänger mit Glöckchen in Gestalt eines Frosches

Cambridge, Peabody Museum of Archaeology and Ethnology, Harvard University, Inv.-Nr. 10-71-20/C7710B
Gold
L. 4,9 cm, B. 4,0 cm
Chichén Itzá, Yucatán, Mexiko, Heiliger *Cenote*
Endklassik bis Frühe Postklassik, 800–1200 n. Chr.

Unter den im *cenote* von Chichén Itzá gefundenen Gold-objekten befinden sich zahlreiche Anhänger und Glöck-chen in Form von Tieren, wie Schildkröten, Affen, Papa-geien, Fröschen, ja sogar von Wildschweinen. Die Vor-derbeine dieses aus Gold gegossenen Anhängers in Gestalt eines Frosches enden in Ösen, mit deren Hilfe er an einem Kleidungsstück, einem Gürtel oder Pektoral be-festigt werden konnte. Die kugelförmigen Augen des Fro-sches sind als kleine Glöckchen, die Hinterbeine als Tier-köpfe gestaltet worden. Die Voluten am Maul, die kugeli-gen Augen und vor allem die doppelte Rückenlinie – alles Merkmale des Stils von Veragua – deuten auf eine Entste-hung des Objektes in Panama hin. N. G.

Lit.: C. C. Coggins und O. C. Shane III (Hrg.) (1984), 84

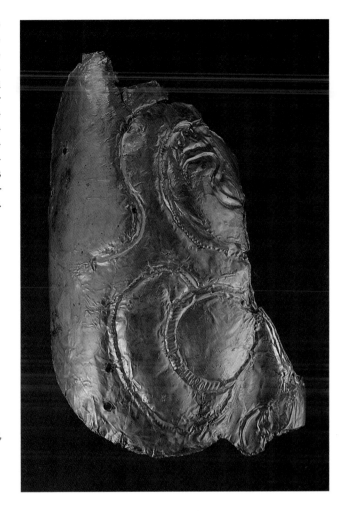

224
Teil einer Gesichtsauflage
in Treibarbeit

Cambridge, Peabody Museum of Archaeology and Ethnology, Harvard University, Inv.-Nr. 10-71-20/C10048
Goldblech
H. 13,0 cm, B. 18,5 cm
Chichén Itzá, Yucatán, Mexiko, Heiliger *Cenote*
Endklassik bis Frühe Postklassik, 800–1000 n. Chr.

In Seitenansicht lassen sich Nase und Auge einer in Gold getriebenen Auflage als Teil eines Gesichts ausmachen, das einst wahrscheinlich einen Schädel, einen hölzernen Kern o. ä. bedeckt hat. Über Auge und Nase ist eine hohe Stirn zu erkennen, die mit einem Motiv geschmückt ist, dessen fragmentarischer Zustand keine nähere Deutung erlaubt. Daß sich diese Auflage nur zum Teil erhalten hat, ist sicherlich nicht der natürlichen Erosion zuzu-schreiben, sondern eher bestimmten Zeremonien, denen das Stück ausgesetzt war, bevor es als Opfergabe in den *cenote* versenkt wurde. So fehlt der Bereich der Goldfolie unterhalb der Nase, der abgeschnitten wurde. Im Be-reich des Nasenflügels und der Stirn scheinen sogar Schmelzspuren vorhanden zu sein, die darauf hindeu-ten, daß das Objekt vor seiner Versenkung im Brunnen zunächst als rituelles Feueropfer gedient hat, wie uns aus Hieroglyphentexten bekannt ist. N. G.

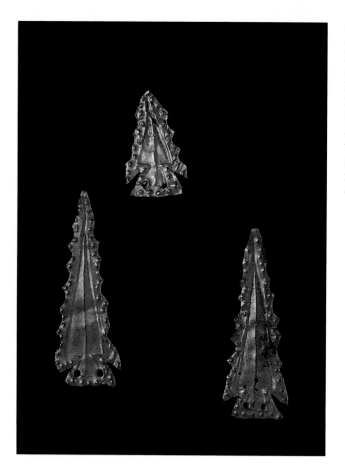

den. Der gewellte Rand wie auch die kleinen Punzungen sollten ihnen Ähnlichkeit mit steinernen Exemplaren verleihen. Ihre Funktion kann nur Schmuck gewesen sein, da sie sich für jeden praktischen Zweck als zu zerbrechlich und dünn erweisen. Darüber hinaus weisen die Löcher an der Basis darauf hin, daß man sie mit der Spitze nach unten vielleicht an einem Gewand, vielleicht aber auch an einer Kette aufgehängt trug. Wie alle Arbeiten aus Goldblech, die im *cenote* gefunden wurden, sind diese Speerspitzen wohl ein lokales Erzeugnis und nicht aus dem südlichen Mittelamerika eingeführt worden.   N. G.

225 a, b, c
Drei Anhänger in Gestalt von Speerspitzen

Cambridge, Peabody Museum of Archaeology and Ethonology, Harvard University, Inv.-Nr. 10-71-20/C7674A
Dünnes Goldblech
a) L. 4,2 cm
   Inv.-Nr. 10-71-20/C7674B
   Dünnes Goldblech
b) L. 4,0 cm
   Inv.-Nr. 10-71-20/C7674C
c) Dünnes Goldblech
   L. 4,0 cm
   Chichen Itzá, Yucatán, Mexiko, Heiliger *Cenote*
   Endklassik bis Frühe Postklassik, 800–1200 n. Chr.

Insgesamt dreizehn aus gehämmertem Goldblech geschnittene Anhänger in Gestalt von Speerspitzen, und zwar insgesamt sieben kurze und sechs lange, konnten aus dem Heiligen *Cenote* von Chichén Itzá geborgen wer-

226   ▷
Glöckchen mit Papagei

Cambridge, Peabody Museum of Archaeology and Ethnology, Harvard University, Inv.-Nr. 10-71-20/C7658C
Gold
H. 8,7 cm, B. 4,8 cm
Chichén Itzá, Yucatán, Mexiko, Heiliger *Cenote*
Frühe Postklassik, 900–1200 n. Chr.

Dieses in verlorener Form gegossene Goldglöckchen ist mit der Wiedergabe eines herabstürzenden kleinen Papageien geschmückt, dessen eng anliegende Flügel, der leicht zur Seite gewendete Kopf und die aufrecht gestellten Schwanzfedern einen ausgesprochen lebendigen Eindruck vermitteln. Das kleine Glöckchen konnte mittels einer zwischen Papagei und eigentlichem Glockenkörper angebrachten Öse aufgehängt werden und schmückte so vielleicht die Bekleidung eines hohen Würdenträgers, bevor es als Opfergabe in den Heiligen *cenote* geworfen wurde.   N. G.

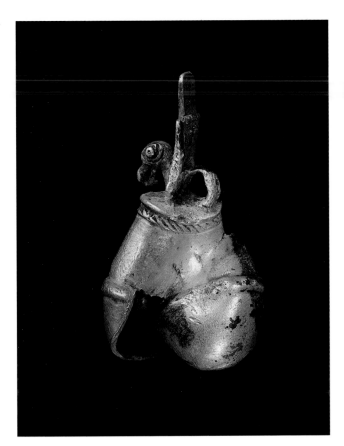

227
Glöckchen in Gestalt eines Spinnenaffen

Cambridge, Peabody Museum of Archaeology and Ethnology, Harvard University, Inv.-Nr. 10-73-2/ C7734
Tumbaga
H. 4,0 cm, B. 3,9 cm
Chichén Itzá, Yucatán, Mexiko, Heiliger *Cenote*
Endklassik bis Frühe Postklassik, 800–1200 n. Chr.

Zahlreiche Glöckchen in Affengestalt in verschiedenen Metallen und Legierungen in verlorener Form gegossen und auch verschiedenen Stilen zuzuweisen, sind aus dem *cenote* von Chichén Itzá geborgen worden. Das hier gezeigte Beispiel besteht aus einer ungewöhnlichen Gold-Silber-Legierung mit einem Silberanteil von nur 3,6% gegenüber 96,4% Gold. Das Äffchen hat einen runden Kopf mit spiralartig wiedergegebenen Ohren und einen kugel-

förmigen Körper mit einem langen Schwanz, der sich über dem Kopf zusammenrollt. Die Gesichtszüge sind äußerst einfach wiedergegeben, nur der Mund deutet auf einen Affen als Vorbild hin. Die dünnen, langen Arme kontrastieren mit den kurzen Beinchen und dem langen Schwanz, wie er für die Gattung Spinnenaffen besonders charakteristisch ist.

Clemency Coggins, wohl beste Kennerin der Goldarbeiten aus dem *cenote*, stellt fest, daß Glöckchen in Form von Affen bis jetzt nur im *cenote* von Chichén Itzá, nicht jedoch in Zentralamerika gefunden worden seien. Könnte es sein, daß Affenglöckchen speziell für den Export oder sogar im Auftrage von Händlern aus Chichén Itzá gegossen wurden? – Erinnert sei in diesem Zusammenhang an die Überlieferung, daß die »Beiden älteren Brüder«, die Schutzherren der Weisheit und der Künste, laut *Popol Vuh* in Spinnenaffen verwandelt wurden.   N. G.

Lit.: C. C. Coggins und O. C. Shane III (Hrg.) (1984), 86

228
Gesichtsschmuck

Cambridge, Peabody Museum of Archaeology and Ethnology, Harvard University
Augenornamente: Inv.-Nr. 10-71-20/C7879
Goldblech mit Resten von Harz und rotem Pigment
H. 16,0 cm
Mundornament: Inv.-Nr. 10-71-20/C7678
Goldblech mit Resten von Harz und rotem Pigment
B. 14,8 cm
Chichén Itzá, Yucatán, Mexiko, Heiliger *Cenote*
Endklassik, 800–900 n. Chr.

Die drei Teile eines aus Goldblech geschnittenen Gesichtsschmucks gehören sicherlich zu den schönsten und originellsten Goldarbeiten, die in Chichén Itzás großem cenote gefunden wurden. Die beiden Augenelemente zeigen spiegelbildlich zwei Klapperschlangen mit reichem Federschmuck, der aus allen Teilen ihres gewundenen Körpers herauswächst. Im weit geöffneten Rachen sind deutlich die langen nach hinten gebogenen Giftzähne zu erkennen, die gespaltene Zunge hängt über den Unterkiefer herab, und auch die Rassel der Klapperschlange ist mit großem Realismus dargestellt. Beide Schlangen winden sich auf den kreisrund ausgeschnittenen Ringen, die die Augen des Trägers wie eine Brille umgaben.

Zu beiden Seiten des ovalen Mundstücks ist eine Art Bart mit der abstrahierten Wiedergabe je eines Schlangenkopfes angedeutet. Obwohl gefiederte Schlangen eines der häufigsten ikonographischen Motive in Chichén Itzá darstellen, bleibt die Bedeutung des Schmuckes unbestimmt. Früher hielt man sie für Abbilder des aus Zentralmexiko importierten Heroen *Kuuk'ulkan*, übersetzt »Federschlange«. Moderne Deutungen wollen jedoch in den Schlangen Chichén Itzás eine lokale Variante der zahlreichen Visions- und Himmelsschlangen erkennen, die während der gesamten Klassischen Periode abgebildet werden. Auch die Funktion des Gesichtsschmucks bleibt rätselhaft: Wurde er tatsächlich von einem Menschen getragen, oder war er die besonders ins Auge fallende Zier einer lebensgroßen Statue? Die harzige Klebmasse auf der Rückseite des Schmucks könnte für letzteres sprechen.

Der Stil und die Technik, in der die Objekte gefertigt scheinen, deuten auf eine Anfertigung in Chichén Itzá hin. Da aber in Yucatán kein Gold vorkommt, muß das Material importiert worden sein, um dann lokal verarbeitet zu werden. Da die Maya keine größere Erfahrung im Umgang mit Metallen besaßen, beschränkte sich ihre Bearbeitung von Gold vor allem darauf, daß man es zu Blech hämmerte, schnitt und mit Punzungen verzierte.

N. G.

229 a, b
Marmor-Gefäße

Tegucigalpa, Honduras, Instituto Hondureño de Antropología e
Historia, TGC-212 A, 252 B
Marmor
a) H. 7,5 cm
b) H. 7 cm
Valle de Sula
Spätklassik bis Endklassik, 600–1000 n. Chr.

Niedrige zylindrische Marmorschüsseln (oder -tassen)
wie die hier abgebildeten Beispiele gehören zu einer
Gruppe reliefierter Steingefäße, die offensichtlich im
Valle de Sula während der Spätklassik und/oder der Endklassik entstanden. Der hohe Grad der Ähnlichkeit unter
den bekannten Exemplaren läßt vermuten, daß sie nur
während einer kurzen Zeitspanne produziert wurden.
Ein umlaufendes Band abstrakter Ornamente aus Spiral-
und Rechteckmustern bildet die Verzierung fast aller dieser Gefäße. In den meisten Fällen nimmt es weit mehr
Raum ein als bei diesem Beispiel und umrahmt häufig die
Darstellung einer zoomorphen oder anthropomorphen
Figur. Die einfachen Henkelgriffe dieser Schüsseln ersetzen die plastischen Tierdarstellungen, die an vielen der
größeren Exemplare als Griffe dienen. Der Ring- oder
Pedestalfuß ist eher typisch für größere zylindrische
Gefäße; kleine Schüsseln wie diese besitzen gewöhnlich
drei Füße. Im Valle de Sula sind keine Ulúa-Marmor-
Gefäße in archäologischem Kontext gefunden worden;
ihre Datierung basiert auf Exemplaren (wahrscheinlich
Handelswaren) aus dem Maya-Tiefland und Zentralamerika sowie auf angeblichen Vergesellschaftungen von Gefäßen, die von Raubgräbern im Valle de Sula gefunden
wurden.   J. S. H.

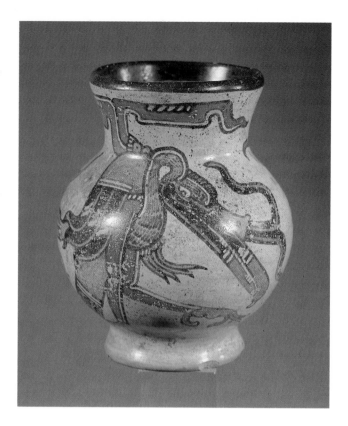

230
Bemaltes Gefäß

Tegucigalpa, Honduras, Instituto Hondureño de Antropología e
Historia CPN-762
Ton, polychrome Bemalung
H. 18,3 cm
Copán, Las Sepulturas, Grab 10, Begräbnis 28-20
Spätklassik, 600–900 n. Chr.

Der langhalsige Vogel, dessen Bild dieses Gefäß trägt,
ist nach Körper-, Kopf- und Schnabelform wohl den
Schwimmvögeln zuzurechnen und könnte einen Pelikan
wiedergeben. Vogeldarstellungen dieser Art sind typisch
für den Ulúa-Polychrom-Stil. Waren dieses Typs wurden
hauptsächlich im Valle de Sula während seiner Blütezeit
von der Späten Frühklassik bis wenig über die Spätklassik hinaus produziert.
Scherben oder ganze Gefäße dieser zentralhonduren-
ischen Keramik sind im gesamten Einzugsgebiet von
Copán in großer Zahl gefunden worden. Sie belegen, daß
nicht nur die Oberschicht im Besitz solcher Gefäße war
und sie auch keineswegs nur als kostbare Grabbeigabe zu
gelten haben, sondern vielmehr übliche Haushaltsware

darstellten, die in großem Umfang importiert wurde, was wiederum auf einen umfangreichen Warenaustausch mit den im Osten und Süden angrenzenden Völkerschaften, die nicht den Maya zuzurechnen sind, schließen läßt. J. S. H.

Lit.: W. L. Fash (1991), 159

Opfer auserkoren zu sein. Der schwarze Hintergrund kennzeichnet dieses Gefäß als relativ spät in der Zeitabfolge der Ulúa-Polychrom-Gefäße, die hauptsächlich im Valle de Sula während seiner Blütezeit, von der späten Frühklassik bis zur Endklassik (etwa zwischen 500 und 1000 n. Chr.), hergestellt wurden. Eng verwandte Stile finden sich im Süden in der Region des Lago de Yojoa und im Valle de Comayagua in Zentral-Honduras. J. S. H.

231
Gefäß

Tegucigalpa, Honduras, Instituto Hondureño de Antropología e Historia, CPN-802
Ton, polychrome Bemalung
H. 20 cm
Copán, Honduras
Spätklassik – Endklassik, 600–1000 n. Chr.

Die zentrale Darstellung des zylindrischen Gefäßes mit drei langgezogenen, niedrigen Füßen bildet eine menschliche Gestalt mit frontal wiedergegebenem Körper. Sie scheint an zwei Stützen gefesselt und möglicherweise als

232
Zylinderförmiges Gefäß

Tegucigalpa, Honduras, Instituto Hondureño de Antropología e Historia, CPN-742
Ton, polychrome Bemalung
H. 15,7 cm, Dm. 11,3 cm
Copán, Honduras, Las Sepulturas
Spätklassik – Endklassik, 600–1000 n. Chr.

Das zylindrische Gefäß mit drei niedrigen Füßen weist in wohlproportionierten umlaufenden Friesen stilisierte

Raubkatzen, ein Mattengeflecht und ein gezacktes Mäandermotiv auf. Sparsam polychrom hervorgehoben sind die Maulpartie, das Schweifende und die Pranken der aufrecht sitzenden Jaguare mit rückwärts gewandtem Kopf.

Das Gefäß gehört zur sog. »Ulúa-Polychrom«-Keramik aus dem östlich an das eigentliche Maya-Gebiet angrenzenden Bereich des Sula-Tales, Yojoa-Beckens und Comayagua-Tales, ein Territorium, das seit der Präklassik in Kontakt sowohl zu den Maya im Hochland von Guatemala als auch zum Motagua-Tal stand. Bei allem Austausch und auch partieller Beeinflussung kam es jedoch nie zu einer wirklichen Dominanz der Maya-Kultur oder der Übernahme Maya-spezifischer Formen der Staatsideologie.

Wie die so dekorativ auf das Zylinderrund übertragenen Jaguargestalten zu interpretieren sind, läßt sich nicht eindeutig entscheiden. Zweifellos aber kam dieser auffälligen Raubkatze, die im *Popol Vuh* neben Vögeln und Schlangen zu den vierbeinigen Wesen der Ersten Schöpfungen – lange vor dem Menschen – gehörte, auch im Kulturbereich von Zentral-Honduras symbolische Bedeutung zu. J. S. H.

233
Urnengefäß

Guatemala-Stadt, Museo Popol Vuh, Nr. 015
Ton, polychrom bemalt
H. 115 cm, B. 60 cm
Hochland von Guatemala
Endklassik, 800–900 n. Chr.

Die zweiteilige Graburne gehört zu den größten Tongefäßen, die jemals in Guatemala gefunden wurden. Der Deckel ist in Form eines sitzenden Jaguars gestaltet. Der Gegensatz zwischen dem großen Kopf und den kleinen Gliedmaßen einerseits und dem Göttergesicht auf der eigentlichen Urne andererseits muß auf den Betrachter im düsteren Licht eines Ahnentempels besonders eindrucksvoll gewirkt haben. Reste des schwarz gefleckten, gelben Jaguarfells sind auf dem weißen Untergrund des Körpers noch erkennbar. Schwarze Barthaare um das leicht geöffnete Maul vervollständigen den Realismus der Figur. Eine blaue Halskette stellt den Übergang vom runden Kopf zum konischen Körper her.

Auffallend an der Urne sind ihr großes Volumen und die seitlich abstehenden Zierstreifen, die die Proportionen des Gefäßes gefälliger erscheinen lassen. Spuren roter und blauer Bemalung sind noch erkennbar. Die plastisch modellierte Vorderseite zeigt das Gesicht eines Gottes, das aus dem geöffneten Rachen eines Schlangenungeheuers, dem der Unterkiefer zu fehlen scheint, herausblickt. Voluten von aufgesetzten Tropfen umgeben das Gesicht des Ungeheuers. Der obere Gaumen des Schlangenwesens ist sehr realistisch dargestellt und verjüngt sich nach oben, so daß die Aufmerksamkeit des Betrachters auf die Mitte der Göttermaske gelenkt wird. Sowohl das Schlangenungeheuer als auch die Maske haben als besondere Kennzeichen hakenförmige Pupillen. Die aus dem Schlangenrachen herausschauende Göttermaske kann daher als einer der Urweltgötter gedeutet werden mit Ohrpflöcken, Zungen in den Winkeln des leicht geöffneten Mundes und sehr naturalistischen Vorderzähnen. Die Ikonographie der meisten dieser Urnen stellt Vorfahren dar, die aus den Rachen von Visionsschlangen herauskommen, ein weitverbreitetes Motiv im gesamten Tiefland; die eindrucksvollsten Darstellungen dieses Themas finden sich auf einigen Türstürzen von Yaxchilán, wo sich die begleitenden Hieroglyphentexte explizit auf die Erzeugung von Visionen und die Anrufung von Vorfahren beziehen. Auch Jaguare treten in diesem Kontext auf, denn der Jaguar wird in der Vorstellungswelt der Maya mit der Nacht und mit Unterweltsikonographie in Verbindung gebracht.

Gemessen an unserer Kenntnis des Tieflandes ist die kulturelle Entwicklung des Hochlandes in der Klassischen Zeit noch relativ unbekannt. Die hier gezeigten Objekte aus dem Hochland offenbaren aber nicht nur einen hohen Grad technischer Perfektion, sondern auch die Parallelität religiöser Ideen und Vorstellungen zwischen dem Hochland und dem gesamten südlichen Mesoamerika. F. F.

234

Urne

Guatemala-Stadt, Museo Popol Vuh, Nr. 003
Ton, bemalt
H. 60 cm, B. 50 cm
Nordwestliches Hochland, Guatemala
Endklassik, 600–900 n. Chr.

Die Darstellung auf der Vorderseite dieser Urne, eine aus
dem Rachen eines Raubkatzenwesens herauskommende
Gottheit, verweist mit diesem Charakteristikum in die
Unterwelt. Die drei Knoten unter dem Kinn lassen an
eine bestimmte Form des Menschenopfers denken. Die
seitlichen Flügel verleihen dem Gefäßkörper – der
Deckel ist nicht erhalten – Stabilität und sind ein Charakteristikum von Urnen aus dem Hochland.
Falten über den Augen beider Gesichter sind wohl als
Merkmal des Alters zu deuten. Auf dem rötlichen Ton
sieht man noch Spuren weißer Farbe. Die sechs Zähne
des Oberkiefers und die vier des Unterkiefers treten bei
der Darstellung besonders hervor und vermitteln in dem
sonst so übernatürlich anmutenden Gesicht eine naturalistische Komponente.
Dieses Stück stammt aus der Gegend von Nebaj, die auch
durch Keramikgefäße in glänzenden Orangetönen und
durch fein gearbeitete Jade-Plaketten bekannt wurde.
Während die Künslter von Nebaj im achten und neunten
nachchristlichen Jahrhundert hervorragende Kunstwerke erzeugten und der Ort prosperierte, wurden im
nicht weit entfernten Tiefland bereits die ersten Städte
verlassen. Vielleicht deutet dies auf einen Zusammenhang zwischen dem Aufblühen von Orten im nördlichen
Hochland und anderen an das Tiefland angrenzenden
Regionen und dem Zusammenbruch der Staaten im Tiefland hin.   F. F.

235
Miniatururne

Guatemala-Stadt, Museo Popol Vuh, Nr. 122
Ton
H. 20,5 cm, B. 18 cm
Wohl nordwestliches Hochland, Guatemala
Endklassik, 800–900 n. Chr.

In der Maya-Kunst des Tieflandes gibt es nur wenige Darstellungen des Quetzalvogels, obwohl er in der Hieroglyphenschrift oft genannt wird und ein beliebter Namensbestandteil von Fürsten war. Die langen grünen Federn
des Nationalvogels von Guatemala waren ein in ganz
Mesoamerika begehrter Schmuck. Er lebt überwiegend
in den hochgelegenen, meist nebligen Regenwäldern der
Verapaz-Region und auf der pazifischen Seite des Hochlandes, dort, wo das Hochland in die tiefer gelegenen
Urwaldgebiete abfällt. Aus diesem Grunde hatten die
Maya-Künstler diesen Vogel wohl kaum je gesehen und
konnten ihn somit nicht mit derselben Vertrautheit, mit
der sie andere Vögel wie etwa Papageien zeichneten, abbilden.

Den Deckel dieser kleinen Urne zieren drei Quetzalvögel
mit ihren typischen prachtvollen Schwanzfedern. Die
Vögel sind türkisblau bemalt und halten eine runde
Frucht, möglicherweise eine kleine Art der Avocado, im
Schnabel. Ösen am Deckel und am Gefäßkörper dienten
wohl dazu, die Urne zu verschließen. Vor den Vögeln
sind achtunddreißig knöpfchenartige blaue Elemente
aufgebracht. Die Vorderseite des Urnenkörpers ist mit
einem hämatitroten und türkisblauen Mattensymbol in
einer Kartusche verziert. Die Matte ist ein Attribut königlicher Macht. Das Maya-Wort für Matte, *pop*, erscheint
häufig in Ausdrücken, die sich auf Fürsten oder auf
deren politische Macht beziehen, wie etwa im Namen des
heiligen Buches der *Quiché*-Maya, dem *Popol Vuh* oder
»Buch des Rates«. Bei diesem Gefäß bezieht sich dieses
Zeichen entweder auf den Quetzalvogel oder auf die
eingeäscherten Überreste eines Menschen, die in dieser
Urne aufbewahrt worden sind. Kleine Graburnen mit
Jaguaren, Vögeln und anderen Tierfiguren auf dem
Deckel sind besonders aus der *Quiché*-Region von Guatemala bekannt. Die gekonnte Wiedergabe der Quetzalvögel, die dem Künstler vertraut gewesen sein müssen,
spricht dafür, daß auch diese Urne aus der Hochlandregion stammt. F. F.

236
Bildnis eines Jaguars

Guatemala-Stadt, Museo Popol Vuh, Nr. 131
Ton, mit Resten von Bemalung
H. 21 cm, L. 32 cm
Nordwestliches Hochland, Guatemala
Endklassik, 800–900 n. Chr.

Während der Endklassik wurden im nordwestlichen Hochland Guatemalas große Urnen populär. Insbesondere gilt dies für die *Ixil-Quiché*-Region, wo sie zur Bestattung sterblicher Überreste von Würdenträgern dienten. In der Frühen Klassik kommen ähnliche Urnen auch im Tiefland vor, obwohl dort daneben schon richtige Grabanlagen verwendet wurden. Dieser kleine auf dem Bauch liegende Jaguar ist sehr abstrahiert nachgebildet. Der Schweif des Tieres fehlt, und Proportionen und Größe stimmen nicht mit der Wirklichkeit überein. Trotz des offenen Mauls und gefletschter Zähne ist der Eindruck nicht furchterregend, sondern vielmehr täppisch-reizend, was nicht zuletzt durch die weit aufgerissenen Augen bewirkt wird. Unser Jaguar zeigt Spuren von gelber Farbe mit braunen Flecken, die einen Kontrast zur weißen Farbe des Gesichts und der vorderen Tatze bilden. Wahrscheinlich ist dieses Stück vom Deckel einer großen Urne abgebrochen. Die Darstellung des Jaguars ist aufgrund seiner Unterweltssymbolik charakteristisch für Gegenstände des Bestattungsbereichs.   F. F.

237
Gefäß mit Reliefdekor

Guatemala-Stadt, Museo Popol Vuh, Nr. 657
Ton
H. 14 cm, B. 10,5 cm
Ohne Fundortangabe, wahrscheinlich El Petén
Endklassik, 800–900 n. Chr.

Als besonders kostbar angesehene Gefäße wurden nicht selten geflickt, wenn sie zerbrachen. Die Maya bohrten kleine Löcher in die zerbrochenen Stücke, um sie mit Hilfe von Bändern wieder fest aneinanderzufügen. Eine andere Technik bestand darin, das Stück bis zur Abbruchstelle abzuschneiden oder zu verkürzen, wenn das ohne Verlust des ganzen Gefäßes möglich war. So auch bei diesem zylindrischen Gefäß, bei dem der obere Teil ganz abgetrennt wurde, um einen häßlichen Bruch zu tilgen. Das hatte natürlich zur Folge, daß man einen Teil der eingeritzten Verzierung verlor. An einer Seite des Gefäßes sind noch Spuren der horizontal eingekerbten Linie zu sehen, an der der obere Teil abgeschnitten wurde.

Die Schönheit des Reliefs und die komplexe Ikonographie des Gefäßes begründen, warum man es nicht wegwerfen wollte, sondern wohl sogar als Erbstück weiterreichte. In einer der beiden unterschiedlichen Szenen sind zwei Personen dargestellt, die sich im offenen Rachen von riesigen Schlangen befinden, die selbst schlangenähnliche Züge in jedem ihrer Bestandteile haben. Beide Personen sind durch bestimmte Zeichen, die wohl auf ihre Namen deuten, gekennzeichnet. Bei dem einen handelt es sich um ein gekreuztes Band und bei dem anderen um ein *K'an*-Zeichen mit vorangestelltem Koeffizienten »neun«. Die eine Person trägt Narben im Gesicht, und ihr Kopfschmuck besteht aus einem Schädel-Schlangen-Aufbau, während der ballonartige Mosaikkopfschmuck der anderen vermutlich aus Jade- oder Muschelplättchen zusammengesetzt ist. Diese Person wird durch vier Hieroglyphen benannt, in denen ein *K'in*-Zeichen und ein *Bakab*-Titel vorkommen. Der gegenübersitzenden Figur stehen drei Hieroglyphen voran, von denen die eine eine *Bah*-Einführungsglyphe und die beiden anderen nominale Hieroglyphen sind.

Zwischen den Personen sieht man, über den unteren schlangenförmigen Elementen schwebend, die Darstellung des Jaguarjungen, eine der Erscheinungsformen des Gottes G III, mit einer klaffenden Wunde in der Brust, ein Zeichen, daß ihm das Herz herausgenommen wurde. Aus der Wunde winden sich zwei ineinander verschlungene Bänder, die sich trennen, um in Blütenkelche und Pflanzen zu münden. Auf einem Blatt befindet sich der

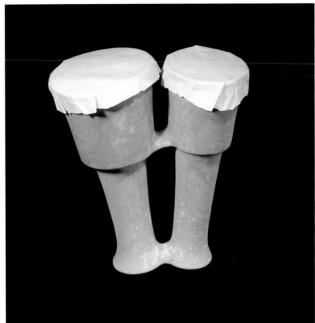

Kopf des Maisgottes in einer ähnlichen Darstellung wie den Reliefs des Tempels des Blattkreuzes in Palenque. Das gedrehte Band steigt weiter auf und trennt sich erneut, um die Basis für die obere Darstellung zu bilden, die heute jedoch zerstört ist. Diese zeigt zwei weitere Personen, wobei die eine als Symbol königlicher Macht ein doppelköpfiges Schlangenzepter hält und die andere durch drei noch unentzifferte Hieroglyphen gekennzeichnet ist, die wahrscheinlich den Namen nennen. Diese beiden Personen befinden sich offensichtlich in der Welt der Menschen, während die Personen des unteren Teils die Unterwelt bewohnen.

Die gegenüberliegende Seite des Gefäßes ist ebenfalls durch das gedrehte Band in zwei Ebenen geteilt, wobei nur eine davon erhalten ist. Die Darstellung gibt zwei sich gegenübersitzende Individuen auf einem *Kawak*-Ungeheuer-Thron wieder. Das *Kawak*-Wesen ist in der Maya-Ikonographie der Gott des Steines. Hier trägt es das sog. »Vierteiler«-Symbol als Kopfschmuck und hat herunterhängende Jaguarohren, verbindet somit Attribute einiger Unterweltsbewohner miteinander. Eine der Personen ist ein junger Mann, der durch ein Zeichen mit einer infigierten Zahl »Sieben« in dem Schild identifiziert werden kann. Die andere Person weist dagegen Alterszüge auf. Ein Vogel vor seinem Gesicht könnte auf den Namen des alten Mannes deuten. Das gedrehte Band führt auch hier in die obere Zone, die zerstört ist.   F. F.

238
Zwillingstrommel

Guatemala-Stadt, Museo Nacional de Arqueología y Etnología, Nr. 8978
Ton
H. 18,9 cm
Altar de Sacrificios, El Petén, Guatemala
Endklassik, Jimba-Komplex, 10. Jh. n. Chr.

Der Gebrauch von Perkussionsinstrumenten ist, so wie der von Flöten, Rasseln und Pfeifen, gut belegt. Mary Ellen Miller hat die Musiker ausführlich beschrieben, die in der Wandmalerei des ersten Raumes von Bonampak dargestellt sind, wobei die Musiker einer bestimmten Ordnung zu folgen scheinen, die auch auf bemalten Vasen vorkommt.

Zwillingstrommeln wie diese kommen nicht sehr häufig vor. Normalerweise handelt es sich um einteilige Instrumente, die mit Tierfell überzogen waren und entweder mit der Hand oder mit einem Holzgegenstand zum Klingen gebracht wurden. Eine tönerne Trommel, die wahrscheinlich mit einem hölzernen Schlegel bespielt wurde, wird auf einem Türsturz unbekannter Herkunft aus der Gegend von Yaxchilán erwähnt. Ein *sahal* des Herrschers *Itzam Balam* hält dort unter seinem linken Arm eine kleine Handtrommel und in der Rechten den Schlegel, wobei seine Tätigkeit so beschrieben wird: *u bah tu yal pat*, »er bringt das Tongefäß (damit ist die Trommel gemeint) zum Sprechen«.

Die Zwillingstrommel wurde vermutlich im Sitzen zwischen den Beinen gehalten, so wie heutzutage Perkussionsinstrumente ähnlicher Größe im afro-karibischen Raum gespielt werden. Obwohl einige dieser Instrumente wahrscheinlich bei weltlichen Anlässen und Tänzen benutzt wurden, war ihr Hauptverwendungszweck aufs Zeremonielle gerichtet, sei es im Dienste der Herrscher oder in den verschiedenen Ritualen für die Götter.   F. F.

Lit.: M. E. Miller (1988)

239
Schaber

Guatemala-Stadt, Museo Nacional de Arqueología y Etnología, Nr. 8612
Knochen
L. 14,3 cm
Altar de Sacrificios, El Petén, Guatemala
Spätklassik, 600–900 n. Chr.

Kratzer und Schaber, so wie dieses Stück, waren Teil eines Satzes von Musikinstrumenten, die von Musikanten bei Umzügen, Tänzen und Zeremonien auf den Plätzen und Stufen vor der Tempelpyramide verwendet wurden. Ein ähnliches Instrument, häufig aus Holz hergestellt, wird noch heute von lateinamerikanischen Musikgruppen gespielt, wobei allerdings die Frage nicht ganz geklärt ist, ob die moderne Verwendung solcher Instrumente auf afrikanischen Import zurückgeht. Der Gebrauch von Knochen, sogar von menschlichen Knochen, als Instrumente war für die Maya nicht ungewöhnlich. Ein Hieroglyphentext auf der Rückseite der Stele A von Copán berichtet davon, daß die Knochen des Herrschers *Butz' Chan* exhumiert und dann beschnitzt wurden. Die Benutzung von Knochen der Ahnen in Ritualen wird auch in anderen Texten erwähnt. Offensichtlich half die Verwendung der Gebeine verstorbener Herrscher in Ritualen, daß die Vorfahren angerufen werden konnten und den Beteiligten tatsächlich in Form von Visionen erschienen. Knöcherne Musikinstrumente haben vielleicht gerade bei solchen Tänzen als Rhythmusinstrumente Verwendung gefunden, bei denen verstorbene Vorfahren angerufen wurden und als Visionen erscheinen sollten.   F. F.

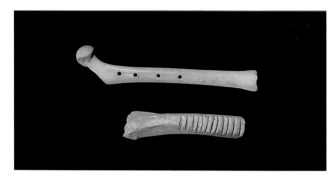

240
Flöte

Guatemala-Stadt, Museo Nacional de Arqueología y Etnología, Nr. 6923
Knochen · L. 21 cm
Iximché, Chimaltenango, Guatemala
Späte Postklassik, 1200–1500 n. Chr.

Knochen fanden innerhalb der Maya-Kultur für die verschiedensten Zwecke Verwendung. Mit Schnitzerei verzierte Knochen wurden mit Federn geschmückt, um als Wedel zu dienen, andere wurden beschriftet und als Perforatoren bei Selbstkasteiungen eingesetzt oder waren verzierte Erinnerungen an einen erfolgreichen Kriegszug, besonders dann, wenn sie einem erschlagenen oder geopferten Gefangenen entnommen waren. Oft wurden die Knochen mit Texten, die den Besitzer benennen, beschrieben oder aber als musikalische Instrumente benutzt. Verschiedene Inschriften berichten über die Exhumierung Verstorbener und die Verwendung und Bearbeitung ihrer Gebeine. Auf Yaxchilán-Türsturz 10 erfahren wir, daß aus den Knochen eines adligen Verstorbenen eine Flöte hergestellt wurde. Es könnte sich dabei um ein Instrument wie das hier gezeigte gehandelt haben. Das Blasinstrument aus dem Oberschenkelknochen eines Kindes weist fünf Grifflöcher auf, wobei sich eines in unmittelbarer Nähe des Randes befindet. Knochenflöten werden im *Quiché*-Manuskript »Titulo de los Co'yoi« als ein Teil der Gegenstände bezeichnet, die von den Urahnen aus dem Osten mitgebracht wurden.

Über die Musik der Maya gibt es kontroverse Meinungen. Wie sie geklungen haben mag, läßt sich nur aus den eher abfälligen Bemerkungen spanischer Eroberer schließen. Angesichts der Knochenflöten und Trommeln sowie der Worte Diego de Landas, daß die Instrumente der Maya einen düsteren und traurigen Klang erzeugt hätten, kommt Norman Hammond in einer Studie über die Maya-Musik zu dem Schluß, daß der Verlust der Maya-Musik, über die wir ja keine Aufzeichnungen besitzen, zu ver-

kraften sei, und zitiert Keats »Heard melodies are sweet,
but those unheard are sweeter . . .«.
Mit den fünf Grifflöchern dieser Flöte lassen sich mindestens sieben verschiedene Töne erzeugen. Daraus
sollte man natürlich nicht auf eine pentatonische oder
diatonische Musikform bei den Maya schließen. Aufgabe
der Instrumente war es, eine klangliche und rhythmische Untermalung für Tänze und Zeremonien zu erzeugen.   F. F.

Lit.: N. Hammond (1972)

241
Flöte

Guatemala-Stadt, Museo Popol Vuh, Nr. 047
Ton, mit Resten von Bemalung
H. 14,5 cm
Nordwestliches Hochland, Guatemala
Spätklassik, 600–900 n. Chr.

Kleinere Musikinstrumente wie dieses sind wahrscheinlich eher im privaten zeremoniellen und rituellen Bereich verwendet worden, da ihr Klang auf den weitläufigen, offenen Plätzen der großen Maya-Städte nicht gehört worden wäre. Kleine Flöten und Okarinen wurden
für Rituale innerhalb der kleinen Tempel, die sich in
jedem Wohnbereich befinden, für die Verehrung von
Familie und Vorfahren benutzt. Da die meisten Stücke individuell hergestellt sind, obwohl es auch in Modeln geformte Stücke gibt, stellen sie vermutlich Vorfahren dar,
deren Gesichtszüge eigens nach den Vorstellungen der
Auftraggeber geformt wurden. Der doppelte Bezug zur
Musik besteht darin, daß hier ein Blasinstrument in Gestalt eines Trommlers geschaffen wurde.
Dieses fein gearbeitete und detailliert ausgeführte Stück
porträtiert einen alten Mann, der einen großen, um den
Kopf geschlungenen Turban mit seitlich hervorstehenden steifen Stoffelementen trägt. Der Turban wird im
oberen Bereich durch ein blaues Band gehalten, das
einen starken Kontrast zur übrigen Kleidung bildet. Gesicht und Teile einer hüfthohen, großen Trommel enthalten ebenfalls noch Reste blauer Bemalung, während rote
für die Trommel und weiße für die Ohrpflöcke den Farb-
dreiklang ergänzen. Am Körper sind ebenfalls Spuren
schwarzer Farbe erhalten. Die geflochtene Halskette und
der Lendenschurz vermitteln einen Eindruck von den
Textilien der Klassischen Zeit, von denen aufgrund der
klimatischen Verhältnisse leider keine bis in unsere Tage
überdauert haben.   F. F.

242
Okarina

Guatemala-Stadt, Museo Nacional de Antropología y Etnología,
Nr. 4728
Ton
H. 21,1 cm
Nebaj, El Quiché, Guatemala, Struktur 2, Grab 2
Endklassik, 800–900 n. Chr.

Diese Okarina weist vier Grifflöcher auf ihrer Rückseite
auf und ist in einem Model geformt worden. Sie stellt
einen barfüßigen Fürsten in zeremoniellem Ornat dar,
der in beiden Händen eine Rassel hält. Im Vergleich zu
den Musikern in den Wandgemälden des Raumes 1 von
Bonampak ist diese Figur zu reich ausgestattet, um nur
ein einfacher Musikant zu sein. Reliefs und Gefäßszenen
bilden bisweilen tanzende Fürsten mit Musikinstrumenten ab. Um eine solche ins Dreidimensionale gebrachte
Szene könnte es sich hier handeln.
Unter allen vergleichbaren Tonfiguren fällt bei dem vorliegenden Exemplar der prachtvolle Kopfschmuck auf.
Im berühmten »Maya-Blau« gehalten, umrahmen nicht
weniger als zwei Dutzend Federn, die einem Kopf mit
einer langen rüsselförmigen Nase entspringen, das Porträt des Fürsten. Dieses Wesen erinnert an den Himmels-
vogel. An seinem Stirnband trägt er eine abstrahierte
Darstellung des »Narren-Gottes«, Verkörperung königlicher Macht. Zu beiden Seiten des Kopfputzes stehen
Schlangenköpfe mit weit geöffnetem Rachen ab. Eine
Halskette mit markantem Anhänger und Armbänder, die
zur Farbe des Federschmucks passen, vervollständigen
den Ornat. Viel Sorgfalt wurde auf die Wiedergabe der
Webmuster seiner Kleidung verwendet. F. F.

243
Okarina

Guatemala-Stadt, Museo Nacional de Arqueología y Etnología,
Nr. 9481
Ton, bemalt
H. 14,5 cm, B. 15,2 cm
Iximché, Chimaltenango, Guatemala
Postklassik, 900–1500 n. Chr.

Iximché, die Hauptstadt des Postklassischen *cakchiquel*-
Staates, konnte auf keine lange Geschichte zurück-
blicken, da es erst im 15. Jahrhundert als Folge eines
Streites zwischen den *Cakchiquel* und den mächtigeren
Quiché in West-Guatemala gegründet worden war. Trotzdem entwickelte es während seiner kurzen Besiedlungs-
dauer als Hauptstadt – bevor die Spanier die Bevölkerung
ins nahe gelegene Tecpan vertrieben – eine ausgeprägte
künstlerische Tradition u. a. in den Bereichen Keramik,
Wandmalerei, Architektur, Gold- und Metallarbeiten.
Auch heute noch sind die *Cakchiquel* hervorragende
Kunsthandwerker und Töpfer.
Den *Cakchiquel* standen reiche Agrarressourcen zur Verfügung, da sie nicht nur im zentralen Hochland siedelten, sondern begonnen hatten, sich bis in die fruchtbare
pazifische Küstenebene auszubreiten, wo Kakao und andere Produkte vor allem dem Adel Wohlstand bescher-
ten.

Das oben genannte Musikinstrument mit seinen zwei
Klangkörpern ist sicher eines der am sorgfältigsten aus-
gearbeiteten Stücke seiner Art. Einen auffallenden Zier-
bestandteil stellt ein Gesicht dar, ausgestattet mit Kopfschmuck, rechteckigem Nasenpflock und detaillierten
Gesichtsattributen. Das Stück war ursprünglich weiß bemalt, Reste der Farbe sind noch erhalten. Bei welchen
Zeremonien oder Tänzen es Verwendung fand, entzieht
sich unserer Kenntnis.   F. F.

244
Muscheltrompete

Belmopan, Department of Archaeology 35/203–2:166c
Gehäuse der Fechterschnecke *(Strombus gigas)*
L. 30,2 cm, Dm. 13,1 cm
Santa Rita Corozal, Corozal District, Belize
Späte Postklassik, 1200–1500 n. Chr.

Wenn Archäologen einen Ruinenort im Tiefland ausgraben, können sie damit rechnen, eine große Anzahl von
Resten der verschiedensten Schnecken- und Muschelschalen zu finden. Schnecken und Muscheln trugen zur
Ernährung der Maya bei und wurden in *cenotes*, in Be-
wässerungsgräben, aber auch in Lagunen und Flüssen

gesammelt. Viele der großen und besonders schönen Schnecken und Muscheln waren wegen ihrer Schale begehrt, aus der man Perlen, Schmuckstücke und Schneckentrompeten machte. Die großen Schneckenschalen wurden meist über lange Strecken gehandelt. Für die Archäologen ist das Studium der Mollusken deshalb so interessant, weil aus ihm Ernährungsgewohnheiten und Handelskontakte zu erschließen sind.

Die hier gezeigte Schale der Fechterschnecke *(Strombus gigas)* wurde von Diana und Arlen Chase in Santa Rita Corozal ausgegraben. Diese Schnecke mit ihrem großen und schweren Gehäuse lebt auf Korallensand im Flachwasser der Karibik und wurde von den Maya als Trompete verwendet. Die Schalen der Fechterschnecken waren die größten Schneckengehäuse, die die Maya kannten. Sie waren nicht nur durch ihre Größe so wertvoll, sondern auch durch die rosa Farbe in der Mündung.

Fechterschnecken werden von den Maya nicht nur als Trompeten verwendet, sondern finden sich auch häufig als Grabbeigaben. In der Ikonographie markieren Fechterschnecken den Eingang zur Unterwelt, die sich die Maya als Wasseroberfläche vorstellten. Die südliche Seite der Struktur 11 von Copán ist daher mit steinernen Nachbildungen von Fechterschneckengehäusen als Eingang zur Unterwelt kenntlich gemacht. N. G.

245
Beschnitzte Knochenröhre

Belmopan, Department of Archaeology LA 247/1
Knochen, Reste von roter Bemalung
L. 15,1 cm, Dm. 3,2 cm
Lamanai, Orange Walk District, Belize, Grab N10–4/46
Späte Postklassik, 15. Jh. n. Chr.

Dieser beschnitzte Knochen wurde in dem reich ausgestatteten Grab eines jungen Erwachsenen in der Stadt Lamanai ausgegraben. Der Knochen ist der Schienbeinknochen eines Menschen und wurde sorgsam mit feinem Relief verziert und anschließend mit rotem Pigment, wahrscheinlich Zinnober, eingerieben. Im Profil erkennen wir das Gesicht eines bärtigen Mannes mit einem auffälligen Nasenschmuck. Die kreisrunden Augen sind durch einen horizontalen Strich in zwei Hälften geteilt. Das Ohr ist mit einem dreiteiligen Ohrschmuck geschmückt. Der Kopf des Bärtigen wird von einem übergroßen Papageienkopf als Kopfschmuck bekrönt. Der Kopf war für den Künstler besonders wichtig, er ist deshalb viel größer dargestellt als der restliche Körper. Um den Hals des Mannes hängt eine lange Kette. Die Kleidung besteht lediglich aus einem einfachen Lendenschurz. Die Person steht auf einem weiteren Papageienkopf, der vielleicht einen Hinweis auf einen bestimmten Ort darstellt. Die zahlreichen Durchbohrungen dienten offenbar dazu, das Stück aufzuhängen, vielleicht aber auch, um es mit farbigen Bändern zu verzieren.

Der Stil des Stückes erinnert stark an Schnitzwerke aus Zentralmexiko und ist ein weiterer Beleg für den »internationalen« Charakter der Kunst der Postklassik, der sich auch in den häufig als mixtekisch beeinflußt bezeichneten Wandmalereien von Santa Rita und der Ostküste Yucatáns wiederfindet. N. G.

Lit.: D. Pendergast (1981), 5 ff.

246
Figürlich verziertes Dreifußgefäß

Belmopan, Department of Archaeology LA 318/1
Ton mit orangefarbenem Überzug
H. 11,6 cm, Dm. 18,9 cm
Lamanai, Orange Walk District, Belize, Cache N10–43/1
Späte Postklassik, 1200–1500 n. Chr.

Daß die Stadt Lamanai nicht nur in der Präklassik, sondern auch in der Postklassik besiedelt war, geht aus dieser figürlich verzierten Dreifußschale hervor, die in der
Späten Postklassischen Periode, vielleicht sogar im letzten Jahrhundert vor der Ankunft der ersten Spanier in
einem Opferdepot vor Struktur N10–43 vergraben
wurde. Struktur N10–43 ist das höchste Gebäude des
Ortes und wurde bereits in der Präklassik erbaut. Bis in
die Postklassik wurden Veränderungen an dieser Pyramide vorgenommen. Die Plazierung eines Weihopfers
vor der großen Pyramide deutet an, daß sie bis weit in
die Postklassik hinein ihre Bedeutung für die Bewohner
von Lamanai nicht verloren hatte.
Die Schale steht auf drei Füßen, von denen zwei auch tatsächlich als Füße modelliert sind. Der dritte Kopf läuft in
den Kopf einer Schlange oder eines Vogels aus. Die Schale
ist rot bemalt; nach dem Brennen wurde in die Schale ein
verschlungenes Design eingeritzt. Vom unteren Rand der
Schale geht ein Kranz von Zacken ab. Auf die Schale ist
ein Kopf aufmodelliert, dessen spitze, hervorstehende
Nase besonders auffällt.   N. G.

247
Weihrauchgefäß

Guatemala-Stadt, Museo Nacional de Arqueología y Etnología,
Nr. 4628
Ton, bemalt
H. 24,8 cm, Dm. 23 cm
Nebaj, El Quiché, Guatemala
Späte Postklassik, 1200–1500 n. Chr.

Dieses besonders reich dekorierte Gefäß diente zur Aufnahme von *pom* oder anderen Harzen, die als Weihrauch
bei Ritualen vor Statuen oder Masken von Göttern verbrannt wurden. Die besonders kunstvolle Ausführung
spricht dafür, daß das Gefäß im Auftrag einer hochrangigen Person angefertigt wurde und als solches selber ein
Opfer an die Götter darstellte.
Das Dreifußgefäß zeigt auf der Vorderseite plastisch her-
vortretend eine überwiegend blau bemalte Gestalt mit
auf den Bauch gelegten Händen. Die Figur ist zunächst
separat modelliert und dann vor dem Brand dem Gefäß
appliziert worden. Sie trägt einen diademartigen Kopfputz und um den Hals einen Anhänger mit einer flachen
runden Scheibe, vielleicht ein besonders polierter Anhänger aus Jade. Sieben geschwungene blaue Linien, die
möglicherweise Sonnenstrahlen oder Rauch verkörpern,
erstrecken sich vom Rücken der Figur über die Seiten des
Gefäßes. Das sog. »Maya-Blau« ist in dieser Epoche weit
verbreitet. Auch zwei der drei Füße des Gefäßes, die in
Form dreier menschlicher Köpfe modelliert sind, sind in
diesem Blau gehalten, nur der dritte wurde rot bemalt.
Weihrauchopfer werden bis heute in zahlreichen Regionen überall auf dem Globus dargebracht, da der Rauch
in der Vorstellung der Betenden den Gebeten Gottesnähe
verleiht. Bei den Maya wurde Weihrauch in speziellen
Gefäßen verbrannt, deren Formenreichtum aus Dokumenten und bildlichen Darstellungen bekannt ist. David
Stuart konnte herausfinden, daß ein bestimmter Typ von
Weihrauchgefäßen speziell in Copán während der Klassischen Zeit *sak laktun* genannt wurde, da die meisten derartigen Behälter aus dieser Region mit Hieroglyphentexten beschriftet sind, die den Eigentümer als Mitglied der
Adelsschicht oder Angehörigen der Herrscherfamilie
ausweisen. Darstellungen von Weihrauchgefäßen finden
sich u. a. aber auch in den drei erhaltenen Maya-Codices
und helfen heute, die einzelnen Formen der Weihrauchgefäße mit bestimmten Zeremonien in Verbindung zu
bringen.   F. F.

lag im Ulúa-Tal in Honduras. Die Bearbeitung dieses schwierigen Gesteins setzt ein hohes handwerkliches Können voraus. Alabaster wurde wahrscheinlich aufgrund seiner feinen Maserung und der leichten Transparenz als Material für kostbare Gefäße geschätzt.   F. F.

248
Gefäß

Guatemala-Stadt, Museo Nacional de Arqueología y Etnología, Nr. 3626
Alabaster
H. 14,8 cm
Nebaj, El Quiché, Guatemala
Frühe Postklassik, 900–1200 n. Chr.

Tongefäße, die aus der Natur entnommene Formen bildnerisch gestalten, kommen bereits sehr früh in Mesoamerika vor. Gefäße in Form von Tieren oder Früchten wurden von der Präklassischen westmexikanischen Colima-Region bis hin zum heutigen ostguatemaltekischen San Luis Jilotepeque hergestellt. Die Natur diente, wie auch heute noch, als Anregung für die Kreativität des Töpfers. Von der Präklassischen bis zur Postklassischen Epoche waren Gefäße in Form von kleinen Kürbissen besonders beliebt. Diese enthielten wohl rituelle Flüssigkeiten und wurden wahrscheinlich als Opfergaben dargeboten.

Was das hier ausgestellte Stück von anderen unterscheidet, ist sein Material. Alabaster wurde selten bearbeitet, und es gibt nur wenige Beispiele dafür im Hochland von Guatemala. Ein Schwerpunkt der Alabasterverarbeitung

249
Gefäß in Form eines Kopfes

Guatemala-Stadt, Museo Nacional de Arqueología y Etnología, Nr. 5759
Ton mit Bleiglanzglasur
H. 17 cm
Asunción Mita, Jutiapa, Guatemala
Späte Postklassik, 1200–1500 n. Chr.

Obgleich Bleiglanzkeramiken gewöhnlich eine eher graue Färbung besitzen, wurde bei diesem Gefäß beim Brennen ein orangefarbener Ton erreicht, der dem Stück eine besondere Lebendigkeit verleiht.

Der Herkunftsort, die archäologische Stätte von Asunción Mita, war das Zentrum eines hochentwickelten politischen Gemeinwesens, dessen Bewohner in der Postklassik *nahua*sprechende *Pipil* waren, das aber intensive Beziehungen zu den verschiedensten Maya-Staaten des Hochlandes pflegte. Als erfahrene Krieger und Kämpfer setzten sie dem spanischen Eroberer Pedro de Alvarado erbitterten Widerstand entgegen, bis es ihm nach großen Verlusten schließlich doch gelang, die *Pipil* bis in das Gebiet des heutigen El Salvador zurückzudrängen.

Das Gefäß ist als Kopf eines Menschen gestaltet, wohl mit dem Gesicht eines alten Gottes. Die Tränen unterhalb der Augen kommen in gleicher Form sowohl auf Steinmonumenten wie auch in Codices als Merkmal alter Götter vor. Die hervorstehende Hakennase und der breite Mund bestimmen den Gesamteindruck des faltenreichen Gesichtes. Auch wird das Alter der Person durch die beiden aus dem Mund herausragenden Zähne unterstrichen. Ein geknotetes, um die Stirn geschlungenes Schmuckband, das sich aus einzelnen federartigen Elementen zusammensetzt, weicht deutlich von bei den Maya üblichen Zierbändern ab.   F. F.

gestalteten Urnen stellen die geometrischen Muster einen Teil der Kleidung dar, die die Figuren tragen. Weitere ebenfalls häufig auf dieser Keramikgattung wiederkehrende Motive sind geflochtene Streifen, Mattensymbole und andere Muster in Form stark abstrahierter Schlangenleiber.

Fünfhundert Jahre nach der spanischen Eroberung wird Keramik derselben Form und desselben Stils mit rotem und orangefarbenem Dekor auf weißem Grund noch immer im Dorf Chinautla in den Außenbezirken von Guatemala-Stadt hergestellt. Vielleicht sind nicht nur die Motive der Bemalung, sondern auch die ihnen zugrundeliegenden ästhetischen Vorstellungen unverändert geblieben.
F. F.

250
Urne

Guatemala-Stadt, Museo Nacional de Arqueología y Etnología, Nr. 7601
Ton, bemalt
H. 27,5 cm
Mixco Viejo, Chimaltenango, Guatemala
Späte Postklassik, 1200–1500 n. Chr.

Die abgebildete Urne wurde zur Aufbewahrung der Asche oder Knochen hochrangiger Verstorbener verwendet, so wie viele andere, die sich in ähnlicher Form und Dekor aus der Zeit der Postklassik im Hochland Guatemalas erhalten haben. Meist fand man neben den Knochen auch Klingen aus Obsidian oder Perlen aus Jade als Opferbeigaben.

Allgemein als »Fortaleza Weiß-auf-Rot« oder »Chinautla-Ware« klassifiziert, weist die zuletzt genannte Gattung rote und schwarze Bemalung auf weißem Grund auf. Einige zeigen Jaguare, Fledermäuse oder anthropomorphe Wesen, die, mit Armen, Händen oder Klauen versehen, auf die Gefäßoberfläche aufgetragen wurden.

Zwei Henkel dienen in der Breite als Kontrast zum ausgesprochen schlanken, eleganten Hals. Auf anthropomorph

251
Gefäß in Gestalt eines Vogels

Guatemala-Stadt, Museo Nacional de Arqueología y Etnología, Nr. 4406
Ton mit Bleiglanzglasur
H. 15,8 cm
Asunción Mita, Jutiapa, Guatemala
Frühe Postklassik, 900–1200 n. Chr.

Das Auftreten von Bleiglanzkeramik ist ein Kennzeichen für den Übergang von der Klassik zur Frühen Postklassik. Insbesondere die polierte, graumetallische Oberfläche derartiger Objekte wie auch ihre Formen lassen sie eindeutig bestimmen. Die Region von Jutiapa, aus der dieses Stück stammt, liegt nahe dem von den *Xinca* bewohnten Gebiet von Guatemala; diese gehörten nicht den Maya an, unterhielten aber während der Postklassischen Zeit intensive Kontakte zu verschiedenen Maya-Gruppen. In der Postklassik könnte die Region von Jutiapa aber auch von Gruppen der den *Nahua* zuzurechnenden *Pipil* besetzt worden sein. Leider ist allerdings dieses Gebiet, die eigentliche Heimat der Bleiglanzkeramik, bislang nur wenig erforscht.

Das abgebildete Gefäß mit zylindrischem Hals zeigt große Sorgfalt in der Wiedergabe der Details, wurde doch der eigentliche Gefäßkörper in Gestalt eines Vogels modelliert. Wenn das Gefäß geschüttelt wird, kann man im offenen Schnabel eine kleine Tonkugel rasseln hören, der Schwanz des Vogels dient zugleich aus Ausguß. Die ausgewogenen Proportionen von Vogelkopf, Schwanz und Hals machen den ästhetischen Reiz dieses Stückes aus.
F. F.

252
Halskette

Guatemala-Stadt, Museo Nacional de Arqueología y Etnología,
Nr. 9097
Gold
L. 27 cm
Iximché, Chimaltenango, Guatemala, Grab 27-A
Späte Postklassik, 1200–1500 n. Chr.

Die Existenz von Goldarbeiten ist für die Archäologen ein Kennzeichen für den Beginn der Postklassik. Erst in dieser Phase wurde es, ähnlich wie Kupfer, in dünne Platten gegossen oder getrieben, um daraus u. a. Masken herzustellen. Glocken, Figuren und andere Schmuckobjekte wurden in großer Zahl im Heiligen *Cenote* von Chichén Itzá gefunden, wo man sowohl Goldscheiben mit gepunztem Relief im Stil der Maya bergen konnte als auch Goldschmuck, der aus Nicaragua, Costa Rica und Panama eingeführt worden sein muß.

Die abgebildete prachtvolle Halskette aus Grab 27-A von Iximché ist als »Guß in verlorener Form« hergestellt wor-

den; allerdings ging das Wachs bei dieser Prozedur nicht vollständig verloren, sondern blieb, weil es mit Holzkohle gemischt war, hinter den kleinen Jaguarmasken zum Teil erhalten. Da der Künstler offenbar Wert darauf legte, daß die Kette auch tatsächlich getragen werden konnte, fügte er im oberen Bereich zwischen den Köpfen nur eine Goldperle ein, wohingegen die drei im unteren Bereich der Kette eine ideale Rundung verleihen.

Neben dieser Kette enthielt Grab 27-A auch ein aus Goldplatten gehämmertes Diadem und eine goldene Scheibe, beides offensichtlich Teile königlicher Insignien.

Iximché bildete die Hautpstadt des Königtums der *Cakchiquel*. Als dort seinerzeit Alvarado mit seinen Truppen eintraf, war sie noch eine eindrucksvolle Metropole, von der sich bis heute Architekturteile erhalten haben, darunter Tempel und Paläste, aber auch sog. *Popol Nah* oder Verwaltungsgebäude ähnlich solchen, wie sie sich aus der Zeit der Frühen Klassik oder auch der Klassik in Maya-Städten des Tieflandes finden. An diesem Ort gründete Alvarado seine neue Stadt Santiago de Guatemala und beendete damit überdeutlich eine zweitausendjährige Geschichte der Maya-Ziviliation.   F. F.

stört und die Bevölkerung ins heutige Santa Cruz del Quiché vertrieben.

Die Form des Ohrschmucks gleicht nicht mehr jenen sonst bei den Maya üblichen Ohrpflöcken. Vielmehr wurden in der Postklassik zunächst in Zentralmexiko runde oder ringförmige Ohrspulen gebräuchlich, und diese Mode breitete sich wahrscheinlich bis ins Hochland von Guatemala hinein aus. Viele der Ohrspulen waren aus Obsidian gefertigt, einem besonders schwer zu bearbeitenden Material, wohingegen das im vorliegenden Fall verwendete Gold handwerklich weniger Anforderungen stellt. Ursprungsregion der Ohrspulen ist vielleicht Südmexiko, eine Region, zu der die *Quiché* intensive Handelskontakte unterhielten. Charakteristisch für derartige Spulen ist der schmale, aufgeklappte Rand, der die Teile fest im Ohr halten und ein Herausrutschen verhindern soll.　　　　　　　　　　　　　　　　　　　F. F.

253
Ein Paar Ohrspulen

Guatemala-Stadt, Museo Nacional de Arqueología y Etnología, Nr. 12 154 a, b
Gold
Dm. je 3,2 cm
Gumarkaaj, El Quiché, Guatemala
Späte Postklassik, 1200–1500 n. Chr.

Als größtes aller Postklassischen Königtümer des Hochlandes konnte sich das Reich der *Quiché* für fast ein halbes Jahrhundert im Westen des Gebietes des heutigen Guatemala halten. Aus den Überlieferungen dieses Volkes, die im *Popol Vuh* festgehalten wurden, ist es möglich, Näheres über seine Vorstellungen von Religion, wie z. B. die Erschaffung des Kosmos, oder von Geschichte zu erfahren. Das Dokument zählt darüber hinaus die Generationen der *Quiché*-Könige auf, und dies bis zum Zeitpunkt der spanischen Eroberung. Als es dem spanischen Konquistador Alvarado erst nach schweren Kämpfen gelungen war, Gumarkaaj einzunehmen, zeigte er sich den Bewohnern gegenüber besonders grausam und ließ im Jahre 1524 die beiden letzten Könige der *Quiché* auf dem Scheiterhaufen enden. Die Stadt selbst wurde zer-

254
Zwei Ohrpflöcke

Belmopan, Department of Archaeology 35/203–2:221
Gold, Türkis, Obsidian
H. 6,4 cm, B. 3,9 cm, T. 4,1 cm
Santa Rita Corozal, Corozal District, Belize, Struktur 216
Späte Postklassik, 1200–1500 n. Chr.

In den völlig unscheinbaren Resten eines niedrigen Postklassischen Gebäudes in Santa Rita Corozal gruben die Archäologen Diane und Arlen Chase 1985 die Reste von zwei Skeletten aus, die einst von Mumienbündeln umwickelt unter dem Schrein des Gebäudes beigesetzt worden waren. Anhand der unterschiedlichen Beigaben schlossen sie, daß die Personen aus verschiedenen sozialen Schichten kamen. Die rangniedrigere Person wurde vielleicht als Opfer bestattet, um die wichtigere Person auf ihrem Weg durch *Xibalba* zu begleiten. Dafür spricht auch, daß das mögliche Opfer mit zahlreichen Rochenstacheln, den Instrumenten, mit denen das Blutopfer ausgeübt wurde, assoziiert war. Das höherstehende Individuum trug bei seiner Beisetzung eine Kette aus Jadeitperlen und Spondylusmuscheln, und die hier gezeigten Ohrpflöcke aus Gold und Türkis, die sicherlich zu den schönsten Schmuckstücken gehören, die überhaupt im Maya-Gebiet gefunden wurden. Sowohl der Stil der Ohrpflöcke wie auch ihre Verarbeitung und die verwendeten

Materialien sprechen dafür, daß sie nicht von Maya-Künstlern angefertigt wurden, sondern als teures Tauschgut vielleicht aus Zentralmexiko in die Hände eines hohen Würdenträgers von Santa Rita gelangten. Goldschmuck mit eingelegtem Türkismosaik war eine Spezialität mixtekischer Künstler. In der Postklassik waren mixtekische Handwerksarbeiten überall in Meso-amerika hochgeschätzt. Mixtekische Künstler wurden sogar an den Hof der aztekischen Tlatoani verpflichtet. Das Türkismosaik der beiden Schmuckstücke wurde mit Harz auf einen Hintergrund aus schwarzem Obsidian ge-klebt. Dieser Obsidianhintergrund geht in den eigent-lichen Ohrpflock über, der durch das Ohrläppchen ge-steckt wurde, um den Schmuck zu befestigen. Das Tür-kismosaik wird umgeben von einem Rahmen aus feinem Goldblech und gelötetem Golddraht. Eine Reihe winziger Punkte stellt die äußere Begrenzung der Ohrringe dar.

Unterhalb des Türkismosaiks ist ein in Golddraht gelöte-tes Spiralmuster angebracht, von dem sechs Ösen ausge-hen. Ursprünglich hing an jeder dieser Ösen ein kleines, mit Draht befestigtes Goldglöckchen. An den beiden Schmuckstücken waren jeweils sechs Goldglöckchen be-festigt, von denen aber nur noch fünf erhalten sind. Die Goldglöckchen verstärken die Eleganz des Schmucks und tragen zur filigranen Wirkung der auch durch den Farb-kontrast Blau (Türkis) – Gold lebenden Stücke bei.
Die Feinheit und Eleganz der Stücke, aber auch ihre offenbar fremde Herkunft sprechen nicht nur für den außergewöhnlich hohen Status ihres Trägers, sondern dokumentieren auch die weitreichenden Handelskon-takte von Santa Rita Corozal in der Späten Postklas-sik.   N. G.

Lit.: D. Z. Chase und A. F. Chase (1988)

255

Jadeplakette (»Leidenplatte«)

Leiden, Rijksmuseum voor Volkenkunde
Inv.-Nr. 1403–1193
Jade, geritzt
H. 21,7 cm
Fundort in der Nähe des Deltas des Río Motagua, Guatemala
Frühklassik, 320 n. Chr.

Die sogenannte Leidenplatte, die 1864 von einem holländischen Ingenieur bei Kanalarbeiten in der Nähe von Puerto Barrios in Guatemala gefunden wurde, galt bis zur Entdeckung von Stele 29 in Tikal als das älteste datierte Schriftstück aus dem Maya-Tiefland. Die beiden Durchbohrungen am oberen und unteren Ende der Pla-

kette deuten darauf hin, daß sie einst einen Teil der Kleidung, wahrscheinlich des Gürtelschmuckes, bildete. Auf der Vorderseite erkennt man einen reich geschmückten Würdenträger, der auf einem Gefangenen steht. Die Abbildung von Herrschern in Siegerpose ist ein gängiges Motiv auf den Stelen der Klassischen Periode. Auf der Rückseite ist die Initialserie 8.14.3.1.12 *1 Eb 0 Yaxkin* eingeritzt, was dem Jahr 320 n. Chr. entspricht. Dem Datum folgen eine Thronbesteigungshieroglyphe und der Name eines Fürsten. Wir wissen somit, daß ein Herrscher am Freitag, den 17. September 320 n. Chr. in sein Amt eingesetzt wurde. Einige Forscher behaupten, daß die Leidenplatte aus einem bereits in klassischer Zeit geplünderten Grab Tikals stammt und einen der Herrscher dieses Ortes darstellt. Es handelt sich dabei jedoch nur um Vermutungen, für die keinerlei Beweise vorliegen.   E. K.

256
Polychromes Gefäß mit Ballspielszene

Leiden, Rijksmuseum voor Volkenkunde
Inv.-Nr. 5347–1
Ton
H. 14,2 cm, Dm. 15,5 cm
Wahrscheinlich Umgebung von Nakbé, Guatemala
Spätklassik, 8. Jh. n. Chr.

Dieses Gefäß ist im Codex-Stil bemalt, d. h., es ähnelt farblich und stilistisch den vier noch erhaltenen Maya-Handschriften. In schwarzen Linien ist auf weißer Engobe
eine Ballspielszene dargestellt, wobei zwei Hauptakteure
von je einem Assistenten im Hintergrund unterstützt
werden. Die Ausrüstung, der Brustschutz und Kopfschmuck (hier in Form von Vögeln), ist charakteristisch
für die Ballspieler des Maya-Tieflandes. Der große
schwarze Ball trägt eine Inschrift, die *14 naab* lautet.
Nach persönlicher Mitteilung von Nikolai Grube ist
»naab« eine Maßeinheit, die ungefähr der Breite einer
Hand entspricht. So könnte *14 naab* die Größe des Balles
bezeichnen, obwohl dies etwas groß erscheint. Es
könnte sich natürlich auch um die Höhe handeln, in der
der Ball gespielt wurde, oder um den Abstand von
irgendeinem anderen Punkt. Viele Abbildungen zeigen
Bälle mit den Zahlen 9, 12 und 13. Da die Maya wohl gro
ßen Wert darauf legten, die Maße auf Inschriften zu verzeichnen, dürften diese im Ballspiel eine wesentliche
Rolle gespielt haben. Das Gefäß trägt das Datum *6 Ik 5
Chen*. Da es sich um ein Datum der Kalenderrunde handelt, ist eine exakte Datierung nicht möglich.   E. K.

257
Kleines Gefäß

Leiden, Rijksmuseum voor Volkenkunde
Inv.-Nr. 2842–1
Ton
H. 6,4 cm
Region um Copán, Honduras
Spätklassik, 600–900 n. Chr.

Kleine Flaschen, deren Verzierung mit Modeln einge-
drückt wurde, werden in der Region von Guatemala und

Honduras des öfteren gefunden. Man kennt sie unter
dem Namen »Giftflasche«, obwohl sie keine Spuren von
Gift enthalten. Farbrückstände in manchen von ihnen
deuten darauf hin, daß sie als Farbbehälter gedient
haben. In dieser Szene schlägt ein Ballspieler ein Nagetier, wahrscheinlich ein Aguti (Dasyprocta Sp.). Die ganze
Szene erinnert an einen Moment im legendären Ballspiel
der göttlichen Zwillinge *Hunahpu* und *Xbalanqué* gegen
die Herrscher der Unterwelt *Xibalbá*, wie sie im Popol
Vuh, der Überlieferung der Quiché-Maya aus dem 16. Jh.,
beschrieben ist: *Hunahpus* Kopf wird von einer Fledermaus abgerissen und auf Befehl der Herren der Unterwelt auf dem Ballspielplatz ausgestellt. Im folgenden Ballspiel imitiert ein Nagetier den Gummiball, rollt weit über
die Grenzen des Spielfelds und lenkt so die Herren der
Unterwelt ab, die dem vermeintlichen Ball nachlaufen.
In aller Eile holt *Xbalanqué* den Kopf und setzt ihn seinem
Bruder auf den Rumpf zurück. Die Zwillinge können das
Spiel fortsetzen und besiegen die Herren der Unterwelt.

T. J. J. L.

258
Tonstatuette eines Gefesselten

Köln, Museum Ludwig (SL XL III), Dauerleihgabe im Rauten-
strauch-Joest-Museum
Ton, mit Resten von Bemalung
H. 27 cm
Angeblich Jaina, Campeche, Mexiko
Spätklassik, 600–900 n. Chr.

Die Insel Jaina vor der Küste Campeches ist für ihre Tonfiguren berühmt, die vor allem aus spätklassischen Gräbern stammen. Tausende von Bestattungen haben Jaina
den Ruf einer »Totenstadt« eingebracht. Es dürfte sich
tatsächlich um ein Begräbniszentrum für die Menschen
aus Yucatán gehandelt haben. Die Figuren sind teils hohl,
teils massiv, oft als Pfeifen oder Rasseln gearbeitet. Der
an einen Pfahl gebundene Mann gehört zur Gruppe der
seltenen Figuren, die Personen in Bewegung darstellen.
An diesem Gefesselten, der nur mit einem Lendenschurz
bekleidet ist, stechen vor allem die Kopfdeformation und
die langen Haare ins Auge. Wie bei vielen Jaina-Figuren
ist das Gesicht mit Schmucknarben verziert. Warum der
Mann an den Pfahl gebunden ist, läßt sich nur vermuten.
Er könnte auf seine Bestrafung warten oder zum Opfer
vorbereitet werden.

E. K.

259
Porträtkopf eines alten Mannes

Köln, Museum Ludwig (SL XXXVIII), Dauerleihgabe im Rauten-
strauch-Joest-Museum
Stuck
H. 23 cm
Region Palenque – Río Usumacinta, Mexiko – Guatemala
Spätklassik, 600–900 n. Chr.

Stuckarbeiten waren zwar über ein weites Gebiet im
Maya-Tiefland verbreitet, dennoch verweist der Stil in
die Gegend von Palenque. Das im Schmerz verzogene
Gesicht ist wahrscheinlich das eines alten und kranken
Mannes. Für das hohe Alter sprechen die zwei unregelmäßig angebrachten Zähne und die Falten über der
Nasenwurzel. Am deutlichsten ist das Alter des Mannes am rechten eingesunkenen Auge zu erkennen, was
unter anderem mit dem Hörnerschen Syndrom in Verbindung gebracht wird. Die das Auge umgebende Fett-
schicht der Augenhöhle ist verschwunden, der Augapfel
zurückgesunken und von den Lidern fest umschlossen.
An den Wangen befinden sich zwei Löcher, deren Bedeutung nicht zu klären ist.   E. K.

260
Jadeanhänger mit menschlicher Gestalt

Köln, Museum Ludwig (SL XLVII), Dauerleihgabe im Rauten-
strauch-Joest-Museum
Blaßgrüne Jade mit roten Farbspuren
H. 8,5 cm, B. 4,6 cm
Fundort unbekannt
Spätklassik, 600–900 n. Chr.

In der Präklassik und Klassik war Jade wohl das wertvollste Material, das die Menschen Mesoamerikas bearbeiteten. Jade besitzt nach der Mohs'schen Härteskala einen

Wert zwischen 6 und 7 und ist daher mit dem Messer
nicht mehr ritzbar. Da die Maya keine Metallwerkzeuge
kannten, wurde Jade mit Knochen- oder Hartholzboh-
rern durchbohrt, mit Fäden unter Zuhilfenahme von
Wasser und Sand »gesägt« und dann geschliffen. Jade-
vorkommen gibt es im Motagua-Tal in der Nähe der
Grenze zwischen Guatemala und Honduras. Der Anhänger stellt eine kleine Gestalt dar, deren Körperproportionen gedrungen sind. Der rechte Arm liegt mit geballter
Faust vor dem Leib, der linke ist nicht deutlich vom
Körper abgesetzt. Die Gestalt ist mit Kopfschmuck, Ohrpflock und Lendenschurz bekleidet.   E. K.

261
Jadeanhänger

Köln, Museum Ludwig (SL XLVIII), Dauerleihgabe im Rauten-
strauch-Joest-Museum
Jade
H. 10 cm, B. 6 cm
Fundort unbekannt
Spätklassik, 600–900 n. Chr.

Bei diesem Anhänger dürfte die Form die Gestalt bestimmt haben. In der Spätklassik wurde Jade wahrscheinlich knapp, was sich aus dem sparsamen Umgang
mit diesem Material schließen läßt. Die Steinschneider
paßten sich den vorgefundenen Formen an und richteten ihre Darstellungen danach. Auf der Rückseite des
Objekts ist sogar die Spur eines Mißgeschicks erhalten,
denn es hat den Anschein, als sei eine beabsichtigte
Durchbohrung nicht ganz gelungen. Der Anhänger
wurde senkrecht an einer Schnur befestigt getragen. Es
ist die Darstellung einer hockenden Figur mit affenähn-
lichen Zügen, die einen dicken Fisch auf den Schultern
trägt. Das Objekt veranschaulicht die Techniken der
Jadebearbeitung, die geraden Linien sind geschnitten,
die Augen mit Hohlbohrern herausgearbeitet. Der Anhänger erinnert stilistisch an manche Jaden der Opferdepots von Salitron Viejo in Zentralhonduras (siehe Kat.-
Nr. 188). E. K.

262
Weibliche Figur

Wien, Museum für Völkerkunde
Inv.-Nr. 59576
Ton, bemalt
H. 30,5 cm, B. 12,5 cm
Wahrscheinlich Puebla, Mexiko
Frühe bis Mittlere Präklassik, 1200–600 v. Chr.

Neben kleinen handgeformten Tonfigürchen treten in
der Präklassik auch große hohle Figuren auf, die bemalt
sind. Verbreitungsgebiete dieser Statuetten sind u. a. das
Tehuacán-Tal und Tlatilco im Hochland von Mexiko, eine
der bedeutendsten Fundstätten der Frühen Präklassik.
Der Fundort dieser rot bemalten Figur ist unbekannt,
aber sie könnte aus Puebla stammen. Besonders charakteristisch für die Tonfiguren des olmekischen Horizonts
sind die Form der Augen, der schnauzenartige Mund,
der deformierte Kopf und die dicken Oberschenkel. Da
die Figur nackt und der Kopf unbemalt ist, aber Durchbohrungen für Ohrgehänge vorhanden sind, liegt die
Vermutung nahe, daß sie einst bekleidet und mit Haaren
oder einem anderen Kopfschmuck bedeckt war. Die
Figur wurde wahrscheinlich über einer groben Grundform aus Wachs oder einem anderen knetbaren Material
geformt, das beim Brennen durch die offenen Fußsohlen
ausfloß.   E. K.

263
Weihrauchgefäß

Wien, Museum für Völkerkunde
Inv.-Nr. 146736
Ton
H. 9 cm, Dm. 24 cm
Vom Ufer des Amatitlán-Sees
Vielleicht Spätklassik, 600–900 n. Chr.

Warzengefäße gibt es im Maya-Gebiet seit der Präklassik. Wohl sind Form und Oberflächenbehandlung von den keramischen Gepflogenheiten der jeweiligen Zeit beeinflußt, die Warzen jedoch haben sich auf beeindruckend hartnäckige Weise bis ins 20. Jh. erhalten.

Warzengefäße sind auf den präklassischen Stelen Kaminaljuyús, den klassischen Wandmalereien Bonambaks und in den postklassischen Codices abgebildet. Auch heute noch verwenden die Maya des Hochlandes von Guatemala und Chiapas Keramik, die dieses Charakteristikum aufweist. Entgegen herkömmlicher Auffassung wurden Warzengefäße wahrscheinlich nicht nur zur Weihrauchverbrennung, sondern auch für Blumenopfer und zum Auffangen des Opferblutes verwendet. Das hier gezeigte Dreifußgefäß, das am inneren Rand schwache Spuren rötlicher Farbe aufweist, wurde am Ufer des Amatitlán-Sees gefunden. In welchem Ritual und wozu es verwendet wurde, ist nicht eindeutig zu klären. Die Bedeutung der Warzen ist auch den heutigen Benutzern und Produzenten solcher Gefäße im Maya-Hochland nicht bekannt.

E. K.

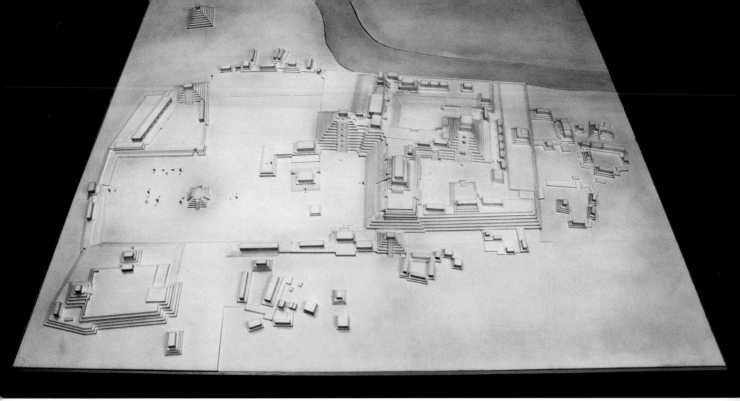

264
Hauptzentrum von Copán

Hochschule für angewandte Kunst in Wien, Meisterklasse für
Architektur, Prof. Hans Hollein
Modell aus Kunststoff, gespritzt; Maßstab 1:500
(20 cm entsprechen 100 m in der Natur)
Hauptzentrum von Copán, Honduras
Die jüngsten Bauten stammen aus der Zeit der Spätklassik,
8. Jh. n. Chr.

Die Modellplatte zeigt das Hauptzentrum der Maya-Stadt
Copán in Honduras, wie es sich Ende des 8. Jhs. nach den
letzten großen Bauphasen präsentierte. Umgeben war
dieses Zentrum von einem ausgedehnten Siedlungsraum
mit mindestens 10 000 Einwohnern. Von diesem Siedlungsraum ist in dem Modell nur jener Bereich dargestellt, den 1977 ein hoher Zaun zusammen mit dem Zentrum einschloß. Nur östlich des großen Zeremonienho-
fes – jenem Bereich mit den meisten Stelen und Altären
in der Anlage – wurde eine große Plattform in das Modell
aufgenommen, da sie zugleich die Richtung des östlichen
Dammweges markiert.
Die Bauten über dem Copán-Fluß an der Ostseite der
»Akropolis« – des ca. 200 x 200 m großen erhöhten Berei-

ches im Süden des Zentrums – gingen durch das Zusam-
menwirken von Erosion, Unterwaschung und durch ein
starkes Erdbeben 1934 endgültig und vollständig verloren. Diese Bauten konnten aber aus Fotos, die größtenteils aus dem späten 19. Jh. stammen, authentisch zeich-
nerisch und hier im Modell rekonstruiert werden.
Die Zahlen der Stufen von Bauwerken im Modell stimmen mit der Realität nicht überein – sie sollen nur einen
optischen Eindruck vermitteln. Auch die Dachformen
sind zu einem großen Prozentsatz hypothetisch.
Der Ballspielplatz schließt unmittelbar nordwestlich an
den Bau mit der Hieroglyphentreppe an. Er liegt damit
in der Übergangszone zwischen der hohen, großteils
wohl der Elite vorbehaltenen »Akropolis« im Süden und
dem großen Platzsystem im Norden.
Das Modell wurde in der Hochschule für angewandte
Kunst in Wien, Meisterklasse für Architektur bei Prof.
Hans Hollein im Rahmen der Semesterarbeit »Ort und
Platz – Stadträumliche Architekturanalysen« von Man-
fred Grübl hergestellt. Grundlage waren Pläne aus der
Architektur-Dokumentation zu Copán von H. Hohmann
und A. Vogrin.   H. H.

Lit.: Hasso Hohmann u. Annegrete Vogrin: Die Architektur von
Copán. Graz 1982

265–266
Dreifüßiger Teller

Zürich, Museum Rietberg, Inv.-Nr. RMA 304
Ton
H. 12,5 cm, Dm. 36 cm
Campeche
Spätklassik, 600–900 n. Chr.

Dreifüßiger Teller

(ohne Abb.)
Zürich, Museum Rietberg, Inv.-Nr. RMA 316
Ton
Dm. 39,5 cm
Campeche
Spätklassik

Von den Inseln Jaina und dem angrenzenden Festland des mexikanischen Bundesstaates Campeche stammt eine Reihe von großen, dreifüßigen Tellern, deren polychrome Bemalung einen eigentümlichen Stil aufweist. Dieser unterscheidet sich deutlich von den gleichzeitig entstandenen endklassischen Zylindergefäßen des weiter südlich liegenden Tieflandes: Die Linien auf dem Campeche-Teller sind dicker, weniger locker kursiv, szenische Darstellungen und Inschriften fehlen.

Im oberen Mittelteil des ersten Tellers steht der Gott Pauahtun auf einer Art Grundlinie, unterhalb deren das Mittelfeld durch fast geometrische Motive gestaltet ist, deren Zackenlinie auf die Hügelkette der Region verweisen könnte. Die Pauahtun genannte Gottheit ist an ihrem netzartigen Textil auf dem Haupt zu erkennen, dessen Name *pauah* = Netz lautet und somit fast eine bildliche Schreibung des Götternamens darstellt. Üppige Schmuckketten hängen hinten von einem langausgezogenen Element herab, das der Gott auf dem Rücken trägt und dessen Volute wohl auf das Schneckenhaus hindeutet, aus dem heraussteigend Pauahtun öfters dargestellt ist. Die überlangen Finger und die wenig geglückt erscheinenden anatomischen Proportionen sind gewollte Kennzeichen des Stils, ebenso wie die groben Gesichtszüge, die hier das lange Kinn und die eingefallenen Wangen eines alten Mannes wiedergeben. Vier gleiche Figuren mit nur leicht anders angeordnetem Schmuck stehen auf der Fahne des Tellers, deren äußerster Rand mit einer sich wiederholenden Pseudohieroglyphe verziert ist.

Pauahtun (Gott N der alphabetischen Nomenklatur) zählt zu den alten Gottheiten, die mit der Unterwelt assoziiert sind. Er gehört aber auch zu den vierfältigen Gottheiten der vier Himmelsrichtungen und Weltgegenden. Zusammen mit der vierfachen Wiederholung des Götterbildes auf dem Tellerrand mag die Gesamtdarstellung hier auf die Vorstellung einer zentralisiert gedachten Gottheit mit vier Emanationen zurückgehen.

Der zweite Teller (ohne Abb.) im gleichen Stil ist inhaltlich weniger genau zu bestimmen. Dargestellt ist zweifellos ein Vogel als Innenmotiv, dessen Federn mit breiten schwarzen Pinselstrichen angedeutet sind. Schmuck an Kopf und Brust kennzeichnen ihn als nicht gewöhnlichen Vogel. Berücksichtigt man die stiltypischen Übertreibungen der Darstellung, so kann es sich um eine Darstellung des *Muwan*-Vogels handeln. Dieser ist wohl das am häufigsten dargestellte Göttertier, das sowohl negative wie positive Aspekte aufwies. Langgestreckt auf dem Rand ist auch hier das zentrale Motiv zumindest teilweise wieder aufgenommen, wenn auch weniger deutlich. Bei einer der beiden Gestalten finden sich die Bögen des Brustschmuckes wieder, auch wird der spitze Schnabel wiederholt.   U. D.

Lit.: Wolfgang Haberland: Die Kunst des Indianischen Amerika. Beschreibender Katalog, Museum Rietberg Zürich. Zürich 1971, 182–186

*Glyphe vom Kopfschmuck der Jade-Maske
aus Tikal (Kat.-Nr. 67)*

Hinweise zur Schreibung und Aussprache der Maya-Sprachen

Mit der spanischen Eroberung endete eine jahrtausende-alte literarische Tradition der Maya. Den Angehörigen des Adels, in Klosterschulen umerzogen, wurde verboten, die alte, »heidnische« Schrift zu verwenden. So geriet die Maya-Schrift in Vergessenheit, nicht aber die Maya-Sprachen, die bis heute von mehreren Millionen Menschen, d. h. der Mehrheit der Bevölkerung in den Kerngebieten der Maya, gesprochen werden. Die spanischen Geistlichen ersetzten die alte Maya-Schrift durch das lateinische Alphabet, so daß schon in der Mitte des 16. Jahrhunderts das yukatekische Maya in lateinischer Schrift geschrieben wurde. Es stellte sich jedoch schnell heraus, daß die lateinische Schrift nicht alle Laute des yukatekischen Maya repräsentieren konnte. So erfanden die Spanier zusätzliche Buchstaben und Buchstabenkombinationen, um die Laute der Maya, die im Spanischen nicht vorkommen, notieren zu können. So war das yukatekische Maya, auf der ganzen Halbinsel Yucatán gesprochen, eine der ersten Maya-Sprachen, die auf solche Weise schriftlich festgehalten wurden.

Etwa zur gleichen Zeit begann man im Hochland von Guatemala die Sprachen der *Cakchiqueles* und *Quiché* mit lateinischen Buchstaben zu schreiben. Auch hier stellte sich das Problem, daß das Buchstabenrepertoire nicht ausreichte, um die Rachenlaute und glottalen Verschlußlaute dieser Hochlandsprachen zu schreiben. Ein spanischer Mönch erfand daher eine neue Orthographie, indem er den lateinischen Buchstaben neue Notationen in Form von Zahlen hinzufügte.

In der Folgezeit eroberten die Spanier weitere neue Gebiete und stießen immer wieder auf Maya-Völker mit eigenen Sprachen, für die es keine lateinische Orthographie gab. Um auch diese Sprachen aufzeichnen zu können, wurden neue Orthographien erdacht. So kam es schließlich, daß eine große Anzahl verschiedener Orthographien für die verschiedenen Maya-Sprachen verwendet wurde. Wiederholte Reformvorschläge zur Vereinheitlichung der Maya-Sprachen konnten sich nicht durchsetzen oder wurden aus politischen Gründen verworfen. Sprachwissenschaftler unserer Tage verwenden sehr exakte Orthographien zur Schreibung von Maya-Sprachen. Damit kann man sogar verschiedene Tonhöhen von Vokalen, wie sie im yukatekischen Maya als bedeutungsunterscheidendes Element vorkommen, kennzeichnen. Diese linguistischen Orthographien haben jedoch den großen Nachteil, daß sie nicht mit einer Schreibmaschine und nur schwer mit einem Computer darzustellen sind. So beschlossen im Jahre 1987 verschiedene indianische Linguisten, die in einer überregionalen Forschungsinstitution zusammengeschlossen waren, eine korrekte, einfache und praktische Standardorthographie für alle Maya-Sprachen Guatemalas zu entwickeln. Die Bemühungen wurden 1989 von Erfolg gekrönt, als nicht nur die Vertreter verschiedenster Maya-Gruppen dieses Standardalphabet annahmen, sondern sogar der guatemaltekische Kongreß zustimmte. Das von guatemaltekischen Maya entwickelte Alphabet stimmt weitestgehend auch mit den Orthographien überein, die in Mexiko lebende Maya für ihre Sprachen verwenden. In diesem Katalog soll daher dieses Alphabet für alle Maya-sprachigen Begriffe verwendet werden.

Es gibt zahlreiche Laute, die wir im Deutschen nicht kennen. Andererseits gibt es deutsche Laute, die für einen Maya nur schwer artikulierbar sind, wie etwa unser *f, g* und *r*.

Die fünf Vokale *a, e, i, o, u* werden offener gesprochen, als wir es im Deutschen gewohnt sind. Die Konsonanten werden fast alle wie im Spanischen ausgesprochen, allerdings gibt es einige wichtige Unterschiede:

Der Buchstabe *x* bezeichnet einen Laut, der unserem *sch* gleicht wie in *xux* (»schusch«), »Wespe«, und dem Ortsnamen *Uxmal* (»Uschmal«). Das *h* wird wie das weiche deutsche *h* in Hund ausgesprochen, im Gegensatz zum Spanischen, wo es nicht ausgesprochen wird. Das *ch* entspricht bei unserer Buchstabenkombination *tsch*, zum Beispiel in dem Götternamen *Chak* (»Tschak«).

Das *s* wird stets als Zischlaut artikuliert wie etwa unser deutsches *ß*. Das Wort *sasil*, »Licht«, wird daher wie »ßaßil« ausgesprochen. Die Maya-Sprachen unterscheiden bei zahlreichen Konsonanten zwischen der glottalisierten und der nicht glottalisierten »normalen« Form eines Konsonanten. Glottalisierte Konsonanten werden durch den kurzen Verschluß der Stimmritze (Glottis) gebildet und klingen so, als zögerte man einen Sekundenbruchteil, nach der Aussprache des Konsonanten mit der Aussprache des nachfolgenden Vokals fortzufahren. Bei einem glottalisierten Konsonanten entsteht also eine winzige Pause zwischen Konsonant und nachfolgendem Vokal. Für ein europäisches Ohr ist dieser Unterschied oftmals nicht hörbar; für die Maya ist der Unterschied dagegen so groß wie für uns der Unterschied zwischen *g* und *k*. Die glottalisierten Konsonanten werden durch einen beigeschriebenen Apostroph ausgedrückt: *ch', tz', k', p', t'*. So heißt z. B. das Wort *k'ab* »Hand«, während *kab* »Erde« bedeutet.

Neben Konsonanten können auch Vokale glottalisiert werden. Auch hier wird ein Apostroph an den Buchstaben gefügt, um die Glottalisierung auszudrücken. Darüber hinaus kommen in verschiedenen Maya-Sprachen auch lange und kurze Vokale vor. Diese Differenzierung ist jedoch nicht so wichtig für das alte Maya, in dem die Hieroglyphen geschrieben sind.

Die meisten Ortsnamen werden in spanischer Orthographie geschrieben und sind hier nicht in die neue Orthographie übertragen worden, um das leichtere Auffinden auf Karten und in der Literatur zu ermöglichen. Einige der Ortsnamen, wie etwa der des Ruinenortes Caracol in Belize, sind ohnehin spanischen Ursprungs. Gerade auf der Halbinsel Yucatán haben allerdings die meisten Ortsnamen einen Maya-Ursprung.

Einige Aussprachebeispiele für Maya-Wörter seien aufgeführt:

Yaxchilán	»Jasch-tschi-lan«
Yax Pak	»Jasch Pak«
Kaminaljuyú	»Ka-mi-nal-hu-ju«
Hasaw Chan K'awil	»Ha-ßau Tschan K'a-wil«. N. G.

602

Glossar

Ahaw: »König, Fürst, Herrscher«, der höchste Titel in der Hierarchie der Klassischen Zeit. Ursprünglich ein Titel von Familienoberhäuptern, wurde er später von den über einen Kleinstaat herrschenden Königen verwendet.

Ah K'ul Na: »Höfling« oder »Tempelherr«, Titel von Würdenträgern am königlichen Hof.

Atlatl: Aztekischer Name für die bei den Maya seit der Frühklassik verwendete Speerschleuder, die die Schwungkraft des Armes erheblich erhöht und so die Reichweite des Speers vergrößert.

Atole: Getränk aus Maisteig und Wasser, mit Salz oder Honig gewürzt

Bajo: Lehmbedeckte abflußarme Bodenvertiefung im Karst des südlichen Tieflandes.

Balche: Getränk aus Wasser und der Rinde des Balché-Baumes *(Lonchocarpus longistylus)*, das vergoren wurde und dadurch leicht alkoholisch war. Durch die Hinzufügung von Honig wurde es gesüßt. *Balche* wird noch heute zu rituellen Anlässen gebraut und getrunken.

Bleiglanz-Keramik: Die einzige wirklich glasierte Keramik Mesoamerikas, die in der Frühen Postklassik in Massenherstellung gefertigt wurde. Der Ursprung der Bleiglanz-Keramik liegt an der Pazifikküste Guatemalas.

Ceiba: *Ceiba pentandra*, Maya: *Yaxché*, der höchste Baum der Urwälder des Maya-Gebietes und heiliger Baum der Maya, der das Vorbild des die Achse des Kosmos darstellenden Weltenbaumes ist.

Cenote: Flache Schüsseldolinen, die ganzjährig Wasser führen und den Maya vor allem in Yucatán als Wasserquelle dienten. Das Wort leitet sich von Maya *tz'onot* ab.

Chak: In der Kolonialzeit und der Postklassischen Zeit war *Chak* der Gott des Regens. In der Klassik war er als *Chak Xib Chak* einer der wichtigsten Götter der Maya und eine Erscheinungsform des Gottes I der Göttertrias von Palenque.

Chakte: Königlicher Titel, der erstmalig im Frühklassischen Tikal auftaucht und der Herrscher mit den Regengöttern, die den Himmelrichtungen zugeordnet sind, assoziiert.

Chak Xib Chak: Der Prototyp des Regengottes *Chak*, wahrscheinlich mit dem Gott I, dem Erstgeborenen der Göttertrias von Palenque, identisch.

Chenes: Architekturstil im Norden des Staates von Campeche, für den Eingänge, die als große Schlangenrachen gestaltet werden, charakteristisch sind. Wichtige Orte sind Hochob, Dzibilnocac, Santa Rosa Xtampak und El Tabasqueño.

Chilam Balam: Name eines Propheten, der unmittelbar vor der spanischen Eroberung in Yucatán lebte. Nach ihm sind zahlreiche Sammelhandschriften in yukatekischer Maya-Sprache, aber lateinischer Schrift benannt, die zum Teil prophetische Texte, *K'atun*-Prophezeiungen, Berichte von der Erschaffung der Welt, aber auch Chroniken, Legenden und astrologische Texte enthalten.

Chultun: Zisterne, häufig mit einer abdichtenden Materialschicht ausgekleidet, die zur Vorratshaltung, aber auch zum Auffangen von Regenwasser diente.

Ch'ok: »Jüngling, Sproß«, Titel, der von Herrschern vor ihrer Inthronisierung und von Angehörigen der Königsfamilie, die nicht die Thronfolge antreten, getragen wird.

Ch'ulel: Der Maya-Begriff für »Seele« oder die Lebewesen und Dingen innewohnende »göttliche Kraft«.

Codex: Ein Faltbuch aus Rindenbastpapier, das aus der Rinde eines Feigenbaumes gefertigt wurde. Die Seiten wurden mit einer Gipsschicht grundiert und dann bemalt.

Cotzumalhuapa: Ort an der pazifischen Küstenebene Guatemalas, nach dem ein Kunststil benannt wurde, der in der Spätklassik vorherrschte und Elemente der Golfküstenkultur und aus Teotihuacán aufnahm. Die ethnische Zuordnung der Erschaffer des Cotzumalhuapa-Stils ist nicht bekannt, sicher ist nur, daß sie keine Maya waren.

Eklipseschlange: Die Maya stellten sich die scheinbare Bahn der Sonne am Fixsternhimmel als Schlange vor, an der die dreizehn Bilder ihres Zodiakus »aufgehängt« sind. Diese Eklipseschlange wird häufig doppelköpfig von Herrschern in den Händen gehalten.

Emblemglyphe: Titel, der Herrscher als »Göttliche Könige« über ein bestimmtes Gebiet ausweist.

Fine orange: Unbemalt in Modeln geformte Keramik mit typischer Orange-Farbe, die in der Endklassik im gesamten Tiefland auftritt. Die mit Maya-Traditionen brechende Ikonographie wird mit wachsenden Fremdeinflüssen in Verbindung gebracht.

Göttliche Zwillinge: *Hunahpu* und *Xbalanke*, die Göttlichen Zwilling des *Popol Vuh*, die über die Götter der Unterwelt triumphieren, haben ihre Entsprechung in zahlreichen Zwillingsgöttern der Klassischen Zeit, wie etwa den beiden »Paddler-Göttern« und *Chak Xib Chak* und dem Jaguargott.

Haab: Das Sonnenjahr zu 365 Tagen, eingeteilt in 18 Monate zu zwanzig Tagen und eine fünftägige Jahresendperiode.

Hacha: Spanisch »Axt«; dünne, axtförmige Steinklinge, die beim mittelamerikanischen Ballspiel benutzt wurde. Sie diente vielleicht als Armierung, die durch ein Hüftjoch gehalten wurde.

Hawante: Maya-Bezeichnung für flache dreifüßige Schalen.

Huipil: Bekleidungsstück der Maya-Frauen bis in die heutige Zeit, das aus einer langen Stoffbahn besteht, die in der Mitte ein Loch für den Kopf besitzt und an den Seiten und am Saum reich bestickt ist. Den Huipil gibt es in verschiedenen Formen; er wird heute meist als eine Art Bluse zu einem Unterrock getragen.

Hun Ahaw: Name von *Hunahpu* in der Klassischen Zeit, einer der Göttlichen Zwillinge des *Popol Vuh*, der das Idealbild eines Maya-Königs und gleichzeitig den Planeten Venus als Morgenstern verkörpert.

Hun Nal Yeh: »Eins-Maiskorn-Enthüllt«, Name des Maisgottes in der Klassischen Zeit, der Urvater der Göttertrias von Palenque.

Itzá: Volk, von dem Schriftquellen aus dem 16. Jahrhundert berichten, es habe in Chichén Itzá (»Brunnenmund der Itzá«) geherrscht. Danach seien die *Itzá* nach dem Fall ihrer Stadt vertrieben worden und hätten sich im Gebiet des Petén-Itzá-See in Guatemala niedergelassen. Bis 1697 blieb Tayasal, die Hauptstadt der *Itzá*-Maya auf der Insel, auf der die moderne Stadt Flores liegt, unabhängig.

Itzam Yeh: Der Vogel, der sich auf dem Weltenbaum

Wakah Chan niederläßt; vielleicht identisch mit dem Polarstern.

Jaina: Insel vor der Küste des mexikanischen Bundesstaates Campeche, die für ihre zahlreichen aus Gräbern geborgenen Tonstatuetten bekannt ist.

Kakao: *Theobroma cacao.* Schon die Olmeken handelten und verwendeten Kakaobohnen, um daraus Getränke für festliche Angelegenheiten zu bereiten. Bei den Maya war Kakao ein Getränk der Herrscher und Fürsten, unser Wort ist von dem schon in Inschriften festgehaltenen Maya-Wort *kakaw* abgeleitet.

Kopal (Maya: *pom.*): Harz eines zur Gattung *Bursera* gehörenden Baumes, das zum Ball geformt als Räucherwerk für Opfer und Zeremonien verwendet wurde.

Kraggewölbe: Auch »Scheingewölbe« oder »falsches Gewölbe« genannt. Ein Dach, das aus sich überlappenden Steinlagen besteht, die sich nach oben verjüngen, und mit einem (häufig bemalten) Schlußstein abgeschlossen ist. Dieser flache Schlußstein ist jedoch nicht, wie bei dem echten Gewölbe, ein zur Konstruktion des Gewölbes notwendiges Stabilisierungselement. Solche Kraggewölbe müssen als ein Kennzeichen der Architektur der Klassik gelten.

K'atun: Zeiteinheit von 20 Jahren zu 360 Tagen, die besonders für Prophezeiungen wichtig war.

K'awil: Der Letztgeborene der Göttertrias von Palenque, Gott der Selbstkasteiung und der königlichen Dynastien. Sein Name bedeutet »Verkörperung«, weil er verschiedene Götter und Konzepte verkörpern konnte.

K'awil-Szepter: Von Königen in der Hand gehaltenes Szepter, das den Gott *K'awil* darstellt. Eines seiner Beine mündet in den Leib einer Schlange.

K'in: »Tag«, »Sonne«, die Grundeinheit des Maya-Kalenders.

Lak: Maya-Bezeichnung für flache Tonschalen und Teller.

Lange Zählung: Zählung aller Tage seit der Erschaffung der Welt, dem Nullpunkt des Maya-Kalenders.

Logogramm: Schriftzeichen, das ein Wort bezeichnet.

Mesoamerika: Ein Ausdruck, der 1943 von Paul Kirchhoff geprägt wurde, um die Region zusammenzufassen, in der die Hochkulturen Mittelamerikas blühten. Der Bereich Mesoamerika umfaßt das Gebiet vom Río Sinaloa in Mexiko bis zur Südgrenze des Maya-Gebietes in Honduras und El Salvador.

Metate: Begriff aus dem Aztekischen für den steinernen Reibstein, auf dem hauptsächlich die eingeweichten Maiskörner zerrieben wurden, um aus der Mehlmasse dann Tortillas backen zu können. Eines der wichtigsten Hausgeräte der Maya.

Milpa: Durch Brandrodung gewonnene Fläche zur landwirtschaftlichen Nutzung. Neben Mais wurden auf der Milpa auch zahlreiche andere Feldfrüchte angebaut, wie Bohnen, Kürbisse und Chili-Pfeffer.

Multepal: Herrschaftsform, bei der die Macht auf eine Gruppe, meist Brüder oder nahe Verwandte, verteilt wird. Im Maya-Gebiet zuerst in Xcalumkin, später auch in Chichén Itzá nachgewiesen.

Nab: »Ozean«, »See«, »Sumpf«, das Urmeer, auf dem die Menschenwelt schwimmt. Die Hieroglyphe *nab* wird auch als Zeichen für die großen zentralen Plätze in Maya-Städten verwendet.

Narrengott: Personifikation einer Blüte und Emblem des Königtums. Der Kopf des Narrengottes kann in der Hieroglyphenschrift die Hieroglyphe *ahaw*, »König«, Herrscher«, ersetzen.

Na Sak K'uk' Hemnal: »Frau-Weißer-Quetzal-Tal«, die »Erste Mutter«, die nach der Schöpfung die Götter der Göttertrias von Palenque gebiert. Sie ist mit der Mondgöttin identisch.

Obsidian: Dunkelfarbiges vulkanisches Glas, das von allen Völkern Mesoamerikas zur Herstellung von scharfen Werkzeugen verwendet wurde. Bei den Maya wurde Obsidian auch als Weihgabe verwendet und dafür oft zu außergewöhnlichen Formen verarbeitet.

Paddler-Götter: Die Paddler-Götter symbolisieren den Gegensatz von Tag und Nacht und treten in der Schöpfungsgeschichte als Künstler auf, die die Sternbilder an den Himmel zeichnen. In der Ikonographie schweben sie oft über den Köpfen von Herrschern am Himmel zwischen den Wolken.

Perforator: Instrument für die rituelle Blutentnahme, meist ein Rochenstachel oder eine Obsidianklinge. In der Ikonographie häufig mit Knoten oder Quetzalfedern geschmückt dargestellt.

Petén: Die nördlichste und größe Verwaltungsprovinz Guatemalas, die das Herzland der Klassischen Maya-Kultur bildete. Der Urwald, der die Provinz einst völlig bedeckte, ist heute weitgehend zerstört.

Popol Nah: »Haus des Rates«, ein Gebäude, in dem sich die wichtigsten Würdenträger versammelten, um politische Entscheidungen zu beraten.

Popol Vuh: Das »Buch des Rates« wurde im 16. Jh. von *Quiché*-Maya niedergeschrieben. Es beinhaltet die Geschichte ihrer Herrscherdynastien und verbindet sie mit mythologischen Geschichtsvorstellungen und dem Kampf der Göttlichen Zwillinge gegen die Herren der Unterwelt. Die mythologischen Partien des *Popol Vuh* gehen wahrscheinlich bis auf die Präklassik zurück.

Primäre Standardsequenz: Weihinschrift, die zuerst auf Keramiken entdeckt und entziffert wurde. Heute wissen wir aber, daß vergleichbare Weihtexte auf allen beschreibbaren Objekten vorkommen können.

Putun: Eine nur wenig erforschte Maya-Gruppe aus der Region der Golfküste mit starken zentralmexikanischen Einflüssen, von der angenommen wird, daß sie in der Endklassik in das Maya-Gebiet eindrang und dort die einheimische Elite verdrängte.

Puuc: Architekturstil, der nach einer Hügelkette im Nordwesten der Halbinsel Yucatán benannt ist. Wichtigste Orte sind Uxmal, Oxkintok, Kabáh, Labná und Sayil.

Quadripartite Badge: Personifizierte Opferschale, die das Ende des Himmelsmonsters und das untere Ende des Weltenbaumes *Wakah Chan* darstellt.

Quetzal: Heute nahezu ausgestorbener Vogel der Hochwälder Guatemalas und Südmexikos, dessen lange grüne Schwanzfedern besonders begehrt waren und als Kleiderschmuck der Adligen dienten.

Río Bec: Architekturstil, der im Zentrum der Halbinsel Yucatán verbreitet war und für den Scheintürme mit nicht begehbaren Treppen als charakteristisch gelten. Wichtigste Orte sind Río Bec, Xpuhil und Chicanna.

Sahal: »Der, der fürchten macht«, Titel von Provinzgouverneuren, die vom König abhängig sind.

Sakbe: »Weißer Weg«, eine meist auf einem aufgeschütteten Damm verlaufende Straße. *Sakbeob* verbanden häufig Stadtzentren mit umliegenden Vororten, aber auch mit weit entfernten Provinzstädten.

Stele: Ein in den Boden eingelassener steinerner Relief-Pfeiler, der meistens mit dem Porträt eines Fürsten und biographischen Inschriften ausgestattet ist. Für die Maya waren Stelen beseelte Objekte, die sie »Baum-Steine« nannten.

Teotihuacán: Die erste wirkliche Großstadt Mesoamerikas, im Nordosten des Hochtals von Mexiko gelegen, die in der Zeit zwischen 200 und 600 n. Chr. die Handelsverbindungen Mesoamerikas dominierte und einen starken Einfluß auf viele Völker, darunter auch auf die Maya, ausübte.

Tlaloc: Aztekische Bezeichnung für einen Gott, der bereits lange vor den Azteken in ganz Mesoamerika verehrt und dargestellt wurde. Bei den Maya erscheint das Gesicht Tlalocs mit seinen typischen kreisrunden Augen immer dann, wenn von der Venus und vom Krieg die Rede ist.

Tolteken: Volk, das in der Endklassischen Periode in Zentralmexiko siedelte und von dort aus einen starken Einfluß auf viele benachbarte Kulturen, so auch die Maya, ausübte. Hauptstadt der Tolteken war wahrscheinlich die Stadt Tula im Norden des heutigen Mexiko-Stadt.

Tun: Rechnerisches Jahr zu 360 Tagen, aber auch Wort für »Stein« und »Stele«.

Tzolk'in: »Zählung der Tage«, von Archäologen eingeführte Maya-Bezeichnung für das Ritualjahr zu 260 Tagen.

Tzuk: »Weltgegend«, »Region«, meist durch einen Porträtkopf wiedergegebener Begriff, der gleichfalls den Weltenbaum, aber auch den Lendenschurz von Königen auf Stelen schmückt, weil beide im Zentrum des Universums stehen.

Visionsschlange: In der Ikonographie der Maya werden Visionen als Schlangen dargestellt, aus deren geöffneten Rachen die Köpfe der angerufenen Vorfahren blicken.

Wakah Chan: »Aufgerichteter Himmel«, Name des Weltenbaumes, nachdem er während der Erschaffung des Universums aufgerichtet wurde. Er bildet die Zentralachse, die sich von der Unterwelt durch die Menschenwelt bis in den Himmel erstreckt und wahrscheinlich mit der Milchstraße identisch ist.

Way: »Zauberer«, »Transformation« und »Seelenbegleiter«. Die Seelen von Menschen und Göttern haben übernatürliche belebte Gegenwesen. Die Herrscher der Maya waren in der Lage, als Schamanen mit diesen Wesen Kontakt aufzunehmen oder sich sogar in sie zu verwandeln.

Witz: »Berg«. Berge galten bei den Maya als belebte Wesen, ebenso wie ihre künstlichen Nachbildungen, die Pyramiden. In der Ikonographie spiegeln sie die personifizierte Form wider.

Xbalanke: »Jaguar-Hirsch«, einer der Zwillingsheroen des *Popol Vuh.* In der Ikonographie der Klassik wird er mit Jaguarattributen dargestellt.

Xibalba: »Ort der Furcht«, Name der Unterwelt der Maya, die von den häufig auf polychrom bemalten Gefäßen abgebildeten Herren der Unterwelt bewohnt war.

Yugo: »Joch«, schwere steinerne Joche, die im Kontext von Ballspielplätzen gefunden wurden und ihr Hauptverbreitungsgebiet an der mexikanischen Golfküste und der mexikanischen Pazifikküste haben. Ihre Funktion im Ballspiel ist noch nicht klar; vielleicht waren die Steine Model, mit deren Hilfe man den ledernen Hüftschutz von Ballspielern anfertigte.

Zapote: *Manilkora zapota,* Baum aus dessen Rinde Kautschuksaft gezapft wird, der als Rohmasse in der Kaugummiherstellung Verwendung findet.

819-Tage-Zyklus: Ein Ritualzyklus von viermal 819 Tagen, die vier Quadranten in den vier Himmelsrichtungen zugeordnet waren. Die Zahl 819 ist das Produkt der heiligen Zahlen 7, 9 und 13, die miteinander multipliziert werden. Alle 819 Tage regierte ein neuer Gott *K'awil* über eine der Himmelsrichtungen.

Literaturverzeichnis

Abrams, Elliot M. und Daniel G. Rue
1988   The causes and consequences of deforestation among the prehistoric Maya. Human Ecology, Vol. 16, No. 4, S. 377–395

Adams, Richard E. W.
1973   Maya collapse – Transformation and termination in the ceramic sequence at Altar de Sacrificios. In: T. Patrick Culbert (Hrsg.), The Classic Maya collapse, S. 133–163. Albuquerque, New Mexico
1980   Swamps, canals, and the location of ancient Maya cities. Antiquity, Vol. 54, No. 212, S. 206–214
1983   Ancient land use and culture history in the Pasión River region. In: Evon Z. Vogt und Richard Leventhal (Hrsg.), Prehistoric settlement patterns – Essays in honor of Gordon R. Willey, S. 319–336. Albuquerque, New Mexico
1984   The Río Azul Archaeological Project – Introduction and summary 1984. In: Richard E. W. Adams (Hrsg.), Río Azul Reports, No. 2 – The 1984 season, S. 12. San Antonio, Texas
1991   Prehistoric Mesoamerica. Überarbeitete Neuauflage. Norman, Oklahoma

Adams, Richard E. W., W. E. Brown und T. Patrick Culbert
1981   Radar mapping, archaeology, and ancient Maya land use. Science, Vol. 213, S. 1457–1463

Adams, Richard E. W. und Woodruff D. Smith
1981   Feudal models for Classic Maya civilization. In: Wendy Ashmore (Hrsg.), Lowland Maya settlement patterns, S. 335–350. Albuquerque, New Mexico

Agrinier, Pierre
1991   The ballcourts of southern Chiapas, Mexico. In: Vernon L. Scarborough and David R. Wilcox (Hrsg.), The Mesoamerican ballgame, S. 16–33. Tucson, Arizona

Agurcia Fasquelle, Ricardo und William L. Fash
1989   Copán – A royal Maya tomb discovered. National Geographic, Vol. 176, No. 4, S. 480–487

Andrews, Anthony P.
1983   Maya salt production and trade. Tucson, Arizona
1990   The role of trading ports in Maya civilization. In: Flora S. Clancy und Peter D. Harrison (Hrsg.), Vision and revision in Maya studies, S. 159–167. Albuquerque, New Mexico

Andrews, Anthony P. und Fernando Robles
1985   Chichen Itza and Coba – An Itza-Maya standoff in Early Postclassic Yucatan. In: Chase, Arlen F. und Prudence M. Rice (Hrsg.), The Lowland Maya Postclassic, S. 62–72, Austin, Texas

Andrews, Anthony P. et al.
1988   Isla Ceritos – An Itza trading port on the north coast of Yucatan, Mexico. National Geographic Research Reports, Vol. 4, No. 2, S. 196–207

Andrews, E. Wyllys
1965   Archaeology and prehistory in the northern Maya lowlands – an introduction. In: Robert Wauchope und Gordon R. Willey (Hrsg.), Handbook of Middle American Indians, Vol. 2 – Archaeology of southern Mesoamerica, Part 1, S. 288–330. Austin, Texas

Andrews, E. Wyllys IV und E. Wyllys Andrews V
1980   Excavations at Dzibilchaltun, Yucatan, Mexico.

Middle American Research Institute, Publication No. 48. New Orleans, Louisiana

Andrews, E. Wyllys V
1990   The early ceramic history of the lowland Maya. In: Flora S. Clancy und Peter D. Harrison (Hrsg.), Vision and revision in Maya studies, S. 1–19. Albuquerque, New Mexico

Andrews, E. Wyllys V und Norman Hammond
1990   Redefinition of the Swasey Phase at Cuello, Belize, American Antiquity, Vol. 55, No. 3, S. 570–584

Andrews, E. Wyllys V und Jeremy A. Sabloff
1986   Classic to Postclassic – A summary discussion. In: Jeremy A. Sabloff und E. Wyllys Andrews V (Hrsg.), Late lowland Maya civilization, S. 433–456. Albuquerque, New Mexico

Andrews, George F.
1975   Maya cities – Placemaking and urbanization. Norman, Oklahoma
1986   Los estilos arquitectónicos del Puuc – una nueva apreciación. Colección Cientifica, Serie Arqueología, No. 150. México, D. F.

Armstrong, Robert Plant
1981   The powers of presence – Consciousness, myth, and affecting presence. Philadelphia, Pennsylvania

Arnauld, Marie Charlotte
1990   El comercio clásico de obsidiana – rutas entre tierras altas y tierras bajas en el área maya. Latin American Antiquity, Vol. 1, No. 4, S. 347–367

Arroyo, Barbara
1991   El Formativo Temprano en Chiapas, Guatemala y El Salvador. In: Asociación Tikal (Hrsg.), U tz'ib, S. 7–14. Ciudad de Guatemala

Ashmore, Wendy
1981   Precolumbian occupation at Quirigua, Guatemala – Settlement patterns in a Classic Maya center. Dissertation, University of Pennsylvania, Philadelphia
1984   Quirigua archaeology and history revisited. Journal of Field Archaeology, Vol. 11, No. 4, S. 365–386

1986   Peten cosmology in the Maya southeast – An analysis of architecture and settlement patterns at Classic Quirigua. In: Patricia A. Urban und Edward M. Schortmann (Hrsg.), The southeast Maya periphery, S. 35–49. Austin, Texas
im   Settlement archaeology at Quirigua, Guatemala – Ecological, social, and ideological
Druck aspects of a precolumbian landscape. Philadelphia, Pennsylvania

Ashmore, Wendy (Hrsg.)
1981   Lowland Maya settlement patterns. A School of American Research Book. Albuquerque, New Mexico

Ashmore, Wendy und Robert J. Sharer
1975   A revitalization movement at Late Classic Tikal. Manuskript eines Vortrags beim Area Seminar in Ongoing Research, West Chester

Ball, Joseph W.
1986   Campeche, the Itza, and the Postclassic – A study in ethnohistorical archaeology. In: Jeremy A. Sabloff und E. Wyllys Andrews V. (Hrsg.), Late lowland Maya civilization, S. 379–408. Albuquerque, New Mexico
im   Pottery, potters, palaces, and polities – Some
Druck socioeconomic and political implications of Late Classic Maya ceramic industries. In: Jeremy A. Sabloff und John S. Henderson (Hrsg.), The peak of lowland Maya civilization – New understandings of eight century Maya development. Washington, D. C.

Barrera Vásquez, Alfredo
1965   El Libro de los Cantares de Dzitbalché. Serie Investigaciones 9. México, D. F.

Barrera Vásquez, Alfredo (Hrsg.)
1980   Diccionario maya Cordemex – Maya-español, español-maya. Mérida

Baudez, Claude (Hrsg.)
1983   Introducción a la arqueología de Copán, Honduras. 3 Bände. Tegucigalpa

Beetz, Carl P. und Linton Satterthwaite
1981   The monuments and inscriptions of Caracol, Belize. University Museum Monograph No. 45. Philadelphia, Pennsylvania

Benson, Elizabeth P. (Hrsg.)
1986   City-states of the Maya – Art and architecture. Denver, Colorado

Berlin, Heinrich
1958   El glifo »emblema« en las inscripciones mayas. Journal de la Société des Américanistes de Paris, Tome 47, S. 111–119

Bernal, Ignacio
1968   The ballplayers of Dainzú. Archaeology, Vol. 21, No. 4, S. 246–251

Bernal, Ignacio and Andy Seuffert
1979   The ballplayers of Dainzú. Artes Americanae, Bd. 2. Graz

Blanton, Richard E. und Gary M. Feinman
1984   The Mesoamerican world system. American Anthropologist, Vol. 86, No. 3, S. 673–682

Blom, Frans
1932   The Maya ballgame *pok-ta-pok* (called *tlachtli* by the Aztec). In: Middle American Research Series, Publication No. 4, S. 485–530. New Orleans, Louisiana

Boone, Elizabeth H. (Hrsg.)
1985   Painted architecture and polychrome monumental sculpture in Mesoamerica – A symposium at Dumbarton Oaks, 10th to 11th October 1981. Washington, D. C.

Boone, Elizabeth H. und Gordon R. Willey (Hrsg.)
1988   The southeast Classic Maya zone – A symposium at Dumbarton Oaks, 6th and 7th October 1984. Washington, D. C.

Borhegyi, Stephan F. de
1980   The pre-Columbian ballgames – A pan-Mesoamerican tradition. Contributions in Anthropology and History, Vol. 1. Milwaukee, Wisconsin

Bove, Frederick J.
1991   The Teotihuacan-Kaminaljuyu-Tikal connection – A view from the south coast of Guatemala. In: Merle Greene Robertson und Virginia M. Fields (Hrsg.), Sixth Palenque Round Table, 1986, S. 135–142. The Palenque Round Table Series, Vol. 8. Norman, Oklahoma

Brewbaker, James L.
1979   Diseases of maize in the wet lowland tropics and the collapse of the Classic Maya civilization. Economic Botany, Vol. 33, S. 101–118

Bricker, Victoria R.
1981   The Indian christ, the Indian king – The historical substrate of Maya myth and ritual. Austin, Texas
1986   A grammar of Mayan hieroglyphs. Middle American Research Institute, Publication No. 56. New Orleans, Louisiana

Brown, Kenneth L.
1973   The B-III-5 Mound Group – Early and Middle Classic civic architecture. In: Joseph W. Michels und William T. Sanders (Hrsg.), The Pennsylvania State University Kaminaljuyu Project – 1969–1970 seasons. Part 1 – Mound excavations, S. 391–463. Occasional Papers in Anthropology, No. 9. University Park, Pennsylvania
1977   The Valley of Guatemala – A highland port of trade. In: William T. Sanders und Joseph W. Michels (Hrsg.), Teotihuacan and Kaminaljuyu – A study in prehistoric culture contact, S. 205–396. The Pennsylvania State University Press Monograph Series on Kaminaljuyu. University Park, Pennsylvania

Burns, Allen F.
1983   An epoch of miracles – Oral literature of the Yucatec Maya. Austin, Texas

Bussel, Gerard W. van
1988   The Maya ballgame, The Mesoamerican ballgames. Rom (Manuskript)
1991   Balls and openings – The Maya ballgame as an intermediary. In: Gerard W. van Bussel, Paul L. F. van Dongen und Ted J. J. Leyenaar (Hrsg.), The Mesoamerican ballgame, S. 245–257. Mededelingen van het Rijksmuseum voor Volkenkunde, No. 26. Leiden

Chamberlain, Robert S.
1948   The conquest and colonization of Yucatan, 1517–1550. Carnegie Institution of Washington, Publication No. 582. Washington, D. C.

Chase, Arlen F.
1980   Contextual Implications of Pictorial Vases from

Tayasal, Peten. In: Merle Greene Robertson und Elizabeth P. Benson (Hrsg.), Fourth Palenque Round Table, Vol. 6: 193–201. Pre-Columbian Art Research Institute, San Francisco.

1985a   Postclassic Peten interaction spheres – The view from Tayasal. In: Arlen F. Chase und Prudence M. Rice (Hrsg.), The lowland Maya Postclassic, S. 184–205. Austin, Texas

1985b   Troubled times -- The archaeology and iconography of the Terminal Classic southern lowland Maya. In: Merle Greene Robertson und Virginia M. Fields (Hrsg.), Fifth Palenque Round Table, 1983, S. 103–114. The Palenque Round Table Series, Vol. VII. San Francisco

1986   Time depth or vacuum – The 11.3.0.0.0 correlation and the lowland Maya Postclassic. In: Jeremey A. Sabloff und E. Wyllys Andrews V (Hrsg.), Late lowland Maya civilization, S. 99–140. Albuquerque, New Mexico

1990   Maya archaeology and population estimates in the Tayasal-Paxcaman zone, Peten, Guatemala. In: T. Patrick Culbert und Don S. Rice (Hrsg.), Precolumbian population history in the Maya lowlands. Albuquerque, New Mexico

1991   Cycles of time – Caracol in the Maya realm. In: Merle Greene Robertson und Virginia M. Fields (Hrsg.), Sixth Palenque Round Table, 1986, S. 32–42. The Palenque Round Table Series, Vol. 8. Norman, Oklahoma

1992   Elites and the changing organization of Classic Maya society. In: Diane Z. und Arlen F. Chase (Hrsg.), Mesoamerican elites, S. 30–49. Norman, Oklahoma

Chase, Arlen F. and Diane Z. Chase

1987a   Investigations at the Maya city of Caracol, Belize -- 1985--1987. Pre-Columbian Art Research Institute Monograph No. 3. San Francisco

1987b   Glimmers of a forgotten realm – Maya archaeology at Caracol, Belize. Orlando, Florida

1989   The Investigation of Classic period Maya warfare at Caracol, Belize. Mayab, No. 5, S. 5–18

1992   Mesoamerican elites – Assumptions, definitions, and models. In: Diane Z. und Arlen F. Chase (Hrsg.), Mesoamerican elites, S. 3–17. Norman, Oklahoma

im Druck   Maya veneration of the dead at Caracol, Belize. In: Merle Greene Robertson (Hrsg.), Seventh Mesa Redonda de Palenque, 1989. San Francisco

Chase, Arlen F., Nikolai Grube und Diane Z. Chase

1991   Three Terminal Classic monuments from Caracol, Belize, Research Reports on Ancient Maya Writing, No. 36, Washington, D. C.

Chase, Arlen F. und Prudence M. Rice (Hrsg.)

1985   The lowland Maya Postclassic. Austin, Texas

Chase, Diane Z.

1981   The Maya Postclassic at Santa Rita Corozal. Archaeology, Vol. 34, No. 1, S. 25–33

1982   Spatian and temporal variability in Postclassic northern Belize. Dissertation, University of Pennsylvania, Philadelphia

1985a   Ganned but not forgotten – Late Postclassic archaeology and ritual at Santa Rita Corozal, Belize. In: Arlen F. Chase und Prudence M. Rice (Hrsg.), The lowland Maya Postclassic, S. 104–125. Austin, Texas

1985b   Between earth and sky – Idols, images, and Postclassic cosmology. In: Merle Greene Robertson und Virginia M. Fields (Hrsg.), Fifth Palenque Round Table, 1983, S. 223–233. The Palenque Round Table Series, Vol. VII. San Francisco

1986   Social and political organization in the Land of Cacao and Honey – Correlating the archaeology and ethnohistory of the Postclassic lowland Maya. In: Jeremy A. Sabloff und E. Wyllys Andrews V (Hrsg.), Late lowland Maya civilization, S. 347–377. Albuquerque, New Mexico

1988   Caches and censerwares – Meaning from Maya pottery. In: Charles C. Kolb und Louana M. Lackey (Hrsg.), A pot for all reasons – Ceramic ecology revisited, S. 81–104. Philadelphia, Pennsylvania

1990   The invisible Maya – Population history and archaeology at Santa Rita Corozal. In: T. Patrick Culbert und Don S. Rice (Hrsg.), Prehistoric population history in the Maya lowlands, S. 199–213, Albuquerque, New Mexico

1991   The lifeline to the gods – Ritual bloodletting at Santa Rita Corozal. In: Merle Greene Robertson und Virginia M. Fields (Hrsg.), Sixth Palenque Round Table, 1986, S. 89–96. Norman, Oklahoma

1992   Postclassic Maya elites – Ethnohistory and archaeology. In: Diane Z. und Arlen F. Chase (Hrsg.) Mesoamerican elites, S. 118–134. Norman, Oklahoma

Chase, Diane Z. und Arlen F. Chase
1982   Yucatec influence in Terminal Classic northern Belize. American Antiquity, Vol. 47, No. 3, S. 596–613
1986a   Offerings to the gods – Maya archaeology at Santa Rita Corozal. Orlando, Florida
1986b   Archaeological insights on the contact period lowland Maya. In: Miguel Rivera und Andrés Ciudad (Hrsg.), Los mayas de los tiempos tardíos, S. 13–30. Publicaciones de la Sociedad Española de Estudios Mayas, No. 1. Madrid
1988   A Postclassic perspective – Excavations at the Maya site of Santa Rita Corozal, Belize, Pre-Columbian Art Research Institute, Monograph No. 4. San Francisco

Chase, Diane Z. und Arlen F. Chase (Hrsg.)
1992   Mesoamerican elites – an archaeological assessment. Norman, Oklahoma

Chase, Diane Z., Arlen F. Chase und William A. Haviland
1990   The Classic Maya city – Reconsidering the Mesoamerican urban tradition. American Anthropologist, Vol. 92, No. 2, S. 499–506

Clark, John E. und Michael Blake
1989   Origen de la civilización en Mesoamérica – los olmecas y mokaya del Soconusco de Chiapas, México. In: M. Carmona Macías (Hrsg.), El Preclásico o Formativo – avances y perspectivas. México, D. F.

Coe, Michael D.
1965   A model of ancient community structure in the Maya lowlands. Southwestern Journal of Anthropology, Vol. 21, No. 2, S. 97–114
1973   The Maya scribe and his world. New York
1975   Death and the ancient Maya. In: Elizabeth P. Benson (Hrsg.), Death and the afterlife in pre-Columbian America, S. 87–104. Washington, D. C.
1977   Supernatural patrons of Maya scribes and artists. In: Norman Hammond (Hrsg.), Social process in Maya prehistory – Essays in honour of Sir Eric Thompson, S. 327–349. London
1982   Old gods and young heroes – The Pearlman Collection of Maya ceramics. Jerusalem
1989   The royal fifth – Earliest notices of Maya writing. Research Reports on Ancient Maya Writing, No. 28. Washington, D. C.

Coe, Wiliam R.
1965   Tikal – Ten years of study of a Maya ruin in the lowlands of Guatemala. Expedition, Vol. 8, No. 1, S. 5–56

Coggins, Clemency C.
1975   Painting and drawing styles at Tikal – An historical and iconographic reconstruction. Dissertation, Harvard University, Cambridge, Massachusetts

Coggins, Clemency C. und Orrin C. Shane III (Hrsg.)
1984   Cenote of sacrifice – Maya treasures from the sacred well at Chichén Itzá. Austin, Texas

Cohodas, Marvin
1978   Diverse architectural styles and the ballgame cult – The Late Middle Classic period in Yucatan. In: Esther Pasztory (Hrsg.), Middle Classic Mesoamerica – a. d. 400–700, S. 86–107. New York
1989   Transformations – Relationships between image and text in the ceramic paintings of the Metropolitan Master. In: William F. Hanks und Don S. Rice (Hrsg.), Word and image in Maya culture – Explorations in language, writing, and representation, S. 198–231. Salt Lake City, Utah

Cook de Leonard, Carmen
1967   Sculptures and rock carvings at Chalcatzingo, Morelos. In: Studies in Olmec archaeology, S. 57–84. Contributions of the University of California Archaeological Research Facility, No. 3. Berkeley, California

Cortez, Constance
1986   The principle bird deity in Late Preclassic and Early Classic Maya art. Magisterarbeit, University of Texas, Austin

Culbert, T. Patrick
1973   The Maya downfall at Tikal. In: T. Patrick Culbert (Hrsg.), The Classic Maya collapse, S. 63–92. Albuquerque, New Mexico
1988   The collapse of Classic Maya civilization. In: Norman Yoffee und George L. Cowgill (Hrsg.), The collapse of ancient states and civilizations, S. 69–101. Tucson, Arizona
1991a   Polities in the northeast Petén, Guatemala. In: T. Patrick Culbert (Hrsg.), Classic Maya

political history, S. 128–146. Cambridge, Massachusetts

1991b Maya political history and elite interaction – A summary view. In: T. Patrick Culbert (Hrsg.), Classic Maya political history, S. 311–346. Cambridge, Massachusetts

Culbert, T. Patrick, Laura J. Kosakowsky, Robert E. Fry und William A. Haviland
1990 The population of Tikal, Guatemala. In: T. Patrick Culbert und Don S. Rice (Hrsg.), Precolumbian population history in the Maya lowlands, S. 103–121. Albuquerque, New Mexico

Culbert, T. Patrick (Hrsg.)
1973 The Classic Maya collapse. A School of American Research Book. Albuquerque, New Mexico
1991 Classic Maya political history – Hieroglyphic and archaeological evidence. A School of American Research Book. Cambridge, Massachusetts

Culbert, T. Patrick und Don S. Rice (Hrsg.)
1990 Precolumbian population history in the Maya lowlands, Albuquerque, New Mexico

Dahlin, Bruce H.
1984 A colossus in Guatemala – The Preclassic Maya city of El Mirador. Archaeology, Vol. 37, No. 5, S. 18–25

Decker, Helmut
1989 Zur Geschichte der Dresdner Maya-Handschrift. In: Die Dresdner Maya-Handschrift. Graz

Demarest, Arthur A. und Nicholas P. Dunning
1990 Ecología y guerra en la región de la Pasión – resultados y planes del subproyecto ecológico. In: Arthur A. Demarest und Stephen D. Houston (Hrsg.), Proyecto Arqueológico Regional Petexbatún, Informe Preliminar No. 2, S. 595–604. Nashville, Tennessee

Díaz del Castillo, Bernal
1928 Discovery and conquest of Mexico, 1517–1521. Englische Übersetzung von Alfred P. Maudslay. London

deutsche Ausgabe:
1982 Wahrhafte Geschichte der Entdeckung und Eroberung von Mexiko. Herausgegeben und bearbeitet von Georg A. Narciß. 2. Auflage. Frankfurt/M.

Drennan, Robert D. und C. A. Uribe (Hrsg.)
1987 Chiefdoms in the Americas. Lanham

Dütting, Dieter
1972 Hieroglyphic miscellanea. Zeitschrift für Ethnologie, Bd. 97, S. 220–256

Dunning, Nicholas P.
im Druck Lords of the hills – Ancient settlement of the Puuc region, Yucatan, Mexico. Madison, Wisconsin

Durán, Fray Diego de
1867–80 Historia de las Indias de Nueva España e islas de la tierra firme. 2 Bände. México, D. F.

Eaton, Jack D.
1986 Operation 6 – An elite residential group at Río Azul. In: Richard E. W. Adams (Hrsg.), Río Azul Reports, No. 2 – The 1984 season, S. 54–68. San Antonio, Texas

Fahsen, Federico
1984 Notes for a sequence of rulers of Machaquilá. American Antiquity, Vol. 49, No. 1, S. 94–104

Falkenhausen, Lothar von
1985 Architecture. In: Gordon R. Willey und Peter Mathews (Hrsg.), A consideration of the Early Classic period in the Maya lowlands, S. 111–113. Institute for Mesoamerican Studies, Publ. No. 10. Albany, New York

Farriss, Nancy M.
1984 Maya society under colonial rule – The collective enterprise of survival. Lawrenceville, New Jersey

Fash, Barbara
im Druck Late Classic mosaic sculpture themes from the Copán Acropolis. Ancient Mesoamerica, Vol. 3, No. 2.

Fash, William L.
1986a History and characteristics of settlement in

the Copán Valley, and some comparisons with Quirigua. In: Patricia A. Urban und Edward M. Schortman (Hrsg.), The southeast Maya periphery, S. 72–93. Austin, Texas

1986b   La fachada esculpida de la Estructura 9N–82 – Contenido, forma, iconografía. In: William T. Sanders (Hrsg.), Excavaciones en el área urbana de Copán, Bd. 2, S. 319–382. Tegucigalpa, Honduras

1988   A new look at Maya statecraft from Copán, Honduras, Antiquity, Vol. 62, No. 234, S. 157–169

1990   Lineage patrons and ancestor worship among the Classic Maya nobility – The case of Structure 9N–82. In: Merle Greene Robertson und Virginia M. Fields (Hrsg.), Sixth Palenque Round Table, 1986, S. 68–80. The Palenque Round Table Series, Vol. 8. Norman, Oklahoma

1991   Scribes, warriors and kings – The city of Copán and the ancient Maya. New Aspects of Antiquity. London

Fash, William L. und Barbara W. Fash
1990   Scribes, warriors and kings – The lives of the Copán Maya. Archaeology, Vol. 43, No. 3, S. 26–35

Fash, William L. und Robert J. Sharer
1991   Sociopolitical developments and methodological issues at Copán, Honduras – a conjunctive perspective. Latin American Antiquity, Vol. 2, No. 2, S. 166–187

Fash, William L. und David Stuart
1991   Dynastic history and cultural evolution at Copan, Honduras. In: T. Patrick Culbert (Hrsg.), Classic Maya political history, S. 147–179. Cambridge, Massachusetts

Fash, William L., Richard V. Williamson, Rudy Larios und Joel Palka
im   The Hieroglyphic Stairway and its ancestors –
Druck   Investigations of Structure 10L–26, Copán, Ancient Mesoamerica, Vol. 3, No. 2

Fialko, Vilma C.
1987   Tikal, Mundo Perdido – identificación de un complejo con implicación astronómica. In: Memorias del Primer Coloquio Internacional de Mayistas, 5–10 de agosto de 1985, S. 143–164. México, D. F.

1988   El marcador del juego de pelota de Tikal – nuevas referencias epigráficas para el período clásico temprano. Mesoamérica, Año 9, Cuaderno 15, S. 117–135

Flannery, Kent V. (Hrsg.)
1982   Maya subsistence – Studies in memory of Dennis E. Puleston. Studies in Archaeology. New York

Fox, John W.
1981   The Late Postclassic eastern frontier of Mesoamerica – Cultural innovation along the periphery. Current Anthropology, Vol. 22, No. 4, S. 321–346

Freidel, David A.
1979   Culture areas and interaction spheres – Contrasting approaches to the emergence of civilization in the Maya lowlands. American Antiquity, Vol. 44, No. 1, S. 36–54

1981   Continuity and disjunction – Late Postclassic settlement patterns in northern Yucatan. In: Wendy Ashmore (Hrsg.), Lowland Maya settlement patterns, S. 311–332. Albuquerque, New Mexico

1985   New light on the Dark Age – A summary of the major themes. In: Arlen F. Chase und Prudence M. Rice (Hrsg.), The lowland Maya Postclassic, S. 285–309. Austin, Texas

1986a   Maya warfare – an example of peer polity interaction. In: Colin Renfrew und John F. Cherry (Hrsg.), Peer polity interaction and sociopolitical change, S. 93–108. Cambridge, Massachusetts

1986b   Terminal Classic lowland Maya – Successes, failures, and aftermaths. In: Jeremy A. Sabloff und E. Wyllys Andrews V (Hrsg.), Late lowland Maya civilization, S. 409–430. Albuquerque, New Mexico

Freidel, David A. und Jeremy A. Sabloff
1984   Cozumel – Late Maya settlement patterns. New York

Freidel, David A. und Linda Schele
1988   Kingship and the Late Preclassic Maya lowlands – The instruments and places of ritual power. American Anthropologist, Vol. 90, No. 3, S. 547–567

Freidel, David A., Linda Schele und Joy Parker
im   Maya cosmos – Three thousand years of
Druck   shamanism. New York

Gallenkamp, Charles
1985   Maya – The riddle and rediscovery of a lost
        civilization, 3., überarbeitete Auflage. New York

Gendrop, Paul
1983   Los estilos Río Bec, Chenés y Puuc en la ar-
        quitectura maya. México, D. F.
1987   Nuevas consideraciones en torno a los estilos
        Río Bec y Chenés. In: Cuadernos de Arquitec-
        tura Mesoamericana, No. 10, S. 39–49

Gibson, Eric C., Leslie C. Shaw und Daniel R. Finamore
1986   Early Evidence of Maya Hieroglyphic Writing
        at Kichpanha, Belize. Center for Archaeolo-
        gical Research, Working Papers in Archaeo-
        logy, No. 2. The University of Texas at San
        Antonio.

Gómez Pompa, Arturo, José Salvador Flores und Mario
Aliphat Fernández
1990   The sacred cacao groves of the Maya. Latin
        American Antiquity, Vol. 1, Nr. 3, S. 247–257

Gossen, Gary H.
1974   Chamulas in the world of the sun – Time and
        space in a Maya oral tradition. Cambridge,
        Massachusetts

Graham, Elizabeth A., Grant D. Jones und Robert R. Kautz
1985   Archaeology and ethnohistory on a Spanish
        colonial frontier – An interim report on the
        Macal-Tipu project in western Belize. In: Arlen
        F. Chase und Prudence M. Rice (Hrsg.), The
        lowland Maya Postclassic, S. 206–214. Albu-
        querque, New Mexico

Graham, Ian
1967   Archaeological explorations in El Peten,
        Guatemala. Middle American Research In-
        stitute, Publication No. 33. New Orleans,
        Louisiana
1982   Corpus of Maya Hieroglyphic Inscriptions,
        Vol. 3, Part 3 – Yaxchilan. Cambridge,
        Massachusetts

Graham, John A.
1973   Aspects of non-Classic presences in the in-
        scriptions and sculptural art of Seibal. In:
        T. Patrick Culbert (Hrsg.), The Classic Maya
        collapse, S. 207–219. Albuquerque, New Mexico

Greene Robertson, Merle
1991   The ballgame at Chichén Itzá – An integrating
        device of the polity in the Post-Classic. In:
        Gerard W. van Bussel, Paul L. F. van Dongen
        und Ted J. J. Leyenaar (Hrsg.), The Meso-
        american ballgame, S. 91–109. Mededelingen
        van het Rijksmuseum voor Volkenkunde,
        No. 26. Leiden

Greene Robertson, Merle, Robert L. Rands und
John A. Graham
1972   Maya sculpture from the southern lowlands,
        the highlands and Pacific piedmont, Guate-
        mala, Mexico, Honduras. Berkeley, California

Grube, Nikolai
1990a   Hieroglyphic sources for the history of north-
        west Yucatán. Vortrag gehalten auf dem
        1. Maler-Symposium zur Archäologie von Nord-
        west-Yucatán, Bonn
1990b   Die Entwicklung der Mayaschrift: Grundlagen
        zur Erforschung des Wandels der Mayaschrift
        von der Protoklassik bis zur spanischen Er-
        oberung. Acta Mesoamericana 3. Berlin
1990c   Die Errichtung von Stelen: Entzifferung einer
        Verbhieroglyphe auf Keramiken der klassi-
        schen Mayakultur. In: Bruno Illius und Matthias
        Laubscher (Hrsg.), Circumpacifica – Festschrift
        für Thomas S. Barthel, Bd. 1, S. 189–215,
        Frankfurt/M.
1991   An investigation of the Primary Standard
        Sequence on Classic Maya ceramics. In: Merle
        Greene Robertson und Virginia M. Fields
        (Hrsg.), Sixth Palenque Round Table, 1986,
        S. 223–232. The Palenque Round Table Series,
        Vol. 8. Norman, Oklahoma
im   Classic Maya dance – Evidence from
Druck   hieroglyphs and iconograhy. Ancient Meso-
        america, Vol. 3, No. 2

Grube, Nikolai und Linda Schele
1987   U Cit-Tok, the last king of Copán. Copán Note
        21, Copán, Honduras
1988   A venus title on Copán Stele F. Copán Note 41,
        Copán Mosaics Project, Copán, Honduras
1990   A new interpretation of the Temple 18 jambs.
        Copán Note 85, Copán Mosaics Project, Copán,
        Honduras

Grube, Nikolai, Linda Schele und Federico Fahsen
1991   Odds and ends from the inscriptions of
        Quiriguá, Mexicon, Vol. XIII, Nr. 6, S. 106–112

Guillemín, Jorge F.
1965   Iximché – capital del antiguo reino cakchiquel.
        Publicaciones del Instituto de Antropología e
        Historia de Guatemala. Ciudad de Guatemala
1968   Un »yugo« de madera para el juego de pelota.
        Antropología e Historia de Guatemala, Vol. 20,
        Num 1.

Hammond, Norman
1972   Classic Maya music. Centre of Latin American
        Studies Working Papers, No. 4, Cambridge,
        Massachusetts
1985a   The emergence of Maya civilization, Scientific
        American 255, No. 2, S. 106–115
        deutsche Übersetzung:
1986   Der Beginn der Maya-Zivilisation. Spektrum
        der Wissenschaft Nr. 10, S. 120–133
1985b   Nohmul – A prehistoric Maya community in
        Belize. Excavations 1973–1983. BAR Interna-
        tional Series, Vol. 250. Oxford
1991   Inside the black box – Defining Maya polity.
        In: T. Patrick Culbert (Hrsg.), Classic Maya
        political history, S. 253–284. Cambridge,
        Massachusetts

Hansen, Richard D.
1992   The archaeology of ideology – A study of
        Maya Preclassic architectural sculpture at
        Nakbe, Peten, Guatemala. Dissertation, Uni-
        versity of California at Los Angeles

Harrison, Peter D.
1970   The Central Acropolis, Tikal, Guatemala – A
        preliminary study of the function of its struc-
        tural components during the Late Classic
        period. Dissertation, Universtity of Penn-
        sylvania, Philadelphia
1977   The rise of the bajos and the fall of the Maya.
        In: Norman Hammond (Hrsg.), Social process
        in Maya prehistory, S. 469–508. London
1990   The revolution in ancient Maya subsistence.
        In: Flora S. Clancy und Peter D. Harrison
        (Hrsg.), Vision and revision in Maya studies,
        S. 99–113. Albuquerque, New Mexico

Harrison, Peter D. und B. L. Turner II (Hrsg.)
1978   Pre-Hispanic Maya agriculture. Albuquerque,
        New Mexico

Hartung, Horst
1972   Die Zeremonialzentren der Maya. Graz

Hassig, Ross
1988   Aztec warfare – Imperial expansion and
        political control. Norman, Oklahoma

Hatch, Marion
1991   Kaminaljuyú – un resumen general hasta
        1991. In: Asociación Tikal (Hrsg.), U tz'ib,
        S. 2–6. Ciudad de Guatemala

Haviland, William A.
1969   A new population estimate for Tikal, Guate-
        mala. American Antiquity, Vol. 34, No. 4,
        S. 429–433

Haviland, William A. und Hattula Moholy-Nagy
1992   Distinguishing the high-and-mighty from the
        hoi polloi at Tikal, Guatemala. In: Diane Z. und
        Arlen F. Chase, Mesoamerican elites, S. 50–60.
        Norman, Oklahoma

Hellmuth, Nicholas M.
1975   Pre-Columbian ballgame – Archaeology and
        architecture. Foundation for Latin American
        Anthropological Research Progress Reports,
        Vol. 1, No. 1. Ciudad de Guatemala
1987   Monster und Menschen in der Maya-Kunst –
        Eine Ikonographie der alten Religionen Mexi-
        kos und Guatemalas. Graz

Hester, Thomas R., Harry J. Shafer und Jack D. Eaton
(Hrsg.)
1982   Archaeology at Colha, Belize – The 1981
        Interim Report. San Antonio, Texas

Hirth, Kenneth G.
1988   Beyond the Maya frontier – Cultural inter-
        action and syncretism along the central Hon-
        duran corridor. In: Elizabeth H. Boone und
        Gordon R. Willey (Hrsg.), The southeast
        Classic Maya zone, S. 297–334. Washington,
        D. C.

Hohmann, Hasso
1979   Gewölbekonstruktionen in der Maya-Archi-
        tektur. Mexicon, Vol. I, Nr. 3, S. 33–36

Houston, Stephen D.
1983   On »Ruler 6« at Piedras Negras, Guatemala,
        Mexicon, Vol. V, Nr. 5, S. 84–86

1987   Notes on Caracol epigraphy and its significance. In: Arlen F. und Diane Z. Chase (Hrsg.), Investigations at the Classic Maya city of Caracol, S. 85–100. San Francisco
1989   Maya glyphs. Reading the Past. London

Houston, Stephen D. und Peter Mathews
1985   The dynastic sequence of Dos Pilas, Guatemala. Pre-Columbian Art Research Institute, Monograph No. 1. San Francisco

Houston, Stephen D. und David Stuart
1989   The *way* glyph – Evidence for »co-essences« among the Classic Maya. Research Reports on Ancient Maya Writing, No. 30. Washington, D. C.

Houston, Stephen D., David Stuart und Karl A. Taube
1989   Folk classification of Classic Maya pottery. American Anthropologist, Vol. 91, No. 3, S. 720–726

Houston, Stephen D. und Karl A. Taube
1987   »Name-tagging« in Classic Mayan script – Implications for native classifications of ceramics and jade ornament. Mexicon, Vol. IX, Nr. 2, S. 38–41

Hyman, David S.
1970   Precolumbian cements – A study of the calcareous cements in prehispanic Mesoamerican building construction, Baltimore, Maryland

Johnston, Kevin
1985   Maya dynastic territorial expansion – Glyphic evidence for Classic centers of the Pasión River, Guatemala. In: Merle Greene Robertson und Virginia M. Fields (Hrsg.), Fifth Palenque Round Table, 1983, S. 49–56. The Palenque Round Table Series, Vol. VII. San Francisco

Jones, Christopher
1977   Inauguration dates of three Late Classic rulers of Tikal, Guatemala. American Antiquity, Vol. 42, No. 1, S. 28–60
1979   Tikal as a trading center. Manuskript eines Vortrags für den 43. Internationalen Amerikanistenkongress, Vancouver
1985   The rubber ballgame – A universal Meso-american sport. Expedition, Vol. 27, No. 2, S. 44–52
1991   Cycles of growth at Tikal. In: T. Patrick Culbert (Hrsg.), Classic Maya political history, S. 102–127. Cambridge

Jones, Christopher und Linton Satterthwaite
1982   The monuments and inscriptions of Tikal – The carved monuments. University Museum Monograph 44, Tikal Report 33, Part A. Philadelphia, Pennsylvania

Jones, Christopher und Robert J. Sharer
1986   Archaeological investigations in the site core of Quirigua, Guatemala. In: Patricia A. Urban und Edward M. Schortman (Hrsg.), The southeast Maya periphery, S. 27–34. Austin, Texas

Jones, Grant D.
1989   Maya resistance to Spanish rule – Time and history on a colonial frontier. Albuquerque, New Mexico

Jones, Grant D. (Hrsg.)
1991   El Manuscrito Can Ek – descubrimiento de una visita secreta del siglo XVII a Tah Itzá (Tayazal), última capital de los mayas itzáes. Transcripción y comentario de Grant D. Jones, introducción de George E. Stuart. Colección Divulgación. México, D. F.

Jones, Grant D. und Robert R. Kautz (Hrsg.)
1981   The transition to statehood in the New World. Cambridge, Massachusetts

Joralemon, P. David
1971   A study of Olmec iconography. Studies in Pre-Columbian Art and Archaeology, No. 7. Washington, D. C.

Justeson, John S.
1989   Ancient Maya ethnoastronomy – An overview of hieroglyphic sources. In: Anthony P. Aveni (Hrsg.), World archaeoastronomy, S. 76–129 Cambridge, Massachusetts

Justeson, John S. und Lyle Campbell (Hrsg.)
1984   Phoneticism in Mayan hieroglyphic writing. Institute for Mesoamerican Studies, Publication No. 9. Albany, New York

Kelley, David H.
1962   Glyphic evidence for a dynastic sequence at Quirigua, Guatemala. American Antiquity, Vol. 27, No. 3, S. 323–335
1976   Deciphering the Maya script. Austin, Texas
1985   The Lords of Palenque and the Lords of Heaven. In: Merle Greene Robertson und Virginia M. Fields (Hrsg.), Fifth Palenque Round Table, 1983, S. 235–239. The Palenque Round Table Series, Vol. VII. San Francisco

Kelly, Isabel
1943   Notes on a west coast survival of the ancient Mexican ballgame. Carnegie Institution Notes on Middle American Archaeology and Ethnology, Vol. 1, S. 163–175. Washington, D. C. (Neudruck New York 1969)

Kerr, Barbara und Justin Kerr
1988   Some observations on Maya vase painters. In: Elizabeth P. Benson und Gillett G. Griffin (Hrsg.), Maya iconography, S. 236–259. Princeton, New Jersey

Kerr, Justin
1990   The Maya Vase Book – A corpus of rollout photographs of Maya vases, Vol. 2. New York

Kidder, Alfred V.
1982   Archaeological problems of the highland Maya. In: Clarence L. Hay et al. (Hrsg.), The Maya and their neighbors, S. 117–125. Salt Lake City (Neudruck der Originalausgabe von 1940)

Kidder, Alfred V., Jesse D. Jennings und Edwin M. Shook
1946   Excavations at Kaminaljuyu, Guatemala. Carnegie Institution of Washington, Publication No. 561, S. 493–510. Washington, D. C.

Knorosov, Yuri V.
1967   Selected chapters from »The writing of the Maya Indians«. Übersetzt von Sophie Coe und Tatiana Proskouriakoff. Russian Translation Series of the Peabody Museum of Archaeology and Ethnology, Vol. IV. Cambridge, Massachusetts

Kowalski, Jeff Karl
1987   The House of the Governor – A Maya palace at Uxmal, Yucatan, Mexico. Norman, Oklahoma

1989   Who am I among the Itza? – Terminal Classic connections between northern Yucatan and the western Maya lowlands and highlands. In: Richard A. Diehl und Janes C. Berlo (Hrsg.), Mesoamerica after the decline of Teotihuacan, A. D. 700–900, S. 173–185. Washington, D. C.
1991   The ballcourt at Uxmal, Yucatán, Mexico – A summay of its chronological placement and mythic significance. In: Gerard W. van Bussel, Paul L. F. van Dongen und Ted J. J. Leyenaar (Hrsg.), The Mesoamerican ballgame, S. 81–89. Mededelingen van het Rijksmuseum voor Volkenkunde, No. 26. Leiden

Kowalski, Jeff K. und William L. Fash
1990   Symbolism of the Maya ballgame at Copán – Synthesis and new aspects. In: Merle Greene Robertson und Virginia M. Fields (Hrsg.), Sixth Palenque Round Table, 1986, S. 59–67. The Palenque Round Table Series, Vol. 8. Norman, Oklahoma

Krochock, Ruth
1991   Dedication ceremonies at Chichén Itzá – The glyphic evidence. In: Merle Greene Robertson und Virginia M. Fields (Hrsg.), Sixth Palenque Round Table, 1986, S. 43–50. The Palenque Round Table Series, Vol. 8. Norman, Oklahoma

Krickeberg, Walter
1948   Das mittelamerikanische Ballspiel und seine religiöse Symbolik. Paideuma, Bd. 3, S. 118–190

Kubler, George
1958   The design of space in Maya architecture. In: 31st International Congress of Americanists, Miscelanea Paul Rivet Octogenario Dicata, S. 515–521. México, D. F.
1975   The art and architecture of ancient America – The Mexican, Maya and Andean peoples 2. The Pelican History of Art. Harmondsworth

Kurjack, Edward B.
1974   Prehistoric lowland Maya community and social organization – A case study at Dzibilchaltun, Yucatan, Mexico. Middle American Research Institute, Publication No. 38. New Orleans, Louisiana

Landa, Diego de
1990   Bericht aus Yucatán. Herausgegeben und mit einem Nachwort von Carlos Rincón. Leipzig

Laporte, Juan Pedro und Vilma C. Fialko
1990   New perspectives on old problems – Dynastic references for the Early Classic at Tikal. In: Flora S. Clancy und Peter D. Harrison (Hrsg.), Vision and revision in Maya studies, S. 33–66. Albuquerque, New Mexico

Larios, Rudy und William L. Fash
1985   Excavación y restauración de un palacio de la nobleza maya de Copán. Yaxkin, Vol. 8, Nos. 1–2, S. 111–135

León-Portilla, Miguel
1969   Pre-Columbian literatures of Mexico. Norman, Oklahoma

Leyenaar, Ted J. J.
1978   *Ulama* – The perpetuation in Mexico of the pre-Spanish ball game *Ullamalitztli*. Mededelingen van het Rijksmuseum voor Volkenkunde, No. 23. Leiden

Leyenaar, Ted J. J. und Lee A. Parsons
1988   *Ulama* – The ballgame of the Maya and Aztecs. Leiden

Lincoln, Charles E.
1986   The chronology of Chichen Itza – A review of the literature. In: Jeremy A. Sabloff und E. Wyllys Andrews V. (Hrsg.), Late lowland Maya civilization, S. 141–196. Albuquerque, New Mexico

Lizana, Bernardo de
1893   Historia de Yucatan. Devocionario de Ntra. Sra. de Izamal y conquista espiritual. México (Neudruck der 1633 in Valladolid erschienenen Originalausgabe)

López de Cogolludo, Diego de
1971   Los tres siglos de la dominación española en Yucatan o sea Historia de esta provincia. 2 Bde. Graz (Nachdruck der Ausgabe von 1842–45)

Lothrop, Samuel K.
1924   Tulum – An archaeological study of the east coast of Yucatan. Carnegie Insitution of Washington, Publication No. 335. Washington, D. C.

Lounsbury, Floyd G.
1973   On the derivation and reading of the »*ben-ich*« prefix. In: Elizabeth P. Benson (Hrsg.), Mesoamerican writing systems, S. 99–143. Washington, D. C.
1976   A rationale for the initial date of the Temple of the Cross at Palenque. In: Merle Greene Robertson (Hrsg.), The art, iconography, and dynastic history of Palenque, Part III – Proceedings of the Segunda Mesa Redonda de Palenque, S. 211–224. Pebble Beach, California
1978   Maya numeration, computation, and calendrical astronomy. In: Dictionary of scientific biography, Vol. 15, Suppl. 1, S. 759–818. New York
1980   Some problems in the interpretation of the mythological portion of the hieroglyphic text of the Temple of the Cross at Palenque. In: Merle Greene Robertson (Hrsg.), Third Palenque Round Table, 1978, Part 2, S. 99–115. The Palenque Round Table Series, Vol. V. Austin, Texas
1985   The identities of the mythological figures in the Cross Group inscriptions of Palenque. In: Merle Greene Robertson und Elizabeth P. Benson (Hrsg.), Fourth Palenque Round Table, 1980, S. 45–58. The Palenque Round Table Series, Vol. VI. San Francisco

Lowe, John G. W.
1985   The dynamics of apocalype – A systems simulation of the Classic Maya collapse. Albuquerque, New Mexico

MacLeod, Barbara
1990   Deciphering the Primary Standard Sequence. Dissertation, University of Texas, Austin

MacNeish, Richard S.
1964   The origins of New World civilization. Scientific American, Vol. 211, No. 5, S. 29–37

Marcus, Joyce
1976a   The origins of Mesoamerican writing. Annual Review of Anthropology, Vol. 5, S. 35–67
1976b   Emblem and state in the Classic Maya lowlands – An epigraphic approach to territorial organization. Washington, D. C.

1992   Royal families, royal texts – Examples from the Zapotec and Maya. In: Diane Z. und Arlen F. Chase (Hrsg.), Mesoamerican elites, S. 221–241. Norman, Oklahoma

im   Ancient Maya political organization. In: Jeremey A. Sabloff und John D. Henderson (Hrsg.), The peak of lowland Maya civilization – New understandings of eight century Maya development. Washington, D. C.
Druck

Mariscal, Federico E.
1928   Estudio arquitectónico de las ruinas mayas – Yucatán y Campeche. Memorias del Instituto Nacional de Antropología e Historia. México, D. F.

Marquina, Ignacio
1951   Arquitectura prehispánica. México, D. F.

Matheny, Ray T.
1986a   Investigations at El Mirador, Petén, Guatemala. National Geographic Research Reports, Vol. 2, S. 322–353
1986b   Early states in the Maya lowlands during the Late Preclassic period – Edzna and El Mirador. In: Elizabeth P. Benson (Hrsg.), City states of the Maya – Art and architecture, S. 1–44. Denver, Colorado

Matheny, Ray T., Deanne L. Gurr, Donald W. Forsyth und F. Richard Hauck
1983   Investigations at Edzná, Campeche, Mexico. 2 Bände. Papers of the New World Archaeological Foundation, No. 46. Provo, Utah

Mathews, Peter
1985   Maya Early Classic monuments and inscriptions. In: Gordon R. Willey und Peter Mathews (Hrsg.), A consideration of the Early Classic period in the Maya lowlands, S. 5–54. Institute for Mesoamerican Studies, Publication No. 10. Albany, New York
1988   The sculptures of Yaxchilán. Dissertation, Yale University, New Haven, Connecticut
1991   Classic Maya emblem glyphs. In: T. Patrick Culbert (Hrsg.), Classic Maya political history, S. 19–29. Cambridge

Mathews, Peter und Merle Greene Robertson
1985   Notes on the Olvidado, Palenque, Chiapas, Mexico. In: Merle Greene Robertson und Virginia M. Fields (Hrsg.), Fifth Palenque Round Table, 1983, S. 7–17. The Palenque Round Table Series. Vol. VII. San Francisco

Mathews, Peter und Linda Schele
1974   Lords of Palenque – The glyphic evidence. In: Merle Greene Robertson (Hrsg.), Primera Mesa Redonda de Palenque, Part I – A conference on the art, iconography and dynastic history of Palenque, Chiapas, Mexico, December 14–22, 1973, S. 63–75. Pebble Beach, California

Mathews, Peter und Gordon R. Willey
1991   Prehistoric polities of the Pasión region – Hieroglyphic texts and their archaeological settings. In: T. Patrick Culbert (Hrsg.), Classic Maya political history, S. 30–71. Cambridge

Maudslay, Alfred P
1889 bis   Archaeology. Biologia Centrali-Americana.
1902   6 Bde. London

Mayer, Karl Herbert
1983   Gewölbedecksteine mit Dekor der Maya-Kultur. Archiv für Völkerkunde, Bd. 37, S. 1–62
1987   Maya Monuments: Sculptures of Unknown Provenance, Supplement I. Berlin.
1988   Ein Maya-Ballspielerrelief aus Cobá, Quintana Roo, Mexiko. Ethnologia Americana, 24. Jg., Nr. 113, H. 2, S. 1203–1205

Meggers, Betty
1954   Environmental limitation on the development of culture. American Anthropologist, Vol. 56, No. 5, S. 801–854

Miller, Arthur
1977   Captains of the Itza – Unpublished mural evidence from Chichen Itza, In: Norman Hammond (Hrsg.), Social process in Maya prehistory, S. 197–225. London
1982   On the edge of the sea – Mural painting at Tancah-Tulum, Quintana Roo, Mexico. Washington, D. C.

Miller, Mary E.
1985   Tikal, Guatemala – A rationale for the placement of the funerary pyramids. Expedition, Vol. 27, No. 3, S. 6–15
1986a   Murals of Bonampak. Lawrenceville, New Jersey

1986b   Copán, Honduras – Conference with a perished city. In: Elizabeth P. Benson (Hrsg.), City-states of the Maya – Art and architecture, S. 72–108. Denver, Colorado

1988   The boys in the Bonampak band. In: Elizabeth P. Benson und Gillett G. Griffin (Hrsg.), Maya iconograhy, S. 318–330. Princeton, New Jersey

Miller, Mary E. und Stephen D. Houston

1987   The Classic Maya ballgame and its architectural setting – A study of relations between text and image, RES, No. 14, S. 47–65

Montmollin, Olivier de

1988   Tenam Rosario – A political microcosm. American Antiquity, Vol. 53, No. 2, S. 351–370

Morelet, Arthur

1872   Reisen in Central-Amerika. Deutsch von H. Hertz. Jena

Morley, Sylvanus G.

1937–38   The inscriptions of Peten. 5 Bände. Carnegie Institution of Washington, Publication No. 437. Washington, D. C.

1946   The ancient Maya. Stanford, California

Morley, Sylvanus G., George W. Brainerd und Robert J. Sharer

1983   The ancient Maya. 4. überarbeitete Auflage. Stanford, California (5. Auflage im Druck)

Otterbein, Keith F.

1970   The evolution of war – A cross-cultural study. New Haven, Connecticut

Palacio, Don Diego de

1576   Carta dirijida al Rey de España, por el Licenciado Dr. Don Diego Garcia de Palacio, Oydor de la Real Audiencia de Guatemala. Colección de Documentos Inéditos, México, D. F.

Parsons, Lee A.

1967–69   Bilbao, Guatemala – An archaeological study of the Pacific coast Cotzumalhuapa region. 2 Bände. Publications in Anthropology, Nos. 11 & 12. Milwaukee, Wisconsin

1986   The origins of Maya art – Monumental stone sculpture of Kaminaljuyu, Guatemala, and the southern Pacific coast. Studies in pre-Columbian Art and Archaeology, No. 28. Washington, D. C.

Pasztory, Esther

1972   The historical and religious significance of the Middle Classic ballgame. In: Religión en Mesoamerica, S. 441–455. Mesa Redonda, Núm. 12. México, D. F.

Pendergast, David M.

1981   An Ancient Maya Dignitary. Rotunda 13/4: 5–11. Royal Ontario Museum, Toronto.

1986   Stability through change – Lamanai, Belize, from the ninth to the seventeenth century. In: Jeremy A. Sabloff und E. Wyllys Andrews V (Hrsg.), Late lowland Maya civilization, S. 223–249. Albuquerque, New Mexico

Pohl, Mary D. (Hrsg.)

1985   Prehistoric lowland Maya environment and subsistence economy. Papers of the Peabody Museum of Archaeology and Ethnology, Vol. 77. Cambridge, Massachusetts

1990   Ancient Maya wetland agriculture – excavations on Albion Island, northern Belize, Boulder, Colorado

Pollock, Harry E. D.

1965   Architecture of the Maya lowlands. In: Robert Wauchope und Gordon R. Willey (Hrsg.), Handbook of Middle American Indians, Vol. 2 – Archaeology of southern Mesoamerica, Part 1, S. 378–440. Austin, Texas

1980   The Puuc – An architectural survey of the hill country of Yucatán and northern Campeche, Mexico. Memoirs of the Peabody Museum of Archaeology and Ethnology, Vol. 19. Cambridge, Massachusetts

Pollock, Harry E. D., Ralph L. Roys, Tatiana Proskouriakoff und A. Ledyard Smith

1962   Mayapan, Yucatan, Mexico. Carnegie Institution of Washington, Publication No. 619. Washington, D. C.

Pope, Kevin O. und Bruce H. Dahlin

1989   Ancient Maya wetland agriculture – New insights from ecological and remote sensing research. Journal of Field Archaeology, Vol. 16, No. 1, S. 87–106

Potter, David F.
1977   Maya architecture of the central Yucatán peninsula, Mexico. Middle American Research Institute, Publication No. 44. New Orleans, Louisiana

Preuss, Karl Theodor und Ernst Menghin
1937   Die mexikanische Bilderhandschrift Historia Tolteca-Chichimeca. Baessler-Archiv, Beiheft 9. Berlin

Proskouriakoff, Tatiana
1950   A study of Classic Maya sculpture. Carnegie Institution of Washington, Publication No. 593. Washington, D. C.
1955   The death of a civilization. Scientific American, Vol. 192, S. 82–88
1960   Historical implications of a pattern of dates at Piedras Negras, Guatemala. American Antiquity, Vol. 25, No. 4, S. 454–475
1961a   Portraits of women in Maya art. In: Samuel K. Lothrop et al., Essays in pre-Columbian art and archaeology, S. 81–99. Cambridge, Massachusetts
1961b   Lords of the Maya realm. Expedition, Vol. 4, No. 1, S. 14–21
1963a   Historical data in the inscriptions of Yaxchilán, Part 1. Estudios de Cultura Maya, Vol. 3, S. 149–167
1963b   An album of Maya architecture. Norman, Oklahoma
1964   Historical data in the inscriptions of Yaxchilán, Part 2. Estudios de Cultura Maya, Vol. 4, S. 177–201

Puleston, Dennis E.
1977   The art and archaeology of hydraulic agriculture in the Maya lowlands. In: Norman Hammond (Hrsg.), Social process in Maya prehistory, S. 449–467. London
1983   The settlement survey of Tikal. University Museum Monograph No. 48, Tikal Report No. 13 (Hrsg. William A. Haviland). Philadelphia, Pennsylvania

Quirarte, Jacinto
1983   Glyph bands, narrative glyphs and images in Maya pictorial vases. Research Center for the Arts and Humanities Review, Vol. 6, Nos. 2–3, S. 1–8

Rands, Robert L. und Barbara C. Rands
1965   Pottery figurines of the Maya lowlands. In: Gordon R. Willey (Hrsg.), Handbook of Middle American Indians, Vol. 2, Part 1 – Archaeology of southern Mesoamerica, S. 535–560. Austin, Texas

Rathje, William L.
1970   Socio-political implications of lowland Maya burials – Methodology and tentative hypotheses. World Archaeology, Vol. 1, No. 3, S. 359–374

Reilly III, F. Kent
1990   Cosmos and rulership – The function of Olmec-style symbols in Formative period Mesoamerica. Visible Language, Vol. 24, No. 1, S. 12–37

Rice, Don S. und T. Patrick Culbert
1990   Historical contexts for population reconstruction in the Maya Lowlands. In: T. Patrick Culbert und Don S. Rice (Hrsg.), Precolumbian population history in the Maya lowlands, S. 1–36. Albuquerque, New Mexico

Rice, Don S. und Prudence M. Rice
1990   Population size and population change in the central Peten lakes region, Guatemala. In: T. Patrick Culbert und Don S. Rice (Hrsg.), Precolumbian population history in the Maya lowlands, S. 123–148. Albuquerque, New Mexico

Rice, Don S., Prudence M. Rice und Edward S. Deevey, Jr.
1985   Paradise lost – Classic Maya impact on a lacustrine environment. In: Mary D. Pohl (Hrsg.), Prehistoric lowland Maya environment and subsistence economy. Papers of the Peabody Museum for Archaeology and Ethnology, Vol. 77, S. 91–105. Cambridge, Massachusetts

Rice, Prudence M. und Don S. Rice
1985   Topoxte, Macanche, and the central Peten Postclassic. In: Arlen F. Chase und Prudence M. Rice (Hrsg.), The lowland Maya Postclassic, S. 166–183. Austin, Texas

Riese, Berthold
1984a   Hel hieroglyphs. In: John S. Justeson und Lyle

Campbell (Hrsg.), Phoneticism in Mayan hieroglyphic writing, S. 263–286. Albany, New York

1984b   Dynastiegeschichtliche und kalendarische Beobachtungen an den Maya-Inschriften von Machaquilá, Petén, Guatemala. Tribus, Bd. 33, S. 149–154

Robertson, Donald
1970   The Tulum murals – The international style of the Late Post-Classic. In: Verhandlungen des 38. Internationalen Amerikanistenkongresses, Stuttgart–München, 12. bis 18. August 1968, Bd. 2, S. 77–88. München
1974   Architektur der Maya. In: Gordon R. Willey, Das Alte Amerika, S. 201–230. Propyläen Kunstgeschichte, Bd. 19. Frankfurt/M.

Robicsek, Francis und Donald M. Hales
1982   Maya ceramic vases from the Late Classic period – The November Collection of Maya ceramics. Charlottesville, Virginia

Roys, Lawrence
1934   The engineering knowledge of the Maya. Contributions to American Archaeology, Vol. II, No. 6, S. 27–105. Washington, D. C.

Roys, Ralph L.
1957   The political geography of the Yucatan Maya. Carnegie Institution of Washington, Publication No. 613. Washington, D. C.

Ruppert, Karl und John H. Denison, Jr.
1943   Archaeological reconnaissance in Campeche, Quintana Roo, and Peten. Carnegie Institution of Washington, Publication No. 543. Washington, D. C.

Ruppert, Karl, J. Eric S. Thompson und Tatiana Proskouriakoff
1955   Bonampak, Chiapas, Mexico. Carnegie Institution of Washington, Publication No. 602. Washington, D. C.

Ruz Lhuillier, Alberto
o. J.   Palenque – Guía oficial. México, D. F.
1952   Exploraciones arqueológicas en Palenque, 1949. In: Anales del Instituto Nacional de Antropología e Historia, Vol. 4, Núm. 32, S. 49–60

Sabloff, Jeremy A.
1973   Continuity and disruption during Terminal Late Classic times at Seibal – Ceramic and other evidence. In: T. Patrick Culbert (Hrsg.), The Classic Maya collapse, S. 107–131. Albuquerque, New Mexico
1977   Old myths, new myths – The role of sea traders in the development of ancient Maya civilization. In: Elizabeth P. Benson (Hrsg.), The sea in the pre-Columbian world, S. 67–95. Washington, D. C.
1990   The new archaeology and the ancient Maya. Scientific American Library Series, Vol. 30. New York
         deutsche Ausgabe:
1991   Die Maya – Archäologie einer Hochkultur. Bibliothek Spektrum der Wissenschaft, Bd. 29. Heidelberg

Sabloff, Jeremy A. und E. Wyllys Andrews V (Hrsg.)
1986   Late lowland Maya civilization – Classic to Postclassic. A School of American Research Book, Albuquerque, New Mexico

Sabloff, Jeremy A. und John D. Henderson (Hrsg.)
im   The peak of Lowland Maya civilization –
Druck   New understandings of eight century Maya development. Washington, D. C.

Sanders, William T.
1960   Prehistoric ceramics and settlement patterns in Quintana Roo, Mexico. Contributions to American Anthropology and History, Vol. 12, No. 60, Carnegie Institution of Washington, Publication No. 606. Washington, D. C.
1977   Environmental heterogeneity and the evolution of Lowland Maya civilization. In: Richard E. W. Adams (Hrsg.), The origins of Maya civilization, S. 287–297. School of American Research Advanced Seminar Series. Albuquerque, New Mexico

Sanders, William T. (Hrsg.)
1986–90 Excavaciones en el área urbana de Copán. 2 Bände. Tegucigalpa, Honduras

Sanders, William T. und Joseph W. Michels (Hrsg.)
1977   Teotihuacan and Kaminaljuyu – A study in prehistoric culture contact. The Pennsylvania State University Press Monograph Series on Kaminaljuyu. University Park, Pennsylvania

Sanders, William T. und David L. Webster
1988   The Mesoamerican urban tradition. American Anthropologist, Vol. 90, No. 3, S. 521–546

Santley, Robert S., Thomas Killion und Mark Lycott
1986   On the Maya collapse. Journal of Anthropological Research, Vol. 42, No. 2, S. 123–159

Satterthwaite, Linton
1958   The problem of abnormal stela placements at Tikal and elsewhere, Tikal Report No. 3, Museum Monographs. Philadelphia, Pennsylvania

Scarborough, Vernon L.
1991   Archaeology at Cerros, Belize, Central America, Vol. III – The settlement system in a Late Preclassic Maya community. Dallas, Texas

Scarborough, Vernon L. und G. Gallopin
1991   A water storage adaptation in the Maya lowlands, Science, Vol. 251, No. 4994, S. 658–662

Scarborough, Vernon L., Beverly Mitchum, Sorraya Carr und David A. Freidel
1982   Two Late Preclassic ballcourts at the lowland Maya center of Cerros, northern Belize. Journal of Field Archaeology, Vol. 9, No. 1, S. 21–34

Schávelzon, Daniel
1980   Temples, caves or monsters? Notes on zoomorphic facades in pre-Hispanic architecture. In: Merle Greene Robertson (Hrsg.), Third Palenque Round Table, 1978, Part 2, S. 151–162. The Palenque Round Table Series, Vol. V. Austin, Texas

Schele, Linda
1982   Maya glyphs – The verbs. Austin, Texas
1986   The founders of lineages at Copán and other Maya sites. Copán Note 8. Copán, Honduras
1987   Notebook for the Maya Hieroglyphic Writing Workshop at Texas. Austin, Texas
1988   Revisions to the dynastic chronology of Copán. Copán Note 45, Copán Mosaics Project. Copán, Honduras
1989a   The numbered-katun titles of Yax-Pac. Copán Note 65, Copán Mosaics Project, Copán, Honduras
1989b   Some further thoughts on the Quiriguá-Copán connection. Copán Note 67, Copán Mosaics Project, Copán, Honduras
1990a   House names and dedication rituals at Palenque. In: Flora S. Clancy und Peter D. Harrison (Hrsg.), Vision and revision in Maya studies, S. 143–157. Albuquerque, New Mexico
1990b   Early Quiriguá and the kings of Copán. Copán Note 75, Copán Mosaics Project, Copán, Honduras
1991a   An epigraphic history of the western Maya region. In: T. Patrick Culbert (Hrsg.), Classic Maya political history, S. 72–101. Cambridge, Massachusetts
1991b   Another look at Stela 11. Copán Note 103. Copán, Honduras
1992   Workbook for the XVIth Maya Hieroglyphic Workshop at Texas. Austin, Texas

Schele, Linda und David Freidel
1990   A forest of kings – The untold story of the ancient Maya. New York
        deutsche Ausgabe:
1991   Die unbekannte Welt der Maya – Das Geheimnis ihrer Kultur entschlüsselt. München

Schele, Linda und Nikolai Grube
1990   Six-staired ballcourts. Copán Note 86, Copán Mosaics Project. Copán, Honduras

Schele, Linda und Peter Mathews
1979   The Bodega of Palenque, Chiapas, Mexico. Washington, D. C.
1991   Royal visits and intersite relationships among the Classic Maya. In: T. Patrick Culbert (Hrsg.), Classic Maya political history, S. 226–252. Cambridge, Massachusetts

Schele, Linda und Mary Ellen Miller
1986   The blood of kings – Dynasty and ritual in Maya art. Fort Worth, Texas

Schele, Linda et al.
1991   New readings of glyphs for the month kumk'u and their implications. Texas Notes on Precolumbian Art, Writing, and Culture, No. 15. Austin, Texas

Seler, Eduard
1904–23 Gesammelte Abhandlungen zur Amerikanischen Sprach- und Altertumskunde, Bd. 2–4. Berlin

Service, Elman
1962   Primitive social organization. New York
1975   Origins of the state and civilization. New York
        deutsche Ausgabe:
1977   Ursprünge des Staates und der Zivilisation.
        Frankfurt/M.

Sharer, Robert J.
1978   Archaeology and history at Qurigua, Guate-
        mala. Journal of Field Archaeology, Vol. 5,
        No. 1, S. 51–70
1982   Did the Maya collapse? A New World perspec-
        tive on the demise of Harappan civilization. In:
        G. A. Possehl (Hrsg.), Harappan civilization –
        a contemporary perspective. Neu Delhi
1988   Quirigua as a Classic Maya center. In:
        Elizabeth H. Boone und Gordon R. Willey
        (Hrsg.), The southeast Classic Maya zone,
        S. 31–65. Washington, D. C.
1990   Quirigua – A Classic Maya center and its
        sculptures. Centers of Civilization. Durham,
        North Carolina
1991   Diversity and continuity in Maya civilization –
        Quirigua as a case study. In: T. Patrick Cul-
        bert (Hrsg.), Classic Maya political history,
        S. 180–198. Cambridge

Sharer, Robert J. und David W. Sedat
1987   Archaeological investigations in the northern
        Maya highlands, Guatemala – Interaction and
        development of Maya civilization. University
        Museum Monograph No. 59. Philadelphia,
        Pennsylvania

Shook, Edwin
1990   Recollections of a Carnegie archaeologist. An-
        cient Mesoamerica, Vol. 1, No. 2, S. 247–252

Smet, Peter de
1985   Ritual enemas and snuffs in the Americas.
        Latin American Studies, No. 33. Amsterdam

Smith, A. Ledyard
1937   Structure A–XVIII, Uaxactún. Contributions
        to American Anthropology and History, Vol. 4,
        No. 20, Carnegie Institution of Washington,
        Publication No. 483. Washington, D. C.
1950   Uaxactún, Guatemala – Excavations of 1931–
        1937. Carnegie Institution of Washington,
        Publication No. 588. Washington, D. C.
1961   Types of ballcourts in the highland of

Guatemala. In: Samuel K. Lothrop et al.
(Hrsg.), Essays in Pre-Columbian art and archaeology, S. 100–125. Cambridge, Massachusetts
1962   Architecture of the Guatemalan highlands. In:
        Gordon R. Willey (Hrsg.), Handbook of Middle
        American Indians, Vol. 2, Part 1 – Archaeology
        of southern Mesoamerica, S. 76–94. Austin,
        Texas
1977   The corbeled arch in the New World. In:
        Clarence L. Hay et al. (Hrsg.), The Maya and
        their neighbors, S. 202–221. New York

Smith, Robert E.
1955   Ceric sequence at Uaxactun, Guatemala. 2
        Bände. Middle American Research Institute,
        Publication No. 20. New Orleans, Louisiana

Sosa, John
1986   Maya concepts of astronomical order. In: Gary
        H. Gossen (Hrsg.), Symbol and meaning
        beyond the closed community – Essays in
        Mesoamerican ideas, S. 185–196. Studies on
        Culture and Society, Vol. 1, Albany, New York

Stephens, John L.
1980   In den Städten der Maya – Reisen und Ent-
        deckungen in Mittelamerika und Mexiko
        1839–1842. Köln

Stern, Theodore
1966   The rubber-ball games of the Americas.
        Monograph of the American Ethnographical
        Society, No. 17. Seattle/London

Stierlin, Henri
1964   Maya – Guatemala, Honduras, Yukatan. Ar-
        chitektur der Welt. Fribourg, Schweiz

Stone, Andrea
1982   Recent discoveries from Naj Tunich. Mexicon
        Vol. IV, Nos. 5–6, S. 93–99

Stromsvik, Gustav
1953   The ballcourts at Copán. Contributions to
        American Anthropology and History, No. 55,
        S. 185–222, Washington, D. C.

Stross, Brian und Justin Kerr
1990   Notes on the Maya vision quest through enema. In: Justin Kerr, The Maya Vase Book – A corpus of rollout photographs of Maya vases, Vol. 2, S. 349–361. New York

Stuart, David
1983   A glyph for »stone incensario«. Copán Note 2, Copán Mosaics Project, Copán, Honduras
1985a   The Yaxha Emblem Glyph as *Yax-ha*. Research Reports on Ancient Maya Writing, No. 1. Washington, D. C.
1985b   The »count of captives« epithet in Classic Maya writing. In: Merle Greene Robertson und Virginia M. Fields (Hrsg.), Fifth Palenque Round Table, 1983, S. 97–101. The Palenque Round Table Series, Vol. VII. San Francisco
1987   Ten phonetic syllables. Research Reports on Ancient Maya Writing, No. 14. Washington, D. C.
1989   Hieroglyphs on Maya vessels. In: Justin Kerr (Hrsg.), The Maya Vase Book, Vol. 1, S. 149–160. New York

Stuart, David und Stephen D. Houston
1989   Maya writing. Scientific American, Vol. 261, No. 2, S. 82–89
        deutsch:
1989   Die Maya-Schrift. Spektrum der Wissenschaft, Nr. 10. S. 138–145
im Druck Classic Maya place names. Washington, D. C.

Stuart, David und Linda Schele
1986a   *Yax-K'uk'-Mo',* the founder of the lineage of Copán. Copán Note 6, Copán, Honduras
1986b   Interim report on the Hieroglyphic Stairs of Structure 26. Copán Note 17, Copán Mosaics Poroject, Copán, Honduras

Stuart, George E.
1981   Maya art treasures discovered in cave. National Geographic, Vol. 160, No. 2, S. 220–235
1989a   The beginning of Maya hieroglyphic study – Contributions of Constantine S. Rafinesque and James H. McColloh, Jr. Research Reports on Ancient Maya Writing, No. 29. Washington, D. C.
1989b   Copán – City of kings and commoners. National Geographic, Vol. 176, No. 4, S. 488–502

Sullivan, Paul
1989   Unfinished conversations – Mayas and foreigners between two wars. New York

Taladoire, Eric
1981   Les terrains de jeu de balle (Mésoamérique et Sud-Ouest des Etats-Unis). Etudes Mésoaméricaines, Série II. No. 4. México, D. F.

Tate, Carolyn
1985   The carved ceramics called Chocholá. In: Merle Greene Robertson und Virginia M. Fields (Hrsg.), Fifth Palenque Round Table, 1983, S. 123–133. The Palenque Round Table Series, Vol. VII. San Francisco
1991   The period ending stelae of Yaxchilán. In: Merle Greene Robertson und Virginia M. Fields (Hrsg.), Sixth Palenque Round Table, 1986, S. 102–109. The Palenque Round Table Series, Vol. 8. Norman, Oklahoma
1992   Yaxchilan – The design of a Maya ceremonial city. Austin, Texas

Taube, Karl A.
1985   The Classic Maya maize god – A reappraisal. In: Merle Greene Robertson und Virginia M. Fields (Hrsg.), Fifth Palenque Round Table, 1983, S. 171–181. The Palenque Round Table Series, Vol. VII. San Francisco
1988   A prehispanic Maya katun wheel. Journal of Anthropological Research, Vol. 44, No. 2, S. 183–203

Tedlock, Dennis
1985   Popol Vuh – The definitive edition of the Mayan book of the dawn of life and the glories of gods and kings. New York

Thompson, Edward H.
1897   The chultunes of Labná, Yucatan – Report of explorations by the museum, 1888–89 and 1890–91. Memoirs of the Peabody Museum of Archaeology and Ethnology, Vol. I, No. 3. Cambridge, Massachusetts
1911   The genesis of the Maya arch. American Anthropologist, N. S. Vol. 13, No. 4, S. 501–517

Thompson, John Eric S.
1936   Explorations in Campeche and Quintana Roo and excavations at San José, British Honduras. Yearbook of the Carnegie Institution of

Washington, No. 35, S. 125–128. Washington, D. C.

1950   Maya hieroglyphic writing – An introduction. Carnegie Institution of Washington, Publication No. 589. Washington, D. C.

1957   The rise and fall of Maya civilization. Norman, Oklahoma

deutsche Ausgabe:

1975   Die Maya – Aufstieg und Niedergang einer Indianerkultur. Magnus Kulturgeschichte. Essen

1962   A catalog of Maya hieroglyphs. Norman, Oklahoma

1970   Maya history and religion. Norman, Oklahoma

1972   A commentary on the Dresden Codex – A Maya hieroglyphic book. Memoirs of the American Philosophical Society, Vol. 93. Philadelphia, Pennsylvania

Tourtellot III, Gair

1988   Excavations at Seibal. Peripheral survey and excavations – settlement and community patterns. Memoirs of the Peabody Museum of Archaeology and Ethnology, Vol. 16 (Hrsg. Gordon R. Willey). Cambridge, Massachusetts

Tourtellot III, Gair, Jeremy A. Sabloff und K. Carmean

1992   Will the real elites please stand up? In: Diane Z. und Arlen F. Chase (Hrsg.), Mesoamerican elites, S. 80–89. Norman, Oklahoma

Tourtellot III, Gair, Jeremy A. Sabloff und Michael Smyth

1990   Room counts and population estimation for Terminal Classic Sayil in the Puuc region, Yucatan, Mexico. In: T. Patrick Culbert und Don S. Rice (Hrsg.), Precolumbian population history in the Maya lowlands, S. 245–261. Albuquerque, New Mexico

Tozzer, Alfred M.

1941   Landa's Relación de las cosas de Yucatán – A translation. Papers of the Peabody Museum of American Archaeology and Ethnology, Vol. 18. Cambridge, Massachusetts

1957   Chichen Itza and its cenote of sacrifice – A comparative study of contemporaneous Maya and Toltec. Memoirs of the Peabody Museum of Archaeology and Ethnology, Vols. 11 and 12. Cambridge, Massachusetts

Trik, Aubry

1939   Temple XXII at Copan. Contributions to American Anthropology and History, Vol. 5, No. 27. Washington, D. C.

1963   The splendid tomb of Temple I, Tikal, Guatemala. Expedition, Vol. 6, No. 1, S. 2–18

Tuerenhout, Dirk van

1991   The socio-cultural context of the ballcourt at Nohmul, Belize. In: Gerard W. van Bussel, Paul L. F. van Dongen und Ted J. J. Leyenaar (Hrsg.), The Mesoamerican ballgame, S. 59–69. Mededelingen van het Rijksmuseum voor Volkenkunde, No. 26. Leiden

Turner II, B. L.

1983   Once beneath the forest – Prehistoric terracing in the Río Bec region of the Maya lowlands. Boulder, Colorado

Turner II, B. L. und Peter D. Harrison (Hrsg.)

1983   Pulltrouser Swamp – Ancient Maya habitat, agriculture, and settlement in northern Belize. The Texas Pan American Series. Austin, Texas

Urban, Patricia A. und Edward M. Schortman (Hrsg.)

1986   The southeast Maya periphery. Austin, Texas

Valdés, Juan Antonio

1986   Uaxactún – recientes investigaciones. Mexicon, Vol. VIII, Nr. 6, S. 125–128

1989   El Grupo H de Uaxactún – evidencias de un grupo de poder durante el Preclásico. In: Memorias del II Coloquio Internacional de Mayistas, Vol. 1, S. 603–624. México, D. F.

Vogt, Evon Z.

1969   Zinacantan – A Maya community in the highlands of Chiapas. Cambridge, Massachusetts

1970   The Zinacantecos of Mexico – A modern Maya way of life. Case Studies in Cultural Anthropology. New York

Vries, Reina de

1988   El yugo del juego de pelota como molde para cinturones de cuero. Mexicon, Vol. X, Nr. 5, S. 90–96

1991   El yugo del juego de pelota como molde para cinturones de cuero. In: Gerard W. van Bussel, Paul L. F. van Dongen und Ted J. J. Leyenaar

(Hrsg.), The Mesoamerican ballgame, S. 189–202. Mededelingen van het Rijksmuseum voor Volkenkunde, No. 26. Leiden

Wallace, Dwight T. und Robert M. Carmack (Hrsg.)
1977   Archaeology and ethnohistory of the central Quiche, Institute of Mesoamerican Studies, Publication No. 1, Albany, New York

Webster, David L.
1976   Defensive earthworks at Becan, Campeche, Mexico – Implications for Maya warfare. Middle American Research Institute, Publication No. 41. New Orleans, Louisiana
1977   Warfare and the evolution of Maya civilization. In: Adams, Richard E. W. (Hrsg.), The origins of Maya civilization, S. 335–371. School of American Research Advanced Seminar Series. Albuquerque, New Mexico

Webster, David L. (Hrsg.)
1989   The House of the Bacabs, Copan, Honduras. Studies in Pre-Columbian Art and Archaeology, No. 29, Washington, D. C.

Webster, David L. und Elliot K. Abrams
1983   An elite compound at Copan, Honduras. Journal of Field Archaeology, Vol. 10, No. 3, S. 285–296

Webster, David L. und Ann Corrinne Freter
1990   The demography of Late Classic Copán. In: T. Patrick Culbert und Don S. Rice (Hrsg.), Precolumbian population history in the Maya lowlands. Albuquerque, New Mexico

Welsh, W. B. M.
1988   An analysis of Classic lowland Maya burials. BAR International Series, Vol. 409. Oxford

Wilbert, Johannes und Karin Simoneau
1977–91 Folk literature of South American Indians. 24 Bände. UCLA Latin American Center Publications. Los Angeles

Wilhelmy, Herbert
1981   Welt und Umwelt der Maya – Aufstieg und Untergang einer Hochkultur. München (2., durchgesehene Taschenbuch-Auflage 1989)

Willey, Gordon R.
1972   The artifacts of Altar de Sacrificios. Papers of the Peabody Museum of Archaeology and Ethnology, Vol. 64, No. 1. Cambridge, Massachusetts
1974   The Classic Maya hiatus – a »rehearsal« for the collapse? In: Norman Hammond (Hrsg.), Mesoamerican archaeology – new approaches. Proceedings of a symposium on Mesoamerican archaeology held by the University of Cambridge Centre of Latin American Studies, August 1972, S. 417–444. Austin, Texas
1987   Changing conceptions of lowland Maya culture history. In: Willey, Gordon R., Essays in Maya archaeology, S. 189–207. Albuquerque, New Mexico
1990   General summary and conclusions. In: Gordon R. Willey (Hrsg.), Excavations at Seibal, Department of Peten, Guatemala, Memoirs of the Peabody Museum of Archaeology and Ethnology, Vol. 17, No. 4, S. 175–276. Cambridge, Massachusetts

Willey, Gordon R., William R. Bullard, John B. Glass und James C. Gifford
1965   Prehistoric Maya settlements in the Belize Valley. Papers of the Peabody Museum of Archaeology and Ethnology, Vol. 54. Cambridge, Massachusetts

Winfield Capitaine, Fernando
1988   La Estela 1 de La Mojarra, Veracruz, México. Research Reports on Ancient Maya Writing, No. 16. Washington, D. C.

Woodbury, Richard B. und Aubrey Trik
1953   The ruins of Zaculeu, Guatemala. 2 Bände. New York

Wren, Linnea und Peter Schmidt
1991   Elite interaction during the Terminal Classic period – New evidence from Chichen Itza. In: T. Patrick Culbert (Hrsg.), Classic Maya political history, S. 199–225. Cambridge

Wurster, Wolfgang W.
1991   Die Gewölbekonstruktionen der Maya im vorspanischen Amerika. Architectura, Zeitschrift für Geschichte der Baukunst 21, S. 97–120

Yoffee, Norman und George L. Cowgill (Hrsg.)

1988   The collapse of ancient states and civilizations. Tucson, Arizona

Zimmermann, Günter

1956   Die Hieroglyphen der Maya-Handschriften. Universität Hamburg, Abhandlungen aus dem Gebiet der Auslandskunde, Band 62, Reihe B – Bd. 34. Hamburg

Zeittafel mit wichtigen kulturhistorischen Daten

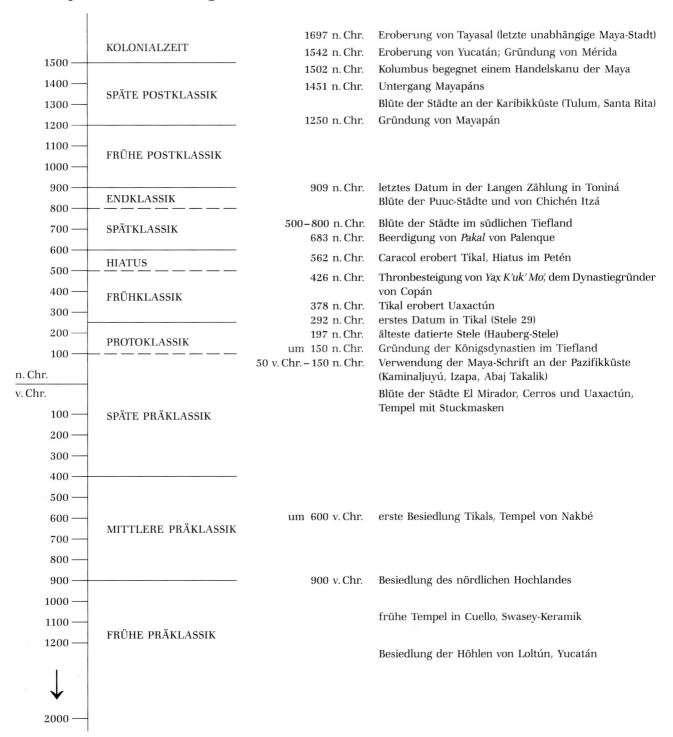

KOLONIALZEIT	1697 n. Chr.	Eroberung von Tayasal (letzte unabhängige Maya-Stadt)
1500	1542 n. Chr.	Eroberung von Yucatán; Gründung von Mérida
1400	1502 n. Chr.	Kolumbus begegnet einem Handelskanu der Maya
SPÄTE POSTKLASSIK	1451 n. Chr.	Untergang Mayapáns
1300		Blüte der Städte an der Karibikküste (Tulum, Santa Rita)
1200	1250 n. Chr.	Gründung von Mayapán
1100		
FRÜHE POSTKLASSIK		
1000		
900	909 n. Chr.	letztes Datum in der Langen Zählung in Toniná
ENDKLASSIK		Blüte der Puuc-Städte und von Chichén Itzá
800		
700 SPÄTKLASSIK	500–800 n. Chr.	Blüte der Städte im südlichen Tiefland
	683 n. Chr.	Beerdigung von *Pakal* von Palenque
600		
500 HIATUS	562 n. Chr.	Caracol erobert Tikal, Hiatus im Petén
400	426 n. Chr.	Thronbesteigung von *Yax K'uk' Mo'*, dem Dynastiegründer von Copán
FRÜHKLASSIK		
300	378 n. Chr.	Tikal erobert Uaxactún
200	292 n. Chr.	erstes Datum in Tikal (Stele 29)
PROTOKLASSIK	197 n. Chr.	älteste datierte Stele (Hauberg-Stele)
100	um 150 n. Chr.	Gründung der Königsdynastien im Tiefland
n. Chr.	50 v. Chr. – 150 n. Chr.	Verwendung der Maya-Schrift an der Pazifikküste (Kaminaljuyú, Izapa, Abaj Takalik)
v. Chr.		
100		Blüte der Städte El Mirador, Cerros und Uaxactún, Tempel mit Stuckmasken
SPÄTE PRÄKLASSIK		
200		
300		
400		
500		
600	um 600 v. Chr.	erste Besiedlung Tikals, Tempel von Nakbé
MITTLERE PRÄKLASSIK		
700		
800		
900	900 v. Chr.	Besiedlung des nördlichen Hochlandes
1000		
1100		frühe Tempel in Cuello, Swasey-Keramik
FRÜHE PRÄKLASSIK		
1200		Besiedlung der Höhlen von Loltún, Yucatán
2000		

Ausgewählte Herrscher-Dynastien der Maya

I DIE KÖNIGLICHE DYNASTIE VON MACHAQUILÁ

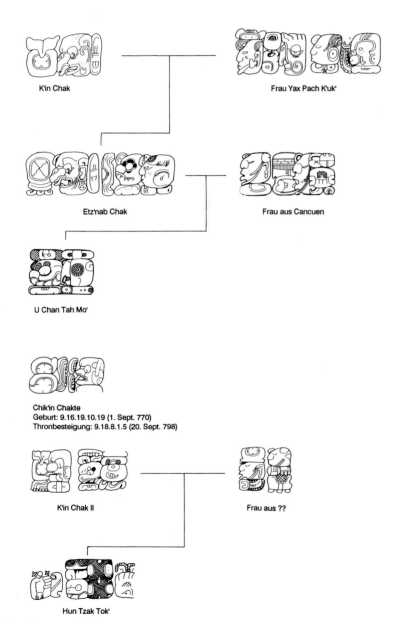

K'in Chak

Frau Yax Pach K'uk'

Etz'nab Chak

Frau aus Cancuen

U Chan Tah Mo'

Chik'in Chakte
Geburt: 9.16.19.10.19 (1. Sept. 770)
Thronbesteigung: 9.18.8.1.5 (20. Sept. 798)

K'in Chak II

Frau aus ??

Hun Tzak Tok'

Fortsetzung

·
·
·

Yax K'uk' Mo'

Herrscher 2

Herrscher 3

Ku-Ix

Herrscher 5

Herrscher 6

Seerose-Jaguar

Herrscher 8

Herrscher 9
Tod: 9.5.17.13.7 (28. Dez. 551)

·
·
·

Fortsetzung oben

Mond-Jaguar
Thronbesteigung: 9.5.19.3.0 (24. Mai 553)
Tod: 9.7.4.17.4 (24. Okt. 578)

Butz' Chan
Geburt: 9.6.9.4.6 (28. April 563)
Thronbesteigung: 9.7.5.0.8 (17. Nov. 578)
Tod: 9.9.14.16.9 (20. Jan. 628)

Rauch-Imix Gott K Thronbesteigung: 9.9.14.17.5 (5. Feb. 628)
                   Tod: 9.13.3.5.7   (15. Juni 695)

Waxaklahun Ubah K'awil
Thronbesteigung: 9.13.3.6.8 (6. Juli 695)
Tod: 9.15.6.14.6 (30. April 738)

Rauch-Affe
Thronbesteigung: 9.15.6.16.5 (7. Juni 738)
Tod: 9.15.17.12.16 (31. Jan. 749)

Butz' Yip
Thronbesteigung: 9.15.17.13.10 (14. Feb. 749)   Frau Yax Nik Ye Xok aus Palenque

Yax Pak   Yahaw Chan Ah Bak   Yax K'amlay
Thronbesteigung: 9.16.12.5.17 (28. Juni 763)
Tod: etwa 820

U Kit Tok'
Thronbesteigung: 9.19.11.14.5 (6. Feb. 822)

Herrscher 1
Thronbesteigung: 9.8.10.6.16 (14. Feb. 603)

Herrscher 2
Geburt: 9.9.13.14.1 (8. Dez. 626)
Thronbesteigung: 9.10.6.5.9 (12. April 639)
Tod: 9.12.14.10.14 (16. Nov. 686)

Herrscher 3 (Mah K'ina Yonal Ak)
Geburt: 9.11.12.7.2 (29. Dez. 664)
Thronbesteigung: 9.12.14.13.1 (2. Jan. 687)

Frau Xaman Ahaw
Heirat: 9.12.14.10.11

Frau K'in Huntan Ak

Herrscher 4
Geburt: 9.13.9.14.15 (18. Nov. 701)
Thronbesteigung: 9.14.18.3.13 (9. Nov. 729)
Tod: 9.16.6.11.17 (26. Nov. 757)
Beerdigung: 9.16.6.12.0 (29. Nov. 751)

Herrscher 5
Geburt: ?
Thronbesteigung: 9.16.12.10.8 (27. Sept. 763)

Herrscher 6
Geburt: 9.15.18.16.7 (7. April 750)
Thronbesteigung: 9.17.10.9.4 (31. Mai 781)

Fortsetzung
•
•
•

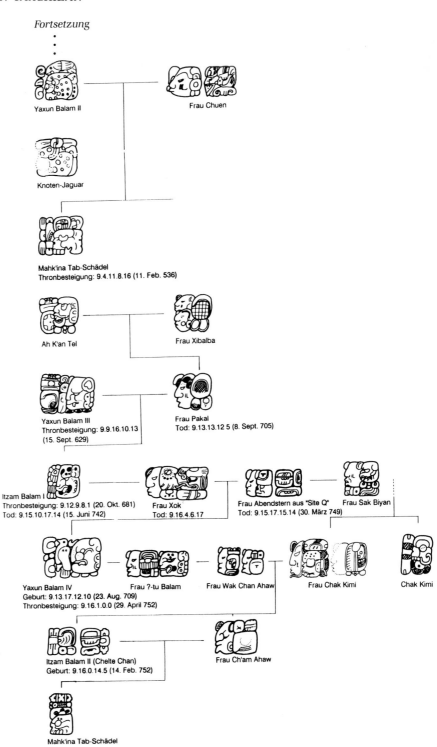

Penis-Jaguar
Thronbesteigung: 8.16.2.9.1 (23. Juli 359)

Vogelgott-Jaguar

Yaxun Balam I
Thronbesteigung: 8.17.1.17.16 (6. Okt. 378)

Yax-Hirschgeweih-Schädel
Thronbesteigung: 8.17.13.3.8 (20. Okt. 389)

Herrscher 5
Thronbesteigung: 8.18.6.5.13 (27. Sept. 402)

Mahk'ina Tab-Schädel I

Mond-Schädel
Thronbesteigung: 8.19.7.11.8 (2. Okt. 423)
•
•
•

Fortsetzung oben

633

Photonachweis

I. Zu den Einleitungsbeiträgen

A. Braun	13, 14, 37, 43, 61, 74, 75, 86, 87, 90, 117, 166, 173
G. W. van Bussel	120
J. Castro	64
A./D. Chase	161, 162, 165, 171, 172
N. P. Dunning	68
E. Eggebrecht	2, 4, 8, 10, 15, 16, 18, 19, 22, 23, 25–27, 32, 36, 45, 47, 62, 73, 81–84, 88, 89, 168
A. Gross	12, 35, 63, 65, 71, 77, 78, 113, 144, 145, 157, 158, 170
N. Grube	40, 59, 60, 133, 134, 156
S. T. Houston	94
J. Kerr	52, 92, 95, 96, 99, 108–110, 118, 123, 125, 126, 128, 146, 151–155, 174, 175
T. J. Leyenaar	111, 114, 115
T. Maler	80
Museum für Völkerkunde, Basel	41
Peabody Museum of Archaeology and Ethnology, Harvard University, Cambridge	48, 106, 107
Rijksmuseum voor Volkenkunde, Leiden	119
R. Schulte	112, 169
I. Seipel	49, 50, 91
E. Thiem (Lotosfilm)	38, 39, 46, 51, 54, 57, 58, 67, 93, 98, 105, 137, 143
J. A. Valdés	21, 30
E. Wagner	56
H. Wilhelmy	7, 11

II. Zu den Katalogtexten

The British Museum	1, 57, 150, 171
The Cleveland Museum of Art, The Norweb Collection, Cleveland	99
E. Eggebrecht	107 (Insert)
N. Grube	30, 58
Instituto Hondureño de Antropología e Historia, Tegucigalpa	120
J. Kerr	5, 37, 64 (Insert), 92–96, 124, 125, 153, 171 (Insert), 175
Museo Nacional »Dr. David J. Guzman«, San Salvador	27, 89, 134, 138–140
Museo Nacional de Arqueología y Etnología, Guatemala-Stadt	41, 47, 77, 78
Museum Rietberg, Zürich (Wettstein/Kauf)	53, 82, 83, 148, 172, 265
National Museum of the American Indian, Heye Foundation, New York (K. Furth/D. Heald)	52, 76, 88, 100, 101, 104, 105, 116, 129A, 133, 165, 176, 177

G. D. Orti   67
Peabody Museum of Archaeology and Ethnology,
  Harvard University, Cambridge, Massachusetts (H. Burger)   32, 110, 111, 130–132, 149, 156, 219–228
Rautenstrauch-Joest-Museum für Völkerkunde, Köln   174
Reiß-Museum Mannheim, Jean Christen   264
F. Wade   29 (l.), 244
P. Windszus   108, 113
E. Thiem (Lotosfilm)   2–4, 6–26, 28, 29 (r.), 31, 33–36, 38–40, 42–46, 49–51,
                                                                               54–56, 59, 60–66, 68–75, 79–81, 84–87, 90, 91, 97, 98, 101,
                                                                               102, 103, 106, 107, 109, 112, 114, 115, 117–119, 121–123,
                                                                               126–129, 133 A, 135–137, 141–147, 151, 152, 154, 155,
                                                                               157–164, 166–170, 173, 178–218, 229–243, 245–254

Die Welt der Maya – Wien
  Kunsthistorisches Museum   255–263

Graphiknachweis

I. Zu den Einleitungsbeiträgen

R. Anguiano/P. Morales	28
Atelier für Werbegestaltung H. Schmelzer, Hildesheim	1, 42, 85, 101, 164
G. W. van Bussel	116
nach: F. Catherwood, 1844	5, 6, 160
F. Catherwood, in: J. L. Stephens, 1841	103, 104, 159
A./D. Chase	163
N. P. Dunning	66, 69, 70
N. Grube	97, 102, 135, 138, 139–142, 147, 148, 150
J. Klang	20 (nach: K. Hirth), 24, 44
nach: D. de Landa, 1990	72, 132
U. Lohoff-Erlenbach	17 (nach: J. A. Valdés), 33/34 (nach: N. Grube)
P. Mathews	55
P. Morales	31
nach: T. Proskouriakoff, 1958	76, 167
L. Schele	53, 121, 122, 124, 127, 129–131
D. Stewart	100, 136, 149
J. A. Valdés	29 (nach: A. Canel)
H. Wilhelmy	3, 9
W. Wurster	79

II. Zu den Katalogtexten

N. Grube	zu Kat.-Nr. 48, 50, 54, 88, 99, 135, 153, 154, 156, 161, 163, 174